AGATHA CHRISTIE

MISTÉRIOS DOS ANOS 40

Estes títulos estão publicados também na Coleção **L&PM** POCKET

M ou N?
Título original: *N or M?*
Tradução: Celina Cavalcante Falck-Cook

Hora Zero
Título original: *Towards Zero*
Tradução: Joice Elias Costa

Um brinde de cianureto
Título original: *Sparkling Cyanide*
Tradução: Carlos André Moreira

A Casa Torta
Título original: *Crooked House*
Tradução: Débora Landsberg

AGATHA CHRISTIE

MISTÉRIOS DOS ANOS 40

M ou N?

Hora Zero

Um brinde de cianureto

A Casa Torta

L&PM EDITORES

Texto de acordo com a nova ortografia
Título original: *Agatha Christie: 1940s omnibus*
Capa: © HarperCollins 2005. *Ilustrações*: modelo, FPG/Getty Images; seringa, Simon Belcher/Alamy/Latinstock
Foto da autora: © Christie Archives Trust
Revisão: L&PM Editores

1ª edição: primavera de 2013
2ª edição: outono de 2014

CIP-Brasil. Catalogação na fonte
Sindicato Nacional dos Editores de Livros, RJ.

C479a

Christie, Agatha, 1890-1976
Agatha Christie: Mistérios dos anos 40 / Agatha Christie; tradução Celina Cavalcante Falck-Cook ... [et al.] – 2. ed. – Porto Alegre, RS: L&PM, 2014.
664 p. ; 23 cm.

Tradução de: *Agatha Christie: 1940s omnibus*
Conteúdo: M ou N? / tradução Celina Cavalcante Falck-Cook - Hora Zero / tradução Joice Elias Costa - Um brinde de cianureto / tradução Carlos André Moreira - A Casa Torta / tradução Débora Landsberg
ISBN 978-85-254-2944-5

1. Ficção policial. 2. Romance inglês. I. Cook, Celina Cavalcante Falck-. II. Costa, Joice Elias. III. Moreira, Carlos André. IV. Landsberg, Débora. V. Título. VI. M ou N? VII. Hora Zero. VIII. Um brinde de cianureto. IX. A Casa Torta.

13-03433 CDD: 823
CDU: 821.111-3

Rua Comendador Coruja, 314, loja 9 – Floresta – 90220-180
Porto Alegre – RS – Brasil / Fone: 51.3225.5777 – Fax: 51.3221.5380

PEDIDOS & DEPTO. COMERCIAL: vendas@lpm.com.br
FALE CONOSCO: info@lpm.com.br
www.lpm.com.br

Impresso pela Meta Brasil
2021

SUMÁRIO

M ou N? | 7

Hora Zero | 167

Um brinde de cianureto | 333

A Casa Torta | 509

Sobre a autora | 661

M ou N?

Tradução de Celina Cavalcante Falck-Cook

CAPÍTULO 1

I

Tommy Beresford tirou o sobretudo no hall do apartamento. Pendurou-o com certo cuidado, sem pressa. Em seguida colocou o chapéu no cabide próximo, também cuidadosamente.

Depois aprumou-se, estampou um sorriso resoluto no rosto e entrou na sala de estar, onde sua esposa estava sentada tricotando um gorro com lã cáqui.

Era primavera de 1940.

A sra. Beresford relanceou os olhos para o marido, dedicando-se em seguida a tricotar em uma velocidade incrível. Depois de um ou dois minutos, indagou:

– Saiu alguma notícia no jornal vespertino?

Tommy respondeu:

– A guerra vem aí, urra, urra! A coisa está feia na França.

Tuppence falou:

– O mundo está um horror no momento.

Fez-se uma pausa, e depois Tommy disse:

– Ora, por que você não pergunta? Não precisa ser tão diplomática assim.

– Concordo – admitiu Tuppence. – É mesmo bem irritante quando uma pessoa é deliberadamente diplomática. Mas, se eu começar a lhe fazer perguntas, você também vai se irritar. E, além do mais, nem preciso perguntar. É óbvio, basta olhar para você.

– Não sabia que eu estava com cara de cachorrinho tristonho.

– Não, querido – disse Tuppence. – Você estava com um sorriso corajoso estampado no rosto que foi uma das coisas mais comoventes que já vi.

Tommy respondeu, com um sorriso:

– Não me diga, meu sorriso foi mesmo assim tão ruim?

– Bota ruim nisso! Pode ir desabafando. Nada feito?

– Nada feito. Eles não me querem para nada. Vou te contar, Tuppence, é duro quando fazem alguém como eu, um homem de 46 anos, se sentir mal desse jeito, como se fosse um vovô senil. Exército, Marinha, Força Aérea, Ministério do Exterior, todos dizendo a mesma coisa: estou velho demais. Pode ser que precisem de mim mais tarde.

Tuppence comentou:

– Comigo é a mesma coisa. Eles não querem ninguém da minha idade trabalhando como enfermeira, de jeito nenhum. E nem para fazer mais nada. Preferem uma garotinha boba que nunca viu um ferimento nem esterilizou uma atadura a alguém que trabalhou durante três anos, de 1915 a 1918, em várias atividades, como enfermeira de ala cirúrgica e de teatro de operações, motorista de caminhonete de entregas de suprimentos e depois de um general. A primeira, a segunda e a terceira delas, declaro eu, sem pestanejar, com evidente êxito. E agora, de repente, sou uma coitada de meia-idade, cansativa e teimosa, que insiste em não ficar quietinha em casa tricotando, como devia.

Tommy respondeu, tristonho:

– Que inferno essa guerra...

– Já é ruim estarmos em guerra – completou Tuppence –, mas pior ainda é não permitirem que a gente faça nada nela.

Tommy lembrou, à guisa de consolo:

– Pelo menos a Deborah arranjou um emprego.

A mãe de Deborah respondeu:

– É, ela se deu bem. E pelo que sei vai se sair bem também. Mas, mesmo assim, Tommy, acho que eu poderia ter insistido para que a Deborah ficasse em casa.

Tommy deu um largo sorriso.

– Ela não concordaria.

Tuppence respondeu:

– As filhas às vezes dão um trabalho daqueles. Principalmente quando resolvem ser boazinhas conosco de livre e espontânea vontade.

Tommy murmurou:

– A forma como o Derek me trata às vezes é difícil de suportar. Aquele olhar dele, de "coitadinho do papai"...

– Aliás – disse Tuppence –, nossos filhos, embora uns amores, também são de enlouquecer.

Ao mencionar os gêmeos, porém, Derek e Deborah, o olhar de Tuppence enterneceu-se.

– Suponho – disse Tommy, pensativo – que seja sempre difícil as pessoas perceberem por si mesmas que estão chegando à meia-idade e que não podem mais fazer certas coisas.

Tuppence bufou de raiva, sacudiu a reluzente cabeleira castanho-escura e deixou o novelo de lã cáqui rolar do seu colo para o chão.

– Nós não podemos mais fazer certas coisas? Será mesmo que não podemos? Ou será que a verdade é que todos vivem insinuando que não podemos? Às vezes, sinto-me como se nunca tivéssemos servido para nada.

– Muito provável – concordou Tommy.

– Talvez. Mas pelo menos nós pensávamos que éramos importantes antes. E agora estou começando a me sentir como se nada daquilo tivesse realmente acontecido. Aconteceu mesmo, Tommy? É verdade que agentes alemães uma vez lhe deram uma pancada na cabeça e o raptaram? É verdade que certa vez perseguimos um criminoso perigoso e o capturamos? É verdade que salvamos uma moça, encontramos documentos secretos importantes e praticamente recebemos agradecimentos de um país inteiro? Nós? Você e eu? O sr. e a sra. Beresford, agora desprezados e rejeitados?

– Melhor se acalmar, benzinho. Não adianta protestar.

– Mesmo assim – disse Tuppence, piscando para evitar uma lágrima – estou decepcionada com nosso sr. Carter.

– A carta que ele nos mandou foi muito gentil.

– Ele não fez nada, isso sim. Nem mesmo nos deu esperanças.

– Ora, no momento, ele também não está fazendo nada. Como nós. Ele está idoso, mora na Escócia e passa o tempo pescando.

Tuppence disse, tristonha:

– Podiam ter nos deixado fazer alguma atividade no serviço secreto.

– Talvez não fôssemos capazes – declarou Tommy. – Talvez, hoje em dia, não tivéssemos coragem.

– Fico imaginando como seria – continuou Tuppence. – A gente se sente exatamente igual ao que era antes. Mas talvez, como você disse, quando chegasse a hora H...

E suspirou. Depois prosseguiu:

– Eu gostaria que encontrássemos algum tipo de trabalho. É horrível ter todo o tempo do mundo só para pensar.

Seus olhos descansaram apenas um minuto na foto do rapazinho de farda da Força Aérea, com aquele sorriso escancarado igual ao do Tommy.

E Tommy comentou:

– Com os homens é pior. As mulheres pelo menos podem tricotar, empacotar coisas, ajudar nas cantinas.

Tuppence replicou:

– Posso deixar para fazer tudo isso daqui a vinte anos. Não sou velha o suficiente para me satisfazer com isso. Não sou nem uma coisa, nem outra.

E a campainha da porta tocou neste instante. Tuppence levantou-se. O apartamento era pequeno, mobiliado, prático.

Ela abriu a porta e viu diante de si um homem de ombros largos, bigode louro grande e um rosto avermelhado e jovial, que aguardava de pé sobre o capacho. Seu olhar de esguelha, rápido, avaliou-a enquanto ele perguntava, num tom agradável:

– É a sra. Beresford?

– Sim.

– Meu nome é Grant. Sou amigo do Lorde Easthampton. Ele sugeriu que eu fizesse uma visita à senhora e ao seu marido.

– Ah, sim, é muita gentileza sua; vá entrando, por favor.

Ela o conduziu até a sala de estar.

– Este é meu marido, e este é o... capitão...

– Senhor...

– Sr. Grant. Ele é amigo do sr. Car... do Lorde Easthampton.

O velho nome de guerra do ex-chefe do serviço secreto, "sr. Carter", sempre vinha com mais facilidade aos lábios de Tuppence do que o título do amigo.

Durante alguns minutos os três conversaram alegremente. Grant era uma pessoa simpática, descontraída.

Tuppence saiu da sala depois de algum tempo e voltou alguns minutos depois com a garrafa de xerez e alguns cálices.

Minutos depois, aproveitando uma pausa na conversa, sr. Grant disse a Tommy:

– Ouvi dizer que você está procurando emprego, Tommy. É verdade?

Os olhos de Tommy faiscaram, ávidos.

– Estou, sim. Não me diga que...

Grant riu, depois sacudiu a cabeça.

– Ah, não, não é nada disso. Não, infelizmente é melhor recrutar jovens da ativa para isso... ou aqueles que trabalham nisso há anos. As únicas atividades que posso sugerir são bem chatas. Trabalho de escritório. Arquivamento de papéis. Atar documentos com fita vermelha e colocá-los em escaninhos. Esse tipo de coisa.

Tommy ficou desanimado.

– Ah, sim, entendo.

Grant disse-lhe, em tom encorajador:

– Que se pode fazer? Mas é melhor do que nada. Venha ao meu escritório conversar comigo um dia desses. Ministério da Burocracia, sala 22. Vamos lhe arranjar algo para fazer.

O telefone tocou. Tuppence ergueu o receptor.

– Alô? Sim. O quê? – Uma vozinha esganiçada disse algo agitadamente do outro lado da linha. A expressão de Tuppence mudou. – Quando? Ai, minha querida... Mas claro... Vou agora mesmo...

E ela recolocou o fone no gancho, dirigindo-se a Tommy:

– Era a Maureen.

– Achei que fosse ela. Reconheci a voz daqui de onde estou.

Tuppence explicou, ofegante:

– Sinto muitíssimo, sr. Grant. Preciso ir ajudar essa amiga minha. Ela caiu e torceu o tornozelo, e não tem mais ninguém em casa com ela a não ser a filhinha pequena. Tenho que ir lá ajudá-la e encontrar alguém para cuidar dela. Com licença, e me perdoe por isso, sim?

– Mas claro, sra. Beresford, entendo perfeitamente.

Tuppence sorriu para ele, pegou um casaco que estava sobre o sofá, vestiu e saiu correndo. A porta do apartamento bateu. Tommy encheu mais um cálice de xerez para seu amigo.

– Fique mais um pouco – disse.

– Obrigado – disse o outro, aceitando o copo. Bebericou o xerez em silêncio um instante. Depois falou:

– De certa forma, sabe, o telefonema dessa pessoa, chamando sua esposa, foi uma sorte. Vai poupar tempo.

Tommy olhou para ele, assustado.

– Não entendi.

Grant disse deliberadamente:

– Beresford, se você fosse ao escritório do Ministério, eu lhe apresentaria a seguinte proposta, que fui autorizado a lhe fazer.

O rosto sardento de Tommy começou a ficar corado de novo. Então ele insinuou:

– Não está querendo me dizer que...

Grant confirmou.

– Easthampton sugeriu você – respondeu Grant. – Disse que você era o homem perfeito para esse serviço.

Tommy deu um suspiro profundo.

– Diga-me o que é – falou.

– É um assunto estritamente confidencial, é claro.

Tommy balançou a cabeça, indicando que entendia.

– Não pode contar nem mesmo à sua esposa. Compreende?

– Claro, se você está dizendo que é assim. Mas eu e ela já trabalhamos juntos antes.

– Sim, eu sei. Só que esta proposta é exclusiva para você.

– Estou entendendo. Certo.

– Oficialmente, vamos lhe oferecer um emprego, como acabei de lhe dizer, para trabalhar em um escritório do Ministério na Escócia, em uma área de acesso proibido, onde sua esposa não vai poder acompanhá-lo. Na realidade, você vai fazer uma coisa muito diferente.

Tommy meramente aguardou. Grant então explicou:

– Já leu nos jornais alguma matéria sobre a Quinta Coluna? Sabe, pelo menos mais ou menos, o que significa essa expressão?

Tommy murmurou:

– O inimigo infiltrado entre nós.

– Exato. Esta guerra, Beresford, começou otimista. Ah, não estou me referindo a quem realmente conhecia – pois já sabíamos há muito tempo o que íamos enfrentar – a eficiência do inimigo, sua Força Aérea eficiente, sua determinação mortal e a coordenação de sua máquina de guerra muito bem planejada. Estou me referindo ao povo como um todo. O indivíduo de bom coração, desinformado, democrata, que acredita no que quer acreditar, que a Alemanha vai se desintegrar, que está a ponto de mergulhar em uma revolução, que seus armamentos bélicos são feitos de lata e que os homens são tão desnutridos que, se tentarem marchar, caem no chão de fraqueza. Esse tipo de coisa. Doce ilusão, como dizem por aí.

– Ora, só que a guerra não seguiu esse rumo. Começou mal e foi piorando. Os homens eram vigorosos, tanto os dos navios de guerra quanto os dos aviões e os das trincheiras. Mas houve desorganização e despreparo de nossa parte, que são, talvez, o nosso lado negativo. Nós não queríamos a guerra, não a encarávamos com seriedade, não nos preparamos para ela de forma eficiente.

– O pior agora já passou. Corrigimos nossos erros, estamos colocando os homens certos nos lugares certos, pouco a pouco. Estamos começando a administrar a guerra como deve ser administrada, e podemos vencê-la, não pense que não, mas só se não a perdermos primeiro. E o perigo de perdê-la não vem de fora, do poderio dos bombardeiros alemães, nem da conquista de países neutros e pontos estratégicos novos dos quais atacar, mas de dentro. O perigo que corremos é o mesmo que correu Troia: o cavalo de madeira, dentro das nossas muralhas. Homens e mulheres, alguns em altos cargos, alguns obscuros, mas todos acreditando genuinamente nos objetivos nazistas e na profissão de fé nazista, querendo substituir a liberdade fácil e despreocupada de nossas instituições democráticas por esta doutrina rigorosa e eficiente.

Grant inclinou o tronco para a frente, depois disse, ainda na mesma voz agradável e sem inflexão:

– *E não sabemos quem eles são...*

Tommy respondeu:

– Mas certamente...

Grant continuou, sem paciência:

– Ah, sim, não há dificuldade para descobrirmos a arraia-miúda. Isso é moleza. Os outros é que são o problema. Sabemos que eles existem. Sabemos que pelo menos dois deles ocupam altos cargos no almirantado, que um deles deve ser integrante do gabinete do general G..., que há três ou mais na Força Aérea, e que dois, pelo menos, são membros do serviço secreto e conhecem segredos do Conselho de Ministros. Sabemos disso porque, pelos acontecimentos, a situação deve ser essa. O vazamento... um vazamento de informações do alto escalão para o inimigo nos mostra isso.

Tommy disse, espantado, com uma expressão de perplexidade no rosto simpático:

– Mas de que adianta vocês me contratarem? Não conheço ninguém que ocupe um alto posto.

Grant concordou.

– Exato. Você não conhece ninguém, e eles também não o conhecem.

Fez uma pausa para deixar que Tommy digerisse aquela sua observação e em seguida prosseguiu.

– Essa gente, essa gente do alto escalão, conhece a maioria do pessoal do serviço secreto. Não podemos lhes recusar informações. Cheguei a ponto de quase perder o juízo. Fui falar com Easthampton. Ele agora não trabalha mais, está adoentado, mas raciocina com mais clareza do que nunca. Lembrou-se de você. Quase vinte anos depois de você ter trabalhado no departamento. Seu nome não tem ligação nenhuma com o departamento. Seu rosto é desconhecido. O que me diz... aceita a missão?

O rosto de Tommy quase se partiu em dois por causa do sorriso imenso de pura felicidade que ele deu.

– Se aceito? Pode apostar que sim. Mas não vejo como serei útil. Sou apenas um amador, ora bolas.

– Meu amigo Beresford, o status de amador é exatamente do que preciso. Um profissional seria uma desvantagem. Vai assumir o lugar do melhor homem que tínhamos ou teremos em campo.

Tommy fez cara de quem ia fazer uma pergunta. Grant confirmou:

– Sim. Morreu no Hospital St. Bridget na última terça-feira, atropelado por um caminhão. Sobreviveu só algumas horas. Acidente, mas não exatamente um acidente.

Tommy disse, devagar:

– Entendo.

Grant falou, baixinho:

– E por isso temos motivos para crer que Farquhar estava para descobrir alguma coisa, que ele estava conseguindo chegar finalmente a algum lugar. Pela morte dele, que não foi acidente.

Tommy assumiu um ar interrogativo de novo. Grant prosseguiu:

– Infelizmente não sabemos bem o que ele descobriu. Farquhar andava metodicamente seguindo uma pista após outra. A maioria delas não levava a lugar nenhum.

Grant fez uma pausa e retomou a seguir:

– Farquhar ficou inconsciente até alguns minutos antes de morrer. Depois tentou nos dizer alguma coisa. E o que disse foi o seguinte: M ou N, "São Susí".

– Mas isso – disse Tommy – não me parece lá muito revelador.

Grant sorriu.

– É um pouco mais revelador do que pode pensar. M ou N, entenda, é um termo que já ouvimos antes. Refere-se a dois dos mais importantes e confiáveis agentes alemães. Nós constatamos suas atividades em outros países e sabemos pouquíssimo sobre eles. É missão deles organizar uma Quinta Coluna em países estrangeiros e agir como contatos entre o país em questão e a Alemanha. N, segundo sabemos, é homem. M é mulher. Sobre esses dois, só sabemos que são os mais altamente confiáveis agentes de Hitler, e que, numa mensagem codificada que conseguimos decifrar no início da guerra, apareceu a seguinte frase: *Sugiro M ou N para a Inglaterra. Plenos poderes...*

– Entendo. E Farquhar...

– Na minha opinião, Farquhar deve ter encontrado a pista de um ou de outro. Infelizmente, não sabemos qual. "São Susí" parece uma coisa bem indecifrável... Só que o Farquhar não conseguia pronunciar muito bem palavras em francês! Havia um bilhete de volta para Leahampton no bolso dele, o que é sugestivo. Leahampton fica no litoral sul, uma espécie de Bournemouth ou Torquay ainda incipiente. Montes de hotéis particulares e pensões. Entre eles há um chamado Sans Souci...

Tommy voltou a dizer:

– São... Susí. Sans Souci... Entendo.

Grant indagou:

– Entendeu?

– A ideia é... – disse Tommy – eu ir até esse lugar e... como direi, começar a fuçar?

– É exatamente essa a ideia.

O sorriso de Tommy surgiu de novo.

– Meio vago, não? – questionou ele. – Nem mesmo vou saber o que procurar.

– Nem eu posso lhe dizer. Eu não sei. Você é quem sabe.

Tommy suspirou. Depois aprumou-se.

– Posso tentar. Mas não sou tão inteligente assim.

– Você se saiu muito bem antes, foi o que ouvi dizer.

– Ah, foi pura sorte – disse Tommy, rapidamente.

– Mas acontece que é exatamente de sorte que precisamos.

Tommy refletiu durante um minuto ou dois. Depois disse:

– Sobre esse lugar, Sans Souci...

Grant deu de ombros.

– Pode ser só palpite errado nosso. Não sei lhe dizer. Farquhar podia estar se referindo àquela canção sobre a Susie que fazia camisas para os soldados numa Singer. * É só uma hipótese.

---

* Canção popular na época da Primeira Guerra Mundial. (N.T.)

– E essa tal Leahampton, em si?

– É exatamente como qualquer outro desses lugares. Há centenas deles. Velhas senhoras, velhos coronéis, solteironas irrepreensíveis, hóspedes duvidosos, hóspedes esquisitos, um estrangeiro ou dois. Um saco de gatos, para dizer a verdade.

Tommy perguntou, meio ressabiado:

– E M e N estão misturados com esses gatos todos?

– Não necessariamente. Pode ser que seja algum contato do N ou da M apenas. Mas é bem provável que o próprio N ou a própria M estejam lá. É o tipo de lugar que não chama a atenção, uma pensãozinha em um balneário.

– Você não faz ideia se devo procurar um homem ou uma mulher?

Grant maneou a cabeça. Tommy disse, conformado:

– Então, o máximo que posso fazer é tentar.

– Boa sorte nessa tentativa, Beresford. E agora, vamos aos detalhes...

II

Meia hora depois, quando Tuppence entrou, ofegante e morta de curiosidade, Tommy estava sozinho, assobiando, sentado em uma poltrona, com uma expressão de indecisão no rosto.

– E então? – indagou Tuppence, expressando uma expectativa infinita.

– Um emprego... isto é, uma espécie de emprego.

– Que espécie?

Tommy fez uma careta adequada.

– Emprego burocrático numa zona rural da Escócia. Exige sigilo, e tal, mas não parece lá muito emocionante.

– Para nós dois, ou só para você?

– Só para mim, infelizmente.

– O diabo que o carregue! Como é que o nosso sr. Carter pode ser assim tão perverso?

– Imagino que eles procurem separar os homens das mulheres nesse tipo de serviço. Senão, os funcionários se deixariam distrair facilmente.

– Esse trabalho é de codificar textos? Ou decifrar códigos? É como o emprego da Deborah? Tome cuidado, hein, Tommy; as pessoas ficam meio estranhas fazendo isso, perdem o sono, perambulam a noite inteira, gemendo e repetindo 978345286 ou algo assim, e terminam tendo colapsos nervosos e sendo internadas em sanatórios.

– Eu não vou ficar assim.

Tuppence disse, tristonha:

– Infelizmente, você vai sim, mais cedo ou mais tarde. Posso ir com você? Não para trabalhar, só como sua esposa? Chinelos diante da lareira e uma refeição quente no final do dia?

Tommy fez cara de constrangido.

– Sinto muito, minha velha. Sinto muito mesmo. Detesto ter que deixá-la aqui sozinha...

– Mas sente que é seu dever ir – murmurou Tuppence, como que se recordando de algo.

– Afinal de contas – disse Tommy –, você pode passar o tempo fazendo o seu tricô, não é?

– Tricô? – retrucou Tuppence. – *Tricô?* – E, agarrando a balaclava, jogou-a no chão. – Detesto lã cáqui – disse Tuppence. – E lã azul-marinho, e azul-Força Aérea também! Devia era tricotar alguma coisa carmim!

– Até que soa bem militar – disse Tommy. – Quase lembra a Blitzkrieg.

Tommy estava se sentindo definitivamente muito infeliz. Tuppence, porém, portou-se como uma espartana, dançando conforme a música e admitindo livremente que Tommy precisava mesmo aceitar o emprego, afinal de contas, e que o fato de ela não estar incluída não tinha tanta importância assim. Tuppence acrescentou ainda que, segundo tinha ouvido dizer, estavam procurando alguém para limpar o chão do posto de atendimento de emergência. Talvez a considerassem capaz de fazer esse tipo de trabalho.

Tommy partiu para Aberdeen três dias depois. Tuppence foi até a estação despedir-se dele. Com os olhos brilhando, ela piscou uma ou duas vezes, mas fez questão de fazer cara de animada.

Somente quando o trem se afastou da estação foi que Tommy, ao ver aquela figurinha desamparada andando pela plataforma, sentiu um nó na garganta. Com guerra ou sem guerra, ele teve a impressão de estar desertando Tuppence...

Usando de força de vontade, Tommy conseguiu se recompor. Ordens eram ordens.

No dia seguinte àquele em que chegou à Escócia, conforme o planejado, Tommy pegou um trem para Manchester. No terceiro dia, um trem o deixou em Leahampton. Pernoitou no hotel principal da cidade e, no dia seguinte, saiu para visitar os vários hotéis e pensões particulares do lugar, ver quartos e perguntar quanto pagaria por uma estadia prolongada.

O Sans Souci era uma casa de campo tipo mansão vitoriana, vermelho-escura, situado na encosta de um morro, com uma bela vista para o mar das janelas do último andar. No vestíbulo, sentia-se um leve cheiro de poeira e comida, e o carpete estava visivelmente gasto, mas, apesar disso, o Sans Souci era o melhor hotel entre todos os que Tommy havia visto. Ele entrevistou a proprietária, a sra. Perenna, no escritório dela, um quartinho bagunçado com uma escrivaninha grande coberta de folhas avulsas de papel.

A sra. Perenna também tinha uma aparência um tanto desmazelada; era de meia-idade, tinha uma cabeleira abundante, negra e bastante encaracolada, usava pouca maquiagem, aplicada distraidamente no rosto, e seu sorriso de determinação exibia dentes branquíssimos.

Tommy contou, em voz baixa, que sua prima idosa, a srta. Meadowes, tinha se hospedado no Sans Souci dois anos antes. A sra. Perenna lembrava-se muito bem da srta. Meadowes – uma velhinha tão adorável! –, apesar de, pelo que se lembrava, ela não parecia ser tão idosa, mas muito ativa e com ótimo senso de humor.

Tommy concordou, apreensivo. Ele sabia que existia uma srta. Meadowes de carne e osso, pois o departamento investigava essas coisas com muito cuidado.

E como é que estava passando a adorável srta. Meadowes?

Tommy explicou, entristecido, que a srta. Meadowes havia falecido; e a sra. Perenna, solidária, soltou um estalido com os dentes, outros ruídos adequados, e fez a cara de pesar apropriada.

Contudo, ela logo voltou a tagarelar. Estava certa de que o hotel tinha exatamente o quarto de que o sr. Meadowes precisava. Uma vista belíssima para o mar. A sra. Perenna considerou a decisão do sr. Meadowes de sair de Londres corretíssima. Aquela cidade, hoje em dia, andava muito deprimente; portanto ela entendia e, naturalmente, depois daquela epidemia de gripe tão ruim...

Ainda falando, a sra. Perenna conduziu Tommy até o segundo andar e lhe mostrou vários quartos. Mencionou um pagamento semanal. Tommy fez cara de decepcionado. A sra. Perenna explicou que os preços tinham subido de forma assustadora. Tommy explicou que infelizmente sua renda tinha diminuído e devido aos impostos e a um gasto aqui e outro ali...

A sra. Perenna falou, com um gemido:

– Esta guerra terrível...

Tommy concordou e disse que, na sua opinião, aquele sujeito, o Hitler, devia ser enforcado. Um doido, era isso o que ele era, um doido varrido.

A sra. Perenna concordou, acrescentando que, por conta do racionamento, da dificuldade que os açougues tinham de conseguirem a carne que eles queriam – às vezes em demasia – e da falta quase total de pâncreas e timo de vitela e fígado no mercado, estava sendo complicado administrar o hotel, mas, como o sr. Meadowes era parente da sra. Meadowes, ela iria lhe conceder um desconto de um guinéu.

Tommy, então, bateu em retirada com a promessa de pensar no assunto, mas a sra. Perenna o seguiu até o portão, tagarelando ainda mais do que antes e exibindo uma espirituosidade que Tommy considerou quase alarmante. Ele se pôs a imaginar onde ela teria nascido. Seu sobrenome não era o que se podia chamar de inglês, certo? Era espanhol ou português, mas essa devia ser a nacionalidade do marido, não a dela. Talvez fosse irlandesa, pensou ele, embora não falasse o dialeto característico da Irlanda. Isso explicaria a vitalidade e a exuberância da mulher.

Ficou finalmente combinado que o sr. Meadowes se mudaria para o hotel no dia seguinte.

Tommy chegou às seis horas, conforme havia planejado. A sra. Perenna veio até o vestíbulo recebê-lo e passou uma série de instruções sobre sua bagagem a uma criada com uma cara quase de imbecil, que fitou Tommy com olhos esbugalhados e a boca aberta; em seguida, conduziu seu novo hóspede ao que chamou de saguão.

– Sempre apresento meus hóspedes uns aos outros – explicou a sra. Perenna, sorrindo radiante, sem pestanejar, diante dos olhares desconfiados de cinco pessoas. – Este é o nosso mais recente hóspede, o sr. Meadowes. Esta é a sra. O'Rourke. – Uma mulher corpulenta e assustadora, de buço espesso e olhinhos redondos e brilhantes, dirigiu a Tommy um sorriso radiante.

– Major Bletchley. – O major avaliou Tommy e cumprimentou-o com um meneio austero de cabeça.

– Sr. Von Deinim. – Um rapaz muito rígido, de cabelos louros e olhos azuis, levantou-se e fez uma reverência.

– Srta. Minton. – Uma mulher idosa, com muitos colares de contas, que estava tricotando alguma coisa com lã cáqui, sorriu e deu uma risadinha discreta.

– E finalmente a sra. Blenkensop. – Mais tricô, e a mulher ergueu sua cabeça coberta de cabelos castanho-escuros despenteados, deixando de contemplar absorta uma balaclava.

Tommy prendeu a respiração; sentiu a sala girar ao redor de si.

A sra. Blenkensop! Ela era a Tuppence! Por mais impossível e inacreditável que isso fosse, Tuppence estava ali, tricotando calmamente no saguão do Sans Souci.

Os dois entreolharam-se, um olhar de desinteresse educado, entre dois estranhos.

Tommy sentiu a admiração que tinha por sua esposa aumentar.

Tuppence!

CAPÍTULO 2

Como Tommy passou aquela noite, ele nunca conseguiu saber exatamente. Não ousava deixar seu olhar voltar-se com muita frequência na direção da sra. Blenkensop. Na hora do jantar, mais três habitués do Sans Souci apareceram: um casal de meia-idade; o sr. e a sra. Cayley; e uma mãe, a sra. Sprot, que tinha vindo com sua filha pequena de Londres e estava claramente muito entediada por ser obrigada a passar uma temporada em Leahampton. O lugar dela era ao lado do de Tommy, e de vez em quando ela o fitava com um par de olhos verde-esbranquiçados e, com uma voz ligeiramente fanhosa, lhe perguntava:

– O senhor não acha que agora tudo está mais calmo? Todos vão voltar para casa, não vão?

Antes que Tommy pudesse responder a essas perguntas bastante diretas, sua vizinha do outro lado, a senhora com colares de contas, intrometeu-se:

– O que acho é que não se deve arriscar nada quando há crianças no meio. Pense nessa sua garotinha, a Betty, tão fofinha. A senhora nunca se perdoaria, e, como deve saber, Hitler já disse que a Blitzkrieg vai chegar em breve à Inglaterra. E acho que com um outro tipo de gás, creio eu.

O major Bletchley a interrompeu, bruscamente:

– Uma bobagem, esse negócio de gás. Aqueles sujeitos não vão perder tempo brincando com gás. Vão empregar bombas incendiárias e explosivos de alta potência. Foi isso que fizeram na Espanha.

A mesa inteira caiu no debate com todo o prazer. A voz de Tuppence, fina e ligeiramente convencida, estrilou:

– Meu filho Douglas diz...

"Douglas, é?", pensou Tommy. "Por que Douglas, eu gostaria muito de saber."

Depois do jantar, uma refeição pretensiosa composta de vários pratos decepcionantes, todos igualmente insípidos, os hóspedes saíram da mesa e foram até o salão de recreação. Recomeçou-se a tricotar, e Tommy foi obrigado a ouvir um relato compridíssimo e extremamente maçante sobre as experiências do major Bletchley na fronteira noroeste.

O jovem louro de olhos azuis brilhantes saiu, fazendo uma ligeira reverência no limiar da sala. O major Bletchley interrompeu sua narrativa e deu uma espécie de cutucão nas costelas de Tommy.

– Aquele sujeito que acabou de sair é refugiado. Saiu da Alemanha mais ou menos um mês antes da guerra.

– Ele é alemão?

– É. E nem é judeu. O pai dele se meteu numa fria por ter criticado o regime nazista. Dois de seus irmãos foram mandados para um campo de concentração de lá. Esse cara saiu bem a tempo.

Neste momento, a sra. Cayley resolveu monopolizar a atenção de Tommy, contando-lhe tudo sobre sua saúde, com todos os mínimos detalhes. O assunto era tão absorvente para a narradora que já era quase hora de ir para a cama quando Tommy finalmente conseguiu escapar.

Na manhã seguinte, Tommy levantou-se cedo e foi passeando até a frente do hotel. Deu uma caminhada revigorante até o píer e, ao voltar, andando ao longo da esplanada, viu uma silhueta familiar vindo da direção oposta. Ele cumprimentou a pessoa, erguendo o chapéu.

– Bom dia – cumprimentou, com cortesia. – Hã... Sra. Blenkensop, não é?

Não havia ninguém por perto que pudesse entreouvir a conversa entre os dois. Tuppence respondeu:

– Para o senhor, dr. Livingstone.

– Como foi que conseguiu me encontrar aqui, Tuppence? – murmurou Tommy. – É um milagre... Um verdadeiro milagre!

– Não foi milagre nenhum, só usei a cabeça.

– A sua cabeça, suponho?

– Sua suposição está correta. Você e aquele presunçoso do sr. Grant! Espero que isso lhe ensine uma lição.

– Ele certamente vai aprender alguma coisa – afirmou Tommy. – Vamos, Tuppence, me conte como conseguiu. Estou simplesmente morto de curiosidade.

– Foi muito fácil. No momento em que o Grant falou do nosso sr. Carter, adivinhei o que estava havendo. Sabia que não ia ser nenhum empreguinho de escritório horroroso. Mas o fato de ele ter dito aquilo me mostrou que não iam me deixar participar. Então resolvi passar-lhe a perna. Fui buscar um xerez, e, quando saí, fui até o apartamento dos Brown e liguei para a Maureen. Disse-lhe para me ligar e para repetir exatamente as palavras que lhe pedi. Ela desempenhou o papel fielmente, com uma voz bem alta e estridente para você poder ouvir o que ela estava dizendo na sala inteira. Então fingi que estava contrariada, que me sentia obrigada a ajudar porque era uma amiga em apuros, e saí correndo dando todos os sinais de que estava irritada. Bati a porta do corredor, como se tivesse ido embora, mas fiquei dentro do apartamento e depois fui disfarçadamente até o quarto e abri a porta escondida atrás do armário.

– E ouviu tudo?

– Tudinho – respondeu Tuppence, complacente.

Tommy repreendeu-a:

– E nem mesmo me contou!

– Certamente que não. Queria lhe dar uma lição. A você e ao seu sr. Grant.

– Ele não é exatamente o meu sr. Grant, e eu diria que você lhe ensinou uma lição, sim.

– O sr. Carter não teria me tratado assim tão mal – disse Tuppence. – Eu acho que o serviço secreto não é mais o que era no nosso tempo.

Tommy respondeu, com uma expressão séria:

– O serviço vai voltar a brilhar agora que voltamos a trabalhar nele. Mas por que Blenkensop?

– Por que não?

– Parece-me um nome estranho para se escolher.

– Foi o primeiro no qual pensei, e é bom para roupa de baixo.

– Como assim, Tuppence?

– B, seu paspalho. B de Beresford, B de Blenkensop. Bordado na minha calcinha. Patrícia Blenkensop. Prudence Beresford. Por que escolheu Meadowes? Sobrenome mais boboca.

– Para começar – replicou Tommy –, não tenho B enormes bordados nas minhas cuecas. E depois, não fui eu quem escolheu. Mandaram-me usar o nome Meadowes. Sr. Meadowes é um cavalheiro de passado respeitável, que decorei de fio a pavio.

– Ah, muito bem – concordou Tuppence. – Você é casado ou solteiro?

– Sou viúvo – disse Tommy, com dignidade. – Minha esposa morreu faz dez anos, em Cingapura.

– Por que em Cingapura?

– Todos nós temos que morrer um dia. Qual é o problema se ela morreu em Cingapura?

– Ah, não é nada. Provavelmente é um lugar decente para se morrer. Sou viúva.

– Onde foi que morreu o seu marido?

– E isso lhe interessa? Provavelmente em algum asilo de velhinhos. Prefiro imaginar que ele morreu de cirrose hepática.

– Entendi. Uma história que lhe traz lembranças dolorosas. E seu filho, o Douglas?

– O Douglas está na Marinha.

– Foi o que ouvi dizer ontem à noite.

– E tenho mais dois filhos. Raymond está na Força Aérea e Cyril, meu caçula, está na reserva.

– E se alguém se der o trabalho de ir conferir todos esses Blenkensop imaginários?

– Não são Blenkensop. Blenkensop foi meu segundo marido. O nome do meu primeiro marido era Hill. Há três páginas de Hill na lista telefônica. Não seria possível conferir todos os Hill nem mesmo se eles tentassem.

Tommy suspirou.

– É sempre isso que a atrapalha, Tuppence. Você exagera tudo. Dois maridos e três filhos. É demais. Você se contradiz nos detalhes.

– Não vou me contradizer. E até imagino que os filhos serão muito úteis. Não estou aqui a mando de ninguém, lembre-se disso. Sou uma autônoma. Estou nessa aventura só para me divertir e vou me divertir.

– Assim parece – disse Tommy. – E acrescentou, melancolicamente: – Se quer saber o que penso, isso tudo é uma farsa.

– Por que está dizendo isso?

– Ora, você já está aqui no Sans Souci faz mais tempo do que eu. Honestamente, pode me dizer se acha que alguém entre os que estavam aqui ontem à noite parece um perigoso agente inimigo?

Tuppence respondeu, pensativa:

– Parece mesmo meio inacreditável. Naturalmente, aquele rapaz pode ser um.

– Carl von Deinim? A polícia verifica todos os refugiados, não?

– Creio que sim. Mesmo assim, ele poderia ter dado um jeito. Ele é atraente, jovem, sabe.

– Está querendo dizer que as mocinhas podem contar coisas a ele? Mas que mocinhas? Não tem nenhuma filha de general, nem almirante por aqui. Talvez ele consiga faturar uma comandante da companhia do Serviço Auxiliar de Defesa Territorial.

– Cale-se, Tommy. Deveríamos estar levando isso a sério.

– Estou levando tudo a sério. É que sinto que isso não vai dar em nada.

Tuppence afirmou com seriedade:

– É cedo demais para dizer isso. Afinal de contas, nada vai saltar aos olhos. E a sra. Perenna?

– É – respondeu Tommy, pensativo. – A sra. Perenna me parece uma possibilidade, admito. Realmente precisamos encontrar uma explicação para ela.

Tuppence continuou, em tom de quem trata de negócios:

– E nós, como ficamos? Quero dizer, vamos colaborar um com o outro?

Tommy respondeu, pensativo:

– É melhor que não nos vejam juntos.

– Não, seria fatal insinuar que nos conhecemos melhor do que aparentamos nos conhecer. O que precisamos decidir é como vamos nos comportar um com o outro. Acho que... ah, sim, claro, creio que fingir interesse é a melhor abordagem.

– Interesse?

– Exato. Estou interessada em você. Faça o melhor que puder para escapar, mas ser simplesmente um cavalheiro nem sempre dá certo. Já tive dois maridos e estou procurando um terceiro. Você desempenha o papel de viúvo com várias pretendentes. De vez em quando, procuro lhe chamar a atenção em algum lugar, encurralo-o em algum café, alcanço-o enquanto está caminhando na frente do hotel. Todos ficam rindo e achando muito engraçado.

– Parece viável – concordou Tommy.

Tuppence acrescentou:

– Há séculos que o homem perseguido pelas mulheres é motivo de zombaria. Isso deve nos permitir uma certa liberdade. Se formos vistos juntos, todos só vão rir e pensar: "coitadinho do Meadowes".

De repente, Tommy agarrou o braço de Tuppence.

– Olha lá – disse ele. – Lá, bem em frente a você.

Por um rabo de olho Tuppence viu um jovem conversando com uma moça. Eles dois estavam muito compenetrados, muito concentrados no que estavam dizendo. Tuppence disse, de mansinho:

– Carl von Deinim. Quem será a moça?

– Ela é bem bonita, seja lá quem for.

Tuppence concordou. Pousou o olhar, pensativa, na expressão sombria e veemente no rosto dela e no pulôver justo que revelava as curvas da moça. Ela falava muito séria, com ênfase. Carl von Deinim estava prestando atenção. Tuppence murmurou:

– Acho que é melhor você se afastar agora.

– Certo – concordou Tommy.

Ele deu meia-volta e foi passear na direção oposta. No fim do passeio, encontrou o major Bletchley. O major espiou Tommy, desconfiado, depois resmungou:

– Bom dia.

– Bom dia.

– Está vendo, você é como eu, levanta com as galinhas – comentou Bletchley.

Tommy respondeu:

– A gente se habitua a isso no Leste. É claro, foi há muitos anos, mas ainda me levanto cedo.

– E isso é também muito correto – disse o major Bletchley, em tom aprovador. – Meu Deus, esses jovens de hoje me dão nojo. Tomam banhos quentes, descem para o café às dez da manhã ou ainda mais tarde. Não admira que os alemães tenham vantagem sobre nós. Esses jovens não têm nenhuma resistência física. Um bando de mimados. O exército não é mais o que era, mesmo. Hoje em dia, eles só ganham agrados. Os pais os aconchegam na caminha à noite, com sacos de água quente. Uma vergonha! Sinto até náusea!

Tommy sacudiu a cabeça, de maneira melancólica, e o major Bletchley, incentivado por esse gesto, prosseguiu.

– Disciplina, é disso que precisamos! Disciplina. Como vamos vencer a guerra sem disciplina? Sabe, meu senhor, que alguns desses camaradas vêm desfilar de calças folgadas, segundo me dizem? Não se pode esperar que se vá vencer a guerra desse jeito. Calças folgadas! Meu Deus!

O sr. Meadowes arriscou opinar, dizendo que as coisas agora eram bem diferentes do que antes.

– É essa democracia – disse o major Bletchley, pesaroso. – Pode-se exagerar em tudo. Na minha opinião, estão exagerando na democracia. Misturam oficiais com subordinados, todos comem juntos nos mesmos refeitórios, que horror! Os homens não gostam disso, Meadowes. Os recrutas sabem. Os soldados sempre sabem.

– Claro – disse o sr. Meadowes –, eu mesmo não sabia como eram as coisas no exército, mas...

O major interrompeu-o, lançando-lhe um olhar de soslaio.

– Participou da guerra anterior?

– Ah, participei, sim.

– Achei que tinha participado. Vi que passou pelo treinamento. Os ombros. Que regimento?

– Quinto Corfeshires – Tommy se lembrou de apresentar os dados militares do sr. Meadowes.

– Ah, sim, Salônica!

– Isso.

– Eu estive em Mespot.

Bletchley se deixou dominar pelas lembranças. Tommy escutou por educação. Bletchley terminou irado.

– E eles, agora, me deixam lutar? Não! Não deixam! Estou velho demais. A velhice que se dane. Eu poderia ensinar a alguns desses jovenzinhos imberbes o que é participar de uma guerra.

– Mesmo que seja só o que não se deve fazer? – insinuou Tommy, com um sorriso.

– Como disse?

Claramente, o forte do major Bletchley não era seu senso de humor. Ele espiou seu companheiro, desconfiado. Tommy apressou-se a mudar de assunto.

– Sabe de alguma coisa sobre essa sra... Blenkensop, não é esse o nome dela?

– Isso. Blenkensop. Não é nada má, só é meio velha demais e tagarela. Simpática, mas tola. Não, não a conheço. Ela se hospedou no Sans Souci há apenas dois dias. – E acrescentou: – Por que está perguntando?

Tommy explicou:

– Eu a encontrei aqui fora agora mesmo. Estava imaginando se ela sempre se levanta cedo assim.

– Eu é que não sei! As mulheres não costumam dar passeios antes do café da manhã... graças a Deus – acrescentou ele.

– Amém – disse Tommy. E prosseguiu: – Não sei conversar com civilidade antes do desjejum. Espero que não tenha dito nada ofensivo a ela, mas queria fazer meu exercício.

O major Blechtley instantaneamente demonstrou solidariedade.

– Concordo com você, Meadowes. Concordo plenamente. As mulheres são muito boas nos seus devidos lugares, mas não antes do café. – E deu uma risadinha. – Melhor tomar cuidado, meu velho. Ela é viúva, sabe?

– Ah, é?

O major cutucou animadamente as costelas de Tommy.

– Nós dois sabemos como são as viúvas. Ela já enterrou dois maridos, e, se quer minha opinião, está procurando o terceiro. Fique de olhos bem abertos, Meadowes.

E de muito bom humor o major Bletchley girou nos calcanhares no final da calçada e voltou a vivas passadas ao Sans Souci para o desjejum.

Enquanto isso, Tuppence tinha continuado a caminhar devagarinho pela esplanada, passando bem perto do caramanchão e do jovem casal que conversava ali. Quando ela passou, entreouviu algumas palavras. A moça estava falando:

– Mas precisa ter cuidado, Carl. A menor desconfiança...

Tuppence deixou de ouvir. Seriam aquelas palavras uma pista? Sim, mas podiam ser interpretadas de várias formas. Tuppence deu meia-volta, sem se deixar perturbar, e voltou a passar pelo casal. Uma vez mais algumas palavras vieram cair nos seus ouvidos:

– Inglês mais convencido, detestável...

As sobrancelhas da sra. Blenkensop ergueram-se ligeiramente. Não era lá uma conversa muito prudente. Carl von Deinim era refugiado da perseguição nazista, tinha recebido asilo da Inglaterra. Não era prudente, nem expressava gratidão concordar com palavras como aquelas...

E, uma vez mais, Tuppence deu meia-volta. Mas, dessa vez, antes que chegasse ao caramanchão, o casal já havia se separado abruptamente, a moça para atravessar a estrada que saía do lado da casa que dava para o mar e Carl von Deinim para vir na direção de Tuppence.

Ele talvez não a tivesse reconhecido se não fosse pela hesitação e pelo silêncio dela. Depois, rapidamente, ele uniu os calcanhares e cumprimentou-a com uma reverência. Tuppence retribuiu o cumprimento, alegre:

– Bom dia... sr. Von Deinim, não é? Uma manhã tão bonita!

– Ah, sim. O tempo está bom.

Tuppence continuou, falando apressadamente.

– Esse tempo me tentou. Não costumo sair antes do café. Mas esta manhã, porque não dormi muito bem... não dormimos muito bem em um lugar estranho, como descobri. Leva mais ou menos um dia ou dois para eu me acostumar, sempre digo.

– Claro, sem dúvida.

– E realmente esse passeiozinho que fiz já me abriu o apetite para o desjejum.

– Vai voltar para o Sans Souci agora? Se me permitir, vou acompanhá-la. – E pôs-se a caminhar muito sério ao lado de Tuppence.

Tuppence indagou:

– Também saiu para ver se o passeio lhe abria o apetite?

Ele sacudiu a cabeça, muito sério.

– Ah, não. Já tomei café da manhã. Vou para o trabalho.

– Trabalho?

– Sou químico pesquisador.

"Então é isso que ele faz", pensou Tuppence, dirigindo-lhe um olhar de relance.

Carl von Deinim prosseguiu, a voz tensa.

– Vim para este país para escapar à perseguição nazista, tinha muito pouco dinheiro no bolso, não tinha amigos. E agora faço todo trabalho útil que consigo obter.

Olhou fixo para a frente. Tuppence percebeu uma forte emoção por trás daquela atitude que o comovia profundamente. E então ela murmurou, um tanto vaga:

– Ah, sim, sei. Entendo. Tenho certeza de que é perfeitamente convincente.

Carl von Deinim respondeu:

– Meus dois irmãos estão em campos de concentração. Meu pai morreu em um deles. Minha mãe morreu de tristeza e medo.

Tuppence pensou: "Ele diz isso de um modo... como se tivesse decorado essa história".

Uma vez mais ela lançou um olhar de relance ao rapaz. Ele ainda estava olhando fixo para a frente, o rosto impassível.

Eles caminharam em silêncio alguns momentos. Dois homens passaram por eles. Um deles lançou um olhar rápido ao Carl. Ela o ouviu resmungar para o seu companheiro:

– Aposto que aquele ali é alemão...

Tuppence viu as faces de Carl von Deinim se ruborizarem. De repente, ele se descontrolou. Aquela maré de emoção oculta subiu à superfície. Ele gaguejou:

– Você ouviu... Ouviu o que as pessoas dizem... Eu...

– Meu querido! – disse Tuppence, passando de repente a agir como ela mesma. Sua voz saiu nítida e emocionada. – Não seja idiota. Não se pode agradar a gregos e troianos.

Ele virou a cabeça e fitou-a, espantado.

– Como assim?

– Você é refugiado. Tem que engolir esses sapos. Está vivo, isso é o mais importante. Vivo e livre. Quanto ao resto... precisa entender que é inevitável. Este país está em guerra. Você é alemão. – E ela sorriu de repente. – Não pode esperar que um homem qualquer da rua – literalmente da rua – distinga entre alemães bons e maus, se é que posso falar assim de maneira tão simplista.

Ele ainda continuava olhando para ela. Seus olhos, muito azuis, tinham uma expressão lancinante, que denunciava os sentimentos que estava reprimindo. Depois, de repente, ele também sorriu. E disse:

– Costumavam dizer que índio bom é índio morto, não é? – indagou ele. – Para ser um alemão bom, preciso chegar ao trabalho na hora. Com licença, por favor. Bom dia.

Uma vez mais aquela reverência rígida. Tuppence ficou contemplando a silhueta cada vez menor do rapaz que se afastava. E disse para si mesma:

– Sra. Blenkensop, a senhora fraquejou. Preste atenção ao serviço no futuro. Agora, vamos tomar café no Sans Souci.

A porta do saguão do Sans Souci estava aberta. Lá dentro, a sra. Perenna estava conversando animadamente com alguém.

– E pode lhe dizer o que achei daquele último lote de margarina. Compre o presunto cozido no Quiller's, foi dois *pence* mais barato lá da última vez, e escolha bem os repolhos...

E então parou na hora em que Tuppence entrou.

– Ah, bom dia, sra. Blenkensop, gosta de madrugar, hein? Ainda não tomou café. A mesa está posta na sala de jantar. – E acrescentou, indicando sua companheira: – Minha filha, Sheila. Ainda não a conhece. Ela andou viajando e só voltou para casa ontem à noite.

Tuppence olhou com interesse para o rosto vivaz e bonito da jovem. Sem ter mais a expressão profundamente trágica de antes, o rosto dela parecia agora entediado, rancoroso.

– Minha filha Sheila. Sheila Perenna.

Tuppence murmurou algumas amabilidades e foi para a sala de jantar. Havia três hóspedes fazendo o desjejum: a sra. Sprot e a sua filhinha, e a avantajada sra. O'Rourke. Tuppence cumprimentou-as:

– Bom dia!

E a sra. O'Rourke respondeu com um vigoroso: "Muito bom dia à senhora!", saudação essa que sobrepujou a saudação um tanto anêmica da sra. Sprot. A sra. O'Rourke olhou fixamente para Tuppence, com uma espécie de interesse devorador.

– É muito saudável sair para passear antes do desjejum – observou ela. – Abre o apetite que é uma maravilha.

A sra. Sprot disse à filha:

– Pão com leitinho, querida, gostoso – e tentou introduzir uma colher na boca da srta. Betty Sprot, que sacudiu a cabeça, evitando a manobra da mãe, e continuou a olhar para Tuppence, com os olhos muito arregalados. Apontou um dedinho molhado de leite para a recém-chegada, lançou-lhe um sorriso esfuziante e comentou, com a boca cheia:

– *Ga-Ga Bauch.*

– Ela gostou de você – gritou a sra. Sprot, sorrindo radiante para Tuppence como se ela tivesse sido marcada para receber uma bênção. – Às vezes, ela se comporta com tanta timidez para com estranhos...

– *Bauch* – disse Betty Sprot. – *Ah puss ah bag* – acrescentou com ênfase.

– E o que significa isso? – indagou a sra. O'Rourke, curiosa.

– Ela ainda não se comunica com muita clareza – confessou a sra. Sprot. – Acabou de completar dois anos, sabe. Desconfio que durante a maior parte do tempo ela fala só bobagens. Mas sabe dizer mamãe, não sabe, querida?

Betty olhou para a mãe, pensativa, e comentou com firmeza:

– *Gugu-bick.*

– É uma língua só deles, esses anjinhos – bradou a sra. O'Rourke. – Betty, meu amor, agora diz "mamãe".

Betty olhou firme para a sra. O'Rourke, franziu o cenho e observou com grande ênfase:

– *Nazer...*

– Mas olha só, ela está se esforçando tanto! E que menininha mais adorável ela é.

A sra. O'Rourke se levantou, sorriu de uma forma agressiva para Betty e saiu da sala, gingando pesadamente.

– *Ga, ga, ga* – disse Betty, com uma satisfação imensa, batendo com a colher na mesa.

Tuppence perguntou, com os olhos brilhando:

– O que é exatamente que significa *Nazer*?

A sra. Sprot respondeu, enrubescendo:

– Desconfio, sabe, que é algo que a Betty diz quando não gosta de alguém ou de alguma coisa.

– Pois eu pensei o mesmo – observou Tuppence.

Ambas riram.

– Afinal de contas – disse a sra. Sprot –, a sra. O'Rourke quer ser simpática, mas ela dá medo, com essa voz grossa, a barba e tudo mais.

Com a cabeça inclinada para um lado, Betty fez um barulho parecido com um arrulho para Tuppence.

– Ela gostou mesmo da senhora, sra. Blenkensop – disse a sra. Sprot.

Tuppence sentiu uma leve ponta de ciúme na voz da mulher. Por isso, apressou-se a apaziguá-la.

– Essas crianças sempre gostam de ver gente nova, não? – indagou, animada.

A porta abriu-se, e o major Bletchley e Tommy surgiram. Tuppence assumiu um ar travesso.

– Ah, sr. Meadowes – disse, bem alto. – Cheguei antes do senhor, está vendo? Fui a primeira a cruzar a linha de chegada. Mas deixei um pouquinho de desjejum para o senhor!

E indicou bem de leve a cadeira ao seu lado. Tommy resmungou vagamente:

– Ah, hã, quer dizer, obrigado – e correu a sentar-se na outra extremidade da mesa.

Betty Sprot disse "*Putch!*", cuspindo um pouco de leite em direção ao major Bletchley, cujo rosto instantaneamente assumiu uma expressão encabulada, porém maravilhada.

– E como vai a nossa Bo Peep* esta manhã? – indagou ele, em tom de brincadeira. – Bo Peep! Achou! – E começou a se esconder atrás do jornal e reaparecer enquanto falava.

---

* Personagem de uma cantiga infantil inglesa. "To play bopeep" significa brincar de se esconder e reaparecer. (N.T.)

Betty soltou um gritinho de alegria. Tuppence ficou seriamente desconfiada. Pensou:

"Deve haver algum engano. Não pode estar havendo nenhuma espionagem aqui. Simplesmente não pode!"

Para alguém acreditar que o Sans Souci era quartel-general da Quinta Coluna, era preciso ter a capacidade de raciocínio da Rainha Branca de *Alice no País das Maravilhas.*

CAPÍTULO 3

I

Do lado de fora, no terraço coberto, a srta. Minton estava tricotando. Ela era magra e ossuda, de pescoço fino. Usava um suéter azul-celeste e tinha penduradas no pescoço várias correntinhas e diversos colares de contas. Suas saias eram de um tecido semelhante ao tweed e, por falta de enchimento que as sustentasse nas costas, iam direto da cintura até as pernas. Ela cumprimentou Tuppence com vivacidade.

– Bom dia, sra. Blenkensop. Espero de coração que tenha dormido bem.

A sra. Blenkensop confessou que nunca dormia muito bem na primeira ou segunda noite passadas em uma cama estranha. A srta. Minton respondeu:

– Ora, não é mesmo curioso? A mesma coisa acontece comigo!

A sra. Blenkensop observou:

– Que coincidência, e que ponto mais bonito esse que fez agora. – A srta. Minton, enrubescendo de prazer, mostrou o seu trabalho.

– Sim, é bem incomum, mas na verdade muito fácil de fazer. – Ela podia mostrar à sra. Blenkensop, se quisesse. Ah, era muita bondade da srta. Minton, mas a sra. Blenkensop era tão tapada que não sabia tricotar muito bem, nem sabia seguir receitas. Só podia fazer peças simples como balaclavas, e mesmo assim tinha medo de ter errado alguma coisa. De algum jeito, não parecia estar *correto*, não é?

A srta. Minton analisou com um cuidado de especialista a massa cáqui. Delicadamente apontou o lugar em que havia erro. Agradecida, Tuppence entregou-lhe a balaclava defeituosa. A srta. Minton transmitia bondade e boa vontade ao ensinar.

– Imagine, não foi trabalho nenhum, já faz anos que tricoto.

– Pois eu, antes dessa guerra pavorosa, nunca tinha feito nada disso – confessou Tuppence. – Só que ficamos tão deprimidos, não é, que nos sentimos na obrigação de fazer alguma coisa, qualquer coisa.

– Ah, sim, claro. E você tem um rapaz na Marinha, se não me engano, pelo que disse ontem à noite, não?

– Sim, meu filho mais velho. Um rapaz excelente, embora eu suponha que a mãe não deva se gabar assim dos filhos. Tenho outro na Força Aérea, e o Cyril, meu caçula, está na França.

– Ai, pobrezinha de você, meu bem, como deve estar angustiada!

Tuppence pensou:

"Ai, Derek, meu querido Derek... Ele no inferno, numa confusão dos diabos, e eu aqui, bancando a palhaça, representando exatamente o que sinto..."

E Tuppence disse, no tom de voz mais firme possível:

– Devemos todos ser corajosos, não devemos? Vamos torcer para isso tudo terminar logo. Disseram-me um dia desses, uma pessoa da mais alta confiança, aliás, que os alemães vão se render dentro de dois meses.

A srta. Minton concordou com tanto vigor que todos os seus colares sacudiram-se, entrechocando-se.

– Sim, isso mesmo, eu acredito – e misteriosamente baixou o tom de voz – que Hitler está sofrendo de uma doença mais do que fatal... e que em agosto já vai estar totalmente sem juízo.

Tuppence respondeu, animada:

– Toda essa história de Blitzkrieg é só o último esforço dos alemães. Creio que a carestia deve estar um horror na Alemanha. Os operários das fábricas estão muito insatisfeitos. Tudo está para desmoronar.

– O que é isso? O que é que está havendo?

O sr. e a sra. Cayley saíram para o terraço, o sr. Cayley fazendo essas perguntas aflito. Ele se acomodou em uma cadeira e sua esposa colocou-lhe uma manta sobre os joelhos. Ele voltou a questionar, assustado:

– Do que estão falando?

– Estamos comentando – disse a srta. Minton – que no outono essa guerra já vai ter terminado.

– Besteira – comentou o sr. Cayley. – Essa guerra vai durar pelo menos seis anos.

– Ai, sr. Cayley – protestou Tuppence. – Essa não é sua opinião, é?

– O sr. Cayley olhou em torno de si, desconfiado.

– Agora eu me pergunto – murmurou ele –, será que está passando uma corrente de ar aqui? Talvez fosse melhor eu empurrar minha cadeira ali para aquele canto.

Todos ajudaram a transferir o sr. Cayley para o novo lugar. Sua esposa, uma mulher com expressão aflita, parecia não ter outro objetivo na vida senão atender às menores necessidades do sr. Cayley, manipulando almofadas e mantas, perguntando-lhe de quando em quando: "Como está agora, Alfred? Acha que vai ficar confortável? Será que não devia colocar seus óculos escuros? Esta manhã o sol está muito ofuscante!"

O sr. Cayley respondeu, irritadiço:

– Não, não. Chega de exagero, Elisabeth. Pegou minha echarpe? Não, não, minha echarpe de seda. Ih, deixa pra lá, não importa. Por enquanto, este cachecol aqui mesmo talvez sirva, para variar. Mas não quero aquecer demais minha garganta, e a lã, neste sol... talvez seja mesmo melhor você ir pegar a outra. – E voltou sua atenção de novo para assuntos de interesse público. – Sim – disse ele. – Eu aposto que a guerra vai durar seis anos.

E escutou com prazer os protestos das duas mulheres.

– Vocês, minhas prezadas senhoras, estão só se distraindo com o que se costuma chamar sonhos impossíveis. Agora já eu conheço a Alemanha. Posso dizer com toda a tranquilidade que conheço a Alemanha extremamente bem. Durante minha vida profissional, antes de me aposentar, costumava viajar com frequência entre a Inglaterra e a Alemanha. Berlim, Hamburgo, Munique, conheço todos esses lugares. Posso lhes garantir que a Alemanha pode segurar as pontas praticamente por tempo indeterminado. Com o apoio da Rússia...

O sr. Cayley então mergulhou triunfante no assunto, sua voz subindo e descendo em cadências agradavelmente melancólicas, só interrompida quando ele fez uma pausa para receber a echarpe de seda das mãos da mulher, enrolando-a em torno do pescoço.

A sra. Sprot trouxe Betty para fora e a fez sentar-se para brincar com um cachorrinho de madeira sem uma das orelhas e um casaco de lã de boneca.

– Pronto, Betty – disse ela. – Vista o Bonzo* para o passeio enquanto mamãe se prepara para sair.

A voz do sr. Cayley continuou tecendo comentários, monótona, recitando estatísticas e números, todos bastante deprimentes. O monólogo era volta e meia interrompido pelas exclamações enfáticas de Betty, que falava com o Bonzo naquela língua que só ela conhecia.

– *Truclo... trucli... pá-bat* – disse Betty. Depois, quando um passarinho pousou perto dela, estendeu as mãozinhas carinhosamente para ele e gorgolejou. O passarinho espantou-se e saiu voando, e Betty olhou de relance em torno de si, para o grupo reunido, e comentou claramente:

– Piopio! – e balançou a cabeça com grande satisfação.

– Essa criança está aprendendo a falar que é uma maravilha – disse a srta. Minton. – Diz *tchau*, Betty. *Tchau*.

---

* Personagem de um cachorrinho, criado por George E. Studdy na década de 20, surgido pela primeira vez na revista *The Sketch*. (N.T.)

Betty olhou para ela com uma cara de indiferente e respondeu:

– *Gluck!*

Em seguida, meteu o único braço do Bonzo na manga do casaquinho e, indo até uma cadeira com seu andarzinho instável de criança pequena, pegou a almofada e escondeu o Bonzo atrás dela. Soltando risadinhas de felicidade, ela disse, esforçando-se ao máximo:

– Conde, au-au. Conde!

A srta. Minton, agindo como uma espécie de intérprete, disse com um orgulho de quem se coloca no lugar da mãe:

– Ela adora brincar de esconde-esconde. Vive escondendo coisas. – E soltou um gritinho de surpresa exagerado, perguntando à menina:

– Onde está o Bonzo? Onde está o Bonzo, meu Deus? Onde será que ele se meteu?

Betty jogou-se no chão, soltando gargalhadas gostosas.

O sr. Cayley, vendo que alguém tinha deixado de prestar atenção a sua explicação sobre os métodos alemães de substituição de matéria-prima, fez cara de contrariado e pigarreou agressivamente.

A sra. Sprot saiu de chapéu na cabeça e pegou Betty no colo. A atenção de todos voltou a concentrar-se no sr. Cayley.

– O que era mesmo que estava dizendo, sr. Cayley? – indagou Tuppence.

Mas o sr. Cayley estava chateado. Disse, friamente:

– Aquela mulher vive trazendo essa menina para perto da gente e esperando que os outros tomem conta dela. Acho que é melhor o cachecol de lã mesmo, querida. O sol está se escondendo.

– Ah, mas sr. Cayley, continue nos contando aquela história. Era tão interessante – suplicou a srta. Minton.

O sr. Cayley, deixando-se convencer, retomou a contragosto seu discurso, aconchegando melhor o cachecol de lã bem perto do pescoço enrugado.

– Como eu estava dizendo, a Alemanha aperfeiçoou tanto seu sistema de...

Tuppence voltou-se para a sra. Cayley e perguntou:

– O que acha da guerra, sra. Cayley?

A sra. Cayley deu um pulo.

– Ah, eu, a senhora está perguntando o que eu acho? Co... como assim?

– Acha que vai durar seis anos? Tanto tempo assim?

A sra. Cayley respondeu, duvidosa:

– Ah, espero que não. É muito, muito tempo mesmo, não é?

– Sim, muito tempo. Qual é, exatamente, a sua opinião?

A sra. Cayley pareceu bastante alarmada diante daquela pergunta. Respondeu:

– Ah, eu... eu não sei. Não sei mesmo. Alfred diz que vai durar esse tempo todo.

– Mas a senhora não concorda?

– Ah, eu não sei. É difícil dizer, não é?

Tuppence sentiu uma onda de exasperação. Aquela estridulante srta. Minton, o ditatorial sr. Cayley, a bobalhona da sra. Cayley, será que eram mesmo típicos ingleses? Seria a sra. Sprot melhor do que eles, com aquela expressão ligeiramente desligada e olhos cor de groselha fervida? O que ela, Tuppence, iria descobrir ali? Nenhuma daquelas pessoas, certamente...

E de repente ela parou de pensar. Percebeu uma sombra. Alguém atrás de si, de pé, entre ela e o sol. Virou a cabeça.

Era a sra. Perenna, de olhos pregados no grupo, de pé no terraço. E havia naquele olhar alguma coisa, um desprezo, seria isso? Uma espécie de desdém que causava vergonha, pensou Tuppence.

"Preciso saber mais sobre a sra. Perenna."

II

Tommy estava estabelecendo a mais feliz das relações com o major Bletchley.

– Trouxe uns tacos de golfe, não trouxe, Meadowes?

Tommy, contrito, confessou que sim.

– Ahá! Esses meus olhos sempre notam quase tudo. Esplêndido! Podemos jogar juntos. Já jogou no campo daqui?

Tommy disse que não.

– Não é ruim, não é nem um pouco ruim. Meio curto, talvez, mas uma vista linda do mar, e tudo. E nunca está muito cheio. Olha, que tal vir comigo esta manhã? Talvez possamos jogar.

– Muito obrigado. Eu gostaria de ir, sim.

– Devo dizer-lhe que estou feliz pelo senhor ter chegado – comentou Bletchley enquanto os dois subiam a rampa com certo esforço. – Tem mulheres demais nesse hotel. Dá nos nervos. É bom ter um outro homem para me apoiar. Não se pode contar com o Cayley porque ele é uma farmácia ambulante. Só fala da sua saúde, dos tratamentos que já tentou e dos remédios que está tomando. Se ele jogasse todas as caixas de pílulas fora e saísse para dar uma boa caminhada de quinze quilômetros todo dia, seria outro homem. O único outro homem aqui é o Deinim, e, para lhe dizer a verdade, Meadowes, ele não me parece boa gente.

– Não? – indagou Tommy.

– Não. Vai por mim, esse negócio de ser refugiado é perigoso. Se eu pudesse fazer as coisas a meu modo, mandaria todos para campos de concentração. A segurança acima de tudo.

– Meio drástico, talvez.
– De jeito nenhum. Guerra é guerra. E tenho minhas suspeitas em relação ao sr. Carl. Por um lado, ele claramente não é judeu. Depois, veio para cá só um mês, um mês apenas, veja bem, antes de a guerra começar. Dá para desconfiar disso.

Tommy disse, para puxar conversa:

– Então acha que...

– Um espião... é isso que ele é.

– Mas por aqui não há nada de grande importância em termos militares ou navais, há?

– Ah, meu velho, é aí que está! Se ele estivesse perto de Plymouth ou Portsmouth, todos iriam estar de olho nele. Em um lugar sossegado como este, ninguém se incomoda. Mas fica no litoral, não fica? A verdade é que o governo dá muita liberdade para esses estrangeiros inimigos. Qualquer um que é espião pode vir aqui, fazer cara de tristinho e falar que seus irmãos estão em campos de concentração. Olha só esse rapaz: arrogância da cabeça aos pés. Ele é nazista, isso é que ele é. Nazista.

– O que realmente precisamos neste país é de uns xamãs – disse Tommy, bem-humorado.

– Como disse?

– Para farejar os espiões – explicou Tommy, muito sério.

– Ah, muito boa essa, muito boa. Farejá-los... sim, claro.

Mas a conversa terminou aí porque já tinham chegado à sede do clube.

Tommy inscreveu-se como sócio temporário, apresentaram-no ao secretário, um homem inexpressivo e idoso, e, depois de Tommy ter pago a inscrição, começou a jogar golfe com o major.

Tommy jogava mais ou menos bem. Ficou feliz ao ver que seu padrão de jogo estava à altura do novo amigo. O major venceu por dois buracos acima a um por jogar, um placar bastante satisfatório.

– Boa partida, Meadowes, partida muito boa – você teve azar naquela tacada, a bola se desviou no último segundo. Devemos jogar de vez em quando, venha que eu o apresento a alguns sócios. Em geral, todos são simpáticos, embora alguns tendam a se comportar como velhotas, se entende o que eu digo... ah, aí vem o Haydock, vai gostar do Haydock, um ex-colega da Marinha. É dono da casa no penhasco ao lado do hotel. É nosso diretor local da Prevenção contra Ataques Aéreos.

O comandante Haydock era um entusiástico, grandalhão e musculoso, de rosto curtido pelo sol, olhos intensamente azuis e o hábito de falar quase sempre muito alto.

Cumprimentou Tommy com cordialidade.

– Então, vai ser o companheiro do Bletchley no Sans Souci? Ele vai ficar satisfeito de ter outro homem com quem dividir seu fardo. Com tantas mulheres lá, ele já andava meio saturado, não, Bletchley?

– Não sou mulherengo – disse o major Bletchley.

– Bobagem – respondeu Haydock. – Não é seu tipo de mulher, meu velho, só isso. Umas velhotas de pensão. Nada a fazer senão fofocar e tricotar.

– Está se esquecendo da srta. Perenna – disse Bletchley.

– Ah, a Sheila é uma mulher atraente, sim. Muito bonita, aliás, se me permite dizer.

– Ando meio preocupado com ela – comentou Bletchley.

– Como assim? Quer beber alguma coisa, Meadowes? E você, o que vai beber, major?

Pediram as bebidas e se sentaram na varanda da sede do clube, onde Haydock repetiu sua pergunta.

– Aquele alemão. Ela anda conversando muito com ele.

– Está caída por ele, é isso? Hum, isso não é bom. Claro que ele é bonitão, a seu modo. Mas não pode ser. Não pode ser, Bletchley. Não podemos deixar que esse tipo de coisa aconteça. Confraternizando com o inimigo, no fundo é isso o que ela está fazendo. Essas moças, onde é que estão com a cabeça? Há muitos rapazes ingleses decentes por aqui.

Bletchley respondeu:

– A Sheila é uma moça esquisita, de vez em quando se fecha em copas e mal fala com as pessoas.

– Sangue espanhol – disse o comandante. – O pai dela era meio espanhol, não era?

– Sei lá. O sobrenome dela é espanhol, acho.

O comandante consultou seu relógio de pulso.

– É hora do noticiário. Vamos entrar para escutá-lo.

Naquele dia não houve muitas notícias, pouco mais do que já havia sido publicado nos jornais matinais. Depois de comentar com aprovação as últimas façanhas da Força Aérea, colegas de primeira, corajosos como leões, o comandante passou a desenvolver sua própria teoria predileta, a de que mais cedo ou mais tarde os alemães tentariam tomar a própria Leahampton. Baseava esse argumento no fato de a cidade não ter importância nenhuma.

– Nem mesmo um canhão antiaéreo aqui! Uma vergonha!

O argumento morreu ali mesmo, pois Tommy e o major tiveram que voltar às pressas para almoçar no Sans Souci. Haydock fez um convite cordial a Tommy para vir conhecer sua casa, a "Toca dos Contrabandistas":

– Uma vista maravilhosa. Minha praia particular, todo tipo de geringonça útil na casa. Traga-o com você, Bletchley.

Ficou combinado que Tommy e o major Bletchley iriam bater papo regado a drinques na casa de Haydock na noite seguinte.

III

Depois do almoço tudo ficou bastante sossegado no Sans Souci. O sr. Cayley foi tirar sua "sesta" com a dedicada sra. Cayley a ajudá-lo. A srta. Minton levou a sra. Blenkensop até um depósito para empacotar e endereçar pacotes destinados à frente de combate.

O sr. Meadowes deu um passeio descontraído até Leahampton e saiu caminhando ao longo do litoral. Comprou alguns cigarros, parou no Smith's para comprar o número mais recente da revista *Punch*, e, depois de alguns minutos de hesitação visível, entrou em um ônibus com o destino PÍER VELHO.

O velho píer ficava no extremo do passeio. Aquela parte de Leahampton era conhecida dos agentes do serviço secreto como a parte menos desejável. Era o oeste da cidade, com uma reputação duvidosa. Tommy pagou dois *pence* e saiu passeando pelo píer. Era uma armação de madeira frágil e desgastada pelas intempéries, havia algumas máquinas dispensadoras moribundas, com fendas para colocar moedas, a longos intervalos uma da outra. Não havia mais ninguém ali além de algumas crianças correndo de um lado para outro e gritando num tom que combinava perfeitamente com o estrilar das gaivotas, e de um homem solitário, sentado no final do píer, pescando.

O sr. Meadowes foi passeando até a extremidade do cais e olhou para a água. Depois perguntou baixinho:

– Pescou alguma coisa?

O pescador ergueu a cabeça.

– Não costumo pescar nada. – O sr. Grant recolheu a linha um pouco. E indagou, sem virar a cabeça:

– E você, Meadowes?

Tommy respondeu:

– Não tenho nada a lhe dizer ainda, chefe. Estou tentando me infiltrar.

– Ótimo. Conte-me tudo.

Tommy sentou-se em um toco adjacente, numa posição da qual podia ver o píer inteiro. Depois começou seu relatório.

– Acho que me integrei muito bem. Creio que você já deve ter em mãos a lista dos hóspedes, não tem? – E Grant confirmou. – Não tenho ainda nada a lhe contar. Comecei a fazer amizade com o major Bletchley. Jogamos golfe juntos hoje de manhã. Ele parece um oficial aposentado comum. Meio típico demais, até. Cayley parece um inválido hipocondríaco genuíno. Mas esse seria também um papel fácil de representar. Conforme ele mesmo admitiu, viajou com certa frequência para a Alemanha recentemente.

– É – concordou Grant, lacônico.

– Depois vem o Von Deinim.

– Sim. Não preciso lhe dizer, Meadowes, que o Von Deinim é o homem em quem estou mais interessado.

– Acha que ele é o N?

Grant sacudiu a cabeça.

– Não. Segundo penso, o N não poderia ser alemão.

– Nem mesmo refugiado perseguido pelos nazistas?

– Nem mesmo isso. Nós os observamos, e eles sabem que nós observamos todos os estrangeiros inimigos neste território. E digo mais, e isso é confidencial, Beresford: dentro de pouco tempo todos os estrangeiros entre dezesseis e sessenta anos vão ser obrigados a ir para campos de concentração. Estejam nossos adversários cientes disso ou não, eles podem pelo menos prever que uma coisa assim pode ocorrer. Nunca arriscariam deixar que um chefe de organização fosse parar em um campo de concentração. Portanto, o N deve ser neutro ou estar fingindo que é inglês. O mesmo, é claro, aplica-se a M. Não, o que quis dizer quando mencionei o Von Deinim foi o seguinte: ele pode ser um dos elos da corrente. Pode ser que nem M, nem N estejam no Sans Souci, pode ser que Carl von Deinim é que esteja lá, e através dele nós sejamos levados ao nosso objetivo. Isso, sim, parece ser altamente possível. Tanto é que não consigo imaginar que nenhum dos outros hóspedes do Sans Souci seja a pessoa que estamos procurando.

– Já investigou todos, por alto, creio eu, não, chefe?

Grant deu um suspiro rápido e súbito de vergonha.

– Não, é exatamente isso que é impossível para mim. Eu poderia mandar verificar todos facilmente, mas não quero me arriscar, Beresford. O departamento está comprometido, entende? Se eu der a entender que estou de olho no Sans Souci por qualquer motivo, a organização pode ficar de orelha em pé. É aí que você entra, o sujeito que não pertence à organização. Por isso, tem que trabalhar no escuro, sem nossa ajuda. É nossa única chance, e não ouso arriscar nada que possa alarmá-los. Só consegui investigar os antecedentes de uma pessoa.

– Quem, chefe?

Grant sorriu.

– O próprio Von Deinim. Foi muito fácil, uma investigação de rotina. Posso mandar investigá-lo não do ponto de vista do Sans Souci, mas do ponto de vista de que ele é o inimigo estrangeiro.

Tommy perguntou, curioso:

– E qual foi o resultado?

Um sorriso curioso surgiu no rosto do seu interlocutor.

– O sr. Carl é exatamente o que diz ser. Seu pai cometeu uma indiscrição, foi preso e morreu em um campo de concentração. Os irmãos mais velhos também estão internados em campos de concentração. A mãe morreu de desgosto há um ano. Ele fugiu para a Inglaterra um mês antes de a guerra começar. Von Deinim professou uma grande vontade de ajudar o nosso país. Seu trabalho em um laboratório de pesquisas químicas vem sendo excelente e muito útil para resolver o problema de imunização contra certos gases e em experimentos de descontaminação em geral.

Tommy perguntou:

– Então ele é inocente?

– Não necessariamente. Nossos amigos alemães primam pela atenção aos detalhes. Se o Von Deinim fosse enviado como espião à Inglaterra, eles tomariam o máximo cuidado para que seus registros não desmentissem o seu relato sobre suas experiências. Há duas possibilidades. Toda a família Von Deinim pode estar envolvida na trama, o que não é improvável nesse regime nazista superdetalhista, ou então esse cara não é o Carl von Deinim, e sim *um homem desempenhando o papel de Carl von Deinim.*

Tommy disse, devagar:

– Entendi. – E depois acrescentou: – Ele me parece um sujeito muito boa-praça.

Suspirando, Grant respondeu:

– Eles são, quase sempre são. É uma vida estranha essa nossa. Respeitamos nossos adversários e eles nos respeitam. Em geral, gostamos dos agentes secretos oponentes, entende, mesmo que estejamos fazendo de tudo para passar-lhes uma rasteira.

Fez-se silêncio enquanto Tommy pensava sobre a anomalia estranha que é a guerra. A voz de Grant lhe interrompeu as reflexões.

– Mas há aqueles pelos quais não sentimos nem respeito nem afeto, os que são traidores dentro de nossas próprias fileiras, os que estão dispostos a trair seu país e aceitar cargos e promoções dos estrangeiros que o invadiram.

Tommy disse, emocionado:

– Meu Deus, concordo com o senhor, chefe. Coisa de covarde.

– E merecem o fim digno de covardes.

Tommy indagou, incrédulo:

– E há mesmo gente assim, tão descarada?

– Em toda parte. Como lhe disse. No nosso serviço secreto. Nas Forças Armadas. No Parlamento. Em altos cargos dos Ministérios. Temos que passar o pente-fino para eliminar essas pragas, é nossa obrigação! E precisamos fazer isso logo. Não podemos fazer isso de baixo para cima porque a arraia-miúda, as pessoas que conversam nos parques, que vendem seus jornaizinhos ordinários, não sabem quem são os grandões. São os grandões que queremos, os que podem causar danos irremediáveis, e o farão, a menos que os desmascaremos a tempo.

Tommy disse, confiante:

– E vamos desmascará-los, chefe.

Grant indagou:

– O que o faz dizer isso?

Tommy respondeu:

– Você mesmo acabou de dizer: é nossa obrigação!

O pescador virou-se e olhou firme para o seu subordinado durante um minuto ou dois, observando a sua nova resolução. E gostou do que viu. Disse, baixinho:

– Bom homem.

E prosseguiu:

– E as mulheres deste lugar? Desconfiou de alguma?

– Acho que a gerente é suspeita.

– A sra. Perenna?

– Sim. Não sabe nada a seu respeito?

Grant falou, devagar:

– Pode ser que eu consiga verificar seus antecedentes, mas, como lhe disse, é arriscado.

– Sim, melhor não arriscar. Ela é a única que me parece realmente suspeita. Há uma jovem mãe, uma solteirona meticulosa, a esposa de um hipocondríaco, uma irlandesa bastante assustadora, todas essas me pareceram bem inofensivas.

– Só há essas mulheres por lá?

– Não. Há uma tal sra. Blenkensop, que chegou há três dias.

– E o que pode me dizer sobre ela?

Tommy respondeu:

– A sra. Blenkensop é minha mulher.

– O quê?

Grant disse isso em tom mais alto, de tão surpreso que ficou com a resposta. Ele girou de repente, com uma raiva acentuada no olhar.

– Pensei que tivesse lhe dito, Beresford, que não devia dizer nada a sua esposa!

– Exatamente, senhor, e eu não disse nada. Se o senhor me der uma chance de explicar...

Sucintamente, Tommy narrou o acontecido. Não ousou olhar nos olhos do chefe. Procurou evitar que o orgulho que secretamente sentia da mulher transparecesse na sua voz.

Fez-se um silêncio quando ele terminou a história. Depois um ruído esquisito escapou do outro homem. Grant estava rindo. Riu durante alguns minutos. Depois disse:

– Tiro o chapéu para sua mulher! Ela é uma em um milhão!

– Concordo – disse Tommy.

– Easthampton vai rir quando eu lhe contar essa. Ele me alertou para não deixá-la de fora. Disse que, se eu fizesse isso, ela faria de tudo para se impor. Eu não lhe dei ouvidos. Mas isso mostra o quanto temos que ter cuidado. Pensei que tinha tomado todas as precauções para evitar que me entreouvissem. Tinha me certificado de que você e sua mulher estariam sozinhos no apartamento. Ouvi a voz da amiga dela ao telefone pedindo a sua mulher que fosse vê-la imediatamente, e então... então ela me enganou com o simples truque de bater a porta. É, mulher esperta a sua.

Ficou calado um momento, depois continuou:

– Diga-lhe que dou o braço a torcer, sim?

– E suponho, chefe, que ela também pode participar da investigação, não?

O sr. Grant fez uma careta expressiva.

– Ela está sabendo de tudo, queiramos ou não. Diga-lhe que o departamento vai considerar uma honra se ela concordar em trabalhar conosco neste caso.

– Eu digo – confirmou Tommy, sorrindo de leve.

Grant falou, sério:

– Não poderia persuadi-la a voltar para casa e ficar lá, poderia?

Tommy meneou a cabeça.

– Não conhece a Tuppence.

– Acho que estou começando a conhecê-la. Disse isso porque... ora, a situação pode ficar muito perigosa. Se eles descobrirem quem você é, ou quem é ela...

E deixou a frase inacabada. Tommy respondeu, muito compenetrado:

– Entendo muito bem, chefe.

– Mas suponho que nem mesmo você vai conseguir convencer sua esposa de se manter longe do perigo, vai?

Tommy disse devagar:

– Não sei se eu ia querer fazer isso... Tuppence e eu, sabe, nós não somos assim. Nós trabalhamos juntos!

Na sua cabeça, surgiu aquela frase, pronunciada anos atrás, no final de uma guerra anterior. Uma aventura a dois...

Assim era, e sempre seria sua vida com Tuppence: uma aventura a dois...

CAPÍTULO 4

I

Quando Tuppence entrou no salão de estar do Sans Souci logo antes do jantar, a única ocupante do recinto era a monumental sra. O'Rourke, sentada à janela qual um Buda gigantesco.

Ela cumprimentou Tuppence com muita simpatia e verve.

– Ora vejam, pois é a sra. Blenkensop! A senhora é como eu, lhe agrada descer antes da hora e desfrutar de um minuto ou dois de quietude antes de entrar na sala de jantar, e essa é uma sala agradável quando o tempo está bom, com as janelas abertas para não se notar o cheiro da comida enquanto está sendo preparada. Isso é terrível, em qualquer lugar, e principalmente se for cebola ou repolho que está no fogão. Agora, sente-se aqui, sra. Blenkensop, e conte-me o que andou fazendo neste dia excelente, e o que acha de Leahampton.

Havia algo na sra. O'Rourke que fascinava Tuppence de uma forma que não era sadia. Ela parecia uma ogra vagamente recordada de contos de fada infantis. Com aquele seu corpanzil, sua voz grave, sua barba e bigode indisfarçados, aqueles olhos profundos e brilhantes e a impressão que dava de ser maior do que o tamanho normal, ela realmente parecia um personagem de histórias infantis.

Tuppence respondeu que achava que ia gostar muito de Leahampton, e ser feliz ali.

– Ou seja – acrescentou, em tom melancólico –, tão feliz quanto posso ser em qualquer lugar, com esta agonia terrível pesando no meu peito o tempo todo.

– Ah, o que é isso, não se preocupe – disse a sra. O'Rourke, tranquilamente. – Aqueles seus garotos espertos vão voltar sãos e salvos. Não há a menor dúvida. Um deles está na Força Aérea, foi o que disse, não?

– Sim, o Raymond.

– E está na França, agora, ou na Inglaterra?

– Está no Egito, no momento, mas pelo que disse na última carta que me mandou, quero dizer, não exatamente disse, mas temos um código particular, sabe o que quero dizer? Certas frases significam certas coisas. Acho que se justifica plenamente, não?

A sra. O'Rourke respondeu de bate-pronto:

– Claro, acho sim. É um privilégio de toda mãe.

– Sim, sinto que tenho direito de saber exatamente onde ele está.

A sra. O'Rourke concordou, balançando sua cabeça de Buda.

– Eu concordo inteiramente com a senhora, concordo mesmo. Se tivesse um menino na guerra, iria enganar o censor da mesma forma, ah, se iria. E seu outro garoto, o da Marinha?

Tuppence começou a desfiar uma verdadeira saga sobre Douglas, com a maior boa vontade.

– A senhora está entendendo, imagino – terminou ela, por fim. – Eu me sinto tão perdida sem meus três garotos... Eles nunca estiveram longe de mim ao mesmo tempo antes. São todos muito carinhosos comigo. Sinceramente, acho que me tratam mais como amiga do que como mãe. – E riu, meio encabulada. – Tenho que ralhar com eles de vez em quando para obrigá-los a sair sem mim.

("Que mulher mais detestável estou parecendo", pensou Tuppence com seus botões.)

E depois prosseguiu, em voz alta:

– E, francamente, eu não sabia bem o que fazer, nem para onde ir. O aluguel da minha casa em Londres estava alto, e me pareceu uma tolice renovar o contrato, portanto achei que, se fosse para algum canto sossegado, mas com uma estação ferroviária e trens em horários regulares... – E interrompeu-se.

Uma vez mais o Buda concordou.

– Concordo totalmente com a senhora. Londres não é lugar onde se deve ficar no momento. Ai, que tristeza! Morei lá muitos anos. Sou uma espécie de antiquária, sabe? Pode ser que conheça minha loja, na Cornaby Street, Chelsea? O nome no letreiro por cima da porta é Kate Kelly's. E minha loja tinha umas peças maravilhosas, ah, se tinha, sim, maravilhosas, a maioria de cristal, Waterford, Cork. Uma beleza. Lustres, candelabros, poncheiras, tudo isso. Cristal estrangeiro, ainda por cima. E pequenos móveis, nada muito grande, só pequenas peças, de época, a maioria de nogueira e carvalho. Umas coisas lindíssimas, e tinha uns clientes ótimos. Mas quando a guerra começou tudo foi por água abaixo. Tive sorte de ter fechado minha loja com pouco prejuízo.

Uma vaga lembrança passou pela cabeça de Tuppence. Uma loja cheia de cristais, através da qual era difícil passar, uma voz expressiva e persuasiva, uma mulher avantajada e intimidadora. Sim, certamente, Tuppence tinha estado naquela loja.

A sra. O'Rourke prosseguiu.

– Não sou daquelas pessoas que gosta de viver reclamando como algumas que estão hospedadas aqui. O sr. Cayley, por exemplo, com aquele bendito cachecol, xales e gemidos, dizendo que o negócio dele está soçobrando. Naturalmente está, estamos em guerra, e a esposa dele é tão tímida que não presta para nada. Depois, aquela insignificante sra. Sprot, sempre falando do marido.

– Ele está na frente de combate?

– Não, ele não. É um funcionário de seguradora, só isso, e tem tanto medo de ataques aéreos que mandou a mulher para cá desde o início da guerra. Veja bem, até acho que ele teve razão, por causa da criança, que é mesmo um amor, mas a sra. Sprot vive preocupada, não gosta do fato de o marido só vir aqui quando pode... Vive dizendo que o Arthur deve sentir muita falta dela. Mas, se quer saber minha opinião, o Arthur não está sentindo tanta falta assim, talvez ele esteja ocupado demais para isso.

Tuppence murmurou:

– Lamento muito por todas essas mães. Se deixam os filhos irem embora da cidade sem elas, não param de se preocupar. E, se trazem os filhos, preocupam-se porque o marido ficou.

– Ah, sim! E fica caro pagar as despesas de duas residências.

– Este lugar parece ter preços razoáveis – disse Tuppence.

– Sim, eu diria que vale o que pagamos por ele, a sra. Perenna é boa gerente. Mas é esquisitona.

– Em que sentido? – indagou Tuppence.

A sra. O'Rourke disse, com um brilho no olhar:

– Deve estar pensando que não tenho papas na língua. É verdade. Interesso-me por todos os seres humanos e por isso me sento aqui nesta cadeira com tanta frequência quanto possa. A gente vê quem entra e quem sai, quem está na varanda, o que está acontecendo no jardim. Do que estávamos falando mesmo? Ah, sim, a sra. Perenna, e de como é esquisita. Acho que aquela mulher passou por poucas e boas, se não estou enganada.

– Acha mesmo isso?

– Agora acho. E o mistério que ela faz em torno de si mesma? "De que parte da Irlanda você é?", eu lhe perguntei. Acredita que ela negou? Disse que não era irlandesa.

– Acha que ela é da Irlanda?

– Claro que é. Eu conheço as mulheres da minha terra. Podia até lhe dizer de que província ela vem. Mas ela me respondeu: "Sou inglesa, e meu marido era espanhol...".

A sra. O'Rourke interrompeu-se de repente, porque a sra. Sprot entrou, seguida por Tommy, que entrou logo atrás dela. Tuppence imediatamente passou a se portar de forma sedutora.

– Boa noite, sr. Meadowes. Está com muito boa disposição esta noite.

Tommy disse:

– Muito exercício, esse é o meu segredo. Uma partida de golfe esta manhã e uma caminhada ao longo do cais à tarde.

Millicent Sprot observou:

– Eu levei a minha filhinha para a praia esta tarde, ela queria remar, mas achei que estava meio frio. Ajudei-a a construir um castelo e um cachorro me roubou o tricô, puxando vários metros de fio. Uma coisa irritante mesmo, e foi muito difícil refazer tudo. Eu não tricoto muito bem.

– Está fazendo uma balaclava muito boa, sra. Blenkensop – disse a sra. O'Rourke, de repente voltando a atenção para Tuppence. – Está indo bem rápido. Pensei que a srta. Minton tivesse dito que a senhora não tinha experiência em tricotar.

Tuppence enrubesceu de repente. Os olhos da sra. O'Rourke eram aguçados. Com voz ligeiramente encabulada, Tuppence respondeu:

– Eu na verdade já tricotei muito na vida. Eu disse isso à srta. Minton. Mas acho que ela gosta de ensinar coisas às pessoas.

Todos riram, concordando com ela, e alguns minutos depois o resto dos hóspedes chegou e o gongo soou.

A conversa durante o jantar foi sobre espiões, assunto bastante absorvente. Contaram-se piadas antigas, bastante batidas. A da freira com braços musculosos; a do padre descendo de paraquedas e usando linguagem bastante diferente da religiosa quando aterrissou, com um baque; a do cozinheiro austríaco que escondeu um rádio na chaminé do quarto; e todas as coisas que tinham acontecido ou quase acontecido com tias e primos de segundo grau dos presentes. Isso facilmente levou às atividades da Quinta Coluna. As denúncias dos fascistas britânicos, dos comunistas, do Partido da Paz, de objetores conscienciosos. Era uma conversa bastante normal, do tipo que pode ser ouvida quase todos os dias, mas, no entanto, Tuppence assistia ao comportamento de todos e observava bem suas expressões enquanto conversavam, procurando captar alguma palavra ou careta denunciadora. Mas não viu nada. Sheila Perenna foi a única que não participou da conversa, mas isso poderia ser atribuído ao fato de ser habitualmente taciturna. Ela ficou apenas sentada à mesa com uma expressão sorumbática no rosto fechado e sombrio.

Carl von Deinim não estava presente naquela noite, portanto as línguas se soltaram bastante. Sheila só falou uma vez, mais para o final do jantar. A sra. Sprot tinha acabado de dizer, naquela sua vozinha fina:

– Acho que os alemães cometeram um grande erro na última guerra ao matarem a enfermeira Cavell. Por causa disso todos se voltaram contra eles.

Foi aí que Sheila, jogando a cabeça para trás, declarou, naquela sua voz jovem e indômita:

– Por que não deveriam matá-la? Ela era espiã, não era?

– Ah, não, não era espiã, não.

– Ela ajudou ingleses a fugir em um país inimigo. É a mesma coisa. Por que não deveriam matá-la?

– Ah, mas fuzilar uma mulher... e enfermeira, ainda por cima...

Sheila levantou-se.

– Acho que os alemães estavam certos – disse ela, e em seguida saiu pela porta envidraçada, indo para o jardim.

A sobremesa, que consistia em bananas meio verdes ainda e algumas laranjas meio passadas, já estava na mesa fazia algum tempo. Todos se levantaram e foram para a sala de estar tomar café.

Apenas Tommy disfarçou e foi até o jardim. Encontrou Sheila Perenna apoiada no muro do terraço contemplando o mar. Tommy se aproximou e parou ao lado dela. Ao ver que estava respirando apressadamente, Tommy percebeu que alguma coisa a deixara muito transtornada. Ele lhe ofereceu um cigarro, que ela aceitou. A seguir, Tommy lhe disse:

– Uma linda noite.

Em uma voz baixa, intensa, a moça respondeu:

– Poderia ser...

Tommy olhou para ela, meio na dúvida. Sentiu, subitamente, a atração e a vitalidade daquela moça. Havia nela uma vida agitada, uma espécie de força de atração. Ela era o tipo de moça, pensou Tommy, pela qual um homem perderia facilmente a cabeça.

– Se não fosse a guerra, é o que está querendo dizer? – indagou Tommy.

– Não quis dizer isso. Detesto guerras.

– Todos detestamos.

– Não como eu quis dizer. Detesto a hipocrisia da guerra, o convencimento, este patriotismo incrivelmente detestável.

– Patriotismo? – questionou Tommy, espantado.

– Sim, detesto patriotismo, entende? Todo esse papo de meu país, o país, o país! Trair o seu país, morrer por seu país, servir ao seu país. Por que o país de uma pessoa precisa ser tão importante assim?

Tommy respondeu apenas:

– Sei lá. Simplesmente é.

– Mas para mim não! Ah, sim, claro que para o senhor é importante. Vai para o exterior, compra, vende no Império Britânico, volta bronzeado, esbanjando clichês, falando dos nativos, exigindo *chota pegs** aos gritos, essas coisas todas.

Tommy disse, de mansinho:

---

* Jarrinha usada para servir doses de álcool, dos tempos da Índia colonial no final do século XIX. (N.T.)

– Espero que eu não seja assim tão ruim, minha cara.

– Estou exagerando um pouco, mas sabe o que quero dizer. O senhor acredita no Império Britânico, e... e... nessa bobagem de morrer pelo seu próprio país.

– Meu país – disse Tommy, secamente – não está particularmente ansioso por permitir que eu morra por ele.

– Sim, mas o senhor quer, mesmo assim. E é uma besteira de bom tamanho! Não vale a pena morrer por nada! São só ideias, conversa, coisas sem substância, uma idiotice enorme. Meu país não significa absolutamente nada para mim.

– Um dia – disse Tommy – vai se surpreender quando perceber que significa, sim.

– Não. Nunca. Já sofri... Já vi...

E aí ela se descontrolou. Virou-se de repente, impetuosamente, para ele.

– Sabe quem era o meu pai?

– Não – respondeu Tommy, ficando imediatamente mais interessado.

– O nome dele era Patrick Maguire. Ele... era um seguidor de Casement na Primeira Guerra. Foi fuzilado como traidor! Assim, à toa! Morreu por um ideal, por ter se deixado levar por um bando de irlandeses subversivos. Por que não ficou em casa, sossegado, cuidando da sua própria vida? Acabou virando mártir para alguns e traidor para outros. Mas eu acho que ele era simplesmente burro!

Tommy percebeu o tom de revolta juvenil contida naquele desabafo dela, e respondeu:

– Então foi essa a sombra que pairou sobre a sua vida enquanto crescia?

– Sombra, isso mesmo. Minha mãe mudou de nome. Nós moramos na Espanha durante algum tempo. Ela sempre diz que meu pai era meio espanhol. Sempre contamos mentiras em todo lugar aonde vamos. Já moramos no continente inteiro. Finalmente chegamos aqui e abrimos este hotel. Acho que é a coisa mais odiosa que já fizemos até hoje.

Tommy perguntou:

– O que sua mãe sente com relação às coisas em geral?

– Está querendo dizer sobre a morte do meu pai, não é? – Sheila calou-se um instante, franzindo o cenho, intrigada. Disse, devagar: – Eu nunca soube, para dizer a verdade. Ela nunca fala no assunto. Não é fácil saber o que minha mãe pensa ou sente.

Tommy concordou, pensativo. Sheila disse, abruptamente:

– Eu... não sei porque lhe contei tudo isso. Estava muito nervosa. Como foi que tudo começou mesmo?

– Com uma discussão sobre Edith Cavell.

– Ah, sim, patriotismo. Eu disse que detestava patriotismo.

– Não está se esquecendo das palavras da própria enfermeira Cavell?

– Que palavras?

– Antes de morrer. Não sabe o que ela disse?

E ele repetiu as palavras da enfermeira:

– *Patriotismo não basta... É preciso não ter ódio no coração.*

– Oh. – E Sheila deteve-se um instante, impressionada pelo que tinha ouvido. Depois, virando-se depressa, girou nos calcanhares e penetrou correndo nas sombras do jardim.

II

– Então, como vê, Tuppence, tudo se encaixaria.

Tuppence concordou, pensativa. A praia em torno deles estava fazia. Ela estava recostada contra um quebra-mar, e Tommy sentado acima dela, no quebra-mar em si, de onde poderia ver qualquer um que se aproximasse pela esplanada. Não esperava ver ninguém, pois tinha se certificado com uma boa margem de certeza onde as pessoas estariam naquela manhã. Por via das dúvidas, seu encontro com Tuppence tinha acontecido aparentemente de forma casual, agradável para a senhora e um pouco alarmante para o cavalheiro.

Tuppence indagou:

– A sra. Perenna?

– Sim. M, não N. Ela preenche os requisitos.

Tuppence voltou a balançar a cabeça, pensativa, outra vez.

– Sim. Ela é irlandesa, como a sra. O'Rourke percebeu, mas mesmo assim a sra. Perenna não admitiu isso. Já viajou de uma ponta a outra do continente. Mudou o nome para Perenna, veio para cá e abriu essa pousada. Uma camuflagem perfeita, cheia de imperfeições inócuas. O marido foi fuzilado como traidor, ela tem todos os motivos do mundo para dirigir uma operação da Quinta Coluna nesse país. Sim, tudo se encaixa. E a moça também está envolvida, na sua opinião?

Tommy disse, afinal:

– Definitivamente não. Ela nunca teria me contado tudo isso se ela mesma estivesse envolvida. Eu... estou me sentindo meio canalha, sabe.

Tuppence concordou, entendendo perfeitamente.

– Sim, era de se esperar. De certa forma, nosso trabalho é sujo.

– Mas muito necessário.

– Naturalmente.

Tommy comentou, enrubescendo de leve:

– Eu não gosto de mentir, assim como você não gosta...

Tuppence o interrompeu:

– Não me importo em mentir nem um pouco. Para ser franca, minhas mentiras me dão muito prazer artístico. O que me intriga são os momentos em que nos esquecemos de mentir, em que somos nós mesmos e, dessa forma, conseguimos resultados que não poderíamos obter de nenhuma outra. – Ela fez uma pausa, depois prosseguiu: – Foi isso que aconteceu com você ontem à noite, quando conversou com a moça. Ela reagiu a você como realmente é, e por isso é que está se sentindo mal com relação a ela.

– Acho que tem razão, Tuppence.

– Eu sei porque fiz a mesma coisa com o rapaz alemão.

Tommy indagou:

– O que você acha dele?

Tuppence respondeu, rapidamente:

– Se quer saber minha opinião, não acho que ele tenha nada a ver com isso.

– Grant acha que ele tem.

– O seu sr. Grant! – E Tuppence de repente se animou. Riu de leve. – Como eu gostaria de ter visto a cara dele quando você lhe contou que eu estava aqui.

– De qualquer forma, ele se retratou da maneira esperada. Você está definitivamente contratada para trabalhar no caso.

Tuppence concordou, mas pareceu meio distraída. Depois perguntou:

– Lembra-se daquela época depois da Primeira Guerra, quando nós estávamos atrás do sr. Brown? Lembra-se de como nos divertimos? De como estávamos empolgados?

Tommy concordou, animando-se.

– E como!

– Tommy... por que é que não estamos sentindo a mesma coisa agora?

Ele refletiu sobre aquela pergunta, com uma expressão séria no rosto tranquilo e feio. Depois disse:

– Acho que é mesmo uma questão de idade.

Tuppence respondeu, rispidamente:

– Não está dizendo que somos velhos demais, está?

– Não, não estou, de jeito nenhum. É que... dessa vez... não vai ser divertido. Estamos na mesma situação, sob outros aspectos, mas é a segunda guerra que enfrentamos, e essa estamos encarando de outra forma.

– É mesmo. Vemos como tudo é lamentável, um desperdício, uma coisa verdadeiramente horrorosa. Percebemos tudo sobre o que não pensávamos antes porque éramos jovens demais.

– Isso. Na guerra anterior, eu sentia medo de vez em quando, e escapei por um triz algumas vezes, passei por verdadeiros infernos em outras, mas também houve alguns bons momentos.

Tuppence indagou:

– Acha que Derek se sente assim também?

– Melhor não pensar nisso, minha velha – disse Tommy.

– Tem razão – e Tuppence fechou a boca firmemente. – Temos um trabalho a fazer. E vamos fazê-lo. Vamos em frente. A sra. Perenna é quem estamos procurando?

– Podemos pelo menos dizer que ela é uma forte candidata. Não há mais ninguém de quem você suspeite, há, Tuppence?

Tuppence refletiu.

– Não há, não. A primeira coisa que fiz quando cheguei, é claro, foi dar uma boa olhada em todos eles e analisar as possibilidades. Me parece que alguns deles podem positivamente ser eliminados.

– Quais, por exemplo?

– Ora, a srta. Minton, por exemplo, uma "rematada" solteirona britânica, e a sra. Sprot e a filhinha dela, a Betty, e a sra. Cayley, uma verdadeira cabeça-oca.

– Sim, mas qualquer um pode fingir que é idiota.

– Ah, sim, mas a solteirona minuciosa e as jovens mães egoístas são papéis fatalmente fáceis de exagerar, e as pessoas que estão hospedadas no hotel estão se portando de maneira bastante natural. E no caso da sra. Sprot, temos a criança.

– Creio – disse Tommy – que mesmo uma agente do serviço secreto pode ter filhos.

– Não trariam seus filhos para uma missão – observou Tuppence. – Não é o tipo de coisa em que se pode envolver uma criança. Tenho certeza disso, Tommy. Eu sei. A mãe nunca envolveria um filho em uma situação dessas.

– Eu desisto – disse Tommy. – Eu aceito a sra. Sprot e a srta. Minton, mas não sei se concordo em eliminarmos a sra. Cayley da lista de suspeitos.

– Não, talvez ela seja uma possibilidade porque exagera na dose. Não podem existir muitas mulheres tão idiotas quanto ela parece ser.

– Eu costumo observar que ser uma esposa dedicada realmente atrofia o intelecto da pessoa – murmurou Tommy.

– E onde foi que notou isso? – quis saber Tuppence.

– Não em você, Tuppence. Sua dedicação nunca chegou a esse ponto.

– É que mesmo sendo homem – disse Tuppence, com bondade – você não costuma se fazer de vítima quando se sente mal.

Tommy passou a fazer um levantamento das possibilidades.

– Cayley – disse Tommy, pensativo. – Tem alguma coisa estranha no Cayley.

– É, pode ser. Temos também a sra. O'Rourke.

– O que acha dela?

– Não sei bem. Ela me incomoda. É ameaçadora, como o gigante do pé de feijão, se entende o que digo.

– Sim, acho que entendo. Mas acho que é só fanfarronice dela para fingir que é perigosa. Ela é esse tipo de mulher.

Tuppence falou, devagar:

– Ela... observa tudo.

Ela estava se lembrando do comentário da sra. O'Rourke sobre tricô.

– Há também o Bletchley – lembrou Tommy.

– Mal falei com ele até agora. Ele definitivamente é seu território.

– Acho que ele é só um genuíno tipo velha guarda. Pelo menos é a impressão que tenho.

– Exatamente – disse Tuppence, reagindo ao tom de voz mais do que às palavras de Tommy. – O pior desse tipo de trabalho é que, ao analisar gente perfeitamente comum, que se vê por aí todos os dias, moldamos todas as pessoas para que elas se encaixem nos nossos requisitos mórbidos.

– Já tentei certas coisas com o Bletchley para testá-lo – disse Tommy.

– Que tipo de coisas? Eu estou planejando umas experiências também.

– Ora, só umas armadilhazinhas comuns, sem nada de mais, datas e lugares, esse tipo de coisa.

– Poderia, por favor, ser mais específico?

– Digamos que estamos conversando sobre caça aos patos. Ele menciona Fayum, onde caçou muitos patos, num tal ano, num certo mês. Em outra ocasião, menciono o Egito em um contexto totalmente diferente. Múmias, Tutancâmon, algo assim. Ele já viu essas coisas? Quando foi que esteve lá? E aí confiro as respostas. Ou cruzeiros em balsas P. & O., menciono o nome de uma ou duas, digo que a balsa era confortável. Ele menciona uma viagem ou outra, depois eu confiro tudo. Nada importante, nem nada que o faça desconfiar, só confiro se os dados são corretos.

– E até agora ele ainda não escorregou nenhuma vez?

– Nenhuma. E esse é um teste muito bom, eu lhe garanto, Tuppence.

– Sim, mas, se ele for o N, deve ter ensaiado muito bem sua história.

– Ah, sim, o principal, pelo menos. Mas é fácil tropeçar em detalhes sem importância. E ocasionalmente a pessoa se lembra de coisas demais, mais do que uma pessoa que não seja um impostor se lembraria. As pessoas não costumam se lembrar assim de improviso se viajaram para caçar em 1926 ou 1927. Precisam pensar um pouco, revirar a memória.

– Mas até agora você ainda não pegou nenhum deslize do Bletchley?
– Até agora ele respondeu de forma perfeitamente normal.
– Resultado: negativo.
– Exato.
– E agora – disse Tuppence – vou lhe expor algumas das minhas ideias.
E passou a fazer isso.

III

Na volta para casa, a sra. Blenkensop parou no correio. Ela comprou selos e, ao sair, entrou em uma das cabinas de telefones públicos. Dali ela telefonou para um certo número, pediu para falar com um certo "sr. Faraday" e conversou com ele rapidamente. Ela saiu sorridente, caminhou devagar para o hotel e parou no caminho para comprar mais novelos de lã.

A tarde estava agradável, com uma leve brisa soprando. Tuppence procurou esconder a energia natural de seu andar animado, caminhando devagar, de acordo com sua ideia de como deveria ser a sra. Blenkensop. A sra. Blenkensop não tinha absolutamente nada a ver com Tuppence, fora o fato de também tricotar (e não tão bem) e escrever cartas para seus filhos. Ela vivia escrevendo cartas para seus filhos, às vezes deixando-as pela metade.

Tuppence subiu a ladeira devagar na direção do Sans Souci. Como a estrada era sem saída, pois terminava na "Toca dos Contrabandistas", a casa do comandante Haydock, nunca havia muitos carros passando por ela: somente algumas caminhonetes de entregas de manhã. Tuppence foi passando por casa após casa, divertindo-se ao ler os nomes. "Bela Vista" (nome inadequado, pois não se podia ver muito bem o mar de lá, e a vista principal era do vasto vulto vitoriano que era Edenholme, do outro lado da estrada). "Karachi" era a casa seguinte. Depois dela vinha a "Torre de Shirley". Depois, a "Vista do Mar" (dessa vez um nome apropriado), a "Trelawny", estabelecimento concorrente do da sra. Perenna, e finalmente a vasta silhueta marrom-avermelhada do Sans Souci.

Foi exatamente quando chegou perto do hotel que Tuppence percebeu uma mulher de pé, ao lado do portão, olhando para o jardim. A mulher parecia nervosa, vigilante. Tuppence passou a pisar com mais cuidado, quase inconscientemente, andando com cautela na ponta dos pés.

Foi só quando Tuppence chegou perto que a mulher se virou, assustada. Ela era alta, vestida com roupas pobres, que chegavam a parecer roupas de mendiga, mas seu rosto era exótico. Ela não era jovem, tinha provavelmente entre quarenta e cinquenta anos, mas seu rosto contrastava com as roupas. A estranha tinha cabelos louro-claros e maçãs do rosto salientes, e devia ter sido, aliás, era ainda, muito bonita. Apenas por um minuto, Tuppence sentiu que havia algo de familiar naquele rosto, mas foi uma sensação passageira. O rosto daquela mulher não poderia, segundo Tuppence pensou, ser facilmente esquecido.

A mulher obviamente havia se espantado, e Tuppence notou a expressão de alarme que lhe passou pelo rosto. (Haveria algo de estranho nisso?) Tuppence lhe perguntou:

– Com licença, está procurando alguém?

A mulher respondeu com um sotaque estrangeiro, devagar, pronunciando as palavras com cuidado, como se as tivesse decorado.

– *Eshta* casa é Sans Souci?

– Sim, eu moro aqui. Quer falar com alguém em particular?

Fez-se uma pausa infinitesimal, depois a mulher respondeu:

– Pode me dizer, *porr fafor*... Tem *alcum* sr. Rosenstein aqui?

– Sr. Rosenstein? – Tuppence sacudiu a cabeça. – Não. Infelizmente não. Talvez ele tenha se hospedado aqui, mas já foi embora. Devo perguntar para a senhora?

A estranha fez um gesto rápido de recusa, e desceu a ladeira com pressa.

Tuppence ficou parada, vendo-a se afastar. Por algum motivo, aquilo despertou-lhe desconfiança. Havia um contraste entre os modos da mulher e suas palavras. Tuppence achou que o tal sr. Rosenstein devia ser invenção da mulher, que ela tinha mencionado o primeiro nome que tinha lhe passado pela cabeça.

Tuppence hesitou um instante, depois começou a descer a ladeira atrás da desconhecida. Algo que Tuppence só podia descrever como "instinto" a fez seguir a estrangeira.

Mas Tuppence logo parou. Se seguisse a estranha, chamaria muita atenção para si. Tuppence estava claramente a ponto de entrar no Sans Souci quando parou para falar com a desconhecida; reaparecer perseguindo a suspeita faria as pessoas desconfiarem de que a sra. Blenkensop não era quem dizia ser – isso se a estranha fosse mesmo uma agente inimiga.

Não, a sra. Blenkensop devia continuar parecendo o que era, custasse o que custasse.

Tuppence virou-se e voltou a subir a ladeira. Entrou no Sans Souci e parou no vestíbulo. A casa parecia estar deserta, como era comum no início da tarde. Betty estava tirando sua soneca, os hóspedes mais velhos estavam descansando ou tinham saído.

Parada na recepção, na penumbra, Tuppence pensava no recente encontro com a estranha quando um som fraco lhe chegou aos ouvidos. Era um som que ela conhecia muito bem, o eco distante de um "ting". O telefone do Sans Souci ficava no corredor. O que Tuppence tinha acabado de ouvir era o som feito quando o receptor do aparelho ou de uma extensão é tirado ou recolocado no gancho. Havia uma extensão na casa, no quarto da sra. Perenna.

Alguém estava usando a extensão. Era uma voz de homem. Tuppence ouviu o seguinte:

– Tudo está indo bem. No quarto, então, conforme o combinado.

A voz feminina respondeu:

– Sim, pode prosseguir.

Ouviu-se um clique quando o receptor foi recolocado no gancho.

Tuppence ficou parada, de cenho franzido. Seria a voz da sra. Perenna? Difícil dizer com apenas aquelas três palavras em que se basear. Se ao menos a conversa tivesse durado mais... Talvez, é claro, fosse uma conversa deveras normal, certamente não havia nada naquelas palavras que ela tinha entreouvido que indicasse que não era. Tuppence então viu uma sombra, projetada por algo que interceptou a luz vinda da porta. Sobressaltada, ela recolocou o receptor no gancho, ao mesmo tempo em que ouviu a sra. Perenna falando.

– Que tarde agradável! Vai sair, sra. Blenkensop, ou acabou de chegar?

Então não era a sra. Perenna a pessoa que estava falando ao telefone do quarto dela. Tuppence murmurou que tinha dado uma caminhada agradável e foi até a escada.

A sra. Perenna caminhou pelo vestíbulo ao seu lado. Ela parecia maior do que de costume. Tuppence percebeu que ela era forte e atlética.

– Preciso trocar de roupa – disse Tuppence, e subiu as escadas correndo. Quando dobrou a esquina do corredor, esbarrou na sra. O'Rourke, cujo corpanzil bloqueou o patamar no alto das escadas.

– Ora, ora, minha cara sra. Blenkensop, parece estar com muita pressa.

Ela não se afastou, ficou parada ali sorrindo para Tuppence, que a olhava, logo abaixo do seu rosto. O sorriso da sra. O'Rourke era meio assustador, como sempre. E, de repente, sem motivo algum, Tuppence sentiu medo.

Aquela mulherona irlandesa de voz grossa estava plantada no seu caminho, e abaixo de Tuppence estava a sra. Perenna, aproximando-se, ao pé das escadas. Tuppence lançou um olhar de relance para trás. Seria imaginação, ou ela havia visto uma expressão bastante ameaçadora no rosto da sra. Perenna, que surpreendentemente tinha os olhos pregados nela? "Absurdo", disse para si mesma, "um absurdo." Em plena luz do dia, em uma pensão comum, à beira do mar. Mas a casa estava muito silenciosa. E Tuppence estava ali, nas escadas, encurralada entre aquelas duas mulheres. Certamente havia alguma coisa meio esquisita no sorriso da sra. O'Rourke, uma ferocidade atenta, que Tuppence, desesperada, comparou "ao sorriso de um gato cercando um rato".

E aí, de súbito, a tensão desapareceu. Uma figura diminuta passou correndo no patamar superior, soltando gritinhos estridentes de prazer. Betty Sprot, só de blusa e calcinha, passou correndo pela sra. O'Rourke, gritando de alegria "Achou!" ao atirar-se sobre Tuppence.

O clima mudou totalmente. A sra. O'Rourke, uma mulher grandalhona e jovial, bradou:

– Ah, mas que gracinha! Essa menina está crescendo mesmo!

Lá embaixo, a sra. Perenna tinha se virado para a porta que dava para a cozinha. Tuppence, de mãos dadas com Betty, passou pela sra. O'Rourke e percorreu como um raio o corredor até onde a sra. Sprot esperava para ralhar com a garotinha traquinas.

Tuppence entrou no quarto da sra. Sprot com a menina. Sentiu um estranho alívio diante daquele clima doméstico: as roupas da criança estendidas na cama, os brinquedos de lã, o berço decorado, a cara de carneiro um tanto feia da sra. Sprot numa moldura sobre a cômoda, as reclamações dela quanto aos preços da lavanderia e, sim, ela achava que a sra. Perenna tinha cometido uma injustiça recusando-se a permitir que os hóspedes trouxessem ferros elétricos...

Tudo tão normal, tão tranquilizador, tão cotidiano...

E, no entanto, apenas alguns instantes antes, lá na escada...

"São meus nervos", disse Tuppence para si mesma. "Só meus nervos!"

Mas teria sido apenas isso mesmo? Alguém tinha telefonado do quarto da sra. Perenna. A sra. O'Rourke? Sem dúvida uma coisa muito estranha. Naturalmente, telefonar dali era uma forma de ter certeza de que ninguém ouviria.

Devia ter sido, pensou Tuppence, uma conversa muito curta. Uma troca de palavras bastante breve.

"*Tudo está indo bem. No quarto, conforme o combinado.*"

Talvez não significasse nada, ou significasse muita coisa.

No quarto. Seria um aposento? Um lugar? Uma data? O dia 4, digamos, de um mês?

Ou podia ser o quarto assento, o quarto poste, o quarto quebra-mar, impossível saber.

Poderia, possivelmente, ser a Ponte Forth. Tinham tentado explodi-la na guerra anterior.

Será que significava alguma coisa mesmo?

Talvez fosse uma confirmação de algum compromisso perfeitamente corriqueiro. A sra. Perenna talvez tivesse dito à sra. O'Rourke para usar o telefone do seu quarto sempre que quisesse.

E o instante ameaçador nas escadas, aquele momento de tensão, talvez tivesse sido fruto da sua imaginação por causa de seus nervos abalados...

A casa silenciosa... a sensação de algo sinistro no ar... algo diabólico...

"Atenha-se aos fatos, sra. Blenkensop", pensou Tuppence, inflexível. "E continue a trabalhar."

CAPÍTULO 5

I

O comandante Haydock revelou-se um anfitrião bastante acolhedor. Ele recebeu o sr. Meadowes e o major Bletchley com todo o prazer e entusiasmo e insistiu em mostrar ao sr. Meadowes "todos os detalhes da minha casa".

No local onde hoje se erguia a "Toca dos Contrabandistas" havia originalmente apenas umas cabanas da guarda costeira, no rochedo que dava vista para o mar. Havia uma angra com uma caverna embaixo da casa, mas o acesso a ela era perigoso, e apenas aventureiros se arriscariam a ir até lá.

Depois as cabanas tinham sido vendidas a um comerciante de Londres, que uniu uma a outra e tentou fazer um jardim, sem muito sucesso. Vinha até lá ocasionalmente e passava temporadas curtas na casa durante o verão.

Em seguida, a casa passou alguns anos desocupada, com mobília suficiente apenas para os veranistas.

– Em 1926, então – explicou Haydock –, um alemão chamado Hahn comprou este imóvel. Pessoalmente, acho que ele não passava de um espião.

Tommy ficou de orelha em pé.

– Interessante – disse ele, colocando de lado o copo cheio de xerez que estava bebericando.

– São muito detalhistas esses alemães – observou Haydock. – Já naquele tempo estavam se preparando para esta guerra, pelo menos é o que acho. Olha a situação deste lugar. Perfeito para sinalizar para navios no alto-mar. Uma angra com uma caverna ali embaixo, dentro da qual se pode ancorar uma lancha. Completamente isolado devido ao contorno do penhasco. Ah, sim, não me digam que aquele tal de Hahn não era espião alemão!

O major Bletchley respondeu:

– Mas claro que era.

– E o que foi feito dele? – indagou Tommy.

– Ah! – respondeu Haydock. – Aí é que está, é uma novela. O Hahn gastou uma fortuna nesse lugar. Começou mandando fazer um caminho até a praia, com uma escada de concreto, coisa muito cara. Depois reformou toda a casa, banheiros, com tudo do bom e do melhor. E quem foi que ele contratou para fazer tudo isso? Ninguém daqui. Uma empresa de Londres, dizem, mas vários dos que vieram trabalhar eram estrangeiros. Alguns deles não falavam sequer uma palavra de inglês. Não concorda que isso parece um tanto estranho?

– Meio esquisito mesmo – concordou Tommy.

– Eu morava aqui no bairro na época, em um bangalô, e me interessei pelo que o sujeito estava fazendo. Eu costumava passar aqui e ficar observando os operários. E vou lhe contar uma coisa, eles não gostavam, não gostavam nada disso. Uma ou duas vezes, os operários agiram de forma bastante ameaçadora. Por que eles agiriam assim se não fosse tudo fingimento?

Bletchley concordou, balançando a cabeça.

– Você devia tê-lo denunciado às autoridades – disse Bletchley.

– Foi exatamente o que fiz, meu caro. Comecei a importunar a polícia até que se cansasse de mim. – E se serviu de mais uma dose de bebida. – E o que foi que consegui por esse meu zelo patriótico? Um desinteresse educado. Cegos e surdos é o que éramos neste país. Uma outra guerra com a Alemanha estava fora de cogitação, havia paz na Europa, nossas relações com a Alemanha eram excelentes. Uma afinidade natural entre nós. Eu era encarado como um fóssil, um maníaco por guerra, um velho marinheiro obstinado. Por que denunciar às pessoas que a Alemanha estava montando a melhor Força Aérea da Europa e não era só para sair viajando e fazendo piqueniques?

O major Bletchley bradou, revoltado:

– Ninguém acreditou! Gente idiota! Paz no nosso tempo. Conciliação. Tudo conversa fiada!

Haydock falou, com a cara mais vermelha do que o normal, de raiva reprimida:

– Me chamaram de boateiro, foi disso que me chamaram. O tipo do cara, disseram, que era um obstáculo à paz. Paz! Eu sabia que nossos amigos boches estavam tramando! E prestem bem atenção, eles preparam tudo com bastante antecedência. Eu estava convencido de que o sr. Hahn não era boa gente. Eu não gostava dos operários estrangeiros dele, nem da forma que ele gastava dinheiro neste lugar. Continuei incomodando as pessoas.

– Muita coragem sua – elogiou-o Bletchley, com admiração.

– E afinal – disse o comandante – comecei a obter algumas reações positivas. Tínhamos um novo chefe de polícia aqui, um soldado aposentado. E ele teve o bom senso de me dar ouvidos. Seus subordinados começaram a investigar. E o Hahn, como eu previa, sumiu. Simplesmente desapareceu numa bela noite. A polícia veio até aqui com um mandado de busca e apreensão. Em um cofre que tinha sido embutido na parede da sala de jantar, descobriram um rádio transmissor e alguns documentos bastante comprometedores. Além disso, havia uma sala de armazenagem grande sob a garagem para guardar gasolina, tanques grandes. Só sei lhe dizer que fiquei felicíssimo ao ouvir isso. Os meus companheiros lá do clube que costumavam zombar de mim pelo que diziam ser minha mania de encontrar espião alemão pararam de falar depois dessa. O nosso problema, aqui, é que não desconfiamos de ninguém, nem quando há motivo para tal.

– É um crime. Tolos é o que somos, uns tolos. Por que não colocamos todos esses refugiados em campos de concentração? – indagou o major Bletchley, embalado.

– Para arrematar a história, comprei a casa quando a puseram à venda – continuou o comandante, que não pretendia ser interrompido enquanto contava sua história predileta. – Venha comigo, Meadowes, que vou lhe mostrar o lugar, que tal?

– Obrigado. Gostaria de ver tudo, sim.

O comandante Haydock fez as honras do estabelecimento como um garoto espevitado. Abriu o enorme cofre da sala de jantar para mostrar onde haviam encontrado o rádio. Levou Tommy até a garagem para ele ver onde os alemães tinham escondido os tanques de gasolina, e finalmente, depois de olhar superficialmente os dois excelentes banheiros, a iluminação especial e as várias "geringonças" da cozinha, os dois desceram até a gruta embaixo da casa, pelos degraus de concreto, enquanto o comandante Haydock contava a Tommy toda a história outra vez, e como o projeto inteiro seria extremamente útil a um inimigo em tempos de guerra.

Depois Haydock conduziu Tommy à caverna que dava nome ao lugar, explicando-lhe com entusiasmo como poderia ser utilizada.

O major Bletchley não acompanhou os dois na visita, mas ficou tranquilo tomando seu xerez no terraço. Tommy raciocinou que era porque a caça aos espiões do comandante, com seu final feliz, era o tema principal de conversa daquele bondoso senhor, e que seus amigos já a haviam escutado muitas vezes.

Aliás, o major Bletchley até confirmou isso quando eles estavam voltando para o Sans Souci pouco depois.

– Um bom amigo, o Haydock – disse Bletchley. – Mas não consegue deixar esse assunto de lado. Já ouvimos essa história vezes sem conta, até nos enjoarmos dela. Ele se orgulha daquela casa cheia de artimanhas como um gato se orgulha de sua ninhada.

Aquela comparação até que era correta, e Tommy concordou com um sorriso.

A conversa então passou a girar em torno de uma peripécia do major Bletchley, na qual ele conseguiu desmascarar um contrabandista de artefatos em 1923. Tommy ficou com a atenção livre para se concentrar na sua linha de pensamento interior, de vez em quando fazendo comentários como "é mesmo?", "não diga" e "que coisa mais extraordinária!", que era só o que o major Bletchley precisava em termos de incentivo.

Mais do que nunca, Tommy sentia que, quando Farquhar, ao morrer, mencionou o Sans Souci, ele estava certo. Ali, naquele lugar remoto, muito tempo atrás, os alemães tinham preparado o terreno para um ataque. A chegada do alemão Hahn e aquela casa totalmente aparelhada mostravam claramente que aquele trecho do litoral em particular tinha sido selecionado para ser um ponto de encontro, um foco de atividade inimiga.

Aquele jogo específico tinha sido vencido pela atividade inesperada do desconfiado comandante Haydock. A primeira rodada tinha sido vencida pela Inglaterra. Mas e se a "Toca dos Contrabandistas" tivesse sido o primeiro ponto de um complexo sistema de ataque? A "Toca dos Contrabandistas" teria sido, então, um ponto de comunicação com os navios ao largo da costa. A praia da casa, inacessível, salvo pelo caminho aberto vindo de cima, seria perfeita para esse plano. Mas essa era apenas a ponta do iceberg.

Tendo sido derrotado naquela parte do plano por Haydock, qual tinha sido a reação do inimigo? Será que ele não teria recorrido à coisa mais próxima, ou seja, ao Sans Souci? A denúncia de Hahn acontecera quatro anos antes. Tommy então, a partir do que Sheila Perenna havia lhe dito, deduziu que aquele fato havia ocorrido pouco depois de a sra. Perenna ter voltado à Inglaterra e comprado o Sans Souci. Será que o hotel é que estava sendo usado agora como base de operações para a próxima fase do jogo?

Portanto, Leahampton devia definitivamente ser um centro inimigo, havendo já instalações e recrutamento na área.

Tommy ficou mais animado. A depressão causada pelo clima inofensivo e fútil do Sans Souci desapareceu. Por mais inocente que lhe parecesse aquele lugar, isso era meramente superficial. Atrás daquela máscara inócua estavam acontecendo coisas.

E o centro de tudo, pelo que Tommy podia deduzir, era a sra. Perenna. A primeira coisa a fazer era saber mais sobre ela, penetrar atrás daquela rotina aparentemente simples de dirigir o hotel. Sua correspondência, seus conhecidos, suas atividades sociais ou ligadas à guerra, em alguma parte devia estar a essência de suas atividades reais. Se a sra. Perenna fosse uma famosa agente inimiga, poderia ser M, e então era ela que controlava todas as atividades neste país. Sua identidade só seria conhecida de poucas pessoas, em postos mais altos na hierarquia. Mas ela precisava se comunicar com seus chefes de estado-maior, e eram essas mensagens que ele e Tuppence teriam que interceptar.

No momento certo, como Tommy via agora com clareza, a "Toca dos Contrabandistas" poderia ser tomada e retida por alguns agentes que operassem a partir do Sans Souci. Ainda não era hora, mas talvez fosse em breve.

Uma vez que o exército alemão estivesse controlando os portos do canal na França e na Bélgica, poderia se concentrar em invadir e subjugar a Grã-Bretanha, e certamente as coisas estavam indo bem mal na França ultimamente.

A Marinha britânica reinava nos mares, portanto o ataque teria que ser aéreo e por traição interna, e, se a sra. Perenna era o instrumento dessa traição, não havia tempo a perder.

As palavras do major Bletchley ecoaram em seus pensamentos:

– Aí eu vi, entende, que não havia tempo a perder. Eu recorri ao Abdul, meu especialista em arqueologia, meu bom amigo, Abdul...

E a história prosseguiu, interminável, naquela voz monótona dele.

Tommy continuava pensando:

"Por que Leahampton?" Haveria algum motivo para o ataque acontecer ali? Aquele lugar ficava longe de tudo, era um tanto ermo. Conservador, com costumes antiquados. Todos esses motivos tornavam a cidade recomendável. Mas haveria mais alguma coisa?

Havia uma faixa de território agrícola atrás da cidade que se estendia até o interior do país. Muitos pastos. Portanto, uma área apropriada para aterrissagem de aviões de transporte de tropas, ou paraquedistas. Mas havia muitos outros lugares assim. Também havia na região uma fábrica de produtos químicos, onde, aliás, trabalhava o Carl von Deinim.

Carl von Deinim. Como ele se encaixava em tudo isso? Muitíssimo bem. Não era o chefe, como Grant havia lhe garantido. Era só um dente da engrenagem. Deinim estava sujeito à desconfiança pública, e podia ser levado para um campo de concentração a qualquer momento. Mas, enquanto isso, ele poderia já ter cumprido sua missão. Ele havia mencionado a Tuppence que estava trabalhando para resolver problemas de descontaminação e imunização contra certos gases. Havia probabilidades nisso, probabilidades desagradáveis demais para se contemplar.

Carl, decidiu Tommy (com certa relutância), era também um deles. Uma pena, porque ele até que gostava do homem. Estava trabalhando pelo seu país, arriscando sua vida por ele. Tommy sentia respeito por adversários assim, mas precisava eliminá-los a todo custo. Tudo sempre terminava em tiroteio, mas quando se trabalhava em contraespionagem, isso eram apenas ossos do ofício.

Eram as pessoas que traíam sua própria terra dentro dela as que realmente faziam nascer dentro dele uma lenta sede de vingança. Ele ia eliminá-las, ah, se ia!

– E foi assim que os capturei! – terminou o major, triunfante. – Muita esperteza de minha parte, não?

Tommy respondeu, sem nem mesmo enrubescer:

– Esse foi o plano mais engenhoso que já ouvi na minha vida, major.

II

A sra. Blenkensop estava lendo uma carta em papel fino estrangeiro, com o carimbo do censor.

– Meu querido Raymond – murmurou. – Fiquei tão feliz com ele lá no Egito, e agora, ao que parece, há uma grande mudança em vista. Tudo muito secreto, é claro, e ele não pode me dizer nada, mas há mesmo um plano maravilhoso em andamento e devo me preparar para algumas surpresas bem grandes em breve. Estou feliz por saber para onde ele vai ser enviado, mas, francamente, não vejo por quê...

Bletchley soltou um grunhido.

– Ele com certeza não pode lhe contar isso, pode?

Tuppence soltou uma gargalhada de desaprovação e olhou para as outras pessoas que estavam presentes à mesa do café da manhã enquanto dobrava sua preciosa carta.

– Ah! Nós temos nossos códigos – disse ela, provocante. – O meu querido Raymond sabe que se eu descobrir onde ele está, ou para onde vai, não me preocuparei tanto. Ele tem uma forma bem simples de me dizer isso. Só uma certa palavra, entende, e depois, pelas iniciais das próximas palavras, eu deduzo o nome do lugar. Naturalmente a frase fica meio esquisita, mas o Raymond é muito engenhoso mesmo. Tenho certeza de que ninguém notaria.

Todos os que estavam à mesa cochicharam, trocando comentários. O momento foi bem oportuno, pois todos estavam à mesa do café da manhã juntos, o que era raro.

Bletchley, com o rosto em brasa, protestou:

– Vai me desculpar, sra. Blenkensop, mas está agindo de maneira absolutamente temerária. Movimentação de tropas e esquadrões aéreos são justamente as informações que os alemães querem saber.

– Ah, mas eu nunca vou contar isso a ninguém – gritou Tuppence. – Sou muito, mas muito discreta mesmo.

– Mesmo assim, é imprudente da sua parte... e seu filho pode se meter em alguma enrascada algum dia por isso.

– Espero que não. Sou mãe dele, entende? A mãe precisa saber.

– Isso mesmo, e eu acho que está certa – comentou a sra. O'Rourke naquela voz de trovão. – Nem mesmo cavalos selvagens arrancariam essa informação da sua boca, sabemos disso.

– Alguém pode tentar ler as cartas – comentou Bletchley.

– Eu tomo muito cuidado, nunca deixo as cartas por aí – disse Tuppence, com um ar de dignidade ultrajada. – Sempre as tranco na minha gaveta.

Bletchley sacudiu a cabeça, incrédulo.

III

Era uma manhã cinzenta, com um vento gelado soprando do mar. Tuppence estava sozinha numa das extremidades da praia, longe do hotel. Ela tirou da bolsa duas cartas que tinha acabado de ir buscar em um pequeno jornaleiro da cidade, e as abriu.

Querida mãe,

Há inúmeras coisas engraçadas que poderia lhe contar, mas não devo. Estamos batalhando com vigor, penso eu. Cinco aviões alemães antes do café da manhã é a cotação do mercado hoje. Tudo está meio confuso neste momento, mas vamos chegar lá no final.

É essa mania deles de metralharem os pobres civis nas estradas que me deixa furioso. Nós todos vemos tudo vermelho quando isso acontece. Gus e Trundels lhe mandam lembranças. Eles continuam firmes e fortes.

Não se preocupe comigo. Estou bem. Não teria perdido essa festa por nada neste mundo. Mande abraços ao meu velho Cabeça de Cenoura, ele já arranjou emprego no correio?

Afetuosamente,
Derek.

Os olhos de Tuppence ficaram úmidos e começaram a brilhar enquanto ela lia e relia essas linhas. Depois ela abriu a outra carta.

Minha queridíssima mamãe,

Como vai a tia Gracie? Bem? Acho maravilhoso você estar cuidando dela. Eu não teria paciência.

Não tenho notícias. Meu emprego é muito interessante, mas secreto, não posso lhe contar o que faço. Mas sinto que faço algo que vale a pena. Não se incomode por não estar ajudando a Inglaterra a vencer a guerra, todas essas velhinhas ficam por aí correndo para um lado e para outro procurando o que fazer, uma bobagem sem tamanho. Eles só querem gente jovem e eficiente. Como é que o Cabeça de Cenoura está se saindo no emprego dele na Escócia? Só preenchendo formulários, aposto. Ele mesmo assim deve estar feliz por sentir que está fazendo alguma coisa.

Muitos beijos,
Deborah.

Tuppence sorriu. Depois dobrou as cartas, alisou-as com amor e, ao abrigo de um quebra-mar, acendeu um fósforo e ateou fogo a elas. Esperou até estarem reduzidas a cinzas. Em seguida, tirando da bolsa a caneta-tinteiro e um bloquinho pautado, escreveu rapidamente.

Langherne, Cornualha.
Querida Deb,
Isso aqui me parece tão distante de tudo que mal posso crer que estejamos mesmo em guerra. Fiquei muito feliz por receber sua carta e saber que seu trabalho é interessante.
A tia Gracie está muito mais fraquinha e muito esquecida. Acho que ela está contente por eu estar aqui lhe fazendo companhia. Ela fala muito sobre os tempos de outrora e às vezes penso que ela me confunde com a minha mãe. As pessoas aqui estão plantando mais legumes e verduras do que de costume, transformaram o roseiral em uma plantação de batatas. Ajudo um pouco o velho Sikes. Isso me faz sentir que estou fazendo alguma coisa para ajudar na guerra. Seu pai parece meio insatisfeito, mas eu acho, como você disse, que ele pelo menos sente que está fazendo algo.

Com muito amor, sua mãe,
Tuppenny.

Depois pegou uma folha em branco.

Querido Derek,
Foi um grande consolo para mim receber sua carta. Envie cartões-postais com frequência se não tiver tempo de escrever.
Eu vim visitar a tia Gracie um pouco. Ela está muito fraquinha. Fala como se você tivesse sete anos e me deu dez xelins ontem para lhe enviar como um agrado.
Ainda estou na prateleira, ninguém quer meus preciosos serviços! Extraordinário! Seu pai, como eu lhe disse, conseguiu um emprego no Ministério da Burocracia. Está em algum lugar no norte do país. Melhor do que nada, mas não era o que ele queria, coitado do Cabeça de Cenoura. Mesmo assim, suponho que precisamos ser

humildes e ficar em segundo plano, deixar vocês, seus jovens idiotas, tomarem a frente nesta guerra.

Não vou dizer "tenha cuidado" porque entendo que você deve estar fazendo justamente o contrário aí. Mas não seja imprudente.

Muitos beijos,
Tuppence.

Ela colocou as cartas em dois envelopes, endereçou-os, selou-os, colocando os devidos carimbos, e depois os deixou no correio, a caminho do Sans Souci.

Ao chegar ao pé do penhasco, duas silhuetas de pé conversando a certa distância, no meio da ladeira, lhe chamaram a atenção. Tuppence estacou de repente. Era a mesma mulher que ela tinha visto no dia anterior, e estava conversando com o Carl von Deinim.

Tuppence, arrependida, notou que não havia onde se esconder. Ela não podia se aproximar deles sem ser vista e entreouvir o que estavam dizendo.

Além disso, neste momento, o alemão virou a cabeça e viu Tuppence. Abruptamente, os dois se separaram. A mulher desceu a ladeira depressa, atravessou a rua e passou por Tuppence do outro lado.

Carl von Deinim esperou até Tuppence chegar perto dele. Depois, muito sério, com muita educação, desejou-lhe bom dia. Tuppence imediatamente respondeu:

– Que mulher estranha essa que estava conversando com o senhor, sr. Von Deinim.

– Sim. Ela é da Europa Central. É tcheca.

– É mesmo? Amiga sua?

O tom de Tuppence foi uma imitação perfeita do tom de voz da tia Gracie quando era jovem.

– Não, não é amiga minha – disse Carl, meio tenso. – Eu nunca a vi antes.

– Ah, é? Eu pensei... – e Tuppence fez uma pausa proposital.

– Ela só me pediu informações. Falei com ela em alemão porque ela não entende inglês muito bem.

– Entendo. E ela estava lhe pedindo informações sobre como chegar aonde?

– Ela me perguntou se eu conhecia uma sra. Gottlieb por aqui. Eu não conheço, e ela disse que talvez tenha entendido errado o nome da casa.

– Sei – falou Tuppence, pensativa.

Sr. Rosenstein. Sra. Gottlieb.

Lançou um olhar furtivo a Carl von Deinim. Ele estava caminhando a seu lado, de cara fechada. Tuppence sentiu uma forte desconfiança daquela mulher estrangeira. E quase se convenceu de que, quando os viu pela primeira vez, a mulher e Carl já estavam conversando há algum tempo.

Carl von Deinim?

Carl e Sheila, de manhã. "*Você deve tomar cuidado...*"

Tuppence pensou:

"Espero... espero que esses jovens não estejam metidos na trama!"

"Eu sou mesmo uma banana", pensou, "uma mulher banana de meia-idade!" Isso é o que ela era! O credo nazista era um credo de jovens, os agentes nazistas provavelmente deviam ser jovens. Carl e Sheila. Tommy tinha dito que Sheila não estava envolvida. Sim, mas Tommy era homem, e Sheila era linda, de uma beleza exótica de tirar o fôlego.

Carl e Sheila, e por trás deles aquela figura enigmática: a sra. Perenna, que às vezes se comportava de forma volúvel e comum, anfitriã de hotel, e, às vezes, durante alguns minutos passageiros, exibia uma personalidade agressiva e trágica.

Tuppence subiu devagar as escadas até seu quarto. Naquela noite, quando foi para a cama, ela abriu a gaveta comprida da cômoda. De um lado, estava uma pequena caixa laqueada com uma fechadura frágil e barata. Tuppence calçou luvas, destrancou a caixa e abriu-a. Dentro dela havia um monte de cartas. A de cima era a que havia sido recebida naquele dia de "Raymond". Tuppence abriu-a, com todas as precauções necessárias.

Então comprimiu os lábios, preocupada. Havia um cílio na dobra do papel naquela manhã. O cílio não estava mais lá.

Ela foi até o lavatório. Havia ali uma garrafinha com o inocente rótulo "Pó cinza" com uma dose.

Tuppence aplicou um pouco do pó na carta e na superfície da caixa laqueada.

Não havia impressões digitais nem na carta nem na caixa. Tuppence balançou a cabeça com uma certa satisfação, embora contrariada.

Porque deveria haver impressões digitais ali, as dela.

Uma criada poderia ler cartas por curiosidade, embora isso parecesse improvável... embora fosse ainda mais improvável ela ter se dado o trabalho de procurar uma chave que coubesse na fechadura da caixa.

Mas uma criada não pensaria em apagar impressões digitais.

A sra. Perenna? Sheila? Alguma outra pessoa? Alguém que no mínimo estava interessado na movimentação de tropas britânicas.

IV

O plano de campanha de Tuppence tinha sido simples quando foi bolado. Em primeiro lugar, avaliar probabilidades e possibilidades. Depois, uma experiência para determinar se havia ou não alguém no Sans Souci interessado em movimentação de tropas, procurando esconder esse fato.

Terceiro passo: quem seria essa pessoa?

Era sobre como dar este terceiro passo que Tuppence estava ponderando enquanto mantinha-se deitada na cama na manhã seguinte. A sequência de seus pensamentos foi ligeiramente perturbada por Betty Sprot, que tinha entrado, toda serelepe, bem cedo, antes mesmo da xícara de líquido escuro e um tanto tépido conhecido como o "chá matinal".

Betty estava tanto agitada quanto volúvel. Tinha se apegado muito a Tuppence. Subiu na cama e empurrou um livro de figuras extremamente esfrangalhado sob o nariz de Tuppence, ordenando, curta e grossa:

– Toia!

Tuppence obedeceu:

– "Gansa, gansinho, por onde vocês andam?

Subindo, descendo, ao quarto da minha ama."

Betty rolou de tanto rir, repetindo, em êxtase:

– 'Bindo, 'cendo, 'bindo, 'cendo – e depois, num súbito clímax: – 'Cendo! – e então rolou da cama para o chão, onde caiu com um baque. Ela repetiu isso várias vezes até cansar-se. Depois engatinhou pelo chão, brincando com os sapatos de Tuppence e murmurando sem parar, consigo mesma, naquela sua língua peculiar:

– Ag da – bah pit – su – su – dah – putch...

Sem precisar mais ler, Tuppence voltou a concentrar-se em suas próprias perplexidades e esqueceu a criança. As palavras do versinho pareciam zombar dela:

"Gansa, gansinho, onde é que vocês andam?"

Onde mesmo, não é? A gansinha era ela, o macho era Tommy. Era pelo menos o que eles pareciam ser. Tuppence sentia um desprezo mais profundo pela sra. Blenkensop. O sr. Meadowes, pensou ela, era melhor, um britânico apático e sem criatividade, quase incrivelmente burro. Ambos, esperava ela, encaixavam-se muito bem no pano de fundo do Sans Souci. Ambos eram pessoas que possivelmente iriam parar lá.

Mesmo assim não podia ficar descansada, pois seria fácil cometer um deslize. Ela tinha cometido um recentemente, nada que importasse, mas ele servira de aviso para alertá-la a ser mais cuidadosa. Era uma ótima via de acesso para a intimidade e para as boas relações uma pessoa tricotando indiferente, pedindo conselhos. Mas tinha se esquecido de que, uma noite, seus dedos tinham deixado de parecer inexperientes e passaram a tricotar com grande agilidade, fazendo as agulhas estalarem como todas as tricoteiras experientes fazem. E a sra. O'Rourke percebera isso. Desde então ela tinha procurado tricotar mais ou menos entre uma coisa e outra, não com tanto vagar como antes, mas não tão rápido quanto era capaz de fazer.

– *Ag bu beite?* – gritou Betty. E repetiu a pergunta: – *Ag bu beite?*

– Lindo, querida – disse Tuppence, distraída. – Lindo.

Satisfeita, Betty voltou a murmurar de novo.

Seu próximo passo, pensou Tuppence, poderia ser facilmente planejado. Ou seja, com a conivência do Tommy. Ela já previa exatamente como agir... O tempo passou depressa enquanto ela estava deitada ali fazendo planos. A sra. Sprot entrou, arquejante, procurando Betty.

– Ah, aqui está ela. Eu não conseguia imaginar onde ela poderia ter se metido. Betty, sua danada! – Ai, nossa, sra. Blenkensop, me desculpe.

Tuppence sentou-se na cama. Betty, com uma carinha de anjo, estava contemplando sua obra.

Ela havia tirado os cordões dos sapatos de Tuppence, mergulhado-os em um copo d'água e estava cutucando-os com um dedinho, toda feliz.

Tuppence riu e interrompeu os pedidos de desculpas da sra. Sprot.

– Mas que coisa mais engraçada. Não se preocupe, sra. Sprot, eles vão secar. É culpa minha. Devia ter notado o que ela estava fazendo. Estava quieta demais.

– Eu sei – disse a sra. Sprot, com um suspiro. – Quando ficam quietos é mau sinal. Vou lhe comprar outros cordões ainda esta manhã, sra. Blenkensop.

– Não se incomode – disse Tuppence. – Eles vão ficar ótimos depois que secarem.

A sra. Sprot pegou Betty no colo e saiu do quarto, e Tuppence se levantou para colocar seu plano em ação.

CAPÍTULO 6

I

Tommy olhou com cautela para o pacote que Tuppence lhe entregou.

– É isso?

– É. Tome cuidado. Não derrame nada nas suas roupas.

Tommy cheirou o pacote com delicadeza e respondeu com energia.

– Não vou mesmo. O que é esse negócio malcheiroso?

– Assa-fétida – disse Tuppence. – Uma pitadinha só disso e você vai ficar imaginando por que seu namorado não quer mais saber de você, como dizem os anúncios.

– Faz lembrar cheiro de corpo – murmurou Tommy.

Pouco depois disso, vários incidentes ocorreram.

O primeiro foi o "cheiro" no quarto do sr. Meadowes.

O sr. Meadowes, um homem que não gostava de reclamar por natureza, teceu breves comentários sobre ele a princípio, mas depois passou a reclamar com cada vez mais firmeza.

A sra. Perenna foi convocada para um conclave. Com toda a vontade do mundo de resistir, ela precisou admitir que havia mesmo um cheiro esquisito no quarto. Um cheiro penetrante e desagradável. Talvez, segundo sugeriu, algum dos bicos de gás do fogão estivesse vazando.

Abaixando-se e farejando, desconfiado, Tommy comentou que não achava que o cheiro estivesse vindo de lá. Nem de nenhum lugar sob o chão. Ele pensava que era, definitivamente, um rato morto.

A sra. Perenna admitiu que tinha ouvido falar dessas coisas, mas tinha certeza de que não havia ratos no Sans Souci. Talvez um camundongo, embora ela jamais tivesse visto um ali antes.

O sr. Meadowes disse com firmeza que achava que o cheiro indicava a presença de pelo menos um rato, e acrescentou, ainda mais firme, que não ia passar mais nem uma noite no quarto até o assunto ter sido resolvido. Ele pediu que a sra. Perenna providenciasse outro quarto para ele.

A sra. Perenna disse que claro, ela estava para sugerir o mesmo. Infelizmente, o único quarto vago era bem pequeno e não tinha vista para o mar, mas se o sr. Meadowes não se importasse...

O sr. Meadowes não se importava. Seu único desejo era não sentir mais aquele cheiro insuportável. A sra. Perenna, portanto, o acompanhou até um quartinho cuja porta, por coincidência, ficava diretamente em frente ao quarto da sra. Blenkensop, e convocou a fanha e imbeciloide Beatrice para "transferir a bagagem do sr. Meadowes para o novo quarto". Ela ia, explicou, mandar buscar "um homem" para remover o piso e procurar a origem do cheiro.

Tudo foi satisfatoriamente resolvido assim.

II

O segundo incidente foi a febre do feno do sr. Meadowes. Foi isso que ele disse que era, a princípio. Depois ele admitiu, meio desconfiado, que talvez pudesse ter contraído um resfriado. Espirrava muito, e seus olhos lacrimejavam. Se havia um leve e passageiro cheiro de cebola crua flutuando na brisa perto do grande lenço de seda do sr. Meadowes, ninguém notou, pois um aroma pungente de água de colônia mascarava o odor mais penetrante.

Finalmente, vencido pelos espirros incessantes e cansado de tanto assoar o nariz, o sr. Meadowes resolveu passar o dia inteiro na cama.

Foi na manhã daquele dia que a sra. Blenkensop recebeu uma carta do seu filho Douglas. Ficou tão encantada que todos no Sans Souci ouviram falar na carta, que não tinha passado pela censura, explicou ela, porque por sorte um dos amigos do Douglas, que estava vindo da frente de combate, de licença, tinha-a trazido consigo; portanto, Douglas tinha sido capaz de dar muitos detalhes que de outra forma não daria.

– E isso simplesmente mostra – declarou a sra. Blenkensop, balançando a cabeça, toda assanhada – que não sabemos quase nada sobre o que está de fato acontecendo.

Depois do desjejum, ela subiu até seu quarto, abriu a caixa laqueada e guardou a carta. Entre as páginas dobradas colocou alguns grãos quase invisíveis de pó de arroz. Ela tornou a fechar a gaveta, pressionando firmemente os dedos na sua superfície.

Ao sair do quarto, ela tossiu, e do outro lado do corredor veio o som de um espirro altamente histriônico. Tuppence sorriu e desceu as escadas.

Já tinha contado a todos que pretendia ir a Londres passar o dia lá para tratar de alguns assuntos com seu advogado e fazer umas compras.

Agora os hóspedes do hotel estavam reunidos para o seu bota-fora, pedindo-lhe para fazer várias coisas para eles, "só se você tiver tempo, é claro".

O major Bletchley estava distante daquele falatório feminino, lendo o jornal e fazendo comentários apropriados em voz alta.

– Malditos porcos alemães. Metralhando refugiados civis nas estradas. Uns animais. Se eu fosse nosso povo...

Tuppence partiu quando ele estava ainda detalhando o que faria se estivesse na chefia das operações. Ela fez um desvio pelo jardim para perguntar a Betty Sprot o que ela gostaria de receber como presente de Londres. Betty, segurando uma lesma, encantada, com ambas as mãos quentes, soltou um gorgolejo agradecido. Em reação às sugestões de Tuppence, "Um gatinho? Um livro de figuras? Giz colorido para você desenhar?", Betty decidiu: "Betty denhá". Então Tuppence anotou o giz colorido na sua lista de compras.

Enquanto passava adiante, para chegar à entrada de carros pelo caminho do final do jardim, ela inesperadamente encontrou Carl von Deinim. Ele estava de pé, encostado na parede. Suas mãos estavam crispadas, e, quando Tuppence se aproximou, ele se virou para ela, seu rosto em geral impassível convulsionado de emoção.

Tuppence parou, sem querer, e perguntou?

– Alguma coisa errada?

– *Ach*, sim, tudo – sua voz saiu rouca e estranha. – Vocês têm um ditado aqui segundo o qual tem gente que não é peixe nem carne, não é?

Tuppence confirmou. Carl prosseguiu, com amargura:

– E é essa a minha situação. Mas não posso continuar, é o que concluí. Não posso continuar. Seria melhor, acho eu, acabar com tudo.

– Como assim?

O jovem respondeu:

– A senhora me tratou com consideração. Acho que entenderia. Fugi do meu país por causa da injustiça e da crueldade de lá. Vim para cá para procurar minha liberdade. Detestava a Alemanha nazista. Mas ainda sou alemão. Nada pode mudar isso.

Tuppence murmurou:

– Você deve ter dificuldades, eu entendo...

– Não é isso. Sou alemão, estou lhe dizendo. No meu coração, nos meus sentimentos. A Alemanha ainda é meu país. Quando leio sobre cidades alemãs sendo bombardeadas, sobre soldados alemães morrendo, sobre aviões alemães abatidos, eles são meu povo, é meu povo que está morrendo. Quando aquele major de cabeça quente lê o jornal dele e vem com comentários como "esses porcos", sinto um ódio imenso, não consigo suportar.

E acrescentou, baixinho:

– E então penso que seria melhor, talvez, acabar com tudo. Sim, acabar com tudo.

Tuppence segurou-o com firmeza pelo braço.

– Bobagem – disse, incisiva. – Naturalmente sente vontade de morrer. Qualquer um sentiria. Mas precisa aguentar firme.

– Desejaria ir para um campo de concentração. Seria mais fácil assim.

– É, talvez fosse. Mas por enquanto está fazendo uma pesquisa útil, ou foi o que ouvi dizer. Útil não só para a Inglaterra, mas para a humanidade. Está trabalhando em problemas de descontaminação, não é?

O rosto do alemão descontraiu-se ligeiramente.

– Ah, sim, e comecei a conseguir resultados esplêndidos. Um processo muito simples, fácil de implementar, e que não é complicado de aplicar.

– Muito bem – disse Tuppence –, vale a pena fazer isso. Qualquer coisa que mitigue o sofrimento dos outros vale a pena, bem como qualquer outra atitude que seja construtiva e não destrutiva. É natural que xinguemos nossos inimigos. Eles estão fazendo a mesma coisa na Alemanha. Centenas de majores Bletchley, todos espumando pela boca. Detesto os alemães também. "Os alemães", digo eu, e sinto ondas de ódio me invadirem. Mas, quando penso nos alemães individualmente, nas mães sentadas nervosas esperando notícias dos seus filhos, e nos rapazes que saem de casa para ir para a frente de combate, e nos camponeses guardando as colheitas, e nos lojistas e alguns dos bondosos alemães que eu conheço, sinto algo bem diferente. Sei então que eles são apenas seres humanos e estão todos sentindo o mesmo. Essa é a verdade. A outra atitude é só a máscara que se coloca na guerra. Faz parte da guerra, provavelmente uma parte necessária, mas efêmera.

Enquanto falava, pensou, como Tommy havia feito pouco tempo atrás, nas palavras da enfermeira Cavell: "Patriotismo não basta. É preciso não ter ódio no coração". Aquelas palavras, vindas de uma mulher profundamente patriota, sempre tinham parecido para ambos o mais sublime símbolo de sacrifício.

Carl von Deinim pegou a mão de Tuppence e beijou-a. Depois disse:

– Obrigado. O que está dizendo é verdade e é bom. Vou tentar ser mais forte.

"Ai, meu Deus", pensou Tuppence enquanto caminhava pela estrada até a cidade. "Que azar a pessoa de quem mais gosto neste lugar ser alemão. O mundo parece ter virado de cabeça para baixo!"

III

Tuppence fez questão de ser perfeccionista. Embora não tivesse desejo de ir a Londres, achou que seria prudente fazer exatamente o que havia dito que faria. Se fosse passar o dia em qualquer outro lugar, alguém poderia vê-la, e o fato poderia circular no Sans Souci. Não, a sra. Blenkensop dissera que ia a Londres e a Londres ela precisava ir.

Comprou um bilhete de ida e volta, e já estava se afastando da bilheteria quando deu de cara com Sheila Perenna.

– Olá – cumprimentou Sheila. – Para onde vai? Eu acabei de vir devolver um pacote que parece ter se extraviado.

Tuppence explicou-lhe seus planos.

– Ah, sim, claro – disse Sheila, despreocupada. – Eu me lembro de que tinha dito que iria a Londres, mas não me lembrava de que seria hoje. Vou acompanhá-la até o trem.

Sheila estava mais animada do que o normal. Não parecia estar de mau humor, nem emburrada. Bateu papo de maneira bastante amistosa sobre pequenos detalhes da vida cotidiana no Sans Souci. Ficou conversando com Tuppence até o trem sair da estação.

Depois de acenar da janela e observar a silhueta da moça se afastando, Tuppence sentou-se no banco de novo, em um canto, e se entregou a uma meditação profunda. Seria apenas coincidência Sheila estar na estação exatamente àquela hora, ou seria uma prova de perfeccionismo do inimigo? Será que a sra. Perenna queria se certificar de que a tagarela sra. Blenkensop iria mesmo para Londres?

Parecia ser exatamente isso.

IV

Foi só no dia seguinte que Tuppence conseguiu marcar uma conferência com Tommy. Eles tinham concordado nunca tentar comunicar-se sob o teto do Sans Souci.

A sra. Blenkensop encontrou-se com o sr. Meadowes depois que a febre do feno do homem tinha passado consideravelmente, e ele estava passeando diante do hotel. Eles se sentaram em um dos bancos do caminho.

– E aí? – indagou Tuppence.

Devagar, Tommy balançou a cabeça. Parecia bastante contrariado.

– Sim – disse ele. – Consegui uma pista. Mas, pelo amor de Deus, que dia eu passei! Perpetuamente de olho, pela fenda da porta. Fiquei com torcicolo.

– Não quero saber do seu torcicolo – disse Tuppence, insensível. – Conte-me tudo.

– Ora, as criadas entraram para fazer a cama e arrumar o quarto, claro. E a sra. Perenna entrou, mas foi enquanto as criadas estavam lá dentro, e ela só foi lhes passar uma descompostura por causa de alguma coisa. E a menininha entrou correndo uma vez e saiu com um cachorrinho de pelúcia.

– Sim, sim. Mais alguém?

– Uma pessoa – disse Tommy, devagar.

– Quem?

– Carl von Deinim.

– Ah! – Tuppence sentiu uma pontada de dor. Então, afinal...

– Quando? – indagou.

– Na hora do almoço. Ele saiu da sala de jantar cedo, subiu até o quarto dele, depois veio andando disfarçadamente pelo corredor e entrou no seu quarto. Ficou lá uns quinze minutos.

Tommy interrompeu-se.

– Acho que não há dúvida, há?

Tuppence concordou. Sim, não havia dúvida. Carl von Deinim não poderia ter motivo nenhum para entrar no quarto da sra. Blenkensop e ficar lá quinze minutos, exceto um. Sua cumplicidade havia sido comprovada. Ele devia ser, pensou Tuppence, um ator excelente...

Suas palavras para ela, naquela manhã, tinham lhe parecido muito sinceras. Ora, talvez fossem sinceras, até certo ponto. Saber quando usar a verdade era a essência da mentira bem-sucedida. Carl von Deinim era um patriota, sim, era um agente inimigo trabalhando pelo seu país. Era preciso respeitá-lo por isso. Mas também era preciso eliminá-lo.

– Uma pena – lamentou ela, devagar.

– Eu também acho – disse Tommy. – Ele é boa-praça.

Tuppence comentou:

– Você e eu talvez estivéssemos fazendo o mesmo na Alemanha.

Tommy concordou. Tuppence prosseguiu:

– Ora, sabemos mais ou menos onde estamos. Carl von Deinim trabalhando com Sheila e a mãe. Provavelmente a sra. Perenna é a chefe. Tem também a mulher estrangeira que estava falando com o Carl ontem. Ela também está envolvida de alguma forma.

– O que faremos agora?

– Precisamos entrar no quarto da sra. Perenna, quando for possível. Pode haver alguma prova definitiva lá. E precisamos segui-la, ver aonde vai e com quem se encontra. Tommy, vamos pedir ao Albert que venha até aqui.

Tommy refletiu sobre esse pedido. Alguns anos antes, Albert, um menino de recados de um hotel, tinha se unido aos Beresford e participado de suas aventuras. Depois, ele tinha entrado para o serviço secreto e se transformado em mascote da instituição. Seis anos antes ele tinha se casado, e era agora o orgulhoso proprietário do bar O Pato e o Cão no sul de Londres.

Tuppence continuou, falando rapidamente:

– O Albert vai ficar encantado. Vamos chamá-lo para vir aqui. Ele pode se hospedar na pensão perto da estação ou pode seguir as duas Perenna para nós, ou qualquer outra pessoa.

– E a sra. Albert?

– Ela foi para a casa da mãe no País de Gales com as crianças na última segunda-feira. Por causa dos bombardeios aéreos. Tudo se encaixa perfeitamente.

– Sim, boa ideia, Tuppence. Se um de nós seguir a mulher, dará na vista. Albert será perfeito. Agora, uma outra coisa, acho que devíamos ficar de olho na tcheca que estava falando com o Carl e perambulando aqui perto. Parece-me que ela provavelmente representa o outro extremo do negócio, e é isso que estamos querendo encontrar.

– Ah, claro, concordo. Ela vem aqui receber ordens, ou levar mensagens. Da próxima vez que a virmos, um de nós precisa segui-la e descobrir quem ela é ou aonde vai.

– E quando vamos revistar os quartos da sra. Perenna e do Carl?

– Acho que no dele não vamos encontrar nada. Afinal, sendo o Carl alemão, a polícia ia querer revistar seus pertences, e ele ia evitar deixar qualquer coisa suspeita onde pudesse ser encontrada. Vai ser difícil entrar no quarto da sra. Perenna. Quando ela sai de casa, a Sheila costuma ir lá, a Betty e a sra. Sprot vivem correndo por todos os andares, e a sra. O'Rourke passa muito tempo no quarto dela.

Tuppence parou de falar.

– A hora do almoço é a melhor.

– Como fez o sr. Carl?

– Exato. Eu podia ter uma dor de cabeça e subir até meu quarto... Não, alguém podia querer subir também para cuidar de mim. Já sei, só vou disfarçar e subir antes do almoço e ir até meu quarto sem dizer nada a ninguém. Posso deixar para dizer que estava com dor de cabeça depois do almoço.

– Não seria melhor eu fazer isso? Minha febre do feno podia piorar amanhã.

– Acho melhor que seja eu. Se me pegarem, posso dizer que estava procurando aspirina ou algo assim. Um hóspede do sexo masculino no quarto da sra. Perenna podia pegar muito mal e causar ainda mais especulação.

Tommy deu um sorrisinho malicioso.

– De caráter escandaloso.

Aí o sorriso desapareceu. Ele fez uma expressão séria e nervosa.

– Assim que pudermos, então, minha velha. O noticiário foi ruim hoje. Precisamos encontrar alguma pista bem rápido.

V

Tommy continuou a caminhar e terminou entrando no correio, de onde ligou para o sr. Grant e fez um relatório, dizendo que "a recente operação foi bem-sucedida e nosso amigo C está definitivamente envolvido". Depois Tommy escreveu uma carta e enviou-a, endereçada ao sr. Albert Batt, O Pato e o Cão, Glamorgan Street, Kensington.

Em seguida, o sr. Meadowes comprou um periódico hebdomadário que professava informar ao mundo inglês o que iria de fato acontecer e voltou passeando inocentemente na direção do hotel.

Logo foi saudado pela voz retumbante do comandante Haydock, que, debruçado na janela do seu carro esporte, gritou:

– Olá, Meadowes, quer uma carona?

Tommy aceitou a carona, agradecido, e entrou no carro.

– Ah, você gosta de ler esta porcaria, é? – indagou Haydock, olhando de relance para a capa vermelha do *Inside Weekly News*.

O sr. Meadowes demonstrou a ligeira confusão de todos os leitores do periódico em questão ao serem colocados contra a parede.

– Um horror – concordou Tommy. – Mas, sabe como é, eles realmente dão a impressão de saberem o que está se passando nos bastidores.

– E eles também às vezes erram.

– Ah, sim, com certeza.

– A verdade – disse o comandante Haydock, contornando um trevo de maneira um tanto errática e tirando um fino de uma caminhonete enorme

– é que, quando estes infelizes estão certos, a gente lembra; e quando estão errados, a gente esquece.

– Acha que é verdade esse rumor segundo o qual o Stalin falou em unir-se aos aliados?

– Só ilusão, meu rapaz, mera invenção – declarou o comandante Haydock. – Os cossacos são ruins como o diabo e sempre foram. Não se deve confiar neles, na minha opinião. Ouvi dizer que você esteve meio adoentado, é verdade?

– Foi só febre do feno. Costumo ter isso nesta época do ano.

– Sim, claro. Eu mesmo nunca sofri disso, mas tinha um amigo que sofria. Costumava sempre ficar de cama todo mês de junho. Está se sentindo bem o suficiente para jogar uma partida de golfe?

Tommy respondeu que adoraria.

– Certo. Então, que tal amanhã? Já sei o que podemos fazer: preciso ir a uma reunião sobre esse negócio do Parashot, organizar um grupo de voluntários locais, uma ideia fantástica, creio eu. Já é hora de todos sermos chamados a participar como pudermos. Então, que tal jogarmos um pouco lá pelas seis?

– Eu gostaria muito. Obrigado.

– Ótimo. Está combinado, então.

O comandante parou abruptamente diante do portão do Sans Souci.

– Como vai a linda Sheila? – indagou.

– Muito bem, acho. Não tenho visto muito essa moça.

Haydock soltou uma gargalhada alta e escandalosa.

– Não tanto quanto gostaria, aposto! Um colírio para os olhos, aquela garota, mas também muito grosseira. Fala demais com aquele alemão. Uma falta de patriotismo horrível, é o que penso. Creio que ela não iria mesmo se interessar por velhos já meio gagás como você ou eu, mas há muitos jovens entre os nossos militares. Por que escolher logo um alemão, ora? Esse tipo de coisa me irrita.

O sr. Meadowes respondeu:

– Tenha cuidado, ele vem aí, subindo a ladeira atrás de nós.

– Não me importo se ele ouvir! Até torço para ele escutar. Gostaria de pregar um bom chute no traseiro do sr. Carl. Devia estar lutando pelo seu país, como quem tem vergonha na cara, em vez de fugir para cá para evitar o perigo!

– Ora – disse Tommy –, assim é menos um alemão para invadir a Inglaterra.

– Está querendo dizer que é porque ele já invadiu? Ha, ha, muito boa essa, Meadowes. Só que não acredito nessa conversa de invasão. Nosso país nunca foi invadido e nunca será. Temos uma Marinha decente, graças a Deus!

Com esse brado patriótico, o comandante engatou a primeira marcha e o carro avançou com um solavanco, subindo a rampa até a "Toca dos Contrabandistas".

VI

Tuppence chegou ao portão do Sans Souci às vinte para as duas. Saiu da estradinha por onde entravam os carros e passou pelo jardim, entrando na casa pela porta envidraçada da sala de estar. Um aroma de guisado irlandês e um barulho de bater de pratos e de um murmúrio de vozes chegou até ela, vindo de longe. O Sans Souci estava em plena hora de almoço.

Tuppence aguardou ao lado da porta da sala de estar até Martha, a criada, ter passado pelo corredor e entrado na sala de jantar, depois subiu correndo as escadas, descalça. Ela entrou no quarto, calçou seus chinelos macios e depois andou ao longo do patamar, entrando no quarto da sra. Perenna.

Uma vez dentro do quarto, Tuppence olhou em torno de si e sentiu uma espécie de repulsa invadi-la. Não era um trabalho confortável. Seria imperdoável se a sra. Perenna fosse simplesmente a sra. Perenna. Espionar a vida particular de alguém...

Tuppence sacudiu-se, uma sacudidela de *terrier* que era uma reminiscência de sua juventude. Estavam em guerra!

E então foi até a cômoda. Rapidamente, com perícia, examinou o conteúdo das gavetas. Na escrivaninha, uma das gavetas estava trancada. Tuppence considerou-a a mais promissora. Tommy tinha recebido certas ferramentas, e algumas instruções rápidas sobre como utilizá-las, as quais ele havia transmitido a Tuppence.

Depois de Tuppence ter girado o pulso com habilidade uma ou duas vezes, a gaveta abriu-se. Havia dentro dela uma caixa contendo vinte libras em notas e algumas pilhas de moedas de prata. Também havia uma caixa de joias. Tuppence também encontrou um maço de papéis. Ela estava mais interessada nos documentos. Tentando ser ágil, ela os folheou; só era possível examiná-los superficialmente. Tuppence não tinha tempo para fazer mais do que isso.

Os documentos eram uma hipoteca do prédio do Sans Souci, uma conta bancária, cartas. O tempo voou enquanto Tuppence lia apressada os documentos, concentrando-se furiosamente em encontrar qualquer coisa que pudesse ter um sentido duplo. Duas cartas de um amigo da Itália, cartas bastante comuns, só uma narrativa de acontecimentos, bastante aleatória. Uma carta de Simon Mortimer, de Londres, em estilo seco, falando de negócios e com tão pouca informação que Tuppence ficou imaginando porque a sra. Perenna a teria guardado. Será que o sr. Mortimer não era tão inofensivo quanto parecia? No fim da pilha de papéis, Tuppence encontrou uma carta escrita em tinta desbotada, com a assinatura "Pat" e começando com a seguinte frase: *Esta será a última carta que vou lhe escrever, minha querida Eileen...*

Não, isso não! Tuppence não ia conseguir forçar-se a ler aquilo! Tornou a dobrar a carta, ajeitou os outros papéis por cima dela, e, de repente, em estado de alerta, fechou a gaveta, sem tempo para voltar a trancá-la. Quando a porta se abriu, e a sra. Perenna entrou, Tuppence estava vagamente procurando alguma coisa entre os frascos sobre o lavatório. A sra. Blenkensop, então, voltou o rosto para a gerente do hotel, apreensiva, com cara de abobalhada.

– Ah, sra. Perenna, perdoe-me, por favor, entrei no hotel com uma dor de cabeça tão horrível que pensei que seria bom tomar uma aspirina e me deitar, mas, como não consegui encontrar meu frasco, pensei que a senhora não se importaria se eu viesse aqui e... sei que deve ter aspirina, porque ofereceu esse remédio à srta. Minton um dia desses.

A sra. Perenna entrou no quarto, apreensiva. Respondeu, meio irritada:

– Ora, mas claro, sra. Blenkensop, por que não veio pedir-me?

– Sim, naturalmente, eu devia ter lhe pedido, mas sabia que era hora do almoço, e sabe como é, odeio incomodar as pessoas...

Passando por Tuppence, a sra. Perenna pegou o frasco de aspirina sobre o lavatório.

– Quantas pílulas vai querer? – indagou ela, ríspida.

A sra. Blenkensop aceitou três. Escoltada pela sra. Perenna, ela atravessou o corredor até seu próprio quarto, e de súbito concordou com a sugestão de uma bolsa de água quente.

A sra. Perenna resolveu despedir-se com uma tentativa de jogar verde para colher maduro.

– Mas a senhora tem aspirina aqui no seu quarto, sra. Blenkensop. Eu já vi o seu frasco.

Tuppence gritou, depressa:

– Ah, eu sei. Eu sei que está em algum lugar, mas sou tão burra que não consegui encontrá-la.

A sra. Perenna respondeu, mostrando seus dentes brancos e grandes:

– Descanse bem, espero que esteja melhor na hora do chá.

Depois ela saiu, fechando a porta. Tuppence deu um longo suspiro, deitando-se na cama rigidamente, para o caso de a sra. Perenna resolver voltar. Será que a sra. Perenna tinha desconfiado de algo? Aqueles dentes, tão grandes e brancos... para te comer melhor, minha querida. Tuppence sempre pensava nisso ao olhar para aqueles dentes. As mãos da sra. Perenna também eram grandes, pareciam cruéis.

Ela parecia ter aceitado a presença de Tuppence no seu quarto de uma forma bastante natural. Mas depois ela encontraria a última gaveta da cômoda aberta. Será que desconfiaria de Tuppence? Ou será que pensaria que a tinha deixado aberta por descuido? Às vezes, as pessoas faziam essas coisas. Teria Tuppence conseguido recolocar os papéis na gaveta de forma que ela não notasse nenhuma diferença?

Certamente, se a sra. Perenna notasse algo errado, ela desconfiaria das arrumadeiras, não da "sra. Blenkensop". E, se a sra. Perenna desconfiasse dela, não seria apenas um caso de desconfiança por estar meramente curiosa? Havia outras pessoas, segundo Tuppence sabia, que costumavam revirar os pertences dos outros. Só que, se a sra. Perenna fosse a renomada agente alemã, ela desconfiaria de contraespionagem.

Será que alguma atitude no comportamento de Tuppence teria despertado um alarme indevido? Ela parecia ter se comportado de maneira bastante natural, exceto por aquele comentário meio brusco sobre a aspirina.

De repente, Tuppence sentou-se na cama. Lembrou-se de que sua aspirina, juntamente com um frasco de iodo e um de pastilhas de menta, estava no fundo da gaveta da escrivaninha, onde tinha colocado essas coisas ao voltar das compras.

Portanto, ela não era a única pessoa que andava xeretando no quarto alheio. A sra. Perenna tinha entrado no quarto dela antes.

CAPÍTULO 7

I

No dia seguinte, a sra. Sprot foi até Londres. Alguns comentários de sua parte haviam levado vários habitantes do Sans Souci a se prontificarem a tomar conta da Betty. Depois que a sra. Sprot partiu, após fazer várias recomendações finais a Betty para que se comportasse bem, a menina se agarrou a Tuppence, que tinha se oferecido para ficar com ela durante a parte da manhã.

– Bincá – disse Betty. – Bincá de conde-conde.

Ela estava evoluindo a olhos vistos na sua fala e tinha adotado um hábito bastante encantador de inclinar a cabeça para um lado, fixar um sorriso cativante no seu interlocutor e murmurar:

– Pufavôôô!

Tuppence pretendia levá-la para dar um passeio, mas estava chovendo muito, portanto as duas resolveram ir até o quarto, onde Betty a conduziu até a cômoda e abriu a última gaveta em que estavam seus brinquedos.

– Vamos esconder o Bonzo, vamos? – indagou Tuppence.

Mas Betty já havia mudado de ideia, e em vez disso exigiu:

– Lê toia pa mim.

Tuppence tirou um livro bastante esfarrapado de uma extremidade do armário – e foi interrompida por um gritinho da Betty.

– Não, não, feio... luim...

Tuppence olhou-a espantada, e depois para o livro, que era uma versão colorida de *Little Jack Horner.*

– O Jack era ruim? – indagou ela. – Porque tirou uma ameixa da torta?

Betty repetiu com ênfase:

– Luiiiiiiiim! – e, com um esforço imenso, proferiu: – Chuuuuuuju!

E agarrou o livro, tirando-o das mãos de Tuppence e recolocando-o na estante; depois tirou um outro exemplar idêntico do outro lado da prateleira e anunciou com um sorriso radiante:

– Jackorner lim-pi-nho buni-tinho!

Tuppence percebeu que os livros sujos e gastos tinham sido substituídos por edições novas e mais limpas e achou uma graça imensa nisso. A sra. Sprot era o protótipo do que Tuppence considerava "mãe higiênica". Sempre morrendo de medo de germes, de comida estragada ou da possibilidade de a filha pôr um brinquedo sujo na boca.

Tuppence, que havia sido criada no ambiente livre e descontraído de um presbitério, sempre desprezara a mania de higiene e criara seus dois filhos de modo que absorvessem o que ela denominava como uma "quantidade razoável" de sujeira. Porém, ela obedientemente pegou o exemplar limpo do Jack Horner e leu-o para a criança com os comentários apropriados para a ocasião. Betty murmurava: "Olha o Jack! Ameixa! Numa tóta!" enquanto apontava com um dedinho pegajoso que anunciava que aquele exemplar em breve teria o mesmo destino do primeiro. Depois elas continuaram lendo, passando pelo *Gansa, gansinho,* e *A velha que morava no sapato,* e em seguida Betty escondeu os livros e Tuppence demorou um tempo imenso para encontrar cada um deles, para alegria de Betty. E assim passaram rapidamente a manhã.

Depois do almoço, Betty foi tirar uma soneca; a sra. O'Rourke, então, convidou Tuppence para subir até seu quarto. O quarto da sra. O'Rourke era muito bagunçado e recendia a hortelã e a bolo velho, além de a naftalina. Havia fotos em todas as mesas dos filhos e netos da sra. O'Rourke, além de primos e sobrinhos e primos em segundo grau e sobrinhos-netos. Havia tantas fotos que Tuppence se sentiu como se estivesse diante de um cenário de peça teatral da segunda fase da era vitoriana, realisticamente produzida.

– Tem muito jeito com crianças, se tem, sra. Blenkensop – observou a sra. O'Rourke, cordialmente.

– Ah, bom – disse Tuppence –, com os meus dois...

– Dois? Mas acho que a ouvi dizer que tinha três filhos, não?

– Ah, sim, tenho três, mas dois têm quase a mesma idade, e eu estava me referindo à época que passei com eles.

– Ah, sim, sei. Sente-se, por favor, sra. Blenkensop. Fique à vontade.

Tuppence obedeceu e desejou que a sra. O'Rourke não a fizesse se sentir sempre tão pouco à vontade. Agora ela estava se sentindo exatamente como João e Maria quando aceitaram o convite da bruxa.

– Diga-me, agora – solicitou a sra. O'Rourke –, o que acha do Sans Souci?

Tuppence começou a fazer um elogio um tanto exagerado, mas a sra. O'Rourke a interrompeu, sem a menor cerimônia.

– O que eu queria mesmo perguntar era se não sente, por acaso, que há algo estranho aqui?

– Estranho? Não, não sinto.

– Nem com a sra. Perenna? Está interessada nela, vai ter que admitir. Já vi como a olha sem parar.

Tuppence enrubesceu.

– Ela... ela é uma mulher interessante.

– Ela não é interessante coisa nenhuma – replicou a sra. O'Rourke. – É uma mulher bastante vulgar, pelo menos é o que parece. Mas talvez não seja. É isso que está pensando?

– Francamente, sra. O'Rourke, não sei o que está querendo dizer com isso.

– Já parou alguma vez para pensar que muitos de nós somos assim, diferentes do que parecemos ser por fora? O sr. Meadowes, por exemplo. É um homem intrigante. Às vezes eu diria que ele é um inglês típico, burro até os ossos, e há outras vezes em que eu percebo um olhar ou uma palavra que evidencia que a burrice dele não é tão grande assim. Estranho isso, não acha?

Tuppence respondeu com firmeza:

– Ah, mas minha opinião é que o sr. Meadowes é bastante típico.

– Há outras pessoas estranhas. Talvez saiba de quem estou falando, não?

Tuppence meneou a cabeça.

– O nome – disse a sra. O'Rourke, incentivando-a, começa com "S".

E balançou a cabeça várias vezes. Com uma súbita pontada de raiva e um impulso obscuro de pular para defender alguém jovem e vulnerável, Tuppence disse, rispidamente:

– Sheila é só uma jovem rebelde. Nessa idade, todos são assim.

A sra. O'Rourke balançou a cabeça várias vezes, parecendo exatamente um mandarim chinês obeso que Tuppence se lembrava de ter visto no consolo da lareira da tia Gracie. Um sorriso imenso ergueu-lhe os cantos da boca. Ela disse baixinho:

– Pode ser que não saiba, mas o nome de batismo da srta. Minton é Sophia.

– Ah! – disse Tuppence, surpresa. – Estava se referindo à srta. Minton?

– Não – declarou a sra. O'Rourke.

Tuppence virou-se para a janela. Era esquisito como aquela mulher conseguia lhe dar nos nervos, espalhando por todo o seu corpo uma sensação de inquietação e medo. "Como se eu fosse um camundongo entre as patas de um gato", pensou Tuppence. "É assim que estou me sentindo..."

Aquela mulherona monumental e sorridente, sentada ali, quase ronronando, e no entanto jogando para um lado e para outro, com tapinhas das suas patas, alguma coisa que não permitiria, apesar do ronronar, que lhe escapasse...

"Bobagem, mas que bobagem tudo isso! É só imaginação minha", pensou Tuppence, olhando o jardim pela janela. A chuva havia parado. Gotas que caíam das árvores batiam suavemente no chão e no telhado.

Tuppence pensou: "Não é imaginação minha. Não sou uma pessoa de imaginação fértil. Há alguma coisa errada, algum foco de maldade aqui... Se eu pudesse ver..."

E então de súbito deixou de pensar nisso.

Nos fundos do jardim, os arbustos afastaram-se ligeiramente. No espaço entre eles surgiu um rosto, olhando disfarçadamente a casa. Era o rosto da mulher estrangeira que estava conversando com o Carl von Deinim na estrada. O rosto estava tão imóvel, sem nem mesmo piscar os olhos, que Tuppence teve a impressão de que não era humano. A mulher observava as janelas do Sans Souci sem pestanejar. Aquele rosto não tinha nenhum resquício de expressão, e no entanto havia nele um ar deveras ameaçador. Imóvel, implacável. Representava algum espírito, alguma força alheia ao Sans Souci e à banalidade da vida na pensão inglesa. Certamente, pensou Tuppence, devia ser assim que o rosto de Jael estava enquanto ela esperava para martelar o prego de tenda na testa do adormecido Sisera*.

Esses pensamentos levaram apenas um segundo ou dois para passarem pela mente de Tuppence. Virando-se abruptamente da janela, ela murmurou algumas palavras à sra. O'Rourke, saiu correndo porta afora e desceu as escadas, indo para o jardim. Dobrando à direita, ela percorreu um caminho

* Sisera, capitão do rei de Canaã e opressor dos israelitas, foi morto por Jael, mulher de Héber, que lhe recebeu hospitaleiramente em sua tenda e, uma vez o militar adormecido, cravou-lhe na fronte uma estaca que penetrou até o chão. Juízes, 4:21. (N.E.)

lateral do jardim até o ponto onde tinha visto o rosto. Mas já não havia mais ninguém ali. Tuppence atravessou os arbustos e saiu na estrada, olhando para o alto do morro e depois para o outro lado. Não enxergou ninguém. Aonde teria ido aquela mulher?

Frustrada, Tuppence retornou ao terreno do Sans Souci. Será que teria imaginado tudo aquilo? Não, aquela mulher tinha realmente entrado no jardim.

Obstinada, Tuppence caminhou pelo jardim, espiando atrás dos arbustos. Molhou-se toda, e não viu nenhum vestígio da estranha. Voltou para a casa pelo mesmo caminho pelo qual havia saído, com um vago pressentimento, um pavor estranho e indefinido, de que alguma coisa estava para acontecer.

Ela não adivinhou, nem nunca teria adivinhado, o que essa coisa seria.

II

Agora que o tempo havia clareado, a srta. Minton estava vestindo Betty, pois pretendia sair com ela para dar um passeio. Elas iam até a cidade comprar um pato de plástico com o qual Betty podia brincar durante o banho.

Betty estava muito agitada e pulava tanto que foi extremamente difícil meter seus braços nas mangas do pulôver de lã. As duas partiram juntas, Betty tagarelando com entusiasmo: "Papatinho! Papatinho! Pobanho da Betty! Pobanho da Betty!" e aparentemente sentindo grande prazer ao repetir sem parar esses importantes fatos.

Dois fósforos, deixados por descuido um sobre o outro, formando uma cruz sobre a mesa de mármore no vestíbulo, informaram Tuppence que o sr. Meadowes ia passar a tarde seguindo a sra. Perenna. Tuppence foi até a sala de estar a fim de passar o tempo na companhia do sr. e da sra. Cayley.

O sr. Cayley estava insuportável. Ele tinha vindo a Leahampton, explicou, para ficar em repouso e silêncio absoluto, e que silêncio seria possível ter naquela casa com aquela criança ali? Ela passava o dia inteiro gritando, pulando e correndo para cima e para baixo!

Sua esposa murmurou pacificamente que Betty era uma gracinha de menina, mas o comentário não foi levado em consideração.

– Sem dúvida, sem dúvida – disse o sr. Cayley, fazendo um movimento sinuoso com o seu pescoço comprido. – Mas a mãe dela deveria mantê-la calada e sossegada. Há outras pessoas que merecem consideração. Inválidos, gente cujos nervos necessitam de tranquilidade.

Tuppence comentou:

– Não é fácil manter uma criança dessa idade quieta. Não é natural... se ela ficasse quieta, certamente isso seria um sinal de algum problema de saúde.

O sr. Cayley gorgolejou, zangado:

– Bogagem, bobagem, é essa psicologia moderna. Deixam as crianças fazerem exatamente o que querem. Deviam ensiná-las a ficar sentadas, caladinhas, e... embalar uma boneca, ou ler um livro, algo assim.

– Ela ainda não tem nem três anos – disse Tuppence, sorrindo. – Nessa idade, nenhuma criança sabe ler livros.

– Ora, então alguém deveria fazer alguma coisa. Vou falar com a sra. Perenna. Essa criança estava cantando sem parar na cama antes das sete da manhã, hoje. Dormi muito mal, só caí no sono de manhã, e essa menina me acordou de novo.

– É muito importante o sr. Cayley dormir o máximo possível – explicou a sra. Cayley, afobada. – Recomendação médica.

– O senhor devia ir para uma casa de repouso – disse Tuppence.

– Minha prezada senhora, esses lugares são caríssimos, e além disso o clima não me agrada. Essas instituições exalam um ranço patológico que me agride a nível subconsciente.

– O médico disse que ele devia conviver em sociedade – explicou mais uma vez a sra. Cayley, pressurosa. – Levar uma vida normal. Ele achou que uma pensão seria melhor do que simplesmente morar em uma casa mobiliada. Isso evita que ele fique imerso em pensamentos, pois é estimulante trocar ideias com os outros.

O método segundo o qual o sr. Cayley trocava ideias era, segundo Tuppence, um mero desfiar de seus próprios mal-estares e sintomas, e a troca consistia em uma recepção compreensiva ou não deles. Tuppence, habilmente, mudou de assunto.

– Gostaria que me dissesse – começou – o que achou de sua vida na Alemanha. Disse-me que viajou muito por lá, recentemente. Seria interessante ouvir o ponto de vista de um homem experiente como o senhor. Posso ver que é do tipo que não se deixa levar pelo preconceito, que de fato poderia me narrar com isenção de ânimo como estão as coisas por lá.

Tuppence achava que sempre se devia bajular bastante os homens. O sr. Cayley imediatamente mordeu a isca.

– Como diz, minha cara senhora, sou capaz de lhe dar uma opinião isenta de ânimo. Ora, na minha opinião...

E depois disso ele deslanchou, monologando sem parar. Tuppence, conseguindo de vez em quando dizer "Ah, mas que coisa interessante", ou "Que observador arguto o senhor é", escutou com toda a atenção, até mais do que a ocasião pedia. O sr. Cayley, estimulado pela compreensão de sua interlocutora, revelou que era decididamente um admirador do sistema nazista.

– Não teria sido muito melhor – insinuou ele, se não disse com todas as letras – se a Inglaterra e a Alemanha tivessem se aliado contra o resto da Europa?

A volta da srta. Minton e de Betty, depois de terem comprado o patinho de plástico, interrompeu o monólogo do sr. Cayley que já durava quase duas horas. Erguendo a vista, Tuppence percebeu uma expressão bastante curiosa no rosto da sra. Cayley. Ela a considerou difícil de definir. Talvez fosse apenas ciúme compreensível de esposa porque outra mulher havia monopolizado a atenção do seu marido. Talvez fosse alarme, já que o sr. Cayley estava falando demais sobre sua opinião a respeito de política. Certamente era uma expressão de reprovação.

O chá seria o próximo evento, e foi exatamente nesta hora que a sra. Sprot entrou, vinda de Londres, exclamando:

– Eu espero que a Betty tenha se comportado direitinho, sem causar nenhum problema! Você se comportou, não se comportou, Betty? – E Betty respondeu, lacônica, com uma única palavra:

– U amola!

Isso, obviamente, não devia ser interpretado como uma expressão de desaprovação pela volta da sua mãe, mas apenas como um pedido para comer geleia de amora preta.

A reação da menina fez a sra. O'Rourke soltar uma risada gostosa e fez a mãe ralhar com ela:

– Que é isso, Betty, meu amor.

A sra. Sprot então se sentou, tomou vários goles de chá e depois fez uma narrativa bastante animada de suas compras em Londres, de como o trem estava cheio, e do que um soldado recentemente vindo da França tinha contado aos ocupantes do vagão, além do que uma moça em uma loja de meias tinha lhe relatado sobre um recente bombardeio aéreo em um dos subúrbios.

A conversa foi perfeitamente normal. Depois todos passaram ao terraço, onde continuaram conversando, pois o sol tinha saído de trás das nuvens e a chuva já havia passado.

Betty corria feliz por ali, fazendo misteriosas expedições aos arbustos, e depois voltando com uma folha de loureiro, ou um monte de pedrinhas que colocava no colo de um dos adultos com uma explicação confusa e ininteligível do que as pedras representavam. Felizmente ela não precisava de muita colaboração para aquela brincadeira, satisfazendo-se com um ocasional: "Que bonito, meu amor. É mesmo?"

Das noites tipicamente inofensivas no Sans Souci, aquela foi talvez a mais representativa. Todos trocavam fofocas, especulações e comentários sobre o curso da guerra. Será que a França se reagruparia? Será que Weygand iria conseguir virar o jogo? Qual seria a provável reação da Rússia? Poderia Hitler invadir a Inglaterra, se tentasse? Será que Paris seria invadida se a ofensiva alemã não fosse neutralizada? Seria verdade que...? Tinham dito antes que... E corriam rumores de que...

Escândalos políticos e militares eram alegremente trocados. Tuppence pensou consigo mesma:

"Tagarelice é um perigo? Que bobagem, é uma válvula de escape. As pessoas adoram esses boatos. Isso as estimula a expressar suas preocupações e ansiedades." Ela contribuiu com uma notícia ótima, que introduziu com um "meu filho me contou... é claro que muito por debaixo dos panos, vocês entendem, não é...".

Subitamente, assustada, a sra. Sprot olhou de relance para o relógio.

– Meu Deus, são quase sete horas! Eu já devia ter posto aquela menina na cama faz horas. Betty... Betty!

Já fazia algum tempo que Betty não voltava ao terraço, embora ninguém tivesse notado que ela havia desaparecido.

A sra. Sprot chamou-a, cada vez mais impaciente.

– Be-e-e-e-tiiiiii! Onde estará essa criança?

A sra. O'Rourke interveio com sua gargalhada profunda:

– Certamente está aprontando alguma, não tenho a menor dúvida. É o que sempre acontece quando eles ficam quietos.

– Betty! Quero que venha aqui agora mesmo.

Não se ouviu resposta alguma, e a sra. Sprot levantou-se, impaciente.

– Acho que é melhor eu ir procurá-la. Onde será que essa menina se meteu?

A srta. Minton sugeriu que Betty devia estar se escondendo em algum lugar, e Tuppence, lembrando-se da sua infância, sugeriu a cozinha. Mas Betty não estava nem dentro, nem fora da casa. Todos foram até o jardim, chamando a menina, procurando em todos os quartos. Betty não estava em parte alguma. A sra. Sprot começou a ficar meio chateada.

– Mas que impertinência a dela! Uma impertinência enorme! Acha que ela pode ter ido até a estrada?

Juntas, ela e Tuppence foram até o portão e olharam o alto da ladeira e depois na direção do sopé do morro. Não havia ninguém à vista, com exceção de um rapaz filho de um comerciante com uma bicicleta, de pé, conversando com uma criada à porta da casa em frente a St. Lucian.

Tuppence sugeriu que atravessassem a rua, a sra. Sprot e ela, a qual perguntou se algum dos dois tinha visto uma menininha. Ambos sacudiram a cabeça, negando, mas a criada perguntou, lembrando-se subitamente de algo:

– Uma menininha de vestido de algodão xadrez verde?

A sra. Sprot disse, avidamente:

– Isso mesmo!

– Eu a vi faz meia hora... descendo a ladeira, com uma mulher.

A sra. Sprot questionou, assombrada:

– Com uma mulher? Que tipo de mulher?

A moça pareceu ligeiramente constrangida.

– Eu diria que era uma mulher esquisitona, uma estrangeira. Vestida com umas roupas estranhas. Uma espécie de xale, sem chapéu, e um rosto estranho também, se é que entende o que estou dizendo. Eu já a vi umas duas vezes nos últimos tempos, e, para lhe dizer a verdade, achei que ela meio que tinha jeito de retardada, se entende o que digo – acrescentou, como quem deseja ajudar.

Tuppence, de súbito, lembrou-se do rosto que tinha visto naquela tarde, espiando entre os arbustos, e do pressentimento que tinha tido.

Mas nunca tinha pensado que a mulher estava procurando a criança, e agora não podia compreender isso. Não teve muito tempo para refletir, porém, porque a sra. Sprot quase desmaiou, caindo em cima dela.

– Ai, minha Betty, minha filhinha, alguém a raptou! Ela... como era essa mulher, alguma cigana?

Tuppence sacudiu a cabeça energicamente.

– Não, era branca e loura, muito loura, um rosto largo, com malares salientes, e olhos azuis bem separados.

E como a sra. Sprot a olhou, espantada, apressou-se em explicar:

– Vi a mulher esta tarde espiando entre os arbustos nos fundos do jardim. E já a vi por perto do hotel antes. Carl von Deinim estava conversando com ela um dia desses. Deve ser a mesma mulher.

A criada interveio:

– Isso mesmo. Era loura. E meio retardada, acho eu. Não entendia nada do que lhe diziam.

– Ai, meu Deus – gemeu a sra. Sprot. – O que vou fazer?

Tuppence passou um braço ao redor dos ombros dela.

– Venha, vamos voltar ao hotel, vou lhe servir um xerez e depois ligamos para a polícia. Não há problema. Vamos recuperar a menina.

A sra. Sprot entrou com Tuppence, obediente e murmurando, meio aturdida:

– Não posso imaginar por que a Betty concordou em ser levada por uma estranha!

– Ela é muito pequena – disse Tuppence. – Não tem idade para desconfiar de nada.

A sra. Sprot exclamou, sem forças:

– Alguma alemã malvada, com certeza, ela vai matar minha Betty!

– Besteira – falou Tuppence, com firmeza. – Tudo vai acabar bem. Acho que essa mulher é apenas meio ruim da cabeça. – Mas Tuppence não acreditava nas suas próprias palavras. Não acreditava sequer por um momento que aquela loura calma fosse uma lunática irresponsável.

Carl! Será que ele sabia de alguma coisa? O que ele tinha a ver com aquilo?

Alguns minutos depois Tuppence sentiu-se inclinada a duvidar que ele soubesse. Carl von Deinim, como o resto dos hóspedes, pareceu estar espantado, incrédulo, completamente surpreso.

Assim que os fatos ficaram claros, o major Bletchley assumiu o controle da situação:

– Minha prezada senhora – disse ele à sra. Sprot –, sente-se aqui, tome só uma gotinha deste xerez, que não vai lhe fazer mal; eu vou ligar para a delegacia.

A sra. Sprot murmurou:

– Espere aí, me lembrei de uma coisa...

E subiu as escadas correndo, indo até o seu quarto.

Um minuto ou dois depois disso, todos ouviram seus passos soando rápidos no patamar. Ela desceu as escadas como uma desvairada e agarrou a mão do sr. Bletchley, que estava segurando o receptor do telefone, já para erguê-lo do gancho:

– Não, não – disse, afobada. – Não ligue... não ligue...

E soluçando, desesperada, deixou-se cair numa cadeira. Eles todos se reuniram ao seu redor. Dentro de um ou dois minutos ela recuperou a compostura e sentou-se, amparada pela sra. Cayley, mostrando algo a todos.

– Encontrei isso no chão do meu quarto. Estava enrolado em uma pedra que alguém jogou pela janela. Olhem, leiam o que está escrito aí.

Tommy tirou o bilhete da mão dela e o desdobrou. Era um bilhete escrito em uma caligrafia estranha, com letras grandes e em negrito:

> ESTAMOS COM SUA FILHA. VAMOS LHE DIZER O QUE FAZER QUANDO CHEGAR O MOMENTO. SE TELEFONAR PARA A POLÍCIA, MATAREMOS SUA FILHA. NÃO DIGA NADA A NINGUÉM. AGUARDE INSTRUÇÕES, SENÃO... X.

A sra. Sprot começou a gemer, baixinho:

– Betty... Betty...

E todos começaram a falar ao mesmo tempo:

– Mas que safados estes assassinos! – foi o que bradou a sra. O'Rourke.

– Brutos! – exclamou Sheila Perenna.

– Estranho, muito estranho, não acredito em uma só palavra do que está escrito aí. Uma piada de mau gosto das piores – disse o sr. Cayley.

– Ai, coitadinha dela – lamentou a srta. Minton.

– Eu não entendi. Inacreditável – disse Carl von Deinim.

E, mais alta que todas, soou a voz decidida do major Bletchley:

– Mas que besteira, que estupidez. Intimidação. Precisamos informar a polícia imediatamente. Eles logo, logo vão descobrir quem é.

Uma vez mais ele fez menção de pegar o telefone. Dessa vez a sra. Sprot soltou um grito de mãe ultrajada e o deteve. Ele gritou:

– Mas, minha cara, é nosso dever ligar! É apenas uma forma simples de impedi-la de sair correndo atrás desses inescrupulosos.

– Eles vão matá-la.

– Bobagem, não teriam coragem.

– Não faça isso, estou mandando. Sou a mãe dela. Eu é que devo decidir.

– Eu sei, eu sei. É com isso que estão contando, torcem para que se sinta assim. Muito natural, mas ouça o que estou lhe dizendo, sou um soldado, tenho muita experiência de vida, precisamos chamar a polícia.

– Não!

Os olhos de Bletchley procuraram algum aliado.

– Meadowes, concorda comigo?

Devagar, Tommy assentiu.

– Cayley? Olhe, sra. Sprot, Meadowes e Cayley concordam comigo.

A sra. Sprot disse, num tom subitamente enérgico:

– Vocês são homens, todos vocês! Pergunte às mulheres!

Os olhos de Tommy buscaram os de Tuppence. Tuppence disse, baixinho, com voz trêmula:

– Eu... eu concordo com a sra. Sprot.

Estava refletindo. "Deborah! Derek! Se eles tivessem sido raptados, eu me sentiria como ela. Tommy e os outros estão certos, não duvido disso, mas ao mesmo tempo não teria coragem de chamar a polícia. Não arriscaria."

A sra. O'Rourke opinou:

– Nenhuma mãe desse mundo se arriscaria a chamar a polícia, é verdade.

A sra. Cayley murmurou:

– Eu penso, sabem, que... ora... – E depois sua voz sumiu, evitando que os outros entendessem o que dizia.

A srta. Minton disse, hesitante:

– Essas tragédias acontecem mesmo. Nós nunca nos perdoaríamos se alguma coisa acontecesse com a nossa querida Betty.

Tuppence falou, rispidamente:

– Não disse nada ainda, sr. Von Deinim.

Os olhos azuis de Carl estavam brilhando muito. Seu rosto era uma máscara. Ele falou, devagar e com certa rigidez:

– Sou estrangeiro. Não conheço a polícia inglesa. Será que são competentes, será que agem rápido?

Alguém tinha entrado no vestíbulo. Era a sra. Perenna, com as faces rosadas. Evidentemente, tinha subido a ladeira às pressas. Ela indagou:

– O que houve? – com aquela voz de mandona, em tom imperioso, sem parecer uma anfitriã agradável, mas uma mulher vigorosa.

Eles lhe contaram o que tinha acontecido, uma história confusa, todos falando ao mesmo tempo, mas ela entendeu rápido. E depois disso, tudo pareceu, de certa forma, estar em suas mãos. Ela era a Suprema Corte. Ela ficou segurando o bilhete garatujado um minuto, para lê-lo, depois o devolveu. Suas palavras foram enfáticas e firmes:

– A polícia? Não vai fazer nada. Se os policiais se precipitarem, tudo vai por água abaixo. É melhor fazer justiça com suas próprias mãos. Siga os sequestradores.

Bletchley disse, dando de ombros:

– Muito bem, se não vão ligar para a polícia, é o melhor que se pode fazer.

Tommy sugeriu:

– Não devem estar muito longe.

– Meia hora, foi o que disse a criada – contribuiu Tuppence.

– Haydock – disse Bletchley. – Haydock é o homem que pode nos ajudar. Ele tem carro. A mulher chama a atenção, não foi o que disse? É estrangeira? Podemos seguir a trilha dela, certamente várias pessoas a notaram. Vamos, não temos tempo a perder. Vem conosco, Meadowes?

A sra. Sprot se levantou.

– Eu também vou.

– Minha senhora, deixe que nós...

– Eu também vou.

– Está bem...

E desistiu, resmungando para si mesmo que as fêmeas da espécie humana são mais perigosas que os machos.

III

No fim, o comandante Haydock, compreendendo a situação com uma rapidez louvável de oficial da Marinha, foi quem dirigiu o carro. Tommy foi sentado ao lado dele, e no banco de trás foram o sr. Bletchley, a sra. Sprot e

Tuppence. Não só a sra. Sprot se agarrou a Tuppence, mas Tuppence era a única pessoa (com exceção de Carl von Deinim) que tinha visto a misteriosa sequestradora.

O comandante era bom organizador e trabalhava rápido. Num piscar de olhos, abasteceu o carro, entregou um mapa do bairro e de Leahampton a Bletchley e estava pronto para iniciar a busca.

A sra. Sprot tinha subido as escadas de novo, supostamente para pegar o casaco no quarto. Mas, quando entrou no carro e eles começaram a descer a ladeira, ela mostrou a Tuppence algo que trazia na bolsa. Era uma pequena pistola.

E a sra. Sprot cochichou:

– Tirei isso do quarto do major Bletchley. Eu me lembrei de que ele havia mencionado que tinha uma.

Tuppence fez cara de ressabiada.

– Não acha que...

A sra. Sprot sussurrou, apertando os lábios:

– Pode ser que tenhamos que usá-la.

Tuppence ficou meditando maravilhada sobre as estranhas forças que a maternidade desencadeia em uma mulher jovem e comum, sem nada de mais. Ela podia imaginar a sra. Sprot, o tipo de mulher que normalmente declararia que morria de medo de armas, atirando com o maior sangue-frio em qualquer pessoa que fizesse mal a sua filha.

Eles primeiro foram, por sugestão do comandante, até a estação ferroviária. Um trem havia partido de Leahampton mais ou menos vinte minutos antes e era possível que as fugitivas tivessem embarcado nele. Na estação, eles se separaram: o comandante falando com o bilheteiro, Tommy indo ao escritório de reservas e Bletchley falando com os carregadores de bagagem, do lado de fora. Tuppence e a sra. Sprot foram ao banheiro feminino, caso a mulher tivesse entrado ali para mudar sua aparência de alguma forma antes de tomar o trem.

Não descobriram nada. Agora provavelmente seria mais difícil planejar a busca. Com toda a probabilidade, como Haydock sugeriu, os sequestradores estavam esperando em algum lugar num carro, e, depois de Betty ter sido persuadida a ir com a mulher, as duas deviam ter entrado no veículo e ido embora nele. E aí, como Bletchley voltou a insistir, a participação da polícia ia ser vital. Era preciso uma organização desse tipo para enviar mensagens a todo o país, para que várias estradas fossem vigiadas. A sra. Sprot só meneou a cabeça, de lábios apertados. Tuppence disse:

– Precisamos nos colocar no lugar deles. Onde teriam esperado pelas duas num carro? Tão perto do Sans Souci quanto possível, mas onde um carro não chamasse a atenção. Vamos pensar. A mulher e Betty desceram a ladeira juntas. Ao fim da ladeira há uma esplanada. O carro devia estar escondido ali. Contanto que não se saia de um veículo, o carro pode ficar parado ali por tempo intederminado. Os únicos outros lugares são o estacionamento do James Square, que também fica bem perto, ou uma das ruelas que saem da esplanada.

Foi nesse momento que um homem baixo, com jeito reservado e de pincenê, aproximou-se deles, e disse, gaguejando um pouco:

– Com licença... Espero não estar sendo inconveniente, mas... n... n... não pude deixar de ouvir o que estavam perguntando ao carregador de bagagem há pouco tempo (e agora estava dirigindo sua explicação ao major Bletchley). – Não estava prestando atenção na sua conversa, mas vim aqui pedir informações sobre uma encomenda – é extraordinário como demoram as entregas agora, por causa de deslocamentos de tropas, como dizem –, e por acaso ouvi, e realmente me parece a mais extraordinária coincidência que...

A sra. Sprot deu um pulo para a frente e agarrou-lhe o braço.

– Viu a minha menininha?

– Ah, vi sim sua menininha. Imagine só...

A sra. Sprot deu um grito.

– Fala! – E afundou os dedos com força no braço do homem, fazendo-o estremecer.

Tuppence disparou:

– Por favor, conte-nos qualquer coisa que tenha visto, tão rápido quanto puder. Nós ficaremos muito gratos se nos ajudar.

– Ah, sim, claro, pode ser que não seja nada, mas a descrição me pareceu corresponder tão bem, não é, que...

Tuppence sentiu que a sra. Sprot tremia de raiva ao seu lado. Tuppence, porém, procurou manter a calma e não apressar as coisas. Ela conhecia muito bem o tipo de pessoa com o qual estavam falando, um desses sujeitos confusos, sem objetividade, acanhados, incapazes de ir direto ao ponto e que pioram se apressados. Tuppence, então, pediu:

– Por favor, conte-nos o que viu.

– Foi só... por falar nisso, meu nome é Robbins, Edward Robbins...

– Sim, sr. Robbins.

– Moro em Whiteways, na Estrada do Penhasco Ernes, em uma dessas casas novas na estrada nova, economiza muito trabalho, e têm todas as conveniências, uma linda vista e as colinas ficam bem perto.

Com um olhar de relance, Tuppence suplicou ao major Bletchley, sentindo que ele estava para perder a paciência, que aguentasse firme. Ela perguntou ao sr. Robbins:

– E viu a menininha que estamos procurando?

– Sim, e acho mesmo que não pode ser outra. Uma menininha com uma mulher com jeito de ser estrangeira, disseram? Aliás foi a mulher que me chamou a atenção. Porque, como sabem, estamos todos de olho, procurando gente da Quinta Coluna, não estamos? De olho com muita atenção, como dizem, e sempre tento observar tudo, e, portanto, como digo, notei a mulher. Uma enfermeira, pensei, ou criada, muitos espiões vêm para cá disfarçados assim, e essa mulher tinha uma aparência bastante estranha, andando pela estrada na direção das colinas com uma menininha, e a menininha parecia cansada, querendo parar, e às sete e meia da noite, ora, a maioria das crianças quer ir para a cama, então olhei essa mulher com toda a atenção. Eu acho que a assustei. Ela correu para a estrada, puxando a criança atrás de si, e acabou pegando-a no colo e subindo até o penhasco, o que achei estranho, sabem, porque não há casas ali, nada, até chegar a Whitehaven, mais ou menos a uns dez quilômetros depois das colinas, um dos caminhos preferidos para caminhadas. Mas neste caso achei o comportamento da mulher estranho. Imaginei que talvez ela fosse fazer sinal para pedir carona a alguém. As pessoas escutam muitos rumores de atividade inimiga, e ela sem dúvida ficou assustada quando me viu olhando-a com insistência.

O comandante Haydock tinha voltado para o carro e ligado o motor, e perguntou:

– A Estrada do Penhasco Ernes, foi o que disse? É do outro lado da cidade, não é?

– Sim, vocês podem percorrer a esplanada, passando pela cidade velha, e depois subir...

Os outros já tinham entrado no veículo, e não ouviram o resto da explicação do sr. Robbins. Tuppence gritou:

– Obrigada, sr. Robbins! – E o carro partiu, deixando-o ali parado, vendo-os se afastarem, de boca aberta.

Eles atravessaram a cidade voando, evitando acidentes mais por sorte do que por perícia. Mas a sorte sorriu para todos. Eles chegaram, por fim, a um lugar onde havia uma área residencial em construção, com casas esparsas, bastante desfigurada pela proximidade da usina de gás. Uma série de estradinhas levava para as colinas, parando abruptamente no meio da encosta. A Estrada do Penhasco Ernes era a terceira delas.

O comandante Haydock dobrou nela rapidamente e subiu a ladeira. No fim da estrada, a pavimentação transformava-se em terra batida da encosta do morro, e uma picada continuava subindo até o cume, sinuosa.

– É melhor sairmos aqui e irmos a pé – recomendou Bletchley.

Haydock falou, duvidoso:

– Acho que dá para subir de carro até o cume. O chão é firme o suficiente. Meio irregular, mas acho que dá.

A sra. Sprot gritou:

– Ah, sim, sim, por favor, precisamos chegar lá depressa.

O comandante comentou, baixinho:

– Espero que estejamos perseguindo a pessoa certa. Aquele homenzinho à toa lá da estação pode ter visto alguma outra mulher com uma criança.

O carro rangeu, com esforço, ao abrir caminho pela encosta irregular. A subida era íngreme, mas a grama estava curta e primaveril. Eles chegaram, sem acidentes, ao cume do morro. Ali a vista era menos interrompida, até descansar, ao longe, na curva da baía de Whitehaven.

Bletchley disse:

– Não foi uma ideia nada má. A mulher poderia passar a noite aqui se preciso, descer até Whitehaven de manhã e pegar um trem por lá.

Haydock observou:

– Não há sinal das duas, pelo menos que eu veja.

Estava de pé olhando através de um binóculo que tinha se lembrado de trazer consigo. De repente, contraiu-se todo ao focalizar o binóculo em dois pontinhos em movimento.

– Meu Deus! São elas!

E voltou a sentar-se no carro, que seguiu adiante, aos arrancos. Agora a perseguição não ia demorar tanto assim. Pulando e balançando de um lado para outro, os ocupantes do veículo rapidamente se aproximaram dos dois pontinhos. Ainda mais de perto, era possível distinguir quem eram as duas figuras, uma pessoa alta e outra baixa, e, quando o carro se aproximou ainda mais, todos viram uma mulher segurando uma criança pela mão. Quando chegaram mais perto ainda, sim, uma criança de vestidinho xadrez de algodão. Era a Betty.

A sra. Sprot soltou um grito abafado.

– Pronto, minha querida – disse o major Bletchley, dando-lhe tapinhas consoladores –, conseguimos achá-las.

Eles prosseguiram. De repente, a mulher virou-se e viu o carro avançando na sua direção. Com um grito, ela pegou a criança no colo e começou a correr. Correu, não para a frente, mas para o lado, na direção dos penhascos.

O carro, depois de alguns metros, não pôde mais prosseguir. O chão era pedregoso demais, e a passagem estava bloqueada por rochedos grandes. O veículo parou e seus ocupantes saíram, apressados. A sra. Sprot saiu primeiro e correu desesperada atrás das duas fugitivas. Os outros a seguiram.

Quando estavam a vinte metros da sequestradora, ela virou-se para eles. Agora estava na beirada do precipício em si e, com um grito rouco, agarrou-se à criança, apertando-a contra si.

Haydock gritou:

– Meu Deus, ela vai jogar a menina lá embaixo...

A mulher ficou ali parada, apertando Betty contra si. Seu rosto estava desfigurado por um ódio incontido. Ela soltou uma frase comprida em voz rouca que nenhum deles entendeu. E continuou segurando a menina, olhando de vez em quando para o precipício, a menos de um metro de distância de onde estava. Parecia claro que ela estava ameaçando jogar a criança lá embaixo.

Todos ficaram parados, apavorados, transtornados, incapazes de se moverem, por medo de causar uma catástrofe. Haydock tirou algo do bolso, um revólver militar. Depois gritou:

– Põe essa menina no chão, senão eu atiro.

A estrangeira riu. Segurou a criança com mais força ainda contra o peito. As duas estavam praticamente coladas uma na outra. Haydock murmurou:

– Eu não ouso atirar, senão vou acertar a criança.

Tommy comentou:

– Essa mulher é maluca. Vai pular do penhasco com essa criança a qualquer momento.

Haydock tornou a dizer, sem saber o que fazer:

– Não ouso atirar...

Mas, nesse instante, ouviu-se um tiro. A mulher oscilou e caiu, a criança ainda firmemente presa nos seus braços. Os homens correram para a frente. A sra. Sprot, de pé, oscilou, com a pistola fumegante na mão, os olhos dilatados. Ela deu alguns passos à frente, rigidamente.

Tommy ajoelhou-se ao lado da estrangeira e da menina. Virou as duas com delicadeza. Viu o rosto da mulher, notando, encantado, sua beleza selvagem. Os olhos abertos dela o fitaram, depois ficaram vidrados. Com um breve suspiro, ela morreu com um tiro na cabeça.

Betty Sprot, ilesa, soltou-se dos braços da morta e correu até sua mãe, que estava paralisada, parecendo uma estátua.

Por fim, a sra. Sprot descontraiu-se. Jogou a pistola para longe e abraçou a filha, apertando-a contra si e gritando:

– Ela está viva! Está viva! Ai, Betty, minha Betty! – E então soltou um sussurro baixo, espantado: – Eu... eu a matei?

Tuppence disse, firmemente.

– Não pense nisso, não pense nisso. Pense na Betty, só na Betty.

A sra. Sprot abraçou a filha, com força, soluçando. Tuppence foi até onde estavam os homens. Haydock murmurou:

– Um milagre, incrível, eu não seria capaz de dar um tiro desses. Acho que essa mulher nunca deu um tiro na vida, foi puro instinto. Um milagre, foi exatamente isso.

Tuppence falou:

– Graças a Deus! Foi por um triz! – E, estremecendo, do penhasco olhou o precipício, que descia direto até o mar.

CAPÍTULO 8

I

O inquérito sobre a morte da mulher começou alguns dias depois. Houve um atraso enquanto a polícia a identificava como uma certa Vanda Polonska, refugiada polonesa.

Depois daquela cena dramática nos penhascos, a sra. Sprot e Betty, a primeira das duas com os sentidos abalados, tinham sido levadas de volta ao Sans Souci, onde bolsas de água quente, xícaras de chá caprichadas, uma enorme curiosidade e, finalmente, uma dose de conhaque forte tinham sido administradas à heroína semidesfalecida da noite.

O comandante Haydock tinha imediatamente entrado em contato com a polícia e, seguindo sua orientação, os policiais foram até a cena da tragédia no penhasco.

Se não fosse pelas notícias perturbadoras da guerra, aquela tragédia provavelmente teria ocupado muito mais espaço nos jornais do que ocupou. Aliás, só um pequeno parágrafo foi publicado a respeito.

Tanto Tuppence quanto Tommy foram testemunhas no inquérito, e, por precaução, caso algum repórter pensasse em tirar fotos das testemunhas menos importantes, o sr. Meadowes resolveu usar uns óculos escuros altamente desfiguradores, dos quais disse precisar por causa de uma irritação qualquer no olho. A sra. Blenkensop usou um chapéu que praticamente a obliterou.

Porém, esse interesse concentrou-se em especial na sra. Sprot e no comandante Haydock. O sr. Sprot, que tinha sido chamado às pressas pelo telégrafo, veio correndo ver a mulher, mas precisou voltar no mesmo dia. Ele até que pareceu ser um rapaz afável, porém não muito interessante.

O inquérito começou com a identificação formal do corpo por uma certa sra. Calfont, mulher de lábios finos e olhos penetrantes, que há alguns meses trabalhava em um posto de atendimento a refugiados.

Polonska, conforme as explicações que ela deu, tinha vindo para a Inglaterra em companhia de um primo e de sua esposa, que eram os únicos parentes dela, pelo que a assistente social sabia. A polonesa, na sua opinião, era ligeiramente biruta. A sra. Calfont tinha entendido que a falecida presenciara cenas absolutamente horrorosas na Polônia e que a família dela, inclusive várias crianças, tinha sido toda morta. A polonesa não demonstrara nenhuma gratidão pelo que tinha sido feito por ela, e era desconfiada e taciturna. Resmungava muito consigo mesma e não parecia ser normal. Tinham encontrado um emprego para ela no país, mas ela o abandonou sem aviso algumas semanas antes, e sem se apresentar à polícia.

O juiz perguntou por que os parentes da mulher não tinham vindo vê-la, e a essa altura o inspetor Brassey deu uma explicação.

O casal em questão tinha sido detido com amparo na Lei de Defesa Nacional por um crime de suspeita de espionagem de um arsenal da Marinha. Ele contou que esses dois estrangeiros tinham se declarado refugiados para entrar no país, mas imediatamente haviam tentado obter emprego perto de uma base da Marinha. A família inteira estava sob suspeita. Eles tinham em seu poder uma grande soma em dinheiro cuja origem parecia ser justificável. Nada se sabia sobre Polonska, a não ser que ela devia cultivar sentimentos antibritânicos. Era possível que também fosse agente inimiga e que estivesse fingindo ser ruim da cabeça.

A sra. Sprot, ao ser chamada, desmanchou-se em lágrimas. O juiz foi delicado com ela, procurando ajudá-la a relatar o que tinha ocorrido.

– É uma coisa mesmo horrível – disse a sra. Sprot, com a voz embargada. – Horrível demais, ter matado alguém. Quero dizer, eu não tive a intenção de fazer aquilo, nunca pensei que faria, mas ela estava com a Betty, pensei que ela ia jogar a minha filha daquele penhasco lá embaixo, e eu precisava impedi-la, e aí... ai, ai, ai... Não sei como, eu fiz aquilo.

– A senhora está acostumada a usar armas de fogo?

– Ah, não! Só aquelas espingardas de regatas, de feiras, barracas de parques de diversão, e nem costumava acertar nada. Ai, meu Deus do céu... estou me sentindo como se tivesse assassinado uma pessoa de propósito.

O juiz a consolou e perguntou se ela já tinha entrado em contato com a morta alguma vez antes.

– Não, nunca. Eu nunca tinha visto aquela mulher na minha vida. Acho que ela devia ser louca de pedra porque não conhecia nem a mim, nem a Betty.

Respondendo a outras perguntas, a sra. Sprot disse que tinha participado de um grupo de costura para fazer acolchoados para refugiados poloneses, mas que essa era a única ligação dela com os poloneses neste país.

Haydock foi a testemunha seguinte, descreveu os passos que tinha seguido para encontrar a sequestradora e o que tinha acabado acontecendo.

– O senhor tinha absoluta certeza de que a mulher estava pretendendo pular do penhasco?

– Ou ela ia fazer isso, ou ia jogar a criança lá embaixo. Ela parecia estar enlouquecida de tanto ódio. Teria sido impossível tentar convencê-la. Foi um momento que exigia ação imediata. Eu mesmo tive a ideia de atirar nela para inutilizá-la, mas ela estava usando a criança como escudo. Tive medo de matar a menina se atirasse. A sra. Sprot arriscou-se e conseguiu salvar a vida de sua filhinha.

A sra. Sprot recomeçou a chorar.

O depoimento da sra. Blenkensop foi bem curto, uma mera confirmação daquele do comandante.

O sr. Meadowes foi a testemunha seguinte.

– O senhor confirma o que disseram o comandante Haydock e a sra. Blenkensop sobre os fatos?

– Confirmo. A mulher definitivamente estava tão transtornada que era impossível aproximar-se dela. Ela estava para se jogar com a criança do penhasco.

Não havia mais muitas provas disponíveis além destes depoimentos. O juiz instruiu o júri, dizendo que Vanda Polonska tinha morrido em consequência de um tiro dado pela sra. Sprot, a qual ele estava formalmente isentando de qualquer culpa. Não havia provas de que a morta era mesmo maluca. Ela talvez estivesse agindo assim porque tinha ódio da Inglaterra. Alguns dos "acolchoados" distribuídos aos refugiados poloneses traziam os nomes das senhoras que os tinham confeccionado, e era possível que a mulher tivesse escolhido o nome da sra. Sprot e descoberto seu endereço dessa forma, mas não era fácil entender por que ela teria raptado a criança... Possivelmente por algum motivo incompreensível para qualquer mente normal. Polonska, segundo suas próprias palavras, passara por muitas perdas e privações no seu país, e isso podia tê-la feito perder o juízo. Por outro lado, ela também podia ser uma agente inimiga.

O veredicto foi proferido conforme os fatos contidos no resumo feito pelo juiz.

II

Foi apenas alguns dias depois que a sra. Blenkensop e o sr. Meadowes foram capazes de se encontrar e comparar anotações.

Os dias que se passaram entre o salvamento de Betty e o dia do encontro entre eles foram movimentados. A morta tinha sido identificada como Vanda Polonska, uma refugiada polonesa que entrara no país logo depois do início da guerra. Muito pouco se sabia sobre ela, mas Vanda parecia ter recebido dinheiro de uma fonte desconhecida que indicava a probabilidade de ela ser uma agente inimiga de alguma espécie.

– E portanto, como sempre, não temos nada – concluiu Tommy, frustrado.

Tuppence concordou.

– Eles sempre pensam em tudo, não pensam? Não há nenhum documento, nem pista nenhuma sobre quem era o patrão dela.

– São eficientes até demais – disse Tommy, acrescentando depois: – Sabe, Tuppence, não estou gostando nada do que está acontecendo.

Tuppence concordou de novo. As notícias eram mesmo muito perturbadoras. O exército francês tinha batido em retirada, e parecia muito difícil ele virar o jogo. Estavam evacuando Dunquerque. Claramente, dentro de alguns dias apenas, Paris seria conquistada pelos alemães. Todos tinham ficado desanimados quando se revelou que os franceses não tinham equipamentos nem materiais para resistir às imensas unidades mecanizadas alemãs. Tommy comentou:

– Será que foi só falta de organização dos aliados? Ou será que foi sabotagem?

– Acho que foi essa última hipótese, mas eles nunca vão poder provar.

– Não. Nossos adversários são inteligentes demais para deixar pistas.

– Estamos passando o pente-fino, e nos livrando de várias dessas pestes agora.

– Ah, sim, estamos descobrindo as pessoas óbvias, mas acho que não chegamos aos cabeças, que estão por trás de tudo isso. Cérebro, organização, um plano muito bem bolado, um plano em que eles tiram proveito de nossos hábitos de adiar tudo, nossas briguinhas internas e nossa lentidão, para atingirem as metas deles.

Tuppence respondeu:

– Mas é para isso que estamos aqui, e não temos ainda nenhum resultado.

– Fizemos algum avanço – disse Tommy.

– Sim, o Carl von Deinim e a Vanda Polanska. A arraia-miúda.

– Acha que estavam trabalhando juntos?

– Acho que deviam estar – disse Tuppence, pensativa. – Lembre-se de que eu os vi conversando.

– Então o Carl von Deinim deve ter planejado o sequestro.

– Creio que sim.

– Mas por quê?

– Não sei – respondeu Tuppence. – É o que estou revirando na cachola agora, sem parar. Não faz sentido.

– Por que raptar uma determinada criança? Quem são os Sprot? Eles não são ricos, portanto não foi para obter um resgate. Nenhum dos dois é funcionário do governo, de nenhum tipo.

– Concordo, Tommy, simplesmente não faz sentido nenhum.

– A sra. Sprot não tem nenhuma ideia?

– Aquela mulher – disse Tuppence, com desprezo – tem um cérebro de galinha. Simplesmente não pensa. Só fica dizendo que é o tipo de coisa que alemães malvados fariam.

– Que imbecil – disse Tommy. – Os alemães são eficientes. Se mandarem algum agente raptar uma criança, será por algum motivo.

– Sabe, tenho um palpite – revelou Tuppence – de que a sra. Sprot talvez pudesse descobrir a razão, se pensasse um pouco no caso. Deve haver alguma coisa, algum tipo de informação que ela detém, talvez sem saber exatamente o que é.

– Claro que há, só pode haver. A única coisa que consigo imaginar é que a sra. Sprot, ou o marido dela, recebeu algum objeto de alguém, para que o guardasse, talvez por eles serem tão insignificantes que ninguém jamais desconfiaria que tal objeto está com eles, seja lá o que for.

– Essa é uma boa ideia.

– Eu sei. Mas está me parecendo demais com um enredo de livro de espionagem. Não parece real, sei lá.

– Já pediu à sra. Sprot para tentar se lembrar do que pode ser?

– Sim, o problema é que ela não está interessada. Só pensa em voltar para casa com a Betty; nisso, e em ter ataques histéricos porque matou alguém com um tiro.

– As mulheres são engraçadas – filosofou Tommy. – Essa mesma mulher, que saiu naquele dia com uma fúria de vingadora tal que teria fuzilado um regimento inteiro a sangue frio sem pestanejar, só para recuperar sua filha, depois de matar a sequestradora, fica toda sentida e arrependida disso.

– O legista a eximiu de culpa – disse Tuppence.

– Naturalmente. Juro que eu não me arriscaria a dar o tiro que ela deu.

Tuppence respondeu:

– Ela mesma provavelmente não teria atirado, se percebesse o risco que corria. Foi por pura ignorância sobre a dificuldade que seria acertar aquele tiro.

Tommy concordou.

– Parece uma história saída da Bíblia – comentou ele. – Davi e Golias.

– Ah! – exclamou Tuppence.

– Que foi, minha velha?

– Não sei bem. Quando você disse aquilo, alguma coisa me ocorreu, e agora a perdi de vista!

– Muito útil – disse Tommy.

– Deixe de ser sarcástico. Isso acontece, às vezes.

– Foi aquele versículo do homem que retesou o arco a esmo,* é?

– Não, foi... espere aí um minuto! Acho que era alguma coisa que tinha a ver com Salomão.

– Cedros, templos, um monte de esposas e concubinas?

– Pare com isso – disse Tuppence, levando as mãos até as orelhas. – Está piorando as coisas.

– Judeus? – indagou Tommy, esperançoso. – Tribos de Israel?

Mas Tuppence balançou a cabeça. Depois de um ou dois minutos, ela disse:

– Desejaria poder me lembrar de quem aquela mulher me fez lembrar.

– A falecida Vanda Polonska?

– Sim. Na primeira vez em que vi seu rosto, ele me pareceu vagamente familiar.

– Acha que a viu em algum outro lugar?

– Não, tenho certeza de que não a vi antes.

– A sra. Perenna e Sheila são de um tipo totalmente diferente.

– Ah, sim, não é delas que a mulher me faz lembrar. Sabe, Tommy, por falar nelas, andei pensando.

– Em algo promissor?

– Não sei se é. Pensei naquele bilhete que a sra. Sprot achou no chão do quarto quando Betty foi raptada.

– Sim?

– Esse negócio do bilhete enrolado em uma pedra e atirado pela janela é tudo mentira. Foi colocado ali por alguém, para a sra. Sprot encontrar, e acho que foi a sra. Perenna que o colocou lá.

– A sra. Perenna, o Carl, a Vanda Polonska, todos trabalhando juntos.

– Isso. Notou como a sra. Perenna entrou justamente no momento crítico e tomou a frente das coisas, votando contra o telefonema para a polícia? Ela assumiu o controle da situação toda.

– Então ela ainda é a pessoa que você pensa que é M?

– Sim, você também não acha isso?

– Creio que sim – disse Tommy, devagar.

– Ora, Tommy, tem alguma outra ideia?

– A minha ideia provavelmente é bastante idiota.

– Diga-me qual é.

– Prefiro não dizer. Não tenho provas para prosseguir. Nada mesmo. Mas, se eu estiver certo, não estamos enfrentando M, e sim N.

Depois Tommy refletiu:

* Citação bíblica. "Estirando um homem o seu arco ao acaso, feriu o rei de Israel." Reis, 21: 34. (N.T.)

"Bletchley. Acho que ele é inocente. Mas por que não seria? Ele é um cara bem genuíno, quase genuíno demais, e, afinal, foi ele quem quis telefonar para a polícia. Sim, mas poderia ser que tivesse certeza que a mãe da criança não apoiaria essa ideia. O bilhete ameaçador resolveu isso. Bletchley poderia se dar ao luxo de insistir no ponto de vista oposto..."

E isso fez Tommy se lembrar do problema para o qual ele, vergonhosamente, até agora não tinha conseguido encontrar solução: por que alguém ia querer raptar Betty Sprot?

III

Havia um carro diante do Sans Souci com a palavra POLÍCIA escrita na porta.

Absorta nos seus próprios pensamentos, Tuppence nem notou isso. Ela dobrou na estradinha de entrada de carros e passou pela porta da frente do hotel, indo direto para o seu quarto no segundo andar.

Tuppence deteve-se surpresa à porta do quarto, quando uma silhueta alta, que estava à janela, virou-se para falar com ela.

– Meu Deus – disse ela. – Sheila?

A moça veio direto até onde Tuppence estava. Agora Tuppence a via mais claramente, via seus olhos ardentes e encovados no seu rosto branco, com uma expressão trágica. Ela disse:

– Ainda bem que chegou. Estava esperando a senhora.

– Que foi?

A moça falou baixinho, sem emoção:

– O Carl foi preso!

– Pela polícia?

– É.

– Ai, querida – disse Tuppence. Ela se sentiu incapaz de tratar do assunto. Apesar da voz baixa de Sheila, Tuppence percebeu exatamente o que estava por trás de tudo. Fossem os dois jovens conspiradores ou não, aquela moça amava Carl von Deinim, e Tuppence sentiu uma dor no coração por aquela criatura jovem e infeliz.

Sheila perguntou:

– O que devo fazer?

Essa simples pergunta de quem se sente desamparada fez Tuppence estremecer. Ela disse, desorientada:

– Ai, que tristeza.

Sheila respondeu, a voz como se fosse uma harpa tocando um réquiem:

– Eles o levaram. Eu nunca mais vou revê-lo.

Depois ela gritou:

– O que vou fazer? O que vou fazer? – E, jogando-se de joelhos ao lado da cama, pôs-se a chorar com amargura.

Tuppence acariciou-lhe os cabelos escuros. Depois disse, em voz suave:

– Pode ser que não seja verdade. Talvez eles só o levem para um campo de concentração. Afinal, ele é um estrangeiro inimigo, como sabe.

– Não foi isso que eles disseram. Eles estão revistando o quarto dele agora.

Tuppence falou, devagar:

– Mas se não encontrarem nada...

– Eles não vão encontrar nada, é claro! O que encontrariam?

– Não sei. Achei que talvez você pudesse me dizer, pode?

– Eu?

Seu desprezo e seu assombro eram reais demais para serem fingidos. Quaisquer suspeitas que Tuppence tivesse de que Sheila Perenna estava envolvida no caso morreram naquele momento. A moça não sabia de nada, nem nunca soubera.

Tuppence lhe disse:

– Se ele for inocente...

Sheila a interrompeu:

– O que importa? A polícia vai inventar alguma acusação contra ele.

Tuppence respondeu com firmeza:

– Bobagem, menina, não é verdade o que dizem por aí.

– Essa polícia inglesa é capaz de tudo. Minha mãe é que sempre diz isso.

– Sua mãe diz isso, mas ela está errada. Eu lhe garanto que não é assim.

Sheila olhou para Tuppence, ressabiada, durante um minuto ou dois. Depois falou:

– Está bem. Se diz isso, confio na senhora.

Tuppence sentiu-se muito mal. E disse, severamente:

– Você é muito crédula, Sheila. Pode ser que não tenha sido prudente ter confiado em Carl.

– A senhora também está contra ele? Pensei que gostasse dele. Ele também pensa que a senhora gosta dele.

Tuppence, meio cansada, replicou:

– Escute, Sheila, gostar ou não gostar não tem nada a ver com os fatos. Este país está em guerra com a Alemanha. Há muitas maneiras de servir o país. Uma delas é conseguir informações e trabalhar como espião. É uma ocupação que exige muita coragem, pois quando te pegam é... – e sua voz ficou um tanto hesitante – é o fim.

Sheila disse:

– Acha que o Carl é...

– Pode ser que ele esteja trabalhando para o país dele assim. É uma possibilidade, não é?

– Não – retorquiu Sheila.

– Seria o emprego dele, entende, vir até aqui como refugiado, dar a impressão de que é duramente antinazista, e depois começar a obter informações.

Sheila disse, baixinho:

– Não é verdade. Conheço o Carl. Conheço seu coração e sua mente. Para ele, a ciência, o seu trabalho, a verdade e o conhecimento que ele encerra, estão acima de tudo. Ele sente gratidão pela Inglaterra, por tê-lo deixado trabalhar aqui. Às vezes, quando o insultam, ele se sente alemão e fica amargurado. Mas odeia os nazistas e o que eles representam, a negação da liberdade.

Tuppence respondeu:

– É claro que ele diria isso.

Sheila voltou seu olhar reprovador para Tuppence.

– Então acredita que ele é espião?

– Acho que essa é – opinou Tuppence, hesitante – uma possibilidade.

Sheila foi até a porta.

– Estou entendendo. Desculpe-me por ter vindo lhe pedir para nos ajudar.

– Mas o que pensou que eu poderia fazer, minha querida?

– A senhora conhece muita gente. Seus filhos estão no Exército e na Marinha, e já a ouvi dizer mais de uma vez que eles conhecem gente influente. Pensei que talvez pudesse pedir-lhes para... fazer... alguma coisa?

Tuppence pensou naquelas criaturas míticas, Douglas, Raymond e Cyril.

– Infelizmente – disse ela –, eles não poderiam fazer nada.

Sheila ergueu a cabeça e falou, revoltada:

– Então não há esperança para nós. Eles vão levar o Carl para algum presídio e trancafiá-lo. E um dia, de manhã bem cedo, eles vão encostá-lo na parede e fuzilá-lo, e ponto final.

Depois saiu, batendo a porta.

"Que se danem, que se danem esses irlandeses!", refletiu Tuppence, seus pensamentos entrechocando-se furiosamente. "Por que é que têm esse poder terrível de distorcer as coisas até as pessoas ficarem completamente perdidas? Se Carl von Deinim é espião, ele merece ser fuzilado. Eu devo me apegar a isso, não deixar essa mocinha de sotaque irlandês me enfeitiçar para eu pensar que é uma tragédia, e que na verdade ele é um herói e um mártir!"

Ela se lembrou da voz de uma atriz famosa dizendo uma fala de uma peça irlandesa: *Riders to the Sea.*

– Um bom e tranquilo repouso, o que eles terão...

Pungente... Uma maré de sentimentos, levando o espectador consigo para longe...

E pensou:

"Se não fosse verdade. Ah, se não fosse verdade..."

Sim, porque sabendo o que sabia, como poderia duvidar?

IV

O pescador no final do velho píer lançou a isca na água e depois recolheu a linha, com cautela.

– Sem dúvida nenhuma, infelizmente – disse ele.

– Sabe – disse Tommy – fiquei chateado com isso. Ele é... ora, um sujeito boa-praça, um cara bacana.

– Eles todos são, meu amigo, em geral todos são. Um joão-ninguém não se candidata para ir até o país do inimigo. São os corajosos que fazem isso, nós sabemos bem. Mas nesse caso está provado.

– Sem a menor dúvida, é o que você está me dizendo?

– Sem dúvida. Entre suas fórmulas químicas estava uma lista das pessoas da fábrica com as quais devia falar, como possíveis simpatizantes do fascismo. Também havia um plano bastante inteligente de sabotagem e um processo químico que, aplicado a fertilizantes, teria causado ampla devastação nas lavouras e gerado uma carestia tremenda. Tudo tramado pelo nosso amigo, o sr. Carl.

Tommy, a contragosto, e secretamente maldizendo Tuppence, que o havia feito prometer que diria isso, falou:

– Não seria possível esses indícios terem sido forjados por alguém que colocou essas coisas no quarto dele, seria?

O sr. Grant sorriu, um sorriso bastante diabólico.

– Ah! – exclamou ele. – Ideia da sua esposa, sem dúvida.

– Hã, quero dizer, é, para dizer a verdade, sim.

– Ele é atraente – disse o sr. Grant, tolerante. Depois prosseguiu: – Não, agora falando sério, acho que não podemos levar em consideração essa hipótese. Ele tem um suprimento de tinta invisível, como sabe. Esse teste é suficiente para incriminá-lo. E não estava a vista, como se tivesse sido posto lá para alguém encontrar. Não estava num frasco supostamente contendo medicamento "para tomar quando necessário", na pia do banheiro, nada disso. Aliás, foi uma coisa bastante engenhosa. Eu só vi esse método uma vez antes com botões de colete. Mergulhados na mistura, sabe. Quando o cara queria usá-la, bastava mergulhar o botão na água. Carl von Deinim não tinha usado botões. Ele usou um cadarço. Coisa bem-bolada mesmo.

– Ah! – disse Tommy, lembrando-se vagamente de algo, um tanto nebuloso...

Tuppence lembrou mais rápido. Assim que ele lhe falou dessa conversa, ela foi direto ao ponto que interessava:

– Cadarço? Tommy, isso explica tudo!

– O quê?

– O que a Betty fez, idiota! Não lembra aquela coisa engraçada que ela estava fazendo no meu quarto, tirando os cadarços do meu sapato e mergulhando-os na água? Naquela hora pensei que era engraçado ela ter a ideia de fazer isso. Mas naturalmente ela viu o Carl fazendo o mesmo e estava imitando-o. Ele não podia arriscar-se a deixá-la ficar por aí contando o que tinha visto e combinou o sequestro com aquela mulher.

Tommy respondeu:

– Então, está tudo explicado.

– Sim. É ótimo quando tudo começa a se encaixar. A gente pode deixar de pensar nas coisas que antes nos intrigavam e avançar um pouco mais.

– Precisamos ir adiante.

Tuppence concordou. O momento era crítico. A França havia capitulado de forma surpreendente e súbita, para espanto e desânimo dos próprios franceses.

O destino da Marinha francesa era incerto.

Agora a costa da França estava inteiramente nas mãos dos alemães, e a hipótese de invasão deixara de ser apenas uma contingência remota.

Tommy falou:

– Carl von Deinim era apenas um elo da cadeia. A sra. Perenna é a cabeça.

– É, temos que descobrir alguma prova contra ela. Mas não vai ser fácil.

– A sra. Perenna é a M?

Tommy supunha que era. E indagou, vagarosamente:

– Acha mesmo que a moça não está envolvida?

– Tenho certeza absoluta.

Tommy deu um suspiro.

– Bom, você deve estar certa. Mas, se Sheila não estiver envolvida, vai ficar desesperada. Primeiro o homem que ela ama, e depois a mãe. Não vai lhe restar muita coisa depois disso, vai?

– Não há como evitar.

– Sim, mas e se estivermos errados, se M ou N for outra pessoa?

Tuppence perguntou, com uma voz fria:

– Então você ainda está insistindo nisso? Tem certeza de que não é só desejo seu?

– Como assim?

– Sheila Perenna, isso é o que estou querendo dizer.

– Está dizendo besteira, Tuppence.

– Não estou, não. Ela o enfeitiçou, Tommy, como enfeitiçaria qualquer outro homem...

Tommy respondeu, indignado:

– De jeito nenhum. Eu simplesmente tenho minhas próprias suposições.

– E quais são elas?

– Acho que por enquanto não vou revelá-las. Vamos ver qual de nós está certo.

– Pois já eu acho que temos que ir com tudo atrás da sra. Perenna. Descobrir aonde ela vai, com quem fala, tudinho. Deve haver alguma ligação em algum lugar. É melhor chamarmos o Albert para segui-la esta tarde.

– Você pode fazer isso. Eu vou estar ocupado.

– Com o quê, pode-se saber?

Tommy respondeu:

– Vou jogar golfe.

CAPÍTULO 9

I

– Parece muito com os velhos tempos, não, madame? – perguntou Albert. Ele sorriu, alegremente. Embora agora, na meia-idade, estivesse já ficando meio gordo, Albert ainda tinha o coração de menino romântico que o havia levado a associar-se a Tommy e Tuppence, na época em que era ainda um jovem aventureiro.

– Lembra-se de como os senhores me conheceram? – indagou Albert. – Eu estava lustrando a prataria em um apartamento daqueles de gente da alta sociedade. Aquele recepcionista da portaria não era mesmo um chato? Ele vivia me azucrinando. E a história que ele lhes contou no dia em que vocês chegaram? Um monte de mentiras sobre uma marginal chamada Ready Rita. Nada daquilo era verdade. E, desde então, como poderiam dizer, eu nunca mais olhei para trás. Passamos por muitas aventuras antes de finalmente nos acomodarmos, por assim dizer.

Albert suspirou, e, por uma natural associação de ideias, Tuppence perguntou se a sra. Albert estava bem de saúde.

– Ah, minha senhora vai bem, mas ela não gosta muito dos galeses, segundo diz. Acha que eles deviam aprender a falar inglês direito, e, quanto aos bombardeios, já houve dois por lá, que abriram uns buracos no campo dentro dos quais era possível caber um carro, segundo ela. Portanto, que segurança é essa? Seria melhor estar em Kensington, onde ela não ia ser obrigada a ver todas aquelas árvores melancólicas e poderia comprar leite fresco e puro engarrafado.

– Não sei – comentou Tuppence, subitamente preocupada – se deveríamos meter você nisso, Albert.

– Bobagem, madame – disse Albert. – Tentei me apresentar para lutar e eles torceram o nariz para mim. Disseram-me para esperar minha faixa etária ser chamada. E eu no auge da saúde e louco para ir até a frente de batalha matar uns alemães, se me desculpa a expressão. É só me dizer como posso me meter e estragar os planos deles, que eu me apresento na hora. Quinta Coluna é o que vamos enfrentar, assim dizem os jornais, embora não mencionem o que aconteceu às outras quatro. Mas, para resumir, estou pronto para ajudar a senhora e o capitão Beresford de qualquer forma que desejarem.

– Ótimo. Agora vou lhe dizer o que queremos que você faça.

II

– Até que ponto conhece o Bletchley? – indagou Tommy ao descer do *tee*, onde tinha dado a tacada de saída, e observar com ar de aprovação sua bola pulando pelo centro do espaço entre os buracos.

O comandante Haydock, que também tinha dado uma boa tacada e estava com uma expressão de felicidade no rosto, enquanto colocava a bolsa de tacos no ombro, respondeu:

– Bletchley? Vamos ver. Ah! Mais ou menos nove meses. Ele veio para cá no outono do ano passado.

– Amigo de amigos seus, acho que foi o que disse, não? – insistiu Tommy, jogando verde para colher maduro.

– Eu disse isso? – indagou o comandante, ligeiramente surpreso. – Não, isso não foi o que eu disse. Eu o conheci aqui no clube, é disso que me lembro.

– Meio misterioso ele, não?

O comandante ficou claramente surpreso dessa vez.

– Misterioso? O Bletchley? – E Haydock fez cara de incredulidade.

Tommy soltou um suspiro. Começou a achar que estava imaginando coisas. Deu a tacada seguinte, e o taco atingiu a bola na parte de cima, fazendo-a apenas rolar pela grama. Haydock deu uma tacada curta certeira que fez a bola parar bem pertinho do *green*. E, ao voltar para perto do seu parceiro, perguntou:

– O que o faz considerar o Bletchley um homem misterioso? Eu talvez pudesse dizer que ele é um camarada dolorosamente prosaico, típico homem do exército. Meio cabeça feita demais e tal, uma vida com antolhos, vida de exército, mas misterioso?

Tommy disse, vagamente:

– Ah, sabe o que é, eu ouvi alguém comentar...

Eles passaram a dar tacadas curtas para emburacar a bola. O comandante conseguiu.

– Três acima e dois por jogar – anunciou ele com satisfação.

Aí, como Tommy esperava, o comandante, sem precisar mais se preocupar com a partida, voltou ao que Tommy havia dito.

– A que tipo de mistério está se referindo? – indagou ele.

Tommy deu de ombros.

– Ah, é que ninguém parecia saber muito sobre o Bletchley, só isso.

– Ele esteve nos Rugbyshires.

– Ah, tem certeza disso?

– Hã... Não, não posso afirmar que tenha. Mas, Meadowes, diga-me, que ideia é essa sua? Não há nada errado com o Bletchley, há?

– Não, não, claro que não – apressou-se Tommy a dizer. Ele tinha posto a lebre para correr, e agora poderia sentar-se e ficar só assistindo à caça que a mente do comandante estava empreendendo.

– O Bletchley sempre me pareceu um sujeito quase absurdamente típico – disse Haydock.

– Exato, exato.

– Ah, sim, entendo o que você quer dizer. Meio típico demais, talvez?

"Estou influenciando a testemunha", pensou Tommy. "Mas mesmo assim talvez esse meu velho amigo ainda me informe algo."

– Sim, entendo perfeitamente o que quer dizer – respondeu o comandante, meio pensativo. – E agora que estou pensando no caso, nunca conheci ninguém que tivesse conhecido o Bletchley antes de ele vir para cá. Ele não tem nenhum velho amigo que possa hospedá-lo, nada desse tipo.

– Ah! – exclamou Tommy, acrescentando: – Vamos jogar os buracos que restam? Já que estamos aqui, vamos nos exercitar um pouco mais. A noite está linda.

Eles entraram no carrinho, percorreram uma certa distância, depois separaram-se para dar sua próxima tacada. Quando voltaram a se encontrar perto do buraco, Haydock disse, abruptamente:

– Diga-me o que ouviu dizer sobre ele.

– Nada, absolutamente nada.

– Não precisa ser tão cauteloso assim comigo, Meadowes. Eu escuto todo tipo de rumores. Entende? Todos falam comigo. Tenho fama de ser muito arguto nesse assunto. Qual é a sua impressão, o Bletchley não é quem parece ser?

– Era só uma desconfiançazinha da minha parte.

– O que acham que ele é? Boche? Besteira, o homem é tão inglês quanto eu e você.

– Ah, sim, tenho certeza de que ele é inglês da gema.

– Ora, ele sempre vive gritando que mais estrangeiros deviam ir para campos de concentração. Olha só como protestava contra aquele alemão, e pelo jeito ele estava certo. Ouvi dizer, de forma oficial, da boca do chefe de polícia, que eles encontraram provas suficientes para condenar o von Deinim à forca uma dúzia de vezes. Ele tinha um plano para envenenar o suprimento de água do país inteiro e estava trabalhando em um novo gás, em uma das nossas próprias fábricas. Meu Deus, como é míope o nosso povo! Imaginem só, deixar o sujeito entrar no país, antes de mais nada. Esse nosso governo acredita mesmo em qualquer coisa! Um rapaz só precisa vir para cá logo antes da guerra e reclamar de uma perseguiçãozinha que eles fecham os dois olhos e lhe contam todos os nossos segredos. Fizeram a mesma coisa no caso daquele sujeito, o Hahn...

Tommy não tinha a intenção de deixar o comandante perder o assunto de vista e começar a desfiar a história do Hahn de novo. Errou uma tacada de propósito.

– Que azar o seu! – gritou Haydock. Depois deu uma tacada cuidadosa. A bola rolou para dentro do buraco.

– Esse buraco é meu. Você está meio distraído hoje. Do que estávamos falando?

Tommy respondeu, com firmeza:

– Sobre o Bletchley, dizendo que ele é britânico da gema.

– Ah, claro, é claro. Eu agora estou me lembrando, ouvi, sim, uma história bem estranha sobre ele, mas na hora não dei importância...

Nesse ponto, para irritação de Tommy, dois outros homens os cumprimentaram. Os quatro voltaram juntos para a sede do clube e tomaram alguns drinques juntos. Depois o comandante olhou para o relógio de pulso e comentou que ele e Meadowes precisavam ir andando. Tommy tinha aceitado um convite para jantar com o comandante.

A "Toca dos Contrabandistas" estava na sua condição habitual de ordem total e absoluta. Um criado alto e de meia-idade os serviu, com a destreza profissional de um garçom. Serviço perfeito assim era um tanto incomum de se encontrar fora de um restaurante londrino. Quando o homem saiu da sala, Tommy comentou sobre esse fato.

– Sim, tenho sorte de ter contratado o Appledore.

– Como foi que o encontrou?

– Ele respondeu a um anúncio. Tinha excelentes referências e claramente era superior a qualquer dos outros que se candidataram. Pediu também um salário bem mais baixo. Eu o contratei na mesma hora.

Tommy disse, rindo:

– A guerra sem dúvida nos tirou nossos bons garçons. Praticamente todos eles eram estrangeiros. Não parece ser uma profissão adequada para os ingleses.

– Meio servil demais, é por isso. Fazer reverência e limpar mesas não é coisa que um buldogue inglês faça com facilidade.

Sentados do lado de fora, saboreando uma xícara de café, Tommy perguntou com delicadeza:

– O que ia dizer lá no clube? Alguma coisa sobre uma história estranha envolvendo o Bletchley.

– Ah, o que era mesmo? Ah, você viu isso? Luzes no mar. Cadê minha luneta?

Tommy suspirou. As estrelas, seguindo seus cursos, pareciam estar lutando contra ele. O comandante entrou na casa e saiu de novo, usou sua luneta para perscrutar o horizonte, descrevendo todo um sistema de sinalização inimiga para prováveis pontos no litoral, o qual não apresentava provas de existir, e passou a pintar um quadro sombrio de uma invasão bem-sucedida em um futuro próximo.

– Não temos organização, nem coordenação adequadas. Você é voluntário da LDV*, Meadowes. Você sabe como é. Um homem como o velho Andrews no comando...

Aquela conversa já estava batida. Era a coisa que mais irritava o comandante Haydock. Ele é que devia ser o comandante, e estava decidido a dar um jeito de derrubar o Andrews, se fosse possível. O criado trouxe uísque e licores para os dois no terraço enquanto o comandante ainda esbravejava.

– E ainda há espiões imiscuindo-se entre nós, um monte deles. Foi a mesma coisa na guerra passada, cabeleireiros, garçons...

Tommy, reclinando-se, notou o perfil de Appledore enquanto ele passava apressado, e pensou: "Garçons? Pode-se chamar esse cara de Fritz com mais facilidade do que de Appledore...".

Bem, por que não? O sujeito falava um inglês perfeito, é verdade, mas muitos alemães também falavam. Eles tinham aperfeiçoado seu inglês trabalhando durante anos em restaurantes ingleses. E o tipo racial não era tão diferente assim. Louros, de olhos azuis, embora às vezes traídos pelo formato

* Local Defence Volunteers (Voluntários da Defesa Local), organização formada para ajudar na orientação de civis durante a guerra. (N.T.)

da cabeça; sim, a cabeça, onde é que ele tinha visto uma cabeça daquelas ultimamente?

E falou, sem pensar. As palavras encaixaram-se adequadamente, combinando com o que o comandante estava dizendo naquele exato momento.

– Todos esses malditos formulários para preencher. Isso não é nada bom, Meadowes, nada bom mesmo. Um monte de perguntas imbecis...

Tommy disse:

– Concordo. Tal como: "Qual é o seu nome? Responda M ou N".

Ouviu-se uma guinada, um barulho de colisão. Appledore, o criado perfeito, tinha se traído. Uma torrente de creme de menta molhou o punho e a mão de Tommy. O homem gaguejou:

– Perdão, meu senhor.

Haydock fuzilou-o com o olhar, furioso.

– Seu desastrado! Que diabo pensa que está fazendo?

Seu rosto em geral vermelho ficou praticamente roxo de raiva. Tommy pensou: "Temperamento de exército é pinto, a Marinha vence longe!". Haydock continuou proferindo uma série de descomposturas. Appledore desculpou-se de uma forma que chegava a ser abjeta. Tommy sentiu pena do homem, mas, de repente, como num passe de mágica, a ira do comandante passou, e ele voltou a ser o sujeito simpático de sempre.

– Venha se lavar, Meadowes. Coisa mais ridícula. Tinha que ser com o creme de menta.

Tommy o seguiu lá para dentro e logo entrou no suntuoso banheiro com suas inúmeras geringonças. Lavou-se com cuidado, eliminando o creme grudento e doce. O comandante falou do aposento ao lado. Parecia meio envergonhado.

– Acho que exagerei na dose. Coitado do Appledore. Ele sabe que eu sempre falo mais do que devia.

Tommy virou-se para ele, da pia, ainda enxugando as mãos. Não notou que um sabonete tinha caído no chão. Escorregou nele. O linóleo estava muito polido.

Um momento depois, Tommy viu-se executando como que um passo de balé ousado. Saiu voando pelo banheiro, os braços abertos. Um deles bateu com força contra a torneira direita da banheira, o outro contra o lado de um armário pequeno. Uma manobra extravagante, que provavelmente jamais seria executada se não fosse uma catástrofe como a que havia acabado de ocorrer. O pé de Tommy bateu com força contra uma extremidade da banheira, deslizando contra ela. E aí aconteceu uma coisa que até parecia um truque de magia. A banheira deslizou para fora da parede, virando-se e entrando em um espaço confinado oculto. Tommy viu-se olhando para um recesso escuro. Não teve dúvida sobre que recesso era aquele. Era o que continha o rádio transmissor.

O comandante tinha se calado. Apareceu de repente na porta. E, com um estalo, várias peças se encaixaram na cabeça de Tommy. Será que ele estava cego até aquele momento? Aquele rosto jovial e simpático, o rosto de um inglês cordial, era apenas uma máscara. Por que ele não tinha notado logo que ele era, na verdade, o rosto de um oficial prussiano, mal-humorado e arrogante? Tommy, sem dúvida, teve a ajuda do incidente que tinha acabado de ocorrer. Pois isso o fez lembrar-se de um outro incidente, um truculento prussiano berrando com um subordinado e avaliando-o com a insolência de um membro da classe privilegiada legítimo. O comandante Haydock tinha acabado de tratar seu subordinado daquela mesma forma, naquela noite, quando ele foi pego de surpresa.

E tudo se encaixou como num passe de mágica. O duplo blefe. O agente inimigo Hahn, enviado primeiro, preparou o lugar, empregando operários estrangeiros, chamando a atenção para si e passando finalmente ao estágio posterior do plano, ser desmascarado pelo galante oficial da Marinha inglesa, comandante Haydock. E aí, era natural que o inglês comprasse a casa e repetisse a história para todos, entediando-os com sua constante repetição. Com M então seguramente estabelecido no seu lugar designado, com comunicações com o mar e seu rádio secreto, e seus oficiais no Sans Souci, ali perto, tudo estaria pronto para N executar o plano alemão.

Tommy não resistiu e sentiu uma genuína admiração pelo homem. A coisa toda tinha sido perfeitamente planejada. Ele mesmo jamais teria suspeitado de Haydock, pois tinha-o aceitado como alguém genuíno; só que um incidente totalmente imprevisto tinha traído toda a trama.

Tudo isso passou pela cabeça de Tommy em apenas alguns segundos. Ele sabia muito bem que estava correndo perigo mortal. Se ao menos pudesse desempenhar o papel de inglês bobo e crédulo com perfeição...

Voltou-se para Haydock soltando o que esperava ser uma risada natural.

– Meu Deus, não param de acontecer surpresas aqui nesta casa. Isso tudo foi por causa de uma outra geringonça do Hahn? Não me mostrou essa naquele dia.

Haydock estava calado, sem se mexer. Havia uma tensão no seu corpanzil enquanto ele permanecia ali bloqueando a porta.

"Não dá para eu derrubar esse aí", pensou Tommy. "E ainda por cima tem aquele maldito criado."

Por um instante, Haydock ficou parado como se fosse uma estátua esculpida em pedra, depois descontraiu-se. Disse, rindo:

– Meadowes, foi muito engraçado mesmo. Você saiu patinando pelo chão como um bailarino! Acho que esse tipo de coisa só acontece uma em cada mil vezes. Enxugue as mãos e venha para a outra sala comigo.

Tommy seguiu-o para fora do banheiro. Ele estava alerta, com todos os músculos contraídos. Precisava sair a salvo daquela casa, mesmo sem saber como, e avisar o chefe sobre o que tinha descoberto. Será que ia conseguir enganar o Haydock? Ele tinha parecido falar de maneira bastante natural. Com um braço ao redor dos ombros de Tommy, talvez apenas um gesto amistoso de amparo (ou talvez não), Haydock o conduziu até a sala de estar. Virando-se, ele fechou a porta.

– Olha aqui, meu caro, preciso lhe dizer uma coisa.

Sua voz soou afetuosa, natural, só ligeiramente encabulada. Ele fez sinal para que Tommy se sentasse.

– É uma coisa meio constrangedora – disse ele. – Juro que é! Mas não me resta opção senão lhe contar um segredo. Só que vai ter que me jurar que não vai contar a ninguém, Meadowes. Entende?

Tommy tentou fazer uma cara de interesse e curiosidade. Haydock sentou-se e puxou sua cadeira mais para perto de Tommy, como quem está para fazer uma confidência.

– Meadowes, o negócio é o seguinte: ninguém pode saber disso, mas estou trabalhando para o serviço secreto. M.I.42 B.X. é o meu departamento. Já ouviu falar dele?

Tommy sacudiu a cabeça e intensificou a expressão de curiosidade.

– É uma divisão muito secreta. Uma espécie de círculo de iniciados, se sabe do que estou falando. Transmitimos certas informações daqui, mas seria absolutamente fatal se isso vazasse, entende?

– Claro, sem dúvida! – concordou o sr. Meadowes. – Mas que coisa mais interessante! Pode contar comigo, não direi uma palavra.

– Sim, isso é absolutamente vital. Tudo é deveras confidencial.

– Entendo muito bem. Seu trabalho deve ser emocionante. De fato, muito emocionante. Eu adoraria saber mais a respeito, mas acho que é melhor não perguntar, não é?

– É, infelizmente não pode perguntar. É muito secreto, entende?

– Ah, sim, sei. Peço-lhe sinceras desculpas, um acidente absolutamente fora do comum...

E pensou comigo mesmo: "Será que ele vai cair nessa? Não é possível que ache que eu acreditei nessa besteirada que me contou!"

Parecia-lhe incrível que o outro tivesse acreditado na sua simulação. Depois, refletindo melhor, Tommy se lembrou de que a vaidade já derrubou muitos homens. O comandante Haydock era inteligente, corpulento, e o

Meadowes era só um britânico fracote e burro. O tipo do homem que acreditaria em qualquer coisa! Se ao menos Haydock continuasse pensando assim...

Tommy continuou falando. Demonstrou muito interesse e curiosidade. Sabia que não devia fazer perguntas, mas será que o trabalho do comandante Haydock era muito perigoso? Ele já tinha ido à Alemanha, trabalhado lá?

Haydock respondeu com toda a boa vontade. Agora estava representando o papel de oficial da Marinha inglesa, o oficial prussiano havia desaparecido. Mas Tommy, observando-o atentamente, de um ponto de vista novo, imaginava como ele podia ter se deixado enganar. O formato da cabeça, o maxilar inferior... não havia nada de britânico ali.

O sr. Meadowes levantou-se, por fim. Era hora do teste supremo. Será que ele se sairia bem dele?

– Eu agora preciso voltar... Já está ficando muito tarde... Peço-lhe mil desculpas, mas posso lhe garantir que não direi nada a ninguém.

("É agora ou nunca. Será que ele vai me deixar sair, ou não? Devo me preparar, um direto no queixo seria a melhor...")

Falando amistosamente e com uma animação de quem está se divertindo muito, o sr. Meadowes foi se aproximando da porta.

Tommy já estava no corredor... Tinha aberto a porta da frente...

Por uma porta à direita, Tommy percebeu Appledore colocando as coisas do café da manhã em uma bandeja, para o dia seguinte. ("Esse idiota ia deixá-lo sair sem impedi-lo!")

Os dois homens ficaram de pé na varanda um momento, conversando, combinando uma outra partida de golfe para o sábado seguinte. Tommy pensava, pesaroso: "Sábado que vem você não vai estar mais aqui, meu caro".

Então se ouviram vozes vindo da estrada. Dois homens voltando de uma caminhada pelo promontório. Eram homens que Tommy e o comandante conheciam de vista. Tommy acenou para eles. Eles pararam. Haydock e ele trocaram algumas palavras com os homens, todos de pé no portão, depois Tommy despediu-se do seu anfitrião e saiu com os dois homens.

Ele tinha conseguido. Haydock era mesmo um otário, tinha acreditado nele! Tommy ouviu Haydock entrar outra vez em casa e fechar a porta. Depois o sr. Meadowes desceu a ladeira satisfeito, ao lado de seus dois novos amigos.

O tempo parecia que ia mudar. O velho Monroe tinha jogado mal outra vez. Um outro sujeito, o Ashby, tinha se recusado a participar da LDV. Disse que não prestava para nada. Muito bobo mesmo. O jovem Marsh, o assistente do chefe dos carregadores de tacos, era um objetor consciente. Será que Meadowes não achava que o comitê devia opinar a respeito disso? Tinha havido um bombardeio bem violento em Southampton, anteontem à noite – muitos danos. O que Meadowes achava da Espanha? Eles iriam virar inimigos também? Claro, desde que os franceses tinham entregado os pontos...

Tommy sentia vontade de gritar bem alto. Uma conversa ótima, perfeitamente natural. Foi providência divina o fato de aqueles dois terem aparecido exatamente naquele momento. Ele se despediu dos dois no portão do Sans Souci e entrou. Percorreu a estradinha de entrada de carros assobiando baixinho.

Tinha acabado de dobrar na esquina escura ao lado dos arbustos, quando algum objeto pesado atingiu sua cabeça. Tommy caiu para a frente, viu tudo preto e então perdeu a consciência.

CAPÍTULO 10

I

– Disse três espadas, sra. Blenkensop?

Sim, a sra. Blenkensop tinha dito três espadas. A sra. Sprot, voltando ofegante do telefone, a dizer: "E eles mudaram a hora do exame para voluntário da ARP de novo, uma inconveniência enorme", exigiu que dessem os lances outra vez.

A srta. Minton, como sempre, retardou o jogo fazendo repetições infindáveis.

– Eu disse duas paus? Tem certeza? Eu acho que talvez tenha resolvido dar um lance de um sem trunfo... Ah, sim, claro, agora me lembrei. A sra. Cayley disse uma copas, embora eu não tenha entendido muito bem a conta, mas acho que se deve arriscar no jogo, então como a sra. Cayley disse uma copas, eu tive que dar um lance de duas paus. Acho que o jogo fica muito difícil quando se tem dois naipes pobres...

"Às vezes" Tuppence pensou com seus botões, "a srta. Minton economizaria tempo se simplesmente baixasse todas as cartas que tinha na mão, pondo-as na mesa para todos verem. Era absolutamente incapaz de não dizer exatamente o que tinha."

– Então agora nós todas estamos entendidas – disse a srta. Minton, triunfante. – Uma copas, duas paus.

– Duas espadas – disse Tuppence.

– Eu passei, não passei? – indagou a sra. Sprot.

Todas olharam para a sra. Cayley, que estava inclinada para a frente, escutando.

A srta. Minton resolveu falar por ela.

– Aí a sra. Cayley disse duas copas e eu dei um lance de três ouros.

– E o meu lance foi três espadas – disse Tuppence.

– Eu passo – disse a sra. Sprot.

A sra. Cayley ficou calada. Por fim, pareceu perceber que todos estavam olhando para ela.

– Ai, meu Deus – disse ela, corando. – Me deem licença, sim. Tenho a impressão de que talvez o sr. Cayley esteja precisando de mim. Espero que ele esteja bem lá fora no terraço.

E olhou todos os rostos, um por um.

– Talvez, se não se importarem, seja melhor eu ir lá verificar. Ouvi um barulho muito estranho. Talvez ele tenha deixado o livro dele cair no chão.

Ela se levantou e saiu pela porta envidraçada. Tuppence soltou um suspiro exagerado.

– Ela devia amarrar um barbante no pulso – disse –, e aí ele podia puxá-lo quando precisasse dela.

– Que esposa tão dedicada – observou a srta. Minton. – É lindo ver isso, não?

– É? – questionou Tuppence, que se sentia longe de estar bem-humorada.

As três mulheres ficaram em silêncio durante um ou dois minutos.

– Onde está a Sheila esta noite? – indagou a srta. Minton.

– Ela foi ao cinema – disse a sra. Sprot.

– Onde está a sra. Perenna? – perguntou Tuppence.

– Disse que ia colocar a contabilidade em dia no quarto dela – explicou a srta. Minton. – Coitadinha. É tão cansativo fazer contas.

– Ela não ficou tratando da contabilidade a noite inteira – disse a sra. Sprot –, porque entrou agora mesmo quando eu estava telefonando no vestíbulo.

– Onde será que ela esteve? – indagou a srta. Minton, cuja vida era cheia dessas pequenas curiosidades sobre tudo. – Não foi ao cinema, a sessão não terminou ainda.

– Ela não estava de chapéu – disse a sra. Sprot. – Nem de casaco. Os cabelos dela estavam todos despenteados, como se ela tivesse corrido, ou alguma coisa assim. Meio sem fôlego. Ela subiu correndo as escadas sem dizer nada e me olhou com raiva, sem dúvida com muita raiva. Tenho certeza de que não fiz nada errado.

A sra. Cayley reapareceu à porta envidraçada.

– Imaginem só – disse ela. – O sr. Cayley andou pelo jardim inteiro sozinho. Apreciou muito isso, segundo disse. A noite está muito agradável.

E depois a sra. Cayley voltou a se sentar.

– Vamos ver... Ah, acham que seria possível repetir o leilão?

Tuppence suprimiu um suspiro de revolta. Elas repetiram o leilão e ela teve que dar um lance de três espadas.

A sra. Perenna entrou justamente quanto elas estavam cortando o baralho para o próximo carteio.

– Gostou do seu passeio? – indagou a srta. Minton.

A sra. Perenna olhou-a com espanto. O olhar foi furioso e desagradável. E aí disse:

– Eu não saí.

– Ah, ah... eu pensei que a sra. Sprot tinha dito que tinha acabado de entrar.

A sra. Perenna respondeu:

– Só fui lá fora dar uma olhada no tempo.

Seu tom de voz foi desagradável. Ela lançou um olhar hostil à submissa sra. Sprot, que enrubesceu e fez cara de medrosa.

– Imaginem só – comentou a sra. Cayley, contribuindo com uma notícia –, o sr. Cayley andou pelo jardim inteiro.

A sra. Perenna respondeu, mal-humorada:

– Por que ele fez isso?

A sra. Cayley respondeu:

– A noite está muito agradável. Ele nem mesmo colocou o outro cachecol e ainda não quer entrar. Espero que não pegue um resfriado.

A sra. Perenna retrucou:

– Há coisas piores do que resfriados. Uma bomba pode cair a qualquer momento e explodir, mandando-nos todos pelos ares!

– Ai, que é isso, espero que não.

– Ah, é? Pois eu desejaria que isso acontecesse.

A sra. Perenna saiu pela porta envidraçada. As quatro jogadoras de bridge ficaram olhando para ela.

– Mas ela está muito estranha esta noite – opinou a sra. Sprot.

A srta. Minton inclinou-se para a frente.

– Não acham que... – e ela olhou de um lado para outro, para ver se havia mais alguém escutando. Todas se aproximaram dela. A srta. Minton continuou, num sussurro sibilante:

– Não suspeitam... ou suspeitam? Que ela bebe?

– Puxa – disse a sra. Cayley –, pensando bem... Isso explicaria tudo. Ela às vezes se porta de uma forma tão... tão irresponsável. O que acha, sra. Blenkensop?

– Ah, eu não penso realmente assim. Acho que ela está preocupada com alguma coisa. Hã... é sua vez de dar o lance, sra. Sprot.

– Meu Deus, o que devo fazer? – indagou a sra. Sprot, contemplando a sua mão de cartas.

Ninguém se ofereceu para lhe responder, embora a srta. Minton, que tinha estado contemplando com um interesse profundo a sua própria mão, talvez estivesse em posição de aconselhar alguém.

– Não é a Betty, é? – indagou a sra. Sprot, erguendo a cabeça.

– Não é, não – disse Tuppence, com firmeza.

Se elas não continuassem a jogar, Tuppence sentiu que ia ser incapaz de conter um grito de impaciência. A sra. Sprot olhou para sua mão vagamente, sua cabeça aparentemente ainda maternal. Depois disse:

– Ah, uma ouros, acho eu.

E todas foram apostando. A sra. Cayley jogou primeiro.

– Quando em dúvida, jogue um trunfo – cantarolou ela, colocando na mesa um nove de ouros.

Uma voz profunda e bem-humorada disse:

– A maldição da Escócia foi o que a senhora pôs na mesa!*

A sra. O'Rourke apareceu de pé à porta envidraçada. Estava respirando profundamente, seus olhos brilhantes. Parecia maliciosa e matreira. Entrou na sala, ousada.

– É só uma partida inocente de bridge, não?

– O que é isso na sua mão? – perguntou a sra. Sprot, curiosa.

– É um martelo – respondeu a sra. O'Rourke, com calma. – Encontrei-o caído na entrada de carros. Sem dúvida alguém o esqueceu por lá.

– Lugar engraçado para deixar um martelo – comentou a sra. Sprot, desconfiada.

– É, sim – disse a sra. O'Rourke.

Ela parecia estar de muito bom humor. Balançando o martelo, foi para o vestíbulo.

– Vamos ver – disse a srta. Minton. – Qual é o trunfo?

O jogo continuou durante cinco minutos, sem mais nenhuma interrupção, mas então o major Bletchley entrou. Ele tinha ido ao cinema, e passou a lhes contar com todos os detalhes o enredo de *O menestrel*, história passada no reinado de Ricardo I. O major, como militar, criticou bastante as cenas de batalha entre os cruzados e os infiéis.

* A carta de nove de ouros é conhecida como "Maldição da Escócia" porque supostamente foi usada algumas vezes como código para autorizar ordens militares catastróficas para a nação escocesa. (N.T.)

As senhoras não terminaram a partida de bridge porque a sra. Cayley, consultando o relógio, descobriu que era muito tarde, soltou gritinhos horrorizados e correu para perto do sr. Cayley, que, como bom inválido negligenciado, divertindo-se a valer, tossiu de maneira sepulcral, tremendo dramaticamente e dizendo várias vezes:

– Tudo bem, minha querida. Espero que tenha se divertido jogando bridge. Não precisa se preocupar comigo nem um pouco. Mesmo que eu tivesse pegado um resfriado forte, que importância isso teria? Estamos em guerra!

II

Na hora do café da manhã, no dia seguinte, Tuppence imediatamente percebeu uma certa tensão no ar. A sra. Perenna, os lábios muito apertados, fez alguns comentários bastante sarcásticos, e depois precipitou-se furiosamente para fora da sala, por assim dizer.

O major Bletchley, passando uma camada espessa de geleia na torrada, soltou uma risada gostosa.

– O ar está meio gelado – comentou ele. – Ora, ora! Era de se esperar, creio eu.

– O que houve? – indagou a srta. Minton, inclinando-se com avidez para a frente, seu pescocinho fino estremecendo de expectativa.

– Não sei se devia contar histórias que até parecem coisa de estudante – respondeu o major de maneira irritante.

– Ah, major Blechley!

– Diga-nos o que é – pediu Tuppence.

O major Bletchley olhou pensativo para sua plateia: a srta. Minton, a sra. Blenkensop, a sra. Cayley e a sra. O'Rourke. A sra. Sprot e a Betty tinham acabado de sair. Ele decidiu falar.

– É o Meadowes – disse ele. – Passou a noite na gandaia. Ainda não voltou para casa.

– O quê? – exclamou Tuppence.

O major Bletchley lançou-lhe um olhar de relance, malicioso, de quem acha graça. Adorou ver a reação da viúva pretendente.

– Meio farrista, o Meadowes – disse ele, rindo à socapa. – Perenna está chateada. Muito natural.

– Ai, meu Deus – disse a srta. Minton, corando afeita. A sra. Cayley parecia chocada. A sra. O'Rourke simplesmente riu de leve.

– A sra. Perenna já tinha me dito isso – comentou ela. – O que se vai fazer, né, os rapazes são assim mesmo.

A srta. Minton disse, com avidez:

– Oh, mas certamente... talvez o sr. Meadowes tenha sofrido algum acidente. Durante o blecaute, não é?

– O nosso velho blecaute – disse o major Bletchley. – Responsável por todo tipo de coisa. Eu estou lhe garantindo que foi muito instrutivo ser patrulheiro da LDV. Parando carros e tudo. A quantidade de esposas que só estavam "levando os maridos para casa". E, quando a gente ia ver os sobrenomes das carteiras de identidades deles, eram diferentes dos delas! E as esposas ou os maridos voltavam na direção oposta, sozinhos, algumas horas depois. Ah, ah! – E ele continuou achando graça, depois rapidamente ficou sério quando percebeu a sra. Blenkensop olhando feio para o seu lado.

– A natureza humana é meio engraçada, não é? – comentou ele, para amenizar a situação.

– Ah, mas o sr. Meadowes – estrilou a srta. Minton – pode ter mesmo sofrido um acidente. Ter sido atropelado por um carro.

– Ele vai contar essa história, tenho certeza – disse o major. – O carro o atropelou, ele perdeu os sentidos e só acordou de manhã.

– Pode ser que tenha sido levado para o hospital.

– Eles já teriam telefonado para cá. Afinal, ele está com a carteira de identidade dele, não?

– Ai, meu Deus – falou a sra. Cayley. – O que será que o sr. Cayley *vai dizer*?

Essa pergunta retórica ficou sem resposta. Tuppence, levantando-se com o pressuposto de que sua dignidade estava sendo afrontada, saiu da sala. O major Bletchley riu quando ela bateu a porta.

– Coitado do nosso velho Meadowes – disse ele. – A viuvinha alegre não gostou nada disso. Acho que ela está de olho nele.

– Que é isso, major Bletchley! – exclamou a srta. Minton.

O major Bletchley deu uma piscadela marota.

– Lembra-se do Sam do Dickens? "Cuidado com as viúvas, Sammy."*

III

Tuppence ficou meio transtornada por aquela ausência de Tommy, sem nenhum aviso, mas tentou tranquilizar-se, pensando que ele poderia ter descoberto alguma pista muito promissora e resolvido investigar mais a fundo. As dificuldades de comunicação entre ambos sob as circunstâncias em que se encontravam tinham sido previstas por eles, e haviam concordado que se um sumisse o outro não iria se preocupar excessivamente com essa

* Citação de *As aventuras do sr. Pickwick*, de Dickens. (N.T.)

ausência inexplicada. Eles tinham combinado certos modos de agir entre si caso surgissem essas emergências.

A sra. Perenna tinha, segundo a sra. Sprot, saído na noite anterior. A veemência com que a dona da pensão negara esse fato só fazia aquela ausência dela mais interessante como alvo de especulação. Era possível que Tommy a tivesse seguido na sua missão secreta e descoberto algo que valia a pena investigar. Sem dúvida ele se comunicaria com Tuppence de sua forma especial, ou então apareceria em breve.

Contudo, Tuppence foi incapaz de evitar uma certa inquietação. Ela decidiu que no seu papel de sra. Blenkensop seria perfeitamente natural mostrar alguma curiosidade e até mesmo nervosismo. Ela saiu, sem mais delongas, em busca da sra. Perenna.

A sra. Perenna tendeu a ser lacônica na conversa sobre o assunto. Deixou claro que essa conduta por parte de um de seus hóspedes não seria tolerada nem encoberta. Tuppence exclamou, ofegante:

– Ah, mas ele pode ter tido um acidente. Tenho certeza de que foi isso que aconteceu. Ele não é esse tipo de homem... Não é um leviano, nada disso, ele deve ter sido atropelado por um carro, alguma coisa assim.

– É provável que tenhamos notícias dele muito em breve, de uma forma ou de outra – disse a sra. Perenna.

Mas o dia foi passando, e nada do sr. Meadowes voltar. À noite, a sra. Perenna, a pedido dos seus hóspedes, concordou com extrema relutância em telefonar para a polícia. Um sargento veio até o hotel com um caderno e anotou os detalhes. Certos fatos foram então esclarecidos. O sr. Meadowes tinha saído da casa do comandante Haydock às dez e meia. Dali ele tinha caminhado em companhia de um certo sr. Walters e um certo dr. Curtis até o portão do Sans Souci, onde tinha se despedido deles, e dobrado na entrada de carros. Daquele momento em diante, o sr. Meadowes parecia ter desaparecido no espaço.

Na cabeça de Tuppence, duas possibilidades surgiram como explicação disso. Ao andar pela entrada de carros, Tommy podia ter visto a sra. Perenna vindo na sua direção, se escondido nos arbustos e depois seguido a mulher. Após observar seu encontro com algum desconhecido, ele talvez tivesse seguido-o, enquanto a sra. Perenna voltava para o Sans Souci. Nesse caso, ele provavelmente estava vivinho da silva, e ocupado em seguir uma pista. Se assim fosse, as tentativas bem-intencionadas da polícia de encontrá-lo talvez se revelassem constrangedoras.

A outra possibilidade não era tão agradável. Ela se resumia em dois quadros: num deles, a sra. Perenna voltando "ofegante, toda despenteada"; e, no outro, um que não podia ser deixado de lado, uma imagem da sra. O'Rourke, de pé, sorrindo à porta envidraçada, segurando um pesado martelo, que encerrava horríveis possibilidades. O que um martelo estaria fazendo lá fora?

E o mais difícil parecia ser descobrir quem o poderia ter brandido. Uma boa parte da solução dependia da hora exata em que a sra. Perenna tinha voltado a entrar na casa. Certamente tinha sido por volta das dez e meia, mas nenhuma das participantes da partida de bridge tinha observado a hora exata. A sra. Perenna declarara veementemente que não tinha saído, só tinha ido olhar o tempo. Mas ninguém fica ofegante só olhando como está o tempo. Estava claro que ser vista pela sra. Sprot tinha sido deveras inconveniente para ela. Naturalmente, as quatro senhoras talvez tivessem um álibi convincente, por estarem ocupadas jogando bridge.

Qual teria sido a hora exata? Tuppence descobriu que todos tinham uma ideia vaga do assunto. Se a hora conferisse, a sra. Perenna era claramente a suspeita número um. Mas havia outras possibilidades. Dos habitantes do Sans Souci, três tinham saído na hora em que Tommy voltara. O major Bletchley tinha ido ao cinema, mas estava sozinho, e a forma como tinha insistido em contar o filme inteiro de maneira tão meticulosa poderia ser uma prova, para quem estivesse desconfiado, de que ele estava deliberadamente estabelecendo um álibi.

O hipocondríaco sr. Cayley era outro suspeito: tinha saído para passear pelo jardim. Se não fosse pelo nervosismo manifestado pela sra. Cayley com relação ao esposo, ninguém teria ouvido falar naquele passeio, e talvez todos imaginassem que o sr. Cayley tinha ficado seguramente enrolado em suas mantas como uma múmia na sua cadeira, no terraço. (Aliás, tinha sido bastante estranho da parte dele arriscar-se a respirar o ar contaminado da noite durante tanto tempo.)

E a última suspeita seria a própria sra. O'Rourke, balançando aquele martelo e sorrindo...

IV

– Qual é o problema, Deb? Está parecendo preocupada, minha querida.

Deborah Beresford assustou-se; depois riu, fitando com franqueza os compreensivos olhos castanhos de Tony Marsdon. Ela gostava do Tony. Ele era inteligente, um dos mais brilhantes novatos do departamento de codificação, e todos achavam que ele iria longe.

Deborah gostava do seu emprego, embora tivesse descoberto que às vezes ele exigia demais do seu poder de concentração. Era cansativo, mas valia a pena, e lhe dava a sensação agradável de ser importante. Era um trabalho de verdade, não apenas ficar marcando passo em um hospital, esperando uma chance de cuidar de um enfermo.

Ela disse:

– Ah, nada. Só coisas de família! Sabe como é.

– As famílias são meio cansativas. O que está havendo com a sua?

– É minha mãe. Para lhe dizer a verdade, estou só um pouco preocupada com ela.

– Por quê? O que houve?

– Ora, ela foi para a Cornualha visitar uma tia minha muito cansativa, que tem 78 anos e é completamente gagá.

– Parece horrível – comentou o jovem, compreensivo.

– É, foi realmente uma decisão bastante altruísta da minha mãe. Mas, de qualquer jeito, ela estava muito revoltada porque não encontrava ninguém que a aceitasse para ajudar na guerra. Naturalmente, ela foi enfermeira, e fez outras coisas na Primeira Guerra, mas agora é bem diferente, e eles não querem ninguém de meia-idade. Querem jovens, gente alerta. Ora, como eu digo, mamãe ficou meio irritada com tudo isso, e aí foi até a Cornualha ficar com minha tia Gracie, e ela está trabalhando um pouco na horta, plantando uns canteiros extras de legumes e verduras etc.

– Bastante prudente da parte dela – disse Tony.

– É o melhor que podia fazer. Ela ainda é muito ativa, sabe? – disse Deborah, com carinho.

– Parece-me ótimo.

– Ah, sim, mas não é isso que está me incomodando. Eu estava tranquila, pensando que ela estava bem, recebi uma carta há apenas dois dias que me parecia bastante otimista.

– E qual é o problema, então?

– O problema é que eu pedi ao Charles, que ia visitar a família dele naquela região, que fosse até a casa da tia Gracie para ver como mamãe estava passando. E ele foi. Ela não estava lá.

– Não estava lá?

– Não. E nem nunca esteve! Pelo jeito, não foi visitar minha tia.

Tony fez uma cara de constrangimento.

– Meio esquisito isso – murmurou ele. – Onde está... quero dizer... seu pai?

– O Cabeça de Cenoura? Ah, ele está em algum ponto da Escócia. Em algum desses ministérios pavorosos em que ficam arquivando papéis em triplicata o dia inteiro.

– Sua mãe não teria ido se encontrar com ele?

– Não pode. Ele está num desses lugares onde as esposas não podem ir.

– Ah... hã... bom, suponho que ela tenha resolvido ir passar algum tempo em algum lugar, então.

Tony agora estava decididamente constrangido, em especial por ter os olhos enormes e preocupados de Deborah fixos nele, melancólicos.

– Sim, mas por quê? É tão esquisito! Todas as cartas dela falam da tia Gracie, e da horta, e tudo.

– Eu sei, eu sei – apressou-se a dizer Tony. – Naturalmente ela não quer que você pense... sabe como é, hoje em dia... ora, as pessoas de vez em quando dão suas escapulidas, se entende o que digo...

O olhar de Deborah subitamente passou de melancólico para irado.

– Se acha que minha mãe simplesmente resolveu ir passar o fim de semana com alguém, está totalmente errado. Totalmente. Mamãe e papai são muito dedicados um ao outro, muito dedicados. Isso é até motivo de piada na minha família. Ela nunca...

Tony disse, mais que depressa:

– Claro que não. Desculpe-me. Eu realmente não insinuei...

Deborah, sua ira aplacada, franziu a testa.

– O estranho é que alguém, um dia desses, me disse que tinha visto mamãe em Leahampton, imagina, o último lugar do mundo onde eu imaginaria que ela podia estar, e naturalmente eu respondi que não era ela, porque estava na Cornualha, mas agora estou pensando que talvez...

Tony, com um fósforo aceso na mão, parou de repente, antes de acender o cigarro que tinha na boca, e o fósforo se apagou.

– Leahampton? – indagou, surpreso.

– É. Exatamente o último lugar para onde eu poderia imaginar que ela teria ido. Nada para fazer e um monte de velhos coronéis e solteironas.

– Não parece mesmo um lugar provável – disse Tony. Depois acendeu o cigarro e perguntou, como quem não queria nada:

– O que sua mãe fez durante a Primeira Guerra?

Deborah respondeu de forma mecânica:

– Ah, ela foi enfermeira durante algum tempo, depois motorista de um general do exército. Várias funções perfeitamente normais.

– Ah, pensei que ela talvez fosse como você, trabalhasse para o serviço secreto.

– Ah, mamãe jamais teria cabeça para esse tipo de coisa. Acredito, porém, que depois da guerra ela e papai trabalharam como detetives. Documentos secretos e espiões altamente treinados, esse tipo de coisa. Porém, eles exageram tudo e fazem soar como se tivesse sido incrivelmente importante.

Não os incentivamos a falar muito sobre isso porque sabe como é a família da gente, conta sempre a mesma história, sem parar.

– Ah, claro – disse Tony Marson, em tom efusivo. – Concordo plenamente.

Foi no dia seguinte que Deborah, ao voltar para a casa onde estava morando, ficou intrigada com algo diferente na aparência do seu quarto. Levou alguns minutos para perceber o que era. Depois tocou a campainha e exigiu, zangada, que a senhoria lhe explicasse o que tinha acontecido com a foto grande que sempre ficava em cima da cômoda.

A sra. Rowley ficou magoada e ressentida. Tinha certeza de que não sabia de nada. Não tinha pegado a foto. Talvez a Gladys...

Mas a Gladys também negou que tivesse tirado a foto do quarto da moça. Um homem tinha vindo verificar o gás, disse ela, esperançosa.

Porém, Deborah não quis acreditar que um empregado da companhia de gás tivesse gostado de um retrato de uma senhora de meia-idade a ponto de roubá-lo. O mais provável, na opinião de Deborah, era que Gladys tivesse quebrado a moldura da foto e removido a prova do crime, jogando-a na lixeira.

Deborah resolveu não criar caso por causa disso. Ela podia pedir à mãe para lhe enviar outra foto algum dia. A moça pensou consigo mesma, cada vez mais aflita:

"O que será que a minha velha está aprontando? Se eu perguntar, pode ser que ela me conte. Sem dúvida seria bobagem insinuar, como o Tony fez, que ela tenha viajado com alguém, mas, mesmo assim, é muito estranho..."

CAPÍTULO 11

I

Foi a vez de Tuppence de falar com o pescador no fim do píer.

Ela esperava, contra todas as evidências, que o sr. Grant pudesse lhe dizer algo que a consolasse. Mas logo perdeu todas as esperanças. Grant declarou que definitivamente ninguém tinha recebido nenhuma notícia de Tommy.

Tuppence falou, fazendo muita força para manter-se tranquila e profissional:

– Não há motivo para supor que alguma coisa tenha acontecido com ele... há?

– Nenhum. Mas suponhamos que tenha acontecido.

– O quê?

– Estou dizendo, suponhamos que tenha. E você?

– Ah, entendi... Eu... naturalmente continuo trabalhando, é claro.

– É assim que se fala. Há tempo para chorar depois da batalha. Estamos no meio da batalha agora. E ficando sem tempo. Uma informação que nos deu já foi comprovada. Entreouviu uma referência ao quarto. O quarto ao qual se referiram é o quarto dia do mês. É a data marcada para o grande ataque a este país.

– Tem certeza?

– Praticamente. Eles são metódicos, nossos inimigos. Tramam seus planos com todos os detalhes, pensam em tudo. Desejaria que pudéssemos ser assim também. O planejamento não é nosso ponto forte. Sim, o quarto é o Dia. Todos esses bombardeios são só para despistar, eles só servem para reconhecimento. Estão testando nossas defesas e nossas reações aos bombardeios aéreos. No dia quatro é que vem o verdadeiro ataque.

– Mas se você souber que...

– Sabemos que o Dia foi marcado. Sabemos ou pensamos que sabemos mais ou menos onde será (mas podemos estar errados nisso). Vamos nos preparar tão bem quanto pudermos. Mas é a velha história do cerco de Troia. Eles sabiam, como sabemos, tudo sobre as forças que iriam atacá-los. São as forças que estão imiscuídas entre nós que temos de descobrir. Os homens que estão no Cavalo de Troia! Eles é que vão abrir a fortaleza. Uma dúzia de homens em lugares estratégicos, no comando de pontos vitais, mandando ordens conflitantes, podem criar o caos necessário no país para que o plano alemão seja bem-sucedido. Nós precisamos receber informações sobre esses agentes dentro do país a tempo.

Tuppence falou, desesperada:

– Eu estou me sentindo tão fútil... tão inexperiente...

– Ah, não precisa se preocupar com isso. Nós temos gente experiente trabalhando, toda experiência e talento que temos, mas, quando há traição nas nossas fileiras, não podemos mais dizer em quem confiar. Você e Beresford são as forças irregulares. Ninguém sabe que estão agindo. Por isso têm uma chance de ser bem-sucedidos e por isso conseguiram vencer até certo ponto.

– Não pode mandar alguns dos seus agentes seguirem a sra. Perenna? Deve haver algum deles no qual possa confiar totalmente, não?

– Ah, nós fizemos isso. Trabalhamos a partir de "informações recebidas de que a sra. Perenna é integrante do IRA com simpatias antibritânicas". É verdade, até certo ponto, aliás, mas não conseguimos obter provas de mais nada. Nem dos fatos vitais dos quais necessitamos. Então, só lhe resta prosseguir, sra. Beresford. Insista, faça o possível e o impossível.

– No dia quatro – disse Tuppence. – Daqui a menos de uma semana?

– Dentro de exatamente uma semana.

Tuppence torceu as mãos.

– Precisamos fazer alguma coisa! Estou dizendo nós porque creio que Tommy descobriu algo e por isso ainda não voltou. Ele está seguindo alguma trilha. Se eu pudesse encontrar alguma coisa também... Agora estou imaginando... Se eu...

E franziu a testa, planejando uma nova forma de atacar.

II

– Está vendo, Albert, essa é uma possibilidade.

– Entendo tudo, madame, é claro. Mas preciso dizer que não gostei muito da ideia.

– Acho que talvez funcione.

– Sim, madame, mas vai estar se expondo a um ataque, foi disso que não gostei. E tenho certeza de que o patrão também não gostaria.

– Já tentamos usar os meios costumeiros. Ou seja, fizemos tudo que podíamos preservando nossas verdadeiras identidades. Mas a mim parece agora que a única chance é tirar a máscara da face.

– Madame, a senhora sabe que assim pode estar sacrificando uma vantagem, não é?

– Está falando num estilo "locutor da BBC" demais esta tarde, Albert – respondeu Tuppence, com uma certa exasperação.

Albert fez cara de ter ficado ligeiramente sem graça e voltou a falar de maneira um pouco mais informal.

– Eu estava ouvindo um programa bastante interessante sobre a vida lacustre na noite passada – explicou ele.

– Não temos tempo para pensar em vida lacustre agora – disse Tuppence.

– Onde está o capitão Beresford, é isso que eu gostaria de saber...

– Eu também – disse Tuppence, com uma pontada de preocupação.

– Não parece natural esse desaparecimento sem dizer uma palavra. Ele já devia ter lhe dado algum sinal de vida a essa altura. É por isso que...

– Sim, Albert?

– O que quero dizer é que, se ele revelou sua identidade, talvez seja melhor a senhora não fazer isso.

E fez uma pausa para reorganizar os pensamentos, prosseguindo a seguir:

– Quero dizer, eles conseguiram descobrir quem é ele, mas pode ser que *ainda não tenham percebido quem é a senhora*, e portanto é a senhora que deve manter segredo.

– Desejaria poder me decidir – suspirou Tuppence.

– De que maneira está pensando em executar esse plano, madame?

Tuppence murmurou pensativa:

– Pensei em perder uma carta por mim escrita, fazer um escândalo por causa disso, ficar bastante transtornada. Depois a carta seria encontrada no vestíbulo e a Beatrice provavelmente a colocaria na mesa daquele recinto, para a pessoa certa dar uma olhada nela.

– E o que escreveria nessa carta?

– Ah, assim, por alto, que eu tinha conseguido descobrir a identidade da pessoa em questão, e que ia fazer um relatório completo em pessoa amanhã. Aí, como vê, Albert, M ou N iam ter que se revelar e tentar me eliminar.

– Sim, e talvez conseguissem fazer mesmo isso.

– Não se eu estiver esperando o ataque. Eles teriam, penso eu, que inventar um modo de me enganar e me fazer ir até algum lugar ermo, desacompanhada. É aí que você entra, porque eles não sabem que você está me ajudando.

– Eu os seguiria e os pegaria desprevenidos, por assim dizer?

Tuppence balançou a cabeça, concordando.

– Isso mesmo. Preciso bolar tudo com o máximo cuidado... Vamos nos encontrar de novo amanhã.

III

Tuppence estava acabando de sair da biblioteca local com o que havia sido recomendado para ela como um "livro bom" debaixo do braço quando se assustou ao ouvir uma voz que dizia:

– Sra. Beresford.

Ela se virou abruptamente, e viu um rapaz alto e moreno, com um sorriso agradável, porém ligeiramente constrangido. Ele disse:

– Hã... Creio que não se lembra de mim, lembra?

Tuppence estava bastante acostumada com aquela fórmula. Podia até ter previsto com precisão as palavras que a sucederiam.

– Eu... hã... fui até seu apartamento uma vez com a Deborah.

Um dos amigos da Deborah! Ela tinha inúmeros, e, aos olhos de Tuppence, todos pareciam-se estranhamente uns com os outros! Alguns eram morenos, como aquele jovem, alguns louros, de vez em quando aparecia um ruivo, mas todos pareciam ter saído da mesma forma: bem-educados, simpáticos, e, na opinião de Tuppence, apenas de cabelos ligeiramente compridos demais. "Ai, mamãe, não seja assim tão 1916. Eu não suporto cabelos curtos!"

Era meio inconveniente encontrar um dos amigos da Deborah e ser reconhecida por ele, justamente agora. Porém, ela provavelmente logo se livraria dele.

– Meu nome é Antony Marsdon – explicou o rapaz.

Tuppence murmurou, como se se lembrasse: "Ah, sim, claro", e apertou a mão dele.

Tony Marsdon prosseguiu:

– Estou muito feliz por tê-la encontrado, sra. Beresford. A senhora entende, eu faço o mesmo tipo de trabalho da Deborah, e aconteceu uma coisa bastante constrangedora há uns dias atrás.

– É? O que foi? – indagou Tuppence.

– A Deborah descobriu que a senhora não está na Cornualha, como ela imaginava que estaria, e isso é um tanto constrangedor para a senhora, não?

– Ih, que inconveniência – comentou Tuppence, preocupada. – Como foi que ela descobriu isso?

Tony Marsdon explicou. Depois continuou, com certa modéstia:

– A Deborah, naturalmente, não tem ideia do que a senhora está de fato fazendo. – E ele fez uma pausa discreta, continuando em seguida: – É importante, imagino, que ela não descubra. Eu estou, aliás, fazendo mais ou menos a mesma coisa, trabalhando disfarçado de novato no departamento de codificação. Na verdade, minhas instruções são para expressar opiniões ligeiramente fascistas, uma admiração pelo sistema alemão, insinuar que uma aliança com Hitler talvez não fosse uma má ideia, esse tipo de coisa, só para ver a reação das pessoas. Há muita gente se deixando corromper, entende, e queremos descobrir quem está por trás disso.

"Não em toda parte", pensou Tuppence.

– Mas assim que a Deb me contou isso sobre a senhora – continuou o rapaz – achei melhor vir aqui e lhe avisar, para que possa inventar uma história verossímil. Como vê, eu sei o que está fazendo, e sei que é de importância vital. Seria fatal se alguém desconfiasse da sua verdadeira identidade. Talvez pudesse fingir que tinha ido até onde o capitão Beresford está, na Escócia, ou no lugar para onde ele foi, seja lá qual for, e dizer que tinha tido permissão para ir ficar com ele lá.

– Eu talvez faça isso, claro – disse Tuppence, pensativa.

Tony Marsdon continuou, aflito:

– Não acha que estou sendo impertinente, acha?

– Não, não, sou-lhe muito grata.

Tony disse, com grande franqueza:

– Eu... ora... eu gosto muito da Deborah, entende...

Tuppence lhe lançou um olhar de relance, achando graça. Como lhe pareceu distante aquele mundo da Deb, cercada de jovens atenciosos que, apesar de tratados com indiferença, não desistiam de tentar. Aquele rapaz era, pensou Tuppence, um exemplar bastante atraente.

Tuppence, porém, deixou de lado o que chamava de "pensamentos da era de paz" e se concentrou na situação atual. Depois de alguns instantes, ela disse, devagar:

– Meu marido não está na Escócia.

– Não está?

– Não. Está aqui comigo. Pelo menos estava! Agora ele desapareceu.

– Isso não é bom... Ele estava seguindo alguma pista promissora?

Tuppence confirmou.

– Acho que sim. É por isso que não acredito que esse desaparecimento dele seja um mau sinal. Acho que mais cedo ou mais tarde ele vai se comunicar comigo, do jeito dele – disse ela, sorrindo de leve.

Tony respondeu, ligeiramente constrangido:

– Naturalmente, conhece bem este jogo, espero. Mas deve ter cuidado.

Tuppence concordou.

– Sei o que quer dizer. As belas heroínas dos livros são fáceis de enganar. Mas Tommy e eu temos nossos métodos. Temos um slogan. – E ela sorriu ao citar: – *Penny plain and tuppence coloured.*

– Como assim? – o jovem ficou olhando para ela como se ela tivesse enlouquecido.

– Eu devia ter lhe explicado que meu apelido na família é Tuppence*.

– Ah, entendi – a testa do jovem alisou-se. – Engenhoso... O que...?

– Assim espero.

– Não quero me intrometer, mas será que não posso ser útil de alguma forma?

– Sim – disse Tuppence, pensativa. – Acho que talvez você possa.

CAPÍTULO 12

I

Depois de muito tempo inconsciente, Tommy começou a perceber uma bola de fogo nadando no espaço. No meio da bola de fogo, havia um núcleo de dor, o universo encolheu-se, a bola de fogo oscilou mais devagar... e ele descobriu subitamente que o núcleo da bola era sua própria cabeça dolorida.

Devagar ele começou a ter outras sensações: frio, câimbras nos seus membros, fome, uma incapacidade de mexer os lábios. A bola de fogo foi

* O ditado inglês "*penny plain and tuppence coloured*" significa, literalmente, "um penny, singelo; dois pence, colorido". A versão comum de uma mercadoria custa um *penny*, mas a colorida, ou mais luxuosa, superior, custa "*tuppence*", ou seja, dois *pence* (plural de *penny*). Tuppence seria, assim, uma pessoa superior. (N.T.)

balançando cada vez mais devagar... Agora ela era a cabeça de Tommy Beresford, e estava descansando em um piso sólido. Muito sólido. Aliás, em um piso que ele desconfiou que fosse pedra.

Sim, ele estava deitado sobre pedra dura, e sentia dor, estava imobilizado, com uma fome imensa, com frio, desconfortável. Embora as camas da sra. Perenna jamais tivessem sido muito macias, ele certamente não devia estar...

Mas claro, o Haydock! O rádio! O garçom alemão! Tommy havia dobrado, entrando pelos portões do Sans Souci... E alguém tinha vindo por trás dele e lhe aplicado um golpe na cabeça, deixando-o desacordado. Por isso é que estava com dor de cabeça.

E Tommy pensando que tinha conseguido escapar ileso! Então Haydock, afinal de contas, não tinha se deixado enganar...

Haydock? Haydock tinha voltado a entrar na "Toca dos Contrabandistas", e fechado a porta. Como ele tinha conseguido descer o morro e esperar por Tommy no terreno do Sans Souci? Não era possível. Não sem ser visto por Tommy.

O criado, então? Será que Haydock tinha mandado o criado na frente, para esperar por Tommy? Era certo que Tommy tinha visto Appledore na cozinha, cuja porta estava ligeiramente entreaberta. Ou será que ele só tinha pensado ter visto o criado lá? Talvez fosse essa a explicação.

Agora, porém, isso não tinha importância. Ele precisava descobrir onde estava naquele momento. Seus olhos, acostumando-se à escuridão, perceberam um pequeno retângulo de luz fraca. Uma janela, ou abertura gradeada, pequena. O ar lhe parecia estar frio e ter cheiro de mofo. Ele estava, imaginou, em um porão. Suas mãos e pés estavam amarrados e ele tinha sido amordaçado com uma bandagem.

"Parece que estou em maus lençóis", pensou Tommy. Tentou mexer os braços e pernas, assim como o resto do corpo, mas não conseguiu.

Nesse momento, ouviu-se um ligeiro rangido e uma porta em algum ponto atrás de Tommy se abriu. Um homem entrou com uma vela. Ele deixou a vela no chão. Tommy reconheceu Appledore. Este desapareceu de novo e voltou com uma bandeja sobre a qual estavam uma jarra d'água, um copo, pão e queijo. Abaixando-se, Appledore primeiro testou as cordas que atavam os membros do prisioneiro, depois tocou a mordaça e em seguida disse baixinho, em tom firme:

– Vou tirar essa mordaça, para você poder comer e beber. Se fizer um ruído sequer, por menor que seja, eu vou ter que amordaçá-lo de novo.

Tommy tentou concordar, mas viu que era impossível mexer a cabeça, portanto abriu e fechou os olhos várias vezes para confirmar que tinha entendido.

Appledore, entendendo que Tommy estava ciente do seu aviso, desamarrou a bandagem que o amordaçava. Com a boca livre, Tommy passou alguns minutos mexendo o maxilar para descontrair os músculos. Appledore segurou o copo de água junto aos seus lábios. Tommy, a princípio, engoliu a água com dificuldade, depois com mais facilidade. A água o fez se sentir bem melhor. Ele murmurou, pausadamente:

– Sinto-me muito melhor. Não sou mais tão jovem quanto era antes. Quanto à comida, Fritz... ou seu nome é Franz?

O homem disse, baixinho:

– Meu nome aqui é Appledore.

Ele segurou a fatia de pão e o queijo, permitindo que Tommy os devorasse. A refeição terminou com mais um pouco de água, e Tommy depois perguntou:

– E o que é que vai acontecer agora?

Appledore pegou a mordaça outra vez, sem nada responder. Tommy acrescentou, depressa:

– Quero falar com o comandante Haydock.

Appledore sacudiu a cabeça. Recolocou a mordaça, agilmente, depois saiu. Tommy ficou meditando no escuro. Foi acordado de um sono confuso pelo som da porta reabrindo. Desta vez Haydock e Appledore entraram juntos. Removeram a mordaça de Tommy e folgaram as cordas que prendiam seus braços para o prisioneiro poder se sentar e alongar os mesmos.

Haydock tinha trazido consigo uma pistola automática. Tommy, sem muita autoconfiança, começou a desempenhar seu papel, dizendo, indignado:

– Olhe aqui, Haydock, o que significa tudo isso? Atacaram-me, me nocautearam, me sequestraram...

O comandante maneou a cabeça de leve e respondeu:

– Não gaste saliva à toa. Não vale a pena.

– Só porque você é agente secreto isso não lhe dá o direito de...

Uma vez mais Haydock sacudiu a cabeça.

– Não, não, Meadowes. Você não engoliu aquela história. Não precisa ficar aí fingindo que engoliu.

Mas Tommy não mostrou sinais de que tinha sido derrotado. Consigo mesmo, argumentava que o outro não podia ter tanta certeza assim. Se ele continuasse a desempenhar seu papel...

– Quem diabos você pensa que é? – ralhou ele. – Por maiores que sejam seus poderes, não tem direito de agir assim. Sou perfeitamente capaz de ficar calado, para preservar nossos segredos vitais!

O outro respondeu, friamente:

– Está desempenhando seu papel muito bem, mas posso lhe dizer desde já que não me importa se é agente do serviço secreto inglês ou só um amador enxerido...

– Mas que atrevimento!

– Deixa disso, Meadowes.

– Estou lhe dizendo...

Haydock avançou, o rosto contraído em uma expressão agressiva.

– Cale-se, seu imbecil. Antes podia ser que importasse descobrir quem você era e quem o enviou. Agora não importa mais. Não temos mais tempo, entende? E você não teve chance de apresentar relatório para ninguém sobre o que tinha descoberto.

– A polícia vai vir me procurar assim que alguém ligar para a delegacia para avisar que eu desapareci.

Haydock sorriu, mostrando os dentes, subitamente.

– A polícia já veio aqui, à noitinha. Bons camaradas, ambos amigos meus. Eles me fizeram perguntas sobre o sr. Meadowes. Estão muito preocupados com seu desaparecimento. Com a aparência dele naquela noite, com o que ele disse. Eles nunca sonhariam, nem poderiam sonhar, que o homem do qual estavam falando estava praticamente embaixo do lugar onde estavam sentados. Ficou bastante claro, entende, que o sr. Meadowes saiu desta casa bem disposto e vivo. Eles nunca jamais sonhariam em procurá-lo aqui.

– Não pode me manter preso aqui para sempre – reclamou Tommy, com veemência.

Haydock replicou, retomando seus modos britânicos:

– Não será necessário, meu prezado amigo. Vai ficar aqui apenas até amanhã à noite. Um barco está para atracar na minha toca, lá embaixo, e eles estão pensando em levá-lo para uma viagem, porque fará bem à sua saúde. Embora eu não pense que você ainda vai estar vivo, quanto mais a bordo, quando eles chegarem ao seu destino.

– Por que é que não me matou logo com uma porrada na cabeça é o que me intriga.

– O tempo está muito quente, meu prezado amigo. Nossas comunicações marítimas são interrompidas de quando em quando, e, se fizéssemos o que me perguntou, ora, um cadáver na casa anuncia-se de sua própria maneira, bastante característica.

– Entendo – disse Tommy.

Entendia mesmo. Estava perfeitamente claro. Eles iriam mantê-lo vivo até o barco chegar. Depois ele seria morto ou drogado e levado para o alto-mar. Não se poderia nunca estabelecer uma ligação entre seu cadáver, quando o encontrassem, com a "Toca dos Contrabandistas".

– Eu só vim aqui – continuou Haydock, falando de uma forma perfeitamente natural – para lhe perguntar se há algo que... como direi, poderíamos fazer por você... depois?

Tommy refletiu. Depois respondeu:

– Obrigado, mas não vou lhe pedir para levar uma mecha do meu cabelo para a mulher que eu amo em St. John's Wood, nem nada parecido. Ela vai sentir saudades de mim quando chegar o dia do pagamento, mas desconfio que ela logo vai arranjar algum outro amigo em algum lugar.

Precisava, a qualquer custo, dar a impressão de que era um solitário. Contanto que ninguém desconfiasse que ele e Tuppence eram marido e mulher, ainda podiam vencer aquele jogo, embora ele não estivesse mais presente no final da partida.

– Como queira – disse Haydock. – Se quisesse enviar uma mensagem para... sua amiga... nós a entregaríamos.

Então ele estava mesmo ansioso para obter informações sobre o desconhecido sr. Meadowes? Tommy ia tratar de não lhe dar nenhuma. Ele sacudiu a cabeça.

– Nada feito – disse.

– Muito bem, então. – Demonstrando a mais profunda indiferença, Haydock fez um sinal com a cabeça para Appledore. Este recolocou as cordas e a mordaça. Os dois saíram e trancaram a porta.

Sozinho com seus pensamentos, Tommy sentiu tudo, menos alegria. Não só tinha que enfrentar a expectativa de morte iminente, como também não tinha como deixar nenhuma pista sobre as informações que havia descoberto.

Seu corpo estava totalmente imobilizado. Seu cérebro lhe parecia estranhamente inerte. Será que ele teria podido utilizar a sugestão que Haydock lhe dera, de enviar o recado? Talvez, se seu cérebro estivesse funcionando melhor... Mas ele não conseguiu se lembrar de nada que pudesse ajudá-lo.

Naturalmente, Tuppence ainda estava agindo. Mas o que ela poderia fazer? Como Haydock tinha acabado de frisar, o desaparecimento de Tommy não seria atribuído a ele. Tommy tinha saído da "Toca dos Contrabandistas" vivo, e bem de saúde. As provas de duas testemunhas independentes confirmariam isso. Tuppence não desconfiaria de Haydock de jeito nenhum. E talvez nem tivesse nenhuma outra suspeita. Ela podia estar pensando que ele simplesmente estava seguindo alguma pista.

Que beco sem saída! Se ao menos ele tivesse se prevenido antes...

Havia um pouco de luz entrando no porão. Vinha da janela gradeada que se situava bem no alto, em um canto. Se ao menos ele pudesse tirar a mordaça, poderia gritar, pedindo ajuda. Alguém poderia ouvi-lo, embora fosse bastante improvável. Durante a meia hora seguinte, ele fez força para folgar as cordas que o amarravam e tentou morder a mordaça para removê-la. Mas tudo foi em vão. As pessoas que tinham atado as cordas e a mordaça sabiam o que estavam fazendo. A tarde já estava chegando ao fim, segundo ele calculou. Haydock, imaginou Tommy, devia ter saído. Não se ouvia nenhum som vindo do andar de cima. Ainda por cima, ele devia estar jogando golfe e especulando, na sede do clube, sobre o que podia ter acontecido com o Meadowes!

"Jantou comigo anteontem à noite, parecia perfeitamente normal naquela ocasião, e de repente tomou chá de sumiço."

Tommy contorceu-se de raiva. Aqueles modos britânicos do homem, tão bem-comportados! Será que todos estavam cegos, não viam o seu crânio em formato de bala, tão prussiano? Nem mesmo ele tinha percebido isso. Era maravilhoso como um ator de primeira era capaz de iludir todo mundo.

E agora Tommy estava ali, derrotado, uma derrota ignominiosa, todo amarrado, feito um frango, sem que ninguém soubesse onde ele estava.

Se ao menos Tuppence tivesse uma intuição! Ela poderia desconfiar. Às vezes ela parecia ter um sexto sentido...

O que tinha sido isso?

Tommy apurou os ouvidos, tentando escutar um som distante.

Apenas um homem cantarolando uma canção.

E Tommy ali, incapaz de produzir um som que pudesse atrair a atenção de alguém.

A pessoa que estava cantarolando chegou mais perto. Era um cantor desafinado.

Mas a canção, embora mal cantada, era reconhecível. Datava da Primeira Guerra, e tinha sido relançada na guerra atual.

"*If you were the only girl in the world and I were the only boy.*"

Quantas vezes Tommy tinha cantarolado aquela canção em 1917!

Que cara era aquele, tão desafinado? Droga.

De repente, porém, o corpo de Tommy retesou-se, ficando alerta. Aqueles lapsos eram estranhamente familiares. Sem dúvida havia uma pessoa que sempre cantarolava uma parte daquela canção de forma errada, e daquela forma específica.

"Rapaz, é o Albert!", pensou Tommy. Albert tinha vindo rondar a "Toca dos Contrabandistas". Albert estava ali bem perto, e Tommy ali, todo amarrado, incapaz de mover as mãos ou os pés, incapaz de produzir um som...

Espere aí... Será que era incapaz disso mesmo? Havia apenas um som que poderia produzir, que não era tão fácil com a boca fechada quanto com a boca aberta, mas que era possível.

Desesperadamente, Tommy começou a roncar. Manteve os olhos fechados, pronto para fingir que estava dormindo em estado profundo se Appledore descesse para ver o que estava acontecendo, e continuou roncando, sem parar.

Ronco curto, ronco curto, ronco curto, pausa... ronco longo, ronco longo, ronco longo, pausa... Ronco curto, ronco curto, ronco curto, pausa...

II

Albert ficou profundamente transtornado depois que Tuppence partiu. Com o passar dos anos, tinha se tornado uma pessoa de processos mentais vagarosos, mas esses processos eram tenazes. A situação em geral parecia-lhe bastante negativa. Aquela guerra, para começar, era uma coisa errada.

"Aqueles alemães", pensou Albert, melancolicamente, quase com rancor. O Hitler, com aquela mania de exigir que todos o saudassem com o braço esticado, e os nazistas marchando com passo de ganso, invadindo o mundo e bombardeando e metralhando tudo e todos a torto e a direito, agindo como umas verdadeiras pragas inconvenientes. Era preciso detê-los, não havia alternativa, e até ali parecia que ninguém tinha conseguido fazer frente a eles.

E agora a sra. Beresford, uma senhora boa como nenhuma outra, estava toda encalacrada, procurando mais encrenca ainda, e como ele ia detê-la? Não lhe parecia possível. Ela estava enfrentando aquela Quinta Coluna, que devia ser um bando de bandidos impiedosos. Alguns deles, ainda por cima, eram ingleses nativos! Uma desgraça, era o que aquilo era!

E o patrão, que sempre era quem impedia a patroa de ser imprudente, estava desaparecido. Albert não gostava nada daquilo. Parecia-lhe que "aqueles alemães" estavam por trás de tudo. Sim, parecia ruim, muito ruim. Parecia que o patrão estava em apuros.

Albert não costumava se dar ao trabalho de raciocinar em demasia. Como a maioria dos ingleses, ele sentia algo com intensidade e se debatia vagamente até ter, de uma forma ou de outra, resolvido o problema. Decidindo que era preciso encontrar o patrão a qualquer custo, Albert, exatamente como um cão fiel, partiu à procura de Tommy.

Agiu sem plano nenhum, mas da mesma forma como se tivesse procurando a bolsa da esposa ou seus óculos quando um desses artigos essenciais se perdia. Ou seja, voltou ao lugar onde os objetos tinham sido vistos pela última vez e começou dali.

Neste caso, a última notícia sobre Tommy era que ele tinha jantado com o comandante Haydock, na "Toca dos Contrabandistas", e depois voltado para o Sans Souci. Na última vez em que tinha sido visto, ele estava no portão do hotel.

Albert, de acordo com essas informações, subiu a ladeira até o portão do Sans Souci e passou cinco minutos observando o portão, esperançoso. Não tendo nenhuma ideia brilhante, deu um suspiro e saiu caminhando vagarosamente até a "Toca dos Contrabandistas".

Albert também havia ido ao Cinema Ornate, naquela semana, e tinha se impressionado bastante com o tema de *O menestrel*. Era tão romântico! Ele não pôde deixar de se impressionar com a semelhança daquela história com os apuros em que se encontrava no momento. Ele, como o protagonista da história do filme, interpretado por Gary Cooper, era um Blondel fiel procurando seu senhor aprisionado. Como Blondel, ele tinha lutado ao lado do seu senhor no passado, mas agora seu senhor tinha sido traído, e ninguém, a não ser seu fiel Blondel, o procuraria e o traria de volta aos braços carinhosos de sua rainha Berengaria.

Albert soltou um suspiro profundo ao se lembrar dos acordes emocionantes de "Ó Ricardo, meu Rei", que o trovador tinha entoado de modo tão sentimental aos pés de torre após torre. Era uma pena o Albert não aprender canções com rapidez. Levava muito tempo para aprender uma música. Seus lábios contraíram-se, tentando assobiar. Ele começou a assobiar as velhas melodias outra vez.

– Se você fosse a única moça no mundo, e eu o único rapaz...

Albert parou para analisar o portão muito bem pintado de branco da "Toca dos Contrabandistas". Era aquele o lugar, tinha sido ali que o patrão tinha ido jantar antes de desaparecer. Ele subiu a ladeira um pouco mais e acabou indo parar numa pradaria.

Ninguém ali. Nada além de capim e alguns carneiros.

O portão da "Toca dos Contrabandistas" se abriu e um carro passou, de saída. Um homenzarrão, vestido com calças de golfe e carregando tacos, dirigia o veículo que, depois de passar pelos portões, desceu o morro.

– Esse deve ser o comandante Haydock, deve sim – deduziu Albert.

Depois Albert desceu a ladeira de novo e ficou contemplando a "Toca dos Contrabandistas". Lugarzinho muito bem-conservado e agradável. Um jardinzinho bonito, uma vista bonita. Albert passou algum tempo admirando a casa.

"Eu te diria coisas tão maravilhosas", cantarolou depois.

Através de uma porta lateral da casa, um homem saiu, com uma enxada na mão, desaparecendo ao passar por um portãozinho. Albert, que cultivava nastúrcios e tinha um canteirinho de alface na horta do seu quintal, instantaneamente ficou interessado. Ele foi se aproximando devagar da

"Toca dos Contrabandistas" e passou pelo portão aberto. Sim, um lugar muito bem-cuidado.

Albert circundou vagarosamente a casa. Em algum ponto abaixo de onde ele estava, depois de uma escada, via-se uma plataforma plana, onde havia uma horta. O homem que tinha saído da casa estava trabalhando nela. Albert observou-o com interesse durante alguns minutos. Depois virou-se para contemplar a casa.

"Lugarzinho bem-cuidado", pensou pela terceira vez. Exatamente o lugar onde um cavalheiro aposentado da Marinha gostaria de morar. Tinha sido ali que seu patrão havia jantado na noite anterior.

Devagar, Albert caminhou ao redor da casa, várias vezes. Observou-a durante tanto tempo quanto tinha observado o portão do Sans Souci, esperançoso, como que pedindo que a casa lhe contasse algo.

E, enquanto caminhava, ia cantarolando baixinho, para si mesmo, um Blondel do século XX procurando seu senhor.

"Haveria tantas coisas maravilhosas para fazer", cantarolou Albert. "Eu diria tantas coisas maravilhosas a você. Haveria tantas coisas maravilhosas para fazer." Ele percebeu que tinha errado, não tinha? Já tinha cantarolado aquela parte antes.

Ah, mas que som estranho! O comandante tinha alguma criação de porcos, não? Um ronco comprido chegou até ele. Mas parecia até que os porcos estavam no porão. Lugar estranho para criar porcos.

Não deviam ser porcos. Não, era alguém dormindo e roncando. Uma soneca no porão era o que parecia... O dia estava ideal para uma soneca, mas o lugar não era o mais apropriado. Cantarolando de um modo que parecia o zunido de uma mamangaba, Albert aproximou-se mais da fonte do som.

Ele vinha de uma janelinha gradeada. Rooonc, roooonc, roonc. Rooooooooooonc. Roooooooooonc. Roooooooooonc. Rooonc, Ronnc, Roonc. Engraçado aquele ronco. Recordava-lhe alguma coisa...

– Ih! – disse Albert. – É isso, um S.O.S. Ponto, ponto, ponto, traço, traço, traço, ponto, ponto, ponto.

E olhou em torno de si, de relance. Depois, ajoelhando-se, respondeu, produzindo uma mensagem em código Morse com leves batidas na grade de ferro da janelinha do porão.

CAPÍTULO 13

I

Embora Tuppence tivesse ido para a cama de bom humor, tentando ser otimista, sofreu uma séria recaída nas horas da madrugada em que o moral dos seres humanos atinge seu mais baixo ponto.

Ao descer para o desjejum, porém, já estava mais alegre por ver uma carta no seu prato, endereçada com uma caligrafia horrivelmente inclinada.

Aquilo não eram notícias de Douglas, Raymond ou Cyril, nem nenhuma outra correspondência camuflada que costumava chegar pontualmente para ela, mas incluía, naquela manhã, um cartão-postal do Bonzo, vivamente colorido, com uma mensagem escrita às pressas: "Desculpe não ter escrito antes. Tudo está bem, Maudie".

Tuppence deixou isso de lado e abriu a carta.

Querida Patricia [dizia a carta]

A tia Gracie está, infelizmente, muito pior hoje. Os médicos não disseram que ela está entrando em decadência, mas desconfio que não haja muita esperança de recuperação. Se quiser visitá-la antes do fim, acho que seria bom vir hoje. Se tomar o trem das 10h20 para Yarrow, um amigo irá buscá-la de carro.
Espero revê-la, querida, apesar do motivo triste.

Beijos da
Penélope Singela.

Era só daquilo que Tuppence precisava para completar sua felicidade.

Coitadinha da Penny Singela.

Com alguma dificuldade ela fez cara de luto, e suspirou profundamente ao pôr a carta na mesa.

Aos dois ouvintes compreensivos presentes, a sra. O'Rourke e a srta. Minton, Tuppence contou a história da carta, e exagerou livremente na personalidade da tia Gracie, seu espírito indomável, sua indiferença aos bombardeiros aéreos e ao perigo, e seu enfraquecimento devido à doença. A srta. Minton tendeu a expressar curiosidade pela exata natureza dos sofrimentos da tia Gracie, comparando-os com as doenças de sua prima Selina. Tuppence, oscilando ligeiramente entre gota e diabetes, ficou um tanto confusa, mas resolveu optar com um comprometimento dos rins. A sra. O'Rourke demonstrou ávido interesse por saber se Tuppence iria receber alguma herança com a morte da velha senhora, e descobriu que o querido Cyril sempre tinha sido o sobrinho preferido da tia Gracie, bem como seu afilhado.

Depois do desjejum, Tuppence telefonou para a costureira e cancelou uma prova de um casaco e saia que tinha marcado para aquela tarde, depois foi falar com a sra. Perenna, explicando que talvez dormisse fora uma ou duas noites. A sra. Perenna expressou seus sentimentos, como exigiam os costumes. Ela parecia cansada naquela manhã, com uma cara de contrariada.

– Ainda não tivemos notícias do sr. Meadowes – informou ela. É mesmo muito estranho, não é?

– Tenho certeza de que ele deve ter sofrido algum acidente – disse a sra. Blenkensop, com um suspiro. – Eu sempre disse isso, desde o começo.

– Mas certamente, sra. Blenkensop, esse acidente já teria sido comunicado a nós.

– E então, o que pensa que foi? – indagou Tuppence.

A sra. Perenna balançou a cabeça.

– Eu de fato não sei o que dizer. Concordo plenamente que ele não pode ter saído assim de livre e espontânea vontade, sem dizer nada. Ele já teria mandado dizer alguma coisa.

– Essa sempre foi uma insinuação sem pé nem cabeça – afirmou a sra. Blenkensop, com ar intenso. – Aquele inconveniente do major Bletchley foi quem começou isso. Não, se não foi por um acidente, ele deve ter perdido a memória. Acho que isso é bem mais comum do que se sabe, principalmente em uma época como a que estamos atravessando agora, tão conturbada.

A sra. Perenna concordou. Depois comprimiu os lábios com uma expressão de quem duvida. Lançou um olhar rápido a Tuppence.

– A senhora compreende, sra. Blenkensop – sugeriu ela –, que não sabemos muita coisa sobre o sr. Meadowes, não é?

Tuppence questionou, admirada:

– Como assim?

– Ah, por favor, não me venha com essa admiração toda. Eu não acreditei, nem por um minuto.

– Não acreditou em quê?

– Nessa história que está correndo por aí.

– Que história? Não ouvi nada.

– Não, bem, talvez ninguém tenha lhe contado. Não sei como foi que começou o boato. Desconfio que foi o sr. Cayley quem começou a espalhar essa ideia. Ele é um homem bastante desconfiado de tudo, por natureza, entende o que estou dizendo?

Tuppence conteve-se, procurando ter tanta paciência quanto possível.

– Por favor, conte-me o que é – disse ela.

– Ora, foi apenas uma insinuação, entende, de que o sr. Meadowes pode ser um agente inimigo, um desses detestáveis espiões da Quinta Coluna.

Tuppence fez o máximo que podia para demonstrar a indignação da sra. Blenkensop:

– Nunca ouvi ninguém dizer um absurdo desses!

– Não. Mas acho que é mentira. O sr. Meadowes costumava falar muito com aquele rapaz alemão. E acho que ele fazia muitas perguntas sobre os processos químicos da fábrica, de modo que as pessoas, naturalmente, ficaram pensando que talvez os dois estivessem trabalhando juntos.

Tuppence respondeu:

– A senhora não acha que há dúvida sobre Carl, acha, sra. Perenna?

E viu um rápido espasmo contorcer o rosto da outra mulher.

– Desejaria poder pensar que não era verdade.

Tuppence lamentou, baixinho:

– Coitada da Sheila...

Os olhos da sra. Perenna faiscaram.

– Está de coração partido, pobrezinha. Por que precisava ser assim? Por que ela não escolheu outro?

Tuppence sacudiu a cabeça.

– Não é assim que as coisas acontecem neste mundo.

– Tem razão – a outra falou em uma voz profunda e amarga. – Tem que ser sempre de um jeito que deixa a gente em frangalhos... Temos que sentir tristeza, amargura, gosto de pó e cinzas. Estou cansada da crueldade, da injustiça desse mundo. Gostaria de desintegrá-lo, arrasá-lo e permitir que todos recomeçassem outra vez do zero, sem todas estas regras e leis e a tirania de nação contra nação. Gostaria...

Uma tosse a interrompeu. Uma tosse grossa, vinda do fundo da garganta. A sra. O'Rourke estava de pé à porta, seu vasto corpanzil preenchendo completamente a passagem.

– Estou interrompendo alguma coisa? – indagou ela.

Como se passasse uma esponja numa lousa, a sra. Perenna eliminou todo e qualquer resquício do seu desabafo do rosto, deixando em seu lugar apenas uma expressão ligeiramente preocupada de proprietária de um hotel onde os hóspedes estavam causando problemas.

– Não, sra. O'Rourke, imagine – disse ela. – Estávamos só falando do desaparecimento do sr. Meadowes. Incrível a polícia não ter encontrado pista nenhuma que levasse a descobrir onde ele está.

– Ah, a polícia! – exclamou a sra. O'Rourke, com um tom de desprezo. – Para que serviria ela? Para nada, absolutamente nada! Só prestam para encontrar carros roubados e atacar inocentes azarados que não tiraram licença para seus cachorros.

– Qual é sua hipótese, sra. O'Rourke? – indagou Tuppence.

– Tem ouvido a história que andam espalhando por aí?

– Essa história de que ele é fascista e agente inimigo, ouvi sim – disse Tuppence, friamente.

– Pode ser que seja verdade, hein? – sugeriu a sra. O'Rourke, pensativa – Porque tem alguma coisa nesse homem que já me intriga desde o começo. Andei observando-o, sabem? – E sorriu diretamente para Tuppence, um sorriso que, como todos os sorrisos da sra. O'Rourke, tinha uma característica vagamente aterrorizante, o sorriso de uma ogra. – Ele não tinha a aparência de negociante aposentado sem ter nada o que fazer na vida. Se eu estivesse justificando meu modo de pensar, diria que ele veio aqui com algum objetivo.

– E, quando a polícia começou a tentar encontrá-lo, ele sumiu, é isso? – indagou Tuppence.

– Pode muito bem ser – disse a sra. O'Rourke. – Qual é sua opinião, sra. Perenna?

– Não sei – disse a sra. Perenna com um suspiro. – Só sei que esse sumiço é um fato muito prejudicial, causa muito disse me disse.

– Ah, disse me disse não vai prejudicá-la. Eles agora estão felizes no terraço, só pensando e tecendo conjeturas. No final, vão chegar à conclusão de que esse pobre diabo inofensivo ia nos explodir com suas bombas enquanto dormíamos.

– A senhora ainda não nos disse o que pensa – observou Tuppence.

A sra. O'Rourke sorriu, aquele mesmo sorriso ameaçador.

– Eu acho que aquele homem está muito seguro em algum lugar... bem seguro.

Tuppence pensou:

"Ela talvez dissesse isso se soubesse... Mas ele não está onde ela pensa que ele está!"

Tuppence subiu até seu quarto para se preparar. Betty Sprot saiu correndo do quarto dos Cayley com um sorriso de quem andou aprontando e uma cara de capetinha satisfeita.

– O que você andou fazendo, sua levada? – perguntou Tuppence.

Betty gorgolejou:

– "Gansa, Gansinho..."

Tuppence cantarolou:

– Por onde vocês andam? Subindo! – E ela pegou Betty e a levantou bem alto, acima da sua cabeça. – Descendo! – E rolou Betty no chão...

Nesse instante, a sra. Sprot surgiu e Betty foi levada embora para se vestir para o seu passeio.

– 'Conde? – disse Betty, esperançosa. – 'Conde?

– Não pode brincar de esconde-esconde agora – disse a sra. Sprot.

Tuppence foi para o seu quarto e colocou seu chapéu na cabeça. (Era um aborrecimento ter que usar chapéu, mas era necessário, pois Tuppence Beresford não usava, mas Patricia Blenkensop certamente usaria um, imaginava ela.)

Alguém, segundo Tuppence notou, tinha alterado a posição dos chapéus no seu armário. Teria alguém revistado o seu quarto? Por ela, podiam revistar quanto quisessem. Não encontrariam nada que fizesse alguém desconfiar da inocente sra. Blenkensop.

Tuppence deixou a carta de Penélope Singela artisticamente exposta sobre a cômoda e desceu as escadas, saindo do hotel. Já eram dez horas quando ela saiu pelo portão. Tinha tempo suficiente. Olhou para o céu e, ao fazer isso, pisou em uma poça aparentemente de água suja ao lado do portão, mas, sem dar sinal de ter notado esse fato, prosseguiu.

O coração de Tuppence saltitava, triunfante. Sucesso... Sucesso! Eles iriam conseguir vencer.

II

Yarrow era uma pequena estação de subúrbio, onde a aldeia ficava a certa distância da ferrovia.

Um carro a aguardava perto da estação. Um rapaz bem-apessoado o dirigia. Ele tocou o quepe para cumprimentar Tuppence, mas o gesto não pareceu lá muito natural.

Tuppence chutou o pneu, desconfiada.

– Esse aqui não está meio vazio?

– Não vamos longe, madame.

Ela concordou e entrou no carro. Eles partiram, não para a aldeia, mas para o campo. Depois de subir uma estrada sinuosa até o cume de um morro, o carro enveredou por uma estrada secundária íngreme, que descia até o interior de uma profunda ravina. Da sombra de um pequeno bosque, surgiu uma figura que foi ao encontro dos dois. O carro parou, e Tuppence, saindo, foi se encontrar com Antony Marsdon.

– Beresford está bem – disse ele, rapidamente. – Nós o localizamos ontem. Ele foi preso, o outro lado o capturou e por bons motivos ele vai ficar preso mais doze horas. É porque há um barquinho que vai chegar lá em breve e nós queremos capturar esse barco de qualquer maneira, e por isso Beresford está tentado fingir que nada está acontecendo. Queremos que ele espere até o último minuto para desmascará-los.

E então Tony ficou olhando para ela, nervoso.

– Entende isso, não?

– Ah, sim! – disse Tuppence, de olho em uma massa embaraçada de lona que estava meio escondida entre as árvores.

– Ele está perfeitamente bem – continuou o jovem, muito compenetrado.

– Claro que Tommy vai ficar bem – concordou Tuppence, impaciente. – Não precisa falar comigo como se eu fosse uma criança de dois anos. Nós estamos ambos preparados para correr alguns riscos. O que é aquilo ali?

– Bom... – hesitou o rapaz. – É exatamente isso. Mandaram que eu lhe fizesse uma proposta. Mas... mas, bem, francamente, não é do meu feitio propor esse tipo de coisa. A senhora entende...

Tuppence lhe dirigiu um olhar penetrante.

– Por que não é do seu feitio?

– Bom... Droga. A senhora é mãe da Deborah. E eu estou querendo dizer... o que a Deborah ia me dizer se eu... se eu...

– Me meter numa fria? – indagou Tuppence. – Pessoalmente, se eu fosse você, não mencionaria o fato a ela. O homem que disse que explicações eram um erro estava certíssimo.

Então deu um sorriso bondoso a ele.

– Meu caro, sei exatamente como se sente. Acha que está certo você e Deborah, e os jovens em geral, correrem riscos, enquanto as pessoas de meia-idade devem ser protegidas. Tudo isso é uma bobagem, porque, se alguém tem que morrer, é muito melhor que seja uma pessoa de meia-idade, que já aproveitou o que de melhor havia para aproveitar na vida. Agora pare de olhar para mim como se eu fosse aquele objeto de devoção, a mãe da Deborah, e simplesmente me responda qual é o trabalho perigoso e repelente que eu preciso fazer.

– Sabe – disse o rapaz, entusiasmado – acho a senhora esplêndida, simplesmente esplêndida.

– Deixe de elogios – disse Tuppence. – Já ando me admirando muito, eu mesma, portanto não há necessidade de você encher minha bola. Qual é, exatamente, a sua grande ideia?

Tony indicou a massa de tecido amassado com um gesto.

– Isso – apontou ele – são os restos de um paraquedas.

– Ahá! – exclamou Tuppence. Seus olhos faiscaram.

– Só desceu um paraquedista – continuou Tony. – Felizmente, os LDVs daqui são muito espertos. Viram-na descendo e a capturaram.

– Ela?

– É, uma mulher! Vestida de enfermeira.

– Que pena que não era freira – disse Tuppence. – Há tantas histórias boas circulando sobre freiras que pagam passagem nos ônibus com braços peludos e musculosos...

– Ora, ela não era freira e não era homem disfarçado de mulher. Era mulher mesmo, de altura mediana, meia-idade, cabelos pretos, esguia.

– Interessante – disse Tuppence. – Uma mulher parecida comigo?

– Exatamente isso – explicou Tony.

– E daí? – indagou Tuppence.

O jovem disse, bem devagar:

– A próxima parte da história depende da senhora.

Tuppence sorriu e falou:

– Eu já aceitei! Aonde vou e o que eu faço?

– Sra. Beresford, a senhora topa tudo mesmo, não? Tem uma coragem espantosa.

– Aonde devo ir e o que devo fazer? – repetiu Tuppence, impaciente.

– Não recebi muitas instruções, infelizmente, mas no bolso da mulher havia um papel dobrado com as seguintes palavras em alemão: "Ande até Leatherbarrow – a leste da cruz de pedra. Número 14 da Estrada St. Asalph. Dr. Binion".

Tuppence olhou para cima. No alto do morro próximo, via-se uma cruz de pedra.

– É essa – disse Tony. – Naturalmente as placas foram removidas. Mas Leatherbarrow é uma cidade maiorzinha, e andando para o leste a partir da cruz a senhora deve encontrá-la.

– Qual é a distância?

– Pelo menos uns doze quilômetros.

Tuppence fez uma leve careta.

– Uma caminhada antes do almoço é um exercício saudável – comentou ela. – Espero que o Dr. Binion me ofereça uma refeição quando eu chegar lá.

– Fala alemão, sra. Beresford?

– Só de turista. Eu vou ter que insistir em falar inglês, dizendo que recebi instruções para isso.

– É um risco tremendo – disse Tony.

– Bobagem. Quem é que vai imaginar que a enfermeira foi substituída? Ou será que alguém sabe, a um raio de quilômetros daqui, que uma paraquedista foi capturada?

– Os dois homens da LDV que fizeram o relatório estão presos, na delegacia. Não queremos que eles saiam por aí contando aos amigos como foram espertos!

– Alguém mais pode ter visto o episódio? Ou ouvido falar nele?

Tony sorriu.

– Minha querida sra. Beresford, a cada dia corre a notícia de que dois, três, quatro, até cem paraquedistas foram avistados!

– É provável que seja verdade – concordou Tuppence. – Então vamos lá.

Tony disse:

– Nós trouxemos o disfarce completo e uma policial especialista em maquiagem. Venha comigo.

Logo que entraram no capão de mato viram um telheiro caindo aos pedaços. À porta estava uma mulher de meia-idade com jeito de competente. Ela olhou para Tuppence e balançou a cabeça num gesto de aprovação. Dentro do telheiro e sentada em uma caixa virada de boca para baixo, Tuppence submeteu-se aos cuidados da especialista. Finalmente, a especialista recuou, balançando a cabeça e comentando:

– Pronto, acho que ficou excelente. O que acha, senhor?

– Ficou mesmo ótimo – avaliou Tony.

Estendendo a mão, Tuppence pegou o espelho que a outra mulher estava segurando. Examinou seu rosto com todo o cuidado, e mal conseguiu reprimir um grito de surpresa.

As sobrancelhas tinham sido tiradas, e agora estavam de um formato totalmente diferente, alterando toda a sua expressão. Pequenas peças de gesso adesivo tinham alisado a pele do seu rosto e alterado seu contorno. Uma pequena quantidade de massa alterou o formato do nariz, dando a Tuppence um perfil inesperadamente aquilino. Uma maquiagem muito bem feita tinha acrescentado vários anos à sua idade, com rugas pesadas de cada lado da boca. O rosto inteiro tinha uma expressão complacente, bem abobalhada.

– Nossa, que trabalho formidável – elogiou Tuppence, admirada. Tocou o nariz, de leve.

– Precisa ter cuidado – disse a maquiadora. – E tirou duas fatias de borracha fina. – Acha que suporta colocar isso por dentro das bochechas?

– Acho que vou ter que suportar – disse Tuppence, desanimada.

E as inseriu na boca, abrindo-a e fechando-a com cuidado.

– Não é muito incômodo, não – precisou admitir.

Tony depois saiu do telheiro, discretamente, e Tuppence trocou de roupa, vestindo as roupas de enfermeira. O uniforme não caiu muito mal, embora ficasse meio apertado nos ombros. A boina azul-escura deu o toque final a sua nova personalidade. Ela rejeitou, porém, os sapatos pesados, de bico quadrado.

– Se vou ter que andar doze quilômetros – disse, decidida –, é melhor usar meus próprios sapatos.

Eles dois concordaram que seria razoável, especialmente porque os sapatos de Tuppence eram também pesados e em azul-marinho, combinando perfeitamente com o uniforme.

Ela olhou com interesse o interior da bolsa azul-marinho. Pó de arroz, nenhum batom, duas libras, catorze guinéus e seis *pence* em dinheiro inglês, um lenço e uma carteira de identidade com o nome de Freda Elton, Estrada Manchester número 4, Sheffield.

Tuppence transferiu seu próprio pó de arroz e batom de uma bolsa para outra e se levantou, preparando-se para partir.

Tony Marsdon virou a cabeça para outro lado. E disse, contrariado:

– Estou me sentindo um canalha por deixá-la fazer isso.

– Sei muito bem como se sente.

– Mas entende que é absolutamente vital que tenhamos alguma ideia de onde e como será feito o ataque.

Tuppence deu-lhe tapinhas carinhosos no braço.

– Não se preocupe, meu filho. Você pode não acreditar, mas eu estou me divertindo.

Tony repetiu:

– Eu a considero uma pessoa absolutamente maravilhosa!

III

Um tanto preocupada, Tuppence esperou diante do número 14 da Estrada St. Asalph, e notou que o Dr. Binion era cirurgião-dentista e não um médico.

Pelo canto de um olho, notou Tony Marsdon. Ele estava em um carro esporte em frente a uma casa, estacionado pouco adiante, naquela mesma rua. Os agentes britânicos tinham considerado necessário que Tuppence andasse até Leatherbarrow, exatamente conforme as instruções, pois, se alguém a tivesse levado de carro, os inimigos teriam notado esse fato.

Certamente era verdade que dois aviões inimigos tinham passado sobre os campos, circulando a baixa altura, e eles poderiam ter notado a figura solitária da enfermeira caminhando através da campina.

Tony, com a policial especialista em maquiagem, tinham ido na direção oposta e tomado um caminho totalmente diferente, antes de se aproximarem de Leatherbarrow e assumirem sua posição na Estrada St. Asalph.

Tudo estava preparado.

– As portas da arena se abrem – murmurou Tuppence. – Entra um cristão, caminhando na direção dos leões. Que se vai fazer, não é, ninguém pode dizer que não estou vivendo a vida na sua plenitude.

Ela atravessou a estrada e tocou a campainha, perguntando-se, ao fazer isso, exatamente até que ponto Deborah gostava daquele rapaz.

A porta se abriu, e viu-se uma mulher idosa impassível, com um rosto de camponesa, um rosto que não era inglês.

– O Dr. Binion? – perguntou Tuppence.

A mulher olhou-a de cima a baixo.

– Deve ser a enfermeira Elton, suponho.

– Sim.

– Então entre, venha até o consultório do doutor.

Ela recuou, a porta fechou-se atrás de Tuppence, que se viu de pé em um vestíbulo estreito, com chão de linóleo.

– Espere, por favor. O doutor vem falar com senhora.

Ela saiu, fechando a porta.

Um consultório de dentista muito comum, com um mobiliário um tanto antigo e gasto. Tuppence olhou para a cadeira do dentista e sorriu, pensando que, para variar, a cadeira não a aterrorizava. Ela tinha, sim, uma "sensação de estar no dentista", mas por motivos bastante diferentes.

A porta se abriria, em breve, e o "Dr. Binion" entraria. Quem seria o Dr. Binion? Um estranho? Ou alguém que ela havia visto antes? Se fosse a pessoa que ela esperava ver...

A porta se abriu.

O homem que entrou não era a pessoa que Tuppence pensava que seria! Era alguém que ela nunca tinha considerado como sendo um provável mandachuva.

Era o comandante Haydock.

CAPÍTULO 14

I

Um dilúvio de conjeturas desencontradas quanto ao papel desempenhado pelo comandante Haydock no desaparecimento de Tommy passou pela cabeça de Tuppence, mas ela as deixou resolutamente de lado. Aquele era um momento no qual ela precisava estar de cabeça mais do que fria.

Será que o comandante a reconheceria ou não? Era uma pergunta interessante.

Ela tinha se preparado tanto antes para não demonstrar reconhecimento nem surpresa, não importava quem visse, que se sentiu razoavelmente certa de que não tinha exibido sinais que não condissessem com a situação.

Ela se levantou, em sinal de respeito, como cabia a uma mera mulher alemã na presença do Senhor da Criação.

– Então, você chegou – disse o comandante.

Ele falou em inglês, e seus modos eram precisamente os mesmos do costume.

– Sim – respondeu Tuppence, acrescentando, como se apresentasse suas credenciais: – Sou a enfermeira Elton.

Haydock sorriu, como se lhe tivessem contado uma piada.

– Enfermeira Elton! Excelente.

E olhou-a de forma aprovadora.

– Está absolutamente perfeita – disse ele, afável.

Tuppence inclinou a cabeça, mas nada disse. Estava pretendendo deixar que ele tomasse todas as iniciativas.

– Sabe o que precisa fazer, imagino – prosseguiu Haydock. – Sente-se por favor.

Tuppence sentou-se, obediente, e respondeu:

– Eu deveria receber instruções detalhadas do senhor.

– Muito adequado – disse Haydock. Sua voz deixou transparecer um leve tom de zombaria. E ele indagou: – Sabe qual vai ser o dia?

Tuppence tomou uma decisão rápida.

– Dia quatro!

Haydock fez cara de assustado. Então franziu a testa, feroz.

– Então sabe isso, é? – resmungou.

Fez-se uma pausa, e Tuppence insistiu:

– Pode, por favor, me dizer, o que preciso fazer?

Haydock falou:

– Calma, minha querida, tudo a seu tempo.

Ele fez uma pausa e depois perguntou:

– Sem dúvida ouviu falar no Sans Souci, não?

– Não – disse Tuppence.

– Não ouviu?

– Não – respondeu Tuppence com firmeza.

"Vamos ver como se sai dessa!", pensou Tuppence.

Surgiu um sorriso esquisito no rosto do comandante Haydock, e ele indagou:

– Então não ouviu falar do Sans Souci? Isso me surpreende muito, uma vez que *eu tinha a impressão, sabe como é, de que passou este último mês hospedada lá...*

Fez-se um silêncio mortal. O comandante cutucou:

– Que tal isso, sra. Blenkensop?

– Não sei do que está falando, Dr. Binion. Eu aterrissei neste país de paraquedas esta manhã.

Haydock tornou a sorrir, definitivamente um sorriso desagradável. Depois falou:

– Alguns metros de lona atirados em um arbusto criam uma ilusão maravilhosa. E eu não sou o Dr. Binion, minha cara senhora. O Dr. Binion é, oficialmente, meu dentista, e ele me faz o favor de me emprestar o consultório dele de vez em quando.

– É mesmo? – questionou Tuppence.

– Sim, sra. Blenkensop! Ou talvez preferisse que eu chamasse a senhora pelo seu verdadeiro nome, Beresford?

Uma vez mais, fez-se um silêncio lancinante. Tuppence inspirou fundo. Haydock confirmou com a cabeça.

– Como vê, o jogo terminou. A senhora entrou no meu salão, disse a aranha à mosca.*

Ouviu-se um estalido leve e um brilho azul-metálico apareceu na mão do homem. Sua voz assumiu um tom grave quando ele disse:

– E eu não preciso aconselhá-la a não fazer barulho, nem tentar acordar a vizinhança! Vai estar morta antes de conseguir sequer emitir um ganido, e mesmo que consiga gritar, não vai chamar a atenção de ninguém. Os pacientes que estão submetidos à anestesia costumam gritar, como sabe.

Tuppence falou, controlando-se:

– Parece ter pensado em tudo. Já lhe ocorreu que tenho amigos que sabem onde estou?

– Ah, ainda está pensando naquele rapaz de olhos azuis? Aliás, de olhos castanhos? O jovem Antony Marsdon. Sinto muito, sra. Beresford, mas o jovem Antony é um dos nossos mais valentes defensores no país. E, como eu acabei de lhe dizer ainda agora mesmo, alguns metros de lona criam um efeito maravilhoso. A senhora engoliu a história do paraquedas direitinho.

– Não estou entendendo o motivo de todo este palavrório!

– Ah, não? Não queremos que seus amigos a encontrem com muita facilidade, entende? Se eles encontrassem sua trilha, ela levaria a Yarrow e a um homem em um carro. O fato de uma enfermeira de hospital, de aparência muito diferente, ter andado até Leatherbarrow entre uma e duas da tarde não seria ligado a seu desaparecimento.

– Muito bem pensado – disse Tuppence.

Haydock falou:

– Admiro sua coragem, sabe? Admiro mesmo, e sinto muito ter que obrigá-la a falar, mas é vital que saibamos exatamente o que sabe sobre o Sans Souci.

Tuppence não respondeu nada.

Haydock disse, em voz baixa:

---

* Referência a uma cantiga inglesa sobre uma aranha que engana uma mosca para atraí-la até o seu "salão" (a teia). (N.T.)

– Eu a aconselharia a confessar, pois há certas... possibilidades... em uma cadeira de dentista e seus instrumentos.

Tuppence meramente lhe lançou um olhar de desprezo.

Haydock recostou-se no espaldar da sua cadeira e prosseguiu, devagar:

– Sim, a senhora é muito resoluta mesmo, seu tipo frequentemente é. Mas e a outra metade do quadro?

– Como assim?

– Estou falando de Thomas Beresford, seu marido, que vem morando no Sans Souci com o nome de sr. Meadowes, e que agora está muito convenientemente de pés e mãos amarrados no porão da minha casa.

Tuppence replicou, irritada:

– Não acredito.

– Por causa da carta da Penny Singela? Não percebeu que ela foi apenas um trabalhinho bastante inteligente do nosso jovem Antony? A senhora colaborou bastante conosco nas mãos dele quando lhe deu o código.

A voz de Tuppence saiu trêmula.

– Então o Tommy... então o Tommy...

– Tommy – disse o comandante Haydock – está onde esteve todo o tempo, em meu poder! Agora a decisão é sua. Se responder a minhas perguntas satisfatoriamente, há uma chance de que ele sobreviva. Se não, ora, o plano original vai ser executado. Ele vai levar uma paulada na cabeça, ser levado para o mar e jogado no oceano.

Tuppence ficou calada um minuto ou dois, depois perguntou:

– O que quer saber?

– Quero saber quem a contratou, como fala com essa pessoa, o que tem lhe dito até agora e exatamente o que sabe.

Tuppence deu de ombros.

– Eu poderia lhe contar as mentiras que quisesse – observou.

– Não, porque eu vou testar se está dizendo a verdade ou não. – E ele puxou a cadeira mais para perto dela. Estava agindo de uma forma deveras ameaçadora. – Minha querida, eu sei exatamente o que está sentindo diante disso tudo, mas acredite em mim quando digo que admiro muito a senhora e seu marido. Vocês dois têm peito e ousadia. É de gente como vocês que vamos precisar no novo Estado, o Estado que chegará a este país quando seu governo imbecil for derrubado. Queremos transformar alguns dos nossos inimigos em amigos, os que valham a pena. Se eu tiver que dar a ordem para acabar com a vida do seu marido, eu a darei, pois é meu dever. Mas vou me sentir muito mal de ter que fazer isso! Ele é um homem muito agradável, tranquilo, esperto, modesto. Deixe-me tentar lhe explicar o que tantas pessoas neste país parecem não entender. Nosso líder não pretende conquistar este país no sentido em que vocês pensam. Ele está querendo criar uma nova Grã-Bretanha, uma Grã-Bretanha forte, com base no seu próprio poder, governada não por alemães, mas por ingleses. E o melhor tipo de inglês, os ingleses inteligentes, de raça, corajosos. Um admirável mundo novo, como Shakespeare disse.

E ele se inclinou para a frente.

– Queremos acabar com a ineficiência e a desorganização. Com os subornos e a corrupção. Com a busca do próprio eu e a ganância. E nesse novo Estado queremos gente como você e seu marido, corajosos e cheios de recursos, atuais inimigos, futuros amigos. Ficaria surpresa se soubesse quantas pessoas aqui do seu país simpatizam com nossas metas e acreditam nelas. Entre nós todos, criaremos uma nova Europa, uma Europa de paz e progresso. Tente ver o cenário dessa maneira, porque, eu lhe garanto, é assim que são as coisas...

A voz dele era magnética, convincente. Inclinando-se para a frente, ele parecia a própria encarnação de um marinheiro inglês, cordial e franco...

Tuppence olhou para ele e revirou os miolos procurando uma frase expressiva. Só conseguiu encontrar uma que era ao mesmo tempo infantil e ofensiva:

– Gansa, Gansinho!, disse Tuppence.

II

O efeito foi tão mágico que ela ficou bastante surpresa.

Haydock ficou de pé num pulo, seu rosto ficou roxo de ódio e em um segundo toda a semelhança entre ele e um simpático marinheiro inglês desapareceu. Ela viu o que Tommy tinha visto certa vez: um prussiano enfurecido.

Ele a xingou de vários palavrões em alemão. Depois, voltando a falar em inglês, berrou:

– Sua bobalhona diabólica! Não percebe que está se entregando completamente ao responder isso? Agora está perdida! Você e seu precioso marido!

E, falando ainda mais alto, ele chamou:

– Anna!

A mulher que tinha deixado Tuppence entrar na casa veio até a sala. Haydock meteu-lhe a pistola na mão.

– Fique de olho nela. Atire, se for necessário.

E ele saiu da sala, apressado. Tuppence olhou para Anna, suplicante, mas a mulher ficou parada diante dela com um rosto impassível.

– Gostaria mesmo de atirar em mim? – indagou Tuppence.

Anna respondeu, bem baixo:

– Não precisa tentar me enrolar. Na última guerra mataram meu filho, meu Otto. Eu tinha 38 anos, e agora tenho 62. Mas ainda não esqueci.

Tuppence olhou para aquele rosto largo, inexpressivo. Ele a fez se lembrar da polonesa, Vanda Polanska. Aquela mesma ferocidade amedrontadora e singularidade de objetivos. A maternidade, tão inexorável! Assim, sem dúvida, se sentiram muitas tranquilas sra. Jones e sra. Smith em toda a Inglaterra. Não havia como discutir com a fêmea da raça humana, com a mãe privada de sua cria.

Alguma coisa se moveu nos recantos do cérebro de Tuppence, alguma lembrança inquieta, algo que ela sempre soubera, mas nunca tinha conseguido trazer à luz. Salomão... Salomão entrava nisso, de alguma forma...

A porta se abriu. O comandante Haydock voltou para a sala. Ele uivou, fora de si, furioso:

– Onde está? Onde foi que o escondeu?

Tuppence o encarou, sem saber o que responder. Ficou completamente surpresa. O que ele estava dizendo não fazia o menor sentido para ela. Ela não tinha roubado nada, nem escondido nada em nenhum lugar.

Haydock disse a Anna:

– Saia.

A mulher entregou-lhe a pistola e saiu da sala imediatamente. Haydock deixou-se cair em uma cadeira e pareceu estar procurando se controlar. Depois falou:

– Não vai conseguir levar adiante o seu plano, sabe? Eu estou com você, e tenho meios de fazer as pessoas confessarem que não são nada agradáveis. Vai ter que me contar a verdade no final. Então, pode ir falando, o que fez com ele?

Tuppence percebeu logo que estava diante de algo que lhe daria a possibilidade de descobrir o que ele pensava que ela tinha em mãos. Ela respondeu, com cautela:

– Como sabe que estou com ele?

– Pelo que disse, sua idiota. Não está com ele agora, isso nós sabemos, porque trocou de roupa para vestir esse uniforme de enfermeira.

– E se eu tiver enviado ele a alguém? – indagou Tuppence.

– Não seja tola. Tudo que enviou desde ontem foi examinado. Não mandou isso para ninguém. Não, só pode ter feito uma coisa. Escondido isso no Sans Souci antes de sair esta manhã. Eu lhe dou exatamente três minutos para me dizer onde o escondeu. – E ele colocou seu relógio de pulso sobre a mesa. – Três minutos, sra. Beresford.

O relógio do consolo tiquetaqueava. Tuppence ficou sentada, sem dizer nada, com uma expressão impassível, indiferente.

Ela não revelava nenhum dos pensamentos que estavam lhe passando pela cabeça. Foi um momento de deslumbrante revelação, ela viu tudo, viu tudo revelado com uma claridade cegante, e percebeu afinal quem era o centro e o pivô da organização inteira.

Ela levou um susto quando Haydock falou:

– Mais dez segundos...

Como quem estivesse sonhando, ela o observou, viu o braço dele erguer-se, a mão segurando a pistola, ouviu-o contar:

– Um, dois, três, quatro, cinco...

Ele já estava no oito quando o tiro soou e ele caiu para a frente na cadeira, uma expressão de assombro no rosto vermelho e largo. Haydock estivera observando sua vítima com tanta atenção que não tinha notado a porta se abrindo às suas costas, vagarosamente.

Tuppence se ergueu, de imediato, empurrou os homens fardados à porta e agarrou um braço envolto em uma manga de tweed.

– Sr. Grant!

– Sim, sim, minha querida, agora está tudo bem, você foi maravilhosa...

Tuppence fez um gesto de quem não está se importando com essas palavras de apaziguamento.

– Rápido! Não há tempo a perder. Tem um carro aqui?

– Sim – afirmou ele, olhando-a, espantado.

– Rápido! Precisamos chegar ao Sans Souci imediatamente. Se ao menos tivéssemos mais tempo... Antes que eles liguem para cá e ninguém atenda.

Dois minutos depois, eles já estavam no carro, e o carro estava ziguezagueando pelas ruas de Leatherbarrow. Depois o carro chegou à estrada, atravessou os campos e a agulha do velocímetro subiu.

O sr. Grant não fez perguntas. Conformou-se em ficar sentado em silêncio, enquanto Tuppence observava a agulha do velocímetro em uma agonia imensa, muito apreensiva. O motorista tinha recebido ordens de correr, e estava dirigindo à velocidade máxima que o carro podia oferecer. Tuppence falou apenas uma vez.

– E o Tommy?

– Está bem. Ele foi solto meia hora atrás.

Ela balançou a cabeça. Agora, por fim, eles estavam se aproximando de Leahampton. Eles atravessaram a cidade voando, costurando no trânsito, subiram a ladeira.

Tuppence saltou do veículo e ela e o sr. Grant entraram correndo pela estradinha destinada aos carros. A porta do vestíbulo, como sempre, estava aberta. Não havia ninguém à vista. Tuppence subiu as escadas, ligeira.

Ela só lançou um rápido olhar para dentro do seu quarto, ao passar, e notou a confusão de gavetas abertas e a cama revirada. Ela balançou a cabeça e andou mais um pouco, percorrendo o corredor e entrando no quarto ocupado pelo sr. e a sra. Cayley.

O quarto estava vazio. Parecia tranquilo e cheirava ligeiramente a remédios. Tuppence foi correndo até a cama e puxou as cobertas.

Elas caíram no chão, e Tuppence passou a mão sob o colchão. Depois virou-se triunfante para o sr. Grant com um livro infantil esfrangalhado na mão.

– Pronto, aí está. Está tudo aí...

– Mas que diabo...

Eles se viraram. A sra. Sprot estava de pé à porta, olhando para os dois, assustada.

– E agora – disse Tuppence – permita-me que lhe apresente M! A sra. Sprot! Eu devia ter percebido antes.

A sra. Cayley, que chegou à porta um instante depois, encarregou-se do anticlímax apropriado.

– Ai, meu Deus – comentou ela, ao ver, horrorizada, a cama desfeita do marido. – O que é que o sr. Cayley *vai dizer?*

CAPÍTULO 15

– Eu já deveria ter deduzido isso há muito mais tempo – disse Tuppence.

Ela estava revigorando seus nervos abalados com uma dose generosa de xerez envelhecido, e sorrindo alternadamente para Tommy, para o sr. Grant e para Albert, que estava sentado em frente a uma garrafa de cerveja, sorrindo de orelha a orelha.

– Conte-nos tudo, Tuppence – suplicou Tommy.

– Você fala primeiro – disse Tuppence.

– Não tenho muita coisa para contar – declarou Tommy. – Foi por puro acaso que eu descobri o rádio transmissor. Pensei que tinha conseguido escapar, mas Haydock conseguiu me tapear.

Tuppence concordou, acrescentando:

– Ele telefonou para a sra. Sprot imediatamente. E ela foi até a entrada de carros e pôs-se de tocaia, esperando você, com o martelo na mão. Ela só se afastou da mesa de bridge mais ou menos uns três minutos. Eu notei que ela estava meio sem fôlego, mas nunca desconfiei dela.

– Depois disso – disse Tommy – o crédito vai todo para o Albert. Ele veio atrás de mim como um cão fiel, farejando a pista do dono. Eu consegui produzir uns roncos imitando código Morse, e ele entendeu a mensagem que eu estava tentando passar. Foi procurar o sr. Grant, contou-lhe tudo, e os dois voltaram à casa do comandante tarde da noite. Mais roncos! O resultado foi que eu concordei em ficar no porão para que eles pudessem surpreender as forças marítimas quando elas chegassem.

Aí o sr. Grant contribuiu com sua parte da história:

– Quando o Haydock saiu, esta manhã, nossa gente assumiu o controle da "Toca dos Contrabandistas". Apreendemos o barco à noite.

– E agora a Tuppence – disse Tommy. – Sua história, por favor.

– Ora, para começar, fui a mais completa idiota durante todo o tempo! Desconfiei de todos aqui, menos da sra. Sprot! Uma vez tive, sim, uma sensação terrível de ameaça, como se eu estivesse correndo perigo, foi depois que entreouvi aquela mensagem telefônica sobre o dia quatro do mês. Havia três pessoas na casa naquele momento, e resolvi achar que ou a sra. Perenna ou a sra. O'Rourke deviam ser a agente. Estava completamente enganada, pois a aparentemente inofensiva sra. Sprot era a personalidade de fato perigosa.

– Continuei me debatendo, como Tommy sabe, até ele desaparecer. Depois passei a bolar um plano com o Albert, mas, de repente, surgiu o Antony Marsdon, e a situação me pareceu perfeitamente natural, a princípio, porque o Marsdon era o tipo de jovem com quem a Deb costuma andar, e tal. Mas duas coisas me deixaram meio desconfiada. Primeiro, eu fui tendo cada vez mais certeza, à medida que ia falando com ele, que eu não tinha visto aquele rapaz antes, e que ele nunca tinha ido ao nosso apartamento. A segunda coisa foi que, embora ele parecesse saber tudo sobre meu trabalho em Leahampton, ele presumia que Tommy estava na Escócia. Isso me pareceu sem sentido. Se ele devia saber de alguma coisa sobre alguém, seria sobre Tommy, porque eu era uma participante mais ou menos oficiosa. Isso me deixou com a pulga atrás da orelha.

O sr. Grant tinha me dito que os agentes da Quinta Coluna estavam em toda parte, nos lugares mais improváveis. Então por que um deles não estaria trabalhando no departamento da Deborah? Eu não tinha certeza, mas desconfiei o suficiente para armar uma arapuca para ele. Eu lhe disse que Tommy e eu tínhamos um código para nos comunicarmos um com o outro. O nosso código verdadeiro, é claro, era um cartão-postal do Bonzo, mas eu contei ao Antony uma mentirinha, que a "singela é um *penny*, mas colorida são dois". Como eu esperava, ele mordeu a isca direitinho! Recebi uma carta dele naquela manhã, que o entregou por completo. Tudo tinha sido combinado previamente, e eu só precisei telefonar para a costureira e cancelar uma prova. Essa foi uma desculpa para transmitir a mensagem de que o suspeito tinha mordido a isca.

– Cáspita! – exclamou Albert. – Eu não tive a menor dúvida, vim com uma caminhonete de padaria e derramamos uma substância na calçada. Anis, acho que era, pelo menos tinha esse cheiro.

– E aí – disse Tuppence, retomando a narrativa – eu saí e pisei na poça. Naturalmente foi fácil a caminhonete do padeiro me seguir até a estação de trem e alguém vir por trás de mim e ouvir-me comprando minha passagem para Yarrow. Foi depois disso que talvez tenha começado a ficar complicado.

– Os cães farejaram o cheiro muito bem – afirmou o sr. Grant. – Eles retomaram a pista na estação de Yarrow e uma vez mais na trilha deixada pelo pneu depois que você esfregou o sapato nele. Isso nos levou ao capão de mato e até a cruz de pedra, e depois eles seguiram você pelos campos. Os inimigos não faziam ideia de que poderíamos segui-la facilmente depois de eles mesmos terem visto com seus próprios olhos você partir e terem ido embora.

– Mesmo assim – disse Albert –, isso me deixou danado. Ver a senhora entrar naquela casa, e sem saber o que seria da senhora. Fomos até uma janela dos fundos, e atacamos a mulher estrangeira quando ela desceu as escadas. Entramos na hora exata, entramos sim.

– Eu sabia que viriam – disse Tuppence. – O problema era eu enrolar o máximo possível. Eu estava me preparando para fingir que ia contar tudo, se não visse a porta se abrir. O que foi realmente emocionante foi a forma como eu de repente percebi tudo e como eu tinha sido burra.

– O que foi que percebeu? – indagou Tommy.

– Gansa, Gansinho – falou Tuppence, imediatamente. – Quando eu disse isso ao comandante Haydock, ele ficou absolutamente lívido. E não só porque era uma frase boba e grosseira. Não, eu percebi na mesma hora que aquela frase significava algo para ele. E, depois, a expressão no rosto daquela mulher, a Anna, era como a da polonesa, e aí, é claro, eu lembrei do Salomão, e vi tudinho na minha frente.

Tommy soltou um suspiro de impaciência.

– Tuppence, se disser isso mais uma vez só, eu mesmo lhe dou um tiro. O que foi que viu? E o que diabo tem o Salomão a ver com isso?

– Lembra-se daquela história das duas mulheres que vieram consultar o rei Salomão com um bebê e ambas disseram que eram a mãe dele, mas o Salomão disse: "Muito bem, então vamos cortá-lo ao meio"? E a mãe verdadeira gritou: "Não, prefiro que o dê inteiro à outra"? Ela não pôde suportar a ideia de que seu filho ia ser morto. Ora, naquela noite em que a sra. Sprot atirou na outra mulher, todos disseram que era um milagre ela ter dado um tiro tão certeiro, e que ela podia facilmente ter acertado a criança. Naturalmente, eu devia ter percebido tudo ali mesmo! Se a menina fosse filha dela mesmo, ela não ia ter coragem de se arriscar a dar aquele tiro, nem por um minuto. E isso significava que Betty não era filha dela. E por isso ela precisava matar a outra, de qualquer maneira.

– Por quê?

– Porque está na cara que a outra era a mãe verdadeira da menina – disse Tuppence, com voz trêmula.

– Coitadinha, mas que situação a dela, perseguida daquele jeito. Ela veio para cá sem um tostão no bolso, uma refugiada, e concordou em deixar a sra. Sprot adotar sua filha.

– Por que a sra. Sprot quis adotar a menina?

– Camuflagem! Suprema camuflagem psicológica. Simplesmente não se pode conceber a ideia de uma espiã arrastar sua própria filha com ela para o trabalho. Esse é o principal motivo pelo qual eu nunca considerei a sra. Sprot uma séria candidata a espiã. Simplesmente por causa da criança. Mas a mãe verdadeira da Betty sentiu uma saudade irresistível da criança, descobriu o endereço da sra. Sprot e veio até aqui. Ficou esperando sua chance, e por fim conseguiu levar a menina consigo.

– A sra. Sprot, é claro, ficou furiosa. Precisava evitar que a polícia fosse chamada. Então escreveu aquele bilhete, fingiu tê-lo encontrado no seu quarto e chamou o comandante Haydock para ajudá-la. Aí, quando nós conseguimos encontrar a pobre mulher, ela decidiu não arriscar e atirar nela... Longe de ser inexperiente com armas, ela era muito boa atiradora. Sim, ela matou aquela infeliz, e, por causa disso, não sinto pena nenhuma dela. Ela era malvada de fio a pavio.

Tuppence fez uma pausa, e depois prosseguiu:

– Uma outra coisa que devia ter me dado uma pista era a semelhança entre a Vanda Polonska e a Betty. Era da Betty que eu me lembrava sempre que eu via aquela mulher. E tinha também aquela brincadeira absurda da menina, com meus cadarços. Era bem mais provável que ela tivesse visto sua mãe adotiva fazer aquilo, não Carl von Deinim! Mas, assim que a sra. Sprot viu o que a criança estava fazendo, ela colocou muitas provas comprometedoras no quarto do Carl, para nós encontrarmos, e acrescentou o toque de mestre de deixar um cadarço de sapato mergulhado em tinta invisível.

– Estou aliviado pelo Carl não estar metido nisso – disse Tommy. – Eu gostava dele.

– Ele não foi fuzilado, foi? – indagou Tuppence, nervosa, notando o tempo pretérito.

O sr. Grant meneou a cabeça.

– Ele está bem – assegurou o chefe. – Aliás, eu tenho uma surpresinha para vocês.

O rosto de Tuppence descontraiu-se quando ela disse:

– Estou muito feliz... pela Sheila! Claro que fomos idiotas de achar que a sra. Perenna estava ligada aos alemães.

– Ela apenas era ativista do IRA, mais nada – disse o sr. Grant.

– Desconfiei um pouco da sra. O'Rourke, e às vezes dos Cayley.

– E eu desconfiei do Bletchley – revelou Tommy.

– E o tempo todo – disse Tuppence – era aquela criatura insípida que nós pensávamos ser apenas a mãe da Betty.

– Longe de ser insípida – afirmou o sr. Grant. – Uma mulher muito perigosa, uma atriz muito competente. E, infelizmente, sinto dizer, inglesa.

Tuppence comentou:

– Então não sinto pena nem admiração por ela, não estava nem trabalhando para defender seu país. – E olhou com curiosidade para o sr. Grant outra vez. – E o senhor, descobriu o que queria, chefe?

O sr. Grant confirmou.

– Tudo estava nos livros velhos daquela série de livros infantis duplicados.

– Nos que a Betty disse que eram ruins – exclamou Tuppence.

– Eram mesmo ruins – disse o sr. Grant, secamente. – O *Little Jack Horner* continha todos os detalhes de nossa organização naval. *Johnny cabeça de vento* mostrava o mesmo para a Força Aérea. Os assuntos militares eram apropriadamente descritos em *Era uma vez um homenzinho, e ele tinha um trabuquinho.*

– E o *Gansa, Gansinho*? – indagou Tuppence.

O sr. Grant respondeu:

– Tratado com o reagente apropriado, aquele livro contém, escrita em tinta invisível, uma lista completa de todos os personagens de destaque que juraram ajudar numa invasão ao país. Entre eles estavam dois chefes de polícia, um vice-marechal do ar, dois generais, o chefe de um arsenal, um ministro de gabinete, muitos superintendentes de polícia, comandantes de organizações voluntárias de defesa e vários outros integrantes de menor importância dentro das forças militares e navais, bem como gente de nosso serviço secreto.

Tommy e Tuppence estavam boquiabertos.

– Incrível! – exclamou Tommy.

Grant sacudiu a cabeça.

– Não conhecem a força da propaganda alemã. Ela apela para certas coisas no homem, algum desejo ou ânsia de poder. Essas pessoas estavam prestes a trair seu país, não por dinheiro, mas por uma espécie de orgulho megalomaníaco, pelo que eles, *eles mesmos*, iam obter para esse país. Em todos os países vem acontecendo o mesmo. É o culto a Lúcifer: Lúcifer, o filho da manhã. Orgulho e um desejo de *glória pessoal*!

Ele acrescentou:

– Podem perceber que, com pessoas assim dando ordens contraditórias e confundindo as operações, a invasão que os alemães pretendiam fazer teria tido uma chance bastante grande de ser bem-sucedida.

– E agora? – perguntou Tuppence.

O sr. Grant sorriu.

– Agora, que venham os alemães! Estaremos preparados para eles!

CAPÍTULO 16

– Querida – disse Deborah. – Sabe que quase pensei coisas terríveis sobre você?

– Pensou? – indagou Tuppence. – Quando foi isso? – E seus olhos pousaram afetuosamente nos cabelos castanho-escuros da filha.

– Na época em que você foi para a Escócia para se unir ao papai e eu pensei que você estivesse com a tia Gracie. Eu quase pensei que você estava tendo um caso com alguém.

– Ai, Deb, pensou mesmo nisso?

– Não exatamente, claro. Não na sua idade. E, claro, eu sei que você e o Cabeça de Cenoura são dedicados um ao outro. Foi um idiota chamado Tony Marsdon que pôs isso na minha cabeça. Sabe, mamãe, acho que posso lhe dizer, depois descobriram que ele estava trabalhando para a Quinta Coluna. Ele sempre falava de um jeito esquisito mesmo, dizia que as coisas seriam as mesmas, talvez melhores, se Hitler vencesse a guerra.

– Você... gostava dele?

– Do Tony? Ah, não, ele sempre me entediava. Eu preciso dançar essa.

E saiu bailando nos braços de um rapaz louro, sorrindo para ele, encantadora. Tuppence seguiu as evoluções dos dois durante alguns minutos, depois seus olhos voltaram-se para o ponto onde um jovem alto da Força Aérea estava dançando com uma moça loura e esguia.

– Sabe, Tommy, acho nossos filhos bem encantadores – disse Tuppence.

– Aí vem a Sheila – avisou Tommy.

Ele se levantou quando Sheila Perenna se aproximou da mesa do casal. Ela estava com um vestido de baile verde-esmeralda, que realçava sua beleza morena. Demonstrava estar se sentindo contrariada naquela noite, e cumprimentou seu anfitrião e sua anfitriã de forma um tanto imprópria.

– Eu vim, estão vendo – disse ela –, como prometi. Mas não acredito que tinham a intenção de me convidar.

– Porque gostamos de você – disse Tommy, sorrindo.

– Gostam mesmo? – indagou Sheila. – Eu não entendo por quê. Não os tratei nada bem, a nenhum dos dois. – Depois de uma pausa, ela murmurou: – Mas sou grata a vocês.

Tuppence disse:

– Precisamos encontrar um parceiro adequado para dançar com você.

– Não quero dançar. Detesto dançar. Vim só para lhes falar.

– Vai gostar do par que pedimos para vir se encontrar com você – insistiu Tuppence, sorrindo.

– Eu... – começou Sheila. Depois parou, porque Carl von Deinim estava atravessando a pista de dança.

– Você...

– Eu mesmo – disse Carl.

Havia algo diferente em Carl von Deinim naquela noite. Sheila contemplou-o, ligeiramente perplexa e ruborizada, com as faces bastante avermelhadas. Em seguida, ela falou, arquejante:

– Eu sabia que você agora estaria bem, mas pensei que eles ainda iriam mantê-lo preso no campo de concentração, não?

Carl balançou a cabeça.

– Não há motivo para eles me internarem num campo. – E prosseguiu: – Precisa me perdoar, Sheila, por tê-la enganado. Eu não sou, nem nunca fui Carl von Deinim. Adotei o nome dele por motivos pessoais.

E, nesse momento, em dúvida, o rapaz olhou para Tuppence, que disse:

– Vamos, conte a ela.

– Carl von Deinim era meu amigo. Conheci-o na Inglaterra, há alguns anos. Eu me reencontrei com ele na Alemanha, logo antes da guerra, enquanto eu estava lá prestando serviços especiais em nome do meu país.

– Você era do serviço secreto? – indagou Sheila.

– Sim. Enquanto trabalhei lá, começaram a acontecer coisas estranhas. Escapei por um triz várias vezes. Meus planos eram conhecidos, quando ninguém devia saber deles. Percebi que havia algo muito errado, e que "a corrupção", para expressar isso nos termos deles, tinha penetrado no serviço no qual eu estava trabalhando. Eu tinha me decepcionado com meu próprio povo. Carl e eu parecíamos um pouco um com o outro (minha avó era alemã), e por isso me escolheram para trabalhar na Alemanha. Carl não era nazista. Ele estava interessado apenas no seu trabalho, um trabalho que eu mesmo também fazia, de pesquisa no campo da química. Ele decidiu, pouco depois do início da guerra, fugir para a Inglaterra. Seus irmãos tinham sido internados em campos de concentração. Haveria, pensava ele, muitas dificuldades na sua rota de fuga, mas, de uma forma quase milagrosa, todas essas dificuldades se dissiparam. O fato, quando ele mencionou isso para mim, me fez desconfiar de alguma coisa. Por que as autoridades estavam facilitando a fuga de Carl von Deinim, quando seus irmãos e outros parentes eram considerados suspeitos por suas simpatias antinazistas? Parecia que queriam que ele fosse para a Inglaterra, por algum motivo. Minha própria posição estava se tornando cada vez mais precária. Carl morava na mesma casa que eu, e um dia eu o encontrei morto, para meu profundo pesar, deitado na sua própria cama. Ele tinha sucumbido à depressão e cometido suicídio, deixando uma carta que li e guardei.

"Então decidi fazer uma substituição. Queria sair da Alemanha, e queria saber por que Carl estava sendo incentivado a sair do país. Vesti o corpo dele com minhas roupas e o deitei na minha cama. Ele estava desfigurado pelo tiro que tinha dado na cabeça. Minha senhoria, segundo eu sabia, era quase cega. Depois, com os documentos do Carl, viajei para a Inglaterra e fui até o endereço que lhe haviam recomendado como um bom lugar para se hospedar. Era o Sans Souci.

"Enquanto estive lá, desempenhei o papel de Carl von Deinim sem nunca levantar suspeitas. Vi que tinham providenciado um emprego para Carl na fábrica de produtos químicos de lá. E a princípio pensei que a ideia era me obrigar a trabalhar para os nazistas. Foi só depois que percebi que o papel que meu pobre amigo iria desempenhar era de bode expiatório.

"Quando me prenderam e forjaram provas contra mim, eu não disse nada. Queria adiar a revelação de minha identidade o máximo possível, só para ver o que ia acontecer. Foi apenas há alguns dias que fui reconhecido por um dos agentes e a verdade veio à tona."

Sheila ralhou com ele:

– Devia ter me contado.

Ele respondeu, carinhosamente:

– Se acha mesmo isso... me desculpe.

Seus olhos encontraram os dela, e ela o fitou de forma zangada e orgulhosa, depois a raiva sumiu. Ela falou:

– Creio que precisou agir dessa forma...

– Minha querida... – começou ele, depois se conteve. – Venha dançar comigo – convidou, e os dois se afastaram.

– Que foi? – indagou Tommy.

– Torço para que a Sheila continue apaixonada por ele agora que ele não é mais um alemão rejeitado por todos.

– Ela parece que gosta dele, sim.

– Sim, mas os irlandeses são extremamente perversos. E a Sheila já nasceu rebelde.

– Por que ele deu uma busca no seu quarto naquele dia? Foi isso o que nos fez tirar conclusões erradas.

Tommy soltou uma risada.

– Acho que ele pensou que a sra. Blenkensop não era muito convincente. Aliás, enquanto estávamos desconfiando dele, ele também estava desconfiando de nós.

– Olá, vocês dois aí – disse Derek Beresford quando passou com seu par pela mesa dos pais. – Por que não vêm dançar?

E sorriu para eles, incentivando-os.

– Eles são tão atenciosos conosco, benza-os Deus – disse Tuppence.

Os gêmeos e seus pares logo voltaram e se sentaram à mesa. Derek disse ao pai:

– Estou contente por você ter encontrado um emprego. Não era muito interessante, suponho.

– Só rotina – disse Tommy.

– Não importa, pelo menos está trabalhando. Isso é que é importante.

– E estou feliz porque a mamãe teve permissão de ir e trabalhar também – disse Deborah. – Ela me parece bem mais satisfeita. Não é muito chato o trabalho, é, mãe?

– Não achei nem um pouco chato – afirmou Tuppence.

– Ótimo – disse Deborah. E acrescentou: – Quando terminar a guerra, vou poder lhe contar o que faço no trabalho. É muito interessante, uma coisa formidável mesmo. Mas muito confidencial.

– Que emocionante – declarou Tuppence.

– É sim! Mas, claro, não tão emocionante quanto voar...

E olhou com inveja para Derek enquanto dizia:

– Ele vai receber recomendação para...

Derek a interrompeu, depressa:

– Cala a boca, Deb.

Tommy comentou:

– Ei, Derek, o que andou fazendo?

– Ah, nada, mais ou menos o que todos estão fazendo. Não sei por que me escolheram – murmurou o jovem, o rosto vermelho. E pareceu bastante constrangido, como se tivesse sido acusado do pecado mais mortal do mundo. Depois levantou-se, e a moça loura também se levantou.

Derek disse:

– Não posso perder nem um momento do baile, é a última noite da minha licença.

– Vem, Charley – chamou Deborah.

E os dois saíram dançando com os seus respectivos pares. Tuppence rezou, mentalmente:

"Faça com que estejam sempre seguros, que nada de mau aconteça com eles..."

E olhou para cima, encontrando o olhar do marido. Tommy indagou, então:

– E aquela criança? Será que não devíamos...?

– A Betty? Oh, Tommy, estou tão feliz por ter pensado nisso também! Pensei que só eu tivesse tido essa ideia, por instinto maternal. Está falando sério mesmo?

– Quando falo em adotá-la? Por que não? Ela já sofreu demais, coitadinha, e será divertido criar uma menininha, vê-la crescer.

– Ah, Tommy!

Tuppence estendeu a mão e apertou a do marido. Eles se entreolharam.

– Sempre queremos fazer as mesmas coisas – disse Tuppence, feliz.

Deborah, passando por Derek na pista, murmurou para o irmão:

– Olha só aqueles dois, de mãos dadas! Eles são uma gracinha, não são? Precisamos fazer todo o possível para compensar o tédio que eles estão tendo que suportar nesta guerra...

Hora Zero

Tradução de Joice Elias Costa

Para Robert Graves

Caro Robert,

Como você é gentil o bastante para dizer que gosta das minhas histórias, ouso dedicar este livro a você. Tudo o que peço é que contenha com firmeza as suas habilidades críticas (certamente aguçadas pelos seus excessos recentes nesse quesito!) quando estiver lendo. Esta história é para sua diversão, e não uma candidata ao pelourinho literário do sr. Graves.

Sua amiga,
Agatha Christie

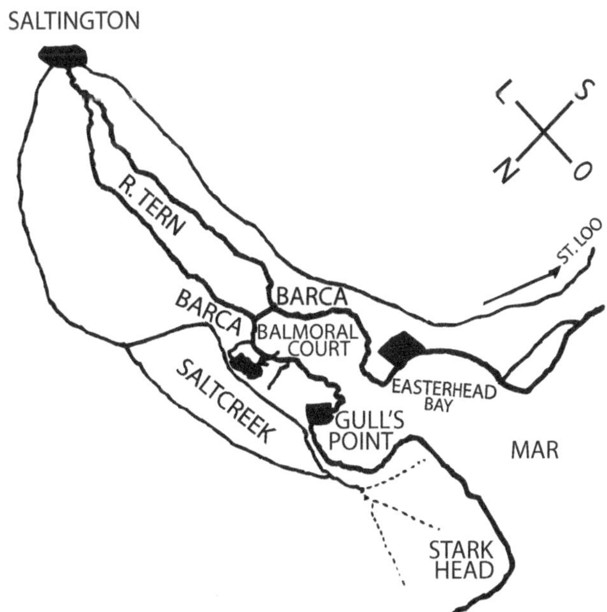

PRÓLOGO

19 de novembro

O grupo em volta da lareira era quase todo composto por advogados ou por pessoas com algum interesse pelo Direito. Ali estavam Martindale, o procurador, lorde Rufus, conselheiro real, o jovem Daniels, que ficou famoso com o caso Carstairs, alguns outros advogados, o sr. Justice Cleaver, Lewis, da Lewis & Trench, e ainda o velho sr. Treves. Este, com seus quase oitenta anos de maturidade e experiência, era membro de um famoso escritório de advocacia; na verdade, era o sócio mais ilustre da firma. Havia solucionado inúmeros casos difíceis no tribunal e, além de grande criminalista, era considerado, mais do que qualquer outro homem na Inglaterra, um profundo conhecedor dos bastidores da história.

Os precipitados afirmavam que o sr. Treves precisava escrever as suas memórias. Mas ele era um homem de bom senso. Estava ciente de que sabia demais.

Apesar de estar há muito tempo afastado das atividades profissionais, não havia na Inglaterra homem nenhum cuja opinião fosse tão respeitada pelos colegas. Toda vez que sua voz fina e precisa se levantava, havia um silêncio respeitoso.

A conversa agora se referia a um caso muito comentado que tinha sido concluído naquele dia, no Old Bailey. Era um caso de assassinato, e o réu havia sido absolvido. Os presentes ocupavam-se de reexaminar o caso e fazer críticas de ordem técnica.

A acusação cometera um erro ao confiar em uma de suas testemunhas – o velho Depleach deveria ter percebido a oportunidade que estava dando à defesa. O jovem Arthur explorou ao máximo o depoimento da empregada. Bentmore, nos seus argumentos finais, situou o caso em sua perspectiva correta, mas naquele momento o dano já estava feito – os jurados acreditaram na moça. Os jurados são engraçados – nunca se sabe o que vão aceitar. Porém, no momento em que botam uma coisa na cabeça, ninguém jamais consegue fazê-los mudar de ideia. Acreditaram que a moça estava falando a verdade sobre o pé de cabra e pronto. O laudo médico estava um pouco além da compreensão deles. Todos aqueles termos técnicos e o jargão científico – péssimas testemunhas esses cientistas, sempre enrolando e sem saber responder sim ou não a uma pergunta óbvia, sempre "sob determinadas circunstâncias isso poderia ter ocorrido" e assim por diante!

Pouco a pouco, à medida que se manifestavam e que as observações se tornavam mais arrebatadas e desconexas, crescia uma sensação geral de que alguma coisa estava faltando. Uma após outra, as cabeças voltaram-se para o sr. Treves, uma vez que até então ele não havia feito nenhum comentário. Aos poucos, ficou claro que o grupo esperava a palavra final de seu mais ilustre colega.

O sr. Treves, recostado na cadeira, limpava os óculos distraído. Alguma coisa naquele silêncio fez com que levantasse a cabeça de repente.

– Hein?! – disse ele. – O que foi? Vocês me perguntaram alguma coisa?

O jovem Lewis falou:

– Comentávamos sobre o caso Lamorne, senhor.

E parou demonstrando expectativa.

– Sim, sim – disse o sr. Treves. – Estava pensando nisso.

Houve um silêncio respeitoso.

– Mas tenho a impressão – ele continuou, ainda limpando os óculos – de que eu estava fantasiando. Sim, fantasiando. Creio que seja em decorrência da velhice. Na minha idade, se quisermos, podemos reivindicar o direito de sermos imaginativos.

– Sem dúvida, senhor – comentou o jovem Lewis, que parecia intrigado.

– Estava pensando – disse o sr. Treves – não nos vários aspectos da lei levantados, apesar de serem muito interessantes. Caso o veredicto tivesse sido outro, teriam boas bases para apelação, imagino. Mas não quero entrar nessa discussão agora. Estava apenas pensando, como disse, não nos aspectos da lei, mas nas... bem, nas pessoas envolvidas neste caso.

Todos pareceram um tanto admirados. Haviam considerado as pessoas envolvidas no caso apenas no que dizia respeito à credibilidade dos seus depoimentos, ou então como meras testemunhas. Nenhum deles sequer arriscou especular sobre se o réu era culpado ou inocente, como o tribunal o havia pronunciado.

– Seres humanos, como sabem – falou o sr. Treves pensativo –, seres humanos de todo tipo, espécie, tamanho e forma. Alguns inteligentes e muitos outros não. Vindos de todos os lugares, Lancashire, Escócia, como aquele italiano dono de restaurante e aquela professora vinda de algum lugar do Middle West. Todos apanhados, emaranhados no caso e finalmente reunidos em um tribunal de justiça de Londres num dia cinzento de novembro. Cada um contribuindo com uma pequena parte. E a coisa toda culminando em um julgamento por crime de assassinato.

Ele parou e tamborilou de leve no joelho.

– Gosto de um bom romance policial – disse ele. – Mas, como se sabe, eles sempre começam do ponto errado! Começam pelo assassinato. Só que o assassinato é o *final*. A história começa muito antes – muitas vezes, anos antes – com todas as causas e circunstâncias que levam as pessoas a certos lugares, num certo momento e num certo dia. Vejam o depoimento da jovem empregada: se a cozinheira não tivesse roubado o namoradinho dela, ela não teria tido um acesso de raiva e ido à casa dos Lamornes, passando assim a ser a principal testemunha da defesa. Se o tal Giuseppe Antonelli não tivesse chegado para ficar no lugar do irmão por um mês... bem, o irmão é cego como um morcego e não teria visto o que viram os olhos aguçados do Giuseppe. Se o policial não estivesse encantado pela cozinheira do nº 48, não teria se atrasado na sua ronda...

Balançou a cabeça devagar.

– Todos se dirigem a um determinado local... E aí, quando chega a hora: o ponto máximo! A *hora zero*. Sim, todos convergem para a hora zero... Para a hora zero... – repetiu.

Estremeceu ligeiramente.

– O senhor está com frio, chegue mais perto da lareira.

– Não, não – disse o sr. Treves. – É só alguém andando sobre o meu túmulo, como se diz. Bem, preciso ir para casa.

Despediu-se com um aceno cordial e saiu da sala devagar, mas com firmeza.

Houve um silêncio vago. Em seguida, lorde Rufus observou que o pobre Treves estava envelhecendo.

O sr. William Cleaver comentou:

– É uma mente perspicaz, muito perspicaz, porém mostra a idade avançada.

– E seu coração está fraco – disse o lorde. – Pode parar a qualquer momento, imagino eu.

– Mas ele se cuida muito – afirmou o jovem Lewis.

Naquele momento, o sr. Treves entrava com cuidado no seu confortável Daimler, que o levaria até o quarteirão tranquilo onde ficava sua casa. Um mordomo solícito ajudou-o a tirar o casaco. O sr. Treves entrou na biblioteca, onde a lareira ardia. Seu quarto ficava mais adiante no mesmo andar, pois não podia subir escadas por causa do coração.

Sentou-se em frente ao fogo e apanhou a correspondência.

Sua mente ainda se concentrava na fantasia que esboçara no clube.

"Precisamente neste momento", pensou consigo mesmo o sr. Treves, "algum drama – algum futuro assassinato – está sendo planejado. Se estivesse escrevendo uma dessas pitorescas histórias de crime e sangue, começaria agora com um velho senhor abrindo a sua correspondência em frente à lareira, indo – sem perceber – em direção à hora zero..."

Rasgou um envelope e olhou fixo para a folha de papel que retirou dele.

Sua expressão mudou de repente. Ele voltou da ficção para a realidade.

– Meu Deus! – disse o sr. Treves. – Que desagradável! Realmente muito inoportuno! Depois de todos esses anos! Isto vai alterar os meus planos por completo.

"ABRE-SE A PORTA E EIS AS PESSOAS"

11 de janeiro

O homem deitado na cama do hospital moveu ligeiramente o corpo e soltou um gemido.

A enfermeira responsável pela ala levantou de sua mesa e dirigiu-se até ele. Arrumou os travesseiros e o colocou em uma posição mais confortável.

Angus MacWhirter agradeceu apenas com um resmungo.

Estava num estado de tempestuosa revolta e amargura.

A essa hora já deveria estar tudo acabado. Ele deveria estar livre de tudo! Que árvore maldita e absurda – brotar no penhasco! Malditos namoradinhos intrometidos que encararam o frio de uma noite de inverno para comparecer a um encontro na beira do penhasco.

Não fossem eles (e a árvore!), tudo teria terminado – um mergulho na profunda água gelada, talvez uma breve agonia, e depois o esquecimento – o fim de uma vida mal vivida, inútil e vazia.

E agora, onde ele estava? Deitado, ridículo, em uma cama de hospital, com um ombro quebrado e com a perspectiva de ser denunciado à justiça pelo crime de tentar tirar a própria vida.

Maldição! Era a sua própria vida, não?

E, se tivesse conseguido, teriam-no enterrado piedosamente como um sujeito de mente doentia!

Doente mental mesmo! Jamais estivera tão lúcido! O suicídio era a alternativa mais lógica e sensata para um homem naquela situação.

Completamente falido, com a saúde afetada de forma irreversível e com uma esposa que o deixara por outro homem. Sem emprego, sem afeto, dinheiro, saúde ou esperança; acabar com tudo não era certamente a única solução possível?

E agora estava naquela situação ridícula. Em breve seria admoestado por um juiz carola por ter feito a única coisa razoável com um bem que pertencia apenas a ele: a sua vida.

Bufou de raiva. Foi invadido por uma onda de ira.

A enfermeira estava mais uma vez ao seu lado. Era jovem, ruiva, tinha um rosto bondoso e um ar distraído.

– Está com muita dor?

– Não, não estou.

– Vou lhe dar alguma coisa para dormir.

– Você não vai fazer nada disso.

– Mas...

– Você acha que não consigo suportar um pouco de dor e insônia?

Ela sorriu com gentileza e um leve ar de superioridade.

– O médico disse que você poderia tomar alguma coisa.

– Não me importa o que o médico disse.

Ela arrumou as cobertas e colocou o copo de limonada mais perto dele. Um pouco envergonhado, ele falou:

– Desculpe, fui grosseiro.

– Não. Está tudo bem.

Incomodava-lhe o fato de ela permanecer tão completamente impassível diante do seu mau humor. Nada conseguiria penetrar a couraça de indulgente indiferença da enfermeira. Ele era um paciente, não um homem. Ele disse:

– Maldita interferência. Toda essa maldita interferência...

Ela falou em tom de reprovação:

– Ora, ora, isso não foi muito gentil.

– Gentil? – respondeu – Gentil? Meu Deus!

– Você se sentirá melhor pela manhã – disse ela com calma.

Ele engoliu em seco.

– Vocês enfermeiras! Enfermeiras! Umas desumanas, é isso o que vocês são!

– Nós sabemos o que é melhor para vocês.

– Isto é o que mais me irrita em você, nos hospitais, no mundo todo – a interferência contínua! Saber sempre o que é melhor para os outros. Tentei me matar. Você sabe disso, não?

Ela fez que sim com a cabeça.

– Era um problema só meu me atirar ou não de uma porcaria de penhasco. Para mim, a vida terminara. Eu estava arruinado!

A enfermeira fez um estalinho com a língua mostrando compaixão. Ele era um paciente. Ela o acalmava deixando-o desabafar.

– Por que não devo me matar se é isso o que eu quero fazer? – perguntou.

Ela respondeu com muita seriedade:

– Porque é errado.

– Errado por quê?

Olhou-o em dúvida. Não que aquilo tivesse afetado a sua convicção, mas por ter tanta dificuldade para explicar a sua reação.

– Bom, quero dizer, é terrível a pessoa se matar. A gente tem que seguir a vida, quer queira, quer não.

– Mas por quê?

– Bom, há outras pessoas que precisamos levar em consideração, não é?

– Não no meu caso. Não há nenhuma alma neste mundo que fosse sentir a minha morte.

– Você não tem parentes? Nem mãe, nem irmãs, nada?

– Não. Tive uma esposa, mas ela me deixou. E ela fez a coisa certa! Viu que eu não servia para nada.

– Mas, com toda certeza, você tem amigos, não?

– Não, não tenho. Não sou do tipo sociável. Olhe aqui, enfermeira, vou lhe contar uma coisa. Já fui um sujeito feliz. Tinha um bom emprego e uma bela mulher. Houve um acidente de carro em que me envolvi. Meu patrão estava dirigindo e eu estava no carro. Ele queria que eu dissesse que ele estava dirigindo a menos de cinquenta quilômetros por hora. Mas não estava. Vínhamos a quase oitenta. Ninguém morreu nem nada, ele só queria estar com a razão por causa do pessoal da seguradora. Bem, eu não disse o que ele queria. Era uma mentira. E eu não minto!

A enfermeira falou:

– Bom, acho que você estava certo. Totalmente certo.

– Você não acha? Pois essa minha teimosia custou o meu emprego. Meu patrão ficou ofendido. Deu um jeito de garantir que eu não conseguisse outro emprego. Minha mulher se cansou de me ver para lá e para cá, incapaz de conseguir um trabalho. Foi embora com um homem que havia sido meu amigo. Ele estava prosperando e subindo na vida. Fiquei à deriva, caindo cada vez mais. Comecei a beber e isso não me ajudou a parar em nenhum emprego. Por fim, acabei adoecendo, acabei com a minha saúde. O médico me disse que eu jamais voltaria a ser uma pessoa saudável. Bom, nessa altura já não havia mais razão para viver. O caminho mais fácil e mais honesto era sumir de vez. Minha vida não valia nada nem para mim nem para mais ninguém.

– Você não tem certeza disso – murmurou a jovem enfermeira.

Ele riu. Já estava mais bem-humorado. A ingênua obstinação dela o divertia.

– Minha querida, qual a utilidade de alguém como eu?

Confusa, ela disse:

– Você não sabe. Pode ser que algum dia você...

– Algum dia? Não vai haver "algum dia". Na próxima vez, vou garantir que não haja.

Ela balançou a cabeça, convicta.

– Ah, não! – disse. – Você não vai mais tentar se matar agora.

– Por que não?

– Vocês nunca tentam!

Ele a encarou. "Vocês nunca tentam". Ele pertencia à categoria dos aspirantes a suicidas. Ao abrir a boca para protestar energicamente, num impulso, sua honestidade inata o impediu.

Será que tentaria de novo? Tinha de fato a intenção de tentar? De repente compreendeu que não tentaria. Por nenhum motivo específico. Talvez o motivo preciso fosse o que ela acabara de fornecer com base no seu conhecimento especializado. Os suicidas não tentam outra vez.

Além do mais ele estava decidido a forçar uma revelação de ordem ética por parte dela.

– De qualquer maneira, tenho o direito de fazer o que quiser com a minha própria vida.

– Não, você não tem.

– Mas, por que não, minha querida? Por quê?

Ela corou. Brincando com a pequena cruz de ouro pendurada em seu pescoço, disse:

– Você não entende. Pode ser que Deus precise de você.

Ele a encarou, surpreso. Não queria perturbar a sua fé infantil. Falou com ironia:

– Suponho que um dia eu deva deter um cavalo desembestado e salvar uma criança de cabelos dourados, não é? É isso?

Ela balançou a cabeça em discordância. Falou com veemência, tentando expressar aquilo que estava tão claro na sua mente e tão hesitante na sua fala:

– Pode ser apenas estar em algum lugar – sem necessariamente fazer alguma coisa – apenas estar num determinado lugar num determinado momento. Ah! Não consigo dizer o que estou querendo. É só que algum dia você pode estar andando pela rua apenas e, só ao fazer isso, realizar algo extremamente importante. Talvez mesmo sem saber o que fez.

A enfermeirinha ruiva era da costa ocidental da Escócia e parte da sua família tinha "visões".

É possível que tenha visto vagamente a imagem de um homem caminhando por uma estrada numa noite de setembro e, com isso, salvar um ser humano de uma morte terrível...

14 de fevereiro

Havia apenas uma pessoa na sala e o único som que se ouvia era o rabiscar daquela caneta, linha por linha, no papel.

Não havia ninguém para ler o que estava sendo escrito. Se houvesse, dificilmente acreditaria, pois o que estava sendo posto no papel era um claro e minucioso plano de assassinato.

Há momentos em que o corpo está consciente de que uma mente o controla – quando se curva obediente àquele algo estranho que comanda as suas ações. Há outros momentos em que a mente está consciente de possuir e controlar um corpo e de atingir o seu propósito ao utilizá-lo.

A pessoa que escrevia encontrava-se neste último estado. Era uma mente, uma inteligência fria e controlada. Essa mente tinha apenas um pensamento e um propósito – a destruição de outro ser humano. O plano estava sendo traçado com cuidado no papel a fim de cumprir esse objetivo. Cada eventualidade e cada possibilidade estavam sendo consideradas. A coisa tinha que ser absolutamente infalível. O plano, como todo bom plano, não estava de todo estabelecido. Em alguns pontos havia alternativas. Além disso, por tratar-se de uma mente inteligente, percebia que era preciso deixar uma ressalva para os imprevistos. Porém, as linhas principais estavam claras e haviam sido testadas com rigor. O horário, o lugar, o método, a vítima!

Levantou a cabeça, apanhou as folhas de papel e leu com atenção. Sim, estava tudo muito claro.

Formou-se um sorriso em seu rosto sério. Não era um sorriso completamente são. Respirou fundo.

Assim como o homem foi feito à imagem do seu Criador, havia agora uma caricatura terrível da alegria de um criador.

Sim, estava tudo planejado: todas as reações previstas e consideradas, o bem e o mal de cada pessoa, aproveitados e harmonizados em um plano diabólico.

Ainda faltava uma coisa...

Com um sorriso, a pessoa que escrevia marcou uma data. Uma data em setembro.

Então, com um riso, rasgou o papel, juntou os pedaços, atravessou a sala e jogou-os no fogo ardente. Não houve nenhum descuido. Cada pedacinho foi consumido e destruído. Agora o plano existia apenas na cabeça de seu criador.

8 de março

O superintendente Battle estava sentado à mesa do café da manhã. Com o maxilar cerrado, lia devagar e com atenção a carta que sua esposa, chorosa, lhe entregara. Não havia em seu rosto nenhuma expressão aparente. Aliás, em geral, seu rosto nada denunciava. Tinha o aspecto de um rosto esculpido em madeira. Era sólido, invariável e de certa forma impressionante. O superintendente Battle nunca sugeria genialidade; definitivamente não era um homem genial, mas tinha outras qualidades difíceis de serem definidas, porém contundentes.

– Não posso acreditar – disse a sra. Battle soluçando. – Sylvia!

Sylvia era a mais nova dos cinco filhos do superintendente Battle e sua esposa. Tinha dezesseis anos e estudava em uma escola perto de Maidstone.

A carta era da srta. Amphrey, diretora da escola. Era uma carta franca, gentil e escrita com muito tato. Começava por descrever vários pequenos roubos que durante algum tempo haviam intrigado as autoridades da escola, explicava que finalmente haviam sido esclarecidos, que Sylvia Battle os havia confessado, e que a srta. Amphrey gostaria de ver o sr. e a sra. Battle na primeira oportunidade para "discutir a questão".

O superintendente Battle dobrou a carta, colocou-a no bolso e falou:

– Deixe isto comigo, Mary.

Levantou-se, deu a volta na mesa, afagou de leve o rosto da esposa e disse:

– Não se preocupe, querida. Vai dar tudo certo.

Saiu da sala, deixando uma sensação de conforto e segurança.

Naquela tarde, na sala de estar moderna e privativa da srta. Amphrey, o superintendente Battle, sentado ereto na cadeira, com suas mãos grandes e desajeitadas sobre os joelhos, encarava a srta. Amphrey, conseguindo parecer um policial em cada milímetro, muito mais do que o habitual.

A srta. Amphrey era uma diretora de escola muito bem-sucedida. Tinha personalidade – uma boa dose de personalidade. Era esclarecida e atualizada e combinava disciplina com ideias mais modernas de autodeterminação.

A sala dela simbolizava o espírito de Meadway. Era toda em tons claros, havia grandes jarros de narcisos e vasos de tulipas e jacintos. Nas paredes, uma ou duas boas reproduções do grego antigo, duas complexas esculturas modernas e dois primitivos italianos. No meio disso tudo, a própria srta. Amphrey vestida de azul escuro, com um rosto ansioso que lembrava um galgo e olhos azul-claros olhando com gravidade pelas lentes grossas.

– O importante – dizia ela com a voz clara e bem modulada – é que o caso seja conduzido da maneira certa. É na menina que devemos pensar, sr. Battle. Na própria Sylvia! O mais importante é que a vida dela não seja de forma alguma atingida. Ela não deve ser forçada a assumir culpa alguma. Caso seja responsabilizada, isso deve ocorrer de uma forma muito, muito moderada. Devemos chegar a um entendimento do que há por trás desses roubos insignificantes. Talvez um complexo de inferioridade? Ela não se sai bem nos esportes, como o senhor sabe. Talvez um desejo oculto de se sobressair em outras áreas – um desejo de autoafirmação? Devemos ser muito cuidadosos. Foi por esse motivo que quis primeiro conversar a sós com o senhor, para sugerir que tenha muita cautela com Sylvia. Repito que é muito importante compreender o que está *por trás* disso.

– É por isso, srta. Amphrey, que vim até aqui – disse o superintendente Battle.

Sua voz estava calma, o rosto impassível, os olhos contemplativos avaliavam a diretora da escola.

– Tenho sido muito complacente com ela – disse a srta. Amphrey.

Ele falou, lacônico:

– Faz muito bem, minha senhora.

– O senhor sabe, realmente amo e compreendo essas jovens.

Battle não respondeu desta vez. Apenas falou:

– Gostaria de ver minha filha agora, se a senhora não se importa.

Mais uma vez enfática, a srta. Amphrey o advertiu para ser cuidadoso, ir com calma, não contrariar uma menina que está apenas começando a se tornar mulher.

O superintendente Battle não demonstrava sinais de impaciência. Seu rosto não tinha nenhuma expressão.

Ela finalmente o levou para o gabinete. No caminho, passaram por uma ou duas meninas que, educadas, permaneceram em pé, com os olhos cheios de curiosidade. Depois de conduzir Battle para a saleta, que não sugeria tanta personalidade como a do andar de baixo, a srta. Amphrey retirou-se, dizendo que traria Sylvia até ele.

Quando estava saindo da sala, Battle a deteve.

– Espere um momento. Como a senhorita chegou à conclusão de que era Sylvia a responsável por esses, por assim dizer, desaparecimentos?

– Usei meus métodos psicológicos, sr. Battle – falou a srta. Amphrey com dignidade.

– Psicológicos? Hum... E quanto às provas, srta. Amphrey?

– Ah, sim, entendo bem a sua reação, sr. Battle. A sua profissão a exige. Contudo, a psicologia está começando a ser reconhecida dentro da criminologia. Posso lhe assegurar que não houve nenhum engano. Sylvia admitiu tudo espontaneamente.

– Sim, sim, eu sei disso. Estava apenas querendo saber como a senhorita começou a suspeitar dela.

– Bem, sr. Battle, começou a aumentar muito o número de casos de coisas desaparecidas dos armários das meninas. Reuni então todas as alunas e relatei os fatos, ao mesmo tempo em que, com discrição, analisava as suas reações. A expressão de Sylvia logo me impressionou. Era a expressão da culpa! Soube naquele instante quem era a culpada. Não queria confrontá-la com a própria culpa, mas sim que ela a admitisse. Preparei um pequeno teste para ela – um teste de associação de palavras.

Battle acenou a cabeça para mostrar que estava compreendendo.

– E então a menina confessou tudo.

O pai disse:

– Entendi.

A srta. Amphrey hesitou por um momento, depois saiu.

Em pé, Battle olhava pela janela quando a porta se abriu novamente.

Voltou-se devagar e olhou para a filha.

Sylvia entrou e ficou parada perto da porta que acabara de fechar. Era alta, morena e magra. Seu rosto estava sombrio e parecia que havia chorado. Falou mais com timidez do que com rebeldia:

– Bom, aqui estou eu.

Pensativo, Battle olhou-a por um minuto ou dois e suspirou.

– Jamais deveria tê-la trazido para este lugar – falou. – Aquela mulher é uma tola.

Totalmente surpresa, Sylvia até esqueceu os problemas.

– A srta. Amphrey? Mas ela é maravilhosa! Todas nós achamos.

– Hum! Então não deve ser tão tola se consegue vender tão bem essa imagem para vocês. De qualquer forma, Meadway não era o lugar certo para você. Se bem que isso poderia ter acontecido em qualquer lugar.

Sylvia retorceu as mãos. Olhou para baixo e disse:

– Me desculpe, papai. Estou muito arrependida.

– E deve estar mesmo – falou bruscamente. – Venha cá.

– Ela atravessou a sala devagar e de má vontade para chegar até ele. O pai segurou-lhe o queixo com sua mão forte, olhando-a bem de perto.

– Você tem enfrentado muitos problemas, não é? – perguntou, gentil.

Os olhos de Sylvia encheram-se de lágrimas.

Battle falou com calma:

– Olhe, Sylvia, sempre soube que havia alguma coisa com você. A maioria das pessoas tem um ou outro tipo de fraqueza. Normalmente é uma coisa comum. Percebe-se quando a criança é egoísta, tem um temperamento ruim ou apresenta traços de pessoa briguenta. Você sempre foi uma criança boazinha, muito tranquila, de temperamento dócil, nunca deu problemas – o que às vezes me preocupava. Pois quando há um defeito que passa despercebido, muitas vezes esse defeito aniquila o desempenho como um todo no momento em que o indivíduo é posto à prova.

– Como eu! – exclamou Sylvia.

– Sim, como você. Você desabou sob tensão – e de uma forma muito, muito estranha também. Por incrível que pareça, de um jeito tão estranho como nunca vi antes.

A garota falou subitamente e com ironia:

– Sempre achei que você se deparasse com ladrões com bastante frequência!

– Ah, sim! Conheço-os muito bem. E é por isso, minha querida, e não por ser seu pai (os pais sabem muito pouco sobre os filhos), mas por ser um policial, que sei muito bem que você não é uma ladra! Você nunca tirou nada deste lugar. Há dois tipos de ladrões: o tipo que se rende à súbita e irresistível tentação (e isso quase nunca acontece – é impressionante observar as tentações a que o ser humano comum, normal e honesto consegue resistir), e há o tipo que simplesmente toma aquilo que não lhe pertence de uma forma quase automática. Você não faz parte de nenhum dos dois tipos. Você não é uma ladra. Você é uma mentirosa de um tipo muito raro.

Sylvia começou a falar:

– Mas...

Ele continuou:

– Você admitiu tudo? Ah, sim, disso eu sei. Houve uma santa que saía para distribuir pão para os pobres. Seu marido não aprovava. Foi até ela e perguntou o que havia na cesta. Ela perdeu a paciência e disse que eram rosas. Ele abriu bruscamente a cesta e lá estavam as rosas: um milagre! Se você tivesse sido Santa Isabel e tivesse saído com uma cesta de rosas, e seu marido chegasse e perguntasse o que você levava na cesta, você perderia a paciência e diria: "pão".

Ele fez uma pausa e depois disse com delicadeza:

– Foi assim que aconteceu, não foi?

Houve um silêncio mais longo e Sylvia inclinou a cabeça.

Battle completou:

– Me diga, minha filha. O que aconteceu de fato?

– Ela nos chamou para uma reunião com todas as alunas. Fez um discurso. Vi que seus olhos me encaravam e sabia que ela achava que eu era a culpada. Senti que meu rosto enrubesceu – e vi que algumas alunas me olhavam. Foi horrível. Depois as outras começaram a me olhar e a cochichar pelos cantos. Dava para perceber o que todas elas pensavam. Então, certa noite Amp trouxe a mim e algumas das outras meninas até aqui em cima, e jogamos uma espécie de jogo de palavras: ela dizia determinadas palavras e nós dávamos respostas...

Battle resmungou indignado.

– Pude perceber o que aquilo significava e... e meio que fiquei paralisada. Tentei não dizer a palavra errada, tentei pensar em outras coisas – como esquilos e flores –, e Amp me olhava com olhos que pareciam brocas, o senhor sabe, como se estivessem me perfurando. E depois disso, bom, depois disso as coisas só pioraram cada vez mais, até que certo dia Amp falou comigo de um jeito tão carinhoso e tão – tão compreensivo – e... e eu desabei e acabei confessando que havia sido eu e... Ah! Papai, que alívio eu senti!

Battle alisava o queixo.

– Entendo.

– O senhor entende mesmo?

– Não, Sylvia, não entendo, porque não sou assim. Se alguém tentasse me fazer admitir alguma coisa que eu não tivesse feito, ficaria mais com vontade de lhe dar um soco na cara. Mas consigo ver o que aconteceu no seu caso – e essa Amp dos olhos de brocas penetrantes teve diante do nariz um dos melhores exemplos de psicologia que qualquer tolo defensor de teorias mal compreendidas poderia desejar. Agora o que temos que fazer é esclarecer essa confusão. Onde está a srta. Amphrey?

A srta. Amphrey rondava por perto discretamente. Seu sorriso simpático se enrijeceu ao ouvir o superintendente Battle dizer sem rodeios:

– Para ser justo com minha filha, devo pedir que a senhorita chame a polícia para resolver essa situação.

– Mas, sr. Battle, a própria Sylvia...

– Sylvia nunca tocou em nada que não lhe pertencesse.

– Entendo que, como pai, o senhor...

– Não estou falando como pai, mas sim como policial! Chame a polícia para ajudá-la a resolver este caso. Eles serão discretos. Vocês encontrarão os objetos escondidos em algum lugar e também as impressões digitais corretas, imagino. Ladrõezinhos insignificantes nunca pensam em usar luvas. Vou levar a minha filha comigo agora. Se a polícia encontrar provas, provas reais, que determinem a sua ligação aos furtos, estarei pronto para fazer com que ela compareça ao tribunal e enfrente o que lhe acontecer. Mas não tenho receios.

Cinco minutos mais tarde, ao atravessar o portão levando Sylvia ao seu lado, perguntou:

– Quem é aquela garota de cabelo louro, um pouco ondulado, de faces muito rosadas, uma pinta no queixo e olhos azuis bem separados? Passei por ela no corredor.

– Pela descrição, parece ser Olive Parsons.

– Bom, não ficaria surpreso se ela fosse a culpada.

– Ela parecia assustada?

– Não, parecia presunçosa. O ar calmo e presunçoso que já vi centenas de vezes nos tribunais! Aposto um bom dinheiro como ela é a ladra, mas ninguém a verá confessar.

Sylvia disse com um suspiro:

– É como sair de um pesadelo. Papai, eu sinto muito! Sinto muito mesmo! Como pude ser tão tola, tão extremamente tola? Me sinto péssima com tudo isso.

– Ah, minha filha, – disse Battle tirando uma das mãos do volante para acariciar o braço de Sylvia, proferindo uma de suas frases preferidas para consolá-la –, não se preocupe. Essas coisas acontecem para nos testar. Sim, acontecem para nos testar. Pelo menos imagino que seja isso. Não vejo outra razão para que ocorram...

19 de abril

O sol brilhava na casa de Nevile Strange, em Hindhead.

Era um desses dias de abril que acontecem pelo menos uma vez durante o mês – mais quente que boa parte dos dias de junho que estavam por vir.

Nevile Strange desceu a escada. Usava uma calça branca e trazia quatro raquetes de tênis debaixo do braço.

Se alguém tivesse que ser escolhido, entre outros ingleses, como exemplo de um homem de sorte, que tivesse tudo o que alguém possa desejar, uma Comissão de Seleção poderia muito bem escolher Nevile Strange. Era um homem muito conhecido entre o público britânico, grande jogador de tênis e um desportista completo. Mesmo nunca tendo chegado às finais em Wimbledon, havia vencido várias partidas nas rodadas de abertura do torneio e por duas vezes chegara às semifinais nas duplas mistas. Talvez fosse um desportista completo demais para ser um campeão no tênis. Era razoável no golfe, bom nadador e havia feito boas escaladas nos Alpes. Tinha 33 anos, uma saúde magnífica, boa aparência, muito dinheiro, uma bela mulher com quem se casara recentemente e, ao que tudo indicava, nenhum problema ou preocupação.

No entanto, quando desceu a escada naquela bela manhã uma sombra o acompanhou. Uma sombra talvez perceptível apenas aos seus olhos. Mas estava consciente disso, e esse pensamento enrugou-lhe a testa e o fez ficar com uma expressão perturbada e indecisa.

Atravessou o hall, alinhou os ombros, como que para livrar-se definitivamente de algum fardo, passou pela sala e seguiu até uma varanda envidraçada, onde sua esposa estava enroscada nas almofadas, bebendo suco de laranja.

Kay Strange tinha 23 anos e uma beleza peculiar. Seu corpo esbelto era de uma sensualidade delicada, tinha o cabelo ruivo escuro, a pele tão perfeita que para realçá-la usava apenas uma maquiagem bem leve, sobrancelhas e olhos escuros que raramente ficam bem com cabelos ruivos, mas cujo efeito é fulminante quando ocorre.

O marido disse em um tom suave:

– Oi, minha linda! O que temos para o café da manhã?

Ela respondeu:

– Para você, rins sangrentos horríveis, cogumelos e rolinhos de bacon.

– Parece bom! – disse Nevile.

Serviu-se das carnes e dos cogumelos, depois pegou uma xícara de café. Houve um silêncio amistoso por alguns minutos.

– Ah! – disse Kay contorcendo com sensualidade os pés descalços de unhas vermelhas. – O sol não está lindo? Apesar de tudo, até que a Inglaterra não é tão desagradável.

Haviam acabado de chegar do sul da França.

Após passar os olhos pelas manchetes dos jornais, Nevile foi direto à seção de esportes e apenas murmurou:

– Hum...

Depois passou para a torrada com geleia, deixou o jornal de lado e abriu a correspondência.

Havia muitas correspondências, mas ele rasgou a maior parte e jogou fora. Circulares, propagandas, impressos.

– Não gosto do esquema de cores da sala de estar. Posso reformá-la, Nevile?

– Como você quiser, minha linda.

– Azul-turquesa – disse Kay idealizando –, e marfim para as almofadas de cetim.

– Você terá que incluir um macaco – disse Nevile.

– Você pode ser o macaco – disse Kay.

Nevile abriu outra carta.

– Ah, a propósito – falou Kay. – Shirty nos convidou para ir até a Noruega em um cruzeiro de iate no final de junho. É revoltante que não possamos ir.

Meio de lado, olhou com cautela para ele e acrescentou, melancólica:

– Adoraria poder ir.

Alguma coisa, uma sombra, uma dúvida pareceu pairar no semblante de Nevile.

Kay perguntou revoltada:

– Temos mesmo que ir à casa sombria da velha Camilla?

Nevile franziu as sobrancelhas.

– Claro que temos. Olhe aqui, Kay, já conversamos sobre isso. Sir Matthew foi meu tutor. Ele e Camilla me cuidaram. Gull's Point é meu lar, muito mais do que qualquer outro lugar.

– Está bem, está bem – disse Kay. – Se temos que ir, temos que ir. Afinal de contas quando ela morrer ficaremos com todo aquele dinheiro. Portanto, imagino que tenhamos que bajulá-la um pouco.

Nevile respondeu irado:

– Não é uma questão de bajular! Ela não controla o dinheiro. Sir Matthew deixou-o sob sua responsabilidade enquanto ela viver, devendo passar para mim e para minha esposa após a sua morte. É uma questão de afeição. Por que você não consegue entender isso?

Após um instante de silêncio, Kay falou:

– Eu entendo, de verdade. Só estou me fazendo porque... bom, porque sei que minha presença é apenas tolerada naquela casa, por assim dizer. Elas me odeiam! Sim, é claro que me odeiam! Lady Tressilian me olha de cima a baixo com aquele nariz comprido, e Mary Aldin nem me olha quando fala comigo. Para você está tudo muito bem. Você não percebe o que acontece.

– Sempre me pareceram muito gentis com você. Você sabe muito bem que eu não toleraria o contrário.

Kay lançou-lhe um olhar estranho por debaixo dos seus cílios escuros.

– São suficientemente educadas, mas sabem muito bem como me atingir. Sou uma intrusa, é assim que elas me veem.

– Bom – disse Nevile – afinal de contas, é uma reação natural, não?

Sua voz havia mudado um pouco. Levantou-se e ficou olhando a paisagem, de costas para ela.

– Ah! Sim! Suponho que seja natural. Elas eram tão devotadas à Audrey, não eram? – sua voz tremeu um pouco. – A querida, bem-educada, ponderada e insípida Audrey! Camilla não me perdoou por ter tomado o lugar dela.

Nevile não se virou. Sua voz estava sombria e sem vida:

– Afinal de contas, Camilla está velha, já passou dos setenta. Como você sabe, a geração dela não simpatiza muito com o divórcio. No fundo, acho até que ela aceitou a situação muito bem, considerando o quanto era louca pela... pela Audrey.

Sua voz mudou um pouco ao pronunciar o nome dela.

– Elas acham que você a tratou mal.

– E tratei mesmo – Nevile falou num sussurro.

Mas a esposa ouviu.

– Ah, Nevile, não seja tão tolo. Só porque ela resolveu fazer um drama terrível.

– Ela não fez drama. Nunca fez.

– Bom, você sabe do que estou falando. Porque ela foi embora e ficou doente, e depois, por onde quer que andasse, sempre passava a ideia de estar sofrendo. É isto o que eu chamo de drama! Audrey não é o que eu chamo de boa perdedora. Do meu ponto de vista, se uma mulher não consegue segurar o marido, deve abrir mão dele com elegância! Vocês não tinham nada em comum. Ela nunca praticou esportes, era anêmica e desanimada como um... um trapo de cozinha. Não tinha vida nem energia. Se gostasse de você de verdade, deveria pensar em primeiro lugar na sua felicidade, e ficar satisfeita por você estar feliz com alguém que combinasse mais com você.

Nevile voltou-se para ela com um sorriso ligeiramente sarcástico nos lábios.

– Quanto espírito esportivo! É assim que se joga o jogo do amor e do casamento!

Kay riu e enrubesceu.

– Bom, talvez eu tenha ido um pouco longe demais. De qualquer maneira, uma vez acontecido, não há o que fazer. É preciso aceitar as coisas como são.

Nevile falou baixinho:

– Audrey aceitou. Ela se divorciou para que eu pudesse me casar com você.

– É, eu sei... – Kay hesitou.

Nevile disse:

– Você nunca entendeu a Audrey.

– Não, nunca. De certa forma, ela me dá arrepios. Há alguma coisa nela, não sei bem o que. Nunca se sabe o que ela está pensando... Ela... ela é um pouco assustadora.

– Ah, que bobagem, Kay!

– Bom, a mim ela assusta. Talvez por ser inteligente.

– Minha bela bobinha!

Kay riu.

– Você sempre me chama assim!

– Porque é o que você é!

Sorriram um para o outro. Nevile foi até ela, abaixou-se e beijou-lhe a nuca.

– Bela, bela Kay – murmurou.

– E também muito boazinha Kay – ela disse. – Desistiu de uma adorável viagem de iate para ir lá e ser desprezada pelos parentes vitorianos e puritanos do marido.

Nevile voltou e sentou-se à mesa.

– Sabe – disse ele – se você quer mesmo tanto ir, não vejo por que não fazermos essa viagem com Shirty.

Kay levantou-se atônita.

– E quanto a Saltcreek e Gull's Point?

Nevile respondeu com uma voz um tanto artificial:

– Não vejo motivos para não irmos até lá no início de setembro.

– Mas, Nevile, certamente... – ela se deteve.

– Não podemos ir em julho nem em agosto por causa dos torneios – disse Nevile. – Mas o encerramento deve ocorrer em St. Loo na última semana de agosto, e seria perfeito se pudéssemos ir de lá para Saltcreek.

– Ah, sim, seria perfeito – uma maravilha. Mas pensei... bem, ela sempre vai para lá em setembro, não vai?

– Audrey?

– Sim. Imagino que poderiam adiar a visita dela, mas...

– Por que fariam isso?

Ela o encarou hesitante.

– Você quer dizer que ficaríamos lá na mesma época? Que ideia estranha!

Irritado, Nevile retrucou:

– Não vejo nada de estranho. Hoje em dia muitas pessoas agem assim. Por que não podemos ser amigos? As coisas seriam muito *mais simples*. Ora, você mesma afirmou isso outro dia.

– *Eu* disse?

– Disse, sim. Não está lembrada? Estávamos falando sobre os Howes e você disse que era uma forma sensata e civilizada de encarar a situação, e que a ex e a atual esposa de Leonard eram grandes amigas.

– Sim, eu não me incomodaria. Realmente acho muito sensato. Mas... bom, não creio que a Audrey encare as coisas da mesma forma.

– Bobagem sua.

– Não é bobagem. Você sabe, Nevile, Audrey sempre foi louca por você... Não acredito que ela fosse suportar uma situação dessas nem por um minuto.

– Você está muito enganada, Kay. Audrey acha uma ótima ideia.

– O que você quer dizer com isso? Como você sabe o que ela acha?

Nevile ficou um pouco sem graça. Pigarreou constrangido.

– Na verdade, nos encontramos ontem por acaso quando estive em Londres.

– Você não me contou.

Nevile disse irritado:

– Estou contando agora. Foi mero acaso. Estava atravessando o parque quando ela veio em minha direção. Você não ia querer que eu fugisse dela, não é?

– É claro que não – disse Kay olhando fixamente para ele. – Continue.

– Eu... nós... bem, paramos, é claro, depois dei meia-volta e fomos caminhando juntos. Achei... achei que era o mínimo que poderia fazer.

– Continue – falou Kay.

– Depois nos sentamos e conversamos. Ela foi muito gentil... muito gentil mesmo.

– Que agradável para você – falou Kay.

– E seguimos conversando sobre uma coisa e outra. Ela agiu de uma forma muito natural e espontânea, apesar... apesar de tudo.

– Esplêndido! – exclamou Kay.

– Ela perguntou por você.

– Muito gentil da parte dela!

– Falamos um pouco sobre você. De verdade, Kay, ela não poderia ter sido mais gentil.

– A querida Audrey!

– Então me ocorreu, sabe, o quanto seria bom se... se vocês duas pudessem ser amigas, se pudéssemos estar todos juntos. E achei que talvez fosse possível organizar isso neste verão em Gull's Point. É o tipo do lugar onde isso poderia acontecer com naturalidade.

– Você achou isso?

– Eu... bem, sim, é claro. A ideia foi toda minha.

– Você nunca me falou isso.

– Bom, essa ideia só me ocorreu naquele momento.

– Entendo. De qualquer maneira, você sugeriu e Audrey achou uma ideia brilhante?

Pela primeira vez, Nevile percebeu qualquer coisa estranha no jeito de Kay. Ele perguntou:

– Algum problema, linda?

– Ah! Não, nada! Absolutamente nada! E nem você nem Audrey se interessaram em saber se eu acharia essa ideia maravilhosa também?

Nevile a encarou.

– Mas, Kay, por que motivo você se importaria?

Kay mordeu o lábio.

Nevile continuou:

– Você mesma disse no outro dia...

– Ah, não comece com esse assunto outra vez! Eu me referia a outras pessoas, não a nós.

– Mas, em parte, foi o que me levou a considerar essa hipótese.

– Que azar o meu! Não que eu acredite nisso.

Nevile a olhava consternado.

– Mas, Kay, por que você se incomodaria? Quer dizer, não há nada que pudesse incomodá-la.

– Não há?

– Bom, quero dizer, ciúme e coisas do gênero deveriam vir dela – fez uma pausa e sua voz mudou. – Veja bem, Kay, você e eu tratamos Audrey extremamente mal. Não, não quis dizer isso. Você não tem nada a ver com isso. Fui eu que a tratei muito mal. Não adianta apenas dizer que não pude evitar. Sinto que se desse certo eu me sentiria muito melhor com essa situação toda. Ficaria muito mais feliz.

Kay falou devagar:

– Então você não é feliz?

– Minha querida bobinha, o que você quer dizer? É claro que sou feliz, vivo radiante de felicidade. Mas...

Kay o interrompeu.

– Mas, é isso! Sempre houve um "mas" nesta casa. Sempre uma sombra maldita rastejando por esse lugar. A sombra da Audrey.

Nevile a encarou.

– Quer dizer que você tem ciúme de Audrey? – perguntou.

– Não tenho ciúme. Tenho medo dela... Nevile, você não conhece a Audrey.

– Como posso não conhecê-la se fui casado com ela por mais de oito anos?

– Você não conhece a Audrey – repetiu Kay.

30 de abril

– Um absurdo! – disse lady Tressilian. Ajeitou-se no travesseiro e olhou com ferocidade em torno da sala. – Um total absurdo! Nevile deve estar louco.

– Parece realmente um tanto estranho – disse Mary Aldin.

Lady Tressilian tinha um perfil acentuado com um longo nariz afilado, de modo que ao inclinar-se sua expressão adquiria um efeito impressionante. Apesar da saúde delicada e de já ter passado dos setenta anos, seu vigor mental não fora de forma alguma afetado. É verdade que tinha longos períodos de retraimento e afastamento das coisas da vida quando ficava deitada com os olhos semicerrados, porém emergia dessa inércia com todas as faculdades aguçadas ao máximo e com a língua mordaz. Recostada nos travesseiros na larga cama colocada em um dos cantos do quarto, controlava sua corte como se fosse uma rainha francesa. Mary Aldin, uma prima distante, morava com ela e a cuidava. As duas mulheres se davam maravilhosamente bem. Mary, com 36 anos, tinha um desses rostos serenos e sempre jovens que pouco se alteram com o passar dos anos. Tanto poderia ter 30 como 45 anos. Tinha boa aparência e um ar de boa linhagem; o cabelo escuro com uma mecha branca na frente conferia-lhe um toque de personalidade. Foi moda uma época, mas a mecha de Mary era natural e a acompanhava desde menina.

Ela olhava pensativa para a carta de Nevile Strange que lady Tressilian lhe entregara.

– É – disse ela. – Parece mesmo muito estranho.

– Não posso acreditar que essa ideia tenha partido de Nevile! – disse lady Tressilian. – Alguém botou essa ideia em sua cabeça. Provavelmente foi aquela nova mulher dele.

– Kay? A senhora acha que partiu dela?

– Seria bem próprio dela. Jovem e vulgar. Mesmo que maridos e esposas tenham que divulgar os seus problemas e recorrer ao divórcio, deveriam separar-se com decência. É um tanto revoltante que a nova esposa e a anterior se tornem amigas. Hoje em dia ninguém tem valores morais!

– Creio que seja o costume agora – disse Mary.

– Não na minha casa – falou lady Tressilian. – Tudo o que eu poderia fazer já fiz ao receber aquela criatura de unhas vermelhas aqui.

– Ela é a esposa de Nevile.

– Exatamente. Por esse motivo achei que Matthew gostaria que ela fosse recebida nesta casa. Ele se dedicou ao menino e sempre desejou que visse esta casa como um lar. Como uma recusa em recebê-la representaria uma ruptura declarada, cedi e a convidei para vir aqui. Não gosto dela. É a mulher errada para Nevile – uma mulher sem berço, sem raízes!

– Ela é muito bem-nascida – disse Mary, conciliadora.

– Péssima estirpe – disse lady Tressilian. – Como já lhe contei, o pai teve que sair de todos os clubes depois daquele problema no jogo de cartas. Felizmente, morreu logo em seguida. E a mãe era famosa na Riviera. Que educação para a menina! Sempre morando em hotéis... e com aquela mãe! Aí conheceu Nevile nas quadras de tênis, empenhou-se em conquistá-lo e não descansou enquanto ele não abandonou a mulher, de quem ele gostava muito e acabou deixando de gostar. Para mim, ela é a culpada de tudo!

Mary sorriu, tímida. Lady Tressilian tinha a característica antiquada de sempre culpar a mulher e ser indulgente com o homem.

– A rigor, creio que Nevile tenha sido igualmente culpado – sugeriu.

– Nevile teve muita culpa – concordou lady Tressilian. – Tinha uma esposa encantadora que sempre se dedicou a ele... talvez tenha sido até dedicada demais. No entanto, não fosse a insistência dessa moça, estou convencida de que ele teria tido mais juízo. Mas ela estava decidida a se casar com ele! Sim, sou totalmente solidária à Audrey. Gosto muito dela.

Mary suspirou.

– Tem sido muito difícil – desabafou.

– Sim, de fato. Qualquer pessoa fica perdida, sem saber como agir nessas situações. Como eu, Matthew adorava a Audrey, e não se pode negar que ela era uma ótima esposa para Nevile, embora tenha sido uma pena não compartilhar mais as atividades do marido. Ela nunca foi do tipo esportivo; era tudo muito penoso. Quando eu era jovem, essas coisas simplesmente não aconteciam. É claro que os homens tinham os seus casos, mas não se admitia que rompessem por completo com o casamento.

– Bom, agora acontecem – falou Mary bruscamente.

– Exato. Você tem muito bom senso, querida. De nada adianta ficar relembrando o passado. Hoje essas coisas acontecem. Moças como Kay Mortimer roubam os maridos de outras mulheres e ninguém pensa mal delas.

– Exceto pessoas como você, Camilla.

– O que eu penso não faz a menor diferença. Essa criatura, a Kay, não se importa se eu a aprovo ou não. Está ocupada demais se divertindo. Nevile pode trazê-la quando vier, e estou até disposta a receber seus amigos, apesar de não gostar muito daquele jovem de ar teatral que está sempre com ela. Como é mesmo o nome dele?

– Ted Latimer?

– É este mesmo. Um amigo dos seus dias de Riviera. Até gostaria muito de saber como ele consegue viver da maneira como vive.

– Vive da sua própria astúcia – sugeriu Mary.

– Isso seria até perdoável. Entretanto, imagino que viva de sua aparência. Não é um amigo adequado à esposa de Nevile! No último verão, não gostei da forma como apareceu e ficou no Hotel Easterhead Bay enquanto os Nevile estavam aqui.

Mary olhou pela janela. A casa de lady Tressilian ficava em um penhasco íngreme, com vista para o rio Tern. No outro lado do rio ficava o recém-construído resort de verão de Easterhead Bay, que consistia de uma imensa praia, um conjunto de modernos bangalôs e um grande hotel num pontal com vista para o mar. Saltcreek era na verdade uma pitoresca e isolada vila de pesca, situada na encosta de um morro. Era uma vila antiquada e conservadora, que nutria um profundo desprezo por Easterhead Bay e seus hóspedes de verão.

O Hotel Easterhead Bay ficava praticamente em frente à casa de lady Tressilian, e Mary olhava na direção da estreita faixa de água onde ele se erguia com toda a sua flagrante inovação.

– Fico grata – disse lady Tressilian fechando os olhos – por Matthew não ter chegado a ver essa construção vulgar. O contorno da costa ainda estava muito preservado na época dele.

Sir Matthew e lady Tressilian haviam chegado a Gull's Point há trinta anos. Passaram-se nove anos desde que sir Matthew, um navegador aficionado, havia se afogado praticamente na frente da esposa quando seu barco virou.

Todos imaginaram que lady Tressilian venderia Gull's Point e deixaria Saltcreek. Ela, porém, não o fez. Continuou vivendo na casa, e sua única reação foi desfazer-se de todos os barcos e acabar com a casa onde eram guardados. Não havia barcos disponíveis para os hóspedes em Gull's Point, logo estes tinham que caminhar até o cais e alugá-los de algum dos barqueiros de lá.

Hesitando um pouco, Mary perguntou:

– Devo então escrever para Nevile e dizer-lhe que seu propósito não está de acordo com nossos planos?

– Sem dúvida, nem sonho em impedir a visita da Audrey. Ela sempre vem em setembro e não pedirei a ela que mude os planos.

Mary falou, olhando a carta:

– A senhora viu aqui que Nevile fala que Audrey aprova a ideia e está disposta a se encontrar com Kay?

– Simplesmente não acredito nisso – disse lady Tressilian. – Como todos os homens, Nevile acredita no que quer acreditar!

Mary insistiu:

– Ele afirma que conversou de fato com ela sobre o assunto.

– Que coisa mais estranha! Não, talvez no fundo nem seja verdade.

Mary olhou-a curiosa:

– Como Henrique VIII – disse lady Tressilian.

Mary olhou-a intrigada.

Lady Tressilian explicou o seu comentário:

– Coisas da consciência, sabe? Henrique VIII estava sempre tentando fazer com que Catarina concordasse com o divórcio. Nevile sabe que agiu mal e quer ficar em paz com relação a tudo isso. Para tanto, está tentando obrigar Audrey a dizer que está tudo muito bem, que virá encontrar-se com Kay e que nada disso a incomoda.

– Estava pensando... – Mary falou devagar.

– Em que você está pensando, minha querida?

– Estava pensando... – parou, depois prosseguiu. – Essa carta nem parece ser de Nevile! A senhora não acha que, por algum motivo, Audrey possa desejar isso, esse encontro?

– Por que desejaria? – perguntou lady Tressilian com firmeza. – Depois que Nevile a deixou, ela foi para a casa da tia, a sra. Royde, na Residência Paroquial, e teve um esgotamento nervoso. Passou a ser como uma sombra do que era. É óbvio que aquilo a atingiu terrivelmente. Ela é dessas pessoas tranquilas, contidas que, no entanto, sentem as coisas de uma maneira intensa.

Mary mexeu-se inquieta.

– Sim, ela é sensível. Uma moça estranha em vários aspectos...

– Ela sofreu muito... Depois veio o divórcio, Nevile casou-se com a moça e, aos poucos, Audrey começou a superar. Hoje ela voltou a ser mais ou menos o que era. Não venham me dizer que agora ela quer remexer as velhas recordações!

Mary disse com leve teimosia:

– Nevile afirma que sim.

A velha senhora olhou-a com curiosidade:

– Você está obstinada demais com esse assunto, Mary. Por quê? Você quer que venham todos juntos para cá?

Mary Aldin corou.

– Não, claro que não.

Lady Tressilian perguntou sem rodeios:

– Não é *você* que anda sugerindo essas coisas a Nevile, não é?

– Como a senhora pode imaginar algo tão absurdo?

– Bem, nem por um minuto acreditei que isso seja ideia dele. Não é próprio do Nevile – hesitou por um instante, depois seu rosto se iluminou. – Amanhã é 1º de maio, não é? Bom, no dia 3 Audrey virá para ficar na casa dos Darlingtons em Esbank. Fica a pouco mais de trinta quilômetros daqui. Escreva convidando-a para almoçar conosco.

5 de maio

– A sra. Strange, senhora.

Audrey Strange entrou e atravessou o amplo quarto até a imensa cama. Abaixou-se, beijou a velha senhora e sentou-se na cadeira que lhe fora reservada.

– Prazer em vê-la, minha querida – disse lady Tressilian.

– O prazer é meu – disse Audrey.

Audrey Strange tinha algo de intangível. Tinha estatura mediana e pés e mãos muito pequenos; os cabelos loiros acinzentados e o rosto com poucas cores. Os olhos eram de um tom cinza claro e bem separados. Tinha traços finos e delicados e um nariz pequeno que combinava com o rostinho oval e pálido. Com tal colorido, com um rosto bonito, porém não lindo, tinha, no entanto, algo que não poderia ser contestado e que sempre atraía os olhares. Ela era um pouco como um fantasma, mas ao mesmo tempo sentia-se que aquele fantasma possuía uma existência mais real do que um ser humano vivo...

Sua voz era excepcionalmente bela, suave e clara como um sininho de prata.

Durante alguns minutos ela e a velha senhora conversaram sobre os amigos em comum e os acontecimentos da atualidade. Depois disso, lady Tressilian falou:

– Além do prazer de vê-la, minha querida, convidei-a para vir aqui porque recebi uma carta um tanto curiosa de Nevile.

Audrey olhou-a. Tinha os olhos arregalados, tranquilos e calmos. Falou:

– É mesmo?

– Ele faz uma sugestão absurda, eu diria, de que ele e Kay venham para cá em setembro. Diz ainda que deseja que você e Kay se tornem amigas, e que você mesma achou muito boa a ideia.

Aguardou um instante. Em seguida Audrey falou com sua voz suave e tranquila:

– A ideia é tão absurda assim?

– Minha querida, você quer mesmo que isto aconteça?

Audrey ficou em silêncio outra vez por um minuto ou dois. Depois disse gentilmente:

– Sabe, acho que até poderia ser bom.

– Você quer mesmo se encontrar com esta... encontrar com Kay?

– Acho, Camilla, que isso poderia simplificar as coisas.

– Simplificar as coisas! – repetiu lady Tressilian desalentada.

Audrey falou em um tom afetuoso:

– Querida Camilla, você tem sido tão boa. Se Nevile deseja assim...

– Não importa o que Nevile deseja! – disse lady Tressilian energicamente. – O que interessa é saber o que você quer.

O rosto de Audrey ganhou um pouco de cor – era o brilho suave de uma concha do mar.

– Sim – disse ela. – É o que eu quero.

– Bem... – disse lady Tressilian.

Ela se conteve.

– É claro, a decisão é sua – falou Audrey. – A casa é sua e...

Lady Tressilian fechou os olhos.

– Estou velha – disse. – Não entendo mais nada.

– Mas, naturalmente, posso vir em outro momento... Qualquer época ficará bem para mim.

– Você virá em setembro como faz todos os anos – retrucou lady Tressilian um pouco áspera. – Nevile e Kay virão também. Posso ser velha, mas consigo me adaptar, creio, tanto quanto qualquer pessoa às mudanças da vida moderna. Não precisamos dizer mais nada. Está decidido.

Fechou os olhos outra vez. Um instante depois, com as pálpebras semicerradas, olhando para a jovem sentada ao seu lado, perguntou:

– Bom, conseguiu o que queria?

Audrey sobressaltou-se.

– Ah! Sim, sim. Obrigada.

– Minha querida – lady Tressilian falou com a voz carregada de preocupação –, tem certeza de que isso não vai magoá-la? Você gostava demais de Nevile. Esse encontro poderá reabrir velhas feridas.

Audrey olhava para as mãos cobertas pelas luvas. Lady Tressilian notou que uma delas segurava com força a lateral da cama.

Audrey levantou a cabeça. Seus olhos estavam calmos e imperturbáveis.

– Agora tudo já passou. Passou mesmo – disse.

Lady Tressilian recostou-se com mais força nos travesseiros.

– Bom, você é quem sabe. Estou cansada... você deve ir agora, minha querida. Mary a espera lá embaixo. Diga a ela que mande Barrett subir aqui.

Barrett era sua criada mais antiga e devotada.

Ela entrou e encontrou a patroa recostada, com os olhos fechados.

– Quanto antes eu me vá deste mundo, melhor, Barrett. Não compreendo mais as pessoas ou as coisas por aqui.

– Ah! Não diga isso. A senhora está apenas cansada.

– Sim, estou cansada. Tire esse edredom dos meus pés e me dê uma dose do meu tônico.

– Foi a vinda da sra. Strange que a aborreceu. É uma senhora agradável, mas diria que ela bem que precisaria de um tônico. Ela não é saudável. Parece estar sempre vendo coisas que os outros não veem. Mas tem muita personalidade. E sua presença é marcante, como a senhora diria.

– É a pura verdade, Barrett – disse lady Tressilian. – Sim, a pura verdade.

– E ainda é o tipo de pessoa de quem não se esquece facilmente. Às vezes fico me perguntando se o sr. Nevile não pensa nela de vez em quando. A nova sra. Strange é muito bonita – realmente muito bonita –, mas a srta. Audrey é do tipo que se faz lembrar quando não está por perto.

Lady Tressilian disse com uma risada repentina:

– Nevile é um tolo em querer reunir essas duas mulheres. É ele quem vai se arrepender.

29 de maio

Com o cachimbo na boca, Thomas Royde observava a agilidade com que o garoto malaio arrumava a sua bagagem. De vez em quando seu olhar se desviava para as plantações. Por uns seis meses não veria aquela paisagem que nos últimos sete anos lhe fora tão familiar.

Seria estranho voltar para a Inglaterra.

Allen Drake, seu companheiro, apareceu na porta.

– Olá, Thomas, como está indo?

– Já está tudo pronto.

– Venha tomar um drinque, seu danado sortudo. Estou me consumindo de inveja.

Thomas Royde saiu lentamente do quarto e juntou-se ao amigo. Não disse nada, pois era um homem peculiarmente econômico com as palavras. Seus amigos aprenderam a avaliar com precisão as suas reações pela natureza dos seus silêncios.

Tinha o corpo um tanto atarracado, um rosto franco e sério e olhos observadores e pensativos. Caminhava meio de lado, como um caranguejo, em decorrência de um acidente que sofrera quando acabou sendo esmagado por uma porta durante um terremoto, o que mais tarde contribuiu para o apelido de Caranguejo Eremita. O ombro e o braço direitos haviam ficado parcialmente paralisados, o que, somado à rigidez pouco natural do seu caminhar, muitas vezes levava as pessoas a imaginarem que ele fosse tímido e constrangido quando, na verdade, raramente se sentia assim.

Allen Drake preparou os drinques.

– Bem... – disse ele. – Boa caçada!

Royde murmurou algo como um "ahn, hum".

Drake olhou-o com curiosidade.

– Fleumático como sempre – comentou. – Não sei como você consegue. Há quanto tempo você está longe de casa?

– Sete anos, quase oito.

– É muito tempo. Fico me perguntando se você já não passou a ser totalmente nativo.

– É possível.

– Você sempre pertenceu mais ao mundo animal do que à espécie humana. Você planejou essa saída?

– Bom... Sim. Em parte.

Seu rosto firme e impassível de repente se tingiu de um vermelho intenso.

Allen Drake disse com espanto:

– Acho que há uma garota nisso aí! Nossa! Você ficou vermelho!

Thomas Royde reagiu num tom um tanto áspero:

– Não seja tolo.

E tragou com força o velho cachimbo.

Quebrou todos os recordes anteriores ao continuar ele mesmo a conversa.

– É provável – disse – que encontre as coisas um pouco mudadas.

Allen Drake perguntou curioso:

– Sempre quis saber por que você desistiu de ir para casa na última vez. E bem no último minuto, também.

Royde encolheu os ombros.

– Achei que aquela caçada poderia ser interessante. E, naquela altura, já tinha recebido más notícias de casa.

– Sim, é claro. Tinha esquecido. Seu irmão morreu naquele acidente de carro.

Thomas Royde confirmou.

Drake refletiu e concluiu que, mesmo assim, parecia um motivo curioso para se cancelar uma viagem para casa. Havia a mãe e, achava ele, também uma irmã. Sem dúvida, num momento desses – e então se lembrou de uma coisa. Thomas havia cancelado a passagem antes de receber a notícia da morte do irmão.

Allen olhou desconfiado para o amigo. "Surpreendente, o velho Thomas?"

Após um lapso de três anos, não havia problema perguntar:

– Você e seu irmão eram bons amigos?

– Adrian e eu? Não especialmente. Cada um sempre teve a sua própria vida. Ele era advogado.

"Sim", pensou Drake, "uma vida muito diferente. Escritórios em Londres, festas – uma vida ganha pelo uso perspicaz da palavra."

Concluiu que Adrian Royde devia ter sido um sujeito muito diferente do velho e calado Thomas.

– Sua mãe ainda vive, não?

– Minha mãe? Sim.

– Lembro que você tinha também uma irmã.

Thomas abanou a cabeça.

– Ah, pensei que tivesse. Naquela foto...

Royde murmurou:

– Não é minha irmã. É uma prima distante ou algo assim. Ela foi criada conosco porque era órfã.

Mais uma vez o seu rosto bronzeado foi inundado por uma leve onda de cor.

Drake pensou "humm...". Perguntou:

– Ela é casada?

– Ela foi. Era casada com aquele tal de Nevile Strange.

– Aquele que joga tênis e tudo mais?

– Sim. Ela se divorciou dele.

"E você vai para casa tentar a sua sorte com ela", pensou Drake. E piedosamente mudou de assunto.

– Está pensando em ir pescar ou caçar?

– Vou para casa, primeiro. Depois pensei em velejar um pouco em Saltcreek.

– Conheço. É um lugarzinho encantador e tem um hotel antigo bem agradável.

– Sim, o Balmoral Court. É onde devo ficar, ou talvez fique com uns amigos que têm uma casa lá.

– Parece ótimo.

– Ah... Saltcreek é um lugar agradável e sossegado. Ninguém para incomodar.

– Eu sei – disse Drake. – O tipo de lugar onde nunca acontece nada.

29 de maio

– É realmente muitíssimo irritante – disse o velho sr. Treves. – Já faz 25 anos que me hospedo no Hotel Marine, em Leahead. E agora, imagine, o lugar está sendo demolido para uma reforma. Vão ampliar a parte da frente ou qualquer bobagem do tipo. Por que não deixam em paz esses lugares litorâneos? Leahead sempre teve um encanto todo peculiar... regência, puro estilo regência.

Lorde Rufus disse, consolador:

– Mesmo assim, suponho que existam outros lugares onde ficar, não?

– Acho que não poderei mesmo ir para Leahead. No Marine, a sra. Mackay entendia muito bem as minhas necessidades. Todo ano eu ficava no mesmo quarto, e dificilmente havia mudanças no serviço do hotel. A comida era excelente – de fato excelente.

– E quem sabe Saltcreek? Há um hotel antigo e muito agradável por lá – o Balmoral Court. Quem toma conta do lugar é um casal de sobrenome

Rogers. Ela foi cozinheira do velho lorde Mounthead. Ele oferecia os melhores jantares de Londres. Ela se casou com o mordomo e eles agora administram esse hotel. Parece ser o lugar perfeito para você... tranquilo, sem bandas de jazz, com cozinha e serviço de primeira.

– É uma ideia. Certamente é uma ideia. Sabe se há algum terraço coberto?

– Sim. Há uma varanda coberta e, mais adiante, um terraço. Pode-se ficar ao sol ou na sombra, como preferir. Se quiser, posso também fazer uma carta de apresentação sua para alguns moradores da região. Há a velha lady Tressilian, que mora ali perto. Tem uma bela casa, e ela própria é uma mulher encantadora, apesar de estar praticamente inválida.

– Você se refere à viúva do juiz?

– Sim, ela mesma.

– Eu conhecia Matthew Tressilian, e acho que a conheci. Uma mulher encantadora, mas é claro que isso foi há muito tempo. Saltcreek não fica perto de St. Loo? Tenho vários amigos naquele lugar. Sabe, acho mesmo que Saltcreek é uma ótima ideia! Vou escrever e pedir mais detalhes. Quero ir em meados de agosto – de meados de agosto até meados de setembro. Imagino que tenha garagem para o carro e acomodação para o meu motorista, não?

– Ah, sim. É um lugar perfeitamente moderno.

– Porque, como você sabe, preciso ter muito cuidado com subidas. Prefiro quartos no andar térreo, embora imagino que tenham elevador.

– Ah, sim, há tudo isso.

– É – disse o sr. Treves –, parece que resolveria o meu problema perfeitamente. E seria um prazer reencontrar lady Tressilian.

28 de julho

Kay Strange, de short e suéter amarelo, estava inclinada assistindo ao jogo de tênis. Era a semifinal individual masculina do torneio de St. Loo. Nevile jogava com o jovem Merrick, considerado uma revelação e futuro astro no mundo do tênis. Sua genialidade era inegável, e alguns dos seus saques eram absolutamente indefensáveis. Porém, volta e meia passava por maus pedaços quando a experiência e a habilidade do jogador mais velho conseguiam vencê-lo.

O placar estava empatado em 3 a 3 no último set.

Ted Latimer deslizou na cadeira ao lado de Kay e observou com a voz manhosa e irônica:

– A esposa devotada assiste ao marido lutar pela vitória!

Kay sobressaltou-se:

– Você me assustou! Não sabia que estava aí.

– Sempre estou. E isso você já deveria saber.

Ted Latimer tinha 25 anos e era extremamente bonito, embora os velhos coronéis não nutrissem a menor simpatia e costumassem se referir a ele como: "O jeito latino!".

Moreno, exibia um lindo bronzeado e era ótimo dançarino.

Seus olhos escuros conseguiam ser muito expressivos, e controlava a voz com a segurança de um ator. Kay o conhecia desde os quinze anos. Haviam tomado banho de sol, dançado e jogado juntos em Juan les Pins. Não eram apenas amigos, mas aliados.

O jovem Merrick estava sacando do lado esquerdo da quadra. A devolução de Nevile foi indefensável, uma jogada fantástica no fundo da quadra.

– O *backhand* do Nevile é bom – disse Ted. – É melhor do que o *forehand.* O *backhand* é o ponto fraco do Merrick, e Nevile sabe disso. Ele vai atacá-lo assim de todas as formas que conseguir.

Terminou o game: "*Strange vai vencendo por 4 a 3*".

Nevile confirmou o serviço no game seguinte. O jovem Merrick batia a bola para fora da quadra descontroladamente.

– *Cinco a três.*

– Nevile tem uma boa chance agora – falou Latimer.

Na sequência o jovem recuperou a calma. Passou a jogar com mais cautela e conseguia variar bem o ritmo de suas jogadas.

– Ele tem cabeça – disse Ted. – E seu trabalho de pés é de primeira. Vai ser uma batalha.

Aos poucos, o garoto conseguiu empatar em 5 a 5. Chegaram a 7 a 7 e por fim Merrick venceu a partida por 9 a 7.

Sorrindo e balançando a cabeça com pesar, Nevile foi até a rede para cumprimentar Merrick.

– A juventude fez a diferença: 19 a 33 – disse Ted Latimer. – Mas posso lhe dizer, Kay, o motivo pelo qual Nevile nunca alcançou o nível dos grandes campeões. É um bom perdedor.

– Isso é bobagem.

– Não é bobagem. Nevile, maldito seja, sempre se porta como um grande desportista. Nunca o vi perder a cabeça por perder uma partida.

– É claro que não – disse Kay. – As pessoas não agem dessa forma.

– Ah! É claro que sim! Todos nós já vimos essas cenas. Grandes estrelas do tênis que perdem o controle e praguejam com palavrões a cada vantagem. Mas nunca o velho Nevile. Este está sempre pronto para aceitar o resultado e sorrir; deixar que vença o melhor e tudo mais. Nossa, como eu odeio essa mentalidade de escola pública! Graças a Deus que nunca estudei em nenhuma!

Kay virou a cabeça.
– Você está sendo muito malvado, hein?
– Sim, totalmente felino!
– Gostaria que não deixasse tão claro que não gosta de Nevile.
– E por que gostaria dele? Ele roubou a minha garota.
Seus olhos se fixaram nela demoradamente.
– Eu não era a sua garota. As circunstâncias impediam.
– Isso mesmo. Nenhum de nós dois tem um tostão sequer.
– Cale a boca! Eu me apaixonei pelo Nevile e me casei com ele...
– E ele é um bom companheiro; é o que todos dizem!
Kay virou a cabeça ao perguntar:
– Está tentando me aborrecer?
Ele sorriu e ela imediatamente correspondeu ao sorriso.
– Como está indo esse verão, Kay?
– Mais ou menos. Fiz uma viagem de iate deliciosa. Já estou bem cansada desse negócio de jogo de tênis.
– E quanto tempo ainda vai levar isso? Mais um mês?
– Sim. Depois, em setembro, passaremos quinze dias em Gull's Point.
– Estarei no Hotel Easterhead Bay – disse Ted. – Já fiz a minha reserva.
– Vai ser muito agradável! – disse Kay. – Nevile e eu, a ex-mulher dele e um fazendeiro malaio que vem de férias para casa.
– Parece divertido.
– E, é claro, a prima desengonçada. Sempre serviçal na volta daquela velha desagradável – o que não fará a menor diferença, pois o dinheiro ficará para mim e para Nevile.
– É possível que ela não saiba disso – disse Ted.
– Seria muito engraçado – disse Kay.
Ela falou distraída. Olhou para a raquete que estava girando nas mãos. Prendeu a respiração de repente.
– Ah, Ted!
– O que houve, querida?
– Não sei. Às vezes fico paralisada. Fico com medo e me sinto estranha.
– Nem parece você, Kay.
– Não pareço, não é? Bom, de qualquer maneira – ela sorriu hesitante –, você estará no Hotel Easterhead Bay.
– Conforme o previsto.
Quando Kay encontrou Nevile na saída dos vestiários, ele falou:
– Vejo que seu amigo chegou.
– Ted?
– Sim, o cão fiel. Ou talvez fosse mais adequado dizer o lagarto fiel.

– Você não gosta dele, não é?

– Ah, ele não me incomoda! Se você se diverte em puxá-lo pela coleira por aí...

Ele encolheu os ombros.

Kay falou:

– Acho que você está com ciúme.

– De Latimer? – Seu espanto era autêntico.

– Todos acham Ted um homem muito atraente – disse ela.

– Tenho certeza que sim. Ele tem aquele charme manso latino-americano.

– Você está com ciúmes.

Nevile apertou suavemente o braço de Kay.

– Não, não estou, minha linda. Você pode ter os seus admiradores inofensivos: uma corte inteirinha deles, se quiser. Sou eu quem tem a posse, e a posse é o que garante a lei.

– Você está muito seguro de si – disse Kay fazendo beicinho, mostrando-se um pouco aborrecida.

– É claro. Você e eu somos predestinados. O destino nos uniu. Lembra-se do nosso encontro em Cannes? Eu estava indo para o Estoril e, de repente, ao chegar lá, a primeira pessoa que vi foi a adorável Kay. Soube naquele momento que era coisa do destino – e que não poderia escapar.

– Não foi exatamente o destino – falou ela. – Fui eu!

– Como assim "fui eu"?

– Porque fui eu! Ouvi você dizer em Cannes que ia para o Estoril, então apressei minha mãe e logo ela estava pronta. Foi por isso que a primeira pessoa que você encontrou lá foi a Kay.

Nevile olhou-a com uma expressão um tanto curiosa. Falou devagar:

– Você nunca me contou isso antes.

– Não, porque não seria bom para você. Você poderia ficar convencido! Mas sempre fui boa em planejar. As coisas não acontecem a menos que você faça com que elas aconteçam! Às vezes você me chama de tola, mas, à minha maneira, sou até bem esperta. Faço com que as coisas aconteçam. Muitas vezes preciso planejar com bastante antecedência.

– O trabalho intelectual deve ser intenso.

– Tudo bem, pode rir.

Nevile falou com uma curiosa e repentina amargura:

– Será que só agora estou começando a conhecer a mulher com quem me casei? Onde diz destino, leia-se Kay!

– Você não ficou zangado, ficou?

Ele respondeu, um tanto distraído:

– Não, não. É claro que não. Só estava pensando...

10 de agosto

Lorde Cornelly, aquele nobre rico e excêntrico, estava sentado diante da imponente escrivaninha que era seu orgulho e satisfação. Havia sido projetada para ele a um custo imenso, e toda a mobília da sala ficara submetida a ela. O efeito era ótimo e apenas levemente desfigurado pelo inevitável acréscimo do próprio lorde Cornelly, um homenzinho insignificante e rotundo completamente ofuscado pela magnificência da escrivaninha.

A secretária loira entrou neste cenário de esplendor, também em harmonia com a luxuosa mobília.

Deslizando silenciosa pela sala, pôs um pedaço de papel diante do grande homem.

Lorde Cornelly perscrutou o papel.

– MacWhirter? MacWhirter? Quem é? Nunca ouvi falar dele. Ele tem hora marcada?

A secretária loira indicou que sim.

– MacWhirter, hum? Ah! MacWhirter! Aquele camarada! É claro. Mande-o entrar. Mande-o entrar de uma vez.

Lorde Cornelly riu com alegria. Estava num dia de ótimo humor.

Jogando o corpo pra trás na cadeira, olhou para o rosto sério e severo do homem que havia convocado para uma entrevista.

– Você é MacWhirter, não é? Angus MacWhirter?

– É o meu nome.

MacWhirter falou duramente, permanecendo em pé, sério e ereto.

– Você trabalhava com Herbert Clay? Está correto, não?

– Sim.

Lorde Cornelly começou a dar risada outra vez.

– Sei tudo sobre você. Apreenderam a carteira de habilitação de Clay, e tudo porque você não quis respaldá-lo jurando que ele ia a pouco mais de trinta quilômetros por hora! Ele estava furioso! – A risada aumentou. – Ele nos contou lá no Savoy Grill. "Aquele maldito escocês teimoso!" Foi o que ele disse! – E seguiu falando. – Sabe o que eu fiquei pensando?

– Não faço a menor ideia.

O tom de voz de MacWhirter era repressivo. Lorde Cornelly não tomou conhecimento. Estava gostando da lembrança das suas próprias reações.

– Pensei comigo mesmo: "É bem o tipo de sujeito que eu preciso! Um homem que não aceita ser subornado para mentir". Por mim, você não precisará mentir. Não trabalho dessa forma. Ando o mundo todo atrás de homens honestos... e há tão poucos!

O nobre baixinho gargalhou com uma risada estridente, seu rosto sagaz se enrugou com o riso. MacWhirter permaneceu firme, sem achar graça.

Lorde Cornelly parou de rir. Seu rosto voltou a ficar sagaz e atento.

– Se você quer emprego, MacWhirter, tenho um para você.

– Eu bem que preciso de um emprego – falou MacWhirter.

– É um emprego importante e que só pode ser concedido a um homem que tenha boas qualificações – e você as tem, sei disso por experiência própria. E a um homem em quem possa ter confiança – total confiança.

Lorde Cornelly esperou um instante. MacWhirter não disse nada.

– Bom, meu caro, posso confiar em você totalmente?

MacWhirter falou secamente:

– O senhor não tem como saber disso apenas por me ouvir dizer que "sim, é claro que pode confiar".

Lorde Cornelly riu.

– É isso. Você é o homem que eu procurava. Já conhece a América do Sul?

Explicou os detalhes sobre o trabalho. Meia hora depois, MacWhirter encontrava-se na calçada, um homem que conseguira um trabalho interessante e extremamente bem pago; um emprego com boas perspectivas de futuro.

O destino, após olhá-lo carrancudo, decidira sorrir para ele. Mas ele não estava disposto a retribuir o sorriso. Não estava exultante, embora a lembrança da entrevista tenha conseguido deleitar implacavelmente o seu estado de espírito. Havia uma rigorosa justiça poética no fato de terem sido justamente as diatribes do antigo patrão contra ele que o tenham feito conseguir esse progresso profissional!

Era um homem de sorte, pensou. Não que se importasse! Estava disposto a dedicar-se à tarefa de viver, não com entusiasmo, nem mesmo com prazer, mas com o espírito de viver um cotidiano metódico. Há sete meses havia tentado tirar a própria vida; nada além do acaso o havia impedido, embora ele não lhe fosse especialmente grato. A verdade é que agora não estava disposto a se matar. Aquela fase havia passado para sempre. Ninguém poderia – admitiu ele – tirar a própria vida a sangue frio. Foram necessários alguns incentivos extras de aflição, dor, desespero e sofrimento. Ninguém poderia cometer suicídio pelo simples fato de ter sentido que a vida era um círculo enfadonho de acontecimentos desinteressantes.

No fundo, estava contente por aquele trabalho tirá-lo da Inglaterra. Ele devia ir para a América do Sul no final de setembro. Nas próximas semanas deveria se ocupar de reunir determinados equipamentos e entrar em contato com as ramificações um tanto complicadas do setor.

Haveria, porém, uma semana livre antes que deixasse o país. Ficou imaginando o que poderia fazer naquela semana. Ficar em Londres? Viajar?

Uma ideia despertou meio indefinida na sua mente.

Saltcreek?

– Tenho uma imensa vontade de ir até lá – disse a si mesmo.

"Seria extremamente interessante", pensou.

19 de agosto

– Pronto! Lá se foram as minhas férias – disse o superintendente Battle indignado.

– A sra. Battle ficou desapontada, mas os longos anos como esposa de um policial já a haviam preparado para encarar esses contratempos com serenidade.

– Bem, não há o que se possa fazer – disse ela. – Suponho que seja um caso interessante.

– Não a ponto de interessá-la – disse o superintendente Battle. – O Ministério de Relações Exteriores está em pânico – todos aqueles jovens altos e esbeltos correndo de um lado pro outro dizendo "Calma! Calma!". Mas tudo será facilmente esclarecido e conseguiremos resolver tudo. Não é, porém, o tipo de caso que incluiria em minhas memórias, supondo-se que um dia fosse tolo o suficiente para escrevê-las.

– Imagino que possamos adiar as nossas férias... – começou a sra. Battle hesitante, quando o marido a interrompeu determinado.

– De jeito nenhum. Você e as meninas vão para Britlington. Os quartos estão reservados desde março, seria uma pena desperdiçá-los. Quando tudo estiver resolvido, irei passar uma semana com Jim.

Jim, inspetor James Leach, era sobrinho do superintendente Battle.

– Saltington fica bem perto de Easterhead Bay e Saltcreek – continuou. – Posso respirar um pouco do ar do mar e aproveitar para mergulhar na água salgada.

A sra. Battle torceu o nariz.

– O mais provável é que ele o induza a ajudá-lo com algum caso!

– Não há casos nesta época do ano, a menos que apareça uma mulher que tenha roubado meia dúzia de ninharias no Woolworth. E, de qualquer forma, Jim está muito bem. Não precisa de artimanhas.

– Ah, bom! – disse a sra. Battle. – Creio que dará tudo certo, só fiquei decepcionada.

– Essas coisas acontecem para nos testar – assegurou o superintendente Battle.

BRANCA DE NEVE E ROSA VERMELHA

I

Quando desceu do trem, Thomas Royde encontrou Mary Aldin, que o aguardava na plataforma de Saltington.

Tinha apenas uma vaga lembrança dela, e agora, revendo-a, percebeu com muita surpresa a alegria do seu jeito vivo e hábil de lidar com as coisas.

Ela o chamava pelo nome de batismo.

– Que bom revê-lo, Thomas. Depois de todos esses anos.

– É muita gentileza sua me hospedar. Espero não ser um incômodo.

– De forma alguma. Na verdade, é o contrário. Você é especialmente bem-vindo. Aquele é o carregador? Diga-lhe para retirar a bagagem por aqui. Deixei o carro bem lá na ponta.

As malas foram guardadas no Ford. Mary sentou-se à direção e Royde ao seu lado. Logo que arrancaram, Thomas notou que ela era uma boa motorista, hábil, cuidadosa no trânsito e com uma ótima noção das distâncias e dos espaços.

Saltington ficava a pouco mais de onze quilômetros de Saltcreek. Assim que saíram do pequeno centro comercial da cidade e entraram na estrada, Mary Aldin retomou o assunto da visita de Thomas.

– Na verdade, Thomas, a sua visita neste momento será uma dádiva. As coisas estão um pouco complicadas e a presença de alguém estranho, bem, parcialmente estranho, é justo o que precisávamos.

– Qual é o problema?

O seu jeito, como sempre, era indiferente, quase indolente. Pareceu ter perguntado mais por educação do que por ter algum interesse na resposta. Esta postura em especial tranquilizou Mary. Ela precisava falar com alguém urgentemente. Preferia, no entanto, falar com alguém cujos interesses não estivessem tão envolvidos.

Ela disse:

– Bem, estamos com uma situação bastante complicada. Como você talvez já saiba, a Audrey está aqui.

Ela parou interrogativa e Thomas acenou a cabeça concordando.

– Nevile e sua esposa também.

Thomas Royde ergueu as sobrancelhas. Após alguns instantes, falou:

– Um pouco embaraçoso, não?

– É, sim. Foi tudo ideia de Nevile.

Ela ficou em silêncio. Royde não disse nada. E, como se percebesse uma espécie de tendência à incredulidade por parte dele, repetiu categórica:

– Foi mesmo ideia de Nevile.

– Por quê?

Ela levantou as mãos, tirando-as do volante por um momento.

– Ah, uma postura moderna! Todos muito sensatos, juntos e amigos. É esta a ideia. Mas, sabe, não acho que esteja funcionando muito bem.

– É provável que não funcione. Como é a nova esposa? – acrescentou.

– Kay? É bonita, é claro. Realmente muito bonita. E bem jovem.

– E Nevile é apaixonado por ela?

– Ah, sim. Mas, é claro, estão casados há apenas um ano.

Thomas Royde virou a cabeça devagar para olhá-la, com um sorrisinho. Mary precipitou-se dizendo:

– Não foi exatamente isso o que eu quis dizer.

– Ah, Mary. Acho que você quis sim.

– Bom, é impossível não perceber que eles têm muito pouco em comum. Os amigos, por exemplo... – ela parou.

Royde perguntou:

– Ele a conheceu na Riviera, não foi? Não sei muito sobre como tudo aconteceu. Tudo o que sei são fatos isolados que minha mãe me contou quando me escreveu.

– Sim, encontraram-se pela primeira vez em Cannes. Nevile ficou atraído por ela, mas creio que isso já tenha acontecido antes... porém, de uma forma inofensiva. Ainda acho que se fosse só por ele não teria dado em nada. Como você sabe, ele era louco pela Audrey.

Thomas fez que sim com a cabeça.

Mary continuou:

– Não acredito que ele quisesse mesmo se separar. Tenho certeza que não. A moça, porém, estava totalmente decidida. Não descansou enquanto não fez com que ele deixasse a esposa. E o que acontece com os homens em circunstâncias como essa? Sentem-se lisonjeados, é natural.

– E ela estava apaixonadíssima por ele?

– Imagino que sim.

O tom de voz de Mary aparentava dúvida. Ela enrubesceu ao perceber o olhar interrogativo de Royde.

– Como sou maldosa! Há um jovem bonitão com jeito de gigolô que está sempre por perto. É um velho amigo dela. E às vezes não posso deixar de me perguntar se o fato de Nevile ser um homem rico, importante e tudo mais não teve nada a ver com isso. E devo acrescentar que ela não tinha um tostão.

Fez uma pausa parecendo um pouco envergonhada. Pensativo, Thomas Royde apenas murmurou "Hum! Hum!".

– De qualquer maneira – disse Mary –, talvez seja pura maldade minha! A moça é o que se pode chamar de deslumbrante, e talvez isto desperte os instintos felinos de solteironas de meia-idade.

Royde olhou-a com atenção, porém não se podia identificar nenhuma reação no seu rosto impassível. Após alguns minutos, ele falou:

– Mas qual é exatamente o problema em questão?

– Sabe, na verdade, não tenho a menor ideia! É isso que é tão estranho. É claro que consultamos Audrey primeiro, e ela não demonstrou se opor a encontrar com Kay. Foi encantadora com relação a isso tudo. E tem sido encantadora. Ninguém poderia ter sido mais gentil. Audrey, é claro, é sempre muito correta em tudo o que faz. Sua postura é perfeita com relação ao casal. Ela é muito reservada, como você sabe, e nunca se tem ideia do que de fato está pensando ou sentindo. Mas, para falar a verdade, não acredito que ela não se incomode em absoluto.

– Não vejo motivo para se sentir incomodada – disse Thomas. – Afinal, já se passaram três anos – acrescentou um pouco depois.

– Será que pessoas como Audrey esquecem? Ela era louca pelo Nevile.

Thomas Royde mudou de posição no banco do carro.

– Ela tem só 32 anos. Tem toda uma vida pela frente.

– Sim, eu sei. Mas foi realmente muito difícil. Sabe, ela teve um colapso nervoso bem grave.

– Eu sei. Minha mãe me escreveu contando.

– De certa forma – disse Mary –, foi até bom para a sua mãe ter que cuidar da Audrey. Fez com que ela se desligasse um pouco do próprio sofrimento pela morte do seu irmão. Sentimos muito pelo que aconteceu.

– Eu sei. Pobre Adrian. Sempre dirigia em alta velocidade.

Houve um silêncio. Mary esticou o braço para fora sinalizando que iria dobrar e pegar o caminho para Saltcreek.

Logo após, enquanto desciam pela estrada estreita e cheia de curvas, perguntou:

– Thomas, você conhece bem a Audrey?

– Mais ou menos. Não estive muito com ela nos últimos dez anos.

– Não, mas você a conheceu quando criança. Era como uma irmã para você e Adrian, não?

Ele balançou a cabeça, concordando.

– Ela... ela tinha algum tipo de desequilíbrio emocional? Não, não quero que você tenha uma ideia equivocada do que estou querendo dizer. Mas hoje em dia tenho impressão de que há algo de muito errado com ela. Está tão completamente desligada, e aquele seu equilíbrio perfeito é tão pouco natural... às vezes fico tentando imaginar o que está acontecendo por trás daquela fachada. De vez em quando, fico com a sensação de que há uma emoção muito forte mesmo. Mas realmente não sei qual é! Só sei que ela não está normal. Há alguma coisa estranha! E fico preocupada. Bem sei que há alguma coisa na atmosfera daquela casa que afeta a todos. Estamos todos nervosos e agitados. Mas não sei o que é. Por vezes, Thomas, fico com medo.

– Com medo? – seu tom arrastado de espanto fez com que ela se acalmasse com um risinho nervoso.

– Parece absurdo... Mas foi isso o que eu quis dizer agora há pouco: a sua chegada será boa para nós, desviará o foco. Pronto, aqui estamos.

Haviam descido pela última curva. Gull's Point ficava em um planalto de pedra com vista para o rio, com penhascos em ambos os lados. Os jardins e a quadra de tênis ficavam à esquerda da casa. A garagem, uma construção mais recente, ficava na verdade do outro lado, junto à estrada.

– Vou guardar o carro e já volto. Hurstall cuidará de você – disse Mary.

Hurstall, o velho mordomo, cumprimentou Thomas com a alegria de um velho amigo.

– Fico muito feliz em vê-lo depois de todos esses anos, sr. Royde. A senhora também ficará. O senhor pode ficar no quarto leste. Creio que encontrará todos no jardim, a menos que queira ir primeiro para o seu quarto.

Thomas acenou com a cabeça. Atravessou a sala de estar e foi até a janela que dava para o terraço. Ficou ali por um algum tempo, observando sem ser visto.

As únicas ocupantes do terraço eram duas mulheres. Uma delas estava sentada no parapeito, olhando o rio. A outra a observava.

A primeira era Audrey – a outra, imaginou ele, devia ser Kay Strange. Sem saber que estava sendo observada, Kay não se deu ao trabalho de disfarçar a expressão no seu rosto. Mesmo não sendo um grande conhecedor das mulheres, Thomas Royde não poderia deixar de notar que Kay Strange detestava Audrey Strange.

Já Audrey olhava o rio e parecia inconsciente ou indiferente à presença da outra.

Havia se passado mais de sete anos desde que Thomas vira Audrey Strange pela última vez. Examinou-a com cuidado. Ela teria mudado? E, se mudou, de que maneira?

Havia sim uma mudança, concluiu. Estava mais magra, mais pálida, com um aspecto geral mais etéreo. Havia, porém, mais alguma coisa, algo que não conseguiu definir exatamente. Era como se ela mantivesse a si própria presa a uma rédea muito firme, controlando cada um dos seus movimentos e, mesmo assim, sempre com extrema consciência de tudo o que se passava a sua volta. Parecia uma pessoa com um segredo a esconder, pensou ele. Mas que segredo? Ele sabia pouco sobre os eventos que lhe sobrevieram nos últimos anos. Havia se preparado para ouvir lamentações e derrotas, no entanto o que via era muito diferente do que imaginara. Ela parecia uma criança que, por segurar com tanta força um tesouro, acaba chamando a atenção para aquilo que deseja esconder.

E então seus olhos se dirigiram para a outra mulher – a moça que era agora a esposa de Nevile Strange. Sim, era linda. Mary Aldin tinha razão. E também perigosa, supôs. Pensou: "Não me agradaria deixá-la perto de Audrey se estivesse com uma faca na mão... E, apesar disso, por que ela odiaria a primeira mulher de Nevile? Já estava tudo terminado. Audrey não participava em nada da vida deles atualmente."

Ouviram-se passos no terraço. Era Nevile saindo da casa. Parecia animado e trazia uma revista.

– Trouxe a *Illustrated Review* – disse ele. – Não consegui a outra...

Em seguida aconteceram duas coisas ao mesmo tempo.

– Ah, que bom, me dê aqui – disse Kay.

E Audrey, sem virar o rosto, estendeu a mão meio distraída.

Nevile ficou parado a meio caminho entre as duas. Seu rosto revelou o embaraço com a situação. Antes que pudesse dizer alguma coisa, Kay levantou a voz com um tom ligeiramente histérico:

– Eu quero a revista. Me dê! Me dê aqui, Nevile!

Audrey Strange sobressaltou-se, virou o rosto, abaixou a mão e murmurou com um leve ar de perplexidade:

– Ah, desculpe. Pensei que estivesse falando comigo, Nevile.

Thomas Royde viu que o rosto de Nevile Strange fora tomado por um tom vermelho intenso. Deu três passos rápidos à frente e entregou a revista a Audrey.

Hesitante e ainda mais constrangida, falou:

– Ah, mas...

Kay empurrou a cadeira com um movimento brusco. Levantou-se, deu meia volta e saiu em direção à porta da sala de visitas. Esbarrou em Royde antes que ele tivesse tempo de se mover.

O choque a fez recuar. Ela o olhou enquanto ele se desculpava. Naquele momento percebeu por que ela não o havia enxergado; seus olhos estavam cheios de lágrimas – lágrimas de raiva, imaginou.

– Olá – disse ela. – Quem é você? Ah, é claro, o homem da Malásia!

– Sim – disse Thomas. – Sou o homem da Malásia.

– Tudo o que pediria a Deus era estar agora na Malásia! – disse Kay. – Em qualquer lugar, menos este. Detesto esta casa repugnante e nojenta! Detesto todos aqui!

Essas cenas dramáticas sempre assustaram Thomas. Olhou para Kay com cautela e murmurou nervoso:

– Hum Hum!

– Se não tiverem cuidado – disse ela –, vou acabar matando alguém! Ou Nevile ou aquela lagarta pálida que está lá fora!

Ela passou apressada roçando nele e saiu da sala batendo a porta.

Thomas Royde permaneceu totalmente imóvel. Não tinha muita certeza do que faria depois disso, mas estava contente que a jovem sra. Strange tivesse ido embora. Ficou ali parado olhando para a porta que ela batera com tanta força. A nova sra. Strange lembrava um gato selvagem.

Apareceu uma sombra na janela quando Nevile Strange parou no vão entre as duas portas-janelas. Estava ofegante.

Cumprimentou Thomas rapidamente:

– Ah... humm... olá, Royde, não sabia que tinha chegado. Viu a minha esposa por aí?

– Ela passou por aqui há um minuto – disse o outro.

Nevile por sua vez saiu da sala de estar. Parecia aborrecido.

Thomas Royde, devagar, saiu pela porta. Caminhava com leveza. Só quando já estava a poucos metros de Audrey foi que ela virou a cabeça.

Ele então pôde ver seus olhos arregalados e sua boca entreaberta. Ela desceu da beirada do terraço e veio em sua direção com os braços estendidos.

– Thomas! – disse ela. – Meu querido Thomas! Estou tão feliz por você estar aqui!

No momento em que segurou as mãozinhas brancas de Audrey e curvou-se diante dela, Mary Aldin chegou até as janelas. Ao ver os dois no terraço, se deteve, ficou observando-os por alguns minutos, depois se afastou devagar e voltou para dentro.

II

No andar de cima, Nevile encontrou Kay no quarto. O único grande quarto de casal da casa era o de lady Tressilian. Os casais sempre se hospedavam nos dois quartos situados no lado oeste da casa, que tinham uma porta de comunicação e um pequeno banheiro. Era uma suíte pequena e isolada.

Nevile passou pelo seu quarto e foi direto ao quarto da esposa. Kay tinha se jogado na cama. Levantando o rosto todo molhado das lágrimas, gritou com raiva:

– Até que enfim você veio! Já era hora!

– Qual é o motivo de todo esse escândalo? Você enlouqueceu, Kay?

Nevile falou com calma, mas as cavidades nos cantos das suas narinas revelavam uma raiva contida.

– Por que você deu a *Illustrated Review* para ela e não para mim?

– Ah, Kay, como você é infantil. Todo esse escândalo por causa de uma maldita revista?

– Você deu a revista para ela e não para mim – repetiu Kay, obstinada.

– Bem, e por que não? Que importância tem isso?

– Pra mim importa, sim.

– Não sei o que há com você. Você não pode se comportar dessa maneira histérica quando está na casa dos outros. Você não sabe se comportar em público?

– Por que você deu a revista para Audrey?

– Porque ela queria.

– Eu também queria, e além de tudo sou sua mulher.

– Neste caso, mais um motivo para entregá-la a uma mulher mais velha e que, tecnicamente, não é da família.

– Ela me humilhou! Ela queria e conseguiu. E você ficou do lado dela!

– Você está falando como uma criança idiota e ciumenta. Pelo amor de Deus, controle-se e tente se comportar devidamente em público!

– Como ela, suponho.

Nevile falou com frieza:

– Pelo menos Audrey consegue se comportar como uma dama. Não fica se expondo dessa forma.

– Ela está jogando você contra mim! Ela me odeia e está conseguindo se vingar.

– Olhe aqui, Kay, dá para você parar de ser melodramática e completamente tola? Já estou farto!

– Então vamos embora daqui! Vamos amanhã mesmo. Odeio este lugar!

– Estamos aqui há apenas quatro dias.

– Já é o bastante! Vamos embora, Nevile.

– Olhe aqui, Kay. Pra mim, já chega! Viemos aqui para ficar quinze dias e ficaremos os quinze dias.

– Se ficarmos – disse ela – você vai se arrepender. Você e sua Audrey! Você a acha maravilhosa!

– Não acho que ela seja maravilhosa. Acho, sim, que ela é uma pessoa extremamente gentil e agradável, a quem tratei muito mal e que foi muitíssimo generosa em me perdoar.

– É aí que você se engana – falou Kay. Levantou da cama. Sua fúria havia esmorecido. Falou séria, quase solene. – Audrey não o perdoou, Nevile. De vez em quando observo como ela olha para você. Não sei dizer o que se passa na cabeça dela, mas há alguma coisa... Ela é do tipo que não deixa que os outros saibam no que está pensando.

– É pena – disse Nevile – que não existam muitas pessoas assim.

O rosto de Kay ficou muito pálido.

– Você está se referindo a mim? – havia um tom grave na voz.

– Bom... você não tem se mostrado muito reservada, tem? Você deixa escapar todo seu rancor e mau humor. Acaba fazendo um papel ridículo, e faz com que eu pareça ridículo também.

– Tem mais alguma coisa para dizer?

Sua voz era gélida.

Ele falou com um tom igualmente frio:

– Sinto muito se você acha que fui injusto. Mas é a pura verdade. O seu autocontrole se iguala ao de uma criança.

– Você nunca perde a calma, não é? É sempre o senhor absoluto do autocontrole e das maneiras encantadoras! Não creio que tenha sentimentos. Não passa de um peixe, um maldito coração gelado! Por que você não se solta de vez em quando? Por que não grita comigo? Por que não me xinga, não me manda para o inferno?

Nevile suspirou e encolheu os ombros.

– Ah, Deus! – falou.

Deu meia-volta e saiu do quarto.

III

– Você tem a mesma aparência que tinha aos dezessete anos, Thomas Royde – disse lady Tressilian. – O mesmo ar de coruja. E continua calado como antes. Por quê?

Thomas falou vagamente:

– Não sei. Nunca tive muita lábia.

– Bem diferente de Adrian. Adrian era um conversador inteligente e espirituoso.

– Talvez seja por isso. Sempre deixei a conversa para ele.

– Pobre Adrian. Um futuro tão promissor.

Thomas concordou com a cabeça.

Lady Tressilian mudou de assunto. Estava concedendo uma audiência a Thomas. Normalmente preferia receber uma visita de cada vez, pois assim não se cansava e conseguia dar-lhes mais atenção.

– Você está aqui há 24 horas – disse ela. – O que você está achando da nossa situação?

– Situação?

– Não se faça de bobo. Você faz isso de propósito. Sabe muito bem a que estou me referindo – o eterno triângulo que se instalou sob o meu teto.

Thomas respondeu com cautela:

– Parece haver um certo conflito.

Lady Tressilian sorriu, diabólica.

– Confesso a você, Thomas, que estou me divertindo. Essa situação se deu não por vontade minha... na verdade, fiz o que pude para evitá-la. Nevile estava obstinado. Insistiu em reunir essas duas mulheres e agora está colhendo o que plantou!

Thomas Royde mexeu-se um pouco na cadeira.

– Parece estranho – disse ele.

– Seja mais claro – retrucou lady Tressilian.

– Não achava que Strange fosse desse tipo de sujeito.

– É interessante que você diga isso, pois foi a mesma impressão que tive. Não é nada próprio dele. Nevile, como maioria dos homens, preocupa-se em evitar qualquer tipo de constrangimento ou possível aborrecimento. Desconfiei de que a ideia não tivesse partido dele – mas, se não foi, não consigo imaginar de quem possa ter sido.

Ela parou, depois perguntou com leve inflexão na voz:

– Não teria sido Audrey?

Thomas disse prontamente:

– Não, Audrey não.

– Também não posso crer que tenha sido ideia daquela jovem infeliz, a Kay. A menos que seja uma atriz notável. Sabe, ultimamente quase sinto pena dela.

– A senhora não gosta muito dela, não é?

– Não. Ela é uma cabeça oca e não tem compostura. Mas, como lhe falei, realmente começo a sentir pena dela. Parece um inseto dando cabeçadas em volta da lâmpada. Ela não faz ideia de que tipo de arma deve usar. Mau humor, péssimas maneiras, grosserias infantis – todas as reações que têm o pior dos efeitos em um homem como Nevile.

Thomas, com calma, disse:

– Acho que Audrey é quem está numa situação difícil.

Lady Tressilian lançou-lhe um olhar incisivo.

– Você sempre foi apaixonado pela Audrey, não é, Thomas?

A resposta dele foi imperturbável.

– Acredito que sim.

– Praticamente desde que eram crianças?

Ele assentiu com a cabeça.

– E então Nevile apareceu e a levou bem debaixo do seu nariz?

Apreensivo, ele se mexeu na cadeira.

– Bom... sempre soube que não tinha nenhuma chance.

– Derrotista – disse lady Tressilian.

– Sempre fui muito desinteressante.

– Pacato como um cavalo velho!

– O bom e velho Thomas! É como Audrey me vê.

– Fiel Thomas – disse lady Tressilian. – Não era esse o seu apelido?

Ele sorriu. Aquelas palavras traziam lembranças da infância.

– Que engraçado! Não ouvia isso há tantos anos.

– Pode ser que isso o deixe em uma posição privilegiada nos dias de hoje – sugeriu lady Tressilian.

Ela correspondeu ao seu olhar intencionalmente.

– Fidelidade – disse ela – é um atributo apreciado por qualquer pessoa que tenha passado pela experiência que Audrey passou. A devoção canina de uma vida inteira, Thomas, é muitas vezes recompensada.

Thomas Royde olhou para baixo, seus dedos atrapalhados com o cachimbo.

– Voltei para casa com essa esperança – concluiu ele.

IV

– Então aqui estamos todos – disse Mary Aldin.

Hurstall, o velho mordomo, enxugou a testa. Quando entrou na cozinha, a sra. Spicer, a cozinheira, fez um comentário sobre a sua expressão.

– Não devo estar muito bem, é fato – disse ele. – Não sei se conseguirei me expressar, mas atualmente me parece que tudo o que é dito e feito nesta casa tem um significado diferente do que aparenta... você entende o que quero dizer?

A sra. Spicer pareceu não entender, em seguida Hurstall continuou:

– Agora quando todos sentaram para jantar, a srta. Aldin disse: "Então aqui estamos todos" – isso foi um choque pra mim! Me fez imaginar um domador com vários animais selvagens em uma jaula, e aí a porta da jaula se fecha. De repente, senti como se todos nós tivéssemos caído numa armadilha.

– Ah, sr. Hurstall – disse a sra. Spicer –, o senhor deve ter comido alguma coisa que lhe fez mal.

– O problema não é a minha digestão. É a maneira como todos estão tensos. Há pouco a porta da frente bateu e a sra. Strange, a nossa sra. Strange, a srta. Audrey, sobressaltou-se como se tivesse levado um tiro. E há ainda os silêncios. Muito estranhos esses silêncios. É como se, de repente, todos tivessem medo de falar. E em seguida todos resolvem falar ao mesmo tempo, simplesmente dizendo a primeira coisa que lhes vem à cabeça.

– É o que basta para deixar qualquer pessoa embaraçada – disse a sra. Spicer.

– Duas senhoras Strange na casa. Tenho a impressão de que isso não seja uma coisa decente.

Instalara-se agora na sala de jantar um desses silêncios que Hurstall descrevera.

Foi com muito esforço que Mary Aldin virou-se para Kay e disse:

– Convidei seu amigo, o sr. Latimer, para jantar amanhã.

– Ah, que bom! – disse Kay.

Nevile perguntou:

– Latimer? Ele está por aqui?

– Está hospedado no Hotel Easterhead Bay – disse Kay.

Nevile disse:

– Podemos ir até lá jantar uma noite dessas. Até que horas a barca funciona?

– Até uma e meia – disse Mary.

– Imagino que dancem lá à noite, não?

– Lá a maioria das pessoas tem uns cem anos – disse Kay.

– Não deve ser muito divertido para o seu amigo – disse Nevile para Kay.

Mary falou prontamente:

– Podemos ir nadar um dia desses em Easterhead Bay. Está calor ainda e é uma praia linda.

Thomas Royde falou para Audrey em voz baixa:

– Pensei em velejar amanhã. Gostaria de ir comigo?

– Adoraria.

– Podemos ir todos velejar – disse Nevile.

– Pensei que você havia dito que iria jogar golfe – falou Kay.

– Realmente pensei em ir até o campo de golfe. Outro dia minhas jogadas saíram um tanto desastradas.

– Que tragédia! – comentou Kay.

Nevile disse com bom humor:

– O golfe é um esporte trágico.

Mary perguntou a Kay se ela também jogava.

– Sim. De certa forma.

Nevile comentou:

– Kay seria uma ótima jogadora se se dedicasse um pouco.

Kay perguntou a Audrey:

– Você não pratica nenhum esporte?

– Na verdade não. Até jogava tênis, mas sou totalmente desajeitada.

– Você ainda toca piano, Audrey? – perguntou Thomas.

Ela balançou a cabeça.

– Atualmente não.

– Você tocava muito bem – disse Nevile.

– Pensei que você não gostasse de música, Nevile – disse Kay.

– Não entendo muito de música – disse ele vagamente. – Nunca entendi como Audrey conseguia se esticar para tocar uma oitava tendo mãos tão pequenas.

Ele olhava para as mãos dela quando ela pousou os talheres de sobremesa.

Ela corou um pouco e disse rapidamente:

– Meu dedo mínimo é bem longo. Imagino que isto ajude.

– Então você deve ser egoísta – falou Kay. – As pessoas que são altruístas têm dedos mínimos curtos.

– Isso é verdade? – perguntou Mary Aldin. – Então devo ser altruísta. Olhe, meus dedos mínimos são bem curtinhos.

– Acho você muito altruísta – falou Thomas Royde, olhando-a com atenção.

Ela ficou vermelha, mas continuou:

– Quem será o menos egoísta entre nós? Vamos comparar os dedos mínimos. Os meus são mais curtos que os seus, Kay. Mas acho que o Thomas ainda ganha de mim.

– Eu ganho de vocês dois – disse Nevile. – Olhem! – ele esticou a mão.

– Mas só em uma das mãos – falou Kay. – O dedo mínimo de sua mão esquerda é curto, mas o da mão direita é bem mais longo. E a sua mão esquerda se refere ao que nasce com você, já a direita representa o que você fez da sua vida. Logo isso quer dizer que você nasceu altruísta e se tornou mais egoísta com o passar do tempo.

– Você sabe ler a sorte, Kay? – perguntou Mary Aldin, estendendo a mão com a palma virada para cima. – Uma cartomante me disse que eu ia ter dois maridos e três filhos. Preciso me apressar!

Kay falou:

– Estas cruzes pequenas não representam filhos, mas sim viagens. Isso significa que você fará três viagens marítimas.

– Isso parece improvável também – disse Mary Aldin.

Thomas Royde perguntou a ela:

– Você já viajou muito?

– Não, praticamente nunca.

Ele pôde perceber um desapontamento oculto na voz dela.

– E você gostaria de viajar?

– Mais do que tudo.

Ao seu modo lento e contemplativo, Thomas refletiu sobre o estilo de vida dela. Sempre a serviço de uma velha senhora. Calma, cheia de tato, uma excelente administradora.

– Você mora há muito tempo com lady Tressilian?

– Há quase quinze anos. Vim ficar com ela logo depois que meu pai morreu. Ele já estava inválido há alguns anos antes de morrer.

E depois respondeu à pergunta que achava que ele queria fazer:

– Tenho trinta e seis anos. Era isso o que você queria saber, não?

– É, eu estava me perguntando, é verdade – admitiu. – Mas você poderia ter... qualquer idade, viu?

– Esse comentário pode ter mais de um significado.

– Suponho que sim. Mas não quis dizer isso.

Seu olhar melancólico e pensativo não se afastava do rosto dela. Ela, contudo, não ficou constrangida. Não se tratava de nada tão constrangedor, mas sim de um interesse autêntico e atencioso. Ao perceber os olhos dele observando seus cabelos, passou a mão na mecha branca, e falou:

– Eu a tenho desde muito jovem.

– Gosto dela – disse ele simplesmente.

Continuou olhando-a. Por fim, ela perguntou com um tom levemente divertido:

– Bom, qual é o veredicto?

Ele corou sob a pele bronzeada e disse:

– Ah, imagino que seja indelicado ficar lhe encarando. Estava apenas curioso com relação a você – e como você realmente é.

– Por favor – disse ela apressada, levantando-se da mesa.

Ao entrar na sala de estar, segurando o braço de Audrey, anunciou:

– O velho sr. Treves também virá para o jantar amanhã.

– Quem é ele? – perguntou Nevile.

– Ele trouxe uma carta de apresentação de lorde Rufus. É um senhor idoso encantador. Está hospedado no Balmoral Court. Sofre do coração e parece muito frágil, mas suas faculdades mentais estão perfeitas e conheceu muita gente interessante. Era advogado ou procurador, não me recordo bem.

– Todos aqui são pavorosamente velhos – disse Kay descontente.

Ela estava parada bem embaixo da luz. Thomas olhava naquela direção, e a observou com o mesmo olhar de desinteresse que sempre dava a tudo o que estava no seu campo de visão.

Impressionou-se de repente com a beleza intensa e ardente de Kay. Uma beleza de cores vivas, repleta de uma vitalidade exultante. Desviou o olhar dela até Audrey, pálida e apagada como uma traça no seu vestido cinza-prateado.

Sorriu consigo mesmo e murmurou.

– Rosa Vermelha e Branca de Neve.

– O quê? – era Mary Aldin ao seu lado.

Ele repetiu as palavras.

– Como o velho conto de fadas, você sabe...

Mary Aldin falou:

– É mesmo uma ótima comparação...

V

O sr. Treves bebia com apreço o seu vinho do porto. Um vinho muito bom. E o jantar fora preparado e servido com excelência. Lady Tressilian evidentemente não tinha problemas com os empregados.

A casa também era bem administrada, apesar da dona ser uma inválida.

É uma pena que as senhoras não tenham se retirado da sala de jantar quando o vinho foi servido. Ele preferia o costume à moda antiga. Os jovens, porém, seguiam seus próprios hábitos.

Seus olhos pousaram pensativos naquela jovem bela e radiante que era a esposa de Nevile Strange.

A noite era de Kay. Sua intensa beleza brilhava e iluminava a sala à luz de velas. Ao seu lado, com o cabelo escuro e lustroso, Latimer se curvava a ela. Ele chamava a atenção para ela. Ela se sentia triunfante e segura de si.

A simples visão dessa vitalidade tão radiante deixava o sr. Treves animado.

Ah, a juventude! Não há mesmo nada como a juventude!

Não era de se admirar que o marido tivesse perdido a cabeça e deixado a primeira mulher. Audrey estava sentada perto dele. Uma criatura encantadora e uma dama – no entanto, de acordo com a experiência do sr. Treves, era o tipo de mulher que invariavelmente acaba sendo abandonada.

Passou os olhos por ela. Estava com a cabeça abaixada olhando para o prato. A completa imobilidade da sua postura impressionou o sr. Treves, que a olhou com mais atenção. Ficou se perguntando no que estaria pensando. Achou encantador o jeito como o cabelo caía sobre sua orelhinha em forma de concha...

Com um leve sobressalto, o sr. Treves voltou a si ao perceber que alguma coisa estava acontecendo. Levantou-se às pressas.

Na sala de estar, Kay Strange foi direto até a vitrola e botou um disco de música para dançar.

Mary Aldin falou, desculpando-se com o sr. Treves:

– Estou certa de que o senhor detesta jazz.

– De forma alguma – disse ele educadamente, embora sem ser verdadeiro.

– Talvez mais tarde possamos jogar bridge – sugeriu ela. – Mas é melhor não começarmos uma partida agora, pois sei que lady Tressilian o aguarda para uma conversa.

– Será um prazer. Lady Tressilian nunca desce para ficar com vocês?

– Não. Ela costumava descer numa cadeira de rodas. Foi por isso que instalamos o elevador. Porém, atualmente prefere ficar no quarto. Lá ela pode receber e conversar apenas com quem desejar, convocando-os como uma espécie de autoridade real.

– Muito bem colocado, srta. Aldin. Já fui avisado do toque real das maneiras de lady Tressilian.

No meio da sala, Kay se movia em um lento passo de dança.

– Só tire essa mesa do caminho, Nevile – disse ela.

Sua voz era autoritária e confiante. Seus olhos brilhavam e tinha a boca entreaberta.

Obediente, Nevile moveu a mesa. Caminhou na direção dela que, no entanto, virou-se deliberadamente para Ted Latimer.

– Venha, Ted. Vamos dançar.

Prontamente o braço de Ted estava em torno dela. Dançavam, balançando e inclinando o corpo, os passos em perfeita sincronia. Uma bela apresentação de se ver.

O sr. Treves murmurou:

– É... bem profissional.

Mary Aldin estremeceu de leve ao ouvir suas palavras, ainda que o sr. Treves as tenha dito por mera admiração. Observou seu rosto sábio e perspicaz e achou que trazia um ar distraído, como se estivesse seguindo uma linha de raciocínio toda sua.

Nevile levantou-se, hesitando por um momento, depois foi até Audrey, que estava em pé perto da janela.

– Quer dançar, Audrey?

Seu tom era formal, quase frio. Poder-se-ia dizer que seu convite tenha sido feito por mera educação. Audrey Strange hesitou por alguns instantes antes de balançar a cabeça concordando e dar um passo na direção dele.

Mary Aldin fez alguns comentários corriqueiros, aos quais o sr. Treves não respondeu. Até então ele não havia mostrado sinais de surdez e sua educação era exemplar. Concluiu que sua indiferença se devia ao fato de estar absorto em alguma coisa. Não conseguiu determinar se ele observava as pessoas dançando ou se olhava para Thomas Royde, que estava sozinho do outro lado da sala.

Com um leve sobressalto, o sr. Treves falou:

– Perdão, minha senhora, o que estava dizendo?

– Nada. Apenas dizia que o tempo tem estado agradável, o que não é tão normal em setembro.

– Sim, sem dúvida. No hotel me disseram que a região está precisando de chuva com urgência.

– Espero que o senhor esteja bem instalado por lá.

– Ah, sim, embora tenha me aborrecido ao chegar e descobrir...

O sr. Treves parou de falar.

Audrey havia se soltado dos braços de Nevile. Ela falou desculpando-se com um leve sorriso:

– Está quente demais para dançar.

E saiu para o terraço passando pela porta envidraçada.

– Vá atrás dela, seu bobo – murmurou Mary. Ela teve a intenção de falar baixinho, mas saiu alto o bastante para o sr. Treves virar-se e olhá-la espantado.

Ela ficou vermelha e riu constrangida.

– Estou pensando alto – comentou com tristeza. – É que ele me irrita tanto. É tão lerdo.

– O sr. Strange?

– Não, não. Não o Nevile. Thomas Royde.

Thomas Royde se preparava para sair, porém agora Nevile, depois de um instante de pausa, já havia saído atrás de Audrey.

Por um momento, o olhar interessadamente especulativo do sr. Treves firmou-se na porta envidraçada. Depois, sua atenção voltou-se para o casal que ainda dançava.

– Um belo dançarino o jovem sr... Latimer, qual é mesmo o nome dele?

– Edward Latimer.

– Ah, sim. Edward Latimer. Suponho que se trate de um velho amigo da sra. Strange?

– Sim.

– E o que faz este jovem senhor tão... é... tão decorativo para ganhar a vida?

– Bem, na verdade, não sei.

– Naturalmente! – disse o sr. Treves, conseguindo dar uma boa dose de abrangência a uma palavra tão inofensiva.

Mary continuou:

– Está hospedado no Easterhead Bay Hotel.

– Um local muito agradável – disse o sr. Treves.

Após um minuto ou dois, acrescentou ele, divagando:

– Tem uma cabeça com um formato interessante – um curioso ângulo do topo até o pescoço, passando menos perceptível em função do corte de cabelo, porém definitivamente fora do comum.

Depois de mais uma pausa, prosseguiu, divagando ainda mais:

– O último homem que vi com uma cabeça como esta pegou dez anos de cadeia por uma agressão brutal a um velho joalheiro.

– Sem dúvida, o senhor não quer dizer que... – exclamou Mary.

– Não, absolutamente – disse o sr. Treves. – A senhora me interpretou mal. Não estou sugerindo nenhuma comparação depreciativa com um convidado seu. Estava simplesmente mostrando que um criminoso insensível e brutal pode estar oculto sob a aparência de um jovem encantador e bem apessoado. Pode parecer estranho, mas é verdade.

Ele sorriu ligeiramente para ela. Mary falou:

– O senhor sabe, sr. Treves, acho que estou com um pouco de medo do senhor.

– Que bobagem, minha senhora.

– Mas é verdade. O senhor é um observador muito perspicaz.

– Meus olhos – disse ele complacente – continuam bons como sempre foram. – Fez uma pausa e continuou: – Se isso é bom ou ruim, não consigo determinar no momento.

– De que maneira poderia ser ruim?

O sr. Treves balançou a cabeça em dúvida.

– Muitas vezes nos encontramos em um posto de responsabilidade. Nem sempre é fácil precisar a conduta correta.

Hurstall entrou carregando a bandeja do café.

Após servir Mary e o velho advogado, foi até o outro lado da sala, onde estava Thomas Royde. Depois, seguindo as instruções de Mary, deixou a bandeja em uma mesa baixa e saiu.

– Vamos terminar de dançar essa música – falou Kay por cima do ombro de Ted.

Mary disse:

– Eu levo o de Audrey lá fora.

E saiu pela porta com a xícara na mão. O sr. Treves a acompanhou. Ao parar na soleira da porta, olhou por cima do ombro dela.

Audrey estava sentada na borda do parapeito. À luz da lua, sua beleza viera à tona – uma beleza feita de formas, não de cores. A linha delicada do maxilar até a orelha, a modelagem suave do queixo e da boca, os ossos da cabeça realmente fascinantes e o nariz pequeno e reto. Essa beleza permaneceria quando Audrey se tornasse uma mulher velha, pois não tinha nada a ver com a natureza da sua pele – seus ossos é que eram bonitos. O vestido de lantejoulas que usava acentuava o efeito da luz da lua. Ela estava sentada, imóvel, enquanto Nevile, em pé, a olhava.

Nevile deu um passo na direção dela.

– Audrey – disse ele –, você...

Ela mudou de posição, saltou ligeiramente e levou a mão à orelha:

– Ah! Meu brinco... devo tê-lo deixado cair.

– Onde? Deixe que eu procure...

Ambos se abaixaram, desajeitados e embaraçados, esbarrando um no outro ao procurarem. Audrey desviou. Nevile exclamou:

– Espere um minuto... o botão da minha manga... ficou preso no seu cabelo. Fique parada.

Ela ficou imóvel enquanto ele apanhava do botão.

– Ai, você está puxando o meu cabelo! Como você é desajeitado, Nevile. Vamos logo com isso.

– Me desculpe, eu... eu sou mesmo todo atrapalhado.

O luar estava claro o suficiente para que os dois espectadores vissem o que Audrey não podia ver: o tremor das mãos de Nevile quando lutava para soltar os fios do belo cabelo acinzentado.

No entanto, a própria Audrey também tremia como se de repente sentisse frio.

Mary Aldin sobressaltou-se ao ouvir, atrás dela, uma voz suave dizer:

– Com licença...

Thomas Royde passou por entre os dois e saiu.

– Quer ajuda, Strange? – perguntou.

Nevile se endireitou, e ele e Audrey se afastaram.

– Está tudo bem. Já consegui.

O rosto de Nevile estava bastante pálido.

– Você está gelada – disse Thomas para a Audrey. – Vamos, entre e tome um café.

Ela voltou com ele, e Nevile virou-se e ficou olhando o mar.

– Estava trazendo o seu café aqui fora – disse Mary. – Mas talvez seja melhor você entrar.

– Sim – respondeu Audrey. – Acho melhor entrar.

Todos voltaram para a sala de visitas. Ted e Kay haviam parado de dançar.

A porta se abriu e uma mulher magra e alta, vestida de preto entrou. Falou respeitosamente:

– Minha senhora manda os cumprimentos e gostaria que o sr. Treves fosse encontrá-la nos seus aposentos.

VI

Lady Tressilian recebeu o sr. Treves com evidente satisfação.

Logo estavam mergulhados em um agradável fluxo de lembranças e recordações de conhecidos em comum.

Meia hora depois, lady Tressilian deu um profundo suspiro de satisfação.

– Ah! – disse ela – Como me diverti! Não há nada como papear sobre a vida alheia e relembrar velhos escândalos.

– Um pouco de malícia – concordou o sr. Treves – acrescenta certo sabor à vida.

– A propósito – disse ela –, o que o senhor acha do nosso exemplar de triângulo amoroso?

O sr. Treves pareceu ficar discretamente inexpressivo.

– É... que triângulo?

– Não me diga que não notou! Nevile e suas esposas.

– Ah, isto! A atual sra. Strange é uma jovem particularmente atraente.

– A Audrey também é – disse lady Tressilian.

– Ela tem charme, é verdade – admitiu.

Lady Tressilian exclamou:

– O senhor quer dizer que compreende que um homem possa deixar a Audrey, que é uma pessoa de raras qualidades, por... por uma Kay?

O sr. Treves respondeu com serenidade:

– Perfeitamente. Acontece muito.

– É revoltante. Se fosse homem, logo me cansaria da Kay e desejaria nunca ter feito esse papelão.

– Isso também acontece com frequência. Estas paixões súbitas e impetuosas – falou o sr. Treves, parecendo muito preciso e impassível – raramente têm uma longa duração.

– E o que acontece depois? – perguntou lady Tressilian.

– Em geral – disse o sr. Treves –, eles se adaptam. Com muita frequência, há um segundo divórcio. Em seguida o homem se casa com uma terceira mulher – alguém de boa índole.

– Isto é absurdo! Nevile não é um mórmon, como alguns dos seus clientes possam ser.

– Às vezes acontece dos pares originais casarem-se outra vez.

Lady Tressilian balançou a cabeça.

– Isso não! Audrey é muito orgulhosa.

– A senhora acha?

– Tenho certeza. Não balance a cabeça desse jeito irritante!

– Digo, com base na minha experiência – falou o sr. Treves –, que as mulheres possuem pouco ou nenhum orgulho no que se refere às questões ligadas ao amor. O orgulho é um atributo muito frequente em suas bocas, no entanto pouco visível nas suas ações.

– O senhor não compreende a Audrey. Ela era extremamente apaixonada pelo Nevile. Talvez até demais. Depois que ele a abandonou por essa moça – apesar de não culpá-lo de todo, pois a moça o perseguia por toda parte e o senhor bem sabe como os homens são! –, ela nunca mais quis vê-lo.

O sr. Treves tossiu ligeiramente:

– E, mesmo assim – disse ele –, ela está aqui!

– Bem – disse lady Tressilian aborrecida –, não me tenho por alguém que compreenda essas ideias modernas. Imagino que Audrey esteja aqui apenas para mostrar que não se importa e que é indiferente ao que aconteceu!

– É bem provável – disse ele coçando o queixo. – Sem dúvida que, para si mesma, ela pode formular a questão nestes termos.

– O senhor quer dizer – disse lady Tressilian – que acha que ela ainda sente falta de Nevile e que... ah, não! Não posso acreditar numa coisa dessas!

– Mas é possível – falou o sr. Treves.

– Eu não admito – disse ela. – Não admitirei isso em minha casa.

– A senhora já está preocupada, não está? – perguntou o sr. Treves com perspicácia. – Há uma tensão. Pude senti-la no ar.

– Então o senhor também sente? – perguntou lady Tressilian prontamente.

– Sim, devo confessar que fiquei intrigado. Os verdadeiros sentimentos das partes permanecem obscuros, mas, em minha opinião, há pólvora no ar. A explosão pode acontecer a qualquer instante.

– Pare de falar como Guy Fawkes e me diga o que fazer – disse lady Tressilian.

O sr. Treves levantou as mãos.

– Realmente não sei bem o que sugerir. Estou certo de que existe um foco. Se pudéssemos isolá-lo... mas há tantos fatos que continuam obscuros.

– Não tenho intenção de pedir à Audrey que vá embora – disse lady Tressilian. – Até onde pude observar, ela tem se comportado adequadamente numa situação muito difícil. Tem sido gentil, porém distante. Considero sua conduta irrepreensível.

– Sim, totalmente – disse o sr. Treves. – Totalmente. Mas, no entanto, está tendo um efeito marcante sobre o jovem Nevile Strange.

– Nevile – disse ela – não está se comportando bem. Devo falar com ele sobre isso. Entretanto, jamais poderia mandá-lo embora desta casa. Matthew o considerava praticamente como um filho adotivo.

– Eu sei.

Lady Tressilian suspirou e disse em voz baixa:

– O senhor sabe que Matthew morreu afogado aqui?

– Sim.

– Muitas pessoas ficaram surpresas por eu ter ficado por aqui. Ignorância delas. Sempre senti Matthew perto de mim aqui. A casa toda está repleta da presença dele. Eu me sentiria solitária e estranha em qualquer outro lugar. – Fez uma pausa e continuou: – No início tive a esperança de que não levaria muito tempo para que me juntasse a ele. Sobretudo quando minha saúde começou a fraquejar. Mas parece que sou um daqueles velhos portões barulhentos, um desses eternos inválidos que não morrem nunca – e esmurrou o travesseiro com raiva.

"Devo lhe dizer que não me agrada! Sempre acreditei que quando minha hora chegasse seria tudo muito rápido. Que encontraria a morte cara a cara, sem senti-la gradativamente rastejando atrás de mim, sempre sob o meu ombro, forçando-me pouco a pouco a naufragar de humilhação em humilhação por causa da doença. Cada vez mais impotente e mais dependente de outras pessoas!"

– Porém, tenho certeza de que são pessoas muito devotadas. A senhora tem uma criada fiel, não?

– Barrett? Sim, a que o acompanhou até aqui em cima. É o conforto da minha vida! Uma velha severa e geniosa, totalmente devotada. Está comigo há anos.

– E devo dizer que a senhora tem sorte em ter a srta. Aldin.

– O senhor tem razão. Tenho muita sorte em ter a Mary comigo.

– Ela é sua parenta?

– É uma prima distante. Uma dessas criaturas altruístas cujas vidas são sacrificadas continuamente em favor dos outros. Ela cuidou do pai, um homem inteligente, porém terrivelmente rigoroso. Quando ele morreu, pedi que viesse morar comigo, e sempre abençoo o dia em que veio para cá. O senhor não tem ideia do pavor que são, na maioria das vezes, as damas de companhia. Criaturas fúteis e enfadonhas – fico enlouquecida com a inatividade delas. São damas de companhia por não servirem para nada melhor. É uma maravilha ter a Mary, uma mulher inteligente e culta. Ela possui realmente um cérebro de primeira classe – um cérebro de homem. Já leu muito e com profundidade; não há assunto que não possa discutir. E é esperta tanto para os assuntos domésticos como para as coisas do intelecto. Administra a casa com perfeição e mantém os empregados satisfeitos – elimina todas as discussões e ciúmes. Não sei como ela consegue – uma questão de tato, suponho.

– Ela está com a senhora há muito tempo?

– Há doze anos. Não, mais. Uns treze ou catorze anos. Algo assim. Ela tem sido um grande conforto pra mim.

O sr. Treves concordou com a cabeça.

Lady Tressilian, observando-o com as pálpebras semicerradas, disse de repente:

– O que houve? O senhor está preocupado com alguma coisa?

– Uma bobagem – disse ele. – Pura bobagem. A senhora tem olhos perspicazes.

– Gosto de estudar as pessoas – disse lady Tressilian. – Sempre sabia de imediato o que se passava na cabeça de Matthew – ela suspirou e se recostou nos travesseiros. – Devo me despedir do senhor agora – era a dispensa de uma rainha, sem que significasse nenhuma descortesia. – Estou muito cansada. Mas foi realmente um prazer imenso. Espero que venha conversar comigo outra vez.

– Pode estar certa de que me lembrarei de suas palavras. Só espero não ter falado demais.

– Não, não. É que sempre me sinto cansada de repente. O senhor pode tocar a campainha antes de sair, por favor?

O sr. Treves puxou delicadamente o longo e antiquado cordão que terminava em uma imensa borla.

– Uma relíquia! – observou ele.

– Minha campainha? Ah, sim. Nada de campainhas elétricas modernas para mim. Na maior parte do tempo, estão quebradas e a gente fica tocando sem ser ouvido. Esta aqui nunca falha. Toca lá em cima no quarto da Barrett, logo em cima de sua cama. Assim, nunca demora a responder. E, caso demore, toco outra vez em seguida.

Assim que saiu do quarto, o sr. Treves ouviu a campainha tocar pela segunda vez, e pôde ouvir o tilintar desta sobre sua cabeça. Olhou para cima e notou os fios estendidos pelo teto. Barrett desceu apressada o lance de escadas e passou por ele para ir até a patroa.

O Sr. Treves desceu lentamente a escada, sem se preocupar em usar o pequeno elevador. Seu rosto trazia um olhar carrancudo de incerteza.

Encontrou todo o grupo reunido na sala de estar, e Mary sugeriu de imediato uma partida de bridge. O sr. Treves, porém, recusou com educação alegando que precisava ir embora em seguida.

– O meu hotel é antiquado – falou. – Eles não contam com a hipótese de que alguém esteja fora depois da meia-noite.

– Ainda falta muito. São só dez e meia – disse Nevile. Espero que não o deixem trancado do lado de fora.

– Ah, não. Na verdade, duvido que realmente tranquem a porta à noite. É fechada às nove horas, mas é só girar o trinco e entrar. As pessoas parecem ser muito relapsas aqui, mas suponho que tenham motivos para confiar na honestidade dos moradores da região.

– Seguramente, durante o dia ninguém tranca a porta por aqui – disse Mary. – A nossa fica aberta o dia todo, mas mantemos trancada à noite.

– Como é o hotel Balmoral Court? – perguntou Ted Latimer. – O prédio parece uma estranha atrocidade vitoriana.

– Faz jus ao nome – falou o sr. Treves. – Possui o bom e sólido conforto vitoriano. Boas camas, boa comida, espaçosos armários vitorianos e banheiros imensos revestidos de mogno.

– O senhor não falou que inicialmente ficara aborrecido com alguma coisa? – perguntou Mary.

– Ah, sim. Por cautela, reservei, por carta, dois aposentos no andar térreo. A senhora sabe, como tenho o coração fraco, as escadas ficam proibidas para mim. Quando cheguei fiquei incomodado ao saber que os aposentos não estavam disponíveis. Em vez disso, designaram-me dois aposentos (muito agradáveis, devo admitir) no andar de cima. Protestei, mas parece que o antigo hóspede, que iria para a Escócia em setembro, ficou doente e não pôde desocupar os quartos.

– O sr. Lucan, suponho... – disse Mary.

– Creio que seja este o nome. Nestas circunstâncias, tive que me adaptar da melhor maneira possível. Por sorte, há um bom elevador automático e, desse modo, não passei por nenhum inconveniente.

– Ted, por que você não fica no Balmoral Court? Ficaria muito mais acessível – disse Kay.

– Ah, não acho que seja o lugar adequado para mim.

– Tem razão, sr. Latimer – concordou o sr. Treves. – Não é realmente o lugar apropriado para uma pessoa da sua categoria.

Por algum motivo, Ted Latimer enrubesceu.

– Não sei o que o senhor quis dizer com isso – disse ele.

Percebendo certo constrangimento, Mary Aldin fez rapidamente um comentário sobre um caso que vinha sendo noticiado nos jornais.

– Vi que prenderam um homem do caso da mala de Kentish Town.

– É o segundo que prendem – disse Nevile. – Espero que tenham apanhado o homem certo desta vez.

– Mesmo assim, é possível que não consigam mantê-lo preso – disse o sr. Treves.

– Falta de provas? – perguntou Royde.

– Sim.

– Apesar disso – disse Kay –, imagino que no fim sempre encontrem as provas.

– Nem sempre, sra. Strange. A senhora se surpreenderia se soubesse quantas pessoas que já cometeram crimes andam livres pelo país sem serem importunadas.

– Por nunca terem sido descobertas, é o que o senhor quer dizer?

– Não é só por isso. Há um homem – disse ele mencionando um famoso caso ocorrido dois anos antes – que a polícia sabe que, sem sombra de dúvida, assassinou duas crianças, mas, no entanto, não pode fazer nada. Ele teve como álibi o testemunho de duas pessoas, que embora fosse falso, não havia como comprovar. Desse modo, o assassino continua solto.

– Que coisa terrível! – disse Mary.

Thomas Royde deu uma batidinha no cachimbo e disse com a voz serena e ponderada:

– Isso confirma o que sempre achei: há circunstâncias em que se justifica fazer justiça com as próprias mãos.

– O que o senhor quis dizer, sr. Royde?

Thomas começou a reabastecer o cachimbo. Olhava pensativo para as mãos enquanto falava com frases desconexas, aos solavancos.

– Digamos que o senhor soubesse... de um trabalho sujo... soubesse que a pessoa que o executou não pode ser responsabilizada perante as leis... que está imune à punição. Logo, segundo o meu raciocínio, é admissível que um indivíduo execute ele próprio a sentença.

O sr. Treves disse com cordialidade:

– É uma doutrina muito perniciosa, sr. Royde! Uma atitude como esta seria totalmente inadmissível!

– Não vejo assim. Estou supondo, o senhor veja, que os fatos estejam provados. O único problema é que a lei não tem eficácia.

– Mesmo assim, uma ação privada não estaria autorizada.

Thomas sorriu, um sorriso muito simpático.

– Não concordo – disse ele. – Se um homem merece ter o pescoço torcido, não me importaria de assumir a responsabilidade de torcê-lo!

– E, por sua vez, o senhor estaria sujeito às penalidades da lei!

Ainda sorrindo, Thomas afirmou:

– Eu teria que ser cuidadoso, é claro... De fato, seria preciso ser bastante ardiloso...

Audrey falou com sua voz clara:

– Você seria descoberto, Thomas.

– Na verdade – disse ele –, não creio que fosse.

– Soube de um caso, certa vez – começou o sr. Treves, depois parou. Desculpando-se, falou: – Como sabem, a criminologia é de certa forma um hobby para mim.

– Por favor, continue – disse Kay.

– Tenho uma vasta experiência em casos criminais – disse o sr. Treves. – Apenas alguns deles foram de fato interessantes. A maioria dos assassinos é lamentavelmente desinteressante e tem pouca visão. No entanto, posso contar-lhes um exemplo interessante.

– Ah, sim, conte – disse Kay. – Adoro assassinatos.

O sr. Treves falava devagar, parecendo escolher as palavras com imenso zelo e cuidado.

– O caso se refere a uma criança. Não vou mencionar a idade nem o sexo dela. Os fatos foram os seguintes: duas crianças brincavam com arcos e flechas. Uma delas atirou uma flecha, atingindo a outra num ponto vital e, assim, resultando na sua morte. Houve um inquérito, a criança sobrevivente ficou completamente transtornada. Lamentou-se o acidente e manifestou-se compaixão pelo infeliz autor do feito.

Fez uma pausa.

– Isto é tudo? – perguntou Ted Latimer.

– Sim, é tudo. Um lamentável acidente. Mas, vejam, há outro lado nessa história. Aconteceu que, algum tempo antes, um fazendeiro passava por acaso por um atalho da floresta nos arredores e, numa clareira, viu uma criança praticando arco e flecha.

Interrompeu-se outra vez para deixar que compreendessem o que queria dizer.

– O sr. quer dizer – falou Mary Aldin incrédula – que não foi um acidente, que foi intencional?

– Não sei – disse o sr. Treves. – Nunca soube. No inquérito, foi declarado que as crianças não estavam acostumadas a brincar com arcos e flechas e que, consequentemente, atiravam sem ter conhecimento e de forma descontrolada.

– E não era bem assim?

– Bom, no caso de uma das crianças, certamente não!

– O que o fazendeiro fez? – perguntou Audrey sem fôlego.

– Não fez nada. Ainda hoje não sei se ele agiu certo ou não. Era o futuro de uma criança que estava em jogo. Ele deve ter pensado que a criança merecia que se lhe oferecesse o benefício da dúvida.

Audrey falou:

– Mas o senhor mesmo nunca teve dúvida quanto ao que realmente aconteceu?

O sr. Treves disse em tom grave:

– Sou da opinião de que foi um assassinato particularmente engenhoso... um crime cometido por uma criança e planejado com antecedência com todos os detalhes.

Ted Latimer perguntou:

– Havia um motivo?

– Ah, sim, havia um motivo. Provocações infantis, palavras cruéis: o suficiente para fomentar o ódio. As crianças odeiam com facilidade...

Mary exclamou:

– Mas houve premeditação!

O sr. Treves concordou com a cabeça.

– Sim, a premeditação é que foi o pior. Uma criança, guardando esta intenção assassina no coração, praticando discretamente dia após dia e, então, o ato final, a flechada desastrada... a catástrofe... a simulação da dor e do desespero. Foi tudo incrível... tão incrível que provavelmente ninguém acreditaria em um tribunal.

– E o que houve com... com a criança? – perguntou Kay, curiosa.

– Seu nome foi trocado, creio eu – disse o sr. Treves. – Foi considerado aconselhável depois da publicidade do inquérito. Aquela criança é hoje um adulto, em algum lugar deste mundo. A questão é: será que ela ainda tem um coração assassino?

Acrescentou pensativo:

– Isso já faz muito tempo, mas reconheceria o meu pequeno assassino onde quer que fosse.

– É claro que não – objetou Royde.

– Ah, sim, há uma determinada peculiaridade física... Bom, não vou me alongar no assunto. Não é um assunto muito agradável. Na verdade, devo ir embora agora.

E levantou-se.

Mary perguntou:

– O senhor aceita uma bebida antes de sair?

As bebidas estavam em uma mesa no outro lado da sala. Thomas Royde, que estava perto da mesa, se aproximou e tirou a tampa da garrafa de uísque.

– Um uísque com soda, sr. Treves? E para você, Latimer?

Nevile disse a Audrey em voz baixa:

– Está uma noite linda. Venha um pouco aqui fora.

Audrey estava em pé perto da porta, olhando para o terraço iluminado pelo luar. Ele passou por ela e ficou parado do lado de fora, esperando-a. Ela voltou para a sala, balançando a cabeça impacientemente.

– Não, estou cansada. Eu... eu acho que vou dormir.

Atravessou a sala e saiu. Kay bocejou escancaradamente.

– Também estou com sono. E você, Mary?

– É, acho que estou também. Boa noite, sr. Treves. Cuide bem dele, Thomas.

– Boa noite, srta. Aldin. Boa noite, sra. Strange.

– Vamos almoçar com você amanhã, Ted – disse Kay. – Poderemos tomar banho de mar se o tempo continuar bom.

– Está bem. Estarei esperando por vocês. Boa noite, srta. Aldin.

As duas mulheres deixaram a sala.

Ted Latimer disse amavelmente ao sr. Treves:

– Vou pelo mesmo caminho que o senhor. Vou pegar a barca, logo, tenho que passar pelo seu hotel.

– Obrigado, sr. Latimer. Ficarei feliz em ter a sua companhia.

Apesar de ter anunciado sua intenção de partir, o sr. Treves parecia não ter pressa. Saboreava sua bebida confortavelmente e dedicava-se à tarefa de extrair de Thomas Royde informações sobre as condições de vida na Malásia.

Royde era monossilábico em suas respostas. Pela dificuldade com que lhe eram arrancados, os detalhes da vida cotidiana pareciam ser segredos de relevância nacional. Ele parecia estar perdido, absorto com alguma preocupação da qual saía com dificuldade a fim de responder aos questionamentos.

Ted Latimer estava inquieto. Parecia entediado, impaciente e ansioso para ir embora.

Interrompeu de repente a conversa, exclamando:

– Por pouco não esqueço! Trouxe os discos que a Kay queria. Estão no hall, vou até ali pegá-los. Você avisa para ela amanhã, Royde?

O outro concordou. Ted deixou a sala.

– Esse jovem tem uma natureza inquieta – murmurou o sr. Treves.

Royde apenas resmungou, sem responder.

– Creio que seja amigo da sra. Strange, não? – continuou o velho advogado.

– Da Kay Strange – disse Thomas.

O sr. Treves sorriu.

– Sim – disse ele. – Foi o que eu quis dizer. Dificilmente seria amigo da primeira sra. Strange.

Royde disse, enfaticamente:

– Não, não seria.

A seguir, percebendo o olhar intrigado do outro, disse enrubescendo um pouco:

– O que quis dizer é que...

– Ah, sim, compreendi muito bem o que quis dizer, sr. Royde. O senhor é amigo da sra. Audrey Strange, não é?

Thomas Royde abastecia lentamente o cachimbo com a sua tabaqueira. Olhando para baixo, com os olhos atentos à tarefa, falou, ou melhor, murmurou:

– Mmm... sim. Fomos criados mais ou menos juntos.

– Ela deve ter sido uma jovem muito bonita.

Thomas Royde disse algo que pareceu ser "hum hum".

– É um pouco estranho ter duas senhoras Strange na mesma casa.

– Ah, sim... um tanto estranho.

– Uma situação complicada para a primeira sra. Strange.

Thomas corou.

– Extremamente complicada.

O sr. Treves se inclinou. Sua pergunta saiu cortante:

– Por que ela veio, sr. Royde?

– Bom... suponho que... – sua voz ficara confusa – ela... não quisesse recusar.

– Recusar a quem?

Royde se mexeu desajeitado.

– Bem, de fato, creio que ela sempre vem nesta época do ano... no início de setembro.

– E lady Tressilian convidou Nevile Strange e sua nova esposa para virem no mesmo período? – a voz do velho senhor continha uma nota suave de incredulidade.

– Quanto a isso, acho que o próprio Nevile se convidou.

– Então ele estava ansioso por este... reencontro?

Apreensivo, Royde mexeu o corpo. Respondeu, evitando os olhos do outro:

– Suponho que sim.

– Interessante... – disse o sr. Treves.

– Uma atitude muito estúpida esta – disse Thomas Royde, estimulado a uma fala mais longa.

– Um tanto embaraçoso, pode-se dizer – falou o sr. Treves.

– Ah, sim. As pessoas fazem esse tipo de coisa hoje em dia – comentou Thomas vagamente.

– Fiquei me perguntando – disse o sr. Treves –, será que não teria sido ideia de outra pessoa?

Thomas o encarou.

– De quem mais poderia ser?

O sr. Treves suspirou.

– Há tantos amigos generosos neste mundo, sempre desejosos de ajeitar a vida das outras pessoas, sugerindo coisas que nem sempre estão de acordo.

Interrompeu-se quando Nevile Strange entrava pela porta do terraço. No mesmo instante, Ted Latimer voltava do hall pela outra porta.

– Olá, Ted, o que você trouxe aí? – perguntou Nevile.

– São discos para a Kay. Ela me pediu que trouxesse.

– Pediu, é? Ela não me disse nada.

Houve um breve momento de constrangimento entre os dois, depois Nevile foi até a bandeja das bebidas e serviu um uísque com soda. Parecia agitado e insatisfeito, respirava fundo.

O sr. Treves ouvira alguém se referir a Nevile como "aquele tipo sortudo, tem tudo o que qualquer pessoa poderia desejar neste mundo". Naquele momento, ele não parecia absolutamente um homem feliz.

Com a chegada de Nevile, Thomas Royde pareceu achar que havia concluído suas obrigações como anfitrião. Saiu da sala sem qualquer esforço para dizer boa noite. Seu caminhar estava ligeiramente mais apressado que o de costume. Foi quase que uma fuga.

– Foi uma noite encantadora – disse o sr. Treves ao pousar o copo. – Muito... é... instrutiva.

– Instrutiva? – Nevile ergueu levemente as sobrancelhas.

– As informações sobre a situação na Malásia – sugeriu Ted, com um largo sorriso. – Arrancar respostas do Thomas Taciturno é uma tarefa nada fácil.

– É um sujeito peculiar, o Royde – disse Nevile. – Creio que sempre tenha sido assim. Só fuma aquele velho cachimbo horroroso, ouve os assuntos e ocasionalmente diz "hum" e "ah", parecendo sábio como uma coruja.

– É provável que ele pense muito mais do que fala – disse o sr. Treves. – E agora realmente preciso ir embora.

– Venha logo visitar lady Tressilian outra vez – disse Nevile ao acompanhar os dois homens até o hall. – O senhor a alegra muito. Hoje em dia ela tem tão pouco contato com o mundo lá fora. Ela é maravilhosa, não é?

– Sim, de fato. Tem uma conversa muitíssimo estimulante.

O sr. Treves vestiu cuidadosamente o sobretudo e o cachecol e, depois de renovadas despedidas, ele e Ted Latimer partiram juntos.

O Balmoral Court ficava na verdade a pouco menos de cem metros de distância, na curva da estrada. Surgia austero e assustador, o primeiro posto da parte mais afastada da cidade.

A barca, para onde Ted Latimer se dirigia, ficava mais adiante, a cerca de duzentos ou trezentos metros, no ponto onde o rio era mais estreito.

O sr. Treves parou diante da porta do Balmoral Court e estendeu a mão.

– Boa noite, sr. Latimer. Vai ficar aqui por muito tempo?

Ted sorriu com um clarão dos dentes muito brancos.

– Isto depende, sr. Treves. Não deu tempo de me sentir entediado ainda.

– Não, ainda não, devia ter imaginado. Suponho que, como a maioria dos jovens de hoje, o tédio seja a coisa que o senhor mais receia no mundo e, ainda assim, posso lhe assegurar que existem coisas bem piores.

– Como o que, por exemplo?

A voz de Ted Latimer era suave e agradável, porém havia nela algo subjacente... algo nada fácil de se definir.

– Ah, deixo a cargo da sua imaginação, sr. Latimer. Como deve saber, jamais ousaria lhe dar conselhos. Os conselhos oferecidos por velhos antiquados como eu são invariavelmente tratados com desprezo. E talvez com razão, quem sabe? Mas nós velhos gostamos de pensar que a experiência possa ter-nos ensinado alguma coisa. O senhor sabe, observamos muito ao longo de toda uma vida.

Uma nuvem encobriu a face da lua. A rua ficou muito escura. Saindo da escuridão, a figura de um homem vinha na direção deles subindo a colina.

Era Thomas Royde.

– Fui caminhar um pouco até a barca – ele balbuciou com o cachimbo preso entre os dentes. – Este é o seu hotel? – perguntou ao sr. Treves. – Parece que o deixaram trancado do lado de fora.

– Ah, acho que não – disse o sr. Treves.

Virou a grande maçaneta de metal e a porta se abriu para trás.

– Entraremos para nos certificar de que o senhor esteja seguro lá dentro – disse Royde.

Os três entraram no hall iluminado apenas por uma lâmpada elétrica. Não havia ninguém, e o odor do jantar recente, do veludo empoeirado e da admirável mobília entrou em suas narinas.

De repente, o sr. Treves exclamou aborrecido. À frente deles, na porta do elevador, havia um aviso:

"ELEVADOR ENGUIÇADO"

– Ah, meu Deus! – disse o sr. Treves. – Que coisa mais irritante! Terei que subir toda essa escada.

– Que pena – disse Royde. – Será que não tem um elevador de serviço para bagagens e tudo mais?

– Receio que não. Esse é usado para todos os fins. Bom, só precisarei subir devagar, e isso é tudo. Boa noite para os senhores.

Começou a subir lentamente a ampla escadaria. Royde e Latimer lhe desejaram boa noite, depois saíram pela rua escura.

Houve um momento de silêncio, em seguida Royde falou abruptamente:

– Bem, boa noite.

– Boa noite. Até amanhã.

– Sim.

Ted Latimer desceu rapidamente o morro em direção à barca. Thomas Royde ficou parado observando-o por alguns instantes, depois caminhou devagar na direção oposta, seguindo para Gull's Point.

A lua saiu de trás da nuvem e Saltcreek foi outra vez banhada pelo esplendor da luz prateada.

VII

– Parece um dia de verão – murmurou Mary Aldin.

Ela e Audrey estavam sentadas na praia logo abaixo do imponente edifício do Hotel Easterhead Bay. Audrey usava uma roupa de banho e parecia uma delicada estatueta de marfim. Mary não havia tomado banho de mar. Um pouco adiante delas, Kay estava deitada de bruços expondo o corpo bronzeado ao sol.

– Ah! – ela sentou-se. – A água está terrivelmente fria – falou em tom de acusação.

– Ah, bem... já é setembro – falou Mary.

– Sempre faz frio na Inglaterra – disse Kay descontente. – Como queria que estivéssemos no sul da França! Lá é de fato quente.

Próximo a ela, Ted Latimer murmurou:

– O sol daqui não é um sol de verdade.

– Não vai entrar na água mesmo, sr. Latimer? – perguntou Mary.

Kay riu.

– Ted nunca entra na água. Só fica deitado ao sol como um lagarto.

Ela esticou o pé e deu uma cutucada nele. Ele saltou de repente.

– Vamos dar uma caminhada, Kay. Estou com frio.

Saíram juntos andando pela praia.

– Como um lagarto? Uma comparação um tanto infeliz – murmurou Mary Aldin, observando-os.

– É isso o que você acha dele? – perguntou Audrey.

Mary Aldin franziu as sobrancelhas.

– Não exatamente. Um lagarto sugere alguma coisa bem inofensiva. Não creio que ele seja inofensivo.

– Não – falou Audrey pensativa. – Também não acho.

– Como eles ficam bem juntos! – disse Mary, enquanto observava o casal se afastando. – De certa forma, parecem combinar, não acha?

– Imagino que sim.

– Gostam das mesmas coisas – Mary continuou. – Têm as mesmas opiniões e usam a mesma linguagem. É uma pena que...

Ela parou.

Audrey falou bruscamente:

– Que o quê?

Mary falou bem devagar:

– Acho que ia dizer que foi uma pena Nevile e ela terem se conhecido.

Audrey se enrijeceu. Surgiu no seu rosto o que Mary chamava de "expressão gélida da Audrey". Mary se apressou em dizer:

– Me desculpe, Audrey. Não devia ter dito isto.

– Eu preferiria... não falar neste assunto, se não se importa.

– Sim, é claro. Foi muito estúpido de minha parte. Creio que eu... eu esperava que você já tivesse superado.

Audrey virou a cabeça devagar. Com o rosto sereno e inexpressivo, falou:

– Posso lhe assegurar que não há nada a ser superado. Eu... eu não tenho nenhum tipo de sentimento neste sentido. Desejo... desejo de todo coração que Kay e Nevile sejam sempre muito felizes juntos.

– Bem, é muita generosidade sua, Audrey.

– Não é uma questão de generosidade. É... apenas a verdade. Mas realmente acho que seja... bom... nada vantajoso ficar relembrando o passado: "é uma pena isso ou aquilo ter acontecido". Agora tudo já passou. Para que ficar remoendo o passado? Temos que seguir vivendo as nossas vidas no presente.

– Acho que – Mary falou simplesmente – pessoas como Kay e Ted me parecem tão interessantes por... bom, por serem tão diferentes de tudo e de todas as pessoas que já conheci.

– Sim, imagino que sejam.

– Até você – falou Mary com repentina amargura – viveu e teve experiências que provavelmente nunca deverei ter. Sei que você tem sido infeliz... muito infeliz. No entanto, não posso deixar de pensar que até mesmo isso seja melhor do que... bom... do que o nada. O vazio!

Ela pronunciou a última palavra com uma ênfase feroz.

Os olhos arregalados de Audrey pareciam assustados.

– Nunca imaginei que você se sentisse assim.

– É mesmo? – Mary Aldin riu, desculpando-se. – Ah! Foi só um acesso momentâneo de descontentamento, minha querida. Não falei a sério.

– Não deve ser muito divertido para você – disse Audrey devagar – morar aqui com Camilla, por mais que ela seja uma pessoa maravilhosa, só lendo para ela, administrando os criados, sem nunca sair daqui.

– Sou bem alimentada e abrigada – falou Mary. – Milhares de mulheres nem isso têm. E, na realidade, Audrey, estou bastante satisfeita. Tenho... – um sorriso surgiu em seus lábios por um instante – minhas distrações secretas.

– Vícios secretos? – perguntou Audrey sorrindo também.

– Ah, eu planejo coisas – disse Mary vagamente. – Na minha mente, sabe. E às vezes gosto de fazer experiências... com as pessoas. Sabe, só para ver se consigo fazer com que elas reajam ao que digo da forma que pretendo.

– Você parece quase sádica, Mary. Como a conheço pouco!

– Ah, é tudo muito inofensivo. Só um passatempo infantil.

Audrey perguntou com curiosidade:

– Você já fez essa experiência comigo?

– Não. Você é a única pessoa que sempre achei um tanto imprevisível. Nunca sei o que você está pensando.

– Talvez – disse Audrey gravemente – a recíproca seja verdadeira.

Ela estremeceu e Mary exclamou:

– Você está com frio!

– Sim. Acho que vou me vestir. Afinal é setembro.

Mary Aldin ficou sozinha, olhando fixamente para o reflexo na água. A maré estava baixando. Estirou-se na areia e fechou os olhos.

Haviam tido um belo almoço no hotel, que estava bem lotado, embora já tivesse passado o auge da temporada. Era uma porção de pessoas estranhas e de tipos bastante variados. Ah, sim, havia sido um dia de folga. Algo para quebrar a monotonia do dia a dia. Havia sido também um alívio sair daquela atmosfera de tensão, do ambiente tenso que ultimamente se instalara em Gull's Point. Não tinha sido culpa de Audrey, mas Nevile...

Seus pensamentos se dispersaram bruscamente quando Ted Latimer se atirou ao seu lado na praia.

– O que você fez com a Kay? – perguntou Mary.

Ted respondeu lacônico:

– Sua presença foi reivindicada pelo seu proprietário oficial.

Algo em seu tom de voz fez com que Mary Aldin endireitasse o corpo. Olhou para o trecho de areia dourada brilhante por onde Nevile e Kay caminhavam na beira d'água. Em seguida, olhou rapidamente para o homem ao seu lado.

Havia pensado nele como um sujeito frio, esquisito, até mesmo perigoso. Agora, pela primeira vez, havia tido o vislumbre de alguém jovem e ferido. Pensou: "Ele era apaixonado pela Kay, apaixonado mesmo, e então Nevile chegou e a levou embora..."

Falou gentilmente:

– Espero que esteja se divertindo por aqui.

Eram palavras convencionais. Mary Aldin raramente usava palavras que não fossem as convencionais – era o seu jeito de falar. Porém, pela primeira vez, seu tom era o de uma proposta de amizade. Ted Latimer respondeu:

– Tanto quanto em qualquer outro lugar.

– Sinto muito – disse Mary.

– Não, você não sente nada! Sou um estranho, e que importa o que um estranho sente ou pensa?

Ela virou-se para olhar para este jovem belo e amargo.

Ele retribuiu o olhar dela com um olhar de provocação.

Ela falou devagar, como alguém que faz uma descoberta:

– Entendo. Você não gosta de nós.

Ele riu.

– Esperava que eu gostasse?

Mary respondeu ponderadamente:

– Suponho que eu esperava isso, sim. É claro que se acaba presumindo coisas demais. Devíamos ser mais humildes. Sim, é verdade, nunca me ocorreu que você não gostasse de nós. Procuramos fazer com que fosse bem recebido... como amigo de Kay!

– Sim... como amigo de Kay!

A interrupção estava acompanhada de um intenso rancor.

Mary falou com uma sinceridade desconcertante:

– Gostaria que me dissesse... gostaria mesmo... por que não gosta de nós? O que lhe fizemos? O que há de errado conosco?

Ted falou com uma ênfase amarga na última palavra:

– São todos uns pedantes!

– Pedantes? – Mary perguntou sem rancor, analisando a acusação com uma apreciação judicial. – Sim – admitiu. – Creio que possamos passar essa impressão.

– Vocês são assim. Vocês veem todas as boas coisas da vida como se fossem coisas muito naturais. São felizes e superiores em seu mundinho isolado e fechado para a multidão das pessoas comuns. Gente como eu é vista por vocês como um animal estranho!

– Sinto muito – disse Mary.

– É verdade, não é?

– Não, não é bem assim. É bem possível que sejamos pessoas bobas e sem imaginação, contudo, não somos más. Eu mesma sou, eu diria, convencional e superficialmente pedante, como você diz. No entanto, na verdade, sou bastante humana. Neste instante, realmente sinto muito por você estar infeliz e gostaria de poder ajudar de alguma forma.

– Bem... se é assim... é muito atencioso de sua parte.

Houve um silêncio, e a seguir Mary perguntou em um tom suave:

– Você sempre foi apaixonado pela Kay?

– Sim, muito.

– E ela?

– Eu achava que sim... até que Strange apareceu.

Mary perguntou com gentileza:

– E você ainda é apaixonado por ela?

– Pensei que isso estivesse muito claro.

Depois de alguns instantes, ela perguntou com serenidade:

– Não seria melhor você ir embora daqui?

– E por que seria?

– Porque tudo o que você está conseguindo é ficar ainda mais triste.

Ele olhou para ela e riu.

– Você é uma criatura gentil – disse ele. – Mas você não sabe muito sobre os animais que se esgueiram do lado de fora do seu mundinho. Num futuro próximo, muitas coisas podem acontecer.

– Que tipo de coisas? – disse Mary prontamente.

Ele riu.

– Espere e verá.

VIII

Após trocar de roupa, Audrey seguiu caminhando pela praia até um lugar de rochas salientes onde encontrou Thomas Royde, que, sentado ali, fumava seu cachimbo, exatamente do lado oposto a Gull's Point, que se erguia branco e sereno no outro lado do rio.

Com a aproximação de Audrey, Thomas virou a cabeça, mas não se moveu. Ela sentou ao lado dele sem dizer nada. Permaneceram silenciosos, num silêncio reconfortante entre duas pessoas que certamente se conhecem muito bem.

– Como parece perto – disse Audrey por fim, quebrando o silêncio.

Thomas olhou para Gull's Point.

– Sim, poderíamos ir para casa nadando.

– Não com esta maré. Certa vez, Camilla tinha uma criada que era uma banhista empolgada, e que costumava ir e voltar a nado sempre que a maré estava conveniente. Ela pode estar bem alta ou bem baixa, mas quando a correnteza está muito forte a pessoa pode ser puxada para o fundo do rio. Foi o que aconteceu com ela um dia. A sorte dela foi ter conseguido manter a cabeça fora da água e chegar em terra firme em Easter Point, totalmente exausta.

– Não há nada avisando que é perigoso aqui.

– Não é deste lado. A corrente é do outro lado, bem mais adiante, sob os penhascos. No ano passado houve uma tentativa de suicídio... um sujeito se atirou do Stark Head, mas ficou preso numa árvore no meio do caminho e o pessoal da guarda costeira conseguiu salvá-lo.

– Coitado! – disse Thomas. – Aposto que não ficou nem um pouco agradecido. Deve ser revoltante o sujeito tomar uma decisão difícil como esta para depois acabar sendo salvo. A pessoa deve se sentir uma tola.

– Talvez hoje esteja agradecido – sugeriu Audrey sonhadora.

Ela se perguntou vagamente por onde o tal homem andaria agora e o que estaria fazendo.

Thomas soltou algumas baforadas do cachimbo. Bastava virar um pouco a cabeça para ver Audrey. Notou sua expressão grave e absorta enquanto olhava a água. Os longos cílios escuros que pousavam na linha pura do seu rosto, a pequena orelha em formato de concha...

Isso o lembrou de alguma coisa.

– Ah! A propósito, encontrei o seu brinco... o que você perdeu ontem à noite.

Enfiou os dedos no bolso. Audrey estendeu a mão.

– Ah, que bom! Onde você o encontrou? No terraço?

– Não. Estava perto da escada. Você deve tê-lo perdido quando desceu para jantar. Notei que estava sem ele durante o jantar.

– Estou contente por tê-lo de volta.

Ela apanhou o brinco. Thomas pensou que era um brinco cruelmente grande para uma orelha tão pequena. Os que ela usava agora também eram grandes.

Ele comentou:

– Você usa brincos mesmo quando toma banho na praia. Não tem medo de perdê-los?

– Ah, estes são bem simples. Detesto ficar sem brincos por causa disto.

Ela levou a mão à orelha esquerda, e Thomas se lembrou.

– Sim, sim. Aquela vez que o velho Bouncer lhe mordeu?

Audrey confirmou balançando a cabeça.

Ficaram em silêncio, recordando uma lembrança da infância. Audrey Standigh (como se chamava na época), uma criança de longas pernas finas, se abaixara para cuidar do velho Bouncer, que estava com uma pata machucada, e levou uma mordida terrível. Havia precisado levar pontos. Hoje quase nem aparecia, era apenas uma cicatriz minúscula.

– Minha querida – disse ele –, mal dá para ver a marca. Por que você se preocupa com isso?

Audrey fez uma pausa antes de responder com evidente sinceridade:

– É porque... porque simplesmente não suporto uma *deformidade.*

Thomas balançou a cabeça. Aquilo combinava com sua ideia a respeito de Audrey – e seu gosto pela perfeição. E ela própria era uma peça acabada com tanta perfeição.

Thomas falou de repente:

– Você é muito mais bonita que a Kay.

Ela respondeu de imediato.

– Ah, não, Thomas. Kay... Kay é realmente linda.

– Por fora. Apenas na superfície.

– Você está se referindo à minha bela alma? – Audrey falou com um suave tom de divertimento.

Thomas tirou as cinzas do cachimbo.

– Não – disse ele. – Creio que me referi aos seus ossos.

Audrey riu.

Thomas preparou outra cachimbada de tabaco. Ficaram em silêncio por bons cinco minutos, porém ele a olhou por mais de uma vez, embora tenha sido de uma forma tão discreta que ela nem percebeu.

Por fim, falou com serenidade:

– O que há de errado com você, Audrey?

– Errado? O que quer dizer com errado?

– Há alguma coisa errada com você.

– Não, não há nada de errado. Nada mesmo.

– Há, sim.

Ela balançou a cabeça.

– Não vai me contar?

– Não há o que contar.

– Creio que esteja sendo teimoso, mas tenho que lhe dizer... – fez uma pausa. – Audrey... será que não consegue esquecer? Não consegue se libertar de tudo isso?

Nervosa, escavou convulsivamente a rocha com suas mãos pequenas.

– Você não entende... não conseguiria nem começar a entender.

– Mas, Audrey, minha querida, eu entendo. É só isso. Eu sei.

Ela virou o rostinho vacilante para ele.

– Sei exatamente tudo o que você tem passado. E... e o que deve ter significado para você.

Ela estava agora muito pálida, todo o seu rosto estava sem cor.

– Entendo – disse ela. – Só não pensei que... que alguém soubesse.

– Bom, eu sei. Não vou mais falar nisso. No entanto, o que quero reforçar é o fato de que aquilo tudo passou... acabou e ponto final.

Ela disse em voz baixa:

– Certas coisas nunca passam.

– Olhe aqui, Audrey, não é bom ficar matutando e relembrando. Tudo bem que você passou por um período infernal. Não adianta ficar remoendo as coisas na cabeça. Olhe para a frente... e não para trás. Você é muito jovem. Tem a vida para viver, a maior parte dela ainda pela frente. Pense no que está por vir, não no que já passou.

Ela o contemplou com um olhar fixo e arregalado que peculiarmente deixava de revelar os seus verdadeiros pensamentos.

– E suponhamos que eu não consiga.

– Mas você precisa conseguir!

Audrey falou com suavidade:

– Pensei que você não compreendesse. Não sou... não sou muito normal em... algumas coisas, suponho.

Ele a interrompeu bruscamente:

– Bobagem. Você...

Ele parou.

– Eu o quê?

– Estava pensando em como você era quando menina... antes de se casar com Nevile. Por que se casou com ele?

Audrey sorriu.

– Porque me apaixonei.

– Sim, sim, eu sei disso. Mas por que se apaixonou por ele? O que o atraiu tanto nele?

Ela franziu os olhos, como se tentasse ver através dos olhos de uma menina que já não existia mais.

– Eu acho – disse ela – que foi porque ele era tão "positivo". Era o oposto do que eu mesma era. Sempre me senti uma sombra, algo pouco real. Nevile era muito real. Era tão feliz e seguro de si, tão... tão tudo o que eu não era. – E acrescentou com um sorriso: – E também muito bonito.

Thomas disse com amargura:

– Sim, o homem inglês ideal – bom nos esportes, recatado, bonito, sempre um pequeno grande senhor conseguindo perfeitamente tudo o que quer.

Audrey sentou-se muito ereta e o encarou:

– Você o odeia – falou devagar. – Você o odeia muito, não é?

Ele evitou os olhos dela e virou-se, formando uma concha com as mãos para reacender o cachimbo que se apagara.

– Não seria nada surpreendente, seria? – falou ele impreciso. – Ele tem tudo o que eu não tenho. Pratica esportes, nada, dança e sabe falar com as pessoas. E eu sou um pateta de língua presa com um braço aleijado.

Ele sempre foi brilhante e bem-sucedido, ao passo que eu sempre fui um sujeito enfadonho. E ele se casou com a única garota de quem eu já gostei.

Ela emitiu um som indefinido.

– Você sempre soube disso, não é? Sabia que eu gostava de você desde que tinha quinze anos. Sabe que eu ainda gosto...

Ela o interrompeu.

– Não. Não agora.

– O que quer dizer com... não agora?

Audrey levantou-se. Disse com a voz serena e ponderada:

– Porque... agora... sou uma pessoa diferente.

– Diferente de que forma?

Ele também se levantou e ficou em pé encarando-a.

Audrey falou com a voz irritadiça e um tanto ofegante:

– Se você não sabe, não posso lhe dizer... Eu mesma nem sempre tenho certeza. Só sei que...

Ela se interrompeu e, virando-se bruscamente, caminhou apressada pelas pedras, voltando na direção do hotel.

Ao passar pelo penhasco, encontrou Nevile deitado, olhando para uma poça formada na rocha. Olhou para cima e sorriu:

– Olá, Audrey.

– Olá, Nevile.

– Estou observando um caranguejo. O coitadinho é terrivelmente ágil. Olhe, aqui está ele.

Ela se ajoelhou e olhou para onde ele apontava.

– Consegue vê-lo?

– Sim.

– Quer um cigarro?

Ela aceitou e ele o acendeu para ela. Após alguns minutos, durante os quais ela não olhara para ele, falou nervoso:

– É... Audrey?

– Sim?

– Está tudo bem, não está? Quero dizer... entre nós dois?

– Sim, é claro.

– Quero dizer... somos amigos e tudo mais?

– Ah, sim. É claro que sim.

– Realmente quero que sejamos amigos.

Olhou para ela apreensivo. Ela deu um sorriso nervoso.

Ele falou, puxando assunto:

– Foi um dia bem animado, não? O tempo agradável e tudo mais?

– Ah, sim... sim.

– Bem quente para setembro.

Houve um silêncio.

– Audrey...

Ela se levantou.

– Sua esposa deseja a sua atenção. Está acenando para você.

– Quem... ah, Kay!

– Eu disse a sua esposa.

Ele se levantou desajeitado e ficou parado olhando-a.

Falou com a voz muito baixa:

– Você é a minha esposa, Audrey...

Ela se virou, afastando-se. Nevile correu pela areia até a praia para encontrar Kay.

IX

Ao chegarem de volta a Gull's Point, Hurstall foi até o hall e falou com Mary.

– A senhorita poderia subir para ver lady Tressilian? Ela está muito abalada e gostaria de vê-la assim que chegasse.

Mary subiu apressada. Encontrou lady Tressilian pálida e trêmula.

– Mary, querida, que bom que chegou! Estou tão aflita! O sr. Treves está morto.

– Morto?

– Sim. Não é terrível? Foi tão de repente. Aparentemente ele nem ao menos chegou a trocar de roupa ontem à noite. Deve ter morrido assim que chegou ao hotel.

– Ah, minha querida, sinto muito.

– Sabe-se, é claro, que sua saúde era delicada e seu coração fraco. Espero que, enquanto ele esteve aqui, não tenha acontecido nada que pudesse tê-lo exposto a uma tensão excessiva. Não serviram nada indigesto no jantar?

– Acho que não... não, tenho certeza que não. Ele parecia muito bem e animado.

– Estou realmente muito aflita. Mary, gostaria que fosse até o Balmoral Court e obtivesse mais informações com a sra. Rogers. Pergunte a ela se há alguma coisa que possamos fazer. Em consideração a Matthew, gostaria de fazer qualquer coisa que esteja ao nosso alcance. Essas coisas são tão desagradáveis em um hotel.

Mary falou com firmeza.

– Querida Camilla, não se preocupe. Foi um choque muito grande para a senhora.

– Certamente foi.

– Irei ao Balmoral Court agora mesmo e em seguida estarei de volta para lhe contar tudo.

– Obrigada, Mary, querida. Você é sempre tão prática e compreensiva.

– Por favor, agora tente descansar. Um choque como este é muito ruim para a senhora.

Mary Aldin saiu do quarto e desceu a escada. Ao entrar na sala de estar, exclamou:

– O velho sr. Treves está morto. Morreu ontem à noite após voltar para o hotel.

– Coitado! – exclamou Nevile. – Como foi?

– Aparentemente, foi o coração. Teve um colapso assim que chegou.

Thomas Royde falou pensativo:

– Terá sido a escada?

– Escada? – Mary olhou-o interrogativa.

– Sim. Quando Latimer e eu o deixamos, ele havia começado a subir a escada. Até o advertimos para que subisse devagar.

Mary exclamou:

– Mas que insensato não pegar o elevador!

– O elevador estava enguiçado.

– Ah, entendo. Que coisa lamentável! Pobre velho.

E acrescentou:

– Vou até lá agora. Camilla quer saber se podemos fazer alguma coisa.

– Vou com você.

Caminharam juntos pela estrada e, nas proximidades do Balmoral Court, Mary comentou:

– Será que ele tem algum parente que deva ser comunicado?

– Ele não mencionou ninguém.

– Não, e as pessoas normalmente falam. Dizem "minha sobrinha" ou "meu primo".

– Ele era casado?

– Creio que não.

Atravessaram a porta aberta do Balmoral Court.

A sra. Rogers, a proprietária, estava falando com um homem alto de meia-idade, que ergueu a mão cordialmente para cumprimentar Mary.

– Boa tarde, srta. Aldin.

– Boa tarde, dr. Lazenby. Este é o sr. Royde. Viemos até aqui para trazer um recado de lady Tressilian, que quer saber se há alguma coisa que possamos fazer.

– É muita gentileza sua, srta. Aldin – falou a proprietária do hotel. – Por favor, venha até a minha sala.

Todos entraram na pequena e confortável sala de visitas, e o dr. Lazenby falou:

– O sr. Treves jantou na sua casa ontem, não foi?

– Sim.

– E que tal ele estava? Demonstrava algum sinal de dor ou aflição?

– Não, ele parecia muito bem e disposto.

O médico assentiu com a cabeça.

– Sim, isto é o pior desses casos de problemas cardíacos. A morte é quase sempre repentina. Tive que olhar as prescrições médicas dele lá em cima, e pareceu-me muito claro que seu estado de saúde estivesse bastante precário. É claro que deverei me comunicar com seu médico de Londres.

– Ele sempre se cuidava muito – disse a sra. Rogers. – E estou certa de que o cuidamos da melhor maneira possível.

– Tenho certeza disso, sra. Rogers – disse o médico com cuidado. – Sem dúvida, deve ter sido apenas algum pequeno esforço extra, diferente do que estava acostumado a fazer.

– Como subir a escada – sugeriu Mary.

– Sim, poderia ser isso. Na verdade, é quase certo que seria... isto é, se por acaso tivesse subido estes três lances da escadas. Porém, ele certamente nunca fez algo assim.

– Ah, não – disse a sra. Rogers. – Ele sempre usava o elevador. Sempre. Era muito meticuloso.

– Quero dizer – disse Mary – que com o elevador estando enguiçado ontem à noite...

A sra. Rogers a olhou surpresa.

– Mas o elevador não estava enguiçado ontem, srta. Aldin.

Thomas tossiu.

– A senhora me desculpe – disse Royde –, mas vim até aqui com o sr. Treves ontem à noite. Havia um cartaz no elevador onde dizia: "Enguiçado".

A sra. Rogers olhou-o com espanto.

– Bom, é estranho. Afirmei que não havia nada de errado com o elevador... e, de fato, tenho certeza disso. Saberia caso houvesse algum problema. Aliás, não temos tido nenhum problema com o elevador (bateu na madeira) há... há uns bons oito meses. É muito seguro.

– Quem sabe talvez – sugeriu o médico – algum carregador ou cabineiro tenha colocado o aviso quando estava de folga.

– É um elevador automático, doutor. Não precisa ser operado por ninguém.

– Ah, sim, é verdade. Tinha esquecido.

– Vou conversar com Joe – disse a sra. Rogers. E saiu alvoroçada da sala, chamando-o: – Joe! Joe!

O dr. Lazenby olhou curioso para Thomas.

– Desculpe, mas o senhor tem certeza, sr... er...

– Royde – interveio Mary.

– Certeza absoluta – disse Thomas.

A sra. Rogers voltou com o carregador. Joe foi enfático ao afirmar que não havia nada de errado com o elevador na noite anterior. O tal cartaz que Thomas descrevera de fato existia, porém estava enfiado embaixo da escrivaninha e não era usado há mais de um ano.

Todos se olharam e concordaram que era uma coisa muito misteriosa. O médico sugeriu que poderia ter sido alguma brincadeira por parte de algum hóspede do hotel, e, por força das circunstâncias, o houvessem deixado ali.

Em resposta às perguntas de Mary, o dr. Lazenby explicou que o motorista do sr. Treves havia fornecido o endereço dos advogados dele, com quem iria se comunicar e depois procuraria lady Tressilian para dizer-lhe como seria organizado o funeral.

Depois disso, o ocupado e alegre médico saiu apressado, enquanto Mary e Thomas caminharam lentamente de volta para Gull's Point.

Mary falou:

– Você tem certeza absoluta de ter visto o tal aviso, Thomas?

– Tanto eu como Latimer o vimos.

– Que coisa estranha! – disse ela.

X

Era 12 de setembro.

– Só mais dois dias – disse Mary Aldin.

Em seguida mordeu o lábio e enrubesceu.

Thomas a olhou pensativo.

– É assim que você se sente quanto a isso?

– Não sei o que está havendo comigo – disse Mary. – Nunca, em toda a minha vida, fiquei tão ansiosa para que uma visita fosse embora logo. E em geral adoramos ter Nevile por aqui. E Audrey também.

Thomas balançou a cabeça.

– Mas desta vez – continuou ela – a gente se sente como se estivéssemos sentados em uma dinamite. Foi por isso que a primeira coisa que falei a mim mesma hoje pela manhã foi: "Só mais dois dias". Audrey vai embora na quarta-feira, e Nevile e Kay na quinta.

– E eu irei na sexta – disse Thomas.

– Ah, não, não me referi a você. Você tem sido o meu melhor apoio. Não sei o que teria feito sem você.

– Um para-choque humano?

– Mais do que isso. Você tem sido tão gentil e tão... tão sereno. Deve soar um tanto ridículo o que estou dizendo, mas é realmente o que melhor expressa o que quero dizer.

Thomas parecia satisfeito, embora um pouco constrangido.

– Não entendo por que temos todos estado tão tensos – disse Mary pensativa. – Afinal, se houvesse uma... uma explosão de fúria, seria uma situação delicada e constrangedora, mas nada além disso.

– Mas você sente que há mais alguma coisa.

– É, há sim, certa sensação de apreensão. Até os criados sentem. Hoje pela manhã, a copeira irrompeu em lágrimas e se demitiu... sem absolutamente nenhum motivo. A cozinheira está sobressaltada, Hurstall anda muito impaciente e até Barrett, que normalmente é calma como um couraçado, tem mostrado sinais de nervosismo. E tudo porque Nevile teve essa ideia ridícula de querer que sua atual e sua ex-esposa se tornassem amigas, ajudando-o assim a aliviar a própria consciência.

– Em cuja ideia inventiva fracassou por completo – observou Thomas.

– Sim, é verdade. Kay está... está começando a ficar fora de si. E, de fato, Thomas, não posso deixar de ser solidária com ela. – Fez uma pausa. – Você notou o jeito como Nevile olhava para a Audrey enquanto ela subia a escada ontem à noite? Ele ainda gosta dela, Thomas. Foi tudo um grande e terrível engano.

Thomas começou a encher o cachimbo.

– Ele deveria ter pensado nisso antes – falou com voz firme.

– É, eu sei, é o que todos acham. Isso, porém, não altera o fato de que tudo continue sendo tão trágico. Não posso deixar de sentir pena de Nevile.

– Pessoas como Nevile... – Thomas começou a falar, depois parou.

– Sim?

– Pessoas como Nevile acham que sempre podem ter tudo do jeito que desejam... e ter tudo o que desejam também. Não creio que Nevile tenha tido algum contratempo na vida antes de se deparar com esse assunto da Audrey. Bom, agora aconteceu, e ele não pode ter a Audrey. Ela está fora do seu alcance. E não vai adiantar ele se revirar para tê-la de volta. Terá de conviver com isso.

– Imagino que você esteja certo. Porém talvez esteja sendo rigoroso demais. Audrey era tão apaixonada por Nevile quando se casou com ele... e sempre se deram tão bem.

– Bem, hoje ela já não é mais apaixonada por ele.

– Duvido – murmurou Mary entre dentes.

Thomas continuou:

– E lhe digo mais. Nevile devia abrir o olho com a Kay. É o tipo de mulher perigosa... realmente perigosa. Se ela perder o controle, nada conseguirá detê-la.

– Minha nossa! – Mary suspirou e voltou ao seu comentário inicial, dizendo esperançosa: – Bom, só mais dois dias.

As coisas andaram bem difíceis nos últimos quatro ou cinco dias. A morte do sr. Treves fora um choque para lady Tressilian, o que tivera consequências adversas para a sua saúde. O funeral ocorrera em Londres, o que foi um alívio para Mary, pois possibilitou que a velha lady Tressilian se desligasse mais depressa desse evento tão triste. O aspecto da casa estava nervoso e difícil, e Mary se sentia cansada e deprimida esta manhã.

– Em parte é o tempo – disse em voz alta. – Não está normal.

De fato, estava um calor fora do comum para o mês de setembro. Por vários dias, o termômetro havia marcado vinte graus à sombra.

Nevile saíra da casa para dar uma caminhada e aproximou-se deles no momento em que Mary falava.

– Culpando o tempo? – perguntou ele, dando uma olhada para o céu. – É mesmo incrível. Hoje está mais quente que nunca. E não há vento. Deixa todo mundo um pouco irritado, de alguma maneira. No entanto, o dia está abafado demais e deve chover em breve.

Thomas Royde foi se afastando aos poucos com seu ar de desinteresse, e agora desaparecera por trás da casa.

– A retirada do obscuro Thomas – disse Nevile. – Não se pode dizer que demonstre qualquer satisfação com a minha companhia.

– Ele é uma pessoa encantadora – disse Mary.

– Discordo. É o tipo de sujeito tacanho e cheio de preconceitos.

– Creio que ele sempre teve a esperança de casar-se com Audrey. Mas aí você apareceu e estragou tudo.

– Ele teria levado uns sete anos até decidir-se e pedi-la em casamento. Será que ele esperava que a pobre moça ficasse esperando até que tomasse a sua decisão?

– É possível que agora – disse Mary deliberadamente – tudo se acerte.

Nevile olhou-a erguendo a sobrancelha.

– O verdadeiro amor recompensado? Audrey casar-se com aquele esquisitão? Ela é boa demais para isso. Não, não consigo ver Audrey casada com o obscuro Thomas.

– Acho que ela gosta muito dele, Nevile.

– Que grandes casamenteiras vocês mulheres sempre são! Não podem deixar que a Audrey aproveite um pouco a sua liberdade?

– Certamente. Se é que ela está aproveitando.

Nevile falou prontamente:

– Você acha que ela não está feliz?

– Na verdade, não tenho a menor ideia.

– Eu também não – falou ele devagar. – A gente nunca sabe o que Audrey está sentindo. – Fez uma pausa e em seguida acrescentou: – Mas a Audrey é de uma linhagem cem por cento pura. Ela é toda íntegra.

Depois falou, mais para si mesmo do que para Mary:

– Meu Deus, como fui idiota!

Mary voltou para a casa um pouco preocupada. Pela terceira vez, repetiu para si mesma as palavras de conforto: "Só mais dois dias".

Nevile perambulou inquieto pelo jardim e pelo terraço.

Encontrou Audrey bem na extremidade do jardim, sentada num muro baixo, olhando para a água lá embaixo. A maré estava alta e o rio cheio.

Levantou-se imediatamente e foi na direção dele.

– Já estava voltando para casa. Deve estar perto da hora do chá.

Ela falara depressa e nervosa, sem olhá-lo.

Ele caminhou ao seu lado sem dizer nada.

Só quando chegaram ao terraço ele falou:

– Posso falar com você, Audrey?

Ela respondeu apressada, com os dedos agarrando com força a borda do parapeito:

– Acho melhor não.

– Isto significa que você sabe o que quero lhe dizer.

Ela não respondeu.

– E então, Audrey? Não podemos voltar a ser o que éramos? Esquecer tudo o que aconteceu?

– Inclusive a Kay?

– Kay – disse Nevile – será razoável.

– O que você quer dizer com razoável?

– Simplesmente isto. Irei até ela e contarei a verdade, entregando-me à generosidade dela. Direi a ela que você é a única mulher a quem amei, o que é a pura verdade.

– Você amava Kay quando se casou com ela.

– Meu casamento com Kay foi o maior erro que já cometi. Eu...

Ele se deteve. Kay saíra pela porta envidraçada da sala de estar. Caminhou na direção deles e, ante a fúria em seus olhos, até mesmo Nevile recuou um pouco.

– Sinto interromper esta cena comovente – disse ela. – Mas acho que já era hora.

Audrey afastou-se.

– Deixarei vocês a sós.

Seu rosto e sua voz não demonstravam nenhuma emoção.

– Tudo bem – disse Kay. – Você já fez todo o estrago que queria, não é? Cuidarei de você depois. Neste momento prefiro ouvir as explicações do Nevile.

– Olhe aqui, Kay, a Audrey não tem absolutamente nada a ver com isto. Não é culpa dela. Culpe a mim, se quiser.

– Pode ter certeza que sim – disse ela, com os olhos queimando de raiva. – Que tipo de homem você acha que é?

– Um tipo infeliz – disse Nevile com amargura.

– Você deixa sua mulher, vem obstinado atrás de mim e consegue que ela lhe dê o divórcio. Num minuto está louco por mim, no próximo já se cansou! Agora suponho que queira voltar para aquela gata trapaceira, pálida e chorona...

– Pare com isso, Kay!

– Bem, o que você quer?

Muito pálido, Nevile falou:

– Sou qualquer coisa que você queira me chamar. Mas não vai adiantar, Kay, não posso ir adiante. Acho que... na verdade... sempre fui apaixonado pela Audrey. O meu amor por você foi... foi uma espécie de loucura. Mas não adianta, minha querida... nós dois não nos pertencemos. Sei que não conseguiria fazê-la feliz por muito tempo. Acredite, Kay, é melhor amenizarmos as nossas mágoas e tentarmos nos separar como amigos. Tente ser solidária.

Kay falou com uma voz serena e enganosa:

– O que exatamente você está sugerindo?

Nevile não olhou para ela. Seu rosto assumiu uma feição obstinada.

– Podemos nos divorciar. Você pode se divorciar de mim alegando abandono do lar.

– Há um prazo a ser respeitado. Você terá que esperar algum tempo.

– Eu posso esperar – disse Nevile.

– E aí, depois de três anos ou o tempo que for necessário, você pedirá a doce e querida Audrey em casamento outra vez?

– Se ela me aceitar...

– Ela o aceitará, não tenho dúvidas! – disse Kay maldosamente. – E eu como fico?

– Você ficará livre para encontrar um homem melhor que eu. É claro que cuidarei para que fique com uma boa situação financeira...

– Não quero saber do seu suborno! – ela levantou a voz, descontrolando-se. – Escute aqui, Nevile, você não pode fazer isso comigo. Não vou me divorciar de você. Casei com você porque o amava. Sei quando você começou a se voltar contra mim, foi logo depois que lhe contei que o havia seguido até o Estoril. Você preferiria achar que tudo havia sido obra do destino. O que deixou a sua vaidade contrariada foi saber que havia sido eu. Bom, não tenho nenhuma vergonha do que fiz. Você se apaixonou por mim e se casou comigo, e não vou deixar que volte para aquela gata espertinha que fez de tudo para fisgá-lo outra vez. Foi ela que armou tudo isso... mas ela não vai conseguir! Mato você antes disso. Você ouviu bem? Mato você. E mato ela também. Mato vocês dois. Vou...

Nevile aproximou-se dela e segurou-lhe pelo braço.

– Cale a boca, Kay. Pelo amor de Deus, você não pode fazer uma cena destas aqui.

– Não posso? Você vai ver. Eu...

Hurstall aparecera no terraço. Seu rosto estava um tanto impassível.

– O chá está servido na sala de estar – anunciou ele.

Kay e Nevile caminharam lentamente até a porta que dava para a sala de visitas.

No céu, as nuvens se amontoavam.

XI

A chuva começara a cair às quinze para as sete. Nevile a observava da janela do quarto. Ele e Kay não haviam conversado mais. Depois do chá, evitaram-se mutuamente.

Naquela noite, o jantar havia sido formal e enfadonho. Nevile estivera mergulhado nas suas preocupações; o rosto de Kay mostrara uma quantidade de maquiagem muito maior do que a usual; e Audrey estava ali sentada como um fantasma congelado. Mary Aldin fizera o possível para manter algum tipo de conversa em andamento e ficara um pouco aborrecida com Thomas Royde por ele não ter sido de grande ajuda.

Hurstall estava nervoso e suas mãos tremiam quando serviu as saladas.

Quando a refeição estava quase terminando, Nevile falou com elaborada casualidade:

– Acho que após o jantar irei até Easterhead visitar Latimer. Possivelmente jogaremos uma partida de bilhar.

– Leve a chave – disse Mary – para o caso de voltar tarde.

– Obrigado. Vou levar, sim.

Foram para a sala de estar, onde o café foi servido.

Ligaram o rádio e as notícias foram uma distração bem recebida.

Kay, que bocejara ostensivamente desde o jantar, disse que iria subir para o quarto. Estava com dor de cabeça.

– Já tomou uma aspirina? – perguntou Mary.

– Sim, obrigada.

E saiu da sala.

Nevile mudou a estação de rádio e colocou um programa de música. Calado, sentou no sofá durante algum tempo. Não olhou nenhuma vez para Audrey, porém sentara-se encolhido, com o ar de um garotinho infeliz. Mesmo contra sua vontade, Mary sentiu muita pena dele.

– Bom – disse finalmente, levantando-se –, é melhor ir logo.

– Você vai de carro ou de barca?

– Ah, de barca. Não faz sentido dirigir quase 25 quilômetros. E ainda será agradável caminhar um pouco.

– Está chovendo, sabia?

– Sim, eu sei. Vou com a capa.

Foi até a porta e despediu-se:

– Boa noite.

No hall, Hurstall foi até ele:

– Por favor, senhor, poderia subir para falar com lady Tressilian? Ela gostaria especialmente de vê-lo.

Nevile olhou para o relógio. Já eram quase dez horas.

Encolheu os ombros e subiu a escada, foi até o quarto de lady Tressilian e bateu na porta. Enquanto esperava que ela o mandasse entrar, ouvia as vozes das outras pessoas lá embaixo no hall. Esta noite parecia que todos iam dormir cedo.

– Entre – disse a voz clara de lady Tressilian.

Nevile entrou, fechando a porta atrás de si.

Lady Tressilian já estava pronta para dormir. Todas as lâmpadas estavam apagadas, exceto a da mesa de cabeceira. Ela estava lendo, porém agora havia fechado o livro. Olhou para Nevile por cima dos óculos. Foi, de certa forma, um olhar assustador.

– Quero lhe falar, Nevile.

Nevile sorriu vagamente, dizendo:

– Sim, senhora diretora.

Apesar da brincadeira, ela não sorriu.

– Há certas coisas que não permitirei na minha casa, Nevile. Não tenho nenhuma vontade de ouvir as conversas particulares de ninguém, mas se você e sua esposa insistem em gritar um com o outro bem debaixo da janela do meu quarto, dificilmente poderia deixar de ouvir o que dizem. Pelo que pude entender, você estava esboçando um plano no qual Kay se divorciaria de você e, dentro do devido prazo, você se casaria com Audrey outra vez. Isto é algo que você simplesmente não pode fazer, Nevile. E não quero mais ouvir falar nisso nem por um segundo.

Nevile parecia estar fazendo um tremendo esforço para se controlar.

– Peço desculpas pela cena – falou, breve. – Porém, quanto ao resto do que disse, sem dúvida é um problema meu!

– Não é, não. Você usou a minha casa para se encontrar com Audrey, ou então foi Audrey quem usou...

– Ela não fez nada disso. Ela...

Lady Tressilian levantou a mão, interrompendo-o:

– De qualquer maneira, Nevile, você não pode fazer isso. Kay é sua esposa. Ela tem certos direitos que você não pode revogar. Quanto a isto, estou inteiramente do lado de Kay. Você fez a cama, agora deve deitar-se nela. Seu dever agora é com Kay, e estou lhe dizendo com bastante clareza que...

Nevile deu um passo à frente. Elevou o tom de voz:

– Isso não tem absolutamente nada a ver com você...

– E tem mais – lady Tressilian continuou, ignorando o protesto dele. – Audrey deixará esta casa amanhã.

– A senhora não pode fazer isso! Não vou permitir isso...

– Não grite comigo, Nevile.

– Estou lhe dizendo que não vou tolerar isso...

Em algum lugar do corredor, uma porta se fechou...

XII

Alice Bentham, a criada de olhos cinzentos embotados, chegou meio perturbada para falar com a sra. Spicer, a cozinheira.

– Sra. Spicer, não sei exatamente o que devo fazer.

– O que houve, Alice?

– É a srta. Barrett. Levei-lhe sua xícara de chá há mais de uma hora. Ela dormia profundamente e nem notou, e eu não quis acordá-la. Então, há cinco minutos, voltei lá outra vez, porque ela não havia descido e o chá de lady Tressilian já estava pronto para que ela o levasse. Entrei lá novamente e ela continua dormindo... não consegui movê-la.

– Tentou sacudi-la?

– Sim, sra. Spicer, cheguei a sacudi-la com força, mas ela continua ali deitada, e está com uma cor horrível.

– Meu Deus! Ela não está morta, está?

– Não, não, sra. Spicer, porque pude ouvi-la respirar, só que é uma respiração estranha. Acho que está doente ou alguma coisa assim.

– Bom, vou até lá para ver. Você levará o chá de lady Tressilian. É melhor preparar uma nova xícara. Ela deve estar se perguntando o que terá acontecido.

Obediente, Alice fez o que lhe foi mandado, enquanto a sra. Spicer ia até o segundo andar.

Levando a bandeja pelo corredor, Alice bateu na porta do quarto de lady Tressilian. Depois de bater duas vezes sem obter resposta, entrou assim mesmo. Um instante depois houve um estrondo de louça quebrada e uma série de gritos desesperados. Alice saiu do quarto correndo e desceu as escadas, onde encontrou Hurstall que passava pelo hall em direção à sala de jantar.

– Sr. Hurstall... devem ter entrado ladrões, e lady Tressilian está morta, assassinada, com um buraco enorme na cabeça e sangue por todo lado...

UM TOQUE SUSPEITO

I

O superintendente Battle havia aproveitado as férias. Ainda restavam três dias para terminarem e ele estava um pouco desapontado com a mudança do tempo e a chegada da chuva. No entanto, o que se poderia esperar na Inglaterra? Até então tivera muitíssima sorte.

Estava tomando o café da manhã com o inspetor James Leach, seu sobrinho, quando o telefone tocou.

– Irei em seguida, senhor – Jim repôs o telefone no gancho.

– Alguma coisa grave? – perguntou o superintendente Battle, notando a expressão no rosto do sobrinho.

– Um assassinato. Lady Tressilian. Uma velha senhora muito conhecida por aqui, uma inválida. É dona daquela casa em Saltcreek que fica bem em cima do penhasco.

Battle assentiu com a cabeça.

– Vou até lá para falar com o velho (era dessa forma desrespeitosa que Leach se referia ao chefe de polícia). Ele era amigo dela. Iremos até lá juntos.

Ao andar até a porta, falou em tom de súplica:

– O senhor vai me ajudar nisso, não é tio? É o meu primeiro caso de assassinato.

– Enquanto estiver por aqui, eu ajudo. É um caso de furto e arrombamento, não?

– Ainda não sei.

II

Meia hora depois, o chefe de polícia, major Robert Mitchell, falava em tom grave com o tio e o sobrinho.

– Ainda é cedo para afirmar – disse – mas uma coisa me parece clara. Isso não foi um trabalho de pessoas estranhas. Não levaram nada, nem há sinais de arrombamento. Todas as portas e janelas foram encontradas fechadas hoje pela manhã.

Olhou diretamente para Battle.

– Se eu solicitasse à Scotland Yard, será que eles o colocariam neste caso? Veja bem, o senhor já está no local. E ainda há o seu parentesco com Leach. Isto é, caso o senhor esteja disposto, uma vez que isso significa encurtar suas férias.

– Por mim, tudo bem – disse Battle. – No mais, o senhor terá que falar com sir Edgar e informá-lo sobre o caso (sir Edgar Cotton era o oficial assistente), mas creio que ele seja seu amigo, não?

Mitchell balançou a cabeça concordando.

– Sim, acho que posso resolver tudo com Edgar. Está tudo certo, então! Vou tratar disso agora mesmo.

Ele falou ao telefone:

– Ligue-me com a Yard.

– O senhor acha que vai ser um caso importante? – perguntou Battle.

Mitchell respondeu sério:

– Será um caso em que não poderemos admitir a possibilidade de cometer erros. Precisamos ter certeza absoluta em relação à identidade de nosso homem – ou de nossa mulher, é claro.

Battle assentiu com a cabeça. Compreendera muito bem que havia algo por trás daquelas palavras.

"Ele pensa que sabe quem é o assassino", disse para si mesmo, "mas não aprecia essa possibilidade. Deve ser alguém bastante conhecido e estimado ou não me chamo Battle!"

III

Battle e Leach estavam parados na soleira da porta do quarto, belo e mobiliado com bom gosto. No chão, à frente deles, um policial examinava com cuidado o cabo de um taco de golfe – dos bem pesados – em busca de impressões digitais. A ponta do taco estava suja de sangue e tinha um ou dois fios de cabelo branco presos a ele.

Ao lado da cama, o dr. Lazenby, o médico que atendia a polícia local, estava inclinado sobre o corpo de lady Tressilian.

Ele endireitou o corpo, soltando um suspiro.

– Foi um golpe perfeitamente reto. Ela foi atingida de frente com uma força incrível. O primeiro golpe esmagou o osso e a matou, porém, para ter certeza, o assassino a golpeou outra vez. Não vou enfeitar usando termos complicados, mas sim a linguagem do senso comum.

– Há quanto tempo ela está morta? – perguntou Leach.

– Eu diria que tudo deve ter ocorrido entre dez horas e meia-noite.

– O senhor não tem como ser mais preciso?

– Não creio. É preciso levar em conta vários fatores. Hoje em dia não se condenam pessoas com base no *rigor mortis.* Não foi nem antes das dez nem depois da meia-noite.

– E ela foi atingida com este taco?

O médico deu uma olhada no taco.

– É provável que sim. Se bem que é muita sorte o assassino tê-lo deixado aqui. Pelo tipo de ferimento, não conseguiria ter deduzido que a arma do crime se tratasse de um taco de golfe. O lado pontiagudo não chegou a tocá-la, como normalmente aconteceria. Foi o ângulo posterior do taco que deve tê-la atingido.

– Este não teria sido o jeito mais difícil de atingi-la? – perguntou Leach.

– Sim, se tivesse sido proposital – concordou o médico. – Só posso supor que, por um estranho acaso, aconteceu desta forma.

Leach levantou as mãos, tentando reconstruir o golpe instintivamente.

– Estranho – comentou.

– Sim – disse o médico, pensativo. – Foi tudo muito estranho. Veja, ela foi atingida na têmpora direita, mas seja lá quem tenha desferido o golpe deve ter ficado do lado direito da cama, de frente para a cabeceira, pois não haveria espaço do lado esquerdo. O ângulo formado entre a parede e a cama é muito pequeno.

Leach aguçou os ouvidos.

– Canhoto então? – indagou.

– Não poderia me comprometer a este ponto – afirmou Lazenby. – Há inúmeras armadilhas. Se preferir, eu diria que a explicação mais fácil é sempre que o assassino era canhoto, porém existem outras maneiras de justificar os fatos. Vamos supor, por exemplo, que a velha senhora tenha virado ligeiramente a cabeça quando foi atingida. Ou que o homem tenha afastado a cama antes e ficado do lado esquerdo, para depois colocá-la de volta no lugar.

– Não é muito provável... esta última explicação.

– Talvez não, mas poderia ter acontecido. Tenho alguma experiência nessas coisas e posso lhe afirmar que a dedução de que o golpe fatal tenha sido dado por um canhoto pode ser cheia de armadilhas.

Do chão, o sargento detetive Jones observou:

– Este é um taco de golfe comum para pessoas destras.

Leach concordou com a cabeça.

– Mesmo assim, pode não pertencer ao homem que o usou. Foi um homem, não é, doutor?

– Não necessariamente. Se a arma do crime foi este taco pesado, uma mulher poderia muito bem ter conseguido usá-la para dar uma pancada violenta.

O superintendente Battle disse com sua voz calma:

– Mas o senhor não pode jurar que foi esta a arma do crime, pode, doutor?

Rapidamente, Lazenby olhou-o, interessado.

– Não. Posso apenas jurar que o taco *poderia* ter sido a arma usada, e que presumivelmente *foi* a arma usada no crime. Vou analisar o sangue para ter certeza se é do mesmo tipo sanguíneo... e também os fios de cabelo.

– Sim – disse Battle em tom de aprovação. – É sempre bom ser minucioso.

Lazenby perguntou com curiosidade:

– O senhor tem dúvidas quanto ao taco de golfe também, superintendente?

Battle balançou a cabeça.

– Não, não. Sou um homem simples e gosto de acreditar nas coisas que vejo com os meus próprios olhos. Ela foi atingida com alguma coisa pesada... e isto é pesado. Há sangue e cabelo no taco que são presumivelmente de lady Tressilian. Logo, esta foi a arma usada no crime.

Leach perguntou:

– Ela estava acordada ou dormindo quando foi atacada?

– Em minha opinião, estava acordada. Há em seu rosto uma expressão de espanto. Eu diria – e isto é apenas uma opinião – que ela não esperava o que iria acontecer. Não há nenhum sinal de qualquer tentativa de luta – nem expressão alguma de horror ou de medo. Assim, de improviso, diria que ou ela tinha acabado de acordar e, por estar meio confusa, não chegou a entender o que estava acontecendo, ou então reconheceu em seu agressor alguém que ela julgava que jamais lhe desejaria mal algum.

– A lâmpada de cabeceira era a única acesa – disse Leach pensativo.

– Sim, isso pode significar duas coisas. Ou ela pode tê-la ligado, quando acordou de repente com a entrada de alguém no quarto, ou poderia já estar ligada.

O sargento detetive Jones levantou-se do chão e, com um sorriso satisfeito, afirmou:

– Há um belo conjunto de impressões digitais neste taco. Não poderiam ser mais nítidas.

Leach deu um profundo suspiro.

– Isto deve simplificar as coisas – afirmou.

– Que sujeito prestativo – disse o dr. Lazenby. – Deixou a arma... deixou suas impressões digitais... me admiro não ter deixado o seu cartão de visita!

– Pode ser que tenha perdido a cabeça – disse o superintendente Battle. – Às vezes acontece.

O médico concordou.

– É verdade. Bom, agora devo ir e cuidar de minha outra paciente.

– Que paciente? – Battle pareceu subitamente interessado.

– Fui chamado pelo mordomo um pouco antes disto ser descoberto. Hoje pela manhã, a empregada de lady Tressilian foi encontrada em estado de coma.

– O que houve com ela?

– Estava totalmente dopada com um barbitúrico. Está muito mal, mas vai sobreviver.

– A empregada? – disse Battle. Seus imensos olhos dirigiram-se expressivamente para o grande cordão da campainha, cuja borla pousava sobre o travesseiro perto da mão da mulher.

Lazenby concordou com a cabeça.

– Exatamente. É a primeira coisa que lady Tressilian teria feito caso se alarmasse: puxar a campainha e chamar a empregada. Bom, sendo assim, ela poderia puxar até a morte. A empregada jamais ouviria.

– Isso foi providenciado por alguém, não? – disse Battle. – O senhor tem certeza disso? Tem certeza de que ela não tinha o hábito de tomar remédios para dormir?

– Tenho certeza que não. Não há sinais disso em seu quarto. E já descobrimos como acabou ingerindo a droga. Todas as noites, ela costumava tomar um chá, uma infusão feita de sene, onde a droga foi colocada.

O superintendente Battle falou, coçando o queixo:

– Humm. Alguém que está bastante familiarizado com os hábitos desta casa. O senhor sabe, doutor, este assassinato é um caso muito estranho.

– Bem – disse Lazenby –, o problema é todo de vocês.

– É um bom homem o nosso médico – Leach falou logo que Lazenby saiu do quarto.

Agora estavam sozinhos. Já haviam tirado fotografias e registrado medidas. Os dois policiais já haviam tomado conhecimento acerca de todos os fatos que precisavam saber sobre o quarto onde o crime fora cometido.

Battle balançou a cabeça em resposta ao comentário do sobrinho. Parecia intrigado com alguma coisa.

– Você acha que alguém poderia ter usado este taco... digamos, usando luvas, depois que essas impressões digitais já tivessem sido deixadas?

Leach negou, balançando a cabeça.

– Não, e você também não acha. Ninguém poderia ter segurado, quero dizer, usado o taco sem borrar as impressões. E não estavam borradas. Ao contrário, estavam totalmente nítidas, como você mesmo viu.

Battle concordou.

– E agora pediremos gentil e educadamente que todos permitam que tiremos suas impressões digitais... sem coação, é claro. E todos concordarão... e, depois disso, temos duas possibilidades. Ou nenhuma das impressões digitais coincidirá com estas ou então...

– Ou então teremos apanhado o nosso assassino?

– Suponho que sim. Ou, talvez, a nossa assassina?

Leach balançou a cabeça negativamente.

– Não, não foi uma mulher. Essas impressões deixadas no taco são de um homem. São grandes demais para serem de uma mulher. E depois este não é um crime com traços femininos.

– Não, você está certo – concordou Battle. – É um crime com características bem masculinas. Brutal, masculino, bastante atlético e ligeiramente idiota. Conhece alguém da casa que seja assim?

– Ainda não conheço ninguém nessa casa. Estão todos reunidos na sala de jantar.

Battle foi em direção à porta.

– Vamos até lá dar uma olhada neles.

Olhou sobre o ombro em direção à cama, balançou a cabeça e comentou:

– Não gosto daquele cordão da campainha.

– O que tem o cordão?

– Não se encaixa no ambiente.

Ao abrir a porta, acrescentou:

– Fico pensando: quem poderia querer matá-la? Há muitas velhas rabugentas por aí pedindo para levar uma pancada na cabeça. Ela não parecia ser deste tipo. Imagino que fosse uma pessoa de quem todos gostavam.

Calou-se por um instante, depois perguntou:

– Ela era rica, não? Com sua morte, quem fica com o dinheiro?

Leach respondeu à implicação das palavras de Battle:

– O senhor acertou em cheio! Esta será a resposta. É uma das primeiras coisas a se descobrir.

Enquanto desciam as escadas, Battle deu uma olhada na lista que trazia na mão. Leu em voz alta:

– Srta. Aldin, sr. Royde, sr. Strange, sra. Strange, sra. Audrey Strange. Hum, a família Strange parece ser um pouco grande demais.

– São as duas esposas dele, ouvi dizer.

Battle murmurou levantando as sobrancelhas:

– Um Barba Azul, então?

A família estava reunida em torno da mesa de jantar, numa simulação de refeição.

O superintendente Battle olhou com atenção para os rostos virados para ele, os quais avaliava de acordo com os seus métodos peculiares. Ficariam surpresos caso soubessem da sua opinião a respeito deles. Era uma opinião rigorosamente preconceituosa. Sem dar importância ao fato de a lei considerar todas as pessoas inocentes até que se prove o contrário, o superintendente Battle sempre considerava todos os envolvidos num caso de assassinato como possíveis assassinos.

Olhou desde Mary Aldin, que estava sentada ereta e pálida à cabeceira da mesa; passando por Audrey, sentada com a cadeira recuada e com um pires e uma xícara de café na mão direita e um cigarro na esquerda; por Nevile, que parecia atordoado e confuso, tentando acender um cigarro com a mão trêmula, por Kay, que tinha os cotovelos apoiados na mesa e cuja palidez aparecia sob a maquiagem no seu rosto; chegando até Thomas Royde que, ao lado de Mary Aldin, enchia o cachimbo.

Estes foram os pensamentos do superintendente Battle:

"Suponho que aquela seja a srta. Aldin. Uma pessoa calma, uma mulher competente, eu diria. Não deve ser fácil pegá-la desprevenida. O homem ao lado dela é totalmente imprevisível, tem um braço aleijado, um rosto inexpressivo... e, é muito provável, tem um complexo de inferioridade. Aquela é uma das esposas, imagino... está morrendo de medo... sim, sem dúvida está apavorada. Estranha com aquela xícara de café. Aquele é o Strange... já o vi antes em algum lugar. Está muito nervoso... os nervos em frangalhos. A moça ruiva é do tipo intratável... um temperamento do diabo, embora pareça inteligente."

Enquanto os analisava, o inspetor Leach fazia um pequeno discurso formal. Mary Aldin citou o nome de todos os presentes.

Ela concluiu:

– Foi um choque terrível para todos nós, é claro, mas queremos muito ajudá-los como pudermos.

– Para começar – falou Leach, fazendo uma pausa –, alguém sabe alguma coisa sobre este taco de golfe?

Com um leve grito, Kay falou:

– Que coisa horrível! Foi isto que... – e se deteve.

Nevile Strange levantou-se e fez a volta por trás da mesa.

– Parece um dos meus. Posso dar uma olhada?

– Agora já não há mais problema – disse o inspetor Leach. – Pode segurá-lo.

Aquele "agora" insignificante não pareceu produzir qualquer reação entre os espectadores. Nevile examinou o taco.

– Acho que é um dos tacos do meu conjunto – afirmou. – Em alguns minutos poderei dizer com certeza, se o senhor puder vir comigo. – Seguiram-no até um grande armário debaixo da escada. Puxou com força a porta e, para os olhos confusos de Battle, o armário pareceu estar repleto de raquetes de tênis. Naquele mesmo instante, lembrou onde já havia visto Nevile Strange. Falou imediatamente:

– Já o vi jogar em Wimbledon.

Nevile virou um pouco a cabeça.

– Ah, é mesmo?

Atirou algumas raquetes para o lado. Dentro do armário havia duas sacolas de golfe encostadas nos equipamentos de pesca.

– Apenas minha mulher e eu jogamos golfe – explicou Nevile. – E este é um taco masculino. Sim, está certo... é meu.

Ele havia retirado a sacola que continha pelo menos quatorze tacos.

O inspetor Leach pensou consigo mesmo:

"Esses sujeitos desportistas sem dúvida se levam muito a sério. Não gostaria de ser o seu *caddy*."

Nevile estava dizendo:

– É um taco fabricado por Walter Hudson, de St. Esbert's.

– Obrigado, sr. Strange. Isso responde uma das perguntas.

Nevile falou:

– O que não consigo entender é que nada foi levado. E a casa também não parece ter sido arrombada – sua voz estava confusa, mas também assustada.

Battle pensou:

"Eles andaram refletindo sobre o crime, todos eles..."

– Os empregados – disse Nevile – são totalmente inofensivos.

– Devo conversar com a srta. Aldin sobre os empregados – disse com suavidade o inspetor Leach. – Enquanto isso, pergunto se o senhor poderia me dar uma ideia de quem seriam os advogados de lady Tressilian.

– Askwith & Trelawny – respondeu Nevile imediatamente. – De St. Loo.

– Obrigado, sr. Strange. Precisamos que eles nos forneçam todas as informações a respeito dos bens de lady Tressilian.

– O senhor quer dizer – perguntou Nevile – sobre quem herdará o dinheiro dela?

– Exatamente, senhor. Sobre o seu testamento e tudo mais.

– Não sei nada sobre o testamento – afirmou Nevile. – Pelo que sei ela não tinha muita coisa para deixar. Posso, porém, informar-lhes sobre a maior parte de sua propriedade.

– Sim, sr. Strange.

– Deve vir para mim e para minha esposa, de acordo com o testamento do falecido sir Matthew Tressilian. Sua esposa tinha a propriedade dos bens apenas em usufruto.

– É mesmo? – O inspetor Leach olhou para Nevile com a atenção interessada de alguém que acaba de identificar uma peça valiosa para a sua coleção. Aquele olhar fez com que Nevile estremecesse de nervoso. O inspetor prosseguiu, e sua voz era invariavelmente cordial:

– Não tem ideia do valor da herança, sr. Strange?

– Não posso lhe dizer agora com certeza. Creio que seja algo em torno de cem mil libras.

– Ah, sim. Para cada um?

– Não, para ser dividido entre os dois.

– Entendo. É uma quantia considerável.

Nevile sorriu e falou com serenidade:

– Tenho bastante dinheiro para viver da minha própria renda, o senhor sabe, sem precisar esperar desesperadamente que alguém morra para ficar com a herança.

O inspetor Leach pareceu chocado por essas ideias lhe terem sido atribuídas.

Voltaram para a sala de jantar e Leach fez o seu próximo discurso. Agora era sobre o assunto das impressões digitais – uma questão de rotina –, para a eliminação das impressões das pessoas da casa deixadas no quarto da mulher morta.

Todos demonstraram disposição – quase ansiedade – para que lhes fossem tiradas as digitais. Foram conduzidos para a biblioteca com este propósito, onde o detetive sargento Jones os aguardava com o seu rolinho.

Battle e Leach começaram a interrogar os empregados.

Não havia muita informação a ser obtida junto a eles. Hurstall explicou como costumava trancar a casa e jurou que encontrara tudo intocado pela manhã. Não havia sinais de entrada de invasores. A porta da frente, explicou, havia sido fechada apenas com o trinco, o que significa que não estava trancada, podendo ser aberta por fora com a chave. Foi deixada assim porque o sr. Nevile tinha ido até Easterhead Bay e voltaria tarde.

– O senhor sabe a que horas ele voltou?

– Sim, senhor. Acho que foi por volta das duas e meia da manhã. Alguém voltou com ele, creio eu. Ouvi vozes e depois um carro se afastando, em seguida pude ouvir a porta se fechando e o sr. Nevile subindo a escada.

– A que horas ele saiu para Easterhead Bay na noite passada?

– Por volta das 22h20. Ouvi quando fechou a porta.

Leach balançou a cabeça. Não parecia haver muito mais informações além dessas a serem obtidas de Hurstall naquele momento. Continuou interrogando os outros empregados. Todos estavam bastante nervosos e assustados, porém não mais do que o normal naquelas circunstâncias.

Leach lançou um olhar interrogativo para o seu tio assim que a porta se fechou atrás da ajudante de cozinha ligeiramente histérica que havia sido a última a ser interrogada.

Battle disse:

– Traga a empregada de volta... não a de olhos esbugalhados... aquela alta e magra, um pouco azeda. Ela sabe de alguma coisa.

Emma Wales estava claramente inquieta. Ficou assustada por ser aquele homem grande e mais velho que assumira a tarefa de interrogá-la desta vez.

– Vou apenas lhe dar um conselho, srta. Wales – falou com cordialidade. – Veja que não é bom esconder nada da polícia. Pois isso faz com que a vejam de uma forma pouco favorável, se a senhorita compreende o que quero dizer...

Emma Wales protestou com indignação, porém constrangida:

– Tenho certeza de que nunca...

– Ora! – Battle falou apoiando sua mão grande e forte. – A senhorita viu ou ouviu alguma coisa. O que foi?

– Não ouvi exatamente... quero dizer... não pude deixar de ouvir. O sr. Hurstall também ouviu. E não pensei, nem por um instante, que aquilo tivesse alguma coisa a ver com o assassinato.

– Provavelmente não, provavelmente não. Apenas nos conte o que ouviu.

– Bem, eu estava subindo para o meu quarto. Isso foi um pouco depois das dez... mas primeiro me desviei para deixar a garrafa de água quente que a srta. Aldin usa na cama. Quer seja inverno ou verão, ela sempre usa, e, portanto, tive que passar pela porta do quarto de lady Tressilian.

– Prossiga – disse Battle.

– E ouvi quando ela e o sr. Nevile discutiam acaloradamente. As vozes estavam exaltadas. Ele até gritava. Ah, era uma discussão e tanto!

– Lembra-se do que diziam?

– Bem, eu não estava exatamente escutando, como se diz.

– Sim, eu sei. Mas ainda assim a senhorita deve ter ouvido algumas palavras.

– Lady Tressilian dizia que não admitiria uma ou outra coisa em sua casa, e o sr. Nevile dizia algo como "não ouse dizer nada contra ela". Estava muito exaltado.

Battle, como o rosto inexpressivo, tentou perguntar-lhe mais uma vez, porém não conseguiu fazer com que ela dissesse mais nada. Por fim, acabou por dispensá-la.

Ele e Jim se entreolharam. Depois de alguns minutos, Leach comentou:

– Jones já deve poder nos dizer alguma coisa sobre aquelas impressões digitais.

Battle perguntou:

– Quem está examinando os quartos?

– Williams. Ele é bom. Não deixará escapar nada.

– Os ocupantes estão sendo mantidos afastados dos quartos?

– Sim, até que Williams tenha concluído.

A porta se abriu naquele instante e o jovem Williams botou a cabeça para dentro da sala.

– Há uma coisa que gostaria que vissem. É no quarto do sr. Nevile Strange.

Levantaram-se e seguiram-no até a suíte no lado oeste da casa.

Williams apontou para as roupas amontoadas no chão. Um paletó azul-marinho, calças e um colete.

Leach falou prontamente:

– Onde encontrou isso?

– Estavam enfiadas no fundo do roupeiro. Veja só isto, senhor.

Pegou o casaco e mostrou as bordas dos punhos azul-marinho.

– Estão vendo as manchas escuras? Isto é sangue, senhores, ou não me chamo Williams. E, vejam, está espalhado por toda a manga.

– Hum – Battle murmurou evitando o olhar ansioso do outro. – Devo dizer que as coisas estão ficando ruins para o jovem Nevile. Há algum outro terno no quarto?

– Sim, um terno cinza-escuro listrado deixado sobre a cadeira. E há muita água no chão aqui perto do lavatório. É como se ele tivesse tentado limpar o sangue com uma pressa terrível, não? Sim. Apesar disso, é bom lembrar que está perto da janela aberta e choveu muito.

– Não o bastante para formar estas poças no chão, senhor. E nem secaram ainda.

Battle ficou calado. Uma imagem se formava diante dos seus olhos. Um homem com sangue nas mãos e nas mangas, tirando a roupa com pressa, jogando as roupas manchadas de sangue no armário, depois jorrando a água furiosamente pelas mãos e pelos braços.

Olhou para a porta na outra parede.

Williams respondeu ao olhar dele:

– É o quarto da sra. Strange, senhor. A porta está trancada.

– Trancada? Deste lado?

– Não, do outro.

– Do lado dela, é?

Battle ficou pensativo por alguns minutos. Por fim, falou:

– Vamos falar com aquele velho mordomo outra vez.

Hurstall estava nervoso. Leach perguntou-lhe secamente:

– Por que não nos disse, Hurstall, que tinha ouvido uma discussão entre o sr. Strange e lady Tressilian ontem à noite?

O velho pestanejou.

– Realmente não pensei mais sobre este fato, senhor. Não acho que se possa chamar aquilo de discussão, como o senhor disse... foi apenas uma amigável divergência de opiniões.

Resistindo à tentação de dizer: "amigável divergência de opiniões, uma ova!", Leach prosseguiu:

– Que terno o sr. Strange estava usando no jantar ontem à noite?

Hurstall hesitou. Battle falou calmamente:

– Era um terno azul-marinho ou um cinza listrado? Se o senhor não se lembra, tenho certeza que outra pessoa poderá nos dizer.

Hurstall quebrou o silêncio.

– Agora lembrei, senhor. Era um terno azul-marinho. A família – acrescentou, ansioso para não perder prestígio – não tem o hábito de usar traje formal durante os meses de verão. Saem com frequência após o jantar, às vezes vão para o jardim, às vezes vão até o cais.

Battle balançou a cabeça. Ao sair do quarto, Hurstall passou por Jones no vão da porta. Parecendo inquieto, Jones falou:

– Vai ser moleza, senhor. Tirei as impressões digitais de todos. Há apenas um conjunto de impressões que se encaixa. É claro que, por enquanto, só pude fazer uma comparação grosseira, mas aposto que são estas mesmo.

– E então? – disse Battle.

– As impressões encontradas naquele taco, senhor, foram deixadas pelo sr. Nevile Strange.

Battle recostou-se na cadeira:

– Bem – disse ele –, parece que isto soluciona o nosso caso, não é?

IV

Estavam no gabinete do chefe de polícia três homens com expressões sérias e preocupadas.

Com um suspiro, o major Mitchell falou:

– Bom, suponho que não há mais nada a fazer senão prendê-lo, não é?

Leach respondeu com calma:

– Parece que sim, senhor.

Mitchell olhou para o superintendente Battle.

– Anime-se, Battle – disse gentilmente. – O seu melhor amigo não morreu.

O superintendente Battle suspirou.

– Não estou gostando disso – disse ele.

– Creio que nenhum de nós esteja gostando – disse Mitchell –, mas penso que já temos provas suficientes para requerer um mandado de prisão.

– Mais do que suficientes – disse Battle.

– Na verdade, se não entrarmos com um pedido de mandado de prisão, alguém poderá perguntar por que diabos isso não aconteceu?

Battle balançou a cabeça insatisfeito.

– Vamos repassar o caso – disse o chefe de polícia. – Conseguiram detectar um motivo... Strange e sua esposa recebem uma quantia de dinheiro considerável com a morte da velha senhora. Até onde se sabe, ele foi a última pessoa a vê-la com vida; e também o ouviram discutindo com ela. O terno que ele usou naquela noite tinha manchas de sangue; e, é claro, o mais grave de tudo, suas impressões digitais foram encontradas na arma do crime... e as de mais ninguém.

– E, ainda assim, o senhor também não está gostando disto – disse Battle.

– É claro que não.

– Do que exatamente o senhor não está gostando?

O major Mitchell esfregou o nariz.

– Talvez porque tudo isso faz com que o sujeito pareça ser um pouco tolo demais? – sugeriu ele.

– Assim mesmo, senhor, muitas vezes eles realmente se comportam como tolos.

– Ah, eu sei... eu sei. Onde estaríamos caso isso não acontecesse?

– E do que você não gosta nisso tudo, Jim?

Leach mexeu-se insatisfeito.

– Sempre gostei do sr. Strange. Há muitos anos que o vejo de vez em quando por aqui. É um homem muito agradável... e um desportista.

Battle falou devagar:

– Não vejo porque um bom jogador de tênis não pudesse ser também um assassino. Não há nada em contrário – fez uma pausa. – O que eu não gosto é do taco de golfe.

– Do taco de golfe? – perguntou Mitchell, um pouco intrigado.

– Sim, senhor, ou, alternativamente, da campainha. Da campainha ou do taco... não dos dois.

Ele prosseguiu com sua voz calma e cautelosa.

– O que achamos que aconteceu na verdade? O sr. Strange foi até o quarto dela, eles tiveram uma discussão, ele perdeu a calma e acabou atingindo a cabeça dela com um taco de golfe. Neste caso, e foi algo não premeditado, por que motivo estaria carregando um taco de golfe? Não é o tipo de coisa que se carregue por aí à noite.

– Ele poderia ter andado praticando suas jogadas antes de ir até o quarto... ou algo assim.

– Sim, poderia... só que ninguém disse isso. Ninguém afirmou tê-lo visto jogando. A última vez que foi visto com um taco na mão foi na semana anterior quando praticava tacadas na areia da praia. Na minha maneira de ver a situação, é impossível que as duas coisas tenham ocorrido. Ou houve uma discussão e ele perdeu a cabeça... porém, é bom lembrar que já o vi nas quadras, e nessas partidas de torneios importantes estes astros do tênis ficam todos agitados e uma pilha de nervos e, caso não consigam manter a calma, isso fica facilmente evidente. Nunca vi o sr. Strange ficar irritado. Diria que ele tem um ótimo autocontrole... bem mais do que a maioria das pessoas... e, mesmo assim, estamos aqui sugerindo que ele tenha entrado em um estado de fúria e atingido a cabeça de uma senhora frágil e idosa.

– Há uma hipótese alternativa, Battle – disse o chefe de polícia.

– Sim, eu sei, a teoria de que o crime foi premeditado. Ele queria o dinheiro da velha senhora. Isto se encaixa com a campainha, que foi o que provocou o doping da empregada, mas não se encaixa com o taco nem com a discussão! Se ele tivesse decidido matá-la, teria tido todo o cuidado para não discutir com ela. Teria dopado a empregada e entrado à noite furtivamente no quarto de lady Tressilian... a teria atingido na cabeça e simulado um pequeno roubo, limpado o taco, recolocando-o cuidadosamente de volta no lugar! Mas está tudo errado, senhor! Há uma mistura de premeditação fria com uma violência não premeditada... e essas duas coisas simplesmente não se misturam!

– Há alguma coisa nisso que você está dizendo, Battle... mas... qual é a alternativa que temos?

– O taco é o que me deixa intrigado, senhor.

– Ninguém poderia ter usado aquele taco para atingir a cabeça da senhora sem com isso manchar as impressões do Nevile... e isto é ponto pacífico.

– Neste caso – disse Battle –, ela foi atingida na cabeça com algum outro objeto.

O major Mitchell respirou fundo.

– É uma hipótese um tanto absurda, o senhor não acha?

– Acho que é uma questão de bom senso, senhor. Só Strange poderia tê-la atacado com aquele taco, ninguém mais. Eu optaria por ninguém. Neste caso, o taco foi deixado ali deliberadamente, com o sangue e os fios de cabelo grudados nele. O dr. Lazenby também não ficou muito satisfeito com o taco, teve de admiti-lo como sendo a arma do crime porque era o objeto mais óbvio, e também porque não poderia afirmar categoricamente que o taco *não* havia sido usado como arma para o crime.

O major Mitchell recostou-se na cadeira.

– Continue, Battle – disse ele. – Estou lhe dando carta branca. Qual é o próximo passo?

– Deixando o taco de lado – disse Battle –, o que nos resta? Em primeiro lugar, o motivo. Nevile Strange tinha realmente um motivo para matar lady Tressilian? Ele herdaria o dinheiro. Porém, para mim, tudo depende muito do fato de ele precisar ou não desse dinheiro. Ele afirma que não. Sugiro que se verifique essa informação, investigando a sua real situação financeira. Se estiver com um rombo em suas finanças e precisando do dinheiro, então os argumentos contrários a ele ganharão muita força. Se, por outro lado, estiver falando a verdade e suas finanças estiverem indo bem, por que então...?

– Bom, então o quê?

– Então teremos que procurar os motivos das *outras* pessoas daquela casa.

– Então o senhor acha que Nevile Strange foi incriminado?

O superintendente Battle franziu os olhos.

– Há uma expressão que li em algum lugar que despertou a minha simpatia. Era alguma coisa com relação a um toque suspeito. É isto o que creio estar vendo neste caso. Trata-se de um crime ostensivamente grosseiro, brutal e direto, mas me parece que consigo vislumbrar algo mais... algo como um toque suspeito por trás de tudo isso...

Houve uma longa pausa enquanto o chefe de polícia olhava para o superintendente Battle. Por fim, falou:

– Talvez o senhor esteja certo. Bom, azar, há alguma coisa estranha neste caso. Qual é a sua ideia para o nosso plano de ação a partir de agora?

Battle coçou o queixo anguloso.

– Bem, senhor – disse ele –, sou sempre favorável a agir da forma mais evidente. Foi tudo preparado para que suspeitássemos do sr. Nevile Strange. Continuaremos, então, a suspeitar dele. Não precisamos chegar ao ponto de prendê-lo de fato, podemos apenas dar a entender que poderemos prendê-lo, podemos interrogá-lo, pressioná-lo... e então observar as reações de todos de um modo geral. Podemos verificar os depoimentos, recapitular passando um pente fino em todos os movimentos dele naquela noite. Na verdade, mostraremos as cartas de uma forma bastante clara, como deve ser.

– É um plano um tanto maquiavélico – falou o major Mitchell com uma piscadela. – A encenação de um policial desajeitado, pelo grande ator Battle...

O superintendente Battle sorriu.

– Sempre gosto de fazer o que esperam de mim, senhor. Desta vez pretendo ir bem devagar... sem me apressar. Quero bisbilhotar um pouco. O fato de suspeitar do sr. Nevile Strange é uma ótima desculpa para bisbilhotar por lá. O senhor sabe, tenho a impressão de que há alguma coisa muito estranha acontecendo naquela casa.

– O senhor quer dizer do ponto de vista passional?

– Se o senhor prefere colocar assim.

– Faça como achar melhor, Battle. Deixarei que o senhor e Leach se encarreguem disso.

– Obrigado, senhor – Battle levantou-se. – Nenhuma informação sugestiva por parte dos advogados?

– Não. Telefonei para eles. Conheço Trelawny muito bem. Ele vai me enviar uma cópia do testamento de sir Matthew e também de lady Tressilian. Do seu próprio dinheiro, ela costumava investir anualmente em títulos do governo. Deixou uma herança para Barrett e outra, menor, para Hurstall, e o restante deixou para Mary Aldin.

– Ficaremos de olho nesses três – disse Battle.

Mitchell pareceu achar graça.

– Você é um sujeito desconfiado, hein?

– De nada adianta nos impressionarmos com essas cinquenta mil libras – disse Battle impassível. – Muitos assassinatos já foram praticados por menos de cinquenta libras. Vai depender do quanto o sujeito quer aquele dinheiro. Barrett ganhou uma herança e talvez tenha tomado a precaução de se dopar de modo a evitar suspeitas.

– Por pouco ela não morreu. E Lazenby ainda não nos deixou interrogá-la.

– Quem sabe, por ignorância, ela tenha exagerado na dose. Além disso, pelo que sabemos, Hurstall também pode ter tido uma necessidade urgente de dinheiro. E Mary Aldin, caso não tenha uma renda própria, pode ter imaginado viver um pouco com uma pequena renda própria, antes que fique velha demais para poder aproveitá-la.

O chefe de polícia pareceu ter dúvidas.

– Bom – disse ele –, o caso está com vocês dois. Continuem o trabalho.

V

De volta a Gull's Point, os dois policiais receberam os relatórios de Williams e Jones.

Não haviam encontrado nada de natureza suspeita ou sugestiva em nenhum dos quartos. Os empregados solicitavam que lhes fosse permitido continuar com o trabalho doméstico. Deveriam dar permissão?

– Sim, creio que sim – disse Battle. – Antes disso, vou só dar uma volta nos dois andares superiores. Antes de serem arrumados, os quartos muitas vezes revelam informações interessantes sobre os seus ocupantes.

O sargento Jones colocou uma caixinha de papelão sobre a mesa.

– Este é o material que foi retirado do casaco azul-marinho do sr. Nevile Strange – avisou ele. – Os cabelos ruivos estavam no punho, os louros na parte de dentro do colarinho e no ombro direito.

Battle retirou os dois longos fios de cabelo ruivo e meia dúzia de fios loiros e os examinou. Falou, com um leve brilho nos olhos:

– É conveniente. Há nesta casa uma loura, uma ruiva e uma morena. Desta forma, sabemos de imediato o que procuramos. Cabelos ruivos nos punhos, louros no colarinho. O sr. Nevile realmente tem algo do Barba Azul. Seu braço em torno de uma esposa e a cabeça da outra apoiada no seu ombro.

– O sangue que estava nas mangas foi enviado para análise, senhor. Eles vão nos avisar assim que tiverem o resultado.

Leach assentiu com a cabeça.

– E quanto aos empregados?

– Segui as suas instruções, senhor. Nenhum deles foi demitido ou pareceu guardar algum ressentimento contra a velha senhora. Ela era rigorosa, mas muito querida de todos. De qualquer maneira, a administração dos empregados sempre ficou a cargo de Mary Aldin. E ela parece ser muito estimada por eles.

– Imaginei que fosse uma mulher eficiente desde o momento em que botei os olhos nela – disse Battle. – Se for ela a nossa assassina, não será fácil pegá-la.

Jones pareceu assustado.

– Mas aquelas impressões digitais no taco eram... – falou ele.

– Sei… sei – disse Battle. – O excepcionalmente atencioso sr. Strange. Há uma crença geral de que os atletas não são lá muito dotados de inteligência (o que, por sinal, nem sempre é verdadeiro), mas não posso acreditar que Nevile Strange seja um completo idiota. Ah, e quanto ao chá de sene da criada, o que descobriram?

– Fica sempre na prateleira do banheiro dos empregados, no segundo andar. Ela costuma deixá-lo de molho ao meio-dia, ficando ali até a noite, quando ela vai dormir.

– Deste modo, absolutamente qualquer pessoa poderia ter acesso a ele! Qualquer pessoa de dentro de casa, quero dizer.

Leach falou com convicção:

– Foi obra de alguém da casa, isto é certo!

– Sim, acho que sim. Não que este seja um daqueles crimes de círculo fechado. Não é… Qualquer pessoa que tivesse a chave poderia ter aberto a porta da frente e entrado. Nevile Strange estava com a chave na noite de ontem… mas poderia provavelmente ser uma simples questão de mandar fazer uma cópia, ou alguém habilidoso poderia abri-la usando um pedaço de arame. No entanto, não imagino que algum estranho pudesse ter conhecimento sobre a campainha e sobre o chá de sene que Barret costumava tomar à noite! É o tipo de conhecimento que só pessoas da casa poderiam ter!

– Venha, Jim, meu garoto. Vamos subir e ver o banheiro e o resto todo.

Começaram pelo andar de cima. Primeiro havia um quarto pequeno cheio de móveis antigos quebrados e velharias de todo tipo.

– Não examinei essa parte, senhor – disse Jones. – Não sabia que…

– Não sabia o que procurar aqui? Está certo. É só perda de tempo. Pela poeira acumulada no chão, ninguém entra aqui há pelo menos seis meses.

Os quartos dos empregados ficavam todos nesse andar, que tinha também dois aposentos desocupados e um banheiro. Battle examinou cada quarto e, olhando de relance, observou que Alice, a empregada de olhos esbugalhados, dormia com a janela fechada; que Emma, a magrela, tinha uma grande quantidade de parentes, cujas fotografias estavam agrupadas na cômoda; e que Hurstall tinha uma ou duas peças de boa porcelana Dresden & Crown, apesar de estarem lascadas.

O quarto da cozinheira era rigorosamente asseado e o de sua ajudante de cozinha, caoticamente bagunçado. Battle passou então para o banheiro, que era a peça que ficava mais próxima da cabeceira da escada. Williams apontou para a longa prateleira em cima da pia, onde havia copos e escovas de dente, vários unguentos e vidros de sais e loção para cabelo. Havia um pacote de chá de sene aberto em uma das extremidades da prateleira.

– Nada de impressões digitais no copo ou no pacote?

– Apenas as da própria empregada, que identifiquei com base nas que foram encontradas no quarto dela.

– O assassino não precisaria manusear o copo – disse Leach. – Precisaria somente jogar o material dentro dele.

Seguido por Leach, Battle começou a descer a escada. No meio do caminho, notou logo acima uma janela situada em um local bastante estranho. Num canto, havia uma vara com um gancho na ponta.

– Usa-se isto para puxar para baixo a guilhotina da parte de cima da janela – explicou Leach. – Há, no entanto, uma trava de segurança. A janela só pode ser aberta até um determinado ponto, que é estreito demais para que uma pessoa consiga entrar.

– Não estava pensando que alguém pudesse entrar por ali – disse Battle, com um olhar pensativo.

Ele entrou no primeiro aposento do próximo andar. Era o quarto de Audrey Strange: arrumado e arejado, com escovas de marfim na penteadeira... sem roupas espalhadas. Battle olhou dentro do roupeiro: dois conjuntos lisos de casaco e saia, alguns vestidos de noite, um ou dois vestidos de verão. Eram vestidos baratos, porém havia também alguns caros e feitos sob medida, mas estes não eram novos.

Battle balançou a cabeça. Ficou ali parado por alguns minutos remexendo na caixa de canetas à esquerda do mata-borrão.

Williams falou:

– Não encontrei nada de interessante nem no mata-borrão nem no cesto de papel.

– A sua palavra basta – disse Battle. – Não há nada para ver aqui.

Seguiram para os outros quartos. O de Thomas Royde estava desarrumado, com roupas espalhadas por todo canto. Havia cachimbos e cinzas sobre as mesas e ao lado da cama, onde havia, aberto pela metade, um exemplar de *Kim*, de Kipling.

– Este deve estar acostumado a ter os criados nativos para limpar toda a sujeira que vai deixando – disse Battle. – Gosta de ler velhos clássicos. É do tipo conservador.

O quarto de Mary Aldin era pequeno, porém bem confortável. Battle olhou os livros de viagens nas estantes e as escovas de prata antigas. Os móveis e o colorido do quarto eram mais modernos do que o restante da casa.

– Ela não é tão conservadora – observou Battle. – E também não há fotografias. Não é alguém que viva no passado.

Havia ainda três ou quatro quartos vazios, todos bem arrumados e limpos, prontos para serem ocupados. E depois vinha o grande quarto duplo de lady Tressilian. Mais adiante, subindo-se três pequenos degraus, vinha os dois quartos e o banheiro dos Strange.

Battle não perdeu muito tempo no quarto de Nevile. Pelo batente da janela, olhou para as pedras que desapareciam violentamente sob o mar. A vista dava para o lado oeste, em direção a Stark Head, que surgia solitária e misteriosa por sobre a água.

– Pega o sol da tarde – murmurou. – Porém, pela manhã, uma vista bastante sinistra. Pega também o cheiro desagradável das algas marinhas quando a maré baixa. E aquele cabo tem uma aparência macabra. Não me admira que atraia suicidas!

Passou para o quarto maior, cuja porta havia sido trancada.

Ali tudo estava numa bagunça bárbara. As roupas estavam amontoadas por todo lado – roupas de baixo transparentes, meias, blusas experimentadas e deixadas de lado, um vestido de verão estampado – tudo jogado e esparramado sobre o encosto de uma cadeira. Battle olhou dentro do roupeiro. Estava cheio de casacos de pele, vestidos de noite, shorts, roupas para jogar tênis e outros trajes esportivos.

Battle fechou novamente as portas do roupeiro e, quase com reverência, comentou:

– Gosta de coisas caras. Deve custar uma fortuna para o marido.

Leach afirmou sombriamente:

– Talvez seja por isso que...

Deixou a frase incompleta.

– Que precisasse das cem... ou melhor, das cinquenta mil libras? É possível. Creio que seja melhor vermos o que ele tem a dizer.

Desceram para a biblioteca. Williams foi encarregado de avisar aos empregados que já podiam voltar às suas atividades domésticas. Os membros da família estavam liberados para voltar aos quartos caso desejassem. Deviam ser informados do fato e também de que o inspetor Leach gostaria de interrogar cada um deles separadamente, começando pelo sr. Nevile Strange.

Quando Williams saiu da sala, Battle e Leach se instalaram atrás de uma pesada mesa vitoriana. Um jovem policial sentou-se no canto da sala portando um bloco de notas, com o lápis aprumado.

– Você assume no início, Jim. Seja imponente.

O outro concordou com a cabeça, e Battle esfregou o queixo e franziu a testa.

– Gostaria de saber por que Hercule Poirot fica o tempo todo vindo à minha mente.

– Quer dizer aquele velhinho engraçado... o belga?

– Engraçado uma ova! – disse o superintendente Battle. – Pode ser tão perigoso quanto uma serpente ou uma fêmea de leopardo... é isto o que ele é quando começa a se fazer passar por charlatão! Gostaria que estivesse aqui... um caso como este seria ideal para ele.

– Em que sentido?

– Psicologia – disse Battle. – Psicologia de verdade... e não essa coisa simplória apresentada por gente que não sabe nada sobre o assunto. – Sua memória voltou-se ressentida para a sra. Amphrey e sua filha, Sylvia. – Não, a coisa em si, autêntica e verdadeira... que sabe exatamente o que faz a engrenagem funcionar. Manter o assassino falando... é um dos seus métodos. Afirma que, mais cedo ou mais tarde, todo mundo é levado a dizer a verdade. E então as pessoas cometem um pequeno deslize que não consideram que tenha importância... e é aí que conseguimos pegá-las.

– Então você pretende dar bastante corda para Nevile Strange?

Battle concordou distraído. Em seguida acrescentou com um pouco de preocupação e perplexidade:

– Mas o que está realmente me preocupando é... por que não consigo tirar Hercule Poirot da cabeça? Lá em cima... foi lá. Mas o que será que vi que me lembrou daquele sujeito?

Interromperam a conversa com a chegada de Nevile Strange.

Estava pálido e parecia preocupado, porém muito menos nervoso do que pela manhã à mesa do café. Battle o olhou com atenção. Incrível que um homem soubesse – e ele devia saber caso fosse capaz de raciocinar um pouco – que havia deixado as impressões digitais na arma do crime, e que estas haviam sido identificadas pela polícia, e não demonstrasse um nervosismo intenso nem se defendesse descaradamente.

Nevile parecia bastante natural – chocado, preocupado, aflito –, demonstrando apenas um nervosismo normal e saudável.

Jim Leach falava com seu simpático sotaque rural.

– Gostaríamos que respondesse algumas perguntas, sr. Nevile, tanto com relação à sua movimentação ontem à noite como com referência a alguns fatos específicos. Ao mesmo tempo, devo avisá-lo que o senhor não é obrigado a responder essas perguntas, a menos que queira de fato respondê-las e que, se preferir, poderá fazê-lo na presença do seu advogado.

Ele se recostou para observar o efeito de suas palavras.

Nevile Strange parecia francamente perplexo.

"Ou ele não tem a menor ideia do que estamos querendo dizer ou então é um danado de um bom ator", pensou Leach consigo mesmo. Como Nevile não respondeu nada, falou em voz alta:

– E então, sr. Strange?

– É claro, o senhor pode perguntar o que quiser.

– O senhor deve compreender – disse Battle com gentileza – que tudo o que disser aqui ficará registrado e, consequentemente, poderá ser usado como prova no tribunal.

Um lampejo de raiva surgiu no rosto de Strange, que falou prontamente:

– O senhor está me ameaçando?

– Não, não, sr. Strange. Estou apenas lhe prevenindo.

Nevile encolheu os ombros.

– Imagino que isto faça parte da sua rotina. Prossiga.

– O senhor está disposto a fornecer o seu depoimento?

– Se é assim que os senhores chamam.

– Então nos conte exatamente o que fez ontem à noite, desde o jantar, pode ser?

– Sem dúvida. Depois do jantar fomos para a sala de estar. Tomamos café e ouvimos rádio... ouvimos as notícias e tudo mais. Então resolvi ir até o Hotel Easterhead Bay para visitar um sujeito – um amigo meu – que está hospedado lá.

– O nome deste amigo... qual é?

– Latimer. Edward Latimer.

– É seu amigo íntimo?

– Ah, mais ou menos. Temos nos encontrado bastante desde que chegou aqui. Ele tem vindo almoçar e jantar conosco, e nós também às vezes vamos até lá.

Battle falou:

– Já estava bem tarde para ir até Easterhead Bay, não?

– Ah, é um lugar animado... e fica aberto a noite toda.

– Mas o pessoal aqui da casa se recolhe cedo, não é?

– Sim, de um modo geral, sim. De qualquer forma, levei a chave. Ninguém precisou ficar acordado me esperando.

– Sua esposa não quis ir com o senhor?

Nevile se alterou ligeiramente ao afirmar com um tom de voz mais firme:

– Não, ela estava com dor de cabeça. Já havia subido para o quarto.

– Por favor, continue, sr. Strange.

– Já ia subir para me trocar...

Leach interrompeu:

– Desculpe, sr. Strange. Como assim trocar-se? Para vestir um traje a rigor ou para tirá-lo?

– Nem uma coisa nem outra. Bom, se é para contar todos os detalhes, estava usando um terno azul-marinho, que é o meu melhor. Porém, como estava chovendo um pouco e eu pretendia pegar a barca e, como sabe, precisaria caminhar quase um quilômetro até o hotel, preferi vestir um terno mais velho, um cinza listrado.

– Realmente gostamos que as coisas fiquem bem esclarecidas – afirmou Leach com humildade. – Por favor, prossiga.

– Como falei, ia subir quando Barrett se aproximou e me disse que lady Tressilian queria conversar comigo. Por isso fui até lá e conversei um pouco com ela.

Battle disse suavemente:

– Creio que o senhor foi a última pessoa a vê-la com vida, não é, sr. Strange?

Nevile enrubesceu.

– Sim, sim. Suponho que sim. Até então ela estava muito bem.

– O senhor permaneceu com ela durante quanto tempo?

– Creio que uns vinte minutos, meia hora no máximo. Em seguida fui até o meu quarto, troquei o meu terno e saí apressado. Levei a chave da porta comigo.

– A que horas foi isso?

– Acho que foi por volta das dez e meia. Desci a montanha apressado, peguei a barca já saindo e segui até o Easterhead. Encontrei Latimer no hotel, bebemos um pouco e jogamos uma partida de bilhar. O tempo passou tão rápido que quando vi já tinha perdido a última barca, que sai à uma e meia da manhã. Então, Latimer, muito gentilmente, tirou o carro e me trouxe até aqui. Como o senhor sabe, isto significa fazer toda a volta por Saltington... pouco mais de 25 quilômetros. Saímos do hotel às duas horas e diria que chegamos aqui mais ou menos meia hora depois. Agradeci ao Ted e convidei-o para beber alguma coisa, mas ele disse que preferia voltar logo. Depois disso, entrei e fui direto para a cama. Não vi nem ouvi nada fora do normal. A casa parecia tranquila, todos dormiam. Mais tarde, já pela manhã, ouvi aquela moça gritando e...

Leach o interrompeu.

– Está bem, está bem. Agora voltemos um pouco... até a sua conversa com lady Tressilian. O jeito dela parecia normal?

– Sim, sem dúvida.

– Sobre o que conversaram?

– Ah, falamos sobre uma coisa ou outra... amenidades.

– Amigavelmente?

Nevile corou.

– É claro.

– Vocês, por acaso – continuou Leach suavemente –, não tiveram uma discussão violenta?

Nevile não respondeu de imediato. Leach falou:

– Saiba que é melhor que o senhor conte a verdade, pois, para lhe ser franco, parte da sua conversa foi ouvida.

Nevile foi breve:

– Tivemos um pequeno desentendimento. Mas não foi nada grave.

– Qual foi o motivo desse desentendimento, sr. Strange?

Com um esforço, Nevile recobrou a calma e sorriu.

– Para ser sincero – disse ele –, ela me deu uma bronca. Isso acontecia com bastante frequência. Sempre que discordava de alguém, era muito franca e direta. Era uma pessoa antiquada e propensa a rejeitar ideias e hábitos modernos como o divórcio e tudo mais. Tivemos uma discussão e é possível que eu tenha me alterado um pouco, no entanto, apesar de nossas diferenças, nos despedimos em termos perfeitamente amigáveis. – E acrescentou, um pouco exaltado: – Com certeza não lhe dei uma pancada na cabeça por ter perdido a calma numa discussão, se é isto o que o senhor está pensando!

Leach olhou para Battle, que se debruçou na mesa e falou:

– Hoje pela manhã o senhor identificou aquele taco de golfe como sendo seu. O senhor tem alguma explicação para o fato das suas impressões digitais terem sido encontradas nele?

Nevile o encarou e respondeu de imediato:

– Eu... mas é claro que sim... aquele taco é meu... costumo segurá-lo com frequência.

– O que eu quis dizer foi: existe alguma explicação para o fato de que as suas impressões digitais revelam que o senhor foi a última pessoa a segurá-lo?

Nevile ficou totalmente imóvel. O colorido desaparecera do seu rosto.

– Isso não é verdade – disse, por fim. – Não pode ser. Alguém deve tê-lo usado depois de mim... alguém que estivesse usando luvas.

– Não, sr. Strange... ninguém poderia tê-lo usado da forma como o senhor se refere... quer dizer, ninguém poderia tê-lo levantado para o golpe usando luvas sem com isso borrar as suas impressões.

Houve uma pausa... uma pausa bem longa.

– Ah, Deus! – disse Nevile convulsivamente. Ele estremeceu e colocou as mãos sobre os olhos. Os dois policiais o observavam.

Depois tirou as mãos dos olhos e sentou-se reto.

– Não é verdade – falou ele com calma. – Simplesmente não é verdade. Os senhores acham que eu a matei, mas não fui eu. Juro que não. Está havendo um terrível engano.

– Então o senhor não tem como explicar aquelas impressões digitais?

– Como eu poderia explicar? Estou estarrecido.

– E o senhor tem alguma explicação para o fato das mangas e punhos do seu terno azul-marinho estarem manchados de sangue?

– Sangue? – foi um murmúrio horrorizado. – Não pode ser!

– O senhor, por acaso, não se cortou?

– Não. Não, é claro que não.

Aguardaram um instante.

Nevile Strange, com a testa enrugada, parecia estar pensando. Por fim, levantou o rosto encarando-os com olhos assustados e aterrorizados.

– É fantástico! – afirmou. – Simplesmente fantástico! Nada disto é verdade.

– Os fatos são bastante verdadeiros – disse o superintendente Battle.

– Mas por que eu faria uma coisa dessas? É algo inimaginável... inacreditável. Eu conhecia Camilla desde sempre.

Leach tossiu.

– Creio que o senhor mesmo tenha nos dito, sr. Strange, que com a morte de lady Tressilian o senhor herdaria uma boa quantia em dinheiro.

– Acha que é por isso que... mas eu não quero dinheiro! Não preciso de dinheiro!

– Isso – disse Leach, com uma leve tossida – é o que o senhor diz, sr. Strange.

Nevile levantou-se bruscamente.

– Olhe aqui, isto é algo que posso provar! O fato de que não preciso de dinheiro. Deixe-me ligar para o gerente do meu banco, o senhor mesmo pode falar com ele.

Fizeram a ligação. A linha estava disponível e em poucos minutos a ligação foi completada. Nevile falou:

– É você, Ronaldson? Aqui é Nevile Strange. Você conhece a minha voz. Olhe, gostaria que fornecesse à polícia... sim, eles estão aqui comigo agora... gostaria que lhes fornecesse todas as informações que precisarem sobre a minha situação financeira... sim, sim... por favor.

Leach pegou o telefone. Falava calmamente. Seguiu fazendo perguntas e obtendo respostas.

Por fim, recolocou o fone no gancho.

– E então? – perguntou Nevile ansioso.

Leach falou impassível:

– O senhor tem um saldo bancário considerável, e o banco encarregado dos seus investimentos informa que estão todos em condições bastante vantajosas.

– Então, como o senhor vê, o que eu disse é verdade!

– É, parece que sim. No entanto, mais uma vez, sr. Strange, sempre existe a possibilidade de o senhor ter obrigações, dívidas, pagamento de chantagem ou outras razões desconhecidas para precisar do dinheiro.

– Mas eu não tenho! Posso garantir que não. Os senhores não encontrarão nada deste tipo.

O superintendente Battle mexeu os ombros pesados e falou em um tom generoso e paternal:

– Estou certo de que o senhor concorda, sr. Strange, que temos provas suficientes para pedir um mandado de prisão. Ainda não o fizemos. Estamos lhe dando o benefício da dúvida.

Nevile disse com amargura:

– Então quer dizer que o senhor já tomou a sua decisão e acha que de fato fui eu, mas ainda precisa descobrir o motivo para poder fechar o caso e me apontar como culpado, é isso?

Battle ficou calado. Leach olhava para o teto.

Nevile falou em desespero:

– Isso tudo parece um sonho terrível. Não há nada que eu possa dizer ou fazer. É como... como estar preso numa armadilha sem poder sair.

O superintendente ficou agitado. Um brilho inteligente surgiu por entre as suas pálpebras semicerradas.

– Muito bem colocado – afirmou. – Realmente muito bem colocado. Isso me dá uma ideia...

VI

O sargento Jones liberou Nevile habilmente pelo hall e depois fez com que Kay entrasse pela porta envidraçada do terraço, de modo que marido e mulher não se encontrassem.

– Mesmo assim, ele terá contato com os outros – observou Leach.

– Melhor ainda – afirmou Battle. – É só com ela que quero conversar enquanto ainda não sabe nada sobre o rumo da investigação.

O dia estava nublado, com um vento cortante. Kay vestia uma saia de lã e um suéter roxo e seu cabelo tinha o aspecto de uma taça de cobre polida. Ela parecia metade assustada, metade excitada. Sua beleza e vitalidade resplandeciam em contraste com o escuro cenário vitoriano composto de livros e cadeiras imponentes.

Com bastante facilidade, Leach a conduziu durante o interrogatório, obtendo o seu relato da noite anterior.

Como tivera dor de cabeça, fora cedo para o quarto – por volta das nove e quinze. Havia dormido profundamente e não ouvira nada até a manhã seguinte, quando acordou ao ouvir alguém gritando.

Battle assumiu o interrogatório.

– O seu marido não foi ver como a senhora estava antes de sair à noite?

– Não.

– A senhora não o viu desde a hora em que saiu da sala de estar até a manhã seguinte. Está correto?

Kay assentiu com a cabeça.

Battle esfregou o queixo.

– Sra. Strange, a porta que fica entre o seu quarto e o quarto do seu marido estava trancada. Quem trancou?

Kay disse prontamente:

– Fui eu.

Battle não disse nada... apenas esperou... esperou como um gato velho e paternal... que espera que o rato saia do buraco que está vigiando.

O seu silêncio conseguiu aquilo que meras perguntas provavelmente não teriam conseguido. Kay exclamou impetuosamente:

– Ah, imagino que o senhor precise saber de tudo! Aquele velho caduco do Hurstall deve ter-nos ouvido antes da hora do chá e, se eu não contar, ele acabará contando. É até possível que já tenha contado. Nevile e eu tivemos uma briga... uma briga acalorada! Eu estava furiosa com ele! Subi para o quarto e tranquei a porta porque continuava morrendo de raiva dele!

– Entendo... entendo – disse Battle, sendo o mais compreensivo possível. – E qual foi o motivo de toda essa briga?

– E isso realmente tem importância? Ah, eu não me importo de lhe contar. Nevile tem se comportado como um perfeito idiota, mas é tudo culpa daquela mulher.

– Que mulher?

– Sua primeira esposa. Em primeiro lugar, ela o induziu a vir para cá.

– A senhora quer dizer... para encontrá-la?

– Sim. Nevile pensa que foi tudo ideia dele... quanta ingenuidade! Mas não foi. Ele nunca pensou em tal coisa até encontrá-la certo dia no parque, e foi quando ela botou essa ideia na cabeça dele, fazendo com que acreditasse que fosse sua. Ele francamente pensa que foi ideia dele, mas desde o início pude perceber o toque da Audrey por trás disso tudo.

– Por que ela faria tal coisa? – perguntou Battle.

– Porque queria seduzi-lo outra vez – disse Kay. Ela falava rápido e sua respiração ficara ofegante. – Ela nunca o perdoou por ele ter ficado comigo. Essa é a sua vingança. Fez com que nos reuníssemos todos aqui e depois seguiu tentando seduzi-lo. Tem feito isso desde que chegamos. Ela é esperta, sabe. Ela sabe muito bem como parecer patética e desorientada... ah, sim, e sabe também como chamar a atenção de outro homem. Ela conseguiu que

Thomas Royde, um cachorrinho fiel que sempre foi apaixonado por ela, viesse para cá neste mesmo período e, ao fingir que iria se casar com ele, deixou Nevile enlouquecido.

Com a respiração alterada pela raiva, ela se interrompeu.

Battle falou com suavidade:

– Imagino que ele deveria ficar feliz por ela... por ela encontrar a felicidade com um velho amigo.

– Feliz? Ele está se mordendo de ciúme!

– Então ele deve gostar muito dela.

– Ah, sim – disse Kay com amargura. – Ela faz de tudo pra isso!

O dedo de Battle ainda vagava pelo queixo em sinal de dúvida.

– A senhora poderia ter se oposto a essa programação de virem para cá – sugeriu.

– Como poderia? Teria dado a impressão de que eu estava com ciúme.

– Bom – disse Battle –, afinal de contas, a senhora estava, não estava?

Kay enrubesceu.

– Sempre! Sempre tive ciúme da Audrey. Desde o começo... ou quase desde o começo. Costumava sentir a presença dela naquela casa. Era como se a casa fosse dela e não minha. Mudei o jogo de cores e reformei tudo, mas não funcionou! Continuei sentindo a presença dela como se houvesse um fantasma sombrio movendo-se furtivo pela casa. Eu sabia que Nevile se preocupava porque achava que a havíamos tratado mal. Não conseguia realmente esquecê-la... ela estava sempre lá... na forma de um sentimento recriminador lá no seu íntimo. O senhor sabe, há pessoas que são assim. Elas parecem um tanto apagadas e não muito interessantes... mas fazem com que sua presença seja sentida.

Battle balançou a cabeça, pensativo, e disse:

– Bem, obrigado, sra. Strange. Por enquanto isso é tudo. Temos que fazer... é... um grande número de perguntas... em especial pelo fato de seu marido herdar tanto dinheiro de lady Tressilian... cinquenta mil libras...

– Tudo isso? Recebemos isso pelo testamento do velho sir Matthew, não é?

– A senhora sabe tudo sobre essa questão?

– Ah, sim. Ele deixou essa herança para ser dividida entre Nevile e sua esposa após a morte de lady Tressilian. Não que eu esteja feliz pela morte da velha, não estou. Não gostava muito dela, provavelmente porque ela também não gostava de mim, mas é terrível demais imaginar que algum ladrão tenha entrado e partido a cabeça dela.

Ela saiu logo em seguida. Battle olhou para Leach.

– O que acha dela? Eu diria que é uma mulher muito bonita. Qualquer homem poderia facilmente perder a cabeça por causa dela.

Leach concordou.

– Embora não me pareça ser de fato uma dama – disse ele em dúvida.

– Hoje em dia, não são – disse Battle. – Veremos agora a número um? Não, acho que a seguir devemos interrogar a srta. Aldin, e assim poderemos obter uma opinião externa com relação a essa questão matrimonial.

Mary Aldin entrou calmamente e sentou-se. Apesar da aparente tranquilidade, seus olhos pareciam preocupados.

Respondeu às perguntas de Leach com bastante clareza, confirmando o relato de Nevile sobre a noite anterior. Ela subira para o quarto por volta das dez horas.

– O sr. Strange estava então com lady Tressilian?

– Sim, pude ouvi-los conversando.

– Conversando, srta. Aldin, ou discutindo?

Ela enrubesceu, mas respondeu com serenidade:

– O senhor sabe, lady Tressilian gostava de uma discussão. Muitas vezes parecia amarga, quando na verdade não era nada disso. Tinha também uma tendência a ser autoritária e dominadora com as pessoas – e um homem não admite este tipo de coisa com a mesma facilidade que uma mulher.

"Como você, provavelmente", pensou Battle.

Ele olhou para o seu rosto inteligente. Foi ela quem rompeu o silêncio.

– Não quero parecer uma tola... mas me parece inacreditável... um tanto inacreditável que o senhor suspeite de alguém desta casa. Por que não poderia ter sido uma pessoa estranha?

– Por vários motivos, srta. Aldin. Um deles é o fato de que nada foi roubado, nenhuma entrada foi forçada. Não precisaria lembrá-la da geografia da sua própria casa e do terreno, no entanto, tente apenas imaginá-la. No lado oeste, há um penhasco íngreme direto para o mar; ao sul ficam os terraços com um muro e um declive para o mar; a leste, os jardins se derramam quase até a praia, mas são cercados por um muro alto. As únicas saídas são uma pequena porta que dá para a estrada, que pela manhã foi encontrada fechada pelo lado de dentro, como de costume, e a porta principal da casa, que também dá para a estrada. Não estou dizendo que alguém não pudesse ter escalado aquele muro ou ter entrado pela porta da frente usando uma chave reserva ou mesmo uma chave-mestra... o que estou dizendo é que, pelo que vejo, ninguém fez nada deste tipo. Seja lá quem for que tenha cometido este crime, sabia que Barrett costumava tomar a essência de sene todas as noites e a adulterou... o que significa que deve ser alguém da casa. O taco de golfe foi tirado do armário que fica embaixo da escada. Quem fez isto não era ninguém estranho, srta. Aldin.

– Não foi o Nevile! Tenho certeza de que não foi o Nevile!

– Por que tem tanta certeza?

Desalentada, ela levantou as mãos.

– Ele simplesmente não é assim... é por isso! Ele jamais mataria uma velha indefesa numa cama... Não o Nevile!

– Não parece muito provável – afirmou Battle sensatamente –, mas a senhora ficaria surpresa com as coisas que as pessoas fazem quando têm um motivo forte o suficiente. O sr. Strange pode ter precisado de dinheiro com muita urgência.

– Tenho certeza que não. Ele não é uma pessoa gastadora... nunca foi.

– Não. Mas a esposa dele é.

– Kay? É, talvez... mas é tão ridículo. Tenho certeza que a última coisa em que Nevile tem pensado ultimamente é dinheiro.

O superintendente Battle tossiu.

– Entendo que ele tivesse outras preocupações, não é?

– Suponho que Kay tenha lhe contado, não? Sim, tem sido bem difícil. Ainda assim, isso não tem nada a ver com este assassinato terrível.

– Provavelmente não, mas, mesmo assim, gostaria de ouvir a sua versão sobre o caso, srta. Aldin.

Mary falou devagar:

– Bem, como lhe disse, criou-se uma situação complicada. Para começar, seja lá de quem tenha sido essa ideia de...

Ele a interrompeu habilmente.

– Entendi que a ideia tinha sido do sr. Nevile Strange.

– Ele diz que foi.

– Mas a senhorita não pensa assim?

– Eu... não... não me parece próprio do Nevile. Sempre tive a sensação de que alguém teria colocado essa ideia na cabeça dele.

– A sra. Audrey Strange, talvez?

– Parece inacreditável que Audrey pudesse fazer uma coisa dessas.

– Sendo assim, de quem mais poderia ter sido?

Mary ergueu os ombros desconcertada.

– Não sei. É apenas... estranho.

– Estranho – disse Battle pensativo. – É a sensação que tenho com relação a este caso. É estranho.

– Tudo tem sido estranho. Tenho tido uma sensação... não consigo descrevê-la. Alguma coisa no ar. Uma ameaça.

– Todos tensos e inquietos?

– É, exatamente isso... E todos nós temos passado por isso. Até mesmo o sr. Latimer...

Ela se deteve.

– Eu já ia chegar ao sr. Latimer. O que pode me dizer, srta. Aldin, a respeito do sr. Latimer?

– Bom, na verdade, não sei muita coisa sobre ele. É amigo de Kay.

– Ele é amigo da sra. Strange. Eles se conhecem há muito tempo?

– Sim, ela o conheceu antes de se casar.

– O sr. Strange gosta dele?

– Sim, acredito que goste bastante.

– Nenhum problema quanto a isso?

Battle perguntou com delicadeza. Mary respondeu de imediato e enfática:

– Certamente não!

– Lady Tressilian gostava do sr. Latimer?

– Não muito.

Battle observou o tom de indiferença em sua voz e mudou de assunto.

– E agora, a empregada, Jane Barrett, trabalhava há muito tempo com lady Tressilian? A senhorita a considera como sendo alguém de confiança?

– Ah, com certeza. Ela sempre foi muito dedicada a lady Tressilian.

Battle recostou-se na cadeira.

– Realmente, a senhorita consideraria a hipótese de Barrett ter desferido um golpe na cabeça de lady Tressilian e depois se dopado para evitar que se suspeitasse dela?

– É claro que não. Por que motivo ela faria isso?

– Como sabe, ela recebe uma herança.

– E eu também – falou Mary Aldin.

Ela o encarou com firmeza.

– Sim – disse Battle. – A senhora recebe. Sabe quanto?

– O sr. Trelawny acabou de chegar. Ele me comunicou.

– A senhorita não sabia antes disso?

– Não. Pelo que lady Tressilian deixou escapar uma vez que outra eu sem dúvida imaginava que ela havia deixado alguma coisa para mim. Como o senhor sabe, não tenho muita coisa, não o suficiente para poder sobreviver sem trabalhar de algum modo. Pensava que lady Tressilian me deixaria uma renda de pelo menos cem libras por ano... no entanto, ela tem alguns primos, e eu não sabia realmente a forma como ela planejava deixar esta parte do dinheiro que era dela. Sabia, é claro, que a fortuna de sir Matthew ficaria para Nevile e Audrey.

– Então ela não sabia o que lady Tressilian deixaria para ela – disse Leach quando Mary Aldin foi dispensada. – Pelo menos é o que ela diz.

– É o que ela diz – concordou Battle. – E agora passaremos à primeira esposa do Barba Azul.

VII

Audrey usava um conjunto de saia e casaco de flanela cinza-clara. Vestida assim, parecia tão pálida e com uma aparência tão fantasmagórica que Battle lembrou-se das palavras de Kay: "um fantasma sombrio movendo-se furtivo pela casa".

Ela respondeu às perguntas dele de forma simples e sem nenhum sinal de emoção.

Sim, ela tinha ido para a cama às dez horas, o mesmo horário que a srta. Aldin. Não ouvira nada durante a noite.

– A senhora queira me desculpar por me intrometer nos seus assuntos pessoais – disse Battle –, mas poderia explicar exatamente como se sucedeu a sua vinda aqui para esta casa?

– Sempre venho para cá nesta época. Este ano, o meu... meu ex-marido queria vir neste mesmo período e perguntou se eu me incomodaria.

– Foi sugestão dele?

– Ah, sim.

– Não foi sua?

– Não, não.

– Mas a senhora concordou.

– Sim, concordei... Não achei... que poderia simplesmente recusar.

– Por que não, sra. Strange?

Ela, no entanto, foi vaga ao responder.

– Ninguém gosta de ser descortês.

– A senhora foi a parte lesada?

– Como disse?

– Foi a senhora quem pediu o divórcio?

– Sim.

– A senhora... queira me desculpar... mas a senhora sente algum rancor pelo seu ex-marido?

– Não, absolutamente.

– A senhora tem uma índole muito generosa, sra. Strange.

Ela não respondeu. Ele tentou o silêncio... mas Audrey não era Kay para ser levada a falar dessa maneira. Poderia permanecer em silêncio sem o menor sinal de inquietação. Battle se deu por vencido.

– A senhora tem certeza de que não foi ideia sua... este encontro?

– Certeza absoluta.

– A senhora mantém um relacionamento amigável com a atual sra. Strange?

– Não creio que ela goste muito de mim.

– E a senhora gosta dela?

– Sim, acho-a muito bonita.

– Bem... obrigado. Acho que isso é tudo.

Ela se levantou e se encaminhou para a porta. Em seguida, hesitou e voltou.

– Gostaria apenas de dizer... – Falava em um tom nervoso e apressado. – Os senhores acham que foi o Nevile quem fez isso... que a matou por causa do dinheiro. Tenho certeza que não é verdade. Nevile nunca ligou muito para dinheiro. Eu sei muito bem disso, pois, como sabem, fui casada com ele durante oito anos. Simplesmente não consigo imaginá-lo matando alguém por dinheiro... o Nevile não é assim. Sei que o que estou dizendo não tem muito valor como prova de nada... mas gostaria de fato que acreditassem.

Virou-se e saiu depressa da sala.

– O que achou dela? – perguntou Leach. – Nunca vi ninguém tão... tão desprovido de emoções.

– Ela não demonstrou nada – disse Battle. – Mas ela existe. Há algum tipo de emoção muito forte... só não sei o que é...

VIII

Thomas Royde era o último. Sentou-se solene e formal, piscando um pouco como uma coruja.

Era a primeira vez que vinha para casa após oito anos na Malásia. Tinha o hábito de se hospedar em Gull's Point desde que era menino. A sra. Audrey Strange era uma prima distante... e havia sido criada por sua família desde os nove anos. Na noite anterior, tinha ido para o quarto um pouco antes das onze. Sim, ouvira quando o sr. Nevile Strange saíra da casa, porém não o havia visto. Ele saíra por volta das 22h20 ou talvez um pouco mais tarde. Não escutara nenhum barulho durante a noite. Já havia se levantado e estava no jardim quando o corpo de lady Tressilian foi encontrado. Costumava levantar cedo.

Houve uma pausa.

– A srta. Aldin nos disse que havia uma situação de tensão na casa. O senhor notou isso também?

– Acho que não. Não sou de observar muito.

"É mentira", pensou Battle. "Você observa muito, diria até que muito mais do que os outros."

Não, ele não achava que Nevile Strange estivesse com qualquer tipo de problema financeiro – certamente não parecia estar. Mesmo assim, sabia muito pouco sobre os negócios do sr. Strange.

– O senhor conhece bem a segunda sra. Strange?

– Eu a conheci quando cheguei aqui.

Battle deu a sua última cartada.

– Como deve saber, sr. Royde, encontramos as impressões digitais do sr. Nevile Strange na arma. E encontramos também sangue na manga do paletó que ele usou ontem à noite.

Ele parou. Royde concordou com a cabeça.

– Ele estava nos contando – murmurou Royde.

– Pergunto-lhe francamente: o senhor acha que foi ele?

Thomas Royde nunca gostou de ser apressado. Aguardou cerca de um minuto, o que é um tempo muito longo, antes de responder:

– Não vejo por que o senhor faz essa pergunta para mim. Não é um problema meu, é seu. Mas diria que acho muito improvável.

– E consegue imaginar alguém que lhe pareça mais provável?

Thomas balançou a cabeça.

– A única pessoa que considero provável não poderia ter sido. Portanto, isso é tudo.

– E quem é essa pessoa?

Mas Royde balançou a cabeça ainda mais decidido.

– Não poderia lhe dizer. É apenas a minha opinião.

– É seu dever auxiliar a polícia.

– Sim, é meu dever auxiliar com fatos. Isso não se trata de um fato. É apenas uma ideia. E de qualquer forma seria impossível.

– Não conseguimos tirar muita coisa dele – disse Leach após a saída de Royde.

Battle concordou.

– Não, não conseguimos. Ele tem alguma coisa em mente... alguma coisa bem precisa. Gostaria de saber o que é. Este é um crime muito peculiar, Jim...

O telefone tocou antes que Leach pudesse responder. Ele pegou o telefone e, depois de ouvir por alguns minutos, falou "muito bom" e desligou.

– O sangue da manga do paletó é humano – comunicou ele. – E é do mesmo grupo sanguíneo de lady Tressilian. Parece que Nevile Strange está a perigo...

Battle caminhara até a janela e estava olhando para fora com considerável interesse.

– Há um belo jovem lá fora – observou ele. – Belo e definitivamente falso, eu diria. É uma pena que o sr. Latimer – ou ao menos penso que se trate dele – estivesse em Easterhead Bay ontem à noite. Ele é o tipo de sujeito que esmagaria a cabeça da própria avó, caso achasse que não seria apanhado e soubesse que com isso conseguiria obter alguma vantagem.

– Bem, nada foi deixado para ele – disse Leach. – A morte de lady Tressilian não o beneficia de nenhuma forma. – O telefone tocou outra vez. – Que droga esse telefone! Qual é o problema agora?

E foi atendê-lo.

– Alô. Ah, é o senhor, doutor. O quê? Ela recobrou a consciência, então? O quê? O quê?

Virando-se, falou:

– Tio, venha e escute só isso.

Battle pegou o telefone. Enquanto ouvia, seu rosto permaneceu como de costume, sem mostrar nenhuma expressão. Falou para Leach:

– Traga o sr. Nevile Strange, Jim.

Quando Nevile entrou, Battle estava acabando de recolocar o fone no gancho.

Nevile, com uma aparência pálida e extenuada, olhava curioso para o superintendente da Scotland Yard, tentando imaginar que tipo de emoção havia por trás daquela máscara impassível.

– Sr. Strange – disse Battle –, o senhor conhece alguém que não goste do senhor?

Nevile olhou-o fixamente e negou.

– Tem certeza? – Battle foi imponente. – Quero dizer, senhor, alguém que, mais do que isso, que o odeie abertamente?

Nevile sentou-se muito reto.

– Não. Não, é claro que não. Não há ninguém do tipo.

– Pense bem, sr. Strange. Não há ninguém que, de uma forma ou de outra, o senhor tenha prejudicado ou ofendido?

Nevile corou.

– Há apenas uma pessoa que se pode dizer que magoei, mas ela não é do tipo que guarda rancor. É a minha primeira esposa, quando a deixei por outra mulher. Mas posso lhe garantir que ela não me odeia. Ela... ela tem sido um anjo.

O superintendente debruçou-se na mesa.

– Deixe-me lhe dizer, sr. Strange, que o senhor é um homem de muita sorte. Não digo que simpatizasse com os argumentos contra o senhor... realmente não me agradavam. Mas eram bons argumentos! E seriam argumentos muito convincentes, a menos que os jurados por acaso gostassem muito do senhor como pessoa, seriam suficientes para levá-lo à forca.

– O senhor fala – disse Nevile – como se tudo isso já fosse coisa do passado.

– Sim, já é passado – disse Battle. – O senhor foi salvo, sr. Strange, por pura sorte.

Nevile ainda o olhava intrigado.

– Depois que o senhor deixou o quarto dela na noite passada – disse Battle –, lady Tressilian tocou a campainha chamando a empregada.

Battle observou enquanto Nevile assimilava o que ouvia.

– Depois... então Barrett a viu...

– Sim. Ela estava viva e muito bem. Barrett também viu quando o senhor saiu, antes de ir atender lady Tressilian.

Nevile falou:

– Mas o taco... as minhas impressões digitais...

– Ela não foi atacada com aquele taco. Pude perceber que o dr. Lazenby não ficou satisfeito em considerá-lo como sendo a arma do crime. Ela foi assassinada com algum outro objeto. Aquele taco foi colocado ali deliberadamente com o objetivo de lançar a suspeita sobre o senhor. Pode ter sido alguém que ouviu a sua discussão e por isso o escolheu como uma vítima perfeita, ou pode ter sido porque...

Ele parou e repetiu a pergunta:

– Quem é que o odeia nesta casa, sr. Strange?

IX

– Tenho uma pergunta para lhe fazer, doutor – disse Battle.

Estavam na casa do médico após retornarem do hospital, onde haviam feito um breve interrogatório com Jane Barrett.

Barrett estava fraca e esgotada, mas mesmo assim foi bastante clara no seu depoimento.

Ela recém havia se recolhido após tomar seu chá de sene quando lady Tressilian tocou a campainha. Olhou para o relógio – eram 22h25.

Então vestiu o roupão e desceu. Ao ouvir um barulho no hall, olhou por cima do corrimão.

– Era o sr. Nevile que estava saindo. Estava pegando a sua capa de chuva no cabide.

– Que terno ele estava usando?

– O terno cinza listrado. Pelo seu rosto, parecia muito preocupado e triste. Enfiou os braços na capa como se não estivesse se importando muito em vesti-la. Depois saiu e bateu a porta. Segui até o quarto de lady Tressilian. Ela estava muito sonolenta, coitada, e não conseguia se lembrar por que havia me chamado – ela nunca se lembrava, pobre senhora. Trouxe-lhe um copo d'água e arrumei os travesseiros dela, deixando-a confortável.

– Ela não parecia perturbada ou com medo de alguma coisa?

– Não, só parecia cansada. Eu mesma estava cansada e bocejando. Subi e fui direto dormir.

Este era o relato de Barrett, e parecera impossível duvidar da sua autêntica tristeza e horror diante da notícia da morte da sua patroa.

Voltaram para a casa de Lazenby, e foi então que Battle informou que tinha uma pergunta a fazer.

– Pode perguntar – disse Lazenby.

– A que horas o senhor acha que lady Tressilian morreu?

– Já lhe disse. Entre dez horas e meia-noite.

– Sei que foi isso o que o senhor afirmou. Mas não foi essa a minha pergunta. O que eu perguntei é o que o senhor particularmente *acha*.

– Extraoficialmente?

– Sim.

– Muito bem. Meu palpite seria algo em torno de onze horas da noite.

– É isso o que eu queria que o senhor dissesse – disse Battle.

– Fico feliz em ajudar. Mas por quê?

– Nunca fiquei satisfeito com a ideia de ela ter sido assassinada antes das 22h20. Veja a questão do sonífero da Barrett... ainda não teria tido efeito. Aquele sonífero revela que o assassinato estava planejado para ser cometido bem mais tarde... durante a noite. Particularmente, ainda prefiro pensar em meia-noite.

– Pode ser. Onze horas é apenas um palpite.

– Mas, definitivamente, não poderia ter sido depois da meia-noite?

– Não.

– Não poderia ter sido depois das duas e meia?

– Por Deus, não!

– Bem, isso parece que elimina o Strange. Vou apenas verificar os movimentos dele após a sua saída da casa. Se estiver falando a verdade, estará limpo e poderemos passar para os outros suspeitos.

– As outras pessoas que herdam o dinheiro? – sugeriu Leach.

– Talvez – respondeu Battle. – Mas, por algum motivo, não acho que seja o caso. O que estou procurando é uma pessoa com alguma deformidade.

– Uma deformidade?

– É. Uma deformidade grosseira.

Quando saíram da casa do médico, foram até a barca. A barca consistia de um barco a remo operado por dois irmãos, Will e George Barnes. Os irmãos Barnes conheciam todos os moradores de Saltcreek de vista e a maior parte das pessoas que vinham de Easterhead Bay. George disse de imediato que o sr. Strange, de Gull's Point, havia atravessado às dez e meia na noite anterior. Não, ele não trouxera o sr. Strange de volta. A última barca partira do lado de Easterhead à uma e meia e o sr. Strange não estava nela.

Battle perguntou se ele conhecia o sr. Latimer.

– Latimer? Latimer? Um jovem alto e bonito? Costuma vir do hotel para Gull's Point? Sim, conheço. No entanto, não o vi ontem à noite. Ele atravessou hoje pela manhã e voltou na última viagem.

Atravessaram na barca e foram até o Hotel Easterhead Bay, onde encontraram Latimer, que acabara de voltar do outro lado. Ele havia atravessado na barca anterior à deles.

O sr. Latimer estava muito ansioso para fazer todo o possível para ajudar.

– Sim, o velho Nevile veio aqui ontem à noite. Parecia muito triste com alguma coisa. Contou-me que tivera uma discussão com a velha senhora. Soube que ele teve uma briga com Kay também, mas não me contou sobre isso, é claro. De qualquer maneira, estava um pouco abatido. Pela primeira vez, parecia um tanto satisfeito com a minha companhia, de certo modo.

– Ele não conseguiu encontrá-lo de imediato, entendi bem?

Latimer disse prontamente:

– Não sei por quê. Eu estava sentado ali no salão. Strange disse que olhou e não me viu, mas ele não estava em condições de se concentrar. Ou pode ser que eu tenha saído por uns cinco minutos para dar uma volta no jardim. Sempre que posso, vou lá para fora. Há um cheiro desagradável neste hotel. Notei isso no bar ontem à noite. Creio que seja do esgoto! Strange também observou. Nós dois sentimos esse cheiro repulsivo de podre. Pode ser um rato morto debaixo do piso da sala de bilhar.

– Vocês jogaram bilhar, e depois do jogo?

– Conversamos um pouco, tomamos mais um ou dois drinques. Depois Nevile falou "nossa, perdi a barca", então falei que tiraria o meu carro para levá-lo, e foi o que fiz. Chegamos lá por volta das duas e meia.

– E o sr. Strange esteve com o senhor durante toda a noite?

– Ah, sim. Pode perguntar para qualquer pessoa, todos confirmarão.

– Obrigado, sr. Latimer. Temos que ser muito cuidadosos.

Em seguida que deixaram o jovem sorridente e controlado, Leach falou:

– Qual é o seu plano com estas investigações tão cuidadosas a respeito do Nevile Strange?

Battle sorriu. De repente, Leach compreendeu.

– Deus meu! É o outro que você está investigando. Então é esta a sua ideia.

– Ainda é cedo demais para ter ideias – disse Battle. – Só preciso saber exatamente onde o sr. Ted Latimer estava ontem à noite. Sabemos que das onze e quinze, digamos, à meia-noite ele estava com Nevile Strange. No entanto, onde ele estava antes disso, quando Nevile chegou e não conseguiu encontrá-lo?

Prosseguiram obstinadamente com os interrogatórios – com os atendentes do bar, os garçons, os ascensoristas. Latimer tinha sido visto no salão entre nove e dez horas. Ele estivera no bar às 22h15. Porém, entre este horário e as 23h20, ele estivera singularmente esquivo. Depois, uma das empregadas declarou que o sr. Latimer havia estado em um dos pequenos escritórios com a sra. Beddoes, uma senhora gorda do norte do país.

Pressionada com relação ao horário, afirmou que achava que havia sido por volta das onze horas.

– Isso derruba a minha ideia – disse Battle tristemente. – Ele estava aqui mesmo. Apenas não queria atrair a atenção para a sua amiga gorda e, sem dúvida, rica. Isto nos leva de volta aos outros: os criados, Kay Strange, Audrey Strange, Mary Aldin e Thomas Royde. Um deles matou a velha senhora, mas qual? Se pudéssemos descobrir a arma verdadeira...

Ele parou, depois bateu com força na coxa.

– Consegui, Jim! Agora sei o que me fez lembrar de Hercule Poirot. Vamos fazer um intervalo para o almoço e em seguida voltaremos para Gull's Point, tenho que lhe mostrar uma coisa.

X

Mary Aldin estava inquieta. Entrava e saía da casa, juntava flores sem vida aqui e ali, voltou para a sala de estar e mudou os vasos de flores de lugar, arrumando-os de um jeito inexpressivo.

Ouviu um vago murmúrio de vozes vindas da biblioteca. O sr. Trelawny estava lá com Nevile. Kay e Audrey não estavam por perto.

Mary voltou para o jardim de novo. Avistou Thomas Royde fumando tranquilamente e foi juntar-se a ele.

– Ah, meu Deus – disse sentando-se ao lado dele com um suspiro profundo e perplexo.

– Algum problema? – perguntou Thomas.

Mary riu, e havia um leve tom de histeria em seu riso.

– Só mesmo você para dizer uma coisa como essa. Houve um assassinato em casa e tudo o que você diz é "algum problema?".

Parecendo um pouco surpreso, Thomas falou:

– Quis dizer se havia algum fato novo.

– Ah, eu sei o que você quis dizer. É de fato um alívio extraordinário encontrar alguém tão gloriosamente impassível como você!

– Não adianta muito ficar todo irritado com as coisas, você não acha?

– Não, não. Você é perfeitamente sensato. O que acho desconcertante é o modo como você consegue ser assim.

– Bem, creio que seja porque sou um estranho.

– É verdade, é claro. Você não tem como sentir o alívio que todos nós sentimos pelo fato de Nevile deixar de ser considerado suspeito.

– Estou muito satisfeito, é claro – disse Royde.

Mary estremeceu.

– Foi por pouco. Se Camilla não tivesse tido a ideia de tocar a campainha para chamar Barrett depois que Nevile saiu do quarto...

Ela deixou a frase inacabada. Thomas completou.

– Por certo o velho Nevile estaria acabado.

Ele falara com um tom de satisfação assustador, depois balançou a cabeça com um leve sorriso ao encarar o olhar reprovador de Mary.

– Não sou realmente um sujeito cruel, mas agora que está tudo certo com Nevile não posso deixar de sentir alguma satisfação por ele ter passado por este transtorno. Ele é sempre tão odiosamente pedante.

– Ele não é assim, Thomas.

– Talvez não. Vai ver é só o jeito dele. De qualquer forma, ele parecia danado de assustado hoje pela manhã!

– Como você é cruel!

– Seja como for, já está tudo bem. Sabe, Mary, até mesmo nisso o Nevile teve uma sorte danada. Qualquer outro pobre coitado que tivesse todas essas provas contra si jamais teria tido tanta sorte.

Mary estremeceu outra vez.

– Não diga isso. Gosto de pensar que os inocentes estão... protegidos.

– É mesmo, minha querida? – sua voz estava suave.

Mary exclamou de repente:

– Thomas, estou preocupada. Terrivelmente assustada e preocupada!

– Sim.

– É com relação ao sr. Treves.

Thomas deixou cair o cachimbo nas pedras. Sua voz mudou quando se abaixou para apanhá-lo.

– O que tem o sr. Treves?

– Naquela noite em que ele esteve aqui... e aquela história que contou... sobre um pequeno assassino! Estive pensando, Thomas... será que era apenas uma história? Ou será que ele contou com algum propósito?

– Você quer dizer – disse Royde deliberadamente – se a história visava alguém que estava presente na sala?

Mary murmurou:

– Sim.

Thomas falou com calma:

– Estive pensando também. Na verdade, era nisso que eu estava pensando agora mesmo quando você apareceu.

Mary tinha os olhos semicerrados.

– Estava tentando lembrar... sabe, ele contou aquela história tão deliberadamente. Quase forçou o assunto no meio da conversa. E afirmou que reconheceria a pessoa em qualquer lugar. Fez questão de enfatizar isso. Foi como se ele a tivesse reconhecido.

– Hum... já pensei em tudo isso – disse Thomas.

– Mas por que ele faria isso? Com que objetivo?

– Creio – disse Royde – que tenha sido uma espécie de advertência e não algum tipo de teste.

– Você quer dizer que o sr. Treves sabia que Camilla seria ser assassinada?

– Não, não. Isso seria fantástico demais. Pode ter sido apenas uma advertência geral.

– Tenho pensado... você acha que devemos contar isso à polícia?

Thomas respondeu outra vez com sua avaliação muito ponderada.

– Acho que não – disse ele, por fim. – Não vejo porque isso seria relevante de alguma forma. Não é como se o sr. Treves estivesse vivo e pudesse lhes dizer alguma coisa.

– Não – disse Mary. – Ele está morto! – ela estremeceu de leve. – É tão estranho, Thomas, o jeito como ele morreu.

– Foi um ataque cardíaco. Ele tinha problemas de coração.

– Eu me referia àquela coisa curiosa do elevador estar enguiçado. Não gosto dessa história.

– Eu também não gostei muito disso – disse Thomas Royde.

XI

O superintendente Battle olhou em volta do quarto. A cama havia sido feita. Nada além disso fora alterado. Estava arrumado quando inspecionaram pela primeira vez. E continuava arrumado agora.

– É isso – disse o superintendente Battle, apontando para a antiga grade de proteção da lareira. – Está vendo alguma coisa estranha nesta grade?

– Precisa de uma limpeza – disse Jim Leach. – Está bem conservada. Não vejo nada de estranho, exceto... sim, o puxador da esquerda está mais brilhoso que o da direita.

– Foi isso o que trouxe Hercule Poirot à minha mente – disse Battle. – Você sabe que ele tem essa mania com coisas que não estejam totalmente simétricas... fica todo exaltado. Suponho que, inconscientemente, eu tenha pensado "isso teria afligido o velho Poirot", e então comecei a falar nele. Pegue o seu equipamento de impressões digitais, Jones, e vamos dar uma olhada nestes dois puxadores.

Logo em seguida, Jones passou as informações.

– Há impressões no puxador do lado direito, senhor, e nenhuma no do lado esquerdo.

– É o do lado esquerdo que queremos, então. Aquelas outras impressões foram deixadas pela empregada quando limpou pela última vez. O puxador da esquerda foi limpo por duas vezes.

– Havia um pouco de papel lixa amassado neste cesto de lixo – voluntariou-se Jones. – Não imaginei que isso pudesse ser relevante.

– Isso porque, naquele momento, você não sabia o que estava procurando. Mas, agora, gentilmente, aposto que você gostaria de desparafusar este puxador... sim, foi o que pensei.

Em pouco tempo, Jones já havia retirado o puxador.

– É bem pesado – disse ele, avaliando o peso com as mãos.

Inclinando-se, Leach falou:

– Há algo escuro... no parafuso.

– É muito provável que seja sangue – disse Battle. – O sujeito limpou e secou o puxador, porém não notou esta pequena mancha no parafuso. Aposto o que você quiser que esta foi a arma que atingiu o crânio de lady Tressilian. Mas ainda resta muito mais a ser descoberto. Fica com você, Jones, fazer outro exame minucioso pela casa. Dessa vez, você saberá exatamente o que procura.

Deu rapidamente mais algumas instruções detalhadas. Foi até a janela e colocou a cabeça para fora.

– Há alguma coisa amarela enfiada na hera. Aquilo pode ser outra peça do quebra-cabeça. Realmente acho que é.

XII

Ao atravessar o hall, o superintendente Battle foi interpelado por Mary Aldin.

– Posso falar com o senhor um minuto, superintendente?

– É claro, srta. Aldin. Podemos entrar aqui?

Ele abriu a porta da sala de jantar. Hurstall já havia tirado a mesa do almoço.

– Quero lhe fazer uma pergunta, superintendente. Com certeza o senhor não pode ainda achar que este... que este crime terrível tenha sido cometido por um de nós, não é? Deve ter sido alguém estranho! Algum maníaco!

– É possível que a senhora não esteja enganada quanto a isso, srta. Aldin. Maníaco é uma palavra que descreve muito bem este criminoso, salvo engano meu. Mas não se trata de um estranho.

Os olhos dela se abriram bem arregalados.

– O senhor quer dizer que alguém nesta casa é... é louco?

– A senhorita deve estar imaginando – disse o superintendente – alguém espumando pela boca e revirando os olhos. Os maníacos não são assim. Alguns dos criminosos lunáticos mais perigosos parecem tão sãos quanto a senhorita ou quanto eu. A questão normalmente se refere ao fato de a pessoa ter uma obsessão. É como uma ideia que fica atormentando a mente e aos poucos acaba distorcendo-a. Pessoas patéticas e racionais chegam e explicam o quanto estão sendo perseguidas e o modo como estão sendo espionadas por alguém... e muitas vezes chegamos a achar que seja tudo verdade.

– Posso lhe garantir que aqui ninguém tem essa fantasia de estar sendo perseguido.

– Citei isso apenas como um exemplo. Há outras formas de insanidade. Creio que, seja lá quem tenha cometido este crime, estava sob o domínio de uma ideia fixa... uma ideia que se desenvolveu lentamente na mente dessa pessoa até que nada mais tivesse qualquer importância.

Mary estremeceu e falou:

– Há algo que creio que o senhor deva saber.

Ela contou a ele, de uma forma clara e sucinta, sobre a visita do sr. Treves e a história que ele havia contado. O superintendente Battle ficou profundamente interessado.

– Ele disse que reconheceu essa pessoa? A propósito... era homem ou mulher?

– Presumi que a história se tratava de um menino... porém, a verdade é que o sr. Treves não disse de fato... por sinal, estou me lembrando agora... ele afirmou claramente que não iria fornecer detalhes relativos ao sexo ou à idade.

– É mesmo? É possível que isto seja muito significativo. E ele disse que havia uma determinada peculiaridade física através da qual ele poderia reconhecer com certeza essa criança em qualquer lugar?

– Exatamente.

– Uma cicatriz, talvez... alguém aqui tem uma cicatriz?

Ele notou a leve hesitação de Mary antes de responder:

– Não que eu tenha notado.

– Ora, srta. Aldin – ele sorriu. – A senhora notou alguma coisa. E, se notou, não acha que serei capaz de notá-la também?

Ela balançou a cabeça.

– Não... não notei nada do gênero.

Mas ele percebeu que ela ficara preocupada e assustada. As palavras dele obviamente haviam lhe sugerido uma série de pensamentos nada agradáveis. Ele desejava saber apenas o que era, porém sua experiência o ensinara que pressioná-la naquele momento não produziria nenhum resultado.

Ele conduziu a conversa de volta para o velho sr. Treves.

Mary contou a trágica continuação daquela noite.

Battle interrogou-a durante um bom tempo, depois afirmou com serenidade:

– Isto é novo para mim. Nunca encontrei nada assim antes.

– O que o senhor quer dizer?

– Nunca me deparei com um assassinato cometido pelo mero expediente de pendurar um aviso em um elevador.

Ela parecia horrorizada.

– O senhor não acha realmente que...

– Que foi assassinato? É claro que foi! Um crime rápido e inventivo. É claro que poderia não ter dado certo... mas de fato funcionou.

– Só porque o sr. Treves sabia...

– Sim. Porque ele poderia ser capaz de voltar a nossa atenção para uma pessoa específica desta casa. Da forma como as coisas estão neste momento, começamos no escuro. Porém agora temos um vislumbre de luz, e a cada minuto este caso vai ficando mais claro. Vou lhe dizer uma coisa, srta. Aldin, este assassinato foi planejado de antemão com muito cuidado e nos mínimos detalhes. E quero que grave uma coisa: não deixe ninguém saber isto que acabou de me contar. Isto é importante. Lembre-se, não diga a ninguém.

Mary concordou com a cabeça, embora ainda parecesse atordoada.

O superintendente Battle saiu da sala e prosseguiu para fazer o que estava por fazer quando Mary Aldin o interceptou. Era um homem metódico. Desejava certas informações e uma pista nova e promissora, por mais tentadora que pudesse ser, não o desviaria do cumprimento ordenado de suas obrigações.

Bateu na porta da biblioteca e ouviu a voz de Nevile Strange dizer: "Entre".

Battle foi apresentado ao sr. Trelawny, um homem alto e distinto de olhos negros e perspicazes.

– Desculpe-me se estou interrompendo – disse o superintendente Battle. – Mas há um detalhe que ainda não ficou bem claro. O senhor, sr. Strange, herda a metade da fortuna do falecido sir Matthew, e quem herda a outra metade?

Nevile pareceu surpreso.

– Já lhe disse. É a minha esposa.

– Sim. Mas... – Battle tossiu de uma maneira reprovadora – qual esposa, sr. Strange?

– Ah, entendo. Sim, devo ter me expressado mal. O dinheiro vai para Audrey, que era a minha esposa na época em que o testamento foi feito. Está correto, sr. Trelawny?

O advogado assentiu.

– O testamento foi escrito de uma forma muito clara. A herança deve ser dividida entre o tutelado de sir Matthew, Nevile Strange, e sua esposa, Audrey Elizabeth Strange, nascida Standish. O divórcio posterior não faz nenhuma diferença.

– Ficou claro, então – disse Battle. – Imagino que a sra. Audrey Strange esteja totalmente ciente destes fatos, sim?

– Sem dúvida – disse o sr. Telawny.

– E a atual sra. Strange?

– Kay? – Nevile parecia ligeiramente surpreso. – Ah, imagino que sim. Pelo menos... nunca falei muito com ela sobre este assunto.

– Acho que o senhor deverá constatar – disse Battle – que houve um equívoco. A sra. Kay pensa que, com a morte de lady Tressilian, o dinheiro ficará para o senhor e para a sua atual esposa. Pelo menos, foi isso que ela deu a entender hoje pela manhã. E foi por isso que vim até aqui para descobrir como fica de fato esta situação.

– Que estranho! – exclamou Nevile. – Por outro lado, imagino que isso possa ter acontecido muito facilmente. Pensando melhor agora, lembro de ela ter dito uma ou duas vezes "herdaremos aquele dinheiro quando Camilla morrer", mas suponho que eu tenha imaginado que ela estivesse apenas se incluindo na minha parte da herança.

– É incrível – falou Battle – a quantidade de mal-entendidos que acontecem até mesmo entre duas pessoas que discutem com bastante frequência sobre um determinado assunto... cada uma delas pressupondo coisas diferentes sem que nenhuma identifique a discrepância.

– Suponho que sim – disse Nevile, não parecendo muito interessado. – De qualquer forma, não tem muita importância neste caso. Afinal, não estamos de forma alguma precisando de dinheiro. Fico feliz pela Audrey. Ela tem passado por dificuldades financeiras e esta herança fará uma grande diferença para ela.

Battle interrompeu:

– Mas é claro que, por ocasião do divórcio, ela deve ter se habilitado a receber uma pensão do senhor, não é?

Nevile corou e falou com uma voz constrangida:

– Há uma coisa chamada... orgulho, superintendente. Audrey sempre se recusou obstinadamente a tocar em um centavo da pensão que eu queria pagar.

– Uma pensão muito generosa – acrescentou o sr. Trelawny. – No entanto, a sra. Strange sempre devolvia e se recusava a aceitá-la.

– Muito interessante – disse Battle, e retirou-se antes que algum deles pudesse lhe pedir que explicasse aquele comentário.

Ele saiu e encontrou o sobrinho.

– Ao que tudo indica – disse ele –, há um bom motivo monetário para praticamente todos os envolvidos neste caso. Nevile e Audrey Strange recebem boas cinquenta mil libras cada um. Kay Strange pensa que tem direito a cinquenta mil. Mary Aldin fica com uma boa renda que a permitirá viver sem precisar trabalhar. Thomas Royde, sou obrigado a dizer, não ganha nada. No entanto, podemos incluir Hurstall e até mesmo Barrett, se admitirmos que ela possa ter assumido o risco de morrer para evitar suspeitas. Sim, como costumo dizer, não faltam motivos ligados ao dinheiro. E, mesmo assim, se eu estiver certo, o dinheiro não tem absolutamente nada a ver com este crime. É o tipo de assassinato cometido por puro ódio. E, se não aparecer ninguém para interromper o andamento do trabalho, vou pegar a pessoa que fez isto!

XIII

Angus MacWhirter estava sentado no terraço do Hotel Easterhead Bay, olhando fixamente para o misterioso cume do Stark Head, no outro lado do rio.

Naquele instante, estava ocupado fazendo um balanço minucioso de seus pensamentos e de suas emoções.

Não sabia ao certo por que escolhera aquele lugar para passar seus últimos poucos dias livres. Porém, alguma coisa o atraíra até ali. Talvez o desejo de se pôr à prova – de ver se ainda restava no seu coração alguma coisa daquele antigo desespero.

Mona? Pouco importava para ele agora! Ela estava casada com outro homem. Certo dia passara por ela na rua, sem que sentisse nenhuma emoção. Ainda podia lembrar de sua tristeza e amargura quando ela o deixara, mas agora era tudo passado.

Foi despertado destes pensamentos pelo impacto de um cachorro molhado e pela súplica frenética de sua nova amiga, srta. Diana Brinton, de treze anos.

– Ah, sai fora, Don. Sai fora. Não é terrível? Ele se esfregou em algum peixe ou alguma coisa lá na praia. Dá para sentir o cheiro a quilômetros de distância. O peixe devia estar podre!

O nariz de MacWhirter confirmou esta hipótese.

– Estava em uma fenda nas pedras – falou a srta. Brinton. – Levei ele até o mar e tentei lavá-lo, mas parece que não adiantou muito.

MacWhirter concordou. Don, um terrier de pelo hirsuto e temperamento amigável e amoroso, parecia magoado com a tendência dos seus amigos em mantê-lo firmemente a pelo menos um braço de distância.

– A água do mar não adianta – disse MacWhirter. – A única coisa que pode resolver é água quente e sabão.

– Eu sei. Mas não é muito fácil conseguir isto num hotel. Não temos banheiro privativo.

No fim, MacWhirter e Diana entraram sorrateiramente pela porta lateral com Don na coleira, levando-o às escondidas até o banheiro do quarto de MacWhirter, onde fizeram uma limpeza completa e tanto ele quanto Diana acabaram ficando muito molhados. Quando tudo terminou, Don estava muito triste. Outra vez aquele cheiro revoltante de sabonete... e justo quando ele encontrara um perfume realmente agradável e capaz de fazer inveja a qualquer outro cachorro. Ó, vida, era sempre a mesma coisa com os humanos... eles nunca tinham um olfato decente.

O pequeno incidente deixara MacWhirter com um humor mais animado. Pegou o ônibus para Saltington, onde havia deixado um terno para lavar.

A moça encarregada da lavanderia 24 horas olhou-o inexpressivamente.

– MacWhirter, o senhor disse? Acho que ainda não está pronto.

– Deveria estar.

Haviam prometido o terno para o dia anterior e, mesmo assim, já teriam se passado 48 e não 24 horas. Se fosse uma mulher, provavelmente teria dito tudo isso. Ele, no entanto, meramente franziu a testa.

– Ainda não deu tempo de aprontá-lo – disse a moça, sorrindo com indiferença.

– É absurdo.

A moça parou de sorrir e retrucou com aspereza:

– Seja como for, não está pronto.

– Então vou levar como está – disse MacWhirter.

– Mas nada foi feito ainda – avisou a moça.

– Vou levar mesmo assim.

– É possível que consigamos aprontá-lo para amanhã como um favor especial.

– Não tenho o hábito de pedir favores especiais. Apenas me entregue o terno, por favor.

Dirigindo-lhe um olhar irritado, a moça foi até a sala dos fundos. Voltou com um embrulho desengonçado, empurrando-o para o outro lado do balcão.

MacWhirter pegou o pacote e saiu.

Ele sentiu, de uma forma um tanto ridícula, como se tivesse conseguido uma grande vitória. Na verdade, isto significava apenas que ele precisaria mandar lavar o terno em outro lugar!

Quando voltou para o hotel, jogou o embrulho em cima da cama, olhando-o contrariado. Talvez pudessem lavá-lo e passá-lo no próprio hotel. Não estava na verdade tão ruim... talvez nem precisasse de fato ser lavado?

Desfez o pacote e suspirou aborrecido. Realmente, era impossível descrever o quanto a lavanderia 24 horas era ineficiente. Aquele não era o seu terno. Não era nem da mesma cor! Era um terno azul-marinho que ele havia deixado lá. Que desordeiros insolentes e ineficientes.

Olhou irritado para a etiqueta. Tudo bem, estava com o nome MacWhirter. Seria outro MacWhirter? Ou teria sido uma troca estúpida de etiquetas?

Olhando fixamente para o amontoado de roupas amassadas, de repente sentiu um cheiro forte.

Certamente conhecia aquele cheiro... um cheiro particularmente desagradável... de alguma forma associado a um cachorro. Sim, era isso. Diana e seu cachorro. Era mesmo literalmente um cheiro de peixe podre!

Curvou-se e examinou o terno. Lá estava... uma mancha desbotada no ombro do paletó. No ombro...

"Bom, isto é realmente muito curioso...", pensou MacWhirter.

De qualquer modo, no dia seguinte, teria uma conversa séria com a moça da lavanderia 24 horas. Que administração mais ordinária!

XIV

Depois do jantar, saiu do hotel e desceu a estrada até a barca. Era uma noite clara, porém fria, com um forte sabor antecipado de inverno. O verão terminara.

MacWhirter atravessou de barca para o lado de Saltcreek. Era a segunda vez que revisitava Stark Head. Este lugar exercia um fascínio sobre ele. Subiu o morro lentamente, passando pelo Hotel Balmoral Court e depois por uma casa grande na ponta de um penhasco. "Gull's Point" – foi o nome que leu pintado no portão. É claro, fora ali que a velha senhora havia sido assassinada. Houve muitos comentários no hotel sobre o caso, a camareira havia insistido em lhe contar tudo sobre o assunto e os jornais haviam dado muita notoriedade, o que desagradara MacWhirter, que preferia ler sobre assuntos gerais e não tinha um interesse específico por crimes.

Ele continuou andando, desceu outra vez o morro e foi caminhando pela beira de uma pequena praia, avistando algumas antigas cabanas de pescadores que haviam sido reformadas. Depois voltou a subir até o final da estrada e acabou pegando o atalho que levava até Stark Head.

Era sinistro e assustador em Stark Head. MacWhirter ficou em pé, imóvel à beira do penhasco olhando para o mar lá embaixo, da mesma forma que estivera naquela outra noite. Tentou retomar alguns dos sentimentos que tivera então – o desespero, a raiva, o cansaço... o desejo de se livrar de tudo aquilo. Não havia, porém, nada a ser retomado. Tudo aquilo havia passado. Havia, em vez disso, uma raiva impassível. Preso naquela árvore, salvo pela guarda costeira, o alvoroço no hospital, com todos tratando-o como uma criança levada, e mais uma série de indignidades e afrontas. Por que não o deixaram em paz? Ele teria preferido mil vezes ficar livre de tudo aquilo. E ainda se sentia assim. A única coisa que perdera fora o ímpeto necessário.

Como lhe doía pensar em Mona naquele momento! Agora conseguia lembrar dela de uma forma muito serena. Ela sempre fora muito tola. Deixava-se levar facilmente por qualquer pessoa que a adulasse e incentivasse os seus autoconceitos. Era muito bonita. Sim, muito bonita... porém, nada inteligente. Não era o tipo de mulher com quem um dia ele sonhara.

Mas aquilo era beleza, é claro – a imagem vaga e fantasiosa de uma mulher correndo na noite com uma roupa branca num rastro esvoaçante... algo como a figura da proa de um navio... só não tão sólida... só quase não tão sólida...

E então, de repente, o incrível aconteceu! Surgiu uma figura correndo pela noite. Num instante ela não estava, e no momento seguinte... ali estava ela... uma figura branca correndo... correndo para a beira do penhasco. Uma figura bela e desesperada, perseguida pelas Fúrias, sendo conduzida à destruição! Corria num desespero terrível... Ele conhecia aquele desespero. Sabia o que significava...

Irrompeu das sombras como um raio e conseguiu segurá-la exatamente quando estava prestes a pular!

Ele falou em um tom feroz:

– Não! Não...

Era como segurar um pássaro. Ela se debateu... se debateu silenciosa e então, outra vez como um pássaro, de repente ficou imóvel.

Ele falou insistente:

– Não se atire! Nada vale isto. Nada. Mesmo que esteja desesperadamente infeliz...

Ela emitiu um som. Talvez fosse o distante vislumbre de um riso.

Ele disse bruscamente:

– Você não está infeliz? O que é então?

Ela respondeu de imediato, com a voz baixa e suave:

– Medo.

– Medo? – ficou tão admirado que acabou soltando-a, dando um passo para trás para poder vê-la melhor.

Ele constatou então a verdade das palavras dela. Fora o medo que conferira aquela urgência aos seus passos. Fora o medo que fizera com que o seu rosto pequeno, branco e inteligente parecesse tolo e vazio. Fora o medo que arregalara aqueles olhos muito separados.

Incrédulo, ele disse:

– Do que você tem medo?

Ela respondeu tão baixinho que mal pôde ouvi-la:

– Tenho medo de ser enforcada...

Sim, fora exatamente isto o que ela acabara de dizer. Ele a encarou fixamente. Depois desviou o olhar para a beira do penhasco.

– Então é por isso?

– Sim. Uma morte rápida em vez de... – ela fechou os olhos e estremeceu. Continuou estremecendo.

MacWhirter tentava juntar as peças e organizá-las com alguma lógica na sua mente. Por fim, falou:

– Lady Tressilian? A velha senhora que foi assassinada? – E depois concluiu, em tom acusador: – Você deve ser a sra. Strange... a primeira sra. Strange.

Ainda tremendo, ela assentiu com a cabeça.

Com sua voz calma e prudente, MacWhirter continuou tentando se lembrar de tudo o que ouvira. O rumor havia se fundido ao fato.

– Eles detiveram o seu marido... não foi? Havia muitas provas contra ele... depois constataram que as provas haviam sido forjadas por alguém...

Ele se deteve e olhou para ela. Ela já não tremia mais. Estava apenas ali parada olhando para ele como uma criança dócil. Ele achou sua atitude intoleravelmente comovente.

Sua voz prosseguiu:

– Entendo... sim, entendo o que aconteceu. Ele a deixou por causa de outra mulher, não foi? E você o amava... Foi por isso... – ficou calado por alguns instantes, depois falou: – Eu compreendo. Minha mulher me deixou por causa de outro homem...

Ela estirou os braços e começou a gaguejar descontrolada:

– N-n-ã-o... n-n-ã-o é i-s-s-o. N-não é m-m-e-s-m-o...

Ele a interrompeu. Sua voz era firme e imponente:

– Vá para casa. Não precisa mais ter medo. Você me ouviu? Vou tomar providências para que você não seja enforcada!

XV

Mary Aldin estava deitada no sofá da sala de estar. Sua cabeça doía e sentia todo o corpo exaurido.

Os interrogatórios policiais haviam sido realizados no dia anterior e, após os testemunhos formais de identificação, foram interrompidos por uma semana.

O funeral de lady Tressilian ocorreria no dia seguinte. Audrey e Kay tinham ido de carro a Saltington para comprar algumas roupas para o luto. Ted Latimer fora com elas. Nevile e Thomas Royde tinham saído para dar uma caminhada. Portanto, à exceção dos criados, Mary estava sozinha na casa.

O superintendente Battle e o inspetor Leach não apareceram, o que também era um alívio. Mary tinha a impressão que, com a ausência deles, uma sombra se dissipara. Haviam sido educados e, na verdade, bastante agradáveis, porém as perguntas incessantes, o interrogatório tenso, o exame minucioso de cada fato era o tipo de coisa que esgotava totalmente os nervos das pessoas. Mas agora aquele superintendente de rosto impassível já devia ter conhecimento de cada incidente, cada palavra e até mesmo cada gesto dos últimos dez dias.

Agora, com a ausência deles, havia paz. Mary deixou-se relaxar. Ela iria esquecer tudo... tudo. Iria apenas recostar-se e descansar.

– Com licença, senhora...

Era Hurstall, parado na soleira da porta, parecendo desculpar-se.

– Sim, Hurstall?

– Um cavalheiro deseja vê-la. Levei-o para o escritório.

Mary olhou-o espantada e um pouco aborrecida.

– Quem é?

– Apresentou-se como sr. MacWhirter, senhora.

– Nunca ouvi falar dele.

– Não, senhora.

– Deve ser algum repórter. Não deveria tê-lo deixado entrar, Hurstall.

Ele tossiu.

– Não creio que seja um repórter, senhora. Acho que é amigo da sra. Audrey.

– Bem, neste caso, é diferente.

Ajeitando o cabelo, Mary, sentindo-se muito cansada, atravessou o hall e entrou no pequeno escritório. De certa forma, ficou um pouco surpresa quando o homem alto que estava em pé diante da janela se virou, pois não parecia nem um pouco ser algum amigo de Audrey.

Apesar disso, ela falou gentilmente:

– Sinto muito, a sra. Strange saiu. Imagino que o senhor desejasse vê-la.

Ele olhou-a com um olhar pensativo e ponderador.

– A senhorita deve ser Mary Aldin? – disse ele.

– Sim.

– Acho provável que a senhorita possa me ajudar da mesma forma. Quero ver se encontro alguma corda.

– Corda? – disse Mary completamente espantada.

– Sim, uma corda. Onde poderia haver uma corda guardada por aqui?

Mais tarde Mary chegou à conclusão de que tinha sido meio hipnotizada. Se aquele homem estranho tivesse dado qualquer explicação, é provável que ela tivesse resistido. No entanto, Andrew MacWhirter, incapaz de imaginar uma explicação plausível, decidira, muito sabiamente, não usar nenhuma. Ele apenas declarara de uma forma muito simples o que queria. E lá estava ela, meio grogue, conduzindo MacWhirter na sua busca por uma corda.

– Que tipo de corda o senhor procura? – ela perguntara.

Ao que ele respondera:

– Qualquer corda serve.

Ela falou, titubeando:

– Talvez no galpão do jardim...

– Podemos ir até lá?

Ela foi na frente, mostrando o caminho. Havia um cordão e um curioso pedaço de uma corda mais fina, porém MacWhirter balançou a cabeça. O que ele queria era uma corda... um bom rolo de corda.

– Há também o depósito do sótão – falou Mary, hesitante.

– Ah, pode ser que esteja lá.

Entraram na casa outra vez e subiram. Mary abriu a porta do depósito. MacWhirter ficou parado na soleira da porta olhando para dentro e em seguida deu um curioso suspiro de contentamento.

– Lá está ela – disse ele.

Havia um grande rolo de corda dentro de um baú perto da porta, junto com um velho equipamento de pesca e algumas almofadas comidas pelas traças. Pousou a mão sobre o braço de Mary e a impeliu gentilmente para a frente até que ambos pudessem ver a corda. Ele tocou nela e disse:

– Gostaria que a senhorita gravasse bem isto na sua memória, srta. Aldin. Como pode observar, tudo aqui em volta está coberto de poeira. Só não há poeira nesta corda. Passe a mão e poderá sentir.

Admirada, ela falou:

– Parece ligeiramente úmida.

– Exato.

Ele se virou para sair.

– Mas e a corda? Pensei que o senhor a quisesse – falou Mary, surpresa.

MacWhirter sorriu.

– Eu só queria ter certeza de que estava aqui. Isso é tudo. Talvez a senhorita não se importe de trancar esta porta, srta. Aldin, e ficar com a chave? Sim, ficaria muito agradecido se pudesse entregá-la ao superintendente Battle ou ao inspetor Leach. Ela ficará melhor sob os cuidados deles.

Ao descerem as escadas, Mary fez um esforço para se restabelecer.

Ao chegarem ao hall principal, ela protestou:

– Mas realmente não compreendo...

MacWhirter falou com firmeza:

– Não é necessário que compreenda nada – segurou a mão dela, apertando-a calorosamente. – Fico muito grato pela sua cooperação.

Depois disso, saiu pela porta da frente. Mary ficou se perguntando se tudo aquilo não teria sido apenas um sonho!

Nevile e Thomas entraram em seguida, e um pouco mais tarde Kay e Ted voltaram de carro. Mary então se viu com inveja de Kay e Ted por serem capazes de ter uma aparência tão animada. Estavam rindo e brincando juntos. "Afinal de contas, por que não?", pensou. Camilla Tressilian não havia sido ninguém para Kay. Toda esta situação trágica era demais para uma criatura tão jovem e radiante.

Tinham acabado de almoçar quando a polícia chegou. Havia um tom assustado na voz de Hurstall ao anunciar que o superintendente Battle e o inspetor Leach aguardavam na sala de estar.

O rosto do superintendente Battle estava bastante simpático ao cumprimentá-los.

– Espero não estar incomodando – falou ele desculpando-se. – Mas há algumas coisas que gostaria de perguntar. Esta luva, por exemplo, a quem pertence?

Ele segurava uma pequena luva amarela de camurça.

Dirigiu-se a Audrey.

– É sua, sra. Strange?

Ela balançou a cabeça.

– Não... não é minha.

– Srta. Aldin?

– Acho que não. Não tenho nenhuma desta cor.

– Posso ver? – Kay perguntou, estendendo a mão. – Não.

– Poderia tentar vesti-la?

Kay tentou, mas a luva era muito pequena.

– Srta. Aldin?

Mary, por sua vez, também experimentou.

– É muito pequena para a senhorita também – disse Battle. Voltou--se para Audrey. – Creio que servirá perfeitamente na senhora. A sua mão é menor do que as das outras senhoras.

Audrey pegou a luva da mão dele e a experimentou em sua mão direita.

Nevile Strange falou bruscamente:

– Ela já lhe disse, Battle, que a luva não é dela.

– Bom – disse Battle –, talvez ela tenha se enganado. Ou, quem sabe, se esquecido.

Audrey afirmou:

– É possível que seja minha... as luvas são tão parecidas umas com as outras, não é?

Battle falou:

– Seja como for, esta luva foi encontrada do lado de fora da sua janela, sra. Strange, enfiada junto à hera... com o seu par.

Houve uma pausa. Audrey abriu a boca para falar, fechando-a em seguida. Abaixou os olhos diante do olhar fixo do superintendente.

Nevile deu um salto para frente.

– Escute aqui, superintendente...

– Podemos conversar com o senhor, sr. Strange, em particular? – Battle falou com gravidade.

– Sim, é claro, superintendente. Venha até a biblioteca.

Ele mostrou o caminho, e os dois policiais o acompanharam.

Assim que a porta se fechou, falou de um golpe:

– Que história ridícula é esta sobre as luvas do lado de fora da janela da minha esposa?

Battle falou calmamente:

– Sr. Strange, encontramos algumas coisas bastante estranhas nesta casa.

Nevile franziu a testa.

– Estranhas? O que quer dizer com estranhas?

– Vou lhe mostrar.

Em obediência a um aceno de Battle, Leach deixou a sala e voltou trazendo um utensílio muito esquisito.

Battle falou:

– Como o senhor pode ver, isto consiste de uma esfera de aço que serve como puxador de uma grade de proteção vitoriana... é uma pesada esfera de aço. Assim, a cabeça da raquete de tênis foi serrada e esta esfera foi aparafusada ao cabo desta. – Ele fez uma pausa. – Creio que não existam dúvidas de que foi isto o que foi usado para matar lady Tressilian.

– Que coisa horrível! – disse Nevile estremecendo. – Mas como o senhor encontrou este... este pesadelo?

– A esfera foi limpa e recolocada na grade de proteção. No entanto, o assassino esqueceu-se de limpar o parafuso, o que nos fez encontrar um vestígio de sangue. Da mesma forma, a cabeça e o cabo da raquete foram fixadas novamente com o uso de um esparadrapo. Foi, então, jogada displicentemente no armário debaixo da escada, onde é provável que permanecesse totalmente despercebida entre tantos outros objetos caso não estivéssemos procurando por alguma coisa deste tipo.

– O senhor foi esperto, superintendente.

– É só uma questão de rotina.

– Imagino que não tenham encontrado impressões digitais...

– Aquela raquete, que pelo peso diria que pertence à sra. Kay Strange, foi segurada por ela e também pelo senhor, e nela encontramos as impressões de ambos. Porém, revela também sinais inequívocos de ter sido usada depois de vocês por alguém que estivesse usando luvas. Havia mais uma impressão... desta vez, creio eu, deixada por descuido. Esta digital estava no esparadrapo cirúrgico usado para fixar novamente a raquete. Não direi de quem é por enquanto. Antes preciso mencionar outros fatos.

Battle fez uma pausa, depois falou:

– Quero que se prepare para um choque, sr. Strange. Mas primeiro tenho uma pergunta a lhe fazer. O senhor tem certeza de que foi sua a ideia de promover este encontro aqui, e que isto não foi na verdade uma ideia sugerida ao senhor pela sra. Audrey Strange?

– Audrey não fez nada disso. Audrey...

A porta se abriu e Thomas Royde entrou.

– Desculpem a intromissão – disse ele –, mas pensei que gostaria de estar presente para esta conversa.

Nevile virou-se para ele com uma expressão incomodada.

– Se não se importa, meu velho... é uma conversa particular.

– Lamento muito, mas realmente não estou me importando com isto. Olhe, ali de fora pude ouvir um nome ser mencionado. – Ele ficou calado por um instante, depois completou. – O nome de Audrey.

– E que diabo o nome de Audrey tem a ver com você? – perguntou Nevile, já alterado.

– Bem, se for assim, o que tem a ver com você? Ainda não falei nada definitivo com a Audrey, mas vim para cá com a intenção de pedi-la em casamento, e acho até que ela sabe disto. E mais: pretendo me casar com ela.

O superintendente Battle tossiu. Nevile se virou para ele num sobressalto.

– Queira me desculpar, superintendente. Esta interrupção...

Battle falou:

– Não há problema para mim, sr. Strange. Tenho mais uma pergunta para lhe fazer. Aquele terno azul-marinho que o senhor usou durante o jantar na noite do crime... estava com alguns fios de cabelos louros por dentro do colarinho e nos ombros. Sabe dizer como foram parar lá?

– Imagino que sejam meus.

– Ah, não, não são seus, sr. Strange. São cabelos de mulher e há fios de cabelos ruivos na manga.

– Suponho que estes sejam da minha mulher... de Kay. Os outros, o senhor está sugerindo que sejam de Audrey, não? Pois é bem provável que sejam. O botão do meu paletó ficou preso aos cabelos dela uma noite dessas no terraço. Lembro disso.

– Neste caso – murmurou o inspetor Leach –, os cabelos louros deveriam estar no botão da manga.

– Que diabos o senhor está insinuando? – gritou Nevile.

– Há também vestígios de pó de arroz na parte de dentro do colarinho – disse Battle. – Primavera Naturelle nº 1... um pó de arroz de aroma agradável e bem caro... Mas não adiantaria me dizer que é o senhor quem o usa, sr. Strange, pois eu não acreditaria. E a sra. Kay Strange usa Orchid Sun Kiss. A sra. Audrey Strange de fato usa Primavera Naturelle nº 1.

– O que o senhor está insinuando? – repetiu Nevile.

Battle inclinou o corpo para frente.

– Estou sugerindo que... em algum momento, a sra. Audrey Strange usou aquele casaco. É a única maneira razoável de explicar o fato do pó de arroz e dos cabelos terem ido parar ali. O senhor viu aquela luva que apresentei agora há pouco? A luva é dela, não há dúvida. Aquela era a mão direita, aqui está a esquerda. – Tirou a luva do bolso e a colocou sobre a mesa. Estava amarrotada e com manchas de uma cor que parecia ferrugem.

Nevile falou com um tom de medo em sua voz:

– O que é isto na luva?

– É sangue, sr. Strange – disse Battle com firmeza. – E o senhor pode observar que é a mão esquerda. Ora, a sra. Audrey Strange é canhota, foi a primeira coisa que observei quando a vi sentada à mesa do café com a xícara na mão direita e o cigarro na esquerda. E, na sua escrivaninha, a caixa de canetas havia sido trocada para o lado esquerdo. Tudo se encaixa. O puxador da grade de proteção do quarto dela, as luvas fora da sua janela, o cabelo e o pó de arroz no paletó. Lady Tressilian foi atingida na têmpora direita... mas, pela posição da cama, seria impossível que alguém tivesse ficado do outro lado desta. Daí se conclui que seria muito estranho alguém desferir o golpe em lady Tressilian usando a mão direita... porém, seria o movimento natural para uma pessoa canhota...

Nevile riu, desdenhoso.

– O senhor está sugerindo que Audrey... Audrey faria todos estes planos elaborados e atacaria uma velha senhora que ela conhecia há tantos anos a fim de botar a mão no dinheiro dela?

Battle balançou a cabeça.

– Não estou sugerindo nada disso. Sinto muito, sr. Strange, o senhor precisa entender as coisas como elas se apresentam. Desde o começo, este crime esteve voltado contra o senhor. Desde que o senhor a deixou, a sra. Audrey vem planejando uma possibilidade de vingança. No fim, ela acabou ficando mentalmente desequilibrada. Talvez nunca tenha tido uma mente muito forte. Pensou, talvez, em matá-lo, mas isto não seria suficiente. Pensou, por fim, em fazer com que o senhor fosse enforcado por assassinato. Escolheu uma noite em que sabia que o senhor havia tido uma discussão com lady Tressilian. Pegou o paletó no seu quarto e o usou ao atacar a velha senhora, de modo que ficasse manchado de sangue. Colocou o seu taco de golfe no chão, sabendo que nele encontraríamos as suas impressões digitais, e espalhou sangue e fios de cabelo na extremidade. Foi ela quem incutiu na sua cabeça a ideia de vir para cá quando ela estivesse aqui. E o que lhe salvou foi a única coisa com a qual ela não podia contar... o fato de lady Tressilian ter tocado a campainha para chamar Barrett, e por ela tê-lo visto sair de casa.

Nevile enterrou o rosto nas mãos e falou:

– Não é verdade! Não é verdade! Audrey nunca guardou rancor contra mim. O senhor entendeu tudo errado. Ela é a criatura mais correta, mais leal... uma pessoa que não tem nenhuma maldade no coração.

Battle suspirou.

– Não é minha função discutir com o senhor, sr. Strange. Apenas queria prepará-lo. Devo avisar a sra. Strange e pedir que ela me acompanhe. Tenho um mandado. É melhor que o senhor providencie um advogado para ela.

– É um absurdo. Um completo absurdo.

– O amor se transforma em ódio com muito mais facilidade do que o senhor pensa, sr. Strange.

– Pois lhe digo que tudo isso é um engano... um absurdo.

Thomas Royde o interrompeu. Sua voz era calma e suave.

– Pare de repetir que é um absurdo, Nevile. Controle-se. Não vê que agora a única coisa que pode ajudar Audrey é você abrir mão de todas as suas ideias de cavalheirismo e contar a verdade?

– A verdade? Você quer dizer...

– Quero dizer a verdade sobre Audrey e Adrian – Royde voltou-se para os policiais. – Veja, superintendente, o senhor entendeu os fatos de forma equivocada. Nevile não abandonou Audrey. Foi ela quem o deixou. Ela fugiu com meu irmão, Adrian. Em seguida, Adrian morreu em um acidente de carro. Nevile se comportou com extremo cavalheirismo com relação à Audrey. Providenciou que ela se divorciasse dele e que ele levasse a culpa.

– Não queria que o nome dela fosse arrastado na lama – murmurou Nevile emburrado. – Achei que ninguém soubesse dessa história.

– Adrian me escreveu contando um pouco antes de morrer – explicou Thomas em poucas palavras. Depois continuou: – O senhor não vê, superintendente, que este fato elimina o motivo? Audrey não tem razões para odiar Nevile. Pelo contrário, ela só tem motivos para lhe ser grata. Ele tentou que ela aceitasse uma pensão, o que ela não poderia aceitar. É claro que, quando ele quis que ela viesse e se encontrasse com Kay, ela achou que não poderia recusar.

– O senhor viu – acrescentou Nevile empolgado –, Thomas tem razão, isto elimina o motivo.

O rosto do superintendente Battle continuava impassível.

– O motivo é apenas um aspecto – disse ele. – Posso ter me enganado quanto a isso. Porém, existem os fatos, e todos eles a apontam como culpada.

Nevile falou expressivamente:

– Dois dias atrás os fatos apontavam a mim como culpado!

Battle pareceu um pouco desconcertado.

– Isto é verdade. Mas veja no que o senhor está me pedindo para acreditar, sr. Strange. O senhor está pedindo que eu acredite que existe alguém que odeie a ambos... alguém que, caso esta conspiração contra o senhor falhasse, teria preparado uma pista para nos levar até a sra. Audrey Strange. Ora, o senhor consegue imaginar alguém que odeie não só o senhor, mas também a sua ex-esposa?

Nevile afundou o rosto nas mãos outra vez.

– Do modo com o senhor está falando, tudo isto parece tão inexplicável!

– Porque *é* inexplicável. Tenho que me orientar pelos fatos. Se a sra. Strange tiver alguma explicação a apresentar...

– E se eu tiver alguma explicação? – perguntou Nevile.

– Não vai adiantar nada, sr. Strange. Preciso cumprir o meu dever.

Battle levantou-se bruscamente. Ele e Leach saíram primeiro da sala, Nevile e Royde saíram logo depois. Atravessaram o hall em direção à sala de estar. Pararam ali.

Audrey Strange levantou-se e foi ao encontro deles. Olhando diretamente para Battle, com os lábios entreabertos num quase sorriso, disse com muita suavidade:

– O senhor quer a mim, não é?

Battle passou a falar num tom bem oficial.

– Sra. Strange, tenho aqui um mandado para efetuar a sua prisão pelo assassinato de Camilla Tressilian na última segunda-feira, dia 12 de setembro. Devo avisá-la de que tudo o que disser será anotado e poderá ser usado como prova no seu julgamento.

Audrey suspirou. Seu pequeno rosto estava sereno e puro como um camafeu.

– É quase um alívio. Estou contente que... que isto tenha acabado!

Nevile saltou bruscamente.

– Audrey... não diga nada... não diga nem uma palavra.

Ela sorriu para ele.

– Mas por que não, Nevile? É tudo verdade... e estou tão cansada!

Leach respirou fundo. Bem, então era isso. Uma loucura total, é claro, mas pouparia muita preocupação! Ele ficou se perguntando o que teria acontecido com o seu tio. O velho estava com um jeito que parecia ter visto um fantasma. Olhava fixamente para aquela pobre criatura demente como se não acreditasse no que via.

"Bom, tinha sido um caso interessante", pensou Leach satisfeito.

E entao, num anticlímax quase grotesco, Hurstall abriu a porta da sala de estar e anunciou:

– O sr. MacWhirter.

MacWhirter entrou impassível. Foi direto até o superintendente Battle.

– O senhor é o policial encarregado do caso Tressilian? – perguntou ele.

– Sim, sou eu.

– Tenho uma importante declaração a fazer. Lamento não tê-la apresentado antes, mas só agora comecei a perceber a importância de algo que vi por acaso na noite da última segunda-feira – ele deu uma olhada rápida ao redor da sala. – Será que poderia falar com o senhor em algum outro lugar?

Battle virou-se para Leach.

– Você poderia ficar aqui com a sra. Strange?

Leach respondeu em tom oficial:

– Sim, senhor.

Depois inclinou-se para a frente e cochichou alguma coisa no ouvido do superintendente.

Battle voltou-se para MacWhirter:

– Venha por aqui.

E conduziu-o até a biblioteca.

– Vamos lá, o que significa isso tudo? Meu colega me falou que já o viu por aqui antes... no inverno passado?

– Sim, está certo – disse MacWhirter. – Tentativa de suicídio. Isto faz parte do meu passado.

– Continue, sr. MacWhirter.

– Em janeiro último tentei me matar jogando-me do Stark Head. Este ano, algo como um capricho me levou a revisitar o local. Na noite de segunda-feira, subi até lá... Fiquei lá por algum tempo, olhei para o mar lá embaixo e para Easterhead Bay, do outro lado. Depois olhei para a minha esquerda, o que significa dizer que olhei na direção desta casa. Pude vê-la com muita clareza sob o luar.

– Sim, e então?

– Até hoje eu não havia atinado que aquela havia sido a noite em que o assassinato fora cometido.

Ele inclinou-se para frente.

– Vou lhe contar o que vi.

XVI

Passaram-se, na verdade, apenas cinco minutos até que Battle voltasse para a sala de estar, porém, para aqueles que ali estavam, pareceu demorar muito mais.

Kay havia subitamente perdido o controle. Ela gritava para Audrey:

– Sabia que era você. Sempre soube que era você... Sabia que você estava tramando alguma coisa...

Mary Aldin falou depressa:

– Por favor, Kay.

Nevile foi cortante:

– Cale a boca, Kay, pelo amor de Deus.

Ted Latimer foi até Kay, que começara a chorar.

– Tente se controlar – disse ele gentilmente.

Falou para Nevile, com raiva:

– Parece que você não percebe que a Kay tem estado sob muita tensão! Por que não cuida dela um pouco, Strange?

– Estou bem – disse Kay.

– Se pudesse, juro que a levaria para longe de toda essa gente – disse Ted.

O inspetor Leach limpou a garganta. Como ele bem sabia, em momentos como este sempre se diziam coisas pouco sensatas. A parte mais lamentável é que, em geral, estas coisas eram inoportunamente lembradas depois de tudo resolvido.

Battle voltou para a sala. Seu rosto estava inexpressivo.

– A senhora gostaria de separar algumas coisas para levar, sra. Strange? Acho que o inspetor Leach deverá acompanhá-la até lá em cima – disse ele.

Mary Aldin falou:

– Vou acompanhá-la também.

Após as duas mulheres saírem da sala com o inspetor, Nevile perguntou ansioso:

– Bem, o que aquele sujeito queria?

Battle falou devagar:

– O sr. MacWhirter contou uma história muito estranha.

– E poderá ajudar Audrey? O senhor continua decidido a prendê-la?

– Já lhe disse, sr. Strange. Tenho que cumprir o meu dever.

Nevile virou-se. A ansiedade foi desaparecendo do seu rosto.

Falou:

– Creio que seja melhor telefonar para Trelawny.

– Não há pressa, sr. Strange. Há uma determinada experiência que quero fazer antes, em função da declaração do sr. MacWhirter. Mas primeiro vou esperar até que a sra. Strange saia.

Audrey vinha descendo a escada com o inspetor Leach ao seu lado. Seu rosto ainda mantinha aquele ar de serenidade, distante e indiferente.

Nevile foi na direção dela com as mãos estendidas.

– Audrey...

Com um olhar inexpressivo, ela disse:

– Está tudo bem, Nevile. Não me importo. Não me importo com nada.

Thomas Royde estava em pé, imóvel, na porta da frente, quase como se fosse barrar a saída.

Um sorriso abatido surgiu nos lábios de Audrey.

– O fiel Thomas – murmurou.

– Se houver alguma coisa que eu possa fazer... – resmungou ele.

– Ninguém pode fazer nada – disse Audrey.

Ela saiu com a cabeça erguida. O sargento Jones a aguardava lá fora, no carro da polícia. Audrey e Leach entraram.

Ted Latimer murmurou, elogioso:

– Que bela saída!

Nevile foi para cima dele furioso. O superintendente Battle se interpôs habilmente entre eles e falou com uma voz suave:

– Como disse, preciso fazer uma experiência. O sr. MacWhirter está nos esperando no cais. Devemos encontrá-lo dentro de dez minutos. Vamos sair em uma lancha a motor, portanto é melhor que as senhoras estejam bem agasalhadas. Em dez minutos, por favor!

Ele parecia um diretor de teatro comandando uma trupe no palco. Não tomou conhecimento dos seus rostos intrigados.

I

Estava frio próximo à água e Kay se aconchegava em seu casaquinho de pele, apertando-o contra o corpo.

A lancha movia-se ruidosa rio abaixo, depois fez uma curva para entrar na pequena baía que separava Gull's Point da magnitude carregada de Stark Head.

De vez em quando alguém começava a formular uma pergunta, porém o superintendente Battle sempre levantava a sua imensa mão, como um cartaz desajeitado, sugerindo que ainda não havia chegado a hora. Desse modo, o silêncio permanecera, salvo pelo barulho do rastro d'água que a lancha ia deixando para trás. Kay e Ted estavam em pé juntos olhando para a água. Nevile estava atirado com as pernas para fora. Mary Aldin e Thomas Royde estavam sentados na proa. E, de tempos em tempos, cada um deles olhava com curiosidade para a figura alta e indiferente de MacWhirter perto da popa. Ele não olhava para nenhum deles, continuava em pé, virado de costas e com os ombros curvados.

Apenas quando já estavam sob a sombra carregada de Stark Head foi que Battle reduziu o motor da lancha e começou a sua fala. Falava sem constrangimento, em um tom de voz mais ponderado do que qualquer outra coisa.

– Este é um caso muito estranho... um dos mais estranhos de que já soube, e gostaria de falar algumas coisas sobre o tópico do assassinato de um modo geral. O que vou lhes dizer não é nada original... na verdade, ouvi o jovem sr. Daniels, o conselheiro real, comentar algo do tipo, e não me surpreenderia caso ele também já tivesse ouvido de outra pessoa... esta é uma de suas artimanhas!

"É isto! Quando se lê o relato de um assassinato... digamos, uma história de ficção baseada num assassinato... normalmente começa-se pelo crime em si. Mas está tudo errado. O assassinato começa muito tempo antes. O crime é o ponto culminante de várias circunstâncias distintas, todas elas convergindo para um determinado momento e para um determinado lugar. As pessoas são reunidas, vindas de diferentes partes do mundo e por razões inesperadas. O sr. Royde veio da Malásia. O sr. MacWhirter está aqui porque desejava rever o lugar onde havia tentado se suicidar. O assassinato em si é o final da história. É a Hora Zero!"

Ele ficou em silêncio, depois disse:

– Agora é a Hora Zero.

Cinco rosto estavam virados em sua direção – apenas cinco, pois MacWhirter não moveu a cabeça. Cinco rostos intrigados.

Mary Aldin falou:

– O senhor quer dizer que a morte de lady Tressilian foi o ponto culminante de uma longa sucessão de fatos?

– Não, srta. Aldin, não o assassinato de lady Tressilian. A morte de lady Tressilian foi apenas uma consequência adicional ao objetivo principal do assassino. O assassinato a que me refiro é o assassinato de Audrey Strange.

Ele pôde ouvir uma respiração acentuada e ficou imaginando se, de repente, alguém teria ficado com medo...

– Este crime foi planejado há muito tempo... provavelmente no último inverno. Foi planejado nos mínimos detalhes. Tinha um alvo e apenas um alvo: que Audrey Strange fosse pendurada pelo pescoço até que estivesse morta...

"Foi engenhosamente planejado por alguém que se considerava muito esperto. Os assassinos em geral são vaidosos. Primeiro apareceram aquelas provas medíocres e superficiais contra Nevile Strange, que tinham a intenção de nos confundir. No entanto, depois de termos sido apresentados a um conjunto de provas forjadas, seria um tanto improvável que considerássemos a hipótese de uma segunda edição deste mesmo fato. Mas, mesmo assim, se observarmos, todas as provas contra Audrey Strange poderiam ter sido forjadas. A arma tirada da lareira de seu quarto, suas luvas – a da mão esquerda salpicada de sangue – escondidas na hera do lado de fora de sua janela. O pó de arroz que ela usa e também alguns fios de cabelo espalhados na parte de dentro do colarinho do paletó. Suas impressões digitais deixadas naturalmente, encontradas em um rolo de esparadrapo retirado de seu quarto. Até mesmo a natureza canhota do golpe.

"E surgiu então a prova incriminadora final da própria sra. Strange... não creio que haja alguém entre os senhores (exceto aquele que de fato o sabe) que possa acreditar em sua inocência depois da forma como ela se comportou quando foi presa. Ela praticamente admitiu a culpa, não foi? É possível que eu mesmo não tivesse acreditado na sua inocência não fosse uma experiência pessoal que tive... Aquilo realmente me impressionou muito quando a vi e a ouvi... porque, vejam, conheci uma garota que fez exatamente a mesma coisa... admitiu a culpa quando na realidade não era a culpada... e Audrey Strange me olhava com os olhos daquela garota...

"Eu tinha que cumprir o meu dever e sabia disso. Nós policiais temos que nos basear em provas... e não naquilo que sentimos ou pensamos. Mas posso lhes dizer que naquele instante rezei por um milagre... pois sabia que nada além de um milagre poderia salvar aquela pobre senhora."

Ele prosseguiu:

– Bom, consegui o meu milagre. E consegui imediatamente! O sr. MacWhirter apareceu contando a sua história.

Fez uma pausa.

– Sr. MacWhirter, o senhor poderia repetir o que me contou antes lá na casa?

MacWhirter se virou. Falou em frases curtas e precisas, carregadas de convicção, exatamente por conta de sua concisão.

Contou sobre o seu salvamento no penhasco em janeiro último e sobre o seu desejo de voltar àquele cenário. Ele prosseguiu:

– Fui até lá na noite de segunda-feira. Estava lá parado, perdido em meus pensamentos. Creio que isto deve ter sido algo em torno das onze horas. Olhei na direção daquela casa naquela ponta... Gull's Point, como agora já sei que se chama.

Ficou em silêncio, depois continuou:

– Havia uma corda pendurada em uma janela, para o lado do mar. Vi um homem subindo pela corda...

Passaram-se apenas alguns instantes até que compreendessem o que ele dissera. Mary gritou:

– Então, afinal de contas, foi mesmo um estranho? Não teve nada a ver com nenhum de nós. Foi um ladrão comum!

– Não tire conclusões tão apressadas – disse Battle. – Sim, foi alguém que veio do outro lado do rio, pois veio nadando. Porém, seria necessário que alguém da casa tivesse preparado a corda para o assassino e, portanto, alguma pessoa da casa deve ter se ocupado disso.

Ele continuou calmamente:

– E sabemos de alguém que estava do outro lado do rio naquela noite... alguém que não foi visto por ninguém entre dez e meia e onze e quinze e que poderia ter nadado até lá e voltado. Alguém que poderia ter um amigo nesta margem do rio.

E acrescentou:

– Então, sr. Latimer?

Ted deu um passo para trás. Gritava estridentemente:

– Mas eu não sei nadar! Todos sabem que não sei nadar! Kay, diga a eles que eu não sei nadar.

– É claro que Ted não sabe nadar! – gritou Kay.

– É mesmo? – perguntou Battle em tom amável.

Battle caminhou pelo barco quando Ted caminhava na direção oposta. Houve algum movimento desajeitado e se ouviu um barulho na água.

– Meu Deus! – disse o superintendente Battle profundamente preocupado. – O sr. Latimer caiu na água.

Suas mãos se fecharam como um torno no braço de Nevile quando este se preparava para pular atrás de Ted Latimer.

– Não, não, sr. Strange. Não é necessário que o senhor se molhe. Há dois dos meus homens bem à mão... pescando ali naquele bote. – Ele olhou fixamente para a água, ao lado da lancha. – Realmente é verdade – disse ele interessado –, ele não sabe nadar. Já está tudo bem, já conseguiram resgatá-lo. Peço desculpas agora, mas, na verdade, só há uma maneira de se ter certeza absoluta de que uma pessoa não sabe nadar e é jogando-a na água e observando. Veja, sr. Strange, gosto de ser minucioso. Precisava eliminar o sr. Latimer primeiro. O sr. Royde tem um braço defeituoso e não poderia subir por uma corda.

A voz de Battle assumiu um tom felino:

– Logo isso nos leva ao senhor, não é, sr. Strange? Um excelente atleta, alpinista, nadador e tudo mais. Sabemos que o senhor realmente pegou a barca das dez e meia, no entanto, ninguém pode jurar que o tenha visto no Hotel Easterhead antes das onze e quinze, apesar da sua história de ter ficado procurando o sr. Latimer durante este intervalo.

Nevile puxou o braço com força, jogou a cabeça para trás e riu.

– O senhor está sugerindo que eu tenha atravessado o rio a nado e subido por uma corda...

– A mesma que o senhor já tinha deixado pronta pendurada em sua janela – disse Battle.

– ...matado lady Tressilian e nadado de volta? Por que eu faria uma coisa tão fantástica? E quem preparou todas aquelas pistas contra mim? Suponho que eu mesmo as tenha deixado?

– Exatamente – disse Battle. – E também não foi uma má ideia.

– E por que eu iria querer matar Camilla Tressilian?

– O senhor não queria – afirmou Battle. – Porém, queria de fato enforcar a mulher que o deixara por outro homem. Como deve saber, o senhor sofre de alguma perturbação mental. É assim desde que era criança... examinei aquele velho caso do arco e flecha, por sinal. Qualquer pessoa que o ofenda deve ser punida... e a morte não lhe parece ser nenhum castigo absurdo para estas pessoas. No entanto, a morte em si não era suficiente para Audrey... a sua Audrey, a quem o senhor amava... Ah, sim! Sem dúvida o senhor a amava antes de seu amor se transformar em ódio. O senhor precisou pensar em algum tipo especial de morte, uma morte lenta, arrastada, sofrida. E, quando a planejou, o fato de que isto incluiria o assassinato de uma mulher que havia sido uma espécie de mãe para o senhor não o preocupou nem um pouco...

Nevile falou, e sua voz parecia bastante calma:

– É tudo mentira! É tudo mentira! E eu não sou louco. Não sou louco.

Battle falou com desdém:

– Ela atingiu o seu ponto fraco quando foi embora e o deixou por outro homem, não foi? Feriu a sua vaidade masculina? Pensar que ela poderia abandonar um homem como o senhor. Conseguiu salvar o seu orgulho fingindo para o mundo todo que o senhor a havia abandonado e casado com outra moça que estava apaixonada pelo senhor, tudo só para reforçar essa mentira. Porém, sob este disfarce, o senhor planejava o que faria contra Audrey. Não pôde pensar em nada pior do que isso... fazer com que ela fosse enforcada. Foi uma ideia excelente... é uma pena que o senhor não tenha tido cabeça para executá-la melhor!

Os ombros de Nevile remexeram-se sob o casaco de lã, num movimento estranho e contorcido.

Battle continuou:

– Infantil... toda aquela tolice do taco de golfe! Aquelas pistas grosseiras apontando para o senhor! Audrey deveria saber quem o senhor era! Ela deve ter rido sozinha! Pensando que eu não suspeitava do senhor! Vocês assassinos são uns sujeitinhos engraçados! Tão convencidos! Sempre achando que são espertos e habilidosos, e, na realidade, sendo tão deploravelmente infantis...

Partiu de Nevile um grito estranho e bizarro.

– Foi uma ideia inteligente... eu sei que foi. O senhor nunca teria imaginado. Nunca! Não fosse este idiota intrometido, este escocês arrogante. Eu pensei em cada detalhe... cada detalhe! Não tive culpa pelo que saiu errado. Como poderia saber que Royde sabia da verdade sobre Audrey e Adrian? Audrey e Adrian... Maldita Audrey... ela tem que ser enforcada... o senhor tem que enforcá-la... quero que ela morra sentindo medo... quero que ela morra... que ela morra... Eu a odeio. Estou lhe dizendo, quero que ela morra...

Sua voz alta e queixosa foi se calando. Nevile deixou-se cair num canto e começou a chorar baixinho.

– Ah, meu Deus – disse Mary Aldin. Ela estava pálida como nunca estivera.

Battle falou baixinho, suavemente:

– Sinto muito, mas tinha que pressioná-lo... como sabe, havia poucas provas.

Nevile ainda se lamuriava. Sua voz parecia a de uma criança.

– Quero que ela seja enforcada. Só quero que ela seja enforcada...

Mary Aldin estremeceu e se virou para Thomas Royde.

Ele segurou as mãos dela.

II

– Sempre tive medo – disse Audrey.

Estavam sentados no terraço. Audrey estava perto do superintendente Battle, que havia retomado suas férias e estava em Gull's Point como amigo.

– Sempre com medo... o tempo todo – disse ela.

Battle falou, balançando a cabeça:

– Sabia que estava morrendo de medo logo no primeiro instante em que a vi. A senhora tinha aquele mesmo jeito apagado e reservado que as pessoas têm quando estão segurando alguma emoção muito forte. Poderia ser amor ou ódio, mas na verdade era medo, não era?

Audrey acenou a cabeça, concordando.

– Comecei a ter medo de Nevile logo que nos casamos. Mas veja que o mais terrível é que eu não sabia por que. Comecei a pensar que eu estivesse louca.

– Não era a senhora – disse Battle.

– Quando me casei com Nevile ele parecia ser tão saudável e normal... sempre adoravelmente bem-humorado e gentil.

– Interessante – disse Battle. – Como sabe, ele desempenhava o papel de excelente desportista. É por isso que conseguia se manter tão calmo no jogo de tênis. Para ele, o papel como grande desportista era mais importante do que ganhar as partidas. No entanto, isto o deixava sob tensão, é claro; isto sempre acontece quando se vive representando um papel. Dessa forma, por dentro, ele ficou ainda pior.

– Interior – murmurou Audrey com um tremor. – Sempre o interior. Nada em que se pudesse tocar. Às vezes era uma palavra ou um olhar, mas em seguida eu achava que havia imaginado... Alguma coisa suspeita. E depois, com lhe disse, pensei que era eu quem devia estar estranha. E aí continuei a ficar cada vez com mais medo... uma espécie de medo irracional, sabe, que vai deixando a pessoa doente!

"Disse a mim mesma que estava enlouquecendo e que não tinha culpa do que estava acontecendo. Sentia que seria capaz de qualquer coisa neste mundo para fugir! E foi então que Adrian apareceu e disse que me amava, e eu achei que seria maravilhoso poder fugir com ele. Ele disse..."

Ela se deteve.

– O senhor sabe o que aconteceu? Fugi para encontrar Adrian... ele nunca apareceu... ele morreu... tive uma sensação... como se Nevile tivesse de alguma forma providenciado aquilo.

– Talvez tenha – disse Battle.

Audrey virou seu rosto sobressaltado para ele.

– Ah, o senhor acha que sim?

– Nós nunca saberemos. Acidentes de carro podem ser provocados, sim. Mas não fique matutando isto, sra. Strange. É mais provável que tenha sido um acidente.

– Eu... eu estava arrasada. Voltei para a casa paroquial... a casa da família de Adrian. Íamos escrever para a mãe dele, mas como ela não chegara a saber, decidi que seria melhor não contar para evitar que ela sofresse. E Nevile foi até lá quase que imediatamente. Ele foi muito gentil e amável, mas durante todo o tempo em que conversávamos eu estava morrendo de medo! Ele disse que não havia necessidade de ninguém saber sobre Adrian, que eu poderia me divorciar com base nas provas que ele me mandaria depois e que iria se casar outra vez em seguida. Fiquei tão grata. Sabia que ele achava Kay atraente e esperava que tudo desse certo, e que eu pudesse superar aquela estranha obsessão que eu tinha. Ainda achava que o problema fosse comigo.

"Mas eu não conseguia me livrar daquela sensação... não completamente. Nunca senti que havia escapado de verdade. Então, certo dia encontrei Nevile no parque e ele me explicou que gostaria muito que eu e Kay fôssemos amigas, e sugeriu que viéssemos todos para cá em setembro. Não pude recusar... como poderia? Não depois de tudo o que ele fizera por mim."

– "Quer entrar na minha casa?, disse a aranha para a mosca" – mencionou Battle.

Audrey estremeceu.

– Sim, exatamente assim...

– Ele foi muito esperto com relação a isto – disse Battle. – Afirmou a todos solenemente e de uma forma tão espalhafatosa que a ideia tinha sido dele, que todo mundo ficou com a impressão de que na verdade não tinha sido.

Audrey disse:

– E depois cheguei aqui... e foi como uma espécie de pesadelo. Eu sabia que algo terrível iria acontecer... sabia que Nevile havia tramado alguma coisa... e que era alguma coisa contra mim. Mas não sabia o que era. O senhor sabe, acho que eu quase perdi a cabeça de verdade! Estava simplesmente paralisada de medo... como se fica quando se sonha que algo vai acontecer e não se consegue mover...

– Sempre pensei – disse o superintendente Battle – que gostaria de ver uma cobra hipnotizar um pássaro de modo que ele não pudesse voar... porém, hoje já não tenho tanta certeza.

Audrey continuou:

– Mesmo quando lady Tressilian foi morta, não percebi o que aquilo queria dizer. Fiquei apenas confusa. Nem ao menos suspeitei de Nevile. Sabia que ele não se importava com dinheiro... seria absurdo pensar que ele a teria assassinado para herdar cinquenta mil libras.

"Pensei e repensei no sr. Treves e na história que ele havia contado naquela noite. Mesmo assim não associei nada daquilo com Nevile. Treves mencionara alguma peculiaridade física através da qual ele reconheceria aquela criança muito tempo depois. Tenho uma cicatriz na orelha, mas não creio que alguém mais ali tenha alguma coisa estranha que se possa notar."

Battle falou:

– A srta. Aldin tem uma mecha de cabelos brancos. Thomas Royde tem um braço defeituoso, que poderia não ter sido apenas consequência de um terremoto. O sr. Ted Latimer tem o crânio de um formato bastante estranho. E Nevile Strange...

Ficou em silêncio.

– Com toda certeza Nevile não tem nenhuma peculiaridade física?

– Ah, tem, sim. O dedo mínimo de sua mão esquerda é mais curto do que o da mão direita. Isto é muito incomum, sra. Strange... certamente muito incomum.

– Então era isso?

– Sim, era isso.

– E Nevile pendurou aquele cartaz no elevador?

– Sim. Foi correndo até lá e voltou enquanto Royde e Latimer serviam a bebida ao velho. Inteligente e simples... tenho dúvidas se um dia conseguiríamos provar que aquilo foi um assassinato.

Audrey estremeceu outra vez.

– Ora, ora – disse Battle. – Agora tudo terminou, minha querida. Continue falando.

– O senhor é muito esperto... há muitos anos eu não falava tanto!

– Pois é isto que está errado. Quando foi que a senhora começou a perceber qual era o jogo do Mestre Nevile?

– Não sei exatamente. Aquilo me ocorreu de repente. Ele próprio havia sido inocentado, o que deixava todos nós como suspeitos. E então, de uma hora para a outra, o vi olhando para mim... uma espécie de olhar de satisfação. Ali eu soube! Isto foi quando...

Ela parou bruscamente.

– Foi quando o quê...?

Audrey falou bem devagar:

– Foi quando pensei que uma saída rápida seria me... melhor.

O superintendente Battle balançou a cabeça.

– Nunca se entregue. Este é o meu lema.

– Ah, o senhor tem toda razão. No entanto, o senhor não sabe o que o medo constante é capaz de fazer a uma pessoa. A pessoa fica paralisada... não consegue pensar... não pode esboçar nada... tudo o que consegue fazer é ficar esperando que alguma coisa terrível aconteça. E então, quando acontece... – Audrey deu um sorriso breve e inesperado – ...o senhor se surpreenderia com a sensação de alívio! Não se precisa mais esperar ou temer... já chegou. Creio que o senhor vai pensar que sou um tanto maluca se lhe contar que quando o senhor chegou para me prender por assassinato eu não me importei nem um pouco. Nevile já fizera todo mal que podia e agora estava tudo terminado. E me senti tão segura saindo acompanhada do inspetor Leach.

– Este foi em parte o motivo pelo qual a prendemos – disse Battle. – Queria que a senhora estivesse fora do alcance daquele louco. E, além do mais, se eu quisesse desmascará-lo precisaria poder contar com o choque da reação dele. Ele achava que seu plano estava dando certo... logo o golpe seria muito maior.

Audrey disse em voz baixa:

– Se ele não tivesse se descontrolado, haveria provas?

– Não muitas. Havia o relato de MacWhirter sobre ter visto sob a luz da lua um homem subindo pela corda. E, para confirmar a história dele, havia a própria corda enrolada no sótão, ainda levemente úmida. Como a senhora sabe, estava chovendo naquela noite.

Ficou em silêncio e encarou Audrey fixamente como se esperasse que ela fosse dizer alguma coisa.

Como ela pareceu meramente interessada, ele continuou:

– E ainda havia o terno listrado. Ele havia, é claro, se despido no escuro naquele canto rochoso da margem de Easterhead Bay e enfiado o terno em uma reentrância das pedras. Colocou o terno, por acaso, em cima de um pedaço de peixe podre trazido pela maré, o que o deixou com uma pequena mancha na altura do ombro... e um forte odor. Houve um rumor, como acabei descobrindo, sobre algum problema nos esgotos do hotel. Foi o próprio Nevile quem espalhou o boato. Ele vestiu a capa de chuva por cima do terno, mas o cheiro era impregnante. Depois, acabou se enrolando com a questão do terno e, na primeira oportunidade, levou-o para a lavanderia onde, como um tolo, não forneceu seu nome verdadeiro. Escolheu um nome qualquer, na verdade era um nome que ele havia visto no registro do hotel. Foi assim que o seu amigo acabou ficando com o terno e, por ser inteligente, associou-o com o homem subindo pela corda. Alguém pode até pisar num peixe podre, mas ninguém enfia o ombro nele a menos que tenha tirado a roupa para banhar-se à noite... mas ninguém iria se banhar por mera satisfação numa noite chuvosa de setembro. Ele conseguiu ver o quadro completo. É um homem muito inteligente, o sr. MacWhirter.

– Mais do que inteligente – disse Audrey.

– Hum, é, talvez. Quer saber mais sobre ele? Posso lhe contar alguma coisa sobre a história dele.

Audrey ouviu com atenção. Battle viu nela uma boa ouvinte.

Ela disse:

– Devo muito a ele... e ao senhor.

– A senhora não me deve tanto assim – disse o superintendente Battle. – Se eu não tivesse sido um tolo, teria percebido a questão da campainha.

– Campainha? Que campainha?

– A campainha do quarto de lady Tressilian. Sempre tive a impressão de que havia alguma coisa errada com aquela campainha. Quase consegui desvendar este mistério também quando estava no andar de cima e fui descer as escadas... e vi uma daquelas varas que se usa para abrir as janelas.

Fez uma pausa e continuou.

– Veja, esta é que era a questão da campainha... dar um álibi a Nevile. Lady Tressilian não se lembrava por que tocara a campainha... é claro que não poderia se lembrar, porque ela não havia mesmo tocado! Nevile tocou a campainha pelo lado de fora, pelo corredor, usando aquela longa vara para tocar nos fios que ficam estendidos no teto. Em seguida vem a Barrett e vê o sr. Nevile Strange descendo a escada e saindo, e encontra lady Tressilian viva e passando muito bem. Toda a questão da empregada era bastante suspeita. De que adiantaria dopá-la para um crime que seria cometido antes da meia-noite? Havia uma chance em dez de que àquela hora ela já estivesse totalmente apagada. Mas este fato determinaria o assassinato como sendo obra de alguém da casa, permitindo algum tempo para que Nevile desempenhasse o seu papel de suspeito número um... depois Barrett falaria e Nevile seria tão triunfalmente inocentado que ninguém seria lá muito minucioso ao investigar exatamente em que horário ele havia chegado ao hotel. Sabemos que ele não tinha voltado de barca e que nenhum barco havia sido roubado. Restava a possibilidade de ele ter nadado. Ele é um grande nadador, mas mesmo assim teria tido pouco tempo. Subiu pela corda que havia deixado pendurada em seu quarto, deixando bastante água pelo chão, como observamos, porém, lamento dizer, sem perceber o motivo. Depois, já vestindo o terno azul-marinho, foi até o quarto de lady Tressilian – não precisamos entrar em detalhes nesta parte –, não levando mais do que alguns minutos; ele já teria preparado aquela esfera de aço de antemão... depois voltou para o quarto, tirou a roupa, desceu pela corta e voltou para Easterhead.

– Imagine se Kay tivesse entrado no quarto?

– Aposto como ela havia sido levemente dopada. Segundo me disseram, ela estava bocejando desde o jantar. Além disso, ele havia providenciado uma discussão com ela, de modo que ela trancaria a porta, impedindo assim a entrada dele.

– Estou tentando pensar se notei que o puxador não estava na grade de proteção da lareira. Acho que não. Quando foi que ele a colocou de volta no lugar?

– Na manhã seguinte, quando começou todo o tumulto na casa. Quando voltou no carro de Ted Latimer, ele teve toda a noite para se livrar das pistas e ajeitar as coisas, remendar a raquete de tênis etc. A propósito, ele atingiu a velha senhora com um golpe de esquerda. Foi por isso que o crime pareceu ter sido cometido por uma pessoa canhota. A senhora está lembrada de que o golpe de esquerda sempre foi o ponto forte do sr. Nevile no jogo de tênis?

– Não, por favor, não – Audrey levantou as mãos. – Não suporto ouvir mais nada.

Ele sorriu para ela.

– De qualquer maneira, acho que lhe fez bem desabafar. Sra. Strange, posso ser um pouco impertinente e lhe dar um conselho?

– Sim, por favor.

– A senhora viveu durante oito anos com um criminoso lunático... isto é o bastante para esgotar os nervos de qualquer mulher. Mas agora é preciso deixar isto para trás, sra. Strange. A senhora não precisa mais ter medo... e deve procurar se convencer disto.

Audrey sorriu para ele. Aquela expressão gélida havia sumido de seu rosto; era agora um rosto delicado, um tanto tímido, porém confiante, com aqueles olhos bem separados cheios de gratidão.

Hesitando um pouco, ela disse:

– O senhor mencionou para os outros que havia uma garota... uma garota que agiu da mesma forma como eu agi?

Battle balançou a cabeça devagar:

– A minha própria filha – disse ele. – Portanto, veja, minha querida, aquele milagre tinha que acontecer. Essas coisas acontecem para nos testar!

III

Angus MacWhirter estava fazendo as malas.

Colocou cuidadosamente três camisas na mala e depois aquele terno azul-marinho que havia lembrado de apanhar na lavanderia. Dois ternos deixados por dois MacWhirters diferentes havia sido demais para aquela moça administrar.

Ouviu uma batida na porta e gritou:

– Pode entrar.

Audrey Strange entrou e disse:

– Vim lhe agradecer... está fazendo as malas?

– Sim. Vou embora hoje à noite. E pego o navio depois de amanhã.

– Para a América do Sul?

– Para o Chile.

Ela disse:

– Deixe-me fazer a mala para você.

Ele protestou, mas ela o ignorou. Ele a observava enquanto trabalhava de forma hábil e metódica.

– E então? – disse ela ao terminar.

– Você é boa nisto – disse MacWhirter.

Ficaram em silêncio. Em seguida, Audrey falou:

– Você salvou a minha vida. Se você não tivesse visto o que viu por acaso...

Ela se deteve.

Depois disse:

– Você realmente percebeu de imediato naquela noite no penhasco quando você... você me impediu de pular... dizendo "vá para casa, vou tomar providências para que você não seja enforcada"... foi naquele momento que você percebeu que tinha alguma prova relevante?

– Não exatamente – disse MacWhirter. – Eu ainda precisava planejar o que iria fazer.

– Então como pôde dizer... o que disse?

MacWhirter sempre se sentia incomodado quando tinha que explicar a extrema simplicidade dos seus métodos de raciocínio.

– Eu quis dizer precisamente o que disse... que pretendia impedir que você fosse enforcada.

O rosto de Audrey se coloriu.

– E supondo que eu fosse culpada?

– Isto não teria feito a menor diferença.

– Então você achou que eu era mesmo culpada?

– Não especulei muito sobre o assunto. Estava inclinado a acreditar que você era inocente, mas isto não teria feito nenhuma diferença para o que eu estava disposto a fazer.

– Foi aí que você se lembrou do homem da corda?

MacWhirter ficou calado por alguns instantes. Depois pigarreou.

– Creio que talvez a senhora saiba que eu não vi na verdade nenhum homem subindo por uma corda... certamente eu não poderia ter visto, pois estive em Stark Head no domingo à noite e não na segunda-feira. Deduzi o que devia ter acontecido pelas provas do terno, e minhas suposições se confirmaram ao encontrar a corda úmida no sótão.

De vermelha, Audrey ficara pálida. Ela falou, cética:

– Toda a sua história era uma mentira?

– Minhas deduções não teriam significado nada para a polícia. Eu precisava dizer que tinha visto o que acontecera.

– Mas... você corria o risco de ter que jurar no meu julgamento.

– Sim.

– Teria feito isso?

– Sim, teria.

Audrey gritou incrédula:

– E você... você é o homem que perdeu o emprego e desmoronou a ponto de se jogar de um penhasco por se recusar a adulterar a verdade!

– Tenho um grande apreço pela verdade. Porém, descobri que há coisas que são mais importantes.

– Como o quê?

– Você – disse MacWhirter.

Audrey baixou os olhos. MacWhirter pigarreou de um jeito constrangido.

– Não é necessário que você se sinta como se me devesse algum grande favor ou coisa parecida. Depois de hoje, você nunca mais ouvirá falar de mim. A polícia conseguiu a confissão de Nevile e não precisará mais do meu depoimento. De qualquer forma, ouvi dizer que ele está tão mal que talvez não sobreviva para ir a julgamento.

– É melhor que seja assim – disse ela.

– Você já foi apaixonada por ele?

– Sim, pelo homem que eu pensava que ele fosse.

MacWhirter balançou a cabeça.

– Talvez todos nós já tenhamos nos sentido assim.

Ele prosseguiu:

– Tudo terminou bem. O superintendente Battle conseguiu se basear na minha história para obter a confissão que queria...

Audrey o interrompeu. Ela disse:

– Sim, ele usou a sua história. Mas não acredito que você tenha conseguido enganá-lo. Ele fechou os olhos deliberadamente.

– Por que você diz isso?

– Quando conversávamos, ele mencionou que tinha sido muita sorte o fato de você ter visto o que viu à luz da lua e depois acrescentou algo... uma frase ou duas... sobre aquela ter sido uma noite chuvosa.

MacWhirter ficou perplexo.

– É verdade. Duvido que eu tivesse conseguido ver alguma coisa na noite de segunda-feira.

– Não tem importância – disse Audrey. – Ele sabia que o que você fingiu ter visto era o que realmente havia acontecido. Porém, isto explica por que ele provocou Nevile até fazê-lo confessar. Ele suspeitou de Nevile assim que Thomas lhe contou sobre mim e Adrian. Ele sabia que, se estava certo quanto ao tipo de crime, enganara-se ao se concentrar na pessoa errada... o que ele precisava era algum tipo de prova para usar contra Nevile. Como ele próprio disse, precisava de um milagre... e você foi a resposta às preces do superintendente Battle.

– É de fato uma coisa estranha para ele dizer – disse MacWhirter secamente.

– Como pode ver – disse Audrey –, você é um milagre. O meu milagre especial.

MacWhirter disse em tom grave:

– Não gostaria que você se sentisse como se me devesse algum favor. Vou sair de sua vida...

– Você precisa mesmo? – disse Audrey.

Ele a encarou. Seu rosto voltou a corar.

Ela disse:

– Você me levaria com você?

– Você não sabe o que está dizendo!

– Sei, sim. Estou fazendo algo muito difícil... mas isto para mim tem mais importância do que a vida ou a morte. Sei que não há muito tempo. A propósito, sou uma pessoa muito convencional, portanto gostaria de me casar antes de partirmos!

– Naturalmente – disse MacWhirter, profundamente chocado. – Não imaginou que eu sugeriria qualquer coisa diferente disso, não é?

– Tenho certeza que não – disse Audrey.

MacWhirter falou:

– Não sou o seu tipo. Pensei que se casaria com aquele sujeito calado que gosta de você há tanto tempo.

– Thomas? Ah, o querido e fiel Thomas. Ele é verdadeiro demais. Se manteve fiel à imagem da menina que ele amou há muitos anos. No entanto, a pessoa de quem ele realmente gosta é Mary Aldin, embora ele ainda não saiba disso.

MacWhirter deu um passo na direção dela e falou seriamente:

– Você está falando sério?

– Sim... quero estar sempre com você e nunca mais deixá-lo. Se você for embora, jamais encontrarei alguém como você e passarei o resto dos meus dias sozinha.

MacWhirter suspirou. Pegou a carteira e examinou com cuidado o seu conteúdo.

– Uma licença especial de casamento custa caro. A primeira coisa que farei amanhã será ir ao banco.

– Eu poderia lhe emprestar algum dinheiro – murmurou Audrey.

– Você não vai fazer nada disso. Se vou me casar, eu pago a licença. Entendeu?

– Não precisava – disse ela com suavidade – ser tão sério.

Ele falou suavemente chegando mais perto dela:

– Na última vez em que a tive em meus braços, você parecia um pássaro... debatendo-se para escapar. Agora você nunca mais vai escapar...

Ela disse:

– Nunca mais vou querer escapar.

Um brinde de cianureto

Tradução de Carlos André Moreira

LIVRO 1

Rosemary

“O que posso fazer para afastar as recordações de meus olhos?”

Seis pessoas estavam pensando em Rosemary Barton,
que morreu há mais ou menos um ano.

CAPÍTULO 1

Iris Marle

I

Iris Marle estava pensando em sua irmã, Rosemary.

Por quase um ano, tentara deliberadamente afastá-la de seus pensamentos. Não queria lembrar.

Era doloroso demais... horrível demais!

A face azul, cianótica, os dedos convulsos, apertados em garra...

O contraste entre aquela visão e a Rosemary amável e alegre do dia anterior... Bem, talvez não exatamente *alegre*. Ela pegara uma gripe... ficara deprimida, abatida... Isso havia sido divulgado no inquérito. A própria Iris enfatizara esse dado. Esclarecia o suicídio de Rosemary, não esclarecia?

Uma vez o inquérito concluído, Iris tentara deliberadamente tirar a coisa toda da cabeça. Que bem faria relembrar? Esqueça tudo! Esqueça todo aquele assunto horrível.

Mas tinha de lembrar, percebia agora. Tinha de voltar ao passado... Relembrar com cuidado cada incidente insignificante, mesmo que não parecesse ter importância...

A conversa extraordinária que tivera com George a noite anterior a obrigava a lembrar.

Havia sido tão inesperado, tão assustador. Espere... *Havia* sido inesperado? Não houvera indícios com antecedência? A crescente introspecção de George, seu alheamento, suas açoes inexplicáveis... sua... bem, *esquisitice* era a única palavra para aquilo. Tudo apontando para aquele momento, a noite passada, quando ele a chamou no escritório e tirou as cartas da gaveta da escrivaninha.

E agora não havia como evitar. Tinha de pensar em Rosemary... recordar.

Rosemary... sua irmã.

Com um choque, Iris percebeu, de súbito, que era a primeira vez em sua vida que pensava em Rosemary. Pensava nela, quer dizer, de maneira objetiva, como *pessoa.*

Sempre aceitara Rosemary, sem necessidade de pensar. Você não pensa na mãe ou no pai ou na irmã ou na tia. Eles apenas existem, incontestes, como parentes.

Você não pensa neles como pessoas. Sequer se pergunta o que eles são.

O que fora Rosemary?

Isso poderia ser muito importante agora. Muita coisa dependeria disso. Iris remeteu sua mente outra vez para o passado. Ela e Rosemary crianças...

Rosemary era seis anos mais velha.

II

Vislumbres do passado voltaram... breves lampejos... cenas curtas. Ela, criança, comendo pão e tomando leite, e Rosemary, presunçosa em suas tranças, "fazendo dever de casa" em uma mesa.

O verão no litoral... Iris com inveja de Rosemary, que já era uma "menina crescida" e podia nadar!

Rosemary indo para o colégio interno... e voltando para casa nos feriados. E aí ela própria na escola, e Rosemary terminando os estudos em Paris. Rosemary no colegial: desajeitada, toda braços e pernas. E Rosemary formada voltando de Paris com uma elegância nova estranha e assustadora, voz suave, graciosa, com um talhe ondulante e altivo, com a cabeleira castanha avermelhada e grandes olhos azuis, orlados de cílios negros. Uma criatura de beleza perturbadora... crescida em um mundo diferente.

Dali em diante elas se viram muito pouco. O intervalo de seis anos entre elas havia se dilatado ao máximo.

Iris ainda estava na escola, Rosemary, no livre curso de uma "estação". Mesmo quando Iris voltava para casa, o abismo entre elas permanecia. A vida de Rosemary era ficar na cama até tarde, almoçar com outras garotas, dançar na maioria das noites da semana. Iris tinha aulas com Mademoiselle, passeava no parque, ceava às nove e dormia às dez. O contato entre as duas irmãs havia se limitado a breves trocas de palavras como:

"Iris, telefone e peça um táxi para mim, por favor. Estou terrivelmente atrasada."

ou

"Não gosto desse seu vestido novo, Rosemary. Não combina com você. Muito rococó e espalhafatoso."

Então houve o noivado de Rosemary com George Barton. Excitação, compras, uma torrente de pacotes, vestidos para as damas de honra.

O casamento. Caminhar pelo corredor da igreja atrás de Rosemary, ouvindo os cochichos:

– Que noiva *linda*...

Por que Rosemary se casara com George? Mesmo naquela época, Iris ficara vagamente surpresa. Havia tantos jovens interessantes... telefonavam, levavam-na para sair. Por que ela escolhera George Barton, quinze anos mais velho, gentil, amável, mas definitivamente maçante?

George era rico, mas não fora por isso. Rosemary tinha seu próprio dinheiro, uma soma considerável.

O dinheiro do tio Paul...

Iris vasculhou sua mente com atenção, procurando discernir entre o que sabia agora e o que descobrira naquela época: tio Paul, por exemplo.

Não era seu tio de verdade, disso sempre soubera. Mesmo que nunca lhe houvessem contado, sabia de alguns fatos. Paul Bennett fora apaixonado pela mãe dela, que preferira um outro homem, mais pobre. Paul aceitara a derrota com um espírito romântico. Permanecera o amigo da família e adotara uma atitude de devoção platônica. Tornara-se o tio Paul e apadrinhara a primogênita, Rosemary. Quando ele morreu, descobriu-se que havia deixado toda sua fortuna para a pequena afilhada, então com treze anos.

Rosemary, além da beleza, tinha também uma herança. E havia casado com o insípido George Barton.

"Por quê?", Iris se perguntara na época. Perguntava-se ainda hoje. Iris não acreditava que Rosemary estivera alguma vez apaixonada por ele. Mas parecia muito feliz e gostava dele... sim, definitivamente gostava dele. Cerca de um ano após o casamento, Iris teve uma boa oportunidade para saber o motivo, quando sua mãe, a amável e delicada Viola Marle, morreu, e Iris, uma jovem de dezessete anos, foi viver com Rosemary e o marido.

Uma jovem de dezessete anos. Iris refletiu sobre o retrato que fazia de si mesma. Como ela era? O que sentira, pensara, vira?

Chegou à conclusão de que aquela jovem Iris Marle fora lenta em seu desenvolvimento – sem refletir, aceitava as coisas como eram. Ressentira-se, por exemplo, da dedicação de sua mãe a Rosemary? De um modo geral, achava que não. Havia aceitado, sem hesitar, o fato de que Rosemary era a importante. Estava longe... era natural que sua mãe se ocupasse, tanto quanto a saúde permitia, com a filha mais velha. Natural o bastante. Sua vez também chegaria. Viola Marle havia sido sempre uma mãe algo distante, muito preocupada com a própria saúde, que relegava as filhas a aias, governantas, professoras, mas invariavelmente encantadora naqueles breves momentos que vinha até elas. Hector Marle havia morrido quando Iris tinha cinco anos. A consciência de que ele bebia mais do que o recomendável a impregnara de forma tão discreta que não tinha a menor ideia de como a havia realmente adquirido.

A Iris Marle de dezessete anos aceitara a vida como ela havia se apresentado. Panteara a mãe da forma mais apropriada, vestira roupas pretas e fora morar com a irmã e o marido desta na casa de ambos em Elvaston Square.

Algumas vezes as coisas foram bem enfadonhas naquela casa. Iris não debutaria, oficialmente, até o ano seguinte. Nesse meio-tempo, estudava francês e alemão três vezes por semana e também assistia a aulas de ciências domésticas. Vezes houve em que não tinha nada para fazer e ninguém com quem falar. George era gentil, invariavelmente afetuoso e fraterno. Seu comportamento nunca mudara. Ainda hoje era o mesmo.

E Rosemary? Iris a vira muito pouco. Ela saía com muita frequência. Modistas, coquetéis, jogos de bridge...

O que ela realmente *sabia* sobre Rosemary, agora que se dedicava a pensar nisso? De seus gostos, aspirações, medos? É realmente alarmante o quão pouco se pode saber de uma pessoa mesmo depois de morar com ela na mesma casa! Houvera pouca ou nenhuma intimidade entre as irmãs.

Mas agora ela precisava pensar. Precisava lembrar. Poderia ser importante.

Certamente Rosemary *parecia* bastante feliz...

III

Até aquele dia... uma semana antes de tudo acontecer.

Ela, Iris, nunca se esqueceria daquele dia. Conservara a lembrança clara e cristalina... cada detalhe, cada palavra. A mesa de mogno brilhante, a cadeira afastada para trás, a característica caligrafia apressada...

Iris fechou os olhos e deixou a cena voltar...

Sua entrada na sala de estar, sua parada súbita.

Aquilo que ela vira a assustara tanto! Rosemary, sentada na escrivaninha, a cabeça caída sobre os braços estendidos, chorando com soluços de um profundo abandono. Nunca havia visto Rosemary chorar antes... e aquele pranto amargo e violento a assustara.

Certo, Rosemary vinha de uma gripe. Havia saído da cama há um ou dois dias. E todo mundo sabe que a gripe deixa o doente deprimido *mesmo*. Ainda assim...

Iris começou a chorar, chocada, e perguntou em sua voz infantil:

– Oh, Rosemary, o que foi?

Rosemary se endireitou na cadeira, afastou os cabelos do rosto descomposto e esforçou-se para reassumir o controle de si mesma. Então disse, rapidamente:

– Não é nada... nada... não me olhe desse jeito!

Ela se levantou e, passando pela irmã, saiu do aposento.

Confusa e preocupada, Iris avançou sala adentro. Seus olhos, impelidos para a mesa de maneira inquisitiva, tiveram um vislumbre de seu próprio nome escrito com a caligrafia da irmã. Então Rosemary estava escrevendo para ela?

Ela se aproximou, olhou para a folha do bloco de papel azul com a característica letra grande e espraiada, ainda mais espalhada que o normal devido à pressa e à agitação da mão que segurava a caneta.

Querida Iris,
Não há razão para eu fazer um testamento porque meu dinheiro irá para você de qualquer jeito, mas gostaria que algumas das minhas coisas fossem dadas para as seguintes pessoas.
Para George, as joias que ele me presenteou e o pequeno porta-joias esmaltado que compramos juntos quando estávamos noivos.
Para Gloria King, minha cigarreira de platina.
Para Maisie, o cavalo de porcelana chinesa que ela sempre admirou...

Terminava ali, com um rabisco furioso da caneta, como se Rosemary a tivesse largado de súbito e dado vazão ao pranto incontrolável.

Iris estacou como se transformada em pedra.

O que significava? Rosemary não ia *morrer*, ia? Havia estado muito doente da gripe, mas estava bem agora. E, de qualquer forma, as pessoas não morriam de gripe... quer dizer, algumas vezes morrem, mas Rosemary não morrera. Estava bem, apenas fraca e abatida.

Os olhos de Iris revisaram as palavras, e, desta vez, uma frase se destacou com um efeito alarmante:

...meu dinheiro irá para você de qualquer jeito...

Foi a primeira pista que recebera dos termos em que Paul Bennett fizera seu testamento. Sabia desde criança que Rosemary havia herdado o dinheiro do tio Paul, que Rosemary era rica, ao passo que ela própria, em comparação, era pobre. Mas até aquele momento nunca havia se interrogado sobre o que aconteceria ao dinheiro no caso da morte de Rosemary.

Se lhe tivessem perguntado, responderia que provavelmente iria para George, na qualidade de marido de Rosemary, mas acrescentaria que era absurdo pensar em Rosemary morrendo antes de George!

Mas aí estava, registrado, preto no branco, pela mão da própria Rosemary. Se Rosemary morresse, o dinheiro viria para ela, Iris. Mas certamente aquilo não era legítimo. Um marido ou esposa herda todo e qualquer dinheiro, não uma irmã. A menos, é claro, que Paul Bennett houvesse deixado as coisas dispostas dessa maneira em seu testamento. Sim, devia ser isso. Tio Paul havia estabelecido que o dinheiro devia ir para ela se Rosemary morresse. O que fazia aquilo parecer menos injusto...

Injusto? Estava chocada pela forma como a palavra assomou em seus pensamentos. Estivera mesmo cogitando que fora injusto Rosemary herdar todo o dinheiro de tio Paul? Nas profundezas de si mesma ela devia ter pensado assim, devia ter se sentido assim. Era injusto. Eram irmãs, ela e Rosemary. Ambas filhas da mesma mãe. Por que tio Paul deixara *tudo* para Rosemary?

Rosemary sempre tivera tudo!

Festas e vestidos e rapazes apaixonados por ela e um marido amoroso.

A única coisa desagradável que acontecera a Rosemary fora uma gripe. E mesmo *isso* não durara mais do que uma semana!

Iris hesitou, parada em frente à escrivaninha. Aquela folha de papel... Rosemary a deixaria lá, jogada, para que os criados vissem?

Após hesitar por um minuto, apanhou o papel, dobrou-o em dois e guardou-o dentro de uma das gavetas do móvel.

Foi encontrado lá depois da fatal festa de aniversário e representou uma prova adicional, se era necessária alguma, de que, depois da doença, Rosemary estivera em um estado mental infeliz e deprimido, e que tinha, já na época, pensado em se suicidar.

Gripe seguida de depressão. Fora o motivo levantado no inquérito, o motivo que aquela evidência providenciada por Iris havia ajudado a estabelecer. Um motivo inadequado, talvez, mas o único disponível, e consequentemente aceito. Aquele ano houvera um surto de um tipo particularmente ruim de gripe.

Nem Iris nem George puderam sugerir algum outro motivo... naquela época.

Agora, pensando em retrospectiva sobre o incidente no sótão, Iris se perguntava como podia ter sido tão cega.

A coisa toda devia estar acontecendo debaixo do seu nariz! E ela não havia visto nem notado nada!

Sua mente saltou rápido por sobre a tragédia da festa de aniversário. Não havia necessidade de pensar naquilo! Já acontecera, não importava mais. Afaste o horror daquilo e o inquérito e a face contraída e os olhos injetados de George. Vá direto para o incidente do baú no sótão.

IV

Fora seis meses após a morte de Rosemary.

Iris continuara a morar na casa em Elvaston Square. Depois do funeral, tivera um encontro com o advogado da família Marle, um cavalheiro idoso e cortês com uma careca brilhante e olhos inesperadamente sagazes. Ele explicou com admirável clareza que, sob os termos do testamento de Paul Bennett, Rosemary herdara os seus bens e deveria passá-los para seus filhos.

Se morresse sem filhos, a herança deveria ir toda para Iris. Era, o advogado explicou, uma grande fortuna, que seria dela por completo depois que atingisse a idade de 21 anos ou se casasse.

Nesse meio-tempo, a primeira coisa a acertar seria o local de residência. O sr. George Barton se mostrara ansioso para que ela continuasse a morar com ele e sugerira que a tia dela, sra. Drake, que se encontrava em situação de penúria devido aos sucessivos pedidos de dinheiro de um filho (a ovelha negra da família Marle), poderia viver com eles e servir de companhia a Iris em seu ingresso na sociedade. Iris aprovava o plano?

Iris concordou de pronto, grata por não ter de fazer novos planos. Lembrava-se de tia Lucilla como uma mulher tímida, amistosa, amável e com pouca vontade própria.

Assim o assunto fora resolvido. George Barton ficara tocado e satisfeito de ainda ter junto a si a irmã da esposa e tratava-a afetuosamente, como uma irmã caçula. A sra. Drake, se não era uma companhia estimulante, era de uma total subserviência aos desejos de Iris. Estabeleceu-se uma atmosfera doméstica amigável.

Foi aproximadamente seis meses mais tarde que Iris fez sua descoberta no sótão.

Os sótãos da casa de Elvaston Square eram usados como depósitos para mobílias e bugigangas, e para um bom número de malas e baús.

Iris subira lá um dia depois de uma caçada infrutífera a um pulôver de lã pelo qual tinha especial afeição. George havia pedido que ela não usasse luto por Rosemary, que teria se oposto a tal ideia, reforçou. O que, Iris sabia, era verdade. Ela aquiesceu e continuou a usar as roupas de sempre, ainda que para a desaprovação de Lucilla Drake, que era uma dama à moda antiga e gostava que fosse observado aquilo que chamava de "decoro". Ela própria ainda se sentia inclinada a usar luto por um marido que havia morrido há 22 anos.

Iris sabia que várias roupas sem uso haviam sido empacotadas em um baú lá em cima. Começou a revirar o sótão à procura do pulôver, encontrando vários pertences esquecidos: um conjunto cinza de saia e casaco, uma pilha de meias, seu equipamento de esqui e um ou dois maiôs velhos.

Foi aí que achou um robe que havia pertencido a Rosemary e que de alguma forma não havia sido doado, como o resto de suas coisas. Era de seda, estampado, de feitio masculino e com grandes bolsos.

Iris o desdobrou, notando que estava em perfeito estado. Dobrou-o outra vez, com cuidado, depositando-o de volta no baú. Ao fazer isso, sua mão sentiu o crepitar de alguma coisa em um dos bolsos, enfiou os dedos e retirou um pedaço de papel amarfanhado com a caligrafia de Rosemary. Alisou-o e leu.

Querido Leopardo, você não pode estar falando sério... Não pode... não pode. Nós nos amamos! Pertencemos um ao outro! Deve saber disso tanto quanto eu! Não podemos simplesmente dizer adeus e seguir em frente, tranquilos, com nossas vidas. Sabe que é impossível, querido... completamente impossível. Pertencemos um ao outro... para todo o sempre. Não sou uma mulher convencional – não me importo com o que as pessoas dizem. O amor importa para mim mais do que qualquer outra coisa. Vamos fugir juntos... e ser felizes... eu farei você feliz. Você me disse uma vez que a vida sem mim era pó e cinza – lembra-se, querido Leopardo? E agora, escreve calmamente que é melhor terminar tudo... que é o melhor para mim. Melhor para mim? Mas eu não posso viver sem você! Sinto tanto por George – ele sempre foi tão doce comigo –, mas ele entenderá. Ele há de querer me dar a liberdade. Não é certo viver com alguém se você não o ama mais. Deus nos fez um para o outro, querido – eu sei que fez. Vamos ser maravilhosamente felizes, mas devemos ter coragem. Eu mesma direi a George... quero ser correta em relação à coisa toda... mas não até o meu aniversário.
Sei que estou fazendo o que é certo, querido Leopardo – e não posso viver sem você... não posso, não posso, NÃO POSSO. Que estúpido de minha parte escrever tudo isto. Duas linhas teriam bastado. Apenas "Eu te amo. Nunca vou deixá-lo partir". Oh, querido...

A carta se interrompia aí.

Iris permaneceu imóvel.

O quão pouco alguém pode saber sobre a própria irmã.

Então Rosemary tivera um amante... escrevera para ele apaixonadas cartas de amor... planejara ir embora com ele?

O que acontecera? Rosemary nunca mandara a carta, no fim das contas. Que carta teria enviado? O que afinal fora decidido entre ela e o homem desconhecido?

("Leopardo!" Que fantasias extraordinárias as pessoas têm quando estão apaixonadas. Que estúpido! *Leopardo*, ora bolas!)

Quem era esse homem? Amara Rosemary tanto quanto ela o havia amado? Certamente que sim. Rosemary era tão inacreditavelmente amável. E ainda assim, de acordo com a carta, ele havia sugerido "terminar tudo". Isso sugeria... o quê? Cautela? Era evidente que ele dissera que o rompimento seria pelo bem de Rosemary. Que seria apenas o melhor para ela. Sim, mas um homem não diz sempre tais coisas para livrar a cara? Não significaria, na verdade, que o homem, fosse quem fosse, estava farto? Talvez tivesse sido para ele uma mera distração. Talvez ele nunca tivesse realmente se importado. De alguma forma Iris teve a impressão de que o desconhecido estava determinado a romper a relação com Rosemary, no fim das contas.

Mas Rosemary pensava diferente. E enfrentaria as consequências. Rosemary também estava determinada.

Iris estremeceu.

E ela, Iris, não percebera coisa alguma! Sequer havia suspeitado. Havia tomado por certo que Rosemary estava feliz e conformada e que ela e George estavam muito satisfeitos um com o outro. Cega! Fora cega em não notar tal coisa a respeito da própria irmã.

Mas quem era o homem?

Lançou a mente para o passado, pensando, recordando. Sempre houve tantos homens em volta, que admiravam Rosemary, levavam-na para sair, telefonavam. Não houve nenhum em especial. Mas deve ter havido... O resto fora mera camuflagem para aquele, o único, o que importava. Iris franziu o cenho em uma expressão de perplexidade e se pôs a separar com cuidado as recordações.

Dois nomes se sobressaíram. Devia ser, sim, positivamente devia ser um ou outro. Stephen Farraday? Podia ser Stephen Farraday. O que Rosemary teria visto nele? Um jovem afetado e pomposo... e não muito jovem, pensando bem. Claro, as pessoas diziam que ele era brilhante. Um político em ascensão, com um subsecretariado em seu futuro próximo e todo o peso das influentes conexões dos Kidderminsters por trás dele. Um possível futuro primeiro-ministro! Teria sido isso o que lhe dera encanto aos olhos de Rosemary? Será que ela seria capaz de gostar de forma tão desesperada do homem propriamente dito... uma criatura tão fria e retraída? Mas também contavam que a esposa o amava apaixonadamente, que havia contrariado todas as aspirações de sua poderosa família para se casar com ele... um mero joão-ninguém com ambições políticas. Se uma mulher já se sentira daquele jeito por causa dele, outra também poderia. Sim, *devia* ser Stephen Farraday.

Porque, se não fosse Stephen Farraday, só podia ser Anthony Browne.

É verdade que ele havia sido um escravo de Rosemary, constantemente às suas ordens, seu rosto moreno e atraente expressando uma espécie de cômico desespero. Mas aquela devoção não fora aberta demais, declarada de forma livre demais para ser realmente profunda?

E por acaso ele havia desaparecido depois da morte de Rosemary, desde a qual ninguém mais o havia visto de novo.

Ainda que não tão por acaso, na verdade – era um homem que viajava muito. Ele havia contado suas estadas na Argentina, no Canadá, em Uganda e nos Estados Unidos. Iris tinha a ideia de que ele era americano ou canadense, ainda que não tivesse sotaque algum. Não, não era assim tão estranho que não tivessem mais nenhuma notícia dele desde então.

Rosemary é que fora amiga dele. Não havia razão alguma pela qual devesse aparecer para visitá-los. Havia sido amigo de Rosemary. Mas não amante de Rosemary! Não queria que fosse ele o amante de Rosemary. Isso a magoaria, a magoaria terrivelmente.

Desceu os olhos até a carta em sua mão. Ela a amassaria, a jogaria fora, a queimaria...

Foi puro instinto o que a fez parar.

Algum dia poderia ser importante apresentar aquela carta...

Alisou-a, levou-a para baixo consigo e a trancou em seu porta-joias.

Poderia ser importante, algum dia, mostrar por que Rosemary havia tirado a própria vida.

V

– Mais alguma coisa?

A ridícula frase veio, inesperada, à mente de Iris, que retorceu os lábios em um sorriso contrariado. A polida pergunta da balconista parecia representar com exatidão seus próprios processos mentais desgovernados.

Não era exatamente aquilo que ela tentava fazer em sua revisão do passado? Havia repassado a surpreendente descoberta no sótão. E agora vinha "mais alguma coisa?" Qual seria essa outra coisa?

Certo que seria o comportamento de crescente estranheza de George, já de longa data. Pequenas coisas que a haviam intrigado agora se tornavam claras à luz do surpreendente achado da noite passada. Ações e comentários desconexos tomavam seu lugar apropriado no curso dos acontecimentos.

E havia também a reaparição de Anthony Browne. Sim, talvez aquilo devesse vir na sequência, já que acontecera apenas uma semana depois do episódio da carta.

Iris não conseguia recordar suas sensações com exatidão...

Rosemary havia morrido em novembro. No mês de maio seguinte, Iris, sob a asa de Lucilla Drake, debutara na vida social. Fora a jantares e a chás e a bailes sem, contudo, divertir-se. Sentia-se indiferente e insatisfeita. Foi durante uma dança algo tola lá pelo fim de junho que ela ouviu uma voz atrás de si:

– É mesmo Iris Marle, não é?

Ela se virou, corando, para olhar o rosto moreno e inquiridor de Anthony... Tony, que disse:

– Não espero que se lembre de mim, mas...

– Oh, mas eu me lembro. É claro que me lembro – ela interrompeu.

– Esplêndido! Temia que houvesse esquecido de mim. Faz muito tempo desde a última vez em que a vi.

– Eu sei... Desde o aniversário de Rosemary, a fest...

Ela silenciou. As palavras haviam aflorado a seus lábios, alegres e irrefletidas. E então a cor fugira de suas faces, deixando-as pálidas e sem um pingo de sangue. Os lábios tremeram, e os olhos arregalaram-se numa expressão de pavor.

Anthony Browne apressou-se a dizer:

– Lamento muitíssimo. Sou um bruto por fazê-la relembrar...

Iris engoliu em seco e disse:

– Está tudo bem.

(Não desde a noite da festa de aniversário de Rosemary, não desde a noite do suicídio de Rosemary... não pensaria... não *deveria* pensar naquilo!)

– Lamento muitíssimo. Por favor, me desculpe – Anthony Browne repetiu. – Gostaria de dançar comigo?

Ela assentiu. Embora já tivesse prometido aquela dança, flutuara pelo salão nos braços dele. Viu seu parceiro, um rapaz envergonhado e imaturo que parecia nadar no colarinho, olhando em volta para procurá-la. O tipo de companhia, ela pensara com desprezo, que uma debutante tem de suportar. Em nada semelhante a este homem... amigo de Rosemary.

Uma pontada brusca a atravessou. *Amigo de Rosemary*. Aquela carta. Teria sido escrita para este homem com quem ela dançava? Algo na graça suave e felina com que ele bailava emprestava substância ao apelido "Leopardo". Teriam Rosemary e ele...

– Por onde andou esse tempo todo? – ela perguntou, brusca.

Ele a afastou um pouco de si, olhando-a nos olhos. Não sorria mais, e a voz tinha uma certa frieza.

– Andei viajando... a negócios.

– Entendo – ela comentou, sem conseguir se controlar. – E por que voltou?

Ele sorriu e disse, alegre:

– Talvez... para vê-la, Iris Marle.

E de súbito, estreitando-a um pouco mais contra o corpo, ele fez um longo e ousado rodopio por entre os demais dançarinos, um milagre de condução e ritmo. Iris se perguntava por que, no meio de uma sensação que era de prazer quase completo, ainda assim se sentia assustada.

Desde então, Anthony havia se tornado parte definitiva de sua vida. Vira-o pelo menos uma vez por semana.

Encontrara-o no parque, em vários bailes, descobrira-se sentada ao lado dele em jantares.

O único lugar ao qual ele nunca ia era a casa em Elvaston Square. Levou algum tempo até ela notar, tão hábil ele fora em se evadir ou recusar os convites para uma visita. Quando percebeu, começou a se perguntar por quê. Seria porque ele e Rosemary...

E um dia, para seu assombro, George, o despreocupado George, que pouco era de interferir em sua vida, veio falar com ela:

– Quem é este camarada, Anthony Browne, com quem você tem sido vista? O que sabe sobre ele?

Ela o encarou:

– O que sei sobre ele? Por quê? Ele era amigo de Rosemary!

O rosto de George se contraiu. Ele piscou e disse, com uma voz triste e pesada:

– Sim, é claro que era.

Ela se lamentou, cheia de remorso:

– Desculpe. Não devia ter-lhe lembrado dela.

George sacudiu a cabeça e falou, com gentileza:

– Não, não, eu não quero esquecê-la. Isso nunca. No fim das contas – completou, desajeitado, afastando o olhar –, é isso o que o nome dela significa. Rosemary... Rosmaninho... Recordação.

Olhou-a firme:

– Não quero que você se esqueça de sua irmã, Iris.

– Eu nunca poderia – ela respondeu, com a respiração suspensa.

George prosseguiu:

– Mas a respeito desse rapaz, Anthony Browne. Rosemary podia gostar daquele homem, mas não creio que soubesse muito a respeito dele. Veja, é preciso ter cuidado, Iris. Você é uma jovem muito rica.

Foi tomada por uma espécie de ira ardente:

– Tony... Anthony... tem muito dinheiro. Ora, ele fica no Claridge quando está em Londres.

– Eminentemente respeitável... bem como dispendioso. De qualquer forma, minha querida, ninguém parece saber muito sobre esse camarada.

– Ele é americano.

– Talvez. Se é assim, estranho que não tenha amparo maior de sua embaixada. E ele não vem muito a esta casa, vem?

– Não. E posso entender por que, se você o julga de modo tão terrível.

George sacudiu a cabeça.

– Parece que atropelei as coisas. Oh, bem, Apenas queria dar-lhe um conselho oportuno. Vou ter uma palavra com Lucilla.

– Lucilla! – disse Iris com escárnio.

George emendou, ansioso:

– Está tudo certo? Quero dizer, Lucilla providencia para que você tenha o que precisa? Festas... esse tipo de coisa?

– Sim. Para falar a verdade, ela trabalha como um castor.

– Porque se não for assim, você só precisa falar, criança. Poderíamos arranjar outra pessoa. Alguém mais jovem e mais... atualizado. Quero que você se divirta.

– Eu me divirto, George, mesmo.

Ele disse de modo um tanto sombrio:

– Então está tudo certo. Não sou muito hábil para esse tipo de coisa... Nunca fui. Mas quero que tenha tudo o que desejar. Não há necessidade de medir despesas.

Aquele era o George de sempre: gentil, inábil e desajeitado.

Para cumprir sua promessa, ou sua ameaça, ele "tivera uma palavra" com a sra. Drake sobre Anthony Browne, mas quis o destino que o momento não fosse o mais apropriado para ganhar a atenção integral de Lucilla.

Ela havia recebido um telegrama daquele filho inútil que era a sua razão de viver e que sabia muito bem como chantagear seu coração maternal para obter vantagens financeiras.

Pode me mandar duzentas libras. Desesperado. Vida ou morte. Victor.

– Victor é tão honrado. Sabe o quanto minha situação é difícil e nunca apela para mim exceto em último caso. Nunca. Sempre tenho medo de que se mate.

– Ele? Não – disse George, insensível.

– Você não o conhece. Sou a mãe dele e naturalmente sei muito bem como é meu próprio filho. Nunca me perdoaria se não fizesse o que me pede. Poderia conseguir o dinheiro vendendo aquelas ações.

George suspirou.

– Escute, Lucilla. Vou mandar um telegrama solicitando informações completas de um dos meus correspondentes no estrangeiro. Vamos descobrir exatamente em que tipo de encrenca Victor se meteu. Mas meu conselho é que você o deixe arcar com as consequências do que aprontou. Senão, ele nunca vai se emendar.

– Você é tão rígido, George. O pobre menino foi sempre tão azarado...

Naquele ponto, George reprimiu suas opiniões. Não havia nada de bom em discutir com as mulheres. Simplesmente disse:

– Vou pedir a Ruth para tratar disso de uma vez. Amanhã já devemos ter notícias.

Lucilla se acalmou, em parte.

As duzentas libras foram eventualmente abatidas para cinquenta, quantia que Lucilla insistiu, firme, em mandar.

George, Iris sabia, providenciara ele mesmo o dinheiro, embora mentisse para Lucilla que vendera as ações. Iris o admirava pela sua generosidade e, quando disse isso a ele, a resposta foi simples:

– Da maneira que vejo as coisas, sempre haverá uma ovelha negra na família, alguém a quem sustentar. E alguém vai ter de pagar a conta por Victor até que ele morra.

– Mas não precisa ser você. Ele não é da *sua* família.

– A família de Rosemary é a *minha* família.

– Você é um doce, George. Mas não poderia ser *eu*? Está sempre me dizendo que eu sou riquíssima.

Ele fez uma careta.

– Você não pode fazer nada do gênero até que tenha 21, menina. E se for esperta, quando tiver não o fará. Mas darei um conselho. Quando um camarada manda um telegrama dizendo que estará morto a menos que consiga duzentas libras, normalmente você descobre que cinquenta libras serão mais do que suficientes. Ouso dizer que uma nota de dez já seria! Não se pode impedir uma mãe de dar o dinheiro, mas pode-se reduzir a quantia... lembre-se disso. Claro que Victor nunca faria nada de prejudicial a si mesmo, ele não! Esses tipos que ameaçam se suicidar nunca o fazem.

Nunca? Iris pensou em Rosemary para logo afastar o pensamento. George não tinha em mente Rosemary, e sim um rapaz mentiroso e sem escrúpulos no Rio de Janeiro.

A vantagem colateral obtida por Iris foi que aquelas preocupações maternais de Lucilla impediram-na de prestar completa atenção à sua amizade com Anthony Browne.

E então... houve "mais alguma coisa". A mudança em George! Iris não poderia ignorá-la por muito mais tempo. Quando havia começado? Qual a causa?

Mesmo agora, pensando em retrospectiva, não conseguia apontar em definitivo quando começara. Desde a morte de Rosemary, George já vinha distraído, predisposto a momentos de desatenção e alheamento. Parecia mais velho e pesado, o que era bastante natural. Mas quando exatamente sua distração se tornara algo mais?

Fora depois do embate que tiveram a respeito de Anthony Browne, pensou Iris, que notara pela primeira vez os olhos dele fixos nela, a fitá-la de um jeito preocupado e perplexo. Depois, desenvolvera o hábito novo de chegar em casa cedo do trabalho e trancar-se em seu escritório. Não parecia que fizesse coisa alguma lá. Ela havia entrado no aposento uma vez e o encontrara sentado em sua escrivaninha, mirando em frente com o olhar perdido. Quando ela entrou, ele voltou-se com olhos apáticos e sem brilho. Comportava-se como um homem que sofrera um choque, mas respondeu brevemente à pergunta que ela lhe fez sobre o que estava acontecendo: "nada".

À medida que os dias passavam, ele circulava com o olhar ansioso de alguém que tinha na cabeça uma aflição bem definida. Ninguém prestara muita atenção. Iris certamente não prestara. As preocupações de George eram sempre, muito convenientemente, "negócios".

Então, a intervalos casuais e sem nenhuma razão aparente, ele começou a fazer perguntas. Foi só aí que ela começou a qualificar as atitudes dele como definitivamente "esquisitas".

– Diga-me, Iris, Rosemary falava bastante com você?

Iris fixou os olhos nele.

– Ora, é claro, George. Ao menos... bem, a respeito do quê?

– Oh, dos assuntos dela... amigos... como as coisas estavam indo. Mesmo se era feliz ou infeliz. Esse tipo de coisa.

Iris pensou que sabia o que havia por trás daquela pergunta. Ele devia estar a par do caso de amor infeliz de Rosemary. Respondeu bem devagar:

– Nunca falou muito. Quer dizer... estava sempre ocupada... fazendo alguma coisa.

– E você era só uma criança, é claro. Sim, eu sei. De qualquer forma, achei que ela pudesse ter dito algo.

Olhou-a, inquisitivo – quase como um cachorro cheio de esperança.

Ela não queria magoar George. E, no fim das contas, Rosemary nunca *dissera* qualquer coisa. Negou com um aceno de cabeça. George suspirou e disse, pesaroso:

– Bem, não importa.

Em outra ocasião, ele perguntara, de súbito, quem haviam sido as melhores amigas de Rosemary.

Iris refletiu por um instante antes de responder:

– Gloria King. A sra. Atwell... Maisie Atwell. Jean Raymond.

– O quão íntimas elas eram?

– Bem, não sei com exatidão.

– Refiro-me a se você acha que ela poderia confiar em alguma delas.

– Realmente não sei... Não creio que seja muito provável... De que tipo de confiança está falando?

De imediato desejou não ter feito a última pergunta, mas a resposta de George a surpreendeu.

– Rosemary alguma vez comentou ter medo de alguém?

– Medo? – Iris o encarou.

– O que estou tentando saber é se Rosemary tinha alguma inimizade.

– Com outras mulheres?

– Não, não, não desse tipo. Inimizades reais. Havia alguém, que você saiba, que pudesse... ter algo contra ela?

O olhar arregalado e fixo de Iris pareceu preocupá-lo. Ele corou e disse, em um murmúrio:

– Soa idiota, eu sei, melodramático. Mas estava só pensando...

Poucos dias depois daquilo, ele começou a fazer perguntas sobre os Farraday. Rosemary costumava vê-los com que frequência?

Iris ficou em dúvida.

– Realmente não sei, George.

– Ela alguma vez falou deles com você?

– Não, acho que não.

– Ainda assim, eram íntimos?

– Rosemary andava muito interessada em política.

– Sim. Depois que conheceu os Farraday na Suíça. Nunca ligou a mínima para o assunto antes disso.

– Não. Acho que Stephen Farraday despertou seu interesse. Ele costumava emprestar a ela panfletos e coisas do gênero.

George disse:

– E o que Sandra Farraday achava disso?

– Disso o quê?

– De seu marido emprestar panfletos a Rosemary?

Iris sentiu-se desconfortável ao responder:

– Não sei.

George prosseguiu:

– Ela é uma mulher muito reservada. Parece fria como gelo. Mas dizem que é louca por Farraday. Do tipo que poderia levar a mal a amizade dele com outra mulher.

– Talvez.

– Rosemary se dava bem com a esposa de Farraday?

Iris disse, devagar:

– Não creio que se dessem bem. Rosemary ria de Sandra. Dizia que ela parecia uma dessas esposas de político, empalhadas como cavalo de balanço.

(Sandra parece mesmo com um cavalo, você sabe.) Costumava dizer que "se alguém a furasse, a serragem se esvairia".

George grunhiu, e depois disse:

– Ainda vê Anthony Browne com frequência?

– Bastante – a voz de Iris tornou-se fria, mas George não repetiu suas advertências. Em vez disso, parecia interessado.

– Ele já perambulou por aí um bocado, não? Deve ter tido uma vida interessante. Conta algo a você sobre isso?

– Não muito. Ele já viajou bastante, é claro.

– Negócios, eu suponho.

– Também suponho.

– Em que ele trabalha?

– Não sei.

– Algo a ver com armamentos, não?

– Nunca me disse.

– Bem, não precisa contar que eu perguntei. Só estava pensando. Ele andava muito por aí no último outono em companhia de Dewsbury, diretor da United Arms Ltda... Rosemary via bastante Anthony Browne, não?

– Sim... Sim, via.

– Mas não o conhecia há muito tempo... Era mais um conhecido casual, não? Costumava levá-la para dançar?

– Sim.

– Fiquei bastante surpreso, você sabe, que ela o quisesse presente em sua festa de aniversário. Não imaginava que ela o conhecesse tão bem.

Iris disse com tranquilidade:

– Ele dança muito bem...

– Sim. Sim, é claro...

Sem que o desejasse, Iris deixou que uma imagem involuntária daquela noite cruzasse sua mente.

A mesa circular no Luxembourg, as luzes baças, as flores. O grupo de baile, com seu ritmo insistente. As sete pessoas ao redor da mesa: ela, Anthony Browne, Rosemary, Stephen Farraday, Ruth Lessing, George e, à direita deste, a mulher de Stephen Farraday, lady Alexandra Farraday*, com seu cabelo liso e descorado, suas narinas levemente arqueadas e a voz límpida e arrogante. Que festa alegre havia sido. Ou não havia?

E no centro de tudo, Rosemary... *Não, não, melhor não pensar nisso.* Melhor lembrar apenas dela sentada próxima a Tony – ali fora onde o conhecera de fato. Antes daquilo ele havia sido apenas um nome, uma sombra no

* A pronúncia inglesa de Alexandra é Aleksandra, razão pela qual a personagem às vezes tem seu nome abreviado para "Sandra" Farraday. (N.T.)

saguão, um vulto de costas descendo as escadas em companhia de Rosemary até um táxi à espera na frente da casa.

Tony...

Voltou a si sobressaltada. George estava repetindo uma pergunta que fizera.

– Estranho ele haver partido logo depois daquilo. Sabe para onde ele foi?

Ela respondeu vagamente:

– Oh, Ceilão, eu acho. Ou Índia.

– Ele não mencionou a viagem naquela noite.

Iris retrucou, ríspida:

– E por que deveria? E temos mesmo que falar... daquela noite?

A face de George tingiu-se de vermelho.

– Não, não, é claro que não. Desculpe, é assunto velho. A propósito, convide Browne para jantar aqui uma noite dessas. Gostaria de vê-lo outra vez.

Iris estava encantada. George estava mudando de ideia. O convite foi apropriadamente transmitido e aceito, mas, na última hora, Anthony teve que viajar para o Norte a trabalho e não pôde comparecer.

Um dia, no fim de julho, George surpreendeu tanto Lucilla quanto Iris ao anunciar que havia comprado uma casa no campo.

– Comprou uma casa? – Iris estava incrédula. – Mas pensei que fôssemos alugar aquela residência em Goring por dois meses.

– É melhor ter um lugar só nosso, não? Pode-se ir passar os fins de semana durante o ano todo.

– E onde é? Perto do rio?

– Não exatamente. Na verdade, não. É em Sussex: Marlingham. É chamada Little Priors. Terreno de doze acres e uma casa pequena em estilo georgiano.

– Quer dizer que a comprou sem que sequer a tivéssemos visto?

– Foi um grande acaso. A casa foi posta à venda, agarrei a chance imediatamente.

A sra. Drake interveio:

– Suponho que será necessário reformar e redecorar bastante.

– Oh, quanto a isso não há problema. Ruth já cuidou de tudo – respondeu George em tom casual.

Elas receberam em respeitoso silêncio a menção a Ruth Lessing, a competente secretária de George. Ruth era uma instituição – praticamente parte da família. Atraente, de uma maneira cinzenta e severa, era a imagem da eficiência combinada com tato.

Quando Rosemary estava viva, era comum ouvi-la dizer: "Vamos deixar Ruth tomar conta disso. Ela é maravilhosa. Oh, deixe isso com Ruth."

Qualquer dificuldade podia sempre ser vencida pelas mãos hábeis da srta. Lessing. Sorridente, agradável, reservada, era capaz de superar qualquer obstáculo. Dirigia o escritório de George e, suspeitava-se, também o próprio George, que lhe era devotado e confiava absolutamente em seu julgamento. Ela parecia não ter necessidades ou desejos próprios.

Apesar disso, naquela ocasião Lucilla Drake ficou contrariada.

– Meu querido George, por mais competente que Ruth de fato seja, bem, quero dizer... as mulheres de uma família gostam de definir a combinação de cores de sua própria sala de visitas! Iris deveria ter sido consultada. Nem falo por mim, *eu* não conto. Mas é desagradável para Iris.

George pareceu ter um peso na consciência:

– Eu queria que fosse uma surpresa!

Lucilla teve de sorrir.

– Você é mesmo uma criança, George.

Iris disse:

– Não me importo com as cores. Estou certa de que Ruth fez a escolha perfeita. Ela é tão hábil... E o que vamos fazer por lá? Suponho que haja uma quadra de tênis.

– Sim, e campos de golfe a seis milhas, e fica a apenas quatorze milhas da costa. E além do mais teremos vizinhos. Penso que é sábio ir sempre a algum lugar do mundo onde você já conheça alguém.

– Que vizinhos? – perguntou Iris, de modo abrupto.

George não olhou em seus olhos enquanto respondia:

– Os Farraday. Eles moram a aproximadamente uma milha e meia, do outro lado do parque.

Iris o encarou. Em um instante, foi tomada pela convicção de que todo aquele elaborado empreendimento, comprar e mobiliar uma casa de campo, havia sido realizado com um único objetivo: dar a George a oportunidade de ter um relacionamento próximo com Stephen e Sandra Farraday. Vizinhas no campo, com propriedades adjacentes, as duas famílias com certeza se tornariam íntimas. Ou isso ou se tratariam com deliberada frieza!

Mas por quê? Por que aquela cantilena persistente sobre os Farraday? E por que usar deste método dispendioso para atingir um objetivo incompreensível?

Será que George suspeitava que Rosemary e Stephen Farraday haviam sido mais do que amigos? Seria uma estranha manifestação de ciúme post-mortem? Era, com certeza, um pensamento por demais esdrúxulo para ser posto em palavras.

Mas então *o que* George queria com os Farraday? Qual a razão para todas aquelas perguntas casuais com as quais vinha bombardeando Iris? Não havia alguma coisa esquisita se passando com George ultimamente?

A aparência estranha e aturdida que ele assumia à noite! Lucilla atribuía àquilo a um copo a mais de vinho do Porto... Bem Lucilla!

Não, havia sim algo esquisito acontecendo com George. Parecia agir com um misto de excitação intercalada com grandes espaços de completa apatia, como se afundasse em um coma.

A maior parte daquele agosto foi passada no campo, em Little Priors. Que casa horrível! Iris estremeceu. Ela a odiava. Um edifício gracioso e bem construído, mobiliado e decorado com harmonia (Ruth Lessing não falhava nunca!). E, curiosamente, *vazio*, de um jeito assustador. Eles não viviam ali, *ocupavam* o lugar. Como soldados, em uma guerra, ocupam postos de vigia.

O que tornava tudo tão horrível era a aparência de uma temporada de verão perfeitamente normal. Visitas nos fins de semana, partidas de tênis, jantares informais com os Farradays. Sandra Farraday os havia tratado de modo encantador... as maneiras perfeitas devidas a vizinhos que já eram amigos. Ela os apresentou à região, deu conselhos a George e Iris sobre cavalos e teve para com Lucilla o comportamento deferente que uma mulher mais velha merece.

E por trás da máscara de sua face pálida e sorridente ninguém podia saber o que ela estava pensando. Uma verdadeira esfinge.

Stephen eles viram menos. Era muito ocupado, ausentava-se com frequência por causa de seus assuntos políticos. Para Iris, parecia claro que ele deliberadamente evitava encontrar os moradores de Little Priors mais do que o necessário.

E então agosto se foi, e também setembro, e ficou decidido que em outubro eles voltariam para a residência de Londres. Iris soltou um profundo suspiro de alívio. Talvez, no momento em que estivessem de volta, George retornasse a seu normal.

E então, na noite passada, ela foi acordada por uma batida leve em sua porta. Acendeu a lâmpada e olhou para o relógio. Era recém uma da manhã. Havia ido para a cama às dez e meia, e pareceu-lhe que era bem mais tarde. Enfiou-se em um roupão e foi até a porta. De algum modo, achou aquilo mais natural do que simplesmente gritar "entre".

George estava parado do lado de fora. Ele ainda não havia ido dormir e estava com as mesmas roupas de ontem. Sua respiração vinha entrecortada, e o rosto tinha uma curiosa coloração azulada. Ele disse:

– Venha até meu gabinete, Iris. Preciso falar com você. Preciso falar com alguém.

Surpresa, ainda pasma de sono, ela obedeceu.

Uma vez dentro do estúdio, ele trancou a porta e mandou-a sentar-se na cadeira em frente à escrivaninha. Estendeu para ela uma cigarreira, ao mesmo tempo em que pegava um cigarro e o acendia, depois de algumas tentativas, com a mão trêmula.

– Há alguma coisa errada, George? – disse Iris.

Estava realmente alarmada, agora. Ele tinha um aspecto horrível.

George falou, ofegante, como um homem que estivera correndo.

– Não posso continuar com isso sozinho. Não aguento mais. Precisa me dizer o que acha... se é verdade... se é possível...

– Mas do que você está falando, George?

– Você deve ter notado algo, visto algo. Deve ter havido alguma coisa que ela *disse*. Deve ter havido uma *razão*...

Ela o encarou. Ele passou a mão sobre a testa.

– Você não compreende o que estou falando, posso ver. Não me olhe assim tão assustada, menina. Precisa me ajudar. Precisa se lembrar de qualquer maldito detalhe que puder. Agora, agora, eu sei que estou soando um tanto incoerente, mas você vai entender em um minuto... quando eu lhe mostrar as cartas.

Ele destrancou uma das gavetas da escrivaninha e retirou duas folhas de papel.

Eram de uma cor azul inócua, com palavras datilografadas em pequenas e cuidadosas letras de imprensa.

– Leia – disse George.

Iris baixou os olhos para o papel. O que leu ali era bastante claro e sem rodeios:

Você pensa que sua esposa cometeu suicídio. não cometeu. ela foi assassinada.

A segunda carta dizia:

Sua esposa rosemary não se matou. ela foi assassinada.

Enquanto Iris continuava olhando fixamente para as palavras no papel, George prosseguiu.

– Chegaram há cerca de três meses. De início pensei que fosse um trote – algum tipo de brincadeira nojenta e cruel. Então comecei a pensar. *Por que* Rosemary se mataria?

Iris disse, em uma voz mecânica:

– Gripe seguida de depressão.

– Sim, mas quando você realmente pensa a respeito, é uma grande bobagem, não é? Digo, um monte de gente tem gripe e se sente um pouco deprimida em consequência disso... Mas e daí?

Iris respondeu, com esforço:

– Ela poderia estar... infeliz?

– Sim, suponho que poderia – George ponderou, com calma. – Mas, ao mesmo tempo, não consigo imaginar Rosemary pondo um fim à própria vida porque estivesse infeliz. Poderia ameaçar, mas não acho que ela realmente iria tão longe.

– Mas ela *foi*, George! Que outra explicação pode haver? Ora, o veneno estava na bolsa dela.

– Eu sei. Tudo parece se encaixar. Mas desde que recebi isto – ele bateu de leve na carta anônima com a ponta do dedo – tenho revirado o assunto em minha mente. E quanto mais penso a respeito mais tenho certeza de que há alguma coisa suspeita. Foi por isso que lhe fiz todas aquelas perguntas: se Rosemary tinha inimigos, se alguma coisa que ela disse pode ter soado como se estivesse com medo de alguém. Quem quer que a tenha matado deve ter tido um *motivo.*

– George, você está louco...

– Algumas vezes acho que estou. Outras, sei que estou na pista certa. Mas preciso saber. Preciso descobrir. Você tem de me ajudar, Iris. Precisa pensar. Precisa recordar. É isso: recordar. Volte até aquela noite várias vezes. Porque você entende, não é, que, se ela foi assassinada, *deve ter sido por alguém que estava à mesa naquela noite*? Compreende isso?

Sim, ela compreendera. Não havia como afastar por muito mais tempo a recordação daquela cena. Precisava se lembrar de tudo. A música, o toque dos tambores, as luzes baças, a apresentação, as luzes acesas outra vez e Rosemary estendida sobre a mesa, a face azul e convulsa.

Iris estremeceu... Agora estava assustada... Terrivelmente assustada.

Ela precisava pensar... voltar ao passado... recordar.

Rosemary é o mesmo que recordação.

Não podia mais haver esquecimento.

CAPÍTULO 2

Ruth Lessing

Ruth Lessing, em um momento de tranquilidade em sua rotina atarefada, estava recordando a esposa de seu patrão, Rosemary Barton.

Antipatizara um bocado com Rosemary, mas só percebera o quanto naquela manhã de novembro em que falara pela primeira vez com Victor Drake.

O encontro com Victor havia sido o começo de tudo, havia posto a engrenagem inteira em movimento. Antes disso, as coisas que ela sentira e pensara haviam se depositado tão fundo em sua consciência que não havia realmente tomado conhecimento delas.

Era dedicada a George Barton. Sempre fora. Desde que viera trabalhar com ele, ainda uma jovem fria e competente de 23 anos, percebera que George precisava de alguém que cuidasse dele. E ela cuidara. Poupara-lhe tempo, dinheiro e preocupações. Escolhera seus amigos e dirigira sua atenção para as distrações mais adequadas. Impedira-o de embarcar em aventuras empresariais imprudentes e encorajara-o a correr riscos calculados em algumas ocasiões. Nunca, nenhuma vez, em sua longa parceria de trabalho, George suspeitara dela como outra coisa que não subserviente, atenta e inteiramente dedicada. Ele também se comprazia com sua aparência: os cabelos pretos bem penteados, sempre limpos e brilhantes; as blusas modernas e elegantes, feitas sob medida; os pequenos brincos de pérola nas orelhas bem desenhadas; o rosto pálido maquiado com discrição e a bem delineada linha rósea de batom em seus lábios.

Ruth, ele sentia, era absolutamente correta.

Também aprovava as suas maneiras impessoais e distintas, a completa ausência de sentimentos ou familiaridade. Em consequência disso, contava-lhe muitas coisas sobre sua vida privada, coisas que ela ouvia com atenção e para as quais sempre tinha uma palavra útil de aconselhamento.

Ela não tivera nada a ver, contudo, com o casamento dele – e não o aprovara. Entretanto, aceitara-o e prestara uma ajuda inestimável nos preparativos para a cerimônia, poupando à sra. Marle bastante trabalho.

Por algum tempo depois do casamento, Ruth mantivera um relacionamento um pouco menos confidente com seu patrão. Restringira-se estritamente aos assuntos do escritório – os quais George deixava em boa parte nas mãos delas.

Ainda assim, tal era sua eficiência que Rosemary logo descobriria que a srta. Lessing, a secretária de George, era uma ajuda preciosa para todo tipo de coisas. A srta. Lessing sempre agradável, sorridente e educada.

George, Rosemary e Iris tratavam-na por Ruth, e ela ia almoçar com frequência em Elvaston Square. Estava agora com 29 anos e mantinha a mesma aparência dos 23.

Sem que uma única palavra de intimidade fosse trocada entre eles, sempre estivera perfeitamente a par das mais leves reações emocionais de George. Soubera quando o entusiasmo inicial de sua vida conjugal tornara-se um contentamento enlevado. Percebera quando aquele contentamento dera lugar a algo que não era fácil definir. Uma certa desatenção para os detalhes de que ele dera mostras naquela época fora corrigida pela previdência dela.

Não importava o quanto George estivesse distraído, Ruth Lessing nunca demonstrava notar. Ele era grato a ela por isso.

Em uma manhã de novembro, ele falara-lhe a respeito de Victor Drake.

– Preciso que me faça um trabalho deveras desagradável, Ruth.

Ela lançou-lhe um olhar inquisitivo. Não havia necessidade de dizer-lhe que certamente faria o que ele pedisse. Estava implícito.

– Toda família tem uma ovelha negra – disse George.

Ela sacudiu a cabeça, compreensiva.

– Neste caso é um primo de minha esposa... Um perfeito cafajeste. Praticamente arruinou a própria mãe – uma alma tola e sentimental que já vendeu a maior parte das parcas ações que possuía em favor dele. Começou falsificando um cheque em Oxford... Conseguiram abafar o caso, e desde então ele tem navegado pelo mundo sem dar certo em parte alguma.

Ruth ouvia sem muito interesse. O tipo lhe era familiar: começam a cultivar laranjas, passam para um aviário, embarcam para as fazendas da Austrália, arranjam emprego em frigoríficos na Nova Zelândia. Nunca fazem nada direito, nunca ficam muito tempo em um lugar e invariavelmente torram todo o dinheiro que tiver sido investido em seu benefício. Nunca havia se interessado por gente assim. Ela preferia o sucesso.

– Ele agora deu as caras em Londres, e descobri que tem incomodado minha esposa. Ela não põe os olhos nele desde que era estudante, mas é o típico escroque mentiroso e tem-lhe escrito pedindo dinheiro. Não vou tolerar isso. Marquei um encontro com ele para meio-dia em ponto no hotel em que está hospedado. Quero que você trate do assunto para mim. A verdade é que não quero entrar em contato com esse camarada. Nunca o encontrei nem desejo, nem quero que Rosemary o veja. Penso que a coisa toda pode ser mantida como algo absolutamente prático se for negociada por meio de uma terceira pessoa.

– Sim, sempre é um bom plano. Qual o acordo a ser feito?

– Cem libras em dinheiro e uma passagem para Buenos Aires. O dinheiro será entregue somente a bordo do navio.

Ruth sorriu.

– Compreendo. O senhor quer ter certeza de que ele realmente embarcou!

– Vejo que me entende.

– Não é um caso incomum – ela disse, com indiferença.

– Não, há exemplos de sobra – ele hesitou. – Tem certeza de que não se incomoda em fazer isso?

– Claro que não – ela riu. – Posso assegurar que estou perfeitamente capacitada para tratar do assunto.

– Você está capacitada para qualquer coisa.

– E que tal já agendar a passagem? Qual o nome dele, a propósito?

– Victor Drake. O bilhete está aqui. Telefonei ontem mesmo para a companhia de navegação. É para o vapor *San Cristobal*, que parte de Tilbury amanhã.

Ruth tomou a passagem, examinou-a para ter certeza de que estava tudo em ordem e a colocou na bolsa.

– Combinado. Irei ao encontro. Meio-dia em que endereço?

– Hotel Rupert, ao lado da Russell Square.

Ela tomou nota.

– Ruth, minha querida, não sei o que faria sem você... – pôs a mão sobre o ombro dela afetuosamente; era a primeira vez que fazia tal coisa. – Você é meu braço direito, minha outra metade.

Ela enrubesceu, enlevada.

– Nunca pude dizer-lhe tais coisas... Acostumei-me como se tudo o que faz fosse banal... mas não é. Não sabe o quanto dependo de você para tudo... – ele repetiu: – Tudo. Você é a garota mais gentil, amável e prestativa deste mundo!

Ruth respondeu sorrindo para esconder o prazer e o embaraço:

– O senhor vai me estragar dizendo coisas tão gentis.

– Oh, mas sou sincero. Você é parte da firma, Ruth. Seria impensável uma vida sem você.

Ela saiu sentindo o calor ardente das palavras dele, calor que ainda estava com ela quando chegou ao Hotel Rupert para desincumbir-se de sua missão.

Ruth não sentia nenhum embaraço na tarefa que a aguardava. Era bastante confiante em sua própria capacidade para lidar com qualquer situação. Pessoas e histórias desafortunadas nunca a comoviam. Estava preparada para encarar Victor Drake como o fazia com tudo o mais em seu dia de trabalho.

Ele era quase igual ao que ela havia imaginado, embora mais atraente. Ela não havia se equivocado ao adivinhar-lhe o caráter. Não havia muita coisa boa em Victor Drake. A personalidade mais desapiedada e calculista que poderia existir, bem encoberta atrás de um ar maroto e agradável. Mas Ruth não estava preparada para a capacidade que ele tinha de ler a alma dos outros, ou para o desembaraço experimentado com que brincava com as emoções alheias. Talvez tivesse superestimado, também, sua própria resistência ao charme dele. Porque, sim, ele tinha charme.

Victor saudou-a com um ar de deliciada surpresa:

– A emissária de George? Mas que maravilha. E que surpresa!

Em um tom ainda seco, ela expôs os termos de George. Victor concordou com tudo da maneira mais amigável.

– Cem libras? Nada mal. Pobre e velho George, eu teria me contentado com sessenta... mas não conte a ele! Condições: "Não perturbe a amável prima Rosemary..." "Não contamine a inocente prima Iris..." "Não embarace o valoroso primo George." De acordo! Quem irá me ver partir no *San Cristobal*? Você, minha cara srta. Lessing? Que encantador! – Victor fez uma careta, e seus olhos negros cintilaram com simpatia. Tinha um rosto magro e moreno, havia nele um certo ar de toureiro... que pensamento romântico! Era atraente para as mulheres e sabia disso.

– Trabalha para Barton já há algum tempo, não é mesmo, srta. Lessing?

– Seis anos.

– E ele não saberia o que fazer sem você. Oh, sim, sei tudo a respeito disso. E sei tudo a seu respeito, srta. Lessing.

– Como sabe? – perguntou Ruth, ríspida.

Victor sorriu, malicioso:

– Rosemary me contou.

– Rosemary? Mas...

– Tudo bem. Não pretendo perturbar mais Rosemary. Ela já foi muito gentil comigo... bastante simpática. Arranquei cem libras dela, na verdade.

– O senhor...

Ruth se calou, e Victor riu, um riso tão contagioso que ela se viu sorrindo também.

– Isso foi muito ruim de sua parte, sr. Drake.

– Sou um parasita muito talentoso. Com uma técnica de elevado acabamento. Minha mãe, por exemplo, sempre virá em meu socorro se eu enviar um bilhete com a sugestão de um suicídio iminente.

– Deveria se envergonhar.

– Eu desaprovo profundamente minha própria conduta. Sou um mau tipo, srta. Lessing. E gostaria que soubesse o *quão* mau.

– Por quê? – ela perguntou, curiosa.

– Não sei. A senhorita é diferente. Eu não poderia aplicar a técnica habitual. Está claro nos seus olhos que não cairia nela. Não, um papo de "mais malfadado do que malfeitor, pobre de mim" não me valeria de nada, porque não há piedade na senhorita.

A face dela se tornou rígida.

– Eu desprezo a piedade.

– Apesar de seu nome? Ruth é seu nome, não é? Que pungente. Ruth, a Rude.*

– Não tenho simpatia pelos fracos – ela disse.

– Quem disse que sou um fraco? Não, não, está errada nesse ponto, minha cara. Perverso, talvez. Mas há uma coisa que deve ser dita a meu respeito.

Os lábios dela se retorceram de leve. Aí vinha a inevitável desculpa:

– E o que é?

– Eu me divirto. Sim – ele disse, com um meneio de cabeça –, eu me divirto imensamente. Já vivi uma boa vida, Ruth, e já fiz de quase tudo. Fui ator, lojista, garçom, biscateiro, carregador e contrarregra em um circo! Já viajei como grumete em um cargueiro a vapor. Já concorri a presidente em uma república sul-americana. E já estive na prisão! Há só duas coisas que eu nunca fiz na vida: um dia de trabalho honesto e pagar minhas próprias contas.

Olhou-a, rindo. Ela sabia que devia se sentir revoltada, mas a força de Victor Drake era a força do demônio, poderia fazer o mal parecer divertido, e a olhava com uma expressão incrivelmente penetrante.

– Não precisa me olhar assim tão convencida, Ruth! Você não tem tantos preceitos morais quanto pensa! Seu fetiche é o sucesso. É o tipo de garota que acaba se casando com o patrão. Isso é o que você deveria ter feito com George. Ele não deveria ter se casado com Rosemary, aquela pequena imbecil, e sim com *você*. Teria sido muito, mas muito melhor para ele.

– Considero o que está dizendo um grande insulto.

– Rosemary é uma maldita tola, sempre foi. Amável como o paraíso e estúpida como um coelho. É o tipo de garota pela qual os homens se encantam mas à qual nunca se apegam por muito tempo. Agora você... você é diferente. Meu Deus, um homem que se apaixonasse por você não se cansaria nunca.

Ele havia atingido o ponto vulnerável. Ela disse com uma sinceridade crua e súbita:

– Mas ele não se apaixonou por mim!

– Refere-se a George, não? Não se engane, Ruth. Se alguma coisa acontecesse a Rosemary, George se casaria com você rápido como um raio.

---

* No original, "Ruth the Ruthless", um trocadilho com o nome da personagem, "Ruth", que também carrega o significado de compaixão, e "Ruthless": "impiedoso", "cruel", "insensível". (N.T.)

(Sim, fora isso. Aquilo fora o começo de tudo.)

Victor prosseguiu, observando-a:

– Mas você sabe disso tão bem quanto eu.

(A mão de George na dela, a voz afetuosa, cálida... sim, era verdade, seguramente... Ele se dirigira a ela, dependia dela...)

Victor disse, gentil:

– Devia ter mais confiança em você, minha querida... Poderia fazer de George gato e sapato. Rosemary é só uma tolinha simplória.

"É verdade", Ruth pensou. "Se não fosse por Rosemary, eu poderia ter feito George me pedir em casamento. Eu seria boa para ele. Cuidaria bem dele."

Sentiu uma raiva cega e súbita, o emergir de um ressentimento passional.

Victor Drake a observava com grande divertimento. Gostava de pôr ideias nas cabeças das pessoas. Ou, como neste caso, mostrar-lhes as ideias que já estavam lá.

Sim, fora como tudo começara... aquele encontro casual com um homem que estava de partida para o outro lado do mundo no dia seguinte. A Ruth que voltara ao escritório não era a mesma que dali havia saído, embora ninguém pudesse notar nada de diferente em suas maneiras ou em sua aparência.

Logo depois de seu retorno, Rosemary telefonara.

– O sr. Barton acaba de sair para o almoço. Posso fazer alguma coisa pela senhora?

– Oh, Ruth, poderia me ajudar? Aquele enfadonho coronel Race mandou um telegrama dizendo que não estará de volta a tempo para minha festa. Pergunte a George quem ele gostaria de convidar em substituição. Temos de ter outro cavalheiro. Há quatro mulheres... Iris estará lá, e Sandra Farraday e... quem diabos é a outra? Não consigo me lembrar.

– Creio que eu sou a quarta. A senhora muito gentilmente havia me convidado.

– Oh, é claro. Havia esquecido de você por completo!

O riso de Rosemary veio pelo telefone leve e sibilante. Ela não podia ver o súbito rubor e a rígida linha formada pela mandíbula de Ruth.

Fora convidada para a festa de Rosemary como um favor... uma concessão para George! "Oh, sim, teremos também a sua Ruth Lessing. Afinal, ela ficará feliz em ser convidada, e ela é tremendamente prestativa. E bem apresentável, também."

Naquele momento, Ruth Lessing soube que odiava Rosemary Barton.

Odiava-a por ser rica e linda e despreocupada e desmiolada. Nada da rotina de trabalho duro em um escritório para Rosemary... tudo era entregue a ela em uma bandeja dourada: casos amorosos, um marido apaixonado – sem necessidade de trabalhar ou fazer planos...

Uma beldade odiosa, condescendente, convencida e frívola...

– Queria que você morresse – Ruth disse em voz baixa para o telefone mudo.

Suas próprias palavras a aterrorizaram. Eram tão pouco características dela. Nunca fora passional, veemente, nunca havia sido qualquer outra coisa que não impassível e controlada e eficiente.

"O que está acontecendo comigo?", pensou consigo própria.

Odiara Rosemary Barton naquela tarde. Ainda odiava Rosemary Barton neste dia, um ano depois.

Algum dia, talvez, ela seria capaz de esquecer Rosemary Barton. Mas não ainda.

Enviou deliberadamente seu pensamento de volta àqueles dias de novembro: ela sentada olhando para o telefone... sentindo o ódio aflorar em seu coração... dando o recado de Rosemary a George em sua voz controlada e agradável. Sugerindo que poderia não ir para emparelhar o número de homens e mulheres (George havia rapidamente rejeitado a proposta!), vindo relatar na manhã seguinte a partida do *San Cristobal*. O alívio e a gratidão de George...

– Então ele embarcou sem problemas?

– Sim, entreguei-lhe o dinheiro logo antes do passadiço ser recolhido – ela hesitou e disse: – Ele acenou enquanto o barco zarpava do cais e gritou: "Mande beijos para o George e diga-lhe que beberei à saúde dele esta noite"

– Que descaramento! – disse George, e perguntou, curioso: – O que acha dele, Ruth?

Sua voz tinha uma estudada entonação incolor quando respondeu:

– Oh, como eu esperava. Um fraco.

E George não vira nada, não notara nada! Ela se sentia como se gritasse: "Por que me mandou vê-lo? Não sabia o que ele poderia fazer comigo? Não percebe que eu sou uma pessoa diferente desde ontem? Não consegue ver que eu estou *perigosa*? Que não tenho noção alguma do que posso fazer?"

Em vez disso, disse em sua voz profissional: "Sobre aquela carta de São Paulo..."

Era a secretária competente e eficaz.

Cinco dias mais.

O aniversário de Rosemary...

Um dia tranquilo no escritório... uma visita ao cabeleireiro... um vestido preto novo, um toque de maquiagem habilmente aplicada. Um rosto olhando-a no espelho que não era mais o seu próprio rosto. Um rosto pálido, determinado, amargo.

Era verdade o que Victor Drake havia dito. Não havia piedade nela.

Mais tarde, quando olhava, com os olhos arregalados, para o rosto azul e convulso de Rosemary no outro lado da mesa, ela ainda assim não sentia pena.

Agora, onze meses depois, ao pensar em Rosemary, ela subitamente sentia medo.

CAPÍTULO 3

Anthony Browne

Anthony Browne mirava carrancudo à frente enquanto pensava em Rosemary Barton.

Tinha sido um maldito idiota por haver se envolvido com ela. Embora se pudesse desculpar um homem por isso! Ela era agradável aos olhos, com certeza. Aquela noite em Dorchester ele não havia sido capaz de olhar para mais nada. Tão linda quanto uma huri* – e, o que era provável, tão inteligente quanto.

Ainda assim, ele havia se apaixonado perdidamente por ela. Gastara um bocado de energia tentando encontrar alguém que pudesse apresentá-lo a ela. Algo um tanto imperdoável, de fato, uma vez que ele devia manter a atenção focada nos negócios. Afinal, não estava passando seus dias à toa em Claridge, buscando prazer.

Mas Rosemary Barton era amável o bastante para que qualquer um em sã consciência desculpasse um descuido momentâneo com suas obrigações. Tudo muito bem, mas ele, descontente consigo mesmo, agora imaginava por que havia sido tão tolo. Felizmente não havia nada do que se arrepender. Quase no mesmo momento em que falou com ela, um pouco do encanto desapareceu. As coisas reassumiram suas proporções normais. Aquilo não fora amor – tampouco paixão. Uma diversão, no final das contas, nem mais, nem menos.

Bem, e ele a aproveitara. Bem como Rosemary. Ela dançava como um anjo, e, onde quer que a levasse, os homens se viravam para olhá-la, o que dava a um sujeito uma sensação agradável. Desde que não abrisse a boca. Agradecia aos céus por não ser casado com ela. Uma vez que houvesse desfrutado de toda aquela perfeição do rosto e das formas, o que faria? Ela não sabia sequer ouvir com alguma inteligência. Era o tipo de garota que espera que você diga todos os dias à mesa do café que a ama apaixonadamente!

* Huri é a designação para as virgens de grande beleza prometidas como recompensa no paraíso aos crentes muçulmanos. (N.T.)

Oh, muito apropriado pensar nessas coisas agora.

Ele havia se apaixonado por ela, não havia?

Fora seu acompanhante em bailes. Telefonara, levara-a a passeios, dançara com ela, a beijara no táxi. Estivera no caminho de tornar-se ainda mais perdido por ela até aquele dia incrível e aterrador.

Podia lembrar-se bem da aparência dela, o cacho de cabelo castanho caído sobre a orelha, as pestanas semicerradas, através das quais se tinha um vislumbre de seus olhos azuis escuros. Os lábios macios e vermelhos em uma expressão de amuo.

– Anthony Browne. É um belo nome!

Ele respondeu, irônico:

– Eminente, muito bem estabelecido e respeitável. Houve um camareiro de Henrique VIII chamado Anthony Browne.

– Um ancestral, eu suponho?

– Não poria a mão no fogo por isso.

– Melhor não, mesmo!

Ele ergueu as sobrancelhas.

– Minha linhagem é colonial.

– Não é italiana?

– Oh – ele riu. – Minha cor azeitonada? Minha mãe era espanhola.

– Está explicado.

– O que está explicado?

– Uma porção de coisas, sr. Anthony Browne.

– Gostou mesmo de meu nome.

– Eu disse antes. É um belo nome – e, mais rápida que um raio, ela complementou: – Bem melhor do que "Tony Morelli".

Por um instante ele mal pôde acreditar no que ouvia! Aquilo era incrível! Impossível!.

Agarrou-a pelo braço com tamanha rispidez que ela estremeceu.

– Oh, está me machucando!

– Onde você ouviu esse nome?

A voz dele era cruel e ameaçadora.

Ela riu, deliciada com o efeito que havia produzido. Que idiota incrível!

– Quem lhe contou?

– Alguém que o reconheceu.

– Quem? É sério, Rosemary. Preciso saber.

Ela atirou-lhe um olhar enviesado.

– Um primo meu, de péssima reputação, chamado Victor Drake.

– Nunca conheci ninguém com esse nome.

– Imagino que ele não estivesse usando esse nome na época em que o conheceu. Para resguardar os sentimentos da família.

Anthony disse devagar:

– Entendo. Foi... na prisão?

– Sim. Eu estava passando uma violenta descompostura em Victor... dizendo que ele era uma desgraça para todos nós. Não deu a mínima, é claro. Sorriu e disse: "Você não é tão cautelosa consigo mesma, querida. Vi-a uma noite dessas dançando com um ex-passarinho engaiolado... um dos seus melhores acompanhantes, na verdade. Ele se apresenta como Anthony Browne, eu ouvi, mas na cadeia era Tony Morelli."

Anthony suavizou a voz:

– Preciso reestabelecer minhas relações com esse amigo da juventude. Nós, velhos prisioneiros, temos de nos manter unidos.

Rosemary sacudiu a cabeça:

– Tarde demais. Ele embarcou para a América do Sul. Zarpou ontem.

– Entendo – Anthony soltou um longo suspiro. – Então você é a única pessoa que sabe de meu segredo?

Ela acenou com a cabeça:

– Não vou trair seu segredo.

– É bom mesmo – a voz dele tornou-se dura. – Olhe aqui, Rosemary, esse assunto é perigoso. Não vai querer seu adorável rostinho retalhado, vai? Há pessoas que não teriam o mínimo escrúpulo em arruinar a beleza de uma garota. E há uma coisa que se conhece por "apagar alguém", e não acontece apenas nos filmes e nos livros. Também acontece na vida real.

– Está me ameaçando, Tony?

– Dando um aviso.

Ela entendera o recado? Percebera que ele estava falando mortalmente sério? Aquela pequena idiota. Não tinha nenhum juízo na cabeça adoravelmente oca. Não se podia confiar que ela fosse manter a boca fechada. Não importava, precisava tentar enfiar isso na cachola dela.

– Esqueça que sequer ouviu o nome de Tony Morelli, entendeu?

– Mas não me importo nem um pouco, Tony. Sou uma pessoa de mente aberta. Para mim é tão excitante conhecer um criminoso! Não precisa se envergonhar.

Aquela idiotinha absurda. Ele a olhava com frieza, perguntando-se como pudera sequer imaginar que gostava dela. Nunca fora capaz de tolerar imbecis alegremente – nem mesmo com rostos lindos como o dela.

– Esqueça Tony Morelli, eu insisto – ele disse, inflexível. – Nunca mais mencione esse nome.

Tinha de ir embora. Era a única coisa a fazer. Não confiava no silêncio daquela garota, ela contaria tudo no momento em que tivesse vontade.

Ela sorriu – um sorriso encantador, que o deixou imóvel.

– Não fique tão brabo. Leve-me para dançar no Jarrows na semana que vem.

– Não estarei aqui. Estou indo embora.

– Não antes da minha festa de aniversário. Não me desaponte, estou contando com você. Não diga que não vai, estive miseravelmente adoentada com aquela gripe horrorosa e ainda me sinto tão fraca! Não posso ser contrariada. Você tem que vir.

Ele poderia ter permanecido firme. Poderia ter desistido de tudo... e ido embora de vez.

Em vez disso, através da porta aberta, via Iris descer as escadas. Iris, muito ereta e esguia, com seu rosto pálido e cabelos negros e olhos cinzentos. Menos bela que Rosemary, mas com toda a personalidade que esta nunca teria.

Naquele momento odiou-se por ter se deixado levar, ainda que por pouco tempo, pelo encanto simplório de Rosemary. Sentia-se como Romeu ao lembrar de Rosalina na primeira vez em que avistara Julieta.*

Anthony Browne mudou de ideia.

No lampejo de um segundo, comprometeu-se com um curso de ação totalmente diverso.

CAPÍTULO 4

Stephen Farraday

Stephen Farraday estava pensando em Rosemary – com aquela perplexidade que a imagem dela sempre lhe despertava. Normalmente ele expulsava de sua mente qualquer pensamento a respeito dela tão logo surgisse – mas havia vezes em que, tão insistente na morte quanto fora em vida, ela se recusava a ser descartada de modo tão arbitrário.

A primeira reação de Stephen era sempre a mesma: um tremor rápido e involuntário ao relembrar a cena no restaurante. Ao menos não precisava pensar de novo *naquilo*. Seus pensamentos recuaram um pouco mais, até Rosemary viva, Rosemary sorrindo, respirando, olhando-o nos olhos...

---

* Referência a *Romeu e Julieta*, de William Shakespeare. Rosalina não aparece na peça, mas é citada mais de uma vez como a jovem por quem Romeu se enamora antes de conhecer Julieta. (N.T.)

Que idiota... que incrível idiota ele tinha sido!

Foi tomado de uma estupefação completa e confusa. Como tudo aquilo acontecera? Ele simplesmente não conseguia entender. Era como se sua vida houvesse se dividido em duas partes: uma delas, a maior, um progresso saudável, ordeiro e bem equilibrado; a outra, uma loucura breve e pouco característica. As duas partes não se encaixavam.

Apesar de toda sua capacidade, esperteza e intelecto, Stephen não tinha o discernimento para perceber que, na verdade, as duas partes se encaixavam muito bem.

Algumas vezes ele olhava para a sua vida, avaliando-a friamente e sem emoções indevidas, mas com uma espécie de autossatisfação esnobe. Sempre tivera crenças e pontos de vista simples. Acreditava na vontade. O que um homem quisesse de verdade, conseguiria! Desde tenra idade estivera determinado a ter sucesso na vida, e a despeito das dificuldades e de certas desvantagens iniciais, ele *tivera* sucesso.

O pequeno Stephen Farraday havia cultivado uma força de vontade inflexível. Podia apontar poucos momentos em sua vida em que tivera outro tipo de ajuda que não aquela obtida por seus próprios esforços. Garotinho pálido, de sete anos, com uma testa ampla e um queixo determinado, já pretendia subir na vida – e subir bem alto. Seus pais, já sabia, não seriam de utilidade alguma para ele. Sua mãe havia se casado com um homem abaixo de sua posição – e se arrependido. Seu pai, um pequeno empreiteiro, esperto, trapaceiro e sovina, era desprezado pela esposa, bem como pelo filho... Pela mãe, indecisa, sem objetivo algum e dada a extraordinárias mudanças de humor, Stephen sentia apenas uma confusa incompreensão – até que o dia em que a encontrou derrubada a um canto da mesa, com um vidro vazio de água-de-colônia pendendo das mãos. Nunca havia pensado na bebida como uma explicação para os humores da mãe. Ela nunca bebia cerveja ou destilados, e ele jamais pensou que sua paixão por água-de-colônia tivesse qualquer outra origem além de suas vagas explicações a respeito de dores de cabeça.

Percebeu naquele momento que tinha pouco afeto pelos pais. E suspeitava, astutamente, que eles também não tinham muito por ele. Era pequeno para a sua idade, retraído, com uma leve gagueira. Seu pai o chamava de "chorão": uma criança bem-comportada, que não causava quase nenhum problema em casa. Teria preferido um filho mais barulhento: "*Eu* estava sempre aprontando alguma quando tinha essa idade". Algumas vezes, olhando para Stephen, sentia, para seu desagrado, sua própria inferioridade social diante da esposa. O filho havia puxado à família dela.

Em silêncio, com crescente determinação, Stephen traçou uma rota de fuga da própria vida. Teria sucesso. Como um primeiro teste para sua vontade, estava determinado a dominar sua gagueira. Praticava falando bem devagar, com uma leve hesitação entre cada palavra. Com o tempo, seus esforços foram coroados com êxito. Ele não gaguejava mais. Na escola, aplicou-se às aulas com afinco. Queria garantir sua educação – com ela poderia ser alguém. Logo seus professores, interessados, passaram a encorajá-lo. Ganhou uma bolsa de estudos. Os pais foram procurados pelas autoridades escolares – o garoto prometia. O sr. Farraday, bem de vida graças a muitas casas porcamente construídas, foi convencido a investir dinheiro na educação de seu filho.

Aos 22 anos, Stephen voltou de Oxford com um bom diploma, uma reputação de espirituoso e bem-falante e um jeito para escrever artigos. Fez também algumas amizades úteis. A política o atraía. Aprendeu a superar sua natural timidez e a cultivar maneiras socialmente admiráveis: modesto, amável e com aquele toque de inteligência que leva as pessoas a dizerem: "Esse rapaz vai longe". Embora fosse, por preferência, um liberal, Stephen percebeu que, ao menos naquele momento, o Partido Liberal estava morto. Juntou-se às fileiras do Partido Trabalhista. Seu nome logo se tornou conhecido como uma futura liderança. Mas o Partido Trabalhista não era o bastante para Stephen. Descobrira que eles eram menos abertos a novas ideias e mais aferrados às tradições que seus grandes e poderosos rivais. Os conservadores, por outro lado, estavam em busca de um jovem e promissor talento.

Eles aprovaram o ingresso de Stephen Farraday – era exatamente o tipo que procuravam. Concorreu por um distrito em que os trabalhistas tinham um sólido eleitorado e venceu por uma margem estreita. Foi com uma sensação de triunfo que tomou seu assento na Câmara dos Comuns. Sua carreira havia começado, a carreira que ele havia escolhido. Nela, poderia colocar toda sua competência, todas as suas ambições. Sentia em si mesmo a vocação para governar – e governar bem. Tinha talento para manipular as pessoas, para saber quando elogiar e quando se opor. Um dia, ele jurou, estaria no Ministério.

Contudo, tão logo a excitação de realmente estar na Câmara se dissipara, sofrera imediata desilusão. A eleição duramente disputada o colocara sob os holofotes, mas agora ele submergira na rotina, um mero e insignificante soldado raso, submetido ao comando do partido e mantido sempre em seu lugar. Não era fácil sair da obscuridade. A juventude ali era vista com suspeita. Era preciso algo mais do que competência. Era preciso influência.

Havia certos interesses. Certas famílias. Mas você precisava estar casado.

Considerou a hipótese do casamento. Até ali, havia pensado muito pouco sobre o assunto. Tinha apenas, no fundo da mente, uma imagem enevoada de alguma bela criatura que ficaria a seu lado, compartilhando sua vida e suas ambições; que lhe daria filhos e com quem poderia desabafar seus pensamentos e receios. Uma mulher que sentiria o mesmo que ele, que estaria ansiosa pelo seu sucesso e orgulhosa quando ele o alcançasse.

Um dia, foi a uma das grandes recepções na casa dos Kidderminster. Os Kidderminster tinham o mais poderoso círculo de relações da Inglaterra. Eram, e sempre haviam sido, uma família de grandes políticos. Lorde Kidderminster, com sua barba imperial e sua figura alta e distinta, era reconhecido em toda parte. O rosto grande e equino de lady Kidderminster era familiar em comitês e palanques públicos em toda a Inglaterra. Tinham cinco filhas, três delas lindas, e um filho que ainda estudava em Eton.

Os Kidderminster estavam sempre dispostos a encorajar os jovens membros do partido – daí o convite a Stephen.

Não conhecia muita gente na festa e, vinte minutos após sua chegada, estava parado, sozinho, próximo a uma janela. Quando o círculo de convidados ao redor da mesa de chá se dispersou e passou às outras salas, Stephen notou uma garota alta, vestida de preto, em pé junto à mesa, parecendo momentaneamente perdida.

Stephen Farraday era um bom fisionomista. Havia, naquela manhã mesmo, apanhado no trem um exemplar da *Home Gossip* que uma passageira jogara fora e o folheara para se distrair. Havia nas páginas uma imagem borrada de lady Alexandra Hayle, terceira filha do Conde de Kidderminster, e, abaixo, uma nota sobre ela: "Sempre de temperamento tímido e retraído – e dedicada aos animais –, lady Alexandra fez um curso de Ciências Domésticas, uma vez que lady Kidderminster acredita que suas filhas devam ser inteiramente preparadas para todos os assuntos domésticos."

Era a mesma lady Alexandra Hayle parada à mesa, e, com o discernimento inequívoco de uma pessoa acanhada, Stephen percebeu que ela também era tímida. A mais sem graça das cinco filhas, Alexandra sempre padecera de um complexo de inferioridade. Com a mesma criação e a mesma instrução de suas irmãs, nunca conseguira alcançar o mesmo *savoir faire*, o que irritava consideravelmente sua mãe. Sandra precisava fazer um esforço – era absurdo parecer tão desajeitada, tão *gauche*.

Stephen não sabia disso, mas percebeu que a garota estava desconfortável e infeliz. E, de súbito, a convicção lhe veio em um ímpeto: aquela era sua chance! "*Agarre-a, seu tolo. Agarre-a. É agora ou nunca!*"

Cruzou a sala em direção ao longo bufê. Parado ao lado da garota, pegou um sanduíche. Virou-se e, nervoso, falando com esforço (não fingia – *estava* nervoso), disse:

– Importa-se se eu conversar com a senhorita? Não conheço muita gente aqui e posso ver que a senhorita também não. Não me esnobe, por favor. Para falar a verdade, sou terrivelmente t-t-tímido – sua gagueira de anos atrás voltara no momento mais oportuno. – E acho que a senhorita t-t-também, não?

A garota corou... Seus lábios se abriram, mas, como ele havia previsto, não conseguia falar nada. Era muito difícil encontrar as palavras para dizer "sou filha do dono da casa". Em vez disso, admitiu, calmamente:

– Na verdade, eu... sou tímida sim. Sempre fui.

Stephen prosseguiu, rápido:

– É uma sensação horrível. Não sei se alguém consegue superá-la. Algumas vezes sinto a língua presa por completo.

– Eu também.

Ele continuou... falando mais rápido, gaguejando um pouco... seus trejeitos eram infantis, atraentes. Modos que eram naturais para ele até poucos anos atrás e que agora conservava e cultivava com toda consciência. Parecia jovem, ingênuo, irresistível.

Logo, conduziu a conversa para peças de teatro, mencionou uma delas, em cartaz, que estava atraindo bastante interesse. Sandra a havia visto. Discutiram-na. Apresentava algumas questões do serviço social, e eles logo estavam debatendo profundamente aquelas medidas.

Stephen não era de exagerar. Viu lady Kidderminster entrar na sala, correndo os olhos em busca da filha. Não era parte do plano ser apresentado agora. Murmurou uma despedida:

– Gostei muito de conversar com a senhorita, estava simplesmente odiando este espetáculo todo até encontrá-la. Obrigado.

Deixou a casa dos Kidderminster com uma sensação de enlevo. Havia aproveitado a chance. Agora era consolidar o que havia começado.

Por dias depois daquilo, ele assombrou os arredores da mansão Kidderminster. Uma vez, viu Sandra sair em companhia de uma das irmãs. Outra vez, ela deixou a casa sozinha, mas com um passo apressado. Ele sacudiu a cabeça. Não ia funcionar, ela estava obviamente a caminho de algum compromisso particular. Então, mais ou menos uma semana depois da festa, sua paciência foi recompensada. Certa manhã, ela saiu com um pequeno terrier escocês preto e rumou, com um passo despreocupado, na direção do parque.

Cinco minutos depois, um jovem andando rapidamente na direção oposta ergueu a cabeça por um breve momento e parou na frente de Sandra. Exclamou, jovial:

– Ora, mas que sorte! Fiquei imaginando se a veria de novo.

Seu tom de voz era tão satisfeito que ela corou de leve.

Ele se curvou na direção do cachorro.

– Que belo rapazinho. Qual o nome?

– MacTavish.

– Oh, bem escocês.

Falaram do cachorro por alguns instantes. E então Stephen disse, com um indício de embaraço:

– Não lhe dei meu nome no outro dia. É Farraday. Stephen Farraday. Sou um obscuro parlamentar.

Olhou-a de modo inquiridor e pôde ver a cor aflorar às faces dela enquanto a moça dizia:

– Eu sou Alexandra Hayle.

Ele reagiu àquilo muito bem. Era como estar de volta à Sociedade Dramática Universitária de Oxford. Surpresa, reconhecimento, espanto e embaraço!

– Oh, a senhorita é... é lady Alexandra Hayle... a senhorita... meu Deus! O quanto deve ter me considerado tolo e estúpido naquele dia!

A reação dela era inevitável. Estava obrigada tanto por sua educação quanto por sua gentileza natural a fazer tudo o que pudesse para pô-lo à vontade, tranquilizá-lo.

– Devia ter lhe dito na ocasião.

– Eu deveria saber. Deve achar que sou um tolo!

– Como poderia o senhor saber? E, de todo jeito, o que importa? Por favor, sr. Farraday, não fique tão preocupado. Vamos dar um passeio até o Serpentine.* Olhe, MacTavish está me puxando.

Depois disso, ele a encontrou diversas vezes no parque. Contou a respeito de suas ambições. Discutiram juntos assuntos políticos. Ele a achou inteligente, bem-informada e simpática. Tinha uma boa cabeça e um juízo singularmente imparcial. Tornaram-se amigos.

O avanço seguinte veio quando ele foi convidado para um jantar seguido de baile na mansão dos Kidderminster. Um convidado havia desmarcado na última hora. Quando lady Kidderminster estava quebrando a cabeça para arranjar um substituto, Sandra disse, calmamente:

– Que tal Stephen Farraday?

– Stephen Farraday?

– Sim, ele esteve na sua festa dia desses, e eu o encontrei uma vez ou duas depois disso.

Lorde Kidderminster foi consultado e gostou da ideia de encorajar um jovem aspirante ao mundo político:

---

* O Serpentine é um lago artificial de onze hectares que atravessa o Hyde Park, em Londres. (N.T.)

– Um rapaz brilhante – brilhante de verdade. Nunca ouvi falar de sua família, mas algum dia ele fará nome por si próprio.

Stephen veio e se portou bem.

– Um rapaz que vale a pena conhecer – disse lady Kidderminster com inconsciente arrogância.

Dois meses depois, Stephen pôs à prova sua sorte. Estavam à margem do Serpentine, e MacTavish sentara-se com a cabeça sobre o pé de Sandra.

– Sandra, deve saber que eu a amo. Quero me casar com você. Não lhe pediria se não acreditasse que posso construir meu próprio nome no futuro. E eu realmente acredito nisso. Você não se envergonhará de sua escolha. Eu juro.

Ela disse:

– Eu não me envergonho.

– Então gosta de mim?

– Não sabia?

– Tinha esperanças... mas não podia ter certeza. Eu a amo desde a primeira vez em que a vi, no outro lado da sala, e muni-me de toda minha coragem para ir falar com você. Nunca estive tão aterrorizado em toda minha vida.

– Acho que também o amei naquele instante... – Sandra respondeu.

Nem tudo foi tão fácil. Quando Sandra anunciou, com tranquilidade, que iria se casar com Stephen Farraday, sua família de imediato rompeu em protestos. Quem era ele? O que sabiam a seu respeito?

Stephen foi bastante franco com lorde Kidderminster a respeito de sua família e de suas origens. Afastou o pensamento momentâneo de que era ótimo para seus projetos que, àquela altura, seus pais já tivessem morrido.

Para a esposa, lorde Kidderminster confidenciou: "Humm. Poderia ser pior." Conhecia bem sua filha e sabia que seus modos tranquilos ocultavam uma determinação inflexível. Se quisesse mesmo ficar com aquele tipo, ficaria. E não abriria mão!

– O rapaz tem uma carreira à frente. Com algum apoio, irá longe. Deus sabe o que poderíamos fazer com um pouco de sangue novo. E ele parece um sujeito decente, também.

Lady Kidderminster concordou de má vontade. Não era a ideia que fazia de um bom par para sua filha. Ainda assim, Sandra era certamente a mais difícil da família. Susan sempre fora uma beleza, e Esther era inteligente. Diana, garota esperta, havia se casado com o jovem Duque de Harwich – o melhor partido da estação. Era certo que Sandra tinha menos encanto – havia ainda aquela timidez –, e se o rapaz tinha futuro como todos pareciam pensar...

Por fim, capitulou, murmurando:

– Mas, é claro, teremos de usar nossa influência...

E assim, Alexandra Catherine Hayle uniu-se a Stephen Leonard Farraday na saúde e na doença, em um vestido de cetim branco com renda de Bruxelas, com seis damas de honra e dois pequenos pajens, além de todos os acessórios de um casamento elegante. Foram à Itália para a lua-de-mel e, na volta, instalaram-se em uma casa pequena e encantadora em Westminster. Pouco tempo depois, a avó de Sandra morreu e deixou-lhes de herança um aprazível solar ao estilo Rainha Anne, no campo. Tudo corria bem para o jovem casal. Stephen mergulhou na vida parlamentar com renovado ardor, auxiliado e encorajado de todas as formas por Sandra, que se identificava de corpo e alma com as ambições do marido. Às vezes, Stephen refletia, com uma percepção quase incrédula, sobre o quanto a Fortuna o havia favorecido! Sua aliança com o poderoso clã dos Kidderminster assegurara-lhe uma rápida ascensão na carreira. Suas próprias competência e habilidade consolidariam a posição que a oportunidade havia lhe garantido. Acreditava com honestidade em suas próprias capacidades e estava preparado para trabalhar sem descanso pelo bem de seu país.

Com frequência, olhando para sua mulher no outro lado da mesa, percebia, alegre, a esposa perfeita que ela era – exatamente o que sempre havia imaginado. Atraíam-no as linhas graciosas e bem-definidas da cabeça e do pescoço, os olhos francos, cor de amêndoa, sob as sobrancelhas finas, a testa muito alta e clara e a leve arrogância de seu nariz aquilino. Achava-a bastante parecida com um cavalo de corrida – tão bem tratada, tão impulsiva e treinada, tão orgulhosa. Descobriu nela uma companheira ideal, suas mentes chegavam quase ao mesmo tempo às mesmas sagazes conclusões. Sim, pensava ele, Stephen Farraday, aquele garotinho desconsolado, havia se saído muito bem. Sua vida estava tomando exatamente o rumo que havia imaginado. Tinha pouco mais de trinta anos e o sucesso já repousava na palma de sua mão.

E foi naquela disposição satisfeita e triunfante, ao passar uma quinzena com a esposa em St. Moritz, que viu Rosemary Barton do outro lado do saguão do hotel.

Nunca entendeu o que havia acontecido naquele momento. Por uma espécie de justiça poética, as palavras que dissera para outra mulher haviam se tornado realidade. Apaixonara-se depois de um olhar através do salão. Apaixonara-se louca, esmagadora e profundamente. O tipo de amor desesperado, impetuoso e adolescente que ele deveria ter vivido e superado anos antes.

Sempre admitira o fato de não ser um homem do tipo passional. Um ou dois casos efêmeros, um flerte discreto – isso, até onde ele sabia, fora tudo o que o "amor" significara para ele. Os prazeres da carne simplesmente não o atraíam. Dizia para si mesmo que era enjoado demais para aquele tipo de coisa.

Se lhe perguntassem se amava a esposa, responderia: "Certamente que sim" – ainda que soubesse bem o bastante que sequer sonharia em casar se ela fosse, por exemplo, a filha de um nobre do campo arruinado. Gostava dela, admirava-a e nutria profundo afeto e uma gratidão genuína por tudo o que a posição dela havia lhe assegurado.

Que pudesse se apaixonar com a entrega e a angústia de um garotinho imaturo fora para ele uma revelação. Não conseguia pensar em nada além de Rosemary. Seu rosto amável e sorridente, o castanho precioso de seus cabelos, sua figura ondulante e voluptuosa. Não conseguia comer... Não conseguia dormir. Foram esquiar juntos. Dançou com ela. Quando a apertou contra o corpo, soube que a queria mais do que qualquer outra coisa na Terra. Então era assim? Esta angústia, esta ardente e dolorosa agonia... isto era o amor!

Em meio àquelas atribulações, abençoou o destino por lhe haver dado maneiras naturalmente imperturbáveis. Ninguém podia adivinhar, ninguém podia saber o que ele estava sentindo – com exceção da própria Rosemary.

Os Barton foram embora uma semana antes dos Farraday. Stephen disse a Sandra que não havia muito que fazer em St. Moritz. Poderiam abreviar seu tempo ali e voltar para Londres? Ela concordou com muita cordialidade. Duas semanas após o retorno, ele se tornou amante de Rosemary.

Foi um período estranho, cheio de agitação e êxtase – febril, irreal. Durou... quanto tempo? Seis meses, quando muito. Seis meses durante os quais Stephen dedicou-se ao trabalho como sempre, visitou seu eleitorado, dirigiu consultas ao Parlamento, participou de vários encontros, discutiu política com Sandra e pensou em apenas uma coisa o tempo todo: Rosemary.

Seus encontros secretos em um pequeno apartamento, a beleza dela, as carícias apaixonadas com que ele a cumulava, a paixão dos abraços apertados que ela lhe dava. Um sonho. Um sonho encantado e sensual.

E depois do sonho... o despertar.

Que pareceu acontecer de modo bastante abrupto.

Como sair de um túnel para a luz do dia.

Em um dia ele era um amante atormentado, no outro ele era outra vez Stephen Farraday, pensando que talvez devesse ver Rosemary com menos frequência. Com a breca, eles haviam corrido riscos terríveis. Se Sandra sequer suspeitasse – lançou um olhar furtivo à esposa do outro lado da mesa do café. Graças a Deus, ela não suspeitava. Não tinha a mínima ideia. Ainda que algumas das desculpas que havia apresentado para suas ausências fossem bastante frágeis. Outras mulheres já teriam pensado que algo ali não cheirava bem. Ainda bem que Sandra não era uma mulher desconfiada.

Inspirou profundamente. De fato, ele e Rosemary haviam sido muito inconsequentes! Era um milagre que nada tivesse chegado ao conhecimento do marido dela – um desses sujeitos tolos e sem malícia... bem mais velho que ela..

E que adorável criatura ela era...

Pensou, de súbito, em campos de golfe. O ar fresco soprando por sobre as dunas de areia, a caminhada com os tacos... gingar o de madeira para a primeira tacada... um ótimo tiro inicial... um toque curto com o de ferro. Homens. Homens de calças largas, fumando cachimbo. E mulheres proibidas de entrar!

Perguntou, de repente, a Sandra:

– Por que não vamos para Fairhaven?

Ela o olhou, surpresa:

– Quer ir? Você pode se ausentar?

– Poderíamos pegar o meio da semana. Gostaria de jogar um pouco de golfe. Ando muito parado.

– Podemos ir amanhã mesmo, se quiser. Mas para isso terei de adiar o compromisso com os Astley e preciso cancelar um encontro na terça-feira. E quanto aos Lovats?

– Oh, vamos cancelar também. Podemos pensar em alguma desculpa. Quero dar o fora daqui.

Foram dias bastante pacíficos em Fairhaven, com Sandra e os cachorros no terraço e no velho jardim murado, e os jogos de golfe em Sandley Heath, e os passeios noturnos pela propriedade com MacTavish em seus calcanhares.

Sentia-se como alguém que estivesse convalescendo de uma doença.

Ficou carrancudo ao receber a carta de Rosemary. Dissera a ela para não escrever, era muito perigoso. Não que Sandra alguma vez tivesse perguntado de quem eram as cartas que ele recebia, mas era insensato, de qualquer forma. Não se podia confiar sempre nos criados.

Levou a carta para seu gabinete e abriu o envelope com desagrado. Páginas. Páginas e mais páginas.

À medida que lia, foi sendo tomado outra vez pelo velho encanto. Ela o adorava, ela o amava mais do que antes, não conseguia suportar sua ausência por cinco dias inteiros. Ele sentia o mesmo? O Leopardo sentia falta de sua Etíope?

Sua reação foi metade um sorriso e metade um suspiro. Aqueles apelidos ridículos – surgidos quando ele comprara para ela um roupão que ela havia gostado: de corte masculino, estampado com manchas. Um leopardo trocando suas pintas, disse Stephen. "Mas você não precisa trocar de pele, querida." E depois daquilo ela o apelidara de Leopardo e ele a chamava de sua Beleza Negra.

Uma tolice abominável, de fato. Sim, abominável tolice. Fora doce da parte dela ter escrito aquelas páginas. Mas ainda assim ela não devia ter feito isso. Com os diabos, eles precisavam ter *cuidado*! Sandra não era o tipo de mulher que toleraria uma coisa daquelas. Se tivesse a mais leve suspeita... Cartas eram perigosas. Alertara Rosemary. Por que ela não podia esperar pela sua volta à cidade? Ora bolas, ele a veria de novo em um ou dois dias.

Havia outra carta na mesa do café na manhã seguinte. Desta vez, Stephen praguejou em pensamento. Pensou ter visto Sandra pousar os olhos sobre o envelope por alguns segundos. Mas ela não dissera nada. Graças aos céus, não era o tipo de mulher que fazia perguntas sobre a correspondência de um homem.

Depois do desjejum ele foi de carro até uma cidade distante oito milhas. Não se arriscaria a telefonar da aldeia mais próxima. Rosemary atendeu.

– Alô... É você, Rosemary? Não me escreva mais cartas.

– Stephen, querido, como é bom ouvir sua voz!

– Cuidado. Há alguém perto que possa ouvir?

– Claro que não. Oh, meu anjo, senti tanto a sua falta. Sentiu saudades?

– Sim, claro, mas não escreva mais. É muito arriscado.

– Gostou da minha carta? Ela o fez sentir que eu estava com você? Querido, eu quero estar com você a cada minuto. Sente o mesmo?

– Sim... mas não no telefone, meu bem.

– Você é tão ridiculamente cauteloso. O que isso importa?

– Penso também em você, Rosemary. Não suportaria lhe causar qualquer problema.

– Não me importo com o que possa me acontecer, você sabe.

– Bom, eu me importo, querida.

– Quando você volta?

– Terça-feira.

– E nos encontraremos no apartamento, na quarta-feira.

– Sim... ahn... sim.

– Querido, mal posso suportar a espera. Não pode dar alguma desculpa e vir para cá hoje? Oh, Stephen, você pode! Política ou alguma outra coisa estúpida.

– Temo que esteja fora de questão.

– Não acredito que sinta metade da saudade que eu sinto.

– Absurdo, é claro que eu sinto.

Quando desligou, sentia-se cansado. Por que as mulheres insistiam em ser tão terrivelmente imprudentes? Rosemary e ele deviam ser mais cuidadosos no futuro. Tinham de se encontrar com menos frequência.

Depois daquilo as coisas ficaram difíceis. Ele estivera ocupado – muito ocupado. Fora impossível dedicar o mesmo tempo de antes a Rosemary – e o mais desagradável era que ela não parecia capaz de entender isso. Já explicara, mas ela não o ouvira.

– Ah, essa sua política velha e estúpida. Como se *isso* fosse importante.

– Mas *é*.

Ela não compreendia. Não se importava. Não tinha nenhum interesse pelo seu trabalho, por suas ambições, por sua carreira. Tudo o que ela queria era ouvi-lo reiterar o tempo todo que a amava. "Tanto quanto antes? Diga de novo que você me ama *de verdade*."

Certamente, ele pensava, ela já devia estar certa disso àquela altura! Era uma criatura adorável, adorável – mas não se podia *conversar* com ela.

O problema era que estavam se vendo demais. Não se pode manter a temperatura de um caso o tempo todo em ponto de fervura. Deviam se encontrar com menos frequência. Relaxar um pouco.

Mas aquela ideia a fez sentir-se ofendida, muito ofendida. Ela agora estava sempre repreendendo-o.

– Você não me ama mais como antes.

E ele precisava reconquistar sua confiança, jurar que a amava, claro que sim. E ela ressuscitava constantemente qualquer coisa que ele já houvesse dito.

– Lembra-se quando você disse que seria maravilhoso se morrêssemos juntos? Dormir para sempre nos braços um do outro? Lembra-se quando disse que pegaríamos uma caravana e partiríamos para o meio do deserto? Apenas as estrelas e os camelos... e como nós esqueceríamos de tudo o mais que houvesse no mundo?

Que coisas terrivelmente idiotas uma pessoa diz quando está apaixonada! Naquela época não pareciam tão insensatas, mas ao tê-las outra vez jogadas à sua frente a sangue-frio! Por que as mulheres não tinham a decência de deixar as coisas em paz? Um homem não quer ser lembrado continuamente das asneiras que já cometeu.

Ela começou a fazer exigências súbitas e irracionais. Por que ele não podia viajar para o Sul da França para encontrá-la? Ou para a Sicília ou a Córsega – um desses lugares onde nunca se encontra ninguém conhecido? Stephen respondeu, severo, que não havia um lugar assim no mundo. Até nos mais remotos rincões sempre se poderia encontrar algum antigo amigo do colégio com quem não se falava há anos.

E então ela dissera algo que o apavorara.

– Bem, mas na verdade isso não importa, não é mesmo?

Ele se pusera em alerta, vigilante, seu íntimo subitamente gelado.

– O que quer dizer?

Ela sorria, o mesmo sorriso encantador que certa vez já fizera seu coração se revirar e seus ossos doerem de desejo. Agora, deixava-o apenas impaciente.

– Leopardo, meu querido, penso às vezes que temos sido estúpidos em tentar manter esse assunto confidencial. Não vale a pena. Vamos fugir juntos. Vamos parar de fingir. Eu me divorcio de George e você se divorcia de sua mulher e então poderemos nos casar.

Simples assim! Desastre! Ruína! E ela não conseguia perceber!

– Jamais deixaria que fizesse tal coisa.

– Mas querido, não me importo. Eu não sou assim tão convencional, na verdade.

"Mas eu sou, eu sou" – pensou Stephen.

– Penso que o amor é a coisa mais importante no mundo. Não interessa o que os outros pensem de nós.

– Interessa para mim, minha querida. Um escândalo público dessa natureza seria o fim da minha carreira.

– E isso importa? Há centenas de outras coisas que você poderia fazer.

– Não seja tola.

– E além do mais, por que você precisa fazer alguma coisa? Eu tenho muito dinheiro, você sabe. Dinheiro meu, quero dizer, não do George. Poderíamos vagar pelo mundo todo, ir até os lugares mais longínquos – lugares onde talvez ninguém mais tenha estado. Ou para alguma ilha no Pacífico... Imagine só: o sol quente, o mar azul e os recifes de coral.

Ele imaginou. Uma ilha nos mares do Sul! A mais estúpida das ideias. Que tipo de homem ela pensava que ele fosse – um catador de conchas?

Olhou-a com olhos dos quais haviam sido removidos os últimos vestígios de um véu. Ela era uma criatura amável com os miolos de uma galinha! Estivera louco – total e completamente louco. Mas agora estava são outra vez. E precisava sair daquele apuro. A menos que tivesse cuidado, ela arruinaria sua vida inteira.

Disse todas as coisas que centenas de homens antes dele já haviam dito. Eles deviam pôr um fim naquilo tudo – foi o que escreveu. Era o melhor para ela. Não poderia correr o risco de provocar sua infelicidade. Ela não compreendia o perigo... e assim por diante.

Está tudo acabado – precisava fazê-la entender.

Mas aquilo era justamente o que ela se recusava a entender. Não seria tão fácil. Ela o adorava, ela o amava mais do que nunca, ela não podia viver sem ele! Para ela, a única coisa honesta a fazer era contar ao marido, assim como Stephen deveria dizer a verdade à sua esposa. Recordava do calafrio que sentira, sentado, segurando a carta que ela enviara. Aquela tola. Aquela tola estúpida e pegajosa! Iria até George Barton e entregaria a coisa toda. E George pediria o divórcio e o implicaria judicialmente como cúmplice no adultério. E Sandra pediria o divórcio, também. Não tinha dúvida disso. Ao comentar certa vez o caso de uma amiga, dissera, com uma vaga surpresa: "É claro, a partir do momento em que descobriu que o marido estava tendo um caso com outra mulher, o que mais ela poderia fazer a não ser se divorciar dele?" Era como Sandra pensava. Era orgulhosa, jamais compartilharia um homem.

E então ele estaria acabado, destruído – o apoio influente dos Kidderminster seria retirado. O tipo de escândalo que ele não seria capaz de apagar, mesmo que a opinião pública hoje em dia fosse mais compreensiva do que em outros tempos. Não em um caso flagrante como aquele! Adeus aos seus sonhos, suas ambições. Naufragadas, destroçadas, tudo por causa da obsessão de uma mulher estúpida. Amor adolescente, era o que havia sido. Um amor adolescente contraído no período errado da vida.

Perderia tudo no que havia apostado. Falência! Ignomínia!

Perderia Sandra...

E de repente, com um choque de surpresa, percebeu que aquilo era o que mais lamentaria. *Perderia Sandra.* Sandra, com sua testa branca e reta e seus olhos claros, cor de amêndoa. Sandra, sua querida amiga e companheira, sua arrogante, orgulhosa e leal Sandra. Não, ele não podia perder Sandra... Não podia... Tudo menos isso.

O suor irrompeu em sua testa.

De algum jeito, ele *precisava* sair daquela confusão.

De algum jeito, ele precisava fazer Rosemary dar ouvidos à razão...

Daria? Rosemary e a razão não combinavam. E se ele dissesse que, no fim das contas, amava sua esposa? Não. Ela simplesmente não acreditaria. Era uma mulher tão estúpida. Cabeça-oca, pegajosa, possessiva. E ainda o amava – esse era o grande problema na coisa toda.

Uma espécie de raiva cega cresceu dentro dele. Como diabos faria para mantê-la em silêncio? Com a boca fechada? Nada menor do que uma dose de veneno conseguiria isso, pensou, com amargura.

Uma vespa zumbia perto dele. Fitou-a distraído. O inseto havia entrado em um pote de geleia feito de vidro trabalhado e tentava sair.

Como eu, pensou, atraído pela doçura e sem poder sair. Pobre bicho.

Mas ele, Stephen Farraday, sairia de alguma forma. Tempo, ele precisava ganhar tempo.

Rosemary estava derrubada por uma gripe naquele momento. Havia feito as convencionais perguntas sobre seu estado – e mandara um grande buquê de flores. Aquilo havia lhe dado um breve intervalo. Na próxima semana, Sandra e ele estariam jantando com os Barton – na festa de aniversário de Rosemary. Ela própria havia dito: "Não farei nada até depois de meu aniversário... seria muito cruel com George. Ele está fazendo um grande estardalhaço por isso. É tão querido... Depois que estiver tudo terminado, poderemos chegar a um entendimento."

E se dissesse a ela, com brutalidade, que estava tudo acabado, que não gostava mais dela? Estremeceu. Não, não ousaria fazer tal coisa. Ela poderia correr para George, histérica. Poderia até mesmo procurar Sandra. Já podia até ouvir a voz dela, confusa e lacrimosa:

"Ele diz que não gosta mais de mim, mas sei que não é verdade. Está tentando ser *leal*, agir corretamente com você. Mas sei que concorda comigo que quando as pessoas se amam a honestidade é o *único* caminho. É por isso que estou pedindo a você para devolver-lhe a liberdade."

Sandra não ia acreditar – como poderia? Mas e se Rosemary apresentasse aquelas cartas... as cartas que ele fora estúpido o bastante para escrever? Deus sabe o que dissera nelas. O suficiente – mais até do que o suficiente – para convencer Sandra. Cartas tais como ele nunca escrevera para *ela*.

Precisava pensar em alguma coisa – alguma forma de manter Rosemary em silêncio. "É uma pena...", ele pensou, rígido "...que não vivamos mais nos tempos dos Bórgia."

Um copo de champanhe envenenado era a única coisa que manteria Rosemary calada.

Sim, ele de fato pensara nisso.

Cianureto de potássio na taça de champanhe, um frasco de cianureto de potássio na bolsa dela. Gripe seguida de depressão.

E por sobre a mesa, os olhos de Sandra encontrando os dele.

Quase um ano atrás – e ele não conseguia esquecer.

CAPÍTULO 5

Alexandra Farraday

Sandra Farraday não havia esquecido Rosemary Barton.

Estava pensando nela neste exato minuto – pensando nela caída sobre a mesa do restaurante naquela noite.

Recordava-se de seu próprio suspiro sufocado e lancinante, e de como, erguendo os olhos, deparou com Stephen observando-a.

Teria ele lido a verdade em seus olhos? Teria visto o ódio, o misto de horror e triunfo?

Quase um ano atrás – e ainda tão fresco em sua memória como se houvesse ocorrido ontem! Rosemary... *rosmaninho, serve para lembrança.** Que terrível verdade era aquela. Para que servia a morte de uma pessoa se ela continuava viva em sua mente? Era exatamente o que Rosemary havia feito. Na mente de Sandra – e na de Stephen também? Não sabia, mas considerava provável.

O Luxembourg – aquele lugar odioso com sua comida excelente, seu serviço rápido e eficiente, sua luxuosa decoração. Um lugar impossível de se evitar, era sempre convidada para alguma coisa lá.

Ela teria adorado esquecer – mas tudo conspirava para fazê-la recordar. Até mesmo Fairhaven não estava mais a salvo agora que George Barton fora morar em Little Priors.

Fora mesmo extraordinário da parte dele. George Barton era um homem muito estranho. Nem de longe o tipo de vizinho que gostaria de ter. Sua presença em Little Priors arruinara o encanto e a paz de Fairhaven. Até este verão, sempre fora um local de repouso e restauração, um lugar onde ela e Stephen haviam sido felizes – isto é, se eles haviam sido felizes algum dia.

Seus lábios se apertaram. Sim, mil vezes sim! Poderiam ter sido felizes se não fosse por Rosemary. Fora Rosemary quem despedaçara o delicado edifício de confiança e ternura mútuas que ela e Stephen estavam começando a construir. Alguma coisa, um instinto talvez, havia ordenado que escondesse de Stephen sua paixão, sua devoção aberta por ele. Ela o havia amado desde o momento em que ele atravessou a sala em sua direção aquele dia na mansão dos Kidderminster, fingindo timidez, fingindo não saber quem ela era.

Porque ele *sabia*. Não conseguia dizer em que momento havia percebido esse fato. Algum tempo depois do casamento, em um dia em que ele estava explicando uma hábil estratégia de manipulação política necessária para a aprovação de uma lei.

Foi aí que o pensamento cruzou sua mente. "Isto me lembra de algo. O quê?" Só mais tarde percebeu que era, em essência, a mesma tática que ele havia usado aquele dia na mansão dos Kidderminster. Aceitou o fato sem surpresa, como se fosse algo de que ela estivera ciente há tempos, mas que só agora havia emergido à superfície de sua mente.

Desde o dia do casamento compreendera que ele não a amava como ela o amava. Mas concluiu que, possivelmente, ele não era de fato capaz daquele tipo de amor. O poder do amor havia sido sua própria herança infeliz. Gostar com um desespero, uma intensidade que era, sabia, incomum entre as mulheres! Teria morrido por ele de boa vontade; estava pronta para mentir,

* Rosemary em inglês significa rosmaninho, a flor de alecrim. O trecho em itálico é uma citação de *Hamlet*, de William Shakespeare: Quarto Ato, Cena V. (N.T.)

conspirar, sofrer por ele! Em vez disso, aceitara com orgulho e discrição o lugar que ele queria que ocupasse. Desejava sua cooperação, sua simpatia, seu auxílio intelectual ativo. Queria não o coração, mas o cérebro, e as vantagens materiais que o nascimento havia concedido a ela.

Uma coisa ela nunca faria: envergonhá-lo com a manifestação de uma devoção que ele não poderia retribuir de forma adequada. Acreditava com sinceridade que ele gostava dela, que sentia prazer em sua companhia. Previa um futuro no qual aquela carga seria imensamente aliviada: um futuro de ternura e amizade.

A seu modo, pensava, ele a amava.

E então apareceu Rosemary

Às vezes se perguntava, com os lábios retorcidos em um doloroso esgar, como ele pudera imaginar que ela não sabia. Soubera desde o primeiro minuto – lá em St. Moritz –, ao ver o modo como ele olhara para aquela mulher.

Soubera o dia exato em que aquela mulher se tornara sua amante.

Conhecia até o perfume que a criatura usava.

Podia ler no rosto cortês de Stephen, em seu olhar distraído, quais eram suas lembranças, no que estava pensando – naquela mulher, a mulher da qual ele há pouco se despedira!

Era difícil, pensou desapaixonadamente, avaliar o sofrimento pelo qual havia passado. Suportara, dia após dia, a tortura dos condenados, com nada para levá-la adiante a não ser sua crença na coragem – seu próprio orgulho natural. Não demonstraria, jamais, o que estava sentindo. Perdeu peso, ficou pálida e magra, os ossos do rosto e dos ombros desenhando-se mais distintos, a carne retesada sobre eles. Forçava-se a comer, mas não podia forçar-se a dormir. Passava longas noites deitada, os olhos secos, fixos na escuridão. Desprezava como fraqueza o ato de tomar remédios. Ela suportaria. Mostrar-se magoada, suplicar, protestar – eram coisas para ela repugnantes.

Tinha uma migalha de consolo, ainda que escasso – Stephen não pensava em deixá-la. Por óbvio que o motivo fosse o bem de sua carreira, mais do que qualquer afeto pela esposa, ainda assim, esse fato permanecia. Ele não queria deixá-la.

Um dia, talvez, aquela paixão passaria.

O que, afinal, ele poderia ver naquela garota? Era linda e atraente – mas outras mulheres também eram. O que ele encontrara em Rosemary Barton que o fizera se apaixonar?

Ela era burra... tola... e nem era – apegava-se a esse ponto em especial – particularmente divertida. Se pelo menos ela tivesse humor, charme, maneiras provocantes – aquelas eram as qualidades que seguravam os homens. Sandra aferrava-se à crença de que aquilo acabaria – que Stephen se cansaria dela.

Estava convencida de que o principal interesse da vida dele era o trabalho. Estava predestinado a grandes feitos, e sabia disso. Tinha o cérebro refinado de um estadista e se deliciava em empregá-lo. Era seu destino na vida. Tão logo aquela paixão começasse a desvanecer, ele perceberia.

Nunca, nem por minuto, Sandra cogitara em deixá-lo. A ideia nunca sequer passara pela sua cabeça. Pertencia a ele, de corpo e alma, pegar ou largar. O amor queimava dentro dela com uma intensidade medieval.

Houve um momento em que ela teve esperanças. Eles foram para Fairhaven. Stephen parecia em seu estado normal. Sentiu, de súbito, renovar-se a velha empatia entre eles. A esperança cresceu em seu coração. Ele ainda a queria, apreciava sua companhia, confiava em seu julgamento. Por um momento, havia escapado das garras daquela mulher.

Parecia mais feliz, mais ele mesmo.

Nada havia sido arruinado de modo irreparável. Estava superando. Se ele ao menos se decidisse a romper com ela...

Aí voltaram para Londres, e Stephen teve uma recaída. Parecia intratável, preocupado, doente. Estava se tornando incapaz de concentrar a mente no trabalho.

Ela achava que sabia o motivo. Rosemary queria que ele fugisse com ela... Estava tomando coragem para dar o último passo e romper com tudo o que lhe era mais caro. Insensatez! Loucura! Era o tipo de homem para quem o trabalho sempre vinha em primeiro lugar – um tipo bastante inglês. No fundo, devia saber aquilo por si próprio. Sim, mas Rosemary era muito atraente – e muito estúpida. Stephen não seria o primeiro homem a jogar fora sua carreira por uma mulher e a se arrepender mais tarde!

Sandra captou umas poucas palavras – uma frase certo dia em um coquetel.

"...contar ao George. Temos de nos decidir."

Fora logo depois daquilo que Rosemary caíra de cama, com uma gripe.

Uma tênue esperança cresceu no coração de Sandra. E se ela apanhasse uma pneumonia... as pessoas pegavam uma depois de uma gripe – uma jovem amiga havia morrido daquela maneira no inverno anterior. Se Rosemary morresse...

Nem tentou reprimir o pensamento – não estava horrorizada consigo mesma. Era medieval o bastante para odiar com a mente firme e imperturbável.

Odiava Rosemary Barton. Se pensamentos pudessem matar, ela já a teria matado.

Mas pensamentos não matam...

Pensamentos não bastam...

Como Rosemary estava linda aquela noite no Luxembourg, com a estola clara de pele de raposa deslizando de seus ombros no toalete feminino. Mais magra e pálida devido à doença – um ar de fragilidade tornara sua beleza mais etérea. Ela parara na frente do espelho retocando a maquiagem...

Sandra, logo atrás, comparava o reflexo de ambas no espelho. Seu rosto como algo esculpido, gélido, sem vida. Sem sentimentos, alguém poderia dizer – uma mulher dura e fria.

E então Rosemary dissera:

– Oh, Sandra, estou ocupando o espelho todo? Já terminei. Este horrível resfriado me derrubou mesmo. Pareço um fantasma. E ainda me sinto muito fraca e com dor de cabeça.

Sandra perguntara com polido interesse:

– Teve dor de cabeça hoje?

– Só um pouquinho. Você não teria uma aspirina?

– Tenho um Cachet Faivre.

Ela abrira a bolsa e retirara a cápsula de analgésico. Rosemary a aceitara:

– Vou guardar na bolsa, caso precise.

A garota morena e competente que era secretária de Barton assistira à breve transação. Virara-se para o espelho e empoara o rosto, de leve. Uma moça de boa aparência, quase bonita. Sandra tinha a impressão de que ela não gostava de Rosemary.

Saíram do toalete, Sandra primeiro, depois Rosemary, e por fim a srta. Lessing – oh, claro, a menina, Iris, irmã de Rosemary, também estivera lá. Muito agitada com seus grandes olhos cinzentos e um vestido branco de colegial.

Saíram e se juntaram aos homens no saguão.

E o maître viera apressado e os conduzira até a mesa para eles reservada. Passaram sob o arco abobadado da entrada e nada, absolutamente nada, advertira uma daquelas mulheres de que ela jamais sairia viva por aquela porta.

CAPÍTULO 6

George Barton

Rosemary...

George Barton abaixou o copo e ficou olhando para a lareira, os olhos arregalados.

Havia bebido o bastante para se sentir embriagado de autopiedade.

Que garota adorável ela fora. Sempre fora louco por ela, e ela sabia. Sempre achara que ela riria na sua cara se declarasse seu amor.

Mesmo quando a pedira em casamento pela primeira vez, fizera-o sem nenhuma convicção.

Tartamudo e balbuciante. Agira como um bobo alegre:

– Sabe, garotinha, a qualquer hora... só precisa dizer. Sei que não vai dar em nada. Você nem olharia para mim. Sempre fui um perfeito idiota. Estou um pouco fora de forma, também. Mas sabe o que eu sinto, não sabe? Quer dizer... Sempre estive aqui. Sei que não tenho a mínima chance, mas pensei simplesmente em mencionar...

E Rosemary rira e o beijara no topo da cabeça.

– Você é um doce, George, e vou me lembrar de sua gentil oferta, mas não estou pensando em me casar com ninguém no momento.

E ele respondera com toda seriedade:

– Muito justo. Leve o tempo que quiser, olhe à sua volta. Você pode ser seletiva.

Ele nunca tivera esperança alguma – ao menos esperança real.

Por isso mostrara-se tão incrédulo e estupefato quando Rosemary disse que se casaria com ele.

Ela não o amava, era óbvio. Sabia disso muito bem. Ela mesma admitira.

– Você não me entende, não é mesmo, George? Eu quero me sentir sossegada, feliz e segura. E terei isso com você. Estou farta de me apaixonar. De alguma forma sempre dá errado e acaba em confusão. Gosto de você. É gentil, divertido, meigo e me acha maravilhosa. É isso o que eu quero.

Ele respondera de modo um tanto incoerente:

– Com calma chegamos lá. Seremos felizes como reis.

Bem, não estivera tão errado. Eles foram felizes. Em seu íntimo, sempre se sentira humilhado diante dela. Convencera-se de que os obstáculos viriam, com certeza. Rosemary não se satisfaria para sempre com um sujeito enfadonho como ele. Haveria incidentes! Disciplinou-se para aceitá-los. Prometera se agarrar, firme, à crença de que tais incidentes não durariam muito, que Rosemary sempre voltaria para ele. Uma vez que tivesse aceitado aquele ponto de vista, tudo correria bem.

Porque ela tinha carinho por ele. Sua afeição por ele era constante e invariável, uma dimensão à parte de seus flertes e casos amorosos.

Ele havia se disciplinado a aceitá-los. Convencera-se de que eram inevitáveis para alguém com o temperamento suscetível e a beleza incomum de Rosemary. Não conseguira, contudo, entrar em acordo com suas próprias reações.

Os flertes com este ou aquele rapaz não eram nada. Mas quando suspeitou pela primeira vez de um caso mais sério...

Percebeu bastante rápido, sentiu o quanto ela andava diferente. A excitação crescente, cada vez mais bela, cada vez mais radiante. E logo o que o instinto havia lhe soprado foi confirmado pelos desagradáveis fatos concretos.

Certo dia, entrara na sala de estar e a vira cobrir instintivamente a carta que estava escrevendo. Soubera de imediato que estava escrevendo para o amante.

Depois que ela saiu, ele atravessou a sala em direção à mesa. Ela havia levado a carta, mas a tinta na folha de mata-borrão estava quase fresca. Levou-a para o outro lado da sala e pressionou-a contra o espelho – e pôde ver as palavras escritas com a caligrafia enérgica de Rosemary: "Meu querido amado...".

O sangue lhe afluíra à cabeça. Entendera naquele instante o que Otelo havia sentido. Resoluções sensatas? Qual! Só a natureza humana contava. Queria estrangulá-la e assassinar o sujeito a sangue-frio! Quem era ele? Aquele tal de Browne? Ou o sonso do Stephen Farraday? Ambos vinham lançando olhares cobiçosos para cima dela.

Viu a própria face no espelho. Os olhos estavam injetados de sangue. Parecia prestes a ter um ataque.

Enquanto recordava daquele momento, George Barton deixou o copo cair de sua mão. Mais uma vez teve aquela sensação asfixiante, o martelar do sangue nos ouvidos. Mesmo agora...

Com esforço, afastou a recordação. Não devia passar por ela outra vez. Rosemary estava morta. Morta e em paz. E ele também estava em paz. Não sofria mais...

Era engraçado pensar que aquilo era o que a morte de Rosemary significava para ele: paz...

Nunca admitira, nem mesmo para Ruth. Boa garota. Cabeça boa. De fato, não sabia o que faria sem ela. A forma como ela o ajudara, como manifestara solidariedade. E sem insinuação alguma de sexo. Não era uma louca por homem, como Rosemary...

Rosemary... Rosemary sentada na mesa redonda do restaurante. O rosto mais magro depois da gripe... um pouco abatida... mas adorável, tão adorável. E apenas uma hora depois...

Não, ele não pensaria naquilo. Não agora. Seu plano. Pensaria no plano.

Falaria primeiro com Race. Mostraria a ele as cartas. Iris ficara aturdida com a hipótese. Era evidente que não fazia a menor ideia.

Bem, ele estava encarregado da situação agora. Tinha tudo sob controle.

O plano. Tudo preparado: a data, o lugar.

Dois de novembro. Dia de Finados. Isso acrescentaria um belo toque. O Luxembourg, claro. Tentaria reservar a mesma mesa.

E os mesmos convidados. Anthony Browne, Stephen Farraday, Sandra Farraday. E, é claro, Ruth, Iris e ele. Como o elemento ímpar, Race, que, pelo planejamento original, deveria ter ido àquele jantar.

E haveria um lugar vazio.

Seria esplêndido!

Dramático!

Uma reconstituição do crime.

Bem, não exatamente uma reconstituição...

Sua mente retrocedeu...

O aniversário de Rosemary...

Rosemary, estatelada sobre aquela mesa... morta...

LIVRO 2

Dia de Finados

"Este é um rosmaninho, serve para lembrança"

CAPÍTULO 1

Lucilla Drake estava gorjeando – o termo sempre usado na família, e realmente muito apropriado, para descrever os sons emitidos pelos lábios gentis de Lucilla.

Naquela manhã em particular, estava preocupada com muitas coisas... tantas que considerava difícil prestar atenção em uma de cada vez. Havia a iminência da mudança de volta para a cidade e os problemas domésticos dela decorrentes. Criados, o dinheiro para as despesas, provisões de inverno, mil pequenos detalhes – todos disputando espaço com a apreensão pela aparência de Iris.

– De verdade, querida, estou muito preocupada com você... está tão pálida e sem vida... como se não tivesse pregado o olho. Você dormiu? Se não, há um preparado maravilhoso do dr. Wyllie, ou seria do dr. Gaskell? O que me faz lembrar: preciso ir até a mercearia e falar eu mesma com o dono. Ou as criadas estão comprando coisas para si próprias ou ele está nos logrando deliberadamente. Caixas e caixas de sabão em pó, quando eu nunca autorizo mais do que três pacotes por semana. Ou talvez um tônico lhe assentasse melhor? Xarope Eaton, era o que eu tomava quando menina. E espinafre, é claro. Direi à cozinheira para preparar espinafre para o almoço de hoje.

Iris estava tão fraca e já se acostumara tanto ao estilo discursivo da sra. Drake que resolveu não perguntar por que a menção ao dr. Gaskell a fizera lembrar do merceeiro local – e mesmo que o tivesse feito, receberia a resposta imediata: "Porque o nome do dono da mercearia é Cranford, minha querida". As explicações de tia Lucilla eram sempre perfeitamente claras – para ela própria.

Apenas disse, com o máximo de energia que conseguiu reunir:

– Estou em perfeitas condições, tia.

– Está com olheiras – respondeu Lucilla –, anda se cansando demais...

– Não faço nada há semanas.

– É o que você pensa, querida. Jogar muito tênis é extenuante para as garotas. E penso que o ar por aqui tende a nos debilitar. Este lugar é um buraco. Se George tivesse *me* consultado ao invés daquela garota.

– Garota?

– Aquela srta. Lessing que ele considera tanto. Não tenho dúvidas de que ela faz tudo muito bem no escritório... mas é um grande erro tirá-la de seu lugar e encorajá-la a pensar em si própria como parte da família. Não que ela precise de encorajamento para isso, a bem dizer.

– Ora, tia Lucilla, Ruth *é* praticamente da família.

A sra. Drake fungou:

– Ela almeja ser... isto está muito claro. Pobre George... quando se trata de mulheres, é uma criança indefesa. Mas não vai ser assim, Iris. George precisa ser protegido de si mesmo, e se eu fosse você deixaria muito claro que, por melhor que a srta. Lessing seja, qualquer plano de casamento está fora de questão.

Iris foi arrancada de sua apatia por um momento.

– Nunca imaginei George casando-se com Ruth.

– Você não vê as coisas acontecendo debaixo do seu nariz, criança. Claro, não tem a minha experiência de vida...

Ainda que não pretendesse, Iris sorriu. Tia Lucilla era realmente muito engraçada, às vezes.

– Aquela moça está à caça de um matrimônio.

– E isso importa? – perguntou Íris.

– Importar? É claro que importa.

– Não seria ótimo, na verdade? – a tia fixou os olhos nela. – Para o George, quero dizer. Acho que a senhora está certa, ela gosta dele. E seria uma ótima esposa, cuidaria bem dele.

A sra. Drake bufou. Uma expressão quase indignada surgiu em um rosto sempre agradável e cândido.

– George está sendo muito bem cuidado agora. Gostaria de saber o que mais ele pode querer. Tem quem lhe faça comida excelente e costure suas roupas. É muito agradável para ele ter uma garota jovem e atraente como você pela casa e quando, um dia, você se casar, espero ainda ser capaz de olhar pelo conforto e zelar pela saúde dele. Tão bem ou melhor do que poderia fazer uma moça saída de um escritório. O que ela sabe sobre administrar uma casa? Cifras, contabilidade, estenografia e datilografia... Para que servem essas coisas no lar de um homem?

Iris sorriu e balançou a cabeça, mas não discutiu. Pensava no cetim negro e liso dos cabelos de Ruth, em sua pele clara e em seu talhe tão bem ajustado nas roupas severas e sob medida que usava. Pobre tia Lucilla, toda concentrada em conforto e em administração, com a noção de romance tão distante no passado que provavelmente já havia esquecido o que aquilo significava – se, pensou Iris ao lembrar do tio, o marido dela alguma vez chegou a significar alguma coisa.

Lucilla Drake era meia-irmã de Hector Marle, nascida de um casamento anterior. Quando a mãe deles morrera, havia assumido o papel de cuidar do irmão mais novo. Administrando a casa para o pai, envelhecera com a pecha de solteirona. Estava perto dos quarenta anos quando conheceu o Reverendo Caleb Drake, ele próprio passado dos cinquenta. A vida conjugal foi curta, meros dois anos, e logo ficou viúva e com um filho pequeno. A maternidade, tardia e inesperada, fora a suprema experiência da vida de Lucilla Drake. Seu filho tornara-se uma angústia, uma fonte de aflições e uma constante sangria financeira – mas nunca fora um desapontamento. A sra. Drake se recusava a reconhecer qualquer coisa errada no filho a não ser uma bondosa fraqueza de caráter. Victor era muito confiante... facilmente desencaminhado pelas más companhias devido à boa-fé que tinha nos amigos. Victor era azarado. Victor era iludido. Victor fora enganado. Era presa fácil para homens perversos que exploravam sua inocência. O rosto agradável, inocente como o de uma ovelha, endurecia-se com obstinação diante de qualquer crítica a Victor. Conhecia o próprio filho. Era um rapaz precioso, cheio de boas intenções, e os seus pretensos amigos tiravam vantagem disso. Sabia melhor do que ninguém o quanto Victor odiava ter de pedir dinheiro a ela. Mas quando o pobre rapaz estava em uma situação tão terrível, o que mais poderia fazer? Não era como se tivesse alguém mais a quem apelar além dela.

Ao mesmo tempo, ela admitia que o convite de George para morar naquela casa e cuidar de Iris havia sido uma graça de Deus, em um momento em que realmente enfrentava os apuros desesperados de uma pobreza distinta. Havia vivido de modo muito feliz e confortável no último ano, e não era da natureza humana olhar com gentileza para a possibilidade de ser substituída por uma moça surgida do nada, toda cheia de capacidade e eficiência modernas, e que de qualquer forma, estava convencida, só casaria com George pelo dinheiro. Claro que era do dinheiro que ela estava atrás. Uma boa casa e um rico e indulgente marido. Não se podia fazer tia Lucilla, em sua idade, acreditar que qualquer moça de fato *quisesse* trabalhar para viver! As mulheres eram do mesmo jeito que sempre foram – preferiam mais era agarrar, se pudessem, um homem que as mantivesse confortáveis. Era esperta aquela Ruth Lessing, insinuando-se até uma posição de confiança, aconselhando George sobre como mobiliar uma casa, tornando-se indispensável – mas, graças a Deus, havia ao menos *uma* pessoa que via o que ela estava fazendo.

Lucilla Drake sacudiu a cabeça várias vezes, causando um tremor em sua leve papada, sobrancelhas erguidas em um ar de soberba sabedoria, e abandonou aquele assunto para se dedicar a outro igualmente interessante e, era possível, mais premente.

– Não consigo me decidir a respeito dos cobertores, querida. Ainda não está claro para mim se voltaremos só na primavera ou se George pretende descer para cá nos finais de semana. Ele não disse.

– Suponho que ele mesmo não saiba – Iris tentou prestar atenção naquele ponto que lhe parecia de completa desimportância. – Se o tempo estiver bom pode ser divertido vir ao campo ocasionalmente. Ainda que eu particularmente não ache que queira fazer isso. Ainda assim, a casa estará aqui se quisermos vir.

– Sim, querida, mas eu gostaria de *saber*. Porque se não voltarmos para cá até o ano que vem, os cobertores devem ser guardados com naftalina. Mas, se vamos voltar, isso não será necessário, porque os cobertores serão usados... e o cheiro de naftalina é muito desagradável.

– Bom, então não use.

– Sim, mas devido a esse verão tão quente há um monte de traças por aí. Todos dizem que está sendo um ano ruim por causa das traças. E das vespas, também, é claro. Hawkins me contou ontem que acabou com trinta ninhos de vespas neste verão... Trinta... imagine só...

Iris pensou em Hawkins – à espreita no crepúsculo, o vidro de cianureto nas mãos... *Cianureto – Rosemary*... Por que tudo levava de volta a ela...?

O gotejar miúdo que era a voz de tia Lucilla continuava – alcançara um ponto diferente agora.

–...e se devemos mandar a prataria para o banco ou não. Lady Alexandra falou de tantos arrombamentos... apesar, é claro, de termos umas venezianas muito boas. Pessoalmente, não gosto do jeito que ela arruma o cabelo... faz seu rosto parecer tão rígido... Mas acho que é uma mulher dura. E nervosa, também. Todo mundo é tão nervoso hoje em dia. Quando eu era menina, as pessoas não sabiam o que era o nervosismo. O que me lembra que não ando gostando da aparência do George ultimamente... Imagino se ele não está pegando uma gripe. Cheguei a me perguntar algumas vezes se ele estava febril. Mas talvez seja alguma preocupação de negócios. Sabe, me parece que ele está com alguma coisa na cabeça.

Iris estremeceu, e Lucilla Drake exclamou, triunfante:

– Aí está, eu disse que você tinha pegado um resfriado.

CAPÍTULO 2

– Como eu gostaria que eles nunca tivessem vindo para cá.

Sandra Farraday proferiu aquelas palavras com uma amargura tão incomum que seu marido, surpreso, virou-se para olhá-la. Foi como se ela verbalizasse seus próprios pensamentos – que ele tentava com tanto esforço esconder. Então Sandra também sentia o mesmo? Ela também sentia que Fairhaven havia sido estragada, a paz do lugar diminuída por aqueles novos vizinhos a uma milha através do parque. Disse em um impulso, expressando sua surpresa:

– Não sabia que você também se sentia assim a respeito deles.

De imediato, ou assim pareceu, ela se retraiu:

– É impossível ignorar os vizinhos no campo. A gente tem de ser ou rude ou amistoso, não há, como em Londres, a possibilidade de manter apenas conhecidos cordiais.

– Não – concordou Stephen –, não há.

– E agora estamos comprometidos com essa festa extravagante.

Ficaram ambos em silêncio, repassando em suas mentes a cena do almoço. Os modos de George Barton haviam sido afáveis, exuberantes até, com um leve toque de agitação que ambos perceberam. George Barton estava realmente bastante esquisito naqueles dias. Stephen nunca havia prestado muita atenção nele antes da morte de Rosemary. George só estava lá, em segundo plano, o marido gentil e maçante de uma jovem e linda mulher. Stephen nunca sentira sequer uma pontada de inquietação por estar traindo George. Era o tipo de marido que havia nascido para ser traído. Bem mais velho, destituído dos atrativos necessários para segurar uma mulher caprichosa e atraente. George teria iludido a si próprio? Stephen achava que não, que ele conhecia Rosemary muito bem. Amava-a e era o tipo de homem consciente a respeito de suas próprias capacidades de manter o interesse de uma esposa.

Ao mesmo tempo, George devia ter sofrido...

Ele e Sandra haviam-no visto muito pouco nos meses seguintes à tragédia. Não até ele aparecer de súbito como vizinho próximo em Little Priors e reentrar em suas vidas. Ao mesmo tempo, ou assim Stephen pensava, parecia diferente: mais vivo, positivo. E sim, decididamente esquisito.

Ele estivera estranho hoje. Aquele convite súbito e impensado. Uma festa para o aniversário de dezoito anos de Iris. Esperava que tanto Stephen quanto Sandra comparecessem. Haviam sido tão gentis com eles.

Sandra dissera, rápido: É claro, seria um prazer. Naturalmente Stephen estaria um tanto ocupado quando voltassem para Londres, e ela mesma tinha um grande número de compromissos muito cansativos, mas esperava que pudessem dar um jeito.

– Então vamos marcar um dia agora, por que não? – o rosto de George estava corado, risonho, insistente. – Quarta ou quinta-feira? Quinta-feira é dia 2 de novembro. Estaria bom para vocês? Podemos agendar qualquer outro dia que sirva para os dois.

Fora o tipo de convite de aceitação obrigatória – havia uma certa falta de *savoir-faire* social. Stephen notou que Iris Marle enrubescera e parecia embaraçada. Sandra fora perfeita. Rendera-se, sorridente, ao inevitável, e dissera que, por eles, estava muito bem na quinta-feira, dia 2 de novembro.

Súbito, dando voz a seus pensamentos, Stephen disse, severo:

– Não precisamos ir.

Sandra virou de leve o rosto na direção dele. Tinha um ar pensativo e ponderado.

– Acha que não?

– É fácil arranjar uma desculpa.

– Ele apenas insistiria para que fôssemos em uma outra ocasião... ou adiaria. Ele... parece disposto a insistir bastante em nossa presença.

– Não consigo imaginar por quê. É a festa de Iris, e não acredito que ela esteja particularmente ansiosa por nossa companhia.

– Não... Não... – a voz de Sandra soou pensativa, e então perguntou: – Sabe onde vai ser essa festa?

– Não.

– No Luxembourg.

A surpresa quase o privou da fala, e sentiu a cor fugir do seu rosto. Dominou-se e olhou-a nos olhos. Estava imaginando ou havia algum sentido oculto no modo direto como o encarava?

– Mas é um absurdo! – exclamou, vociferando em uma tentativa de disfarçar suas próprias emoções. – O Luxembourg, onde... para reviver tudo aquilo. O homem deve estar louco.

– Também pensei nisso – disse Sandra.

– Então nós com certeza devemos recusar o convite. A... A coisa toda foi terrivelmente desagradável. Você se lembra de toda a publicidade... as fotos nos jornais.

– Lembro-me de todo o dissabor daquilo – disse Sandra.

– Ele não percebe o quão desagradável seria para nós?

– Sabe, ele tem um motivo, Stephen. Ele me deu um motivo.

– E qual é?

Sentiu-se grato por ela não estar olhando para ele quando falou:

– Ele me chamou de lado depois do almoço. Disse que queria se explicar. Contou-me que a garota, Iris, nunca se recuperou por completo do choque da morte da irmã.

Ela se interrompeu e Stephen concordou, relutante:

– Ouso dizer que pode ser verdade, ela parecia muito longe de estar bem. No almoço cheguei a pensar no quanto parecia doente.

– Sim, também notei... apesar de ela ter-me parecido bem de saúde e disposição o tempo todo antes disso. Mas estou contando o que George Barton me disse. Falou que Iris tem insistentemente evitado o Luxembourg o quanto pode desde aquele dia.

– Não me admira.

– Mas de acordo com George está errado. Parece que ele consultou um médico especialista nos nervos, um desses homens modernos, cuja recomendação foi a de que, após um choque de qualquer tipo, o problema deve ser enfrentado, não evitado. O princípio, deduzo, é igual ao de mandar um aviador decolar de novo imediatamente após um acidente.

– E esse especialista sugere outro suicídio?

Sandra retrucou, tranquila:

– Sugere que as associações ligadas ao restaurante devem ser superadas. É só um restaurante, no fim das contas. Ele propôs uma festa comum e agradável com, na medida do possível, as mesmas pessoas presentes.

– Que agradável para as pessoas!

– Isso o incomoda tanto assim, Stephen?

Uma rápida pontada de alarme o atravessou. Emendou, rápido:

– Claro que não. Só acho que é uma ideia repulsiva. Pessoalmente, *eu* não deveria me importar, de qualquer forma... Estava mesmo era pensando em *você*. Se você não se incomoda.

Ela o interrompeu.

– Sim, me incomoda. Muito. Mas a forma como George Barton apresentou a ideia tornou-a muito difícil de recusar. Afinal, eu estive muitas vezes no Luxembourg desde... e você também. Alguém sempre nos convida.

– Mas não sob tais circunstâncias.

– Não.

Stephen continuou:

– Como você diz, é difícil recusar... e se nos esquivarmos, o convite será feito de novo. Mas não há razão, Sandra, pela qual *você* deva suportar isso. Eu irei e você pode desistir no último minuto... uma dor de cabeça, um resfriado... algo do tipo.

Viu-a empinar o queixo enquanto respondia.

– Seria covardia. Não, Stephen, se você vai, eu vou. Afinal – pôs a mão no braço dele –, por menos que nosso casamento signifique, deveria ao menos significar que compartilhamos nossas dificuldades.

Ele a encarava, rendido em silêncio pela frase dolorosa que ela havia deixado escapar tão facilmente, como se verbalizasse um fato bastante familiar e sem importância.

Recuperando-se, disse:

– Por que diz isso? *Por menos que nosso casamento signifique*?

Ela o olhou, firme, os olhos muito abertos com uma expressão sincera.

– E não é a verdade?

– Não, mil vezes não. Nosso casamento significa tudo para mim.

Ela sorriu.

– Suponho que sim... de certo modo. Somos uma grande equipe, Stephen. Colaboramos com resultados satisfatórios.

– Não quis dizer isso. – Notou a própria respiração irregular. Tomou a mão dela entre as suas, segurando-as bem firme. – Sandra, não percebe que é tudo no mundo para mim?

E, de súbito, ela percebeu. Era incrível – imprevisto –, mas era verdade.

Estava nos braços dele, que a apertava com força, beijava-a, balbuciava palavras incoerentes.

– Sandra... Sandra... querida. Eu a amo... Tive tanto medo... tanto medo de perdê-la.

Ela se ouviu dizer:

– Por causa de Rosemary?

– Sim – ele a soltou e recuou um passo, o espanto em sua face chegava a ser cômico. – Você sabia... sobre Rosemary?

– É claro... todo o tempo.

– E você compreende?

– Não, eu não compreendo. Não acho que sequer poderia. Você a amava?

– Não de verdade. Era você que eu amava.

Uma onda de amargura a arrebatou. Citou as palavras dele:

– Desde a primeira vez em que me viu, no outro lado da sala? Não repita essa mentira, porque foi uma mentira.

Ele não recuou diante daquele ataque repentino. Pareceu pensar nas palavras dela com atenção.

– Sim, era uma mentira... e, de um modo estranho, não era. Começo a acreditar que era verdade. Oh, tente entender, Sandra. Conhece aquele tipo de pessoa que sempre tem uma razão boa e nobre para mascarar suas atitudes mesquinhas? Os tipos que "têm de ser honestos" quando querem na verdade ser indelicados, que "pensam que é seu dever repetir isto e aquilo", que são tão hipócritas consigo mesmos que chegam ao fim da vida convencidos de que cada uma de suas atitudes egoístas e bestiais foi tomada com um espírito de altruísmo? Tente imaginar que o oposto desse tipo de gente também pode existir. Pessoas que são tão cínicas, desconfiadas de si mesmas e da vida que só acreditam em seus piores motivos. Você era a mulher que eu precisava. Isso, ao menos, é verdade. E eu acredito honestamente, agora, olhando para trás, que se isso não fosse verdade, eu nunca teria ido adiante.

Ela disse, com rancor:

– Você não estava apaixonado por mim.

– Não. Eu nunca havia estado apaixonado. Era uma criatura faminta e assexuada que se orgulhava (sim, eu me orgulhava) da frieza obstinada de sua natureza. E então eu me apaixonei por uma mulher "do outro lado da sala"... um amor estúpido, violento e adolescente. Algo como uma tempestade de verão, breve, irreal, que passa rápido – acrescentou, áspero: – de fato, "uma história contada por um idiota, cheia de som e fúria e vazia de significado".

Fez uma breve pausa e então prosseguiu

– Foi aqui, em Fairhaven, que eu acordei e percebi a verdade.

– A verdade?

– Que a única coisa que me importava na vida era você... você e seu amor.

– Se eu tivesse sabido...

– O que você pensava?

– Achava que você estava planejando partir com ela.

– Com Rosemary? – ele deu uma risada curta. – Isso teria de fato sido uma condenação para a vida toda!

– Ela não queria que vocês fossem embora?

– Sim, ela queria.

– E o que aconteceu?

Stephen deu um profundo suspiro. Haviam voltado ao mesmo ponto, encarando uma vez mais aquela ameaça intangível. Disse:

– O Luxembourg aconteceu.

Ficaram ambos em silêncio, vendo, sabiam, a mesma imagem. A face azul cianótica de uma outrora linda mulher.

Olhavam para a mulher morta, e então... erguiam o rosto para encontrar o olhar um do outro.

Stephen disse:

– Esqueça, Sandra, pelo amor de Deus, deixe-nos esquecer!

– É inútil esquecer. Nao teremos a permissão para esquecer.

Houve uma pausa, após a qual Sandra continuou:

– O que faremos?

– O que você disse há pouco. Encarar as coisas... juntos. Iremos a essa festa horrível seja qual for a razão para ela.

– Não acredita no que George disse a respeito de Iris?

– Não. Você acredita?

– Poderia ser verdade. Mas mesmo que fosse, não é o motivo real.

– E qual seria o motivo real, na sua opinião?

– Não sei, Stephen, mas tenho medo.

– De George Barton?

– Sim. Eu acho que ele... sabe.

Stephen perguntou, de modo abrupto:

– Sabe o quê?

Ela virou o rosto devagar até que os olhos de ambos se encontrassem, e disse, em um sussurro:

– Não devemos ter medo. Devemos ter coragem... toda a coragem do mundo. Você será um grande homem, Stephen... um homem de quem o mundo precisa... e nada deve interferir. Sou sua esposa e o amo.

– O que acha que essa festa é, Sandra?

– Uma armadilha.

Ele respondeu, vagaroso:

– E vamos cair nela?

– Não podemos deixar que percebam que sabemos que é uma armadilha.

– Não, é verdade.

De súbito, Sandra lançou a cabeça para trás e riu, enquanto dizia:

– Faça o pior que pode, Rosemary. Você não vai vencer.

Ele a agarrou pelos ombros:

– Cale-se, Sandra. Rosemary está morta.

– Está? Às vezes ela parece bem viva...

CAPÍTULO 3

Quando estavam na metade do parque, Iris disse:

– Importa-se se eu não voltar com você, George? Gostaria de caminhar um pouco. Acho que vou subir até Friar's Hill e descer pelo bosque. Tive uma dor de cabeça horrorosa o dia inteiro.

– Pobre criança. Vá. Não irei com você... Estou esperando um amigo esta tarde e não tenho certeza da hora em que ele vai chegar.

– Certo. Até a hora do chá.

Ela se virou abruptamente e seguiu direto para o ponto em que um cinturão de lariços encimava a colina.

Quando chegou ao topo, inspirou longamente. Era um daqueles dias úmidos e nublados, comuns em outubro. Uma umidade abafada pingava das folhas das árvores, e as nuvens cinzentas dispostas muito baixo no céu prometiam ainda mais chuva para logo. Não havia de fato muito mais ar puro em cima da colina do que lá embaixo, no vale, mas Iris, apesar disso, sentia que respirava mais livremente.

Sentou-se no toco de uma árvore caída e desceu o olhar para o vale, onde Little Priors aninhava-se timidamente em uma depressão arborizada. Mais além, à esquerda, Fairhaven Manor dava um vislumbre de seus tijolos róseo-avermelhados.

Iris lançou um olhar sombrio para a paisagem, o queixo apoiado na mão. O leve ruído atrás dela foi, quando muito, um pouco mais alto que o cair de uma folha, mas ela virou a cabeça com rapidez quando os galhos se afastaram para que Anthony Browne passasse.

Reclamou um pouco irritada:

– Tony! Por que você tem de chegar sempre como... como o diabo em uma pantomima?

Anthony jogou-se no chão ao lado dela. Tirou sua cigarreira, ofereceu um cigarro e, quando ela sacudiu a cabeça em negação, tomou um para si e o acendeu. Só então, aspirando a primeira tragada, respondeu:

– Porque eu sou o que os jornais chamam de "um homem misterioso". Eu *gosto* de aparecer do nada.

– Como soube onde eu estava?

– Um excelente par de binóculos. Ouvi dizer que você estava almoçando com os Farraday e a observei da colina quando saiu.

– Por que não foi até a casa, como uma pessoa normal?

– Eu não sou uma pessoa normal – disse Anthony em um tom surpreso. – Sou bastante extraordinário.

– Sei que é.

Ele lançou a ela um olhar rápido:

– Algo a incomoda?

– Não, claro que não. A não ser...

Ela fez uma pausa. Anthony insistiu:

– A não ser...

Ela suspirou profundamente.

– Estou cansada de ficar aqui. Odeio este lugar. Quero voltar para Londres.

– Voltará logo, não?

– Semana que vem.

– Então aquela foi uma festa de despedida com os Farraday?

– Não foi uma festa, apenas eles e uma velha prima.

– Gosta dos Farraday, Iris?

– Não sei. Acho que não muito... embora eu não devesse dizer isso, já que eles têm sido muito amáveis conosco.

– Acha que gostam de você?

– Não. Acho que nos odeiam.

– Interessante.

– É mesmo?

– Oh, não o ódio... se ódio houver. Refiro-me ao uso da palavra "nos". Minha pergunta era sobre você, especificamente.

– Oh, entendo... Acho que eles me querem muito bem, ainda que por vias tortas. Acho que se incomodam é conosco como família vivendo perto deles. Não éramos amigos íntimos... eles eram amigos de Rosemary.

– Sim – comentou Anthony –, como você diz, eram amigos de Rosemary... não que você deva pensar em Sandra Farraday e Rosemary como amigas do peito, não?

– Não – concordou Iris. Ela parecia vagamente apreensiva, mas Anthony continuou fumando, com calma. Por fim, disse:

– Sabe o que mais me enche a paciência a respeito dos Farraday?

– O quê?

– Eles são os Farraday... só isso. Sempre os considerei assim. Não como Stephen e Sandra, Dois indivíduos ligados pelo Estado e pela Igreja oficial... mas como uma entidade dupla: os Farraday. Isto é mais raro do que se pode pensar. São duas pessoas com um objetivo em comum, um estilo de vida comum, e aspirações, medos e crenças idênticos. E a parte esquisita é que eles são, na verdade, muito diferentes em temperamento. Stephen Farraday, devo admitir, é um homem de espectro intelectual bastante amplo, sensível ao extremo à opinião alheia, terrivelmente inseguro e um pouco carente de coragem moral. Sandra, por outro lado, tem uma mente antiquada e estreita, é capaz de uma devoção fanática e é corajosa ao ponto da temeridade.

Iris disse:

– Ele sempre me pareceu um tanto pomposo e estúpido.

– Ele não é de todo estúpido. É apenas um daqueles infelizes bem-sucedidos, muito comuns.

– Infelizes?

– Muitas pessoas bem-sucedidas são infelizes. É por isso que são bem-sucedidas... têm de se afirmar conquistando alguma coisa que atraia a atenção do mundo.

– Que ideias extravagantes você tem, Anthony.

– Vai descobrir que elas são bem verdadeiras se as examinar de perto. As pessoas felizes são fracassadas porque estão tão bem consigo mesmas que não ligam a mínima para isso. Como eu. Também são normalmente companhias muito agradáveis. Como eu, outra vez.

– Tem uma opinião muito boa sobre si mesmo.

– Estou apenas chamando a atenção para meus pontos fortes, caso você não os tenha notado.

Iris riu. Seu espírito havia se recuperado. A depressão melancólica e o medo haviam se retirado de sua mente. Consultou o relógio.

– Venha à minha casa para um chá e dê a mais pessoas o privilégio de sua incomum amabilidade social.

Anthony sacudiu a cabeça.

– Hoje não. Preciso voltar.

Iris se virou para ele, ríspida:

– Por que você nunca vem à minha casa? Deve haver uma razão.

Anthony encolheu os ombros.

– Digamos que eu sou bastante excêntrico em minhas noções de hospitalidade. Seu cunhado não gosta de mim... ele deixou isso bem claro.

– Oh, não se preocupe com George. O convite é meu e de tia Lucilla... ela é uma senhora adorável... você iria gostar dela.

– Tenho certeza de que sim... mas minha objeção permanece.

– Você costumava vir na época de Rosemary.

– Aquilo – disse Anthony – era bem diferente.

Uma indistinta mão gélida tocou o coração de Iris. Ela mudou de assunto:

– O que o fez descer para cá hoje? Tem negócios nesta parte do mundo?

– Negócios muito importantes... com você. Vim para lhe fazer uma pergunta, Iris.

A mão gelada desapareceu. Em seu lugar, havia uma tímida palpitação, aquele pulsar de excitação que as mulheres conhecem desde tempos imemoriais. E com ele o rosto de Iris adquiriu o mesmo olhar de branca interrogação que sua bisavó deve ter assumido antes de dizer, minutos mais tarde: "Oh, sr. X, foi tão repentino!"

– Sim? – ela virou para Anthony aquele rosto de insustentável inocência.

Ele a olhava com os olhos sérios, quase ríspidos:

– Responda-me com sinceridade, Iris. Esta é minha pergunta: confia em mim?

Ficou perplexa. Não era a pergunta que ela havia esperado. E ele notou.

– Não achava que era isso o que eu queria dizer? Mas é uma pergunta muito importante, Iris. A pergunta mais importante do mundo para mim. Pergunto de novo. Confia em mim?

Ela hesitou, apenas um segundo, e então respondeu, baixando os olhos:

– Sim.

– Então sigo adiante perguntando uma coisa mais. Iria para Londres e se casaria comigo lá sem contar a ninguém sobre o assunto?

Ela o encarou.

– Eu não poderia! Simplesmente não poderia.

– Não poderia se casar comigo?

– Não desse jeito.

– Ainda que me ame. Você me ama, não ama?

Ela ouviu a própria voz responder:

– Sim, eu o amo, Anthony.

– Você me ama, nas não virá comigo para se casar na Igreja de Santa Elfrida, em Bloomsbury, a paróquia na qual resido há algumas semanas e onde posso, consequentemente, obter uma autorização para casamento a qualquer hora?

– Como posso fazer tal coisa? George ficaria terrivelmente magoado, e tia Lucilla nunca me perdoaria. E, de qualquer modo, não tenho idade. Tenho só dezoito anos.

– Teria de mentir sobre sua idade. Não sei em quais penalidades eu poderia incorrer por casar com uma menor sem o consentimento de seu guardião legal. Quem é o seu tutor, a propósito?

– George. Ele é também meu curador.

– Como eu estava dizendo, sejam quais forem as penalidades em que eu incorra, eles não poderiam nos descasar, e isso é tudo o que me importa, na verdade.

Iris sacudiu a cabeça.

– Eu não poderia. Não poderia ser tão descortês. E seja como for, por quê? Qual é o motivo disso?

Anthony disse:

– Por isso perguntei primeiro se podia confiar em mim. Deve aceitar minhas razões em confiança. Digamos que é a maneira mais simples. Mas deixe para lá.

Iris disse, timidamente:

– Se George pudesse conhecer você um pouco melhor. Venha para Little Priors comigo. Estarão lá apenas ele e tia Lucilla.

– Tem certeza? Achei... – ele se interrompeu. – Enquanto subia a colina vi um homem a caminho da sua casa... e o engraçado é que pensei tê-lo reconhecido como um homem que... – ele hesitou – que eu já encontrei antes.

– Claro... Havia esquecido. George disse que estava esperando alguém.

– O homem que pensei ter visto se chama Race. coronel Race.

– É bastante provável. – Iris concordou. – De fato, George conhece um coronel Race. Ele deveria estar no jantar naquela noite, quando Rosemary...

Parou, com um tremor na voz. Anthony agarrou a mão dela.

– Não lembre daquilo, querida. Foi brutal, eu sei.

Ela balançou a cabeça.

– Não posso evitar. Anthony...

– Sim?

– Já lhe ocorreu... você já chegou a pensar... – deparava com a dificuldade de colocar em palavras o que queria dizer. – Já pensou que... que Rosemary pode não ter cometido suicídio? Que pode ter sido... *assassinada*?

– Pelo amor de Deus, Iris, o que colocou essa ideia na sua cabeça?

Ela não respondeu... apenas insistiu:

– Essa ideia nunca lhe ocorreu?

– Certamente que não. É claro que Rosemary cometeu suicídio.

Iris não disse nada.

– Quem andou sugerindo tais coisas a você?

Por um momento, esteve tentada a contar a ele a história incrível de George, mas conteve-se. Disse, devagar:

– Foi só uma ideia.

– Pois esqueça, tolinha querida. – Ele a pôs de pé e beijou-lhe as faces suavemente. – Tolinha querida e mórbida. Esqueça Rosemary. Pense apenas em mim.

CAPÍTULO 4

Pitando seu cachimbo, o coronel Race* lançou um olhar especulativo para George Barton.

Conhecia George desde que este era um menino. O tio de Barton havia sido vizinho dos Race no campo. Havia uma diferença de mais de vinte anos entre os dois homens. Race tinha mais de sessenta, uma figura alta, ereta e marcial, com o rosto queimado de sol, o cabelo cinza-chumbo cortado rente e olhos negros sagazes.

Nunca houve qualquer intimidade especial entre os dois homens, mas Barton ainda recordava a Race o "jovem George" – uma das vagas figuras associadas à sua juventude.

Pensava naquele exato momento que não tinha, de fato, a menor ideia de como era o "jovem George". Nas breves ocasiões em que se encontraram, anos antes, descobriram que tinham pouco em comum. Race era um homem do campo aberto, essencialmente do tipo que construíra o Império Britânico – a maior parte de sua vida fora passada no exterior. George era o enfático cavalheiro da cidade grande. Seus interesses eram diversos, e quando se encontravam era para trocar mornas reminiscências dos "velhos tempos", após as quais um silêncio embaraçado estava pronto para ocorrer. O coronel Race não era bom de conversa fiada e poderia, de fato, ter servido de modelo para o tipo de homem calado e forte tão adorado por uma geração anterior de romancistas.

* Este é, dentre os romances de Agatha Christie, o quarto e último a trazer o coronel Race como personagem, depois de *O homem do terno marrom* (1924), *Cartas na mesa* (1936) e *Morte sobre o Nilo* (1937) – nestes dois últimos, Race contracena com o detetive belga Hercule Poirot. (N.T.)

Neste momento, estava em silêncio, imaginando por que o "jovem George" havia insistido tanto neste encontro. Pensando, também, que havia ocorrido uma mudança sutil naquele homem desde a última vez que o havia visto, um ano atrás. George Barton sempre lhe parecera a essência da estupidez: cauteloso, prático e sem imaginação.

Havia, Race pensou – algo de muito errado com aquele camarada. Nervoso como um gato. Já havia reacendido o charuto três vezes... o que não era muito do estilo de Barton.

Tirou o cachimbo da boca.

– Bem, jovem George, qual é o problema?

– Está certo, Race, é um problema. Preciso desesperadamente do seu conselho... e de sua ajuda.

O coronel anuiu com um aceno de cabeça e esperou.

– Aproximadamente um ano atrás você estava para vir jantar conosco em Londres... no Luxembourg, mas precisou viajar para o exterior na última hora.

De novo Race anuiu:

– África do Sul.

– Naquela festa minha esposa morreu.

Race se mexeu, desconfortável, em sua cadeira.

– Eu sei. Li nos jornais. Não mencionei o assunto ou lhe dei as condolências agora porque não quis remexer em tais coisas. Mas sinto muito, meu velho. Sabe disso.

– Oh, sim, sim. Não é esse o ponto. Supostamente, minha esposa cometeu suicídio.

Race agarrou-se à palavra-chave. Suas sobrancelhas se ergueram.

– Supostamente?

– Leia isto.

George empurrou as duas cartas para as mãos do outro. As sobrancelhas de Race ergueram-se ainda mais.

– Cartas anônimas?

– Sim, e acredito nelas.

Race sacudiu a cabeça com vagar.

– É algo perigoso de se fazer. Ficaria surpreso com quantas cartas mentirosas e desprezíveis são escritas após qualquer evento que tenha tido algum tipo de publicidade na imprensa.

– Sei disso. Mas estas não foram escritas naquela época... não foram escritas até seis meses depois.

Race meneou a cabeça.

– É um ponto. Quem acha que as escreveu?

– Não sei. Não importa. O ponto é que eu acredito que o que dizem é verdade. Minha esposa foi assassinada.

Race depôs o cachimbo. Sentou-se um pouco mais reto na cadeira.

– Por que acha isso? Teve alguma suspeita naquela época? A polícia teve?

– Eu estava em choque quando aconteceu... Completamente perplexo. Apenas aceitei a conclusão do inquérito. Minha esposa havia pegado uma gripe, estava abatida. Não se suspeitou de nada mais a não ser suicídio. A coisa estava na bolsa dela, não estava?

– O que era a "coisa"?

– Cianureto.

– Agora me lembro. Ela tomou-o no champanhe.

– Sim. Na época, tudo parecia bastante claro.

– Ela já havia alguma vez ameaçado cometer suicídio?

– Não, nunca – disse George. – Rosemary... vida minha.

Race anuiu. Ele havia encontrado a esposa de George apenas uma vez. Achara-a uma tonta especialmente adorável – mas, com certeza, não do tipo melancólica.

– E qual foi o relatório médico sobre o estado mental etc?

– O médico particular de Rosemary, um homem idoso que atendia a família Marle desde que ela era criança, estava fora, em uma viagem marítima. Seu sócio, um jovem, tratou Rosemary quando ela teve a gripe. Tudo o que disse, me lembro, foi que era "um tipo de gripe propensa a provocar depressão grave".

George fez uma pausa, depois continuou.

– Não falei com o médico de Rosemary senão depois de ter recebido estas cartas. Não disse nada sobre as cartas, é claro, apenas discuti o caso. Ele me disse que havia ficado muito surpreso com o que acontecera. Nunca teria acreditado, disse... Rosemary não era do tipo suicida. O que mostrava, segundo ele, o quanto mesmo uma paciente tão bem conhecida podia agir de um modo totalmente fora do comum.

Outra vez George se interrompeu e outra vez prosseguiu.

– Foi só depois de falar com ele que percebi o quão pouco convincente fora para *mim* o suicídio de Rosemary. Afinal, eu a conhecia muito bem. Era uma pessoa capaz de violentos acessos de infelicidade. Podia ficar bastante agitada com as coisas, às vezes, e em algumas ocasiões tomava atitudes muito precipitadas e irrefletidas, mas nunca soube que ela estivesse com a disposição de ânimo de querer "deixar esta vida".

Race murmurou, de modo levemente embaraçado:

– Ela poderia ter um motivo para o suicídio além da simples depressão? Ela estava, quero dizer, definitivamente infeliz por alguma coisa?

– Eu... não... talvez ela estivesse um tanto nervosa.

Evitando olhar para o amigo, Race disse:

– Ela era, de qualquer modo, uma pessoa melodramática? Só a vi uma vez, você sabe. Mas há um tipo de pessoa que... bem... poderia aproveitar a primeira oportunidade para tentar o suicídio, principalmente se estivesse brigada com alguém. O motivo, bastante infantil, de "fazer os outros sofrerem".

– Rosemary e eu não estávamos brigados.

– Não? Mas devo dizer que o fato de ter sido usado cianureto praticamente exclui a possibilidade. Não é o tipo de coisa com que se pode brincar com segurança... e todo mundo sabe disso.

– Esse é outro ponto. Se por acaso Rosemary tivesse pensado na ideia de dar cabo de si mesma, com certeza nunca o faria dessa maneira tão... dolorosa e feia. Uma overdose de algum remédio para dormir seria muito mais apropriada.

– Concordo. Há alguma prova de que ela tenha comprado ou arranjado o cianureto?

– Não, mas ela havia estado no campo com amigos e eles acabaram com um ninho de vespas certo dia. Sugere-se que ela possa ter obtido, na ocasião, um punhado de cristais de cianureto de potássio.

– Sim... não é algo difícil de se conseguir. Muitos jardineiros têm em estoque.

Fez uma pausa antes de continuar:

– Deixe-me resumir a situação. Não há evidência positiva de que tenha havido uma disposição para o suicídio ou qualquer preparativo para ele. Está tudo no condicional. Mas também não há indício positivo apontando para assassinato, ou a polícia o teria seguido. Eles são bastante atentos, você sabe.

– A simples ideia de assassinato teria parecido fantasiosa.

– Mas não pareceu tão fantasiosa para você seis meses depois.

George disse, devagar:

– Acho que devo ter ficado insatisfeito o tempo todo. Penso que vinha preparando meu subconsciente de tal modo que, quando vi a coisa por escrito, preto no branco, a aceitei sem duvidar.

– Sim – Race anuiu. – Bem, então, vamos lá. De quem você suspeita?

George se inclinou para o coronel – o rosto contraído.

– Isto é o que torna tudo tão terrível. *Se* Rosemary foi morta, uma daquelas pessoas ao redor da mesa, um de nossos amigos, pode ter cometido o crime. Ninguém mais chegou perto da mesa.

– Garçons? Quem serviu o vinho?

– Charles, o *maître* do Luxembourg. Conhece-o?

Race fez que sim. Todos conheciam Charles. De fato, parecia impossível imaginar Charles envenenando deliberadamente uma cliente.

– E o garçom que nos atendeu foi Giuseppe, e o conhecemos muito bem. Eu o conheço há anos. Sempre me atendeu lá. É um camarada jovial e encantador.

– O que nos leva de volta à mesa. Quem estava lá?

– Stephen Farraday, o parlamentar; sua esposa, lady Alexandra; minha secretária, Ruth Lessing; um sujeito chamado Anthony Browne; a irmã de Rosemary, Iris, e eu. Sete ao todo. Deveríamos estar em oito se você tivesse ido, Quando cancelou, não conseguimos pensar em ninguém a quem pudéssemos fazer um convite de última hora.

– Entendo. Bem, Barton, quem você acha que fez isso?

George começou a se lamuriar:

– Não sei... já disse que não sei. Se tivesse a menor ideia...

– Está certo. Apenas pensava que pudesse ter um suspeito definido. Bem, não deve ser difícil. Como as pessoas estavam dispostas, a começar por você?

– Sandra Farraday estava à minha direita, é claro. Ao lado dela, Anthony Browne. Depois, Rosemary. Ao lado dela, Stephen Farraday, seguido de Iris e então de Ruth Lessing, sentada à minha esquerda.

– Compreendo. E sua esposa havia bebido champanhe mais cedo naquela noite?

– Sim... As taças foram cheias muitas vezes. Aconteceu... durante o espetáculo das coristas. Havia muito barulho... era um desses shows de ritmos negros e todos nós estávamos assistindo. Ela caiu para frente, sobre a mesa, logo antes de as luzes se acenderem. Ela deve ter gemido... ou engasgado... mas ninguém ouviu nada. O médico disse que a morte havia sido praticamente instantânea. Graças a Deus por isso.

– Sim, de fato. Bem, Barton... Diante disso, parece perfeitamente óbvio.

– O que quer dizer?

– Stephen Farraday, é claro. Estava à direita dela. A taça de champanhe poderia estar próxima à mão esquerda dele. Teria sido a coisa mais fácil do mundo despejar a coisa tão logo as luzes fossem diminuídas e a atenção geral estivesse voltada para o palco. Não consigo imaginar ninguém mais que houvesse tido uma oportunidade tão boa. Conheço aquelas mesas do Luxembourg. Há muito espaço entre elas, e duvido muito que alguém tivesse se inclinado sobre a mesa, por exemplo, sem ser notado, mesmo que as luzes estivessem baças. O mesmo se aplica ao sujeito à esquerda de Rosemary. Ele precisaria se inclinar à frente dela para pôr qualquer coisa na taça. Há outra possibilidade, mas vamos examinar a pessoa mais óbvia, primeiro.

Havia alguma razão pela qual Stephen Farraday, um parlamentar, poderia querer se livrar de sua esposa?

George respondeu, com a voz entrecortada:

– Eles... eles eram amigos muito... íntimos. Se Rosemary o tivesse... abandonado, por exemplo, ele poderia querer vingança.

– Soa bastante melodramático. É o único motivo que você pode sugerir?

– Sim – disse George, com o rosto muito vermelho. Race lançou a ele o mais fugaz dos olhares e prosseguiu:

– Vamos examinar a possibilidade número 2: uma das mulheres.

– Por que elas?

– Meu caro George, por acaso escapou à sua capacidade de observação que em uma reunião com sete pessoas, quatro mulheres e três homens, é provável que tenha havido uma ou duas ocasiões ao longo da noite em que três casais dançavam e uma mulher estava sentada à mesa, sozinha? Todos vocês dançaram?

– Oh, sim.

– Ótimo. Agora, antes da apresentação, consegue se recordar qual delas esteve sozinha em alguma ocasião?

George pensou por um minuto.

– Acho que... sim. Iris ficou sem par na última dança, e, antes dela, Ruth.

– Não se lembra de quando foi a última vez que sua esposa bebeu champanhe?

– Deixe-me ver... Ela havia dançado com Browne. Lembro-me dela voltando à mesa e dizendo que fora uma dança muito vigorosa... Ele dança muito bem. Ela bebeu vinho em sua taça, naquela hora. Poucos minutos depois, tocaram uma valsa, e ela... ela dançou comigo. Sabia que era a única dança na qual sou razoavelmente bom. Farraday dançou com Ruth, e lady Alexandra, com Browne. Iris sentou-se. Imediatamente depois disso, começou o espetáculo.

– Então vamos pensar na sua cunhada. Ela herdou algum dinheiro com a morte da irmã?

George começou a gaguejar.

– Meu caro Race, não diga absurdos. Iris era só uma criança, uma colegial!

– Conheci duas colegiais que cometeram assassinato.

– Mas Iris! Ela gostava de Rosemary.

– Não faça caso, Barton. Ela teve a oportunidade. Quero saber se também tinha motivo. Creio que sua esposa era uma mulher rica. Para quem foi o dinheiro dela? Para você?

– Não, para Iris... em um fundo de confiança.

Ele explicou o caso, e Race ouviu, muito atento...

– Situação bastante curiosa. A irmã rica e a irmã pobre. Algumas moças poderiam se ressentir disso.

– Tenho certeza de que Iris nunca se ressentiu.

– Talvez não... mas tinha um motivo muito bom. Vamos tentar agora seguir esse curso de ação. Quem mais tinha um motivo?

– Ninguém... Ninguém, em absoluto. Rosemary não tinha um único inimigo no mundo, estou certo disso. Estive investigando, fazendo perguntas, tentando descobrir algo. Até mesmo comprei uma casa próxima à dos Farraday assim como...

Ele se calou. Race segurou o cachimbo e começou a raspar o interior do fornilho.

– Não seria melhor me contar tudo, jovem George?

– O que quer dizer?

– Está escondendo alguma coisa. Dá para ver a uma milha de distância. Pode sentar aí e defender a reputação de sua esposa ou pode tentar descobrir se ela foi morta ou não... mas, se a última alternativa é mais do seu interesse, precisa jogar às claras.

Houve um silêncio, ao fim do qual George disse em voz abafada:

– Certo, então. Você venceu.

– Tinha razões para acreditar que sua esposa tinha um caso, é isso?

– Sim.

– Stephen Farraday?

– Não sei! Juro para você que não sei! Poderia ser ele ou o outro sujeito, Browne. Não consegui ter certeza. Foi um inferno.

– Diga-me o que sabe a respeito desse Anthony Browne. Engraçado, parece-me já ter ouvido esse nome.

– Não sei nada sobre ele. Ninguém sabe. É o tipo do camarada divertido e atraente... mas ninguém sabe coisa alguma a seu respeito. Parece que é americano, mas não tem sotaque.

– Oh, bem, talvez a Embaixada saiba alguma coisa. Não tem mesmo ideia de qual deles?

– Não... não tenho. Vou lhe contar tudo, Race. Ela estava escrevendo uma carta, e depois eu... eu examinei o mata-borrão. Era uma carta de amor, com certeza... mas não havia nenhum nome.

Race revirou os olhos, cuidadosamente.

– Bem, isso nos dá um pouco mais com o que prosseguir. Lady Alexandra, por exemplo... ela passa a fazer parte, se o marido estava tendo um caso com Rosemary. Ela é o tipo de mulher, você sabe, que sente as coisas de modo muito intenso. O tipo silencioso, profundo, que cometeria um assassinato numa emergência. Estamos chegando lá. Há o misterioso Browne, Farraday e a esposa, e a jovem Iris Marle. E o que me diz da outra mulher, Ruth Lessing?

– Ruth não poderia ter nada a ver com isso. Ao menos, não tinha motivo algum.

– É sua secretária, não foi o que disse? Que tipo de moça ela é?

– A garota mais preciosa do mundo – George falou, com entusiasmo. – É praticamente da família. E meu braço direito... Não há ninguém sobre quem eu tenha uma opinião tão elevada ou uma confiança mais absoluta.

– Gosta muito dela – disse Race, observando-o, pensativo.

– Tenho afeição por ela. Race, aquela garota é uma grande conquista. Dependo dela em todos os sentidos. É a criatura mais verdadeira e querida deste mundo.

Race murmurou algo que soou como "Um-hum" e não tocou mais no assunto. Não havia nada em suas maneiras que denunciasse, para George, que ele já havia mentalmente esboçado um motivo muito bem definido para a desconhecida Ruth Lessing. Conseguia imaginar a razão decisiva que a "garota mais preciosa" teria para querer a transferência da sra. George Barton para o outro mundo. Podia ser um motivo mercenário – imaginava-se como a segunda sra. Barton. Ou podia estar apaixonada de verdade pelo patrão. Mas o motivo para a morte de Rosemary estava ali.

Em vez disso, falou, gentil:

– Suponho que já tenha lhe ocorrido que você mesmo, George, tinha um motivo muito bom.

– Eu? – George parecia perplexo.

– Bem, lembre-se de Otelo e Desdêmona.

– Entendo o que quer dizer. Mas... Mas não era assim entre mim e Rosemary. Eu a adorava, é claro, mas sempre soube que haveria coisas como essa... e que eu teria que suportar. Não que ela não gostasse de mim... ela gostava. Tinha muito afeto e sempre foi muito carinhosa comigo. Mas é claro que eu sou um sujeito insípido, não há como negar. Não sou nada romântico, você sabe. De qualquer maneira, quando me casei com ela pus na cabeça que não seria tudo uma festa. Ela mesma me havia prevenido. Sofri, é claro, quando aconteceu... mas daí a sugerir que eu tenha tocado em um só fio do cabelo dela...

Calou-se e depois prosseguiu, em um tom de voz diferente.

– De todo modo, se eu fiz isso, por que diabos estaria remexendo no caso? Digo, depois de uma conclusão de suicídio no inquérito, tudo já calmo e superado, seria loucura.

– Realmente. É por isso que eu não suspeito a sério de você, meu caro amigo. Se você fosse um assassino bem-sucedido e tivesse recebido um par de cartas como essas, tudo o que teria a fazer seria jogá-las ao fogo de modo discreto e não dizer nada sobre o assunto a ninguém. O que me traz ao que considero o único ponto interessante de fato na coisa toda. Quem escreveu as cartas?

– Ahn? – George parecia bastante surpreso: – Não tenho a menor ideia.

– O detalhe não parece ter interessado a você, mas interessa a mim. Foi a primeira pergunta que fiz. Podemos aceitar, acho, a hipótese de que não tenham sido escritas pelo assassino. Por que iria estragar seu próprio lance quando, como você diz, tudo está tranquilo e a tese do suicídio foi aceita por todo mundo? Sendo assim, quem as escreveu? A quem interessa remexer a coisa toda outra vez?

– Criados? – arriscou George, em tom vago.

– Possivelmente. Se forem, quais criados e o que sabem? Rosemary tinha alguma aia de confiança?

George negou com a cabeça.

– Não. Na época tínhamos uma cozinheira, sra. Pound, que ainda está conosco, e duas criadas. Acho que ambas já foram embora. Não ficaram conosco muito tempo.

– Bem, Barton, se quer meu conselho, e eu deduzo que quer, preciso pensar em toda essa questão com muito cuidado. De um lado há o fato de que Rosemary está morta. Não se pode trazê-la de volta à vida, seja lá o que se faça. Se os indícios de suicídio não são particularmente bons, também não o são os de assassinato. Digamos, em favor do argumento, que Rosemary *foi* assassinada. Você quer mesmo revirar o assunto? Pode significar muita publicidade desagradável, um monte de roupa suja lavada em público, os casos amorosos de sua mulher tornados assunto de domínio público...

George Barton estremeceu e disse, com violência:

– Está mesmo me aconselhando a deixar que algum porco se safe disso? Aquele estúpido do Farraday, com seus discursos pomposos e sua preciosa carreira... e o tempo todo, talvez, um assassino covarde.

– Apenas quero deixar claro o que tudo isso envolve.

– Eu quero chegar à verdade.

– Muito bem. Nesse caso, eu deveria ir à polícia com essas cartas. Eles provavelmente estão aptos para descobrir com facilidade quem as escreveu e se o autor sabe de alguma coisa. Apenas lembre-se de que, uma vez que você os tenha colocado na pista, não terá como chamá-los de volta.

– Não irei à polícia. Por isso queria vê-lo. Vou preparar uma armadilha para o assassino.

– O que raios isso quer dizer?

– Ouça, Race. Darei uma festa no Luxembourg e gostaria que viesse. Com as mesmas pessoas: os Farraday, Anthony Browne, Ruth, Iris e eu. Tenho tudo planejado.

– O que vai fazer?

George deu um leve sorriso.

– É o meu segredo. Estragaria tudo se eu contasse a todo mundo antes... até mesmo a você. Quero que venha com a mente sem preconceitos e... veja o que acontece.

Race se inclinou para a frente. De súbito, sua voz tornou-se brusca.

– Não gosto disso, George. Essas ideias melodramáticas não dão certo fora dos livros. Vá à polícia... não há corporação melhor. Sabem como lidar com tais problemas. São profissionais. Showzinhos de amadores em uma investigação de crime não são recomendáveis.

– É por isso que quero você aqui. Você não é um amador.

– Querido amigo. Porque eu uma vez trabalhei para o M.I.5? E de qualquer modo, sua proposta era me manter nos bastidores.

– É necessário.

Race sacudiu a cabeça.

– Lamento, mas me recuso. Não gosto de seu plano e não farei parte dele. Desista, George, seja sensato.

– Não vou desistir. Tenho tudo planejado.

– Não seja um maldito teimoso. Sei um pouco mais sobre esses showzinhos do que você. Não gosto da ideia. Não vai funcionar. Pode até ser perigoso, já pensou nisso?

– Será perigoso para alguém de qualquer jeito.

Race suspirou.

– Não sabe o que está fazendo. Oh, bem, não diga que eu não avisei. Pela última vez, imploro que desista dessa sua ideia maluca.

George Barton apenas negou com a cabeça.

CAPÍTULO 5

A manhã do dia 2 de novembro nasceu úmida e sombria. Estava tão escuro na sala de jantar da casa em Elvaston Square que tiveram de acender as luzes para o desjejum.

Contrariando seus hábitos, Iris desceu, em vez de receber o café e as torradas em seu quarto, e sentou-se, branca e fantasmagórica, revirando a comida no prato. George folheava seu *Times* com as mãos nervosas, e na outra ponta da mesa Lucilla Drake chorava copiosamente, assoando-se com um lenço.

– Sei que o meu querido menino vai fazer alguma coisa terrível. Ele é tão sensível... e não diria que é uma questão de vida ou morte se não fosse.

Folheando o jornal, George disse, ríspido:

– Por favor, não se preocupe, Lucilla. Já disse que vou cuidar disso.

– Eu sei, George querido, sempre tão gentil. Mas sinto que qualquer atraso pode ser fatal. Todas essas investigações que você fala em fazer... todas tomarão *tempo*.

– Não, não, nós as apressaremos.

– Ele diz: "sem falta até o dia 3", e amanhã *é* dia 3. Nunca me perdoaria se algo acontecesse ao meu menino querido.

– Nada acontecerá – George tomou um longo gole de café.

– Ainda tenho aquelas minhas letras de câmbio...

– Olhe aqui, Lucilla, deixe tudo comigo.

– Não se preocupe, tia Lucilla – interveio Iris. – George vai ajeitar tudo. Afinal, isto já aconteceu antes.

– Faz muito tempo...

– Três meses – disse George.

– Desde que o pobre rapaz foi enganado por aqueles horríveis amigos velhacos naquela fazenda horrorosa.

George limpou o bigode no guardanapo, ergueu-se e dirigiu palavras gentis de encorajamento à sra. Drake enquanto saía da sala.

– Agora anime-se, minha querida. Direi a Ruth para telegrafar agora mesmo.

Ele saiu para o salão, seguido por Iris.

– George, não acha que devíamos adiar a festa de hoje à noite? Tia Lucilla está tão preocupada. Não seria melhor se ficássemos em casa com ela?

– Certamente que não! – A face rosada de George tornara-se púrpura. – Por que aquele maldito rapaz, vigarista e enganador, deveria perturbar nossas vidas? O que ele está fazendo é chantagem... a mais absoluta chantagem, é isso o que é. Se as coisas fossem do meu jeito, ele não receberia um centavo.

– Tia Lucilla jamais concordaria com isso.

– Lucilla é uma tola... sempre foi. Essas mulheres que têm filhos depois dos quarenta nunca parecem adquirir qualquer bom senso. Estragam os pirralhos desde o berço dando a eles cada maldita coisa que querem. Se houvessem dito ao jovem Victor ao menos uma vez para que saísse de uma confusão sozinho, isso teria sido construtivo para ele. Agora não discuta, Iris. Acertarei tudo antes da noite de hoje, e assim Lucilla poderá dormir feliz. Se for necessário, nós a levaremos conosco.

– Oh, não, ela odeia restaurantes... fica tão sonolenta, pobrezinha. Detesta o calor, e a fumaça a faz atacar-se da asma.

– Eu sei, não estava falando sério. Vá e anime-a, Iris. Diga-lhe que tudo vai ficar bem.

Ele se virou e saiu pela porta da frente. Iris retornou lentamente para a sala de jantar. O telefone tocou, e ela atendeu.

– Alô, quem fala? – Seu rosto mudou, a palidez desesperançada dissolvida em prazer. "Anthony!"

– Eu mesmo. Liguei para você ontem mas não a encontrei. Você anda amaciando o George?

– O que quer dizer?

– Bem, George insistiu muito no convite que me fez para sua festa de hoje. Bastante diverso do estilo habitual de "tire as mãos da minha adorável protegida"! Insistiu realmente que eu deveria ir. Pensei que poderia ser o resultado de alguma ação diplomática de sua parte.

– Não... não... não tem nada a ver comigo.

– Uma tal mudança de espírito por conta própria?

– Não exatamente. É...

– Alô? Você desligou?

– Não, estou aqui.

– Estava dizendo algo. Qual é o problema, querida? Posso ouvi-la suspirando pelo telefone. Algo a incomoda?

– Não... nada. Devo estar bem amanhã. Tudo vai estar bem amanhã.

– Que fé comovente. Não dizem que "o amanhã nunca chega"?

– Não.

– Iris... Está acontecendo alguma coisa?

– Não, nada. Não posso contar. Entenda, eu prometi.

– Conte-me, querida.

– Não... realmente não posso, Anthony. Você *me* contaria uma coisa?

– Se eu puder.

– Alguma vez você... esteve apaixonado por Rosemary?

Uma pausa momentânea e então uma gargalhada.

– Então é isso. Sim, Iris. Fui um pouco apaixonado por Rosemary. Ela era muito amável, você sabe. Mas um dia eu estava conversando com ela e vi você descendo a escadaria... e em um minuto estava tudo acabado, superado. Não havia mais ninguém além de você no mundo. Esta é a fria e crua verdade. Não fique cismada com uma coisa dessas. Até Romeu, você sabe, teve sua Rosalina antes de cair, perplexo, para todo o sempre, por Julieta.

– Obrigada, Anthony. Estou satisfeita.

– Vejo-a esta noite. É seu aniversário, não é?

– Na verdade, só daqui a uma semana... E, entretanto, é a minha festa de aniversário.

– Não parece muito entusiasmada com isso.

– Não estou.

– Suponho que George saiba o que está fazendo, mas me parece uma ideia maluca realizá-la no mesmo local em que...

– Oh, já estive no Luxembourg muitas vezes desde que... desde Rosemary... Quer dizer, não se pode evitar.

– Não... e daria na mesma. Tenho um presente de aniversário para você, Iris. Espero que goste. *Au revoir.*

Ele desligou.

Iris voltou até onde estava Lucilla Drake, para argumentar, persuadir, tranquilizar.

George, na chegada ao escritório, mandou chamar Ruth Lessing de imediato.

Seu semblante preocupado relaxou um pouco com a entrada dela, calma e sorridente, em seu conjunto preto de saia e casaco, muito correto.

– Bom dia.

– Bom dia, Ruth. Temos problemas de novo. Olhe isto.

Ela tomou o telegrama que ele estendeu.

– Victor Drake de novo!

– Sim, maldito seja.

Ela ficou um minuto em silêncio, segurando o telegrama. Um rosto moreno, inclinado em sua direção, uma careta que se encrespava em volta do nariz quando ele ria. Uma voz sarcástica que dizia: "o tipo de garota que acaba se casando com o patrão...". Como tudo voltara de forma tão vívida.

"Parece que foi ontem..." – ela pensou.

A voz de George a despertou.

– Não faz mais ou menos um ano que nós o embarcamos para longe daqui?

Ela refletiu.

– Acho que sim. Na verdade, creio que foi em 27 de outubro.

– Que garota incrível você é. Que memória!

Pensou consigo mesma que tinha uma razão melhor do que ele supunha para recordar. Fora ainda sob a influência recente de Victor Drake que ela ouvira a voz descuidada de Rosemary pelo telefone e decidira que odiava a mulher de seu empregador.

– Acho que tivemos sorte – disse George – de ele ter permanecido no estrangeiro por tanto tempo. Mesmo que ele tenha nos custado cinquenta libras há três meses.

– Trezentas libras agora parecem muito.

– Oh, sim. Ele não receberá tanto. Temos de fazer as investigações de hábito.

– Melhor fazer contato com o sr. Ogilvie.

Alexander Ogilvie era o agente de George em Buenos Aires – um escocês sóbrio e cabeça-dura.

– Sim, mande um telegrama agora mesmo. A mãe dele está em péssimo estado, como sempre. Praticamente histérica. Está tornando a reunião de hoje à noite muito difícil.

– Gostaria que eu ficasse com ela?

– Não – ele rejeitou a ideia de modo enfático. – Não, de fato. Você é a única pessoa que tem de estar lá. Preciso de você, Ruth – tomou a mão dela.

– Você é muito altruísta.

Ela abriu um sorriso e sugeriu:

– Não valeria a pena tentar um contato telefônico com o sr. Ogilvie? Poderíamos ter a coisa toda esclarecida até a noite.

– Boa ideia. Vale bem a despesa.

– Vou me ocupar disso de uma vez.

Recolheu a mão, muito gentil, e saiu.

George tratou de vários assuntos que clamavam por sua atenção.

Ao meio-dia e meia ele saiu e tomou um táxi para o Luxembourg.

Charles, o notório e popular maître, veio até ele com um sorriso de boas-vindas, curvando a cabeça majestosa.

– Boa tarde, sr. Barton.

– Boa tarde, Charles. Tudo certo para hoje à noite?

– Creio que o senhor ficará satisfeito.

– A mesma mesa?

– A mesa central do recanto, está correto?

– Sim... E você entendeu o que eu disse a respeito do lugar extra?

– Tudo arranjado.

– Conseguiu o... rosmaninho?

– Sim, sr. Barton. Temo que não será muito decorativo. Não gostaria de amoras silvestres incorporadas ao arranjo... ou mesmo alguns crisântemos?

– Não, não. Apenas o rosmaninho.

– Muito bem, senhor. Gostaria de olhar o menu? Giuseppe!

Com um estalar de dedos, Charles fez aparecer um pequeno e sorridente italiano de meia-idade.

– O menu para o sr. Barton.

O cardápio foi providenciado.

Ostras, consomê, linguado ao Luxembourg, galo silvestre, peras Hélène*, fígado de galinha com bacon.

George examinou tudo com um olhar indiferente.

– Sim, sim. Está bastante bem – disse, devolvendo o menu.

Charles o acompanhou até a porta. Diminuindo um pouco o tom de voz, murmurou:

– Posso dizer o quanto apreciamos, sr. Barton, que esteja... ahn... voltando para nós?

Um sorriso – ou melhor, um sorriso medonho – assomou ao rosto de George. Ele disse:

– Temos de esquecer o que passou... Não podemos viver no passado. Tudo aquilo já foi, chega.

– Grande verdade, sr. Barton. Sabe o quanto ficamos chocados e aflitos naquela ocasião. Tenho certeza de que mademoiselle terá uma festa de aniversário muito feliz e que tudo sairá como o senhor deseja.

Com uma reverência cortês, Charles retirou-se, dardejando como uma libélula irritada na direção de um garçom subalterno que estava fazendo algo errado na arrumação de uma mesa próxima à entrada.

George saiu com os lábios retorcidos em um esgar. Não era um homem com imaginação suficiente para sentir uma ponta de simpatia pelo Luxembourg. Não era, no fim das contas, culpa do restaurante se Rosemary havia decidido cometer suicídio lá ou se alguém havia decidido assassiná-la no mesmo lugar. Fora tudo decidido à revelia do Luxembourg. Mas, como a maioria das pessoas com uma ideia fixa, George pensava apenas naquela ideia.

Almoçou em seu clube e, em seguida, dirigiu-se para uma reunião de diretoria.

No caminho de volta para o escritório, deu um telefonema, de uma cabine pública, para um número de Maida Vale.**

Terminou a ligação com um suspiro de alívio. Tudo estava correndo de acordo com o planejado.

Voltou para o escritório, e Ruth veio até ele de imediato.

– É sobre Victor Drake.

– Sim?

– Temo que desta vez seja um negócio bastante ruim. Há possibilidade de um processo criminal. Victor vinha tirando dinheiro da firma há um tempo considerável.

* Peras cozidas com baunilha, recheadas com sorvete e cobertas de chocolate derretido. (N.T.)

** Distrito residencial na parte oeste de Londres. (N.T.)

– Foi o que Ogilvie disse?

– Sim. Entrei em contato com ele esta manhã, e ele nos telefonou de volta há aproximadamente dez minutos. Ele diz que Victor foi bastante descarado com a coisa toda.

– Só podia!

– Mas ele insiste que não vão processá-lo se o dinheiro for restituído. O sr. Ogilvie falou com o sócio sênior, e isso parece ser verdade. A soma verdadeira em questão é de 135 libras.

– Então mestre Victor estava esperando embolsar na transação o adicional de 165 libras?

– Temo que sim.

– Bem, nós o frustramos, de qualquer forma – disse George, com austera satisfação.

– Disse ao sr. Ogilvie para ir em frente e acertar o negócio. Fiz certo?

– Pessoalmente seria um deleite ver aquele jovem escroque ir para a prisão... mas é preciso pensar na mãe dele. Uma idiota, mas com uma alma gentil. Então mestre Victor vai se safar, como sempre.

– Como você é bom – disse Ruth.

– Eu?

– Acho que você é o melhor homem do mundo.

Ele ficou comovido. Sentiu-se contente e embaraçado ao mesmo tempo. Em um impulso, pegou a mão dela e deu um beijo.

– Querida Ruth. Minha melhor e mais querida amiga. O que eu faria sem você?

Estavam em pé, muito perto um do outro.

Ela pensou: "Eu poderia ter sido feliz com ele. Poderia tê-lo feito feliz. Se ao menos..."

Ele pensou: "Devo seguir o conselho de Race? Devo desistir de tudo? Não seria de fato o melhor a fazer?"

A indecisão pairou sobre ele, mas logo passou. Ele lembrou-a:

– Nove e meia no Luxembourg.

CAPÍTULO 6

Vieram todos.

George deixou escapar um suspiro de alívio. Até minutos antes temera uma defecção de última hora – mas ali estavam todos. Stephen Farraday, alto e teso, de modos um tanto pomposos. Sandra Farraday, em um severo vestido de veludo preto e usando um colar de esmeraldas. A mulher tinha classe, não havia dúvida. Suas maneiras eram completamente naturais, talvez um pouco mais corteses que o normal. Ruth também vestia preto, sem qualquer enfeite além de um broche. Seus cabelos macios, negros como um corvo, caíam sobre seu pescoço e seus braços muito brancos – mais brancos que os das outras mulheres. Ruth era uma trabalhadora, não tinha muito tempo livre para se bronzear ao sol. Os olhos dele encontraram-se com os dela, e, ao notar sua ansiedade, ela abriu um sorriso tranquilizador. Seu coração deu um pulo. A leal Ruth. Ao lado dele, Iris estava em um silêncio incomum. Só ela mostrava a consciência de que aquela era uma festa singular. Estava pálida, mas de algum modo aquilo lhe assentava bem, lhe concedia uma beleza grave e imperturbável. Trajava um vestido simples, verde-musgo. Anthony Browne chegou por último. Veio, assim pareceu a George, com o passo rápido e furtivo de um animal selvagem – uma pantera, talvez, ou um leopardo. O sujeito não era de fato muito civilizado.

Estavam todos lá – todos acomodados na armadilha de George. Agora, a peça poderia começar...

Beberam os coquetéis e passaram, por sob o arco, para o salão do restaurante propriamente dito.

Casais dançando, um ritmo africano suave, garçons hábeis e apressados.

Charles veio até eles e, sorridente, conduziu-os até a mesa, localizada no fundo do salão, em um recanto sombrio formado por um arco, que abrigava três mesas – uma grande no centro e duas menores, para duas pessoas, uma de cada lado. Um estrangeiro de meia-idade, de uma palidez amarelada, e uma garota ocupavam uma delas. Um jovem casal estava na outra. A do meio estava reservada para a reunião de Barton.

George, cordial, indicou aos outros os seus lugares.

– Sandra, você vai sentar aqui, à minha direita. Browne, ao lado dela. Iris, minha querida, a festa é sua. Quero ter você aqui perto de mim, e você ao lado dela, Farraday. E depois dele, você, Ruth...

Ele fez uma pausa. Entre Ruth e Anthony havia uma cadeira vazia... a mesa havia sido posta para sete.

– Meu amigo Race deve se atrasar um pouco e disse para não esperarmos por ele. Ele chegará a qualquer momento. Gostaria que todos o conhecessem... é um camarada esplêndido, já rodou o mundo todo e pode contar algumas histórias muito boas.

Iris sentou-se, ciente da própria raiva. George havia feito aquilo de propósito: a separara de Anthony. Ruth devia sentar onde ela estava, ao lado do anfitrião. Então George ainda não gostava e desconfiava de Anthony.

Lançou um olhar furtivo por sobre a mesa. Anthony estava carrancudo e não olhou para ela. Dirigiu apenas um olhar de viés, atento, para a cadeira vazia ao lado dele. Depois disse:

– Que bom que você convidou outro cavalheiro, Barton. Há uma chance de eu precisar ir embora cedo. Um compromisso inevitável, por acaso encontrei um homem que conheço aqui.

George disse, sorridente:

– Negócios em horas de lazer? Ainda é jovem demais para isso, Browne. Não que eu saiba exatamente em que ramo de negócios você atua.

Houve um silêncio na conversação, e a resposta de Anthony veio fria e ponderada:

– Crime organizado, Barton, é o que eu sempre digo quando me perguntam. Extorsão, roubo, cárcere privado de famílias em suas próprias residências.

Sandra Farraday riu enquanto dizia:

– Você tem alguma coisa a ver com armamentos, não, sr. Browne? Um rei do mercado de armas é sempre o vilão da peça nos dias de hoje.

Iris viu os olhos de Anthony se arregalarem por um momento em uma expressão de súbita surpresa. Ele disse, em tom amistoso:

– Não deve me entregar assim, lady Alexandra, é tudo confidencial. Os espiões das potências estrangeiras estão por toda parte. Que modo descuidado de falar...

Sacudiu a cabeça com fingida solenidade.

O garçom retirou os pratos com as ostras. Stephen perguntou a Iris se ela gostaria de dançar.

Logo todos dançavam. A atmosfera tornou-se mais leve.

Dali a pouco, foi a vez de Iris dançar com Anthony. Ela disse:

– Maldade de George não nos permitir sentar juntos.

– Foi gentil da parte dele. Desta forma posso olhar para você do outro lado da mesa o tempo todo.

– Você precisa mesmo ir embora cedo?

– Preciso.

Em seguida, ele disse:

– Sabia que o tal coronel Race estava vindo?

– Não, não tinha a menor ideia.

– Bastante esquisito, não?

– Você o conhece? Oh, sim, já disse, no outro dia.

Ela acrescentou.

– Que tipo de homem ele é?

– Ninguém sabe ao certo.

Voltaram para a mesa. A noite corria. Devagar, a tensão, que havia relaxado, acentuou-se. Havia uma atmosfera de nervos retesados ao redor da mesa. Apenas o anfitrião parecia cordial e despreocupado.

Iris o viu olhar para o relógio.

De súbito, houve um rufar de tambores. As luzes foram reduzidas. Um palco se ergueu no salão. As cadeiras foram afastadas e viradas de lado. Três homens e três mulheres tomaram a pista, dançando. Foram seguidos por um homem que imitava ruídos. Trens, máquinas a vapor, aviões, máquinas de costura, tosse de vaca. Foi um sucesso. Lanny e Flo vieram depois com uma exibição de dança que era mais um número de trapézio do que um bailado. Mais aplausos. Então outro número do conjunto de dança dos "Seis do Luxembourg". As luzes voltaram ao normal.

Todos piscaram.

Ao mesmo tempo, uma onda de súbito alívio pareceu inundar a mesa. Foi como se estivessem subconscientemente esperando algo que não havia acontecido. Porque, em uma ocasião anterior, o reacender das luzes havia coincidido com a descoberta de uma mulher morta caída sobre a mesa. Era como se agora o passado fosse, em definitivo, passado – caído no esquecimento. A sombra de uma tragédia antiga havia se desvanecido.

Sandra virou-se, animada, para Anthony. Stephen fez um comentário para Iris, e Ruth se inclinou para frente para ouvi-los. Apenas George permanecia sentado em sua cadeira, mirando o horizonte, os olhos fixos na cadeira vazia no lado oposto. O lugar à frente dela estava pronto. Havia champanhe na taça. A qualquer momento, alguém chegaria, tomaria assento...

Uma cotovelada de Iris o despertou.

– Acorde, George. Vamos dançar. Ainda não dançou comigo.

Ele se levantou. Sorrindo para ela, ergueu a taça.

– Vamos fazer um brinde primeiro. À jovem cujo aniversário estamos celebrando. Iris Marle, saúde e prosperidade!

Beberam e riram. Depois, todos se levantaram para dançar: George e Iris, Stephen e Ruth, Anthony e Sandra.

A melodia era um jazz alegre.

Voltaram à mesa todos juntos, rindo e conversando. Sentaram-se.

Então, de súbito, George se inclinou para a frente.

– Tenho um pedido a fazer a todos vocês. Um ano atrás, mais ou menos, estivemos aqui para uma noite que terminou de forma trágica. Não quero recordar as tristezas do passado, só não quero sentir que Rosemary foi completamente esquecida. Peço a vocês que brindem à memória dela... em nome da recordação.

Ele ergueu sua taça. Todos os demais ergueram as suas, obedientes. Suas faces eram máscaras de polidez.

– *A Rosemary, o nome da recordação* – George disse.

As taças foram alçadas aos lábios. Todos beberam.

Houve uma pausa... e então George balançou para frente e deslizou da cadeira, as mãos frenéticas no pescoço, sua face tornando-se purpúrea enquanto lutava para respirar.

Levou um minuto e meio para morrer.

LIVRO 3

Iris

"Pois eu pensava que os mortos tivessem paz.
Mas não é assim..."

CAPÍTULO 1

O coronel Race surgiu na porta da Scotland Yard. Preencheu a ficha que lhe foi trazida e em poucos minutos estava apertando a mão do inspetor-chefe Kemp, na sala deste.

Os dois homens se conheciam bem. Kemp lembrava, de leve, os grandes e velhos veteranos do tipo de Battle.* De fato, uma vez que havia trabalhado sob as ordens de Battle por muitos anos, talvez tivesse, de modo inconsciente, copiado um bom número de maneirismos do velho. Passava a mesma impressão de que havia sido esculpido todo em uma só peça – mas enquanto Battle sugeria madeiras como a teca ou o carvalho, o inspetor-chefe Kemp dava a impressão de algo mais brilhante – mogno, digamos, ou o bom e velho pau-rosa.

– Foi gentil de sua parte nos ligar, coronel – disse Kemp. – Queremos toda a ajuda que pudermos obter nesse caso.

– Parece que ele está em mãos nobres – comentou Race.

Kemp não protestou modéstia. Aceitou o fato bastante simples de que apenas os casos de extrema delicadeza, ampla publicidade ou suprema importância eram entregues a ele. Disse, sério:

– São as conexões dos Kidderminster. Pode imaginar que isso significa que devemos agir com cautela.

Race sacudiu a cabeça. Havia encontrado muitas vezes lady Alexandra Farraday. Uma daquelas mulheres caladas de posição inatacável cuja mera associação com publicidade sensacionalista pareceria fantasiosa. Havia ouvido-a falar em discursos públicos – sem eloquência, mas com competência e clareza, com bom domínio do assunto e com uma dicção excelente.

O tipo de mulher cuja vida pública estava o tempo todo nos jornais, e cuja vida privada quase não existia, a não ser como um suave cenário doméstico.

Apesar disso, pensou, tais mulheres tinham uma vida privada. Conheciam o desespero, e o amor, e as agonias do ciúme. Podiam perder o controle e arriscar as próprias vidas em um lance passional.

Disse, curioso:

– Suponha que ela tenha "feito aquilo", Kemp?

– Lady Alexandra? Acha que foi ela?

– Não tenho a menor ideia. Mas suponha que foi. Ou o marido, que também está sob o manto dos Kidderminster.

---

* Referência ao superintendente Battle, oficial da Scotland Yard com aparições em cinco obras anteriores da autora: *O segredo de Chimneys* (1925), *O mistério dos sete relógios* (1929), *Cartas na mesa* (1936), *É fácil matar* (1939) e *Hora Zero* (1944). (N.T.)

Os olhos verde-mar confiantes do inspetor-chefe Kemp olharam, de um jeito imperturbável, para os de Race, muito escuros.

– Se qualquer um deles cometeu o homicídio, vamos fazer o melhor que pudermos para mandar a ele ou ela para a forca. Sabe disso. Não há medo ou privilégios para assassinos neste país. Mas temos que estar absolutamente certos de nossas provas... O promotor público vai insistir nisso.

Race anuiu e depois disse:

– Vamos ver os fatos.

– George Barton morreu de envenenamento por cianureto... o mesmo que a esposa, um ano atrás. Você estava mesmo no restaurante?

– Sim. Barton me convidou para a festa. Eu recusei. Não gostei do que ele estava fazendo. Apresentei meus protestos e o instiguei a, se tivesse dúvidas sobre a morte da esposa, procurar as pessoas apropriadas, ou seja: vocês.

Kemp concordou.

– É o que ele deveria ter feito.

– Em vez disso, ele insistiu em uma ideia própria: armar uma cilada para o assassino. Ele não me disse que cilada seria essa, mas eu estava alarmado com a coisa toda, tanto que fui ao Luxembourg na noite passada para manter os olhos atentos. Minha mesa, necessariamente, estava a alguma distância... Não queria ficar tão à vista. Infelizmente não tenho nada a dizer. Não vi nada suspeito. Os garçons e os próprios convivas foram os únicos que se aproximaram da mesa dele.

– Sim – disse Kemp –, o que estreita o campo, não? Foi um deles, ou o garçom, Giuseppe Bolsano. Trouxe-o aqui esta manhã, achei que você poderia querer interrogá-lo. Mas não creio que tenha alguma coisa a ver com o crime. Está no Luxembourg há doze anos... boa reputação, casado, três filhos, histórico impecável. Dá-se bem com todos os clientes.

– O que nos deixa os convidados.

– Sim. Os mesmos da festa em que a sra. Barton... morreu.

– E quanto ao caso dela, Kemp?

– Estou investigando, uma vez que parece bastante óbvio que os dois estão relacionados. Adams trabalhou nele. Não era o que chamamos de um caso claro de suicídio, mas o suicídio era a solução mais provável, e, na ausência de qualquer prova direta sugerindo homicídio, foi preciso fechá-lo daquele jeito. Não podíamos fazer mais nada. Temos um bom número de casos como aquele em nossos arquivos, você sabe. Suicídio escrito com um sinal de interrogação. O público não sabe sobre o ponto de interrogação, mas nós o mantemos à vista e às vezes prosseguimos em uma caçada silenciosa. Às vezes alguma coisa aparece. Outras vezes, não. Neste caso, não apareceu nada.

– Até agora.

– Até agora. Alguém informou ao sr. Barton que sua esposa havia sido assassinada. Ele se encarregou do assunto à própria maneira... Só faltou anunciar que estava na pista certa. Se estava ou não, não sei, mas o assassino deve ter pensado que sim. Perturbou-se e liquidou o sr. Barton. Até onde posso ver, tudo se passou assim... Espero que concorde.

– Oh, sim, essa parte parece clara o bastante. Deus sabe que "armadilha" George estava armando... Notei que havia uma cadeira vazia na mesa, talvez à espera de alguma testemunha inesperada. De qualquer modo, o efeito foi maior do que o pretendido. Alarmou tanto o culpado que ele ou ela não esperou a armadilha ser acionada.

– Bem – disse Kemp –, temos cinco suspeitos. E temos de retomar o primeiro caso, o da sra. Barton.

– Sua opinião agora é de que definitivamente *não foi* suicídio?

– Este homicídio parece provar que não foi. Ainda que não ache que possamos ser criticados por aceitar, naquela ocasião, a teoria do suicídio como a mais provável. Havia algumas evidências para isso.

– Gripe seguida de depressão?

No rosto de madeira de Kemp oscilou um sorriso.

– Isso é o que foi para a corte. Estava de acordo com as evidências médicas e com as impressões de todos. Faz-se algo assim todos os dias. E havia uma carta inacabada para a irmã, orientando como os pertences deveriam ser distribuídos, o que mostrava que já havia passado pela cabeça dela a ideia de dar cabo de si mesma. Ela estava deprimida, disso não duvido, pobre senhora, mas nove vezes em dez a razão para uma mulher se matar é um caso amoroso. Com os homens, costumam ser preocupações financeiras.

– Então sabia que a sra. Barton tinha um caso?

– Sim, logo soubemos. Foi discreto, mas não nos tomou muito tempo para descobrir.

– Stephen Farraday?

– Sim. Costumavam se encontrar em um pequeno flat, lá por Earl's Court. Durou uns seis meses. Parece que tiveram uma briga... ou é possível que ele estivesse ficando cansado dela. Bem, não seria a primeira mulher a tirar a própria vida em um acesso de desespero.

– Com cianureto de potássio em um restaurante?

– Sim... se quisesse ser dramática... com ele assistindo a tudo. Algumas pessoas têm um gosto pelo espetáculo. Pelo que pude apurar, ela não tinha muita consideração pelas convenções... Todas as precauções eram tomadas por parte dele.

– Alguma evidência de que a esposa dele soubesse o que estava acontecendo?

– Até onde pudemos averiguar, não sabia de nada.

– Pode ser que soubesse o tempo todo, Kemp. Não é o tipo de mulher que traz o coração estampado no rosto.

– Oh, é verdade. Conte as duas possibilidades como válidas. Ela, pelo ciúme. Ele, por sua carreira, que o divórcio poria a perder. Não que o divórcio hoje importe tanto assim, mas no caso dele significaria a inimizade do clã Kidderminster.

– E o que me diz da secretária?

– É uma hipótese. Ela gostava de George Barton. Eram muito próximos no escritório, e há um boato de que era apaixonada por ele. De fato, na tarde de ontem, uma das telefonistas estava fazendo uma imitação de Barton segurando a mão de Ruth Lessing e dizendo que não conseguiria viver sem ela quando a srta. Lessing entrou. Ela despediu a garota: deu a ela o salário do mês e a mandou embora. Parece que é bastante sensível a respeito desse assunto. E temos a irmã, que ganhou uma bolada, temos de nos lembrar disso. Parece uma boa garota, mas nunca se sabe. E havia o outro admirador da sra. Barton.

– Estou bastante ansioso para ouvir o que sabe sobre ele.

Kemp disse, devagar:

– Notavelmente pouco, mas o que se sabe não é muito bom. O passaporte está em ordem. É um cidadão americano sobre quem não conseguimos encontrar nada, desabonador ou não. Veio para cá, hospedou-se no Claridge e fez de tudo para tornar-se alguém das relações de lorde Dewsbury.

– Homem de confiança?

– Pode ser. Dewsbury parece ter gostado muito dele, pediu que ficasse. Numa ocasião bastante crítica.

– Armamentos – disse Race. – Houve aquele problema com os testes dos novos tanques produzidos pela fábrica de Dewsbury.

– Sim. E esse tipo, Browne, apresentou-se como interessado em armamentos. Foi pouco depois de ele ter estado lá que descobriram aquele negócio da sabotagem, na hora H. Browne conheceu um bom número de amigos de Dewsbury, e parece ter cultivado relações com todos os que tinham ligação com empresas de armas. Como resultado disso, ele viu uma porção de coisas que, na minha opinião, ele nunca deveria ter visto. E em um ou dois casos houve sérios problemas nas fábricas não muito depois de ele ter andado pelas vizinhanças.

– Uma pessoa interessante, o sr. Anthony Browne.

– Sim. Tem muito charme e o usa com todos que considera valer a pena.

– E onde a sra. Barton se encaixa? George Barton não tinha nada a ver com armamentos.

– Não, mas eles parecem ter sido bastante íntimos. Ele pode ter deixado escapar algo. O senhor sabe, coronel, melhor do que ninguém, o que uma mulher bonita pode arrancar de um homem.

Race anuiu, tomando as palavras do inspetor-chefe pelo que eram: uma referência ao Departamento de Contra-Espionagem que ele já havia chefiado, e não, como uma pessoa que ignorasse esse fato poderia pensar, a alguma indiscrição do próprio coronel. Disse, depois de alguns instantes:

– Já deu uma olhada nas cartas que George Barton recebeu?

– Sim. Foram encontradas na escrivaninha da casa dele. A srta. Marle achou-as para mim.

– Sabe que tenho interesse nessas cartas, Kemp. Qual é a opinião dos peritos sobre elas?

– Papel barato, tinta comum... As impressões digitais mostram que George Barton e Iris Marle as manipularam... E há uma horda de impressões não identificadas no envelope, de funcionários do correio etc. Foram datilografadas por alguém que os especialistas dizem ser de "boa instrução e em estado de saúde normal".

– Boa instrução. Não um criado?

– Presumimos que não.

– O que as torna ainda mais interessantes.

– Significam que alguém mais suspeitava, pelo menos.

– Alguém que não foi à polícia. Alguém que estava preparado para despertar as suspeitas de George mas que não queria acompanhar o caso. Há algo estranho aqui, Kemp. Ele não poderia tê-las escrito, poderia?

– Poderia, mas por quê?

– Como preliminar a um suicídio... um suicídio que ele tencionava fazer parecer um homicídio.

– E agendar para Stephen Farraday um encontro com a forca? É uma ideia. Mas ele teria de ter muita certeza de que tudo apontaria para Farraday como o assassino. Do jeito que está, não temos absolutamente nada contra ele.

– E quanto ao cianureto? Foi encontrado algum frasco?

– Sim. Um pequeno pacote de papel branco sob a mesa. Com traços de cristais de cianureto dentro. Sem digitais. Em uma história de detetive, é claro, seria algum tipo especial de papel ou estaria embalado de alguma maneira muito característica. Gostaria de dar a esses escritores policiais um curso sobre a nossa rotina de trabalho. Logo aprenderiam o quanto as coisas são difíceis de rastrear e como ninguém nunca observa nada em lugar nenhum.

Race sorriu:

– Uma declaração muito genérica. Alguém notou alguma coisa ontem?

– Na verdade, é nisso que estou trabalhando hoje. Tomei algumas breves declarações de todo mundo a noite passada e voltei a Elvaston Square com a srta. Marle. Dei uma olhada na mesa e nos papéis de Barton. Devo obter depoimentos completos de todos eles hoje, bem como das pessoas sentadas nas outras duas mesas no recanto... – ele revirou alguns papéis. – Sim, aqui estão: Gerald Tollington, da Divisão de Guardas Granadeiros, e a honorável srta. Patricia Brice-Woodworth. Um jovem casal de noivos. Posso apostar que não viram coisa alguma além de um ao outro. E o sr. Pedro Morales, um mexicano repulsivo (até o branco dos olhos dele é amarelo), e a srta. Christine Shannon, uma pistoleira loira e encantadora. Aposto que ela também não viu coisa alguma. É mais estúpida do que você pode imaginar, exceto quando há dinheiro envolvido. Há uma chance em cem de que qualquer um deles tenha visto alguma coisa, mas, pelo sim pelo não, anotei os nomes e os endereços de todos. Vamos começar com o garçom, Giuseppe. Ele já está aqui. Vou pedir que o tragam.

CAPÍTULO 2

Giuseppe Bolsano era um homem de meia-idade, de aparência insignificante, com um rosto simiesco muito inteligente. Estava nervoso, mas não em excesso. Seu inglês era fluente, uma vez que, explicou, morava no país desde que tinha dezesseis anos e havia se casado com uma inglesa.

Kemp tratou-o com simpatia.

– Agora, Giuseppe, vejamos se lhe ocorreu alguma coisa a mais sobre a noite de ontem.

– Isto é muito desagradável para mim. Sou eu que atendo aquela mesa. Eu que sirvo o vinho. As pessoas vão dizer que estou fora de mim, que pus veneno nas taças de vinho. Não coloquei, mas é o que as pessoas dirão. O sr. Goldstein já disse que é melhor eu tirar uma semana longe do trabalho... assim os fregueses não me farão perguntas, não ficarão apontando para mim. Ele é um homem decente, e justo, e sabe que não é minha culpa, e que trabalho lá há muitos anos, então ele não me demitiu como outros donos de restaurante fariam. Monsieur Charles também tem sido gentil, mas mesmo assim é uma grande desventura para mim... e me assusta. Tenho algum inimigo?, é o que eu me pergunto.

– Bem – disse Kemp, parecendo cada vez mais uma estátua de madeira –, você tem?

A triste face simiesca contraiu-se em uma gargalhada. Giuseppe abriu os braços.

– Eu? Não tenho inimigo algum no mundo. Muitos bons amigos, mas nenhum inimigo.

Kemp grunhiu.

– Agora, a respeito da noite passada. Fale-me sobre o champanhe.

– Era um Clicquot 1928, muito bom e muito caro. O sr. Barton era assim. Gostava de boa comida e bebida... do melhor.

– Ele reservou o champanhe com antecedência?

– Sim, acertou tudo com Charles.

– E o lugar vazio à mesa?

– Também foi ele que decidiu. Disse para Charles, e Charles disse para mim. Uma jovem senhora deveria ocupá-lo mais tarde naquela noite.

– Uma jovem senhora? – Race e Kemp trocaram olhares. – Sabe quem era essa jovem?

– Não, não sei nada a esse respeito. Chegaria mais tarde, foi só o que eu ouvi.

– Adiante com o champanhe. Quantas garrafas?

– Duas, com uma terceira pronta em caso de necessidade. A primeira acabou bem rápido. A segunda eu abri não muito antes do show. Enchi as taças e pus a garrafa no balde de gelo.

– Quando foi a última vez que notou o sr. Barton bebendo de sua taça?

– Deixe-me ver... quando o espetáculo terminou, eles beberam à saúde da jovem senhora. Era o aniversário dela, pelo que entendi. Então saíram e dançaram. Foi depois disso, quando voltaram à mesa, que o sr. Barton bebeu e, em um minuto, *assim*, num estalo, morreu.

– Encheu as taças na hora em que eles estavam dançando?

– Não, monsieur. Estavam cheias quando brindaram à mademoiselle, e eles não beberam muito, só um gole. Ainda havia muito nas taças.

– Algum deles, *qualquer um*, se aproximou da mesa enquanto estavam dançando?

– Nenhum, senhor. Estou seguro disso.

– Foram todos dançar ao mesmo tempo?

– Sim.

– E voltaram ao mesmo tempo?

Giuseppe revirou os olhos em um esforço de memória.

– O sr. Barton voltou primeiro... com a jovem senhora. Era mais corpulento que o resto, não conseguia dançar por muito tempo, o senhor compreende. Então veio o cavalheiro louro, sr. Farraday, e a jovem de vestido preto. Lady Alexandra e o cavalheiro moreno vieram por último.

– Conhece o sr. Farraday e lady Alexandra?

– Sim, senhor. Vejo-os com frequência no Luxembourg. São muito distintos.

– Agora, Giuseppe, viu se uma dessas pessoas pôs alguma coisa na taça do sr. Barton?

– Isso eu não posso dizer, senhor. Tinha meu serviço, as outras duas mesas no recanto e duas mais no restaurante principal. Havia travessas a servir. Não fiquei observando a mesa do sr. Barton. Depois do show, todo mundo em volta se levantou e dançou, então naquela hora eu estava parado, em pé, e é por isso que posso assegurar que ninguém se aproximou da mesa. Mas tão logo as pessoas se sentaram, fiquei, de imediato, muito ocupado.

Kemp assentiu.

– Mas acho – continuou Giuseppe – que seria muito difícil fazer isso sem ser observado. Me parece que apenas o próprio sr. Barton poderia. Mas os senhores não pensam assim, não?

Olhou, inquisitivo, para o oficial de polícia.

– Então essa é a sua ideia?

– Naturalmente, eu não sei de nada... mas imagino. Apenas um ano atrás aquela linda senhora, a sra. Barton, se matou. Não poderia o sr. Barton ter sofrido tanto que também decidiu se matar da mesma maneira? Seria poético. Lógico que não é bom para o restaurante, mas um cavalheiro que está para se matar não pensaria nisso.

Olhou impaciente para os dois homens, pulando o olhar de um para o outro.

Kemp sacudiu a cabeça e disse:

– Duvido que seja tão simples.

Fez mais algumas perguntas, e Giuseppe foi dispensado.

Enquanto a porta se fechava atrás do garçom, Race comentou:

– Eu me pergunto se isso é o que gostaria que pensássemos.

– Marido aflito se mata no aniversário de morte da mulher? Não que fosse o aniversário, mas era próximo o bastante.

– Era Dia de Finados – disse Race.

– É verdade. Sim, é possível que essa *fosse* a ideia. Mas se é assim, seja quem for, não devia saber a respeito das cartas nem que o sr. Barton havia se consultado com o senhor, nem que as mostrara para Iris Marle.

Olhou para o relógio.

– Tenho de ir à mansão dos Kidderminster ao meio-dia e meia. Antes disso temos tempo para ver aquelas pessoas das outras duas mesas... algumas delas, pelo menos. Vem comigo, coronel?

CAPÍTULO 3

O sr. Morales estava hospedado no Ritz. Era difícil qualificá-lo como uma bela visão àquela hora da manhã, sem ter feito a barba, com os olhos injetados e todos os sinais característicos de uma forte ressaca.

O sr. Morales era cidadão americano e falava uma variante cheia de gírias do inglês dos Estados Unidos. Embora se declarasse disposto a relembrar tudo que pudesse, suas recordações da noite anterior eram das mais vagas.

– Fui com Chrissie... aquela gatinha é mesmo o máximo. Ela comentou que o lugar era bacana, e eu disse: "Doçura vamos aonde você mandar". Era um lugar classudo, isso eu admito, e sabem mesmo como limpar a gente por lá! Me levaram bem uns trinta dólares. Mas a banda era um desastre, não tinham swing algum.

Perdido em recordações de sua própria noite, o sr. Morales foi pressionado a se lembrar da mesa localizada no meio do recanto. E não foi de muita ajuda.

– Com certeza, havia uma mesa e um pessoal nela. Não me lembro do aspecto daquela gente. Não prestei muita atenção neles até a hora em que aquele cara desabou. Pensei, primeiro, que ele não tinha aguentado o trago. Mas agora, falando no assunto, me lembro de uma das mulheres. Cabelos negros e com tudo no lugar, devo dizer.

– O senhor se refere à moça de vestido verde de veludo?

– Não, aquela não. Muito magrela. A gracinha essa estava de preto e tinha umas curvas ótimas.

Fora Ruth Lessing quem chamara a atenção dos olhos errantes do sr. Morales.

Ele franziu o nariz, com um ar compreensivo.

– Eu a observei dançando e digo: aquela boneca sabia dançar! Lancei uns olhares uma ou duas vezes, mas respondeu com uma expressão gélida... só olhou através de mim, daquele jeito britânico.

Mais nenhuma informação de valor poderia ser extraída do sr. Morales, e ele reconheceu abertamente que seu estado alcoólico já ia bem avançado quando o espetáculo começou.

Kemp agradeceu e se preparou para sair.

– Embarco para Nova York amanhã – disse Morales, e depois perguntou, esperançoso: – Vão me pedir para ficar na cidade?

– Obrigado, mas acho que seu testemunho não será necessário no inquérito.

– Como o senhor pode ver, estou me divertindo muito aqui, e se fosse um assunto com a polícia a firma não poderia bronquear. Quando a polícia diz para a gente ficar, a gente fica. Talvez eu *pudesse* me lembrar de mais alguma coisa se tentasse com mais força.

Kemp negou-se a morder a isca, e ele e Race dirigiram-se para a Brook Street, onde encontraram um cavalheiro furioso: o pai da honorável Patricia Brice-Woodworth.

O lorde general Woodworth recebeu-os com um bom número de observações francas:

Que ideia de jerico era aquela de sugerir que sua filha – *sua* filha – estava envolvida em tal tipo de coisas? Se uma jovem não pudesse mais sair com seu noivo para jantar em um restaurante sem ser submetida a constrangimento pela Scotland Yard, aonde a Inglaterra iria parar? Ela nem mesmo conhecia aquelas pessoas, quais eram os nomes... Hubbard... Barton? Um sujeito da City ou algo assim! Aquilo mostrava que cuidado nunca era demais com os lugares aos quais se ia – o Luxembourg sempre pareceu bom, mas aparentemente esta era a segunda vez que uma coisa do gênero acontecia por lá. Gerald era um estúpido por ter levado Pat àquele lugar – esses rapazes de hoje acham que sabem tudo. Mas, de qualquer modo, ele não permitiria que sua filha fosse incomodada, intimidada ou crivada de perguntas – não sem uma ordem judicial. Ligaria para o velho Anderson em Lincoln Inn para perguntar...

Neste ponto, o general fez uma pausa abrupta, fixou o olhar em Race e disse:

– Acho que já o vi em algum lugar, mas onde...?

A resposta de Race foi imediata, acompanhada de um sorriso:

– Badderpore, 1923.

– Por Júpiter! – disse o general. – Mas se não é Johnny Race! O que está fazendo metido nessa confusão?

Race sorriu.

– Eu estava com o inspetor-chefe Kemp quando surgiu a questão de entrevistar sua filha. Sugeri que seria muito mais agradável para ela se Kemp viesse aqui do que se ela tivesse de ir até a Scotland Yard, e achei melhor vir também.

– Oh... ahn... bem, muito decente de sua parte, Race.

– Naturalmente, nossa intenção é incomodar o mínimo possível a jovem senhora – emendou Kemp.

Mas neste momento a porta se abriu, e a srta. Patricia Brice-Woodworth entrou e assumiu o controle da situação com a tranquilidade e o distanciamento dos muito jovens.

– Olá – ela disse. – São da Scotland Yard, não é mesmo? É sobre ontem? Estava esperando que viessem. Papai está sendo desagradável? Agora não, papai... sabe o que o doutor disse a respeito de sua pressão. Não entendo por que o senhor fica nesse estado por qualquer coisa. Só vou levar os inspetores, ou agentes, ou o que quer que sejam, até a sala e já mando Walters trazer um uísque com soda para o senhor.

O general sentiu um desejo colérico de responder com várias expressões virulentas de uma só vez, mas só conseguiu dizer:

– Meu velho amigo, major Race.

Com essa apresentação, Patricia perdeu o interesse em Race e dirigiu um sorriso beatífico para o inspetor-chefe Kemp.

Com a frieza de um general em comando, ela os conduziu até sua sala de estar, trancando, com firmeza, o pai no escritório.

– Pobre papai – comentou. – Faz tanto espalhafato. Mas na verdade é uma pessoa bastante fácil de se lidar.

A conversa então se deu em bases mais amigáveis, mas com muito pouco resultado. Patrícia comentou:

– É mesmo de enlouquecer. Provavelmente a única oportunidade que já tive na vida de estar no lugar e no momento exatos em que um assassinato estava sendo cometido... foi um assassinato, não foi? Os jornais foram muito vagos e cautelosos, mas disse para Gerry ao telefone que devia ser assassinato. Pense nisso, um assassinato bem perto de mim e eu nem estava olhando.

O pesar em sua voz era inequívoco.

Era bastante evidente que, como o inspetor-chefe havia previsto com tristeza, os dois jovens, que haviam noivado apenas uma semana antes, só haviam tido olhos um para o outro.

Com a maior boa vontade do mundo, tudo o que Patricia Brice-Woodworth conseguiu reunir foram algumas impressões.

– Sandra Farraday estava muito elegante, mas até aí, sempre está. Era um Schiaparelli* o que ela estava usando.

– A senhorita a conhece? – Race perguntou.

Patricia sacudiu a cabeça.

– Apenas de vista. Sempre a achei um tanto entendiante. Muito pomposa, como a maioria dos políticos.

– Conhecia de vista algum dos outros?

Ela negou.

– Não. Nunca havia visto nenhum deles antes... ao menos é o que eu acho. De fato, não sei nem se teria notado Sandra Farraday se não fosse pelo Schiaparelli.

---

* Referência a Elsa Schiaparelli (1890-1973), estilista italiana símbolo de refinamento nos anos 1930 e 1940. Residente em Paris, foi amiga e colaboradora de grandes nomes do movimento surrealista, como Jean Cocteau e Salvador Dalí. (N.T)

– E você verá – disse, mal-humorado, o inspetor-chefe Kemp, enquanto eles saíam da casa – que com o sr. Tollington será exatamente a mesma coisa. A única diferença é que não teremos para atrair a atenção dele nem o tal Skippa... Skippa o que mesmo? Soa como uma sardinha.

Race concordou:

– Não creio que o corte do terno de Stephen Farraday tenha lhe causado palpitações.

– Oh, bem – disse o inspetor-chefe –, vamos tentar Christine Shannon. Então teremos encerrado com as testemunhas externas.

A srta. Shannon era, como o inspetor-chefe já havia declarado, uma loira atraente. Os cabelos quase brancos, cuidadosamente arrumados, delimitavam um rosto de bebê, suave e vazio. Podia ser, como o inspetor afirmara, uma estúpida – mas era bastante agradável de se olhar, e um quê de astúcia nos grandes olhos azul-bebê indicava que sua estupidez só se limitava aos assuntos intelectuais – e que onde fossem necessários instinto e conhecimento de finanças, Christine Shannon se sentiria à vontade.

Ela recebeu os dois homens com o máximo de gentileza. Ofereceu bebidas e, quando estas foram recusadas, insistiu com os cigarros. Seu apartamento era pequeno, decorado com um modernismo vulgar.

– Adoraria poder ajudar, inspetor. Faça todas as perguntas que quiser.

Kemp começou com umas poucas interrogações de rotina sobre o comportamento dos participantes da festa na mesa central.

De imediato, Christine mostrou-se uma observadora de perspicácia e sagacidade incomuns.

– A reunião não estava correndo bem... dava para ver. Todo mundo muito tenso. Tive muita pena daquele velhinho... o que estava dando a festa. Fazia tudo que podia para que as coisas andassem e estava nervoso como um gato na corda-bamba. Mas nada parecia quebrar o gelo. A mulher alta à direita dele estava tesa como se tivesse engolido uma barra de ferro, e a garota à esquerda do anfitrião estava furiosa, era visível, porque não havia sentado próxima ao moreno bonitão no lado oposto. Quanto ao sujeito alto e loiro do lado dela, parecia que estava com dor de barriga. Engoliu a comida como se achasse que iria engasgar. A mulher do lado dele estava dando o melhor de si, puxava assunto com ele, mas era como se ela própria estivesse incomodada.

– Parece que foi capaz de notar uma porção de coisas, srta. Shannon – disse Race.

– Vou contar um segredo: eu não estava me divertindo muito. Era a terceira noite consecutiva que eu saía com aquele meu amigo e já começava a me cansar dele. Ele só queria saber de conhecer Londres... especialmente o que chamava de "lugares classudos". Tenho de reconhecer que pelo menos ele não era mesquinho. Champanhe o tempo todo. Fomos ao Compradour, ao Mille Fleurs e finalmente ao Luxembourg, e posso garantir que ele se divertiu. De certo modo, era um tanto patético. Mas a conversa dele não era o que se poderia chamar de interessante. Histórias compridas sobre grandes negócios que ele fez no México, e a maioria delas eu ouvi três vezes. Também falava sem parar de todas as mulheres que ele conheceu e de como eram loucas por ele. O tipo de coisa que uma garota fica bastante cansada de ouvir depois de um tempo, e os senhores vão concordar que Pedro não é lá muito bonito de se olhar... então eu me concentrei na comida e deixei meus olhos vagarem pelo salão.

– Bom, de nosso ponto de vista, isso é excelente, srta. Shannon – disse o inspetor-chefe –, e só posso torcer para que tenha visto alguma coisa que nos ajude a solucionar o caso.

Christine balançou a loira cabeça.

– Não tenho a menor ideia de quem apagou o velhinho. Nenhuma ideia mesmo. Ele simplesmente bebeu um gole de champanhe, ficou com o rosto roxo e meio que desmaiou.

– Lembra-se de qual foi a última vez antes disso que ele bebeu daquela taça?

A garota pensou.

– Ora... sim... foi logo depois do espetáculo. As luzes se reacenderam, ele ergueu a taça, disse algo, e os outros também ergueram. Pareceu um brinde ou algo do tipo.

O inspetor anuiu.

– E então?

– Então a música recomeçou, e todos foram dançar, rindo e arrastando as cadeiras. Parecia haver calor humano pela primeira vez. É uma maravilha o que o champanhe pode fazer pelas festas chatas.

– Saíram todos ao mesmo tempo, deixando a mesa vazia?

– Sim.

– E ninguém tocou na taça do sr. Barton?

– Ninguém mesmo – foi a resposta pronta. – Tenho certeza disso.

– E nenhum deles... chegou perto da mesa nesse intervalo?

– Não, a não ser o garçom, é claro.

– Garçom? Que garçom?

– Um novato de avental, mais ou menos dezesseis anos. Não o garçom mesmo, que esse é um sujeito pequeno e prestativo, parece um macaquinho. Diria que é italiano.

O inspetor-chefe confirmou a descrição de Giuseppe Bolsano com um aceno de cabeça.

– E o que ele fez, esse garçom jovem? Encheu as taças?

– Oh não. Ele não tocou em nada na mesa. Apenas recolheu uma bolsa de noite que uma das garotas havia deixado cair quando todos se levantaram.

– Que bolsa era essa?

Christine levou alguns instantes para responder, e finalmente disse:

– Era a bolsa da menina... uma verde e dourada. As outras duas estavam com bolsas pretas.

– E o que o garçom fez com a bolsa?

Christine pareceu surpresa.

– Ele a pôs de volta na mesa, e só.

– Tem absoluta certeza de que ele não tocou em nenhuma das taças?

– Claro que não. Ele apanhou a bolsa do chão e saiu muito rápido, porque os garçons o estavam chamando para ir a algum lugar ou pegar alguma coisa, porque senão tudo seria culpa dele.

– E foi a única vez que alguém chegou perto da mesa?

– Sim.

– Alguém não poderia ter se aproximado da mesa sem que a senhorita notasse?

Christine sacudiu a cabeça, muito determinada.

– Não, tenho certeza de que não. Veja, Pedro havia sido chamado ao telefone e ainda não havia voltado, então eu não tinha nada para fazer a não ser olhar em volta e me sentir entediada. Sou muito boa observadora e onde eu estava sentada não havia muito mais para se ver a não ser a mesa vazia perto de nós.

Race perguntou:

– Quem voltou à mesa primeiro?

– A menina de verde e o velhinho. Eles sentaram, e aí o loiro e a moça de preto voltaram. Depois deles, a enjoada arrogante e o moreno bonitão. Um grande dançarino! Quando todos já haviam voltado e o garçom estava como um louco, esquentando uma travessa na espiriteira, o mais velho se inclinou para os outros e fez uma espécie de discurso. E outra vez todos ergueram as taças. E aí aconteceu.

Christine fez uma pausa e acrescentou, em tom jovial:

– Foi medonho. Pensei que fosse um derrame. Minha tia já teve um e foi exatamente daquele jeito. Pedro voltou bem nessa hora, e eu disse: "Olhe, Pedro, aquele homem teve um derrame". E tudo o que ele conseguiu dizer foi: "Só tomou todas e está passando mal" – que era o que *ele* estava fazendo. Tive de ficar de olho. Eles não gostam que você caia de bêbado em um lugar como o Luxembourg. É por isso que não gosto desses latinos. Quando bebem demais, não são nem um pouco refinados... e uma garota nunca sabe em que situação desagradável pode se meter.

Ela pensou por um momento e, lançando um olhar para um bracelete vistoso e brilhante em seu pulso direito, acrescentou:

– Ainda assim, devo reconhecer que são bastante generosos.

Tirando-a, com gentileza, das dores e delícias da existência de uma garota, Kemp a conduziu mais uma vez à sua história.

– Nossa última possibilidade de auxílio externo se foi – o inspetor disse a Race ao deixarem o apartamento da srta. Shannon. – E teria sido uma ótima possibilidade. Essa garota é o tipo certo de testemunha, vê as coisas e se lembra delas com exatidão. Se houvesse qualquer coisa para ver, ela teria visto. A consequência lógica, então, é que não havia nada a ser visto. É incrível. Um truque de prestidigitação! George Barton bebe champanhe e vai dançar. Ele volta, bebe da mesma taça, que não foi tocada por ninguém, mas, num passe de mágica, está cheia de cianureto. É loucura, digo eu. Não poderia ter acontecido, a não ser pelo fato de que aconteceu.

Ele se calou um minuto.

– Aquele garçom. O garoto. Giuseppe não o mencionou em momento algum. Temos de averiguar. No fim das contas, é a única pessoa que estava perto da mesa enquanto todos estavam dançando. *Tem* de haver alguma coisa aí.

Race anuiu.

– Se ele tivesse posto algo na taça de Barton, a garota teria visto. Ela é uma observadora inata e detalhista. Não ocupa a cabeça com nenhum pensamento, então usa os olhos. Não, Kemp. A explicação, se conseguirmos chegar a ela, deve ser muito simples.

– Sim, é. Ele mesmo colocou o veneno.

– Começo a acreditar que *foi* o que aconteceu. É a única explicação. Mas se é assim, Kemp, estou convencido de que ele não sabia que era cianureto.

– Você quer dizer que alguém deu a substância a ele dizendo que era para indigestão ou pressão sanguínea, algo do tipo?

– Poderia ser.

– Então, quem foi? Não seriam os Farraday.

– Certamente, seria improvável.

– E digo o mesmo para o sr. Anthony Browne. O que nos deixa apenas duas pessoas... uma cunhada afetuosa...

– E uma secretária devotada.

Kemp olhou para Race.

– Sim... Ela poderia ter-lhe aprontado algo do tipo. Devo ir agora até a casa dos Kidderminster. E quanto a você? Vai ver a srta. Marle?

– Estava pensando em ir ver a outra, a do escritório. Condolências de um velho amigo. Vou levá-la para almoçar.

– Então pensa que foi ela?

– Não penso nada ainda. Estou apostando em uma pista.

– Você precisa ver Iris Marle, de qualquer forma.

– E eu a verei... mas prefiro que minha primeira visita àquela casa seja quando ela não estiver. Sabe por que, Kemp?

– Não saberia dizer.

– Porque há alguém lá que gorjeia... gorjeia como um passarinho... "Um passarinho me contou", é um ditado popular da minha juventude. E é a pura verdade, Kemp... Essas aves canoras podem contar muita coisa a quem simplesmente as deixe... cantar!

CAPÍTULO 4

Os dois homens se separaram. Race parou um táxi e seguiu para o escritório de George Barton, na City. O inspetor-chefe Kemp, zeloso de sua verba para despesas, tomou um ônibus até as proximidades da casa dos Kidderminster.

O rosto do inspetor estava sombrio enquanto ele galgava os degraus e tocava a campainha. Sabia que pisava em terreno movediço. A família Kidderminster tinha imensa influência política e suas ramificações se espalhavam como uma rede através do país. O inspetor-chefe tinha plena confiança na imparcialidade da Justiça britânica. Se Stephen ou Alexandra Farraday fossem culpados pela morte de Rosemary Barton ou pela de George Barton, nenhum "lobby" ou "influência" os ajudaria a fugir das consequências. Mas se fossem inocentes, ou se as provas contra eles fossem muito vagas para assegurar uma condenação, então o oficial responsável devia cuidar onde pisava ou estaria sujeito a uma severa repreensão de seus superiores. Em tais circunstâncias, era compreensível que o inspetor-chefe não estivesse muito satisfeito com a tarefa que tinha a sua frente. Parecia-lhe altamente provável que os Kidderminster seriam, como ele dizia para si mesmo, uma pedra no sapato.

Kemp logo percebeu, contudo, que havia sido ingênuo em suas suposições. Lorde Kidderminster era um diplomata experimentado demais para lançar mão de grosserias.

Ao declarar o assunto que o trazia ali, Kemp foi de imediato levado pelo mordomo de ar pontifício a uma sala pouco iluminada, paredes revestidas de livros, nos fundos da casa, onde lorde Kidderminster já o esperava, em companhia da filha e do genro.

Lorde Kidderminster avançou até ele, apertou sua mão e disse, cortês:

– Chegou na hora exata, inspetor-chefe. Se me permite dizer, aprecio muito sua cortesia em vir até aqui em vez de exigir que minha filha e seu marido se apresentassem na Scotland Yard. O que, é claro, eles estariam prontos a fazer se necessário, nem preciso dizer. Mas eles agradecem sua gentileza.

Sandra emendou, com voz tranquila:

– Sim, inspetor, de fato.

Ela trajava um vestido feito de algum tecido vermelho-sangue macio e, sentada como estava, em frente à luz que vinha da janela grande e estreita atrás dela, recordava a Kemp a figura de um vitral que vira certa vez em uma catedral no exterior. O feitio delgado e oval do rosto e o ângulo suave dos ombros colaboravam com a ilusão. Santa Sei-lá-Quem, haviam lhe dito naquela ocasião. Mas lady Alexandra Farraday não era nenhuma santa, de forma alguma. Ainda que, de seu ponto de vista, alguns daqueles santos houvessem sido pessoas estranhas: não cristãos comuns, decentes e compassivos, mas fanáticos intolerantes, cruéis consigo mesmos e com os outros.

Stephen Farraday estava parado próximo à esposa. Seu rosto não traía emoção alguma. Parecia formal e correto, um legislador eleito pelo povo. O homem selvagem estava bem enterrado nele, mas o inspetor-chefe tinha certeza de que continuava lá.

Lorde Kidderminster ainda falava, dirigindo a entrevista com uma boa dose de habilidade.

– Não vou esconder do senhor, inspetor-chefe, que esse é um assunto muito doloroso e desagradável para todos nós. É a segunda vez que minha filha e meu genro são relacionados com uma morte violenta em um lugar público: o mesmo restaurante e dois membros da mesma família. Tal tipo de publicidade é sempre prejudicial para um homem na vida pública. Publicidade, é claro, que não pode ser evitada, todos compreendemos isso, e tanto minha filha quanto o sr. Farraday estão ansiosos para dar aos senhores toda a ajuda que puderem para que esse caso seja rapidamente esclarecido e o interesse do público por ele cesse logo.

– Obrigado, lorde Kidderminster. Agradeço muito tal atitude da parte dos senhores. Certamente, tornará as coisas mais fáceis para nós.

Sandra Farraday se manifestou:

– Por favor, faça todas as perguntas que desejar, inspetor-chefe.

– Obrigado, lady Alexandra.

– Só uma questão, inspetor – disse lorde Kidderminster. – O senhor tem, é claro, suas próprias fontes de informação, e deduzo do que me disse meu amigo, o comissário, que a morte desse homem, Barton, está sendo encarada como homicídio, embora, em face do que se tornou público no caso, o suicídio pareça uma explicação mais provável. *Você* achava que era suicídio, não é mesmo, Sandra querida?

A figura gótica fez uma ligeira mesura com a cabeça e disse, em uma voz pensativa:

– Pareceu bem óbvio para mim a noite passada. Estávamos no mesmo restaurante e, na verdade, na mesma mesa em que a pobre Rosemary Barton bebera veneno no ano passado. Vimos o sr. Barton com frequência durante o verão, no campo, e ele andava bem esquisito... bastante fora de seu normal... e pensamos que a morte da esposa ainda o consumia. Gostava muito dela, o senhor sabe, e não acho que jamais tenha superado a sua morte. Daí que a hipótese do suicídio parecesse, se não natural, ao mesmo plausível... ainda mais que não consigo imaginar como *alguém* pudesse querer matar George Barton.

Stephen Farraday ajuntou, com rapidez:

– Nem eu, tampouco. Barton era um camarada excelente. Tenho certeza de que não tinha um único inimigo no mundo.

O inspetor-chefe olhou para os três rostos curiosos voltados em sua direção e refletiu por um momento antes de falar. "Melhor jogar o jogo deles", pensou consigo mesmo.

– Estou certo de que o que a senhora diz está correto, lady Alexandra. Mas há alguns detalhes que provavelmente ainda não sabe.

Lorde Kidderminster não demorou a se interpor:

– Não devemos pressionar o inspetor-chefe. Está inteiramente sob sua decisão quais fatos deve tornar públicos.

– Obrigado, milorde, mas não há razão pela qual não possa explicar as coisas com um pouco mais de clareza. Vou resumir a história. George Barton, antes de morrer, expressou a outras duas pessoas a crença de que a esposa não havia, como se achava, cometido suicídio, mas, em vez disso, fora envenenada por alguém. Ele também confidenciou que estava na pista dessa terceira pessoa e que o jantar e a celebração de ontem, aparentemente em nome do aniversário da srta. Marle, eram, na verdade, parte de um plano que ele havia elaborado para desvendar a identidade do assassino de sua mulher.

Houve um momento de silêncio – um silêncio no qual o inspetor-chefe, que era um homem sensível a despeito de sua aparência sólida, sentiu a presença de algo que ele poderia classificar como assombro.

Lorde Kidderminster foi o primeiro a se recuperar:

– Mas com certeza essa... crença... por si só já não aponta para o fato de que o pobre George não vinha sendo muito... ahn... ele mesmo? Ficar remoendo a morte da esposa pode ter afetado a mente dele.

– É verdade, milorde, mas ao menos mostra que sua disposição de ânimo não era, em definitivo, a de um suicida.

– Sim... sim, entendo o que quer dizer.

Silêncio outra vez. Então foi a vez de Stephen falar, de modo abrupto:

– Mas como Barton meteu tal ideia na cabeça? No fim das contas, a sra. Barton cometeu *mesmo* suicídio.

O inspetor-chefe lançou a ele um olhar plácido.

– O sr. Barton não pensava assim.

Lorde Kidderminster se intrometeu.

– Mas a polícia não estava satisfeita? Não houve nenhum indício de outra coisa que não suicídio naquela época.

Kemp respondeu, com tranquilidade:

– Os fatos eram compatíveis com suicídio. Não havia nenhuma evidência de que a morte dela fosse devida a qualquer outro agente.

Sabia que um homem do calibre de lorde Kidderminster saberia captar o exato sentido daquelas palavras.

Assumindo um comportamento mais oficial, Kemp continuou:

– Gostaria, se possível, de lhe fazer algumas perguntas agora, lady Alexandra.

– À vontade – ela voltou a cabeça, de leve, na direção dele.

– Não teve, na ocasião, nenhuma suspeita de que a morte do sr. Barton pudesse ser homicídio?

– Certamente que não. Estava certa de que foi suicídio – ela acrescentou: – e ainda estou.

Kemp deixou passar a declaração e prosseguiu:

– A senhora recebeu alguma carta anônima no ano passado?

A tranquilidade dos modos dela pareceu dar lugar à pura perplexidade.

– Carta anônima? Oh, não.

– Tem certeza? Tais cartas são muito desagradáveis, e as pessoas, em geral, preferem ignorá-las, mas podem ser importantes neste caso em particular, e é por isso que eu gostaria de enfatizar que, se a senhora recebeu alguma carta assim, é mais do que essencial que me conte tudo a respeito.

– Entendo. Mas só o que posso fazer é assegurar, inspetor, que não recebi nada do tipo.

– Muito bem. Agora, a senhora diz que os modos do sr. Barton andavam esquisitos este verão. De que maneira?

Ela refletiu por um momento.

– Bem, estava apreensivo, nervoso. Parecia com dificuldade para focar a atenção no que se falava com ele – virou-se para o marido: – foi o que lhe pareceu, Stephen?

– Sim, diria que é uma descrição bem precisa. O homem também parecia fisicamente doente. Havia perdido peso.

– Notou alguma mudança na atitude dele para com a senhora ou seu marido? Menos cordialidade, por exemplo?

– Não, ao contrário. Ele comprou uma casa, o senhor sabe, bem perto da nossa, e parecia bastante agradecido que pudéssemos lhe prestar um auxílio... as apresentações à vizinhança e tudo mais. Claro que tivemos o maior prazer em fazer todo o possível por ele nesse assunto, tanto por George quanto por Iris Marle, que é uma garota encantadora.

– A falecida sra. Barton era muito sua amiga, lady Alexandra?

– Não, não éramos muito íntimas – ela sorriu de leve. – Ela era muito mais amiga de Stephen. Interessou-se pela política, e ele a ajudou a... bem, educar-se politicamente... tarefa que, garanto, ele apreciou. Era uma mulher atraente e encantadora, o senhor sabe.

"E a senhora é muito esperta", pensou consigo mesmo o inspetor-chefe Kemp. "Fico me perguntando o quanto sabe a respeito desses dois... bastante, poderia apostar."

Ele prosseguiu.

– O sr. Barton nunca expressou com a senhora a opinião de que a esposa não havia cometido suicídio?

– De fato, não. Por isso estou tão chocada agora.

– E a srta. Marle? Também não falou nada a respeito da morte da irmã?

– Não.

– Faz alguma ideia do motivo pelo qual George Barton comprou uma casa no campo? Algum dos senhores sugeriu a compra?

– Não, foi uma grande surpresa.

– E os modos dele com os senhores foram sempre amistosos?

– Muito.

– O que a senhora sabe a respeito do sr. Anthony Browne, lady Alexandra?

– Não sei nada, na verdade. Encontrei-me com ele em algumas ocasiões, e isso é tudo.

– E o senhor, sr. Farraday?

– Acho que sei menos a respeito dele do que a minha esposa. Ela ao menos já dançou com ele. Parece um sujeito agradável... é americano, creio.

– Pelo que o senhor observou na época, saberia dizer se ele mantinha alguma relação especial com a sra. Barton?

– Não tenho absolutamente nenhum conhecimento a respeito dessa questão, sr. inspetor-chefe.

– Só estou pedindo suas impressões, sr. Farraday.

Stephen franziu o cenho:

– Eram amigos... é tudo o que eu posso dizer.

– E a senhora, lady Alexandra?

– Apenas a minha impressão, inspetor-chefe?

– Apenas a sua impressão.

– Então, de maneira reservada, digo-lhe que sempre tive a impressão de que se conheciam muito bem e que eram íntimos. Apenas, o senhor compreende, pela forma que olhavam um para o outro. Não tenho provas concretas.

– As damas com frequência têm um ótimo discernimento nesses assuntos – disse Kemp.

O sorriso algo fátuo com que fizera aquele comentário teria divertido o coronel Race se este estivesse presente. Ele continuou:

– E quando à srta. Lessing, lady Alexandra?

– Pelo que sei, a srta. Lessing era secretária do sr. Barton. Conheci-a na noite em que a sra. Barton morreu. Depois disso, encontrei-a somente quando ela esteve na casa de campo e na noite de ontem.

– Se me permite outra pergunta informal, alguma vez teve a impressão de que ela era apaixonada por George Barton?

– Realmente não faço a menor ideia.

– Então chegamos aos acontecimentos de ontem.

Ele interrogou com minúcia tanto Stephen quanto a esposa a respeito do decorrer daquela noite trágica. Não esperava obter muito daquilo, e tudo o que conseguiu foi a confirmação do que as outras testemunhas já haviam contado. Todos os relatos coincidiam nos pontos mais importantes – Barton havia proposto um brinde a Iris, bebera e, imediatamente após, fora dançar. Todos deixaram a mesa ao mesmo tempo, e George e Iris haviam sido os primeiros a retornar a ela.

Nenhum dos dois podia oferecer explicação alguma para a cadeira vazia, exceto que George havia dito, sem dúvida alguma, que estava esperando um amigo, um tal coronel Race, para ocupar aquele assento mais tarde – uma declaração que, o inspetor sabia, não era verdade. Sandra Farraday contou – e o marido confirmou – que, quando as luzes foram acesas depois do espetáculo, George ficara olhando fixo para a cadeira vazia, com uma expressão estranha, e por alguns momentos parecera tão ausente que não ouvia o que lhe diziam. Até que se recompôs e fez o brinde à saúde de Iris.

O único item que o inspetor-chefe pôde contar como uma adição ao que já sabia foi o relato que Sandra fez da conversa com George em Fairhaven – e o apelo que ele fizera para que ela e o marido colaborassem com aquela festa pelo bem de Iris.

Era um pretexto plausível e razoável, pensou o inspetor, ainda que não fosse verdadeiro. Fechando o caderno de anotações no qual rascunhara alguns hieroglifos, ele se levantou.

– Muito grato ao senhor, milorde, bem como ao sr. Farraday e a lady Alexandra, pela ajuda e pela colaboração.

– A presença de minha filha no inquérito será requisitada?

– Os procedimentos na ocasião serão pura formalidade. Serão analisadas as evidências médicas e forenses e, portanto, o inquérito ficará em suspenso por uma semana. Até lá – disse o inspetor, com uma leve mudança de tom – já teremos, espero, avançado na investigação.

Ele se voltou para Stephen:

– A propósito, sr. Farraday, há mais um ou dois pontos nos quais, acredito, o senhor poderia me ajudar. Não é necessário incomodar lady Alexandra. Se me telefonar na Yard, podemos marcar uma hora que seja de sua conveniência. Sei que é um homem ocupado.

As palavras foram ditas com leveza e um ar de casualidade, mas caíram com sentido deliberado nos três pares de orelhas que as ouviam.

Com um tom de cooperação amigável, Stephen conseguiu responder:

– Certamente, inspetor-chefe – consultou o relógio e murmurou: – estou de saída para a Câmara.

Depois que Stephen saiu, apressado, e que o inspetor, do mesmo modo, já havia partido, lorde Kidderminster virou-se para a filha e perguntou, sem preâmbulos:

– Stephen tinha um caso com aquela mulher?

Houve uma pausa de fração de segundo antes que ela respondesse:

– Claro que não. Eu teria sabido se ele tivesse. E de qualquer modo, Stephen não é desse tipo.

– Agora escute aqui, minha querida, não adianta nada tapar o sol com a peneira. Coisas como essas sempre vazam. Quero saber em que situação estamos nesse assunto.

– Rosemary Barton era amante daquele homem, Anthony Browne. Iam juntos a toda parte.

– Bem – disse lorde Kidderminster devagar –, você deve saber.

Não acreditara na filha. À medida que deixava o aposento, sua face se tornava sombria e perplexa. Subiu a escadaria até o quarto de sua mulher. Havia vetado a presença da esposa na biblioteca, pois sabia muito bem que os modos arrogantes dela poderiam despertar antagonismo, e naquela conjuntura achava vital que as relações com o oficial de polícia fossem harmoniosas.

– Bem? – disse lady Kidderminster. – Como foi?

– Muito bem, à primeira vista – disse o lorde, lentamente. – Kemp é um sujeito cortês... maneiras muito agradáveis... lidou com a situação toda com muito tato. Tato demais até, para meu gosto.

– Então a coisa é séria.

– Sim, é. Nunca devíamos ter deixado Sandra casar com aquele camarada, Vicky.

– Foi o que eu disse...

– Sim, sim – ele reconheceu. – Você estava certa, e eu, errado. Mas entenda: ela teria casado de qualquer jeito. É impossível contrariar Sandra quando sua mente está fixada em algo. O desastre foi ela ter conhecido Faraday: um homem de cujos antecedentes e antepassados não sabíamos nada. Em uma hora de crise, como saber de que forma um homem desses vai reagir?

– Entendo... Você acha que permitimos a entrada de um assassino para a família.

– Não sei. Não quero condenar o sujeito por antecipação... mas é o que a polícia acha. E eles são muito perspicazes. Ele tinha um caso com a mulher daquele Barton, isto para mim está bem claro. Tenha ela cometido suicídio por causa dele, ou tenha ele... bem, seja lá o que tenha acontecido, Barton descobriu e estava planejando um escândalo. Suponho que Stephen não teria simplesmente...

– Envenenado o homem?

– Sim.

Lady Kidderminster sacudiu a cabeça.

– Discordo.

– Espero que esteja certa. Mas alguém o envenenou.

– Se pedisse a minha opinião – disse lady Kidderminster –, eu diria que Stephen não tem coragem para fazer uma coisa dessas.

– A carreira dele corria sério perigo... Ele tem um grande talento e as ferramentas de um grande estadista. Nunca se sabe o que alguém é capaz de fazer quando jogado contra as cordas.

A mulher ainda negava com um aceno de cabeça.

– Continuo dizendo que ele não tem coragem. Para isso, seria preciso alguém que se arriscasse e que fosse capaz de uma temeridade. Estou assustada, William, terrivelmente assustada.

Ele a encarou:

– Está insinuando que Sandra... *Sandra*...?

– Odeio até mesmo sugerir tal coisa, mas é inútil ter medo de encarar as possibilidades. Ela está enfeitiçada por aquele homem... sempre esteve... e há alguma coisa estranha em Sandra. Nunca a compreendi de fato... mas sempre tive medo dela. Ela arriscaria tudo, *tudo*, por Stephen. Sem medir as consequências. E se ela foi louca ou perversa o bastante para fazer uma coisa dessas, ela precisa ser protegida.

– Protegida? O que quer dizer com protegida?

– Por você. Temos de fazer alguma coisa pela nossa filha, não temos? Graças a Deus que você pode mexer uma porção de pauzinhos.

Lorde Kidderminster a olhava fixo. Embora achasse que conhecia bem a personalidade da esposa, estava horrorizado com a força e a coragem de seu realismo – a sua recusa em se surpreender com os fatos mais desagradáveis – e também com sua falta de escrúpulos.

– Se minha filha é uma assassina, está sugerindo que eu deveria usar minha posição oficial para resguardá-la das consequências de seus atos?

– É claro – disse lady Kidderminster.

– Minha querida Vicky, você não entende! Não se pode fazer tais coisas. Seria violar a... honra.

– Besteira! – disse lady Kidderminster.

Olharam um para o outro – tão divididos que nenhum deles conseguia entender o ponto de vista alheio. Assim devem ter se olhado Agamemnon e Clitemnestra com a palavra Ifigênia nos lábios.

– Você podia levar a pressão do governo para a polícia, para que desistissem da coisa toda e chegassem a uma conclusão de suicídio. Já foi feito antes... não finja.

– Só quando era uma questão política, e pelo interesse do Estado. Este é um assunto pessoal e privado. Duvido muito que eu possa fazer uma coisa assim.

– Pode, se tiver determinação suficiente.

Lorde Kidderminster ficou rubro de cólera:

– Se eu pudesse, não faria! Seria abusar de minha posição pública.

– Se Sandra fosse presa e levada a julgamento, você não contrataria o melhor advogado e faria todo o possível para livrá-la de uma condenação, por mais culpada que fosse?

– É lógico que sim. Isso é completamente diferente. Vocês, mulheres, não compreendem essas coisas.

Lady Kidderminster ficou em silêncio, imperturbável. Sandra era a menos amada de suas filhas – mas ainda assim, naquele momento, ela era uma mãe e nada mais, disposta a defender sua menina usando de quaisquer meios, honrados ou não. Lutaria com unhas e dentes por Sandra.

– Em todo caso – disse lorde Kiddeminster –, Sandra não será acusada a menos que tenham um caso absolutamente convincente contra ela. E eu, pelo menos, me recuso a acreditar que uma filha minha é uma assassina. Estou pasmo com você, Vicky, por admitir uma ideia como essa, mesmo que por um instante.

A mulher não disse nada, e lorde Kidderminster saiu do quarto, inquieto. E pensar que Vicky – Vicky, a quem ele conhecia intimamente havia tantos anos – era capaz de demonstrar que tinha tão insuspeitas e perturbadoras profundezas!

CAPÍTULO 5

Race encontrou Ruth Lessing ocupada com papéis em uma grande escrivaninha. Vestia um conjunto preto de saia e casaco e uma blusa branca, e ele ficou impressionado com a eficiência vagarosa e tranquila que ela demonstrava. Notou círculos negros ao redor dos olhos e a boca arranjada em um ríctus infeliz, mas seu luto – se de luto se tratava – estava tão bem controlado quanto suas outras emoções. Race explicou o motivo de sua visita, e ela respondeu de imediato.

– Foi muito gentil de sua parte vir. Claro que sei quem o senhor é. O sr. Barton esperava que o senhor se juntasse a nós na noite passada, não é? Lembro que ele disse isso.

– Ele disse isso antes da festa?

Ela pensou por um momento.

– Não, foi quando estávamos ocupando nossos lugares ao redor da mesa. Lembro-me de ter ficado um pouco surpresa... – fez uma pausa e corou de leve: – Não com o convite, é lógico, o senhor é um velho amigo. E deveria ter estado na outra reunião, há um ano. Quis dizer que fiquei surpresa que o sr. Barton não houvesse convidado outra mulher para equilibrar, já que esperava pelo senhor... Mas é claro que, se o senhor fosse chegar tarde ou mesmo não pudesse ir... – ela se calou. – Mas que imbecil eu sou. Por que relembrar essas coisas insignificantes, que não importam mais? Eu *estou* imbecil esta manhã.

– Mas veio trabalhar, como sempre?

– É claro – ela parecia espantada, quase chocada. – É minha obrigação. Há muita coisa para arrumar e pôr em ordem.

– George sempre me disse o quanto ele se amparava na senhorita – disse Race, em um tom gentil.

Ela virou para o outro lado, e Race viu-a piscar e engolir em seco, com rapidez. A ausência de qualquer demonstração de emoção quase o convenceu da completa inocência dela. Quase, mas não o bastante. Já conhecera antes mulheres que eram ótimas atrizes, mulheres cujas pálpebras avermelhadas e círculos escuros debaixo dos olhos eram resultado de artifícios, e não de causas naturais.

Abstendo-se de julgá-la, disse para si próprio: "Ao menos é uma boa personagem".

Ruth virou-se para a escrivaninha e, em resposta ao último comentário que ele fizera, disse, tranquilamente:

– Trabalhei com ele durante muitos anos... oito, completaria em abril. Conhecia as manias dele e acho que ele... confiava em mim.

– Tenho certeza disso – emendou Race e prosseguiu: – É quase horário de almoço. Espero que me dê a satisfação de sair para almoçar comigo, com calma, em algum lugar. Há muitas coisas que eu gostaria de conversar com a senhorita.

– Obrigada, eu gostaria muito.

Ele a levou para um pequeno restaurante que conhecia, onde as mesas eram dispostas bem separadas umas das outras, o que possibilitava uma conversa tranquila.

Race fez o pedido e, depois que o garçom se afastou, olhou para sua acompanhante, do outro lado da mesa. Concluiu que era uma garota bonita, com o cabelo preto lustroso e a boca e o queixo firmes.

Falou um pouco de banalidades até que viesse a comida, e ela o imitou, mostrando-se sensível e inteligente.

Finalmente, depois de uma pausa, ela disse:

– Quer falar comigo sobre ontem à noite? Por favor, não hesite em fazê-lo. O assunto todo é tão inacreditável que gostaria de conversar com alguém a respeito. Se não tivesse acontecido, e eu vi acontecer, eu mesma não acreditaria.

– A senhorita falou com o inspetor-chefe Kemp, presumo.

– Sim, ontem à noite. Parece inteligente e experimentado – ela se calou por um instante: – Foi mesmo *assassinato*, coronel?

– Foi o que Kemp lhe disse?

– Ele não deu nenhuma informação, mas as perguntas que fez deixaram claro o bastante o que ele tinha em mente.

– A *sua* opinião sobre se foi ou não suicídio é tão relevante quanto a de qualquer um, srta. Lessing. Conhecia Barton muito bem e passou com ele a maior parte do dia de ontem, imagino. Como ele estava? Como sempre? Ou parecia incomodado... aflito... excitado?

Ela hesitou.

– Difícil dizer. Ele estava aflito e incomodado, mas havia uma razão para isso.

Ela explicou a situação que havia surgido, relativa a Victor Drake, e fez um breve esboço da carreira do jovem.

– Hum... – resmungou Race. – A inevitável ovelha negra. E Barton estava preocupado com ele?

Ruth respondeu devagar:

– É difícil explicar. Conhecia o sr. Barton muito bem, o senhor sabe. Ele ficou chateado e preocupado com o assunto... e, pelo que ouvi, a sra. Drake estava chorosa e aflita, como sempre em tais ocasiões... então é claro que ele queria resolver aquilo de uma vez. Mas tive a impressão...

– Sim, srta. Lessing? Tenho certeza de que suas impressões serão acuradas.

– Muito bem, imaginei que sua contrariedade não era a de sempre, se posso definir assim. Porque já tivemos esse mesmo problema antes, de um jeito ou de outro. Ano passado, Victor Drake estava no país, metido em encrencas, e tivemos de embarcá-lo para a América do Sul, e em junho deste ano ele mandou um telegrama pedindo dinheiro. Logo, o senhor vê que eu já estava familiarizada com as reações do sr. Barton. E desta vez pareceu que o incômodo era principalmente porque o telegrama havia chegado justo no momento em que ele estava concentrado nos acertos finais da festa que daria. Parecia tão absorvido pelos preparativos que o incomodava muito que tivessem surgido outras preocupações.

– Chegou a perceber alguma coisa estranha com relação a esse jantar, srta. Lessing?

– Sim. O sr. Barton estava muito interessado nessa festa. Estava excitado como uma criança.

– Já lhe ocorreu que devia haver um motivo especial para a reunião?

– O senhor se refere ao fato de ser uma reprise da festa de um ano atrás, quando a sra. Barton cometeu suicídio?

– Sim.

– Francamente, achei que era uma ideia das mais extravagantes.

– Mas George não ofereceu nenhuma explicação ou confiou algo à senhorita de alguma forma?

Ela negou com um aceno de cabeça.

– Diga-me, srta. Lessing. Alguma vez teve a mais leve dúvida de que a srta. Barton houvesse cometido suicídio?

Ela parecia perplexa:

– Ora, não.

– George Barton não contou à senhorita que acreditava que a esposa havia sido assassinada?

Ela o encarou.

– George acreditava *nisso*?

– Vejo que é novidade para a senhorita. Sim, srta. Lessing. George recebeu cartas anônimas que declaravam que a esposa não cometera suicídio, e sim que fora assassinada.

– Então foi por isso que ele ficou tão esquisito este verão? Não conseguia adivinhar qual era o problema.

– A senhorita não sabe nada sobre essas cartas anônimas?

– Nada. Houve muitas delas?

– Ele me mostrou duas.

– E eu não sabia nada sobre elas!

Havia uma nota de amargura na voz dela. Ele a observou por alguns instantes e então prosseguiu.

– Bem, srta. Lessing. O que me diz? Na sua opinião, é possível que George tenha cometido suicídio?

Ela sacudiu a cabeça.

– Não, oh não.

– Mas disse que andava agitado... aflito.

– Sim, mas já vinha assim há algum tempo. E agora entendo por quê. E entendo o motivo de ele estar tão agitado com a festa de ontem. Devia ter uma ideia especial em mente... deve ter pensado que, ao reproduzir a mesma situação, conseguiria saber um pouco mais. Pobre George. Devia estar tão confuso a respeito disso tudo.

– E quanto a Rosemary Barton, srta. Lessing? Ainda acha que a morte dela foi suicídio?

Ela franziu o cenho:

– Nunca nem sonhei que pudesse ser algo mais. Parecia tão natural...

– Gripe seguida de depressão?

– Bem, talvez algo além disso. Ela estava definitivamente muito infeliz. Qualquer um podia ver.

– Sabe o motivo?

– Bem... sim. Acho que sabia. Claro que posso ter me enganado. Mas mulheres como a sra. Barton são muito transparentes, não se preocupam em esconder seus sentimentos. Graças a Deus, não creio que o sr. Barton soubesse de alguma coisa... Oh, sim, ela estava muito infeliz. E sei que teve uma forte dor de cabeça naquela noite, além de estar bastante debilitada pela gripe.

– Como sabe que ela teve uma dor de cabeça?

– Ouvi-a contar a lady Alexandra, no lavabo, onde tiramos nossos casacos. Ela lamentou não ter um analgésico, e, por sorte, lady Alexandra trazia um consigo e ofereceu a ela.

A mão do coronel Race interrompeu no meio do caminho o gesto de erguer o copo.

– E ela aceitou?
– Sim.
Ele baixou o copo intocado e olhou-a por sobre a mesa. A moça parecia plácida, inconsciente da importância do que havia dito. Mas *era* importante. Significava que Sandra, que pela posição na mesa teria a maior dificuldade para colocar alguma coisa no copo de Rosemary sem ser vista, havia tido outra oportunidade para administrar o veneno: poderia tê-lo entregue em uma cápsula. Normalmente um comprimido levaria apenas alguns minutos para se dissolver, mas era possível que aquela fosse uma cápsula especial, revestida de gelatina ou alguma outra substância. Ou Rosemary pode não tê-la engolido até mais tarde naquela noite.

Disse, abrupto:

– E ela tomou?

– Desculpe-me, não entendi.

Pôde ver no rosto confuso que o pensamento dela já estava em algum outro lugar.

– Viu Rosemary Barton engolir o comprimido?

Ruth pareceu um pouco espantada.

– Bem... não, na verdade não vi. Ela só agradeceu a lady Alexandra.

Sendo assim, Rosemary podia ter guardado a cápsula na bolsa e, durante o espetáculo, com a dor de cabeça aumentando, colocado-a na taça de champanhe e deixado que se dissolvesse. Conjectura – pura conjectura – mas era uma possibilidade.

– Por que pergunta? – Ruth o interpelou. Seus olhos estavam subitamente alertas, plenos de interrogação. Race pôde observar a inteligência dela trabalhando, ou ao menos assim lhe pareceu.

Por fim ela disse:

– Compreendo. Agora sei por que George comprou aquela casa tão perto da dos Farraday. E entendo por que ele não me contou a respeito das cartas. Pareceu-me tão extraordinário que não tivesse contado. Mas é lógico que, se ele acreditava no que as cartas diziam, isso significava que um de nós, uma daquelas cinco pessoas à mesa, devia tê-la matado. Podia... podia até mesmo ter sido *eu*.

Race perguntou em um tom de voz muito gentil:

– Tinha algum motivo para matar Rosemary Barton?

De início, achou que ela não tivesse ouvido. Permaneceu sentada, imóvel, com os olhos voltados para o chão.

Mas de repente, com um suspiro, ergueu o rosto e olhou bem para ele:

– Não é o tipo de coisa sobre a qual alguém gosta de falar, mas é melhor que o senhor saiba. Eu era apaixonada por George Barton. Antes até que ele tivesse conhecido Rosemary. Não creio que ele soubesse, e com certeza não se importava. Gostava de mim... sim, gostava muito de mim, mas suponho que nunca dessa maneira. E me agradava pensar que teria sido uma boa esposa para ele, que o teria feito feliz. Ele amava Rosemary, mas não era feliz com ela.

Race insistiu, com gentileza:

– E a senhorita não gostava de Rosemary?

– Não, não gostava mesmo. Oh, ela era amável e muito atraente e podia ser encantadora à sua maneira. Mas nunca se preocupou em usar esse encanto comigo. Eu a detestava. Fiquei surpresa quando ela morreu, e com o jeito que aconteceu, mas, na verdade, não lamentei. Receio até que tenha ficado contente.

Fez uma pausa.

– Por favor, podemos mudar de assunto?

Race respondeu rápido:

– Gostaria que me contasse, com exatidão e em detalhes, tudo o que conseguir se lembrar a respeito de ontem. Da manhã em diante, com especial atenção a qualquer coisa que George tenha dito ou feito.

Ruth replicou de imediato, relembrando os eventos da manhã – a contrariedade de George com a aparição inoportuna de Victor, seus próprios telefonemas para a América do Sul, as providências tomadas e a satisfação de George quando o assunto foi resolvido. Depois descreveu sua própria chegada ao Luxembourg, e o modo alvoroçado como George assumiu a posição de anfitrião. Levou a narrativa até o momento final da tragédia. Seu relato concordava em todos os aspectos com os que ele ouvira antes.

Com um cenho franzido de preocupação, Ruth deu voz à própria perplexidade:

– Não foi suicídio. Tenho certeza de que não foi. Mas como pode ter sido assassinato? Quer dizer, como pode ter sido feito? A resposta é: não pode, não por um de nós. Então alguém colocou o veneno na taça de George enquanto dançávamos? E se sim, quem poderia ter sido? Não parece fazer muito sentido.

– Há evidências de que *ninguém* se aproximou da mesa enquanto vocês dançavam.

– Então não faz sentido mesmo! Cianureto não vai parar sozinho em uma taça!

– A senhorita não tem positivamente nenhuma ideia, nenhuma suspeita que seja, sobre quem poderia ter posto o cianureto na taça? Tente se lembrar da noite de ontem. Não houve nada, nenhum pequeno incidente que possa ter despertado suas suspeitas em qualquer grau, ainda que ínfimo?

Viu a face dela se transformar e a incerteza assomar por um momento aos seus olhos. Houve uma pausa mínima, quase infinitesimal, antes da resposta:

– Nada.

Mas houve alguma coisa. Tinha certeza disso. Algo que ela havia visto, ouvido ou notado e que, por qualquer motivo, havia decidido não revelar.

Ele não a pressionou. Sabia que não valeria de nada com uma garota como Ruth. Se, por alguma razão, ela havia tomado a resolução de manter silêncio, tinha certeza de que não mudaria de ideia.

Mas havia ocorrido *algo*. Saber disso o encorajou e deu a ele confiança renovada. Era o primeiro sinal de fissura no muro branco à sua frente.

Despediu-se de Ruth após o almoço, mas seu pensamento permaneceu concentrado nela enquanto se dirigia para Elvaston Square.

Seria possível que Ruth Lessing fosse a culpada? Bem pesadas as coisas, sentia-se predisposto em favor dela, que havia lhe parecido inteiramente franca e direta.

Ela seria capaz de cometer um homicídio? Muita gente era, pensando bem. Capaz não de homicídio em geral, mas do assassinato de um único e particular indivíduo. Era isso o que tornava tão difícil descartar um suspeito. Havia uma certa crueldade naquela jovem. E ela tinha um motivo – ou antes uma coleção deles. Ao tirar Rosemary do caminho, teria uma ótima oportunidade para se tornar a sra. George Barton. Fosse uma questão de casar com um homem rico ou de desposar o homem que amava, a eliminação de Rosemary era um primeiro passo indispensável.

Race estava inclinado a achar que o casamento com um homem rico não era um motivo bom o bastante. Ruth Lessing tinha cautela e sangue-frio demais para arriscar o pescoço pela simples comodidade de viver como esposa de um homem rico. Amor? Talvez. Por baixo da frieza e do distanciamento de suas maneiras, ele suspeitava, havia uma daquelas mulheres capazes de se inflamarem com uma paixão improvável por um homem em particular. Já que amava George e odiava Rosemary, ela poderia tranquilamente ter tramado e executado a morte da rival. O fato de tudo haver corrido sem embaraços e de a tese de suicídio haver sido aceita por todos, sem objeção, só provaria sua competência inata.

Depois George recebera as cartas anônimas (De quem? Por quê? Eram as questões incômodas e perturbadoras que ele não cessava de ruminar) e começara a suspeitar. Planejara uma armadilha. E Ruth o silenciara.

Não, aquilo não estava certo. Não soava verdadeiro, denotava pânico – e Ruth Lessing não era o tipo de mulher que entrava em pânico. Era mais inteligente que George e poderia ter evitado com a maior facilidade qualquer armadilha que ele fosse capaz de armar.

Parecia que, no fim das contas, Ruth não havia acrescentado muito.

CAPÍTULO 6

Lucilla Drake estava deliciada em ver o coronel Race.

As persianas estavam abaixadas. Lucilla entrou na sala, toda de preto, enxugando os olhos com um lenço e explicando, enquanto estendia a mão trêmula para ele, que não conseguiria ver ninguém naquele dia – absolutamente ninguém –, com exceção de um velho amigo do querido, *tão querido* George, e o quanto era assustador não ter um homem em casa! De fato, sem a presença de um homem não se conseguia resolver *coisa alguma*. Estavam sós: ela, uma pobre viúva solitária, e Iris, apenas uma moça desamparada... e George sempre cuidara de tudo. Era muito gentil da parte do coronel aparecer, e ela estava muito agradecida, de verdade – não tinha ideia do que deviam fazer. Lógico, a srta. Lessing tomaria conta de todas as questões de negócios – e dos preparativos do funeral –, mas e quanto ao inquérito? Era tão assustador ter policiais dentro da casa... à paisana, é claro, e realmente muito atenciosos. Mas ela estava tão desnorteada, e a coisa era uma tragédia tão absoluta... e o coronel não achava que devia ser tudo devido à *sugestão* – era o que os psicanalistas diziam, não era, que tudo era "sugestão"? E o pobre George naquele lugar horrível, o Luxembourg, com praticamente as mesmas pessoas, recordando como a pobre Rosemary havia morrido ali mesmo – e, de repente, aquilo foi demais para ele. Se ao menos tivesse dado ouvidos ao que ela, Lucilla, lhe dissera e tomado aquele tônico excelente do estimado dr. Gaskell – George estivera esgotado o verão inteiro, sim, esgotado, por completo.

Depois disso, a própria Lucilla pareceu momentaneamente esgotada, e Race teve uma chance de falar.

Disse o quanto lamentava profundamente o ocorrido e que a sra. Drake poderia contar com ele para qualquer coisa.

Após o que Lucilla outra vez se pôs em marcha e disse que era muito gentil da parte dele, e que a coisa mais terrível havia sido o choque – hoje, aqui, amanhã, morto; como dizia na Bíblia: "crescido como a erva e ceifado ao anoitecer" – talvez não fosse bem isso, mas o coronel Race sabia o que ela queria dizer, e era tão bom sentir que havia alguém em quem pudessem confiar. A srta. Lessing tinha boas intenções, é claro, e era muito eficiente, mas suas maneiras eram um pouco antipáticas e às vezes queria controlar demais as coisas – na opinião dela, Lucilla, George sempre confiara naquela jovem *muito mais* do que devia, e algumas vezes ela realmente temera que ele pudesse cometer alguma tolice, o que seria uma grande pena, e provavelmente a moça o trataria muito mal depois que houvessem casado. Lógico que só ela, Lucilla, percebera o que havia no ar. A querida Iris era tão desinteressada do mundo, e era ótimo, o coronel não achava, que uma garota fosse tão pura e simples? Iris havia sido sempre tão pequena para a idade, e muito quieta – na metade do tempo, não se sabia o que estava pensando. Rosemary, por ser tão linda e alegre, passava muito tempo fora, e Iris ficava andando distraída pela casa, o que não é lá muito bom para uma menina – ela devia estar na escola, aprendendo a cozinhar e talvez a costurar. Tais coisas ocupam a mente e nunca se sabe quando podem vir a ser úteis. Havia sido uma bênção que ela, Lucilla, estivesse livre para vir morar aqui depois da morte da pobre Rosemary – aquela gripe horrível, um tipo bem incomum de gripe, pelo que disse o dr. Gaskell, um homem tão inteligente, e de modos tão vivos e distintos.

Quisera que Iris tivesse ido vê-lo durante o verão. A garota estava tão pálida e abatida.

– De verdade, coronel Race, acho que foram as condições da casa. Degradada, o senhor entende, e úmida, com tantos miasmas à noite.

O pobre George a havia comprado por conta própria sem pedir a opinião de ninguém – uma pena... Queria que fosse uma surpresa, mas realmente teria sido melhor se tivesse aceitado o conselho de uma mulher mais velha. Os homens não sabem nada sobre casas. George deveria ter percebido que ela, Lucilla, estaria disposta a lidar com qualquer tipo de problema. E depois, no fim das contas, o que mais podia fazer da vida? Seu amado marido morrera muitos anos atrás, e Victor, seu precioso menino, estava muito longe, na Argentina... quer dizer, no Brasil, ou era mesmo na Argentina? Era um menino tão bonito e afetuoso.

O coronel Race comentou que já ouvira falar que ela tinha um filho no exterior.

Pelo próximo quarto de hora, ele foi regalado com um relato completo das numerosas atividades de Victor. Um rapaz tão determinado, disposto a meter a mão na massa – e então seguiu-se uma lista das variadas profissões de Victor. Nunca fora indelicado ou se comportara mal com ninguém.

– Sempre foi tão azarado, coronel Race. O diretor do internato o julgou mal, e considero que as autoridades de Oxford se comportaram de forma vergonhosa para com ele. As pessoas não parecem entender que um garoto inteligente com talento para o desenho acharia uma brincadeira excelente imitar a caligrafia de alguém. Ele o fez pela diversão, não pelo dinheiro.

Mas sempre fora um bom filho, e nunca deixara de informar a sua mãe quando tivera alguém problema, o que demonstrava que confiava nela, não é mesmo? Só parecia curioso que os empregos que as pessoas arranjavam para ele o afastassem da Inglaterra com tanta frequência. Não conseguia evitar a sensação de que, se ele conseguisse um bom emprego, no Banco da Inglaterra, digamos, conseguiria se estabelecer muito melhor. Talvez pudesse morar perto de Londres e ter um carrinho.

Apenas depois de vinte minutos ouvindo as perfeições e os infortúnios de Victor, o coronel Race conseguiu desviar a atenção de Lucilla do tema "filhos" para o de "criados".

Sim, o que ele dizia era bem verdade, não havia mais criados como antigamente. Os problemas que as pessoas tinham hoje em dia! Não que pudesse reclamar, porque, na verdade, eles haviam tido muita sorte. A sra. Pound, embora tivesse o azar de ser um pouco surda, era uma mulher excelente. Fazia massas muito pesadas, às vezes, e tinha a tendência de carregar na pimenta da sopa, mas no geral era de muita confiança – e muito econômica, também. Estava lá desde o casamento de George, e não fizera estardalhaço algum quando soube que este ano se mudariam para o campo, embora as outras empregadas tenham criado problema por causa disso e a copeira tenha se demitido – o que na verdade foi melhor, era uma garota impertinente e respondona, além de ter quebrado seis das melhores taças de vinho, não uma por uma, de vez em quando, o que pode acontecer com qualquer pessoa, mas todas de uma vez, o que realmente demonstra uma grande falta de cuidado, o coronel Race não achava?

– De fato, é muito descuido.

– Foi o que eu disse a ela. E que seria obrigada a mencionar isso nas referências... acho que, nesse caso, as pessoas têm obrigação, coronel. Quer dizer, não se deve iludir ninguém. As faltas devem ser mencionadas tanto quanto as boas qualidades. Mas a moça era mesmo... bem... bastante insolente e disse que, de qualquer modo, esperava que seu próximo emprego não fosse em uma casa na qual as pessoas "fossem apagadas": uma gíria terrível e vulgar, aprendida no cinema, acredito, e ridiculamente inapropriada, uma vez que a pobre Rosemary havia tirado a própria vida (ainda que na época não fosse responsável pelas suas ações, como o legista apontou muito bem), enquanto aquela palavra horrível se referia, acho eu, a gângsteres se matando com metralhadoras. Graças a Deus que não temos nada do tipo na Inglaterra. Mas então escrevi nas referências que Betty Archdale compreendia completamente suas atribuições como copeira, era sóbria e honesta, mas tinha a tendência a quebrar muitas coisas, e suas maneiras nem sempre eram respeitosas. Cá entre nós, se eu fosse a sra. Rees-Talbot, teria lido nas entrelinhas e não a teria contratado. Mas hoje em dia as pessoas pulam em qualquer coisa que consigam agarrar, e às vezes pegam uma garota que durou só um mês nos últimos três empregos consecutivos.

No momento em que a sra. Drake fez uma pausa para respirar, o coronel perguntou, o mais rápido que pôde, se ela se referia à sra. Richard Rees-Talbot. Porque, se fosse, ele os havia conhecido, na Índia.

– Realmente não sei dizer. O endereço é Cadogan Square.

– Então *são* os meus amigos.

Lucilla comentou que o mundo era um lugar tão pequeno, não era? E que não havia ninguém como os velhos amigos. A amizade era uma coisa maravilhosa. Sempre achara tão romântico o exemplo de Viola e Paul. Viola querida, era uma garota adorável, com tantos homens apaixonados por ela... mas, ora bolas, o coronel sequer sabia de quem ela estava falando. Temos a tendência de reviver o passado.

O coronel Race implorou para que ela continuasse e, em troca de sua delicadeza, recebeu a história da vida de Hector Marle, sua criação pela irmã, suas peculiaridades e fraquezas e, afinal, quando o coronel Race já havia quase esquecido do início da conversa, seu casamento com a linda Viola.

– Ela era órfã, o senhor entende, e trabalhava no tribunal.

Ouviu sobre como Paul Bennett vencera a decepção com a recusa de Viola e se transformara de apaixonado em amigo da família, sobre seu afeto pela afilhada, Rosemary, sobre sua morte e sobre os termos de seu testamento.

– O que eu sempre achei *muito* romântico. Uma fortuna tão grande! Não que o dinheiro seja tudo, óbvio. Basta pensar na morte trágica da pobre Rosemary. E não estou muito segura nem quanto à querida Iris!

Race lançou-lhe um olhar interrogativo.

– Acho tal responsabilidade preocupante. O fato de que ela é uma grande herdeira é bem conhecido. Mantenho os olhos atentos aos rapazes do tipo indesejável, mas o que mais se pode fazer, coronel Race? Hoje em dia, não se pode mais proteger as garotas como se costumava fazer. Iris tem amigos sobre os quais não sei quase nada. "Convide-os para vir aqui em casa, querida", é o que eu sempre digo... mas suspeito que alguns desses rapazes simplesmente nunca porão os pés aqui. O pobre George também estava preocupado com um rapaz chamado Browne. Eu, pessoalmente, nunca o vi, mas parece que ele e Iris têm se visto um bocado. E ela pode arranjar coisa melhor. George não gostava dele, disso tenho certeza. E sempre achei, coronel, que os homens são os melhores juízes dos outros homens. Lembro-me de considerar o coronel Pusey, um dos curadores de nossa igreja, um homem encantador, mas meu marido sempre manteve uma atitude distante para com ele e me ordenou que fizesse o mesmo – e sem dúvida, um domingo em que ele estava correndo o prato do ofertório, ele caiu. Parecia totalmente embriagado. E é claro que depois (sempre se tem notícias de coisas assim *depois*, seria tão melhor se soubéssemos *antes*) descobrimos que toda semana eram retiradas dúzias de garrafas de brandy vazias de sua casa! O que foi de fato muito triste, porque ele era um religioso de verdade, embora inclinado a ser um tanto evangélico em seus pontos de vista. Ele e meu marido travaram uma batalha terrível acerca dos detalhes do ofício do Dia de Todos os Santos. Oh, meu Deus! O Dia de Todos os Santos! E pensar que ontem foi Dia de Finados.

Um som indistinto fez Race dirigir seu olhar por sobre a cabeça de Lucilla para o vão da porta. Ele já havia conhecido Iris, em Little Priors. Não obstante, sentia que a estava vendo pela primeira vez. Estava surpreso com a extraordinária tensão que havia por trás de seu silêncio. Os olhos dela, verdes e grandes, cruzaram com os dele carregando em sua expressão alguma coisa que ele sabia que devia reconhecer, mas não conseguia.

Por sua vez, Lucilla virou a cabeça.

– Iris, querida. Não ouvi você entrar. Conhece o coronel Race? Ele tem sido tão gentil...

Iris se aproximou e apertou a mão do visitante com gravidade – o vestido preto que usava fazia-a parecer mais magra e pálida do que ele se lembrava.

– Vim ver se poderia ser de alguma ajuda para as senhoras – disse Race.

– Obrigada, é muita gentileza sua.

Ela tivera um grande choque, era evidente, e ainda estava sofrendo seus efeitos. Mas ela gostava tanto assim de George para que a morte dele pudesse afetá-la de modo tão poderoso?

Ela voltou os olhos para a tia – olhos atentos, Race percebeu:

– Do que estavam falando ainda agora, quando eu entrei?

Lucilla ficou vermelha e agitada. Race supôs que ela estivesse preocupada em evitar qualquer menção ao nome do rapaz, Anthony Browne. A mulher exclamou:

– Deixe-me ver... oh, sim, do Dia de Todos os Santos... e de ontem ter sido o Dia de Finados. Dia de Finados... a mim me parece algo tão estranho... uma dessas coincidências que ninguém acredita que possam ocorrer na vida real.

– A senhora está dizendo – comentou Iris – que Rosemary voltou dos mortos ontem para buscar George?

Lucilla soltou um gritinho:

– Iris, minha querida, não diga isso! Que pensamento terrível... tão pouco cristão.

– Por que pouco cristão? É o dia dos mortos. Em Paris as pessoas costumam levar flores às sepulturas.

– Oh, eu sei, querida, mas eles são católicos lá, não são?

Um leve sorriso retorceu os lábios de Iris, depois do qual ela disse, sem rodeios:

– Achei que talvez estivessem falando de Anthony... Anthony Browne.

– Bem... – a voz de Lucilla era agora um trinado muito agudo – para dizer a verdade, nós apenas o mencionamos. Eu comentava, de passagem, que não sabemos nada a respeito dele.

Iris interrompeu-a em um tom duro:

– E vocês deveriam saber alguma coisa a respeito dele?

– Querida, é claro que não. Mas ao menos, digo... bem... seria muito bom, não acha, que soubéssemos?

– Vai ter todas as chances de conhecê-lo no futuro – disse Iris – porque eu vou me casar com ele.

– Oh, Iris – a exclamação foi um meio-termo entre um choro e um gemido. – Não deve fazer nada precipitado... quer dizer, nada pode ser decidido no momento.

– *Está* decidido, tia Lucilla.

– Não, minha cara. Não se pode falar sobre um casamento enquanto o funeral nem foi realizado. Não seria decente. Ainda mais com este horrível inquérito e tudo o mais. E depois, Iris, não acho que o querido George aprovaria. Ele não gostava do sr. Browne.

– Não – disse Iris –, George não teria aprovado e ele não gostava de Anthony, mas não faz diferença. É a minha vida, não a de George, e ele está morto, de qualquer forma.

A sra. Drake soltou outro gemido:

– Iris, Iris, o que aconteceu com você? Isso foi realmente uma coisa muito insensível de se dizer.

– Desculpe, tia Lucilla – disse a garota, exausta. – Sei que deve ter soado assim, mas não tinha essa intenção. Quis dizer apenas que George está em paz em algum lugar e que não precisa mais se preocupar comigo e com meu futuro. Tenho de decidir as coisas por mim mesma.

– Absurdo, querida, ninguém pode decidir uma coisa dessas tão rápido... seria bastante inadequado. E a questão ainda nem foi levantada.

Iris deu uma risada súbita e curta.

– Mas foi levantada. Anthony me pediu para casar com ele antes de deixarmos Little Priors. Queria que eu viesse a Londres e me casasse com ele no dia seguinte sem contar a ninguém. Agora, chego a desejar ter aceitado.

– Foi certamente um pedido muito curioso – interveio, gentil, o coronel Race.

Ela voltou para eles um par de olhos desafiadores:

– Não, não foi. Teria poupado uma porção de aborrecimentos. Por que eu não pude confiar nele? Pediu-me que confiasse, e eu não o fiz. De qualquer modo, agora me casarei tão logo ele queira.

Lucilla prorrompeu em uma torrente de protestos desconexos. Suas gordas bochechas tremiam e seus olhos se estreitavam.

O coronel assumiu rápido o controle da situação.

– Srta. Marle, posso ter uma palavrinha consigo antes de ir? Sobre uma questão estritamente de negócios?

Bastante surpresa, a garota murmurou "sim" e se viu caminhando em direção à porta. Quando ela a atravessou, Race recuou alguns passos até a sra. Drake.

– Não se preocupe, senhora. Quanto menos se falar, mais rápido a coisa se emenda. Veremos o que eu posso fazer.

Deixando-a com este breve consolo, seguiu Iris. Ela o fez cruzar o saguão até uma saleta que dava para os fundos da casa, onde um plátano melancólico desprendia suas últimas folhas. Chegando lá, Race falou em um tom profissional:

– Tudo o que tenho a dizer, srta. Marle, é que o inspetor-chefe Kemp é meu amigo pessoal, e que tenho certeza de que vai achá-lo muito gentil e prestativo. Ele tem uma missão desagradável, mas estou certo de que vai cumpri-la com a máxima dedicação possível.

Ela o olhou por algum tempo sem dizer palavra, e então falou, abruptamente:

– Por que o senhor não foi se juntar a nós ontem, como George esperava que fizesse?

Ele negou com um aceno de cabeça.

– George não me esperava.

– Ele disse que sim.

– Pode ter dito, mas não era verdade. George sabia muito bem que eu não iria.

– Mas e a cadeira vazia? Para quem era?

– Não para mim.

Os olhos dela se entrecerraram, e sua face empalideceu. Ela sussurrou:

– Era para Rosemary... Agora entendo... Era para Rosemary.

Race pensou que ela fosse desabar. Aproximou-se dela com rapidez e a amparou. Depois, fê-la sentar-se.

– Tenha calma...

Ela disse em uma voz entrecortada:

– Estou bem... Mas não sei o que fazer... Não sei o que fazer.

– Posso ajudá-la?

Ela ergueu para ele os olhos sombrios e melancólicos e disse:

– Preciso deixar as coisas claras. Preciso pô-las em ordem – tateou o ar com as mãos. – Primeiro de tudo: George acreditava que Rosemary não havia se matado, mas que fora assassinada. Acreditava nisso por causa das cartas. Coronel Race, quem escreveu aquelas cartas?

– Não sei. Ninguém sabe. A senhorita tem alguma ideia?

– Nem consigo imaginar. De qualquer forma, George acreditava no que elas diziam e preparou a festa de ontem, e deixou uma cadeira vazia, e era Dia de Finados... o dia dos mortos: um dia no qual o espírito de Rosemary poderia voltar... e contar-lhe a verdade.

– Não deve dar tanta trela à imaginação.

– Mas eu mesma a senti... sinto-a bem próxima, às vezes. Sou irmã dela. E acho que ela está tentando me dizer alguma coisa.

– Tenha calma, Iris.

– Eu *preciso* falar sobre isso. George bebeu à saúde de Rosemary... e morreu. Talvez ela tenha vindo e o levado.

– Os espíritos dos mortos não põem cianureto de potássio em uma taça de champanhe, minha jovem.

Aquelas palavras pareceram restaurar o equilíbrio de Iris. Disse, em um tom mais normal:

– Mas é tão inacreditável. George foi assassinado.. sim, assassinado. É o que a polícia acha e deve ser verdade. Porque não há outra alternativa. Mas não faz sentido.

– Acha que não faz? Se Rosemary foi morta, e George estava começando a suspeitar de alguém...

Ela o interrompeu:

– Sim, mas Rosemary não foi morta. É por isso que não faz sentido. George acreditava naquelas estúpidas cartas em parte porque "gripe seguida de depressão" não é um motivo muito convincente para alguém se matar. Mas Rosemary tinha um motivo. Olhe, vou mostrar ao senhor.

Saiu correndo da sala e voltou poucos minutos depois com uma carta dobrada nas mãos. Entregou-a a ele.

– Leia isto e veja por si mesmo.

Ele desdobrou a folha levemente amarrotada.

"Querido Leopardo..."

Leu a carta duas vezes antes de devolvê-la.

A garota comentou, impaciente:

– O senhor entende? Ela estava infeliz... com o coração partido. Não queria continuar vivendo.

– Sabe para quem esta carta foi escrita?

Iris anuiu.

– Para Stephen Farraday, não para Anthony. Ela estava apaixonada, e ele foi cruel com ela. Então ela levou aquela coisa para o restaurante e a bebeu bem ali onde ele poderia vê-la morrer. Talvez tivesse esperança de que ele sofresse.

Race balançou a cabeça, pensativo, mas não disse nada. Depois de algum tempo, perguntou:

– Quando a senhorita achou a carta?

– Há mais ou menos seis meses. Estava no bolso de um velho roupão.

– E não mostrou-a a George.

Iris soltou um grito passional:

– E como eu poderia? Como? Rosemary era minha irmã. Como eu poderia delatá-la para George? Ele tinha tanta certeza de que ela o amava. Como eu poderia mostrar isto a ele depois de ela estar morta? George entendeu tudo errado, mas eu não podia contar. O que quero saber é: o que faço *agora*? Mostrei esta carta ao senhor porque era amigo de George, mas o inspetor Kemp precisa vê-la?

– Sim, Kemp precisa. É uma evidência, a senhorita sabe.

– Mas então eles... eles vão ler isto na corte?

– Não necessariamente. Não é obrigatório. É a morte de George que está sendo investigada. Nada que não seja de estrita relevância será tornado público. Seria melhor que a senhorita me deixasse levar esta carta.

– Está bem.

Iris o acompanhou até a porta da frente. Enquanto ele abria a porta, ela perguntou abruptamente:

– Isso mostra, não mostra?, que a morte de Rosemary foi suicídio.

Race respondeu:

– Com certeza mostra que ela tinha um motivo para tirar a própria vida.

Ela deu um suspiro profundo. Ele desceu as escadas e, ao olhar de relance para trás, viu-a em pé, emoldurada pelo vão da porta, observando-o atravessar a praça.

CAPÍTULO 7

Mary Rees-Talbot saudou o coronel Race com um guincho de positiva incredulidade.

– Meu querido. Não o vejo desde aquela ocasião em que desapareceu tão misteriosamente de Allahabad. Por que está aqui agora? Não é para me ver, tenho certeza. Você nunca atende aos clamores da sociedade. Vamos, confesse, não precisa ser diplomático.

– Métodos diplomáticos seriam uma perda de tempo com você, Mary. Sempre apreciei sua visão de raio-X.

– Corte o falatório e vá logo aos finalmentes, mimoso.

Race sorriu e perguntou:

– A empregada que me deixou entrar era Betty Archdale?

– Então é isso! Não me diga que aquela moça, uma cockney pura, se é que isso existe, é uma bem conhecida espiã europeia, porque eu simplesmente não vou acreditar nisso.

– Não, não, nada do tipo.

– E não venha me dizer que ela é uma de nossas agentes de contraespionagem, porque eu também não acredito.

– Está certo. A garota é uma simples copeira.

– E desde quando você se interessa por simples copeiras? Não que Betty seja simples, está mais para uma trapaceira dissimulada.

– Acho – explicou-se o coronel Race – que ela poderia me contar algumas coisas.

– Se você pedir com jeitinho? Não ficaria surpresa se você estivesse certo. Ela tem uma técnica de colar-na-porta-quando-alguma-coisa-importante-está-acontecendo muito desenvolvida. O que sua querida M. pode fazer por você?

– M. pode, muito gentilmente, me oferecer uma bebida, chamar Betty e mandá-la trazer aqui.

– E quando ela trouxer?

– M. já terá, também muito gentilmente, saído.

– Para ouvir um pouco atrás da porta?

– Se ela assim quiser.

– E no fim de tudo, estarei explodindo de informações confidenciais sobre a mais recente crise europeia?

– Temo que não. Não há nenhuma situação política envolvida nisto.

– Que decepção! Tudo bem, entrarei no jogo!

A sra. Rees-Talbot, uma mulher jovial e morena de 49 anos, tocou a sineta e ordenou à bonita copeira que trouxesse um uísque com soda para o coronel Race.

Quando Betty Archdale voltou com a bebida em uma bandeja, a sra. Rees-Talbot estava em pé na frente da porta mais distante, que dava para a sala de estar.

– O coronel Race tem algumas perguntas a lhe fazer – ela disse e saiu.

Betty voltou para o soldado alto e grisalho um par de olhos desavergonhados, no fundo dos quais brilhava um certo alarme. Ele apanhou o copo, sorriu e perguntou:

– Olhou os jornais de hoje?

– Sim, senhor – Betty o olhava cheia de cautela.

– Viu que o sr. George Barton morreu ontem no restaurante Luxembourg?

– Sim, senhor – os olhos de Betty cintilaram com o prazer da calamidade pública. – Não foi uma coisa horrível?

– Trabalhou na casa dele, não?

– Sim, senhor. Saí no inverno passado, logo depois da morte da sra. Barton.

– Ela também morreu no Luxembourg.

Betty concordou:

– É bem engraçado, não é, senhor?

Race não achava engraçado, mas sabia o que ela queria transmitir com a palavra. Disse, com gravidade:

– Vejo que tem massa cinzenta. Sabe somar dois e dois.

Betty apertou as mãos uma contra a outra e mandou a discrição às favas.

– Ele foi morto também? Os jornais não dizem com exatidão.

– Por que você diz "também"? A morte da sra. Barton foi considerada, na opinião do legista, suicídio.

Ela lançou-lhe uma olhadela de esguelha. Ele é bonito, mesmo sendo tão velho, pensou. Do tipo quieto. Um legítimo cavalheiro. O tipo de cavalheiro que teria lhe dado um soberano* quando mais jovem. Engraçado. Eu nem sei que aparência tem um soberano! O que ele quer, exatamente?

– Sim, senhor – ela disse, com seriedade.

– Mas talvez você nunca tenha achado que *foi* suicídio?

– Bem, não, senhor. De fato, nunca achei.

– Muito interessante... muito interessante mesmo. Por que não?

Ela hesitou, seus dedos já começando a amassar o avental.

Ele dissera aquilo de forma tão gentil, tão séria. Fazia a gente se sentir importante e com vontade de ajudá-lo. E de qualquer forma ela havia, sim, sido esperta no caso da morte de Rosemary Barton. Nunca se deixara enganar, não mesmo!

– Ela foi morta, não foi senhor?

– É possível que tenha sido. Mas o que a levou a pensar assim?

– Bem – Betty hesitou. – Foi algo que ouvi certo dia.

– Continue – disse ele, em um tom tranquilo e encorajador.

– A porta não devia estar fechada, ou algo assim. Quer dizer, eu nunca ouviria atrás das portas. Não gosto desse tipo de coisa – disse Betty, fingindo virtude. – Mas eu estava atravessando o salão em direção à sala de jantar e empurrando o carrinho com a bandeja quando os ouvi falando muito alto. Ela, a sra. Barton, estava dizendo algo sobre Anthony Browne não ser

* Moeda britânica de ouro, no valor de vinte xelins, ou uma libra esterlina. (N.T.)

o verdadeiro nome dele. E ele, o sr. Browne, se mostrou bastante desagradável. Nunca imaginei que ele seria capaz daquilo... normalmente era tão bem-apessoado e de fala tão macia. Disse algo sobre retalhar o rosto dela... ooh! E depois disse que, se ela não fizesse o que ele estava dizendo, a apagaria. Assim mesmo! Não pude ouvir mais nada porque a srta. Iris desceu as escadas, e é claro que não pensei muito mais no assunto, mas depois que houve todo o estardalhaço sobre ela ter se suicidado na festa e que eu soube que ele havia estado presente na ocasião... bem, aquilo me arrepiou até a medula. Na verdade, ainda arrepia.

– Mas você não disse nada.

A garota sacudiu a cabeça.

– Não queria me envolver com a polícia... de qualquer jeito eu não sabia de nada, não de verdade. E quem sabe, se eu dissesse alguma coisa, eles não me apagariam também? Ou me "levariam para um passeio", como dizem.

– Entendo. – Race fez uma pausa, ao fim da qual completou com a mais gentil das vozes: – Assim, você apenas escreveu uma carta anônima para o sr. Barton.

Ela o encarou. Ele não detectou em seu olhar nenhuma culpa ou preocupação, nada além de puro assombro.

– Eu? Escrever ao sr. Barton? Nunca.

– Não tenha medo de me contar a respeito. Foi de fato uma ideia muito boa. Avisou-o sem se comprometer. Muito inteligente de sua parte.

– Mas eu não escrevi, senhor. Nunca pensei em tal coisa. Quer dizer, escrever para o sr. Barton e dizer que a esposa dele fora assassinada? Para quê? A ideia nunca me passou pela cabeça.

Ela foi tão franca em sua negação que Race, contra a vontade, ficou abalado. Tudo se ajustava tão bem – tudo poderia ser explicado tão naturalmente se ao menos a garota tivesse escrito as cartas. Mas ela insistia em negar, não de forma veemente ou angustiada, mas com sobriedade e sem protestos exagerados. Ele se viu acreditando nela, ainda que de maneira relutante. Resolveu mudar de abordagem.

– A quem mais contou sobre isso?

– Não contei a ninguém. Vou ser honesta com o senhor: eu estava assustada. Achei melhor manter minha boca fechada e tentar esquecer. Só toquei nesse assunto uma vez... quando pedi minhas contas à sra. Drake. Ela andava muito exaltada, mais do que uma garota podia aguentar, e ainda queria que eu fosse me enterrar lá nas grotas no meio do campo, onde não há nem uma linha de ônibus! E aí começou a implicar sobre as minhas referências, dizendo que eu quebrava coisas, e eu disse, de um jeito sarcástico, que, de qualquer jeito, encontraria um lugar onde as pessoas "não fossem apagadas", e me assustei quando disse isso, mas ela não prestou atenção. Talvez eu devesse ter posto a boca no trombone naquela hora, mas realmente não pude. Quer dizer, a coisa toda podia ter sido uma piada. As pessoas dizem cada coisa, o sr. Browne fora sempre tão gentil, e chegado em uma brincadeira, então eu não podia contar, senhor, podia?

Race concordou. E disse:

– A sra. Barton falou que Browne não era o nome dele. Ela disse qual era o nome verdadeiro?

– Sim, disse, porque ele falou "Esqueça Tony..." e agora, o que era mesmo? Tony alguma coisa... Fazia-me lembrar de geleia de cereja.

– Tony Cheriton? Cherable?

Ela negou com um aceno de cabeça.

– Mais extravagante que isso. Começava com M. E soava estrangeiro.

– Não se preocupe. Vai se lembrar, quem sabe. Se sim, me diga. Aqui está meu cartão. Se recordar do nome, escreva para o endereço que está nele.

Alcançou-lhe o cartão e uma nota de dinheiro.

– Farei isso, senhor. Obrigada.

Um cavalheiro, ela pensou, enquanto descia as escadas. Uma nota de uma libra, não de dez xelins. Teria sido tão bom quando haviam soberanos de ouro...

Mary Rees-Talbot voltou à sala.

– E então? Sucesso?

– Sim, mas ainda há um obstáculo a vencer. Poderia me ajudar com sua criatividade? Consegue imaginar um nome que lembre geleia de cereja?

– Que pedido exótico.

– Pense, Mary. Não sou um homem doméstico. Concentre-se no preparo de geleia, geleia de cereja em particular.

– Geleia de cereja não é algo que se faça com muita frequência.

– Por que não?

– Bem, tende a ficar muito doce... a menos que se use cerejas de cozinha. Cerejas Morello.

Race soltou uma exclamação.

– É isso... Aposto que é isso. Adeus, Mary. Sou eternamente grato. Importa-se de tocar aquela campainha para que a garota venha e me leve até a saída?

A sra. Rees-Talbot gritou ao vê-lo deixar a sala apressado.

– Por todos os patifes ingratos! Não vai me contar o motivo de tudo isto?

Ele gritou em resposta:

– Voltarei e contarei a história toda mais tarde.

– Isso é o que você diz – murmurou a sra. Rees-Talbot.

No andar de baixo, Betty aguardava-o com o chapéu e a bengala.

Ele agradeceu e se dirigiu à saída. No umbral, parou e disse:

– A propósito, o nome era Morelli?

O rosto de Betty se iluminou.

– Exato, senhor. Era isso. Tony Morelli foi o nome que ele a mandou esquecer. E ele também disse que havia estado na prisão.

Race desceu as escadas sorrindo.

Da cabine telefônica mais próxima, fez uma chamada para Kemp.

O contato foi breve mas satisfatório.

– Vou mandar um telegrama agora mesmo. Devemos saber a resposta logo. Devo dizer que será um grande alívio se você estiver certo.

– Acho que estou. A sequência está bastante clara.

CAPÍTULO 8

O inspetor-chefe Kemp não estava de muito bom humor.

Durante a última meia hora, havia entrevistado um coelho branco assustado de dezesseis anos que, em virtude da alta posição de seu tio Charles, aspirava a ser um garçom da categoria exigida pelo Luxembourg. Nesse meio-tempo, era um dos seis pobres subalternos que corriam pelo lugar com aventais ao redor da cintura para se diferenciarem dos da classe superior, e cujos deveres eram levar a culpa por tudo, servir de criado, arrumar os pãezinhos e as taças de manteiga e ser ocasional e incessantemente xingado em francês, em italiano e, às vezes, em inglês. Charles, como convinha a um grande homem, longe de mostrar algum favorecimento a um parente de sangue, xingava-o, repreendia-o e praguejava contra ele mais do que contra qualquer um dos outros funcionários. Não obstante, Pierre tinha a aspiração íntima de ser ele próprio, um dia, no futuro distante, nada menos que o maître de um restaurante chique.

No momento, entretanto, sua carreira estava em xeque, e ele deduziu que era considerado suspeito de assassinato.

Kemp virou o rapaz do avesso e, desgostoso, convenceu-se de que o jovem não havia feito nem mais nem menos do que o que dissera ter feito, a saber: pegar a bolsa de uma dama do chão e recolocá-la ao lado do prato.

– É que eu estava correndo com o molho para monsieur Robert e ele já estava impaciente. Aí a moça arrastou a bolsa de cima da mesa quando saía para dançar, eu a apanhei, a pus de volta na mesa e saí dali apressado, porque monsieur Robert já estava me fazendo sinais freneticamente. E isso foi tudo, monsieur.

E *fora* tudo. Kemp, contrariado, deixou o rapaz ir embora, sentindo-se muito tentado a acrescentar um "e que eu não o apanhe fazendo esse tipo de coisa de novo".

O sargento Pollock o interrompeu para avisar que uma jovem estava perguntando por ele, ou melhor, pelo oficial encarregado do caso Luxembourg.

– Quem é ela?

– Apresenta-se como srta. Chloe West.

– Deixe-a subir – disse Kemp, resignado. – Posso dar-lhe dez minutos. Mais que isso e o sr. Farraday já terá chegado. Pensando bem, não vai fazer mal nenhum deixá-lo esperar um pouco. Isso deixa esses tipos ansiosos, ô, se deixa.

Quando a srta. Chloe entrou na sala, Kemp foi assaltado de imediato pela impressão de que a reconhecia. Mas abandonou-a no minuto seguinte. Não, nunca havia visto aquela garota antes, tinha certeza disso. Contudo, a sombra daquela sensação vaga de familiaridade continuou a incomodá-lo.

A srta. West tinha uns 25 anos, cabelos castanhos, era alta e muito bonita. Falava com uma dicção bastante clara e estava decididamente nervosa.

– Bem, o que posso fazer pela senhorita? – começou Kemp, com vivacidade.

– Li no jornal sobre o Luxembourg... o homem que morreu lá.

– O sr. George Barton? Sim? A senhorita o conhecia?

– Não exatamente. Quer dizer, eu não o *conhecia* de verdade.

Kemp lançou-lhe um olhar cauteloso e descartou sua primeira dedução. Ela parecia extremamente refinada e virtuosa. Intensamente, até. Perguntou em tom simpático:

– Pode me dar seu nome e seu endereço completos, por favor, para termos de onde começar?

– Chloe Elizabeth West. Marryvale Court, nº 15, Maida Vale. Sou atriz.

Kemp a examinou com um olhar de esguelha e decidiu que era exatamente o que ela parecia. De uma companhia, imaginou – apesar da aparência, era do tipo sério.

– Continue, srta. West.

– Quando li sobre a morte do sr. Barton e que... a polícia estava investigando, pensei que devia procurá-lo para contar-lhe algumas coisas. Falei a respeito com uma amiga, e ela pareceu pensar o mesmo. Não creio que isto possa lhe ser útil de verdade, mas... – ela se calou.

– Deixe que eu julgue – disse Kemp, amável. – Apenas me conte.

– Não estou trabalhando no momento – começou a explicar a srta. West.

Kemp quase disse "no desvio" para mostrar que conhecia a gíria, mas conteve-se.

– Mas meu nome ainda está nas agências, e minha foto saiu na *Spotlight*... Foi lá, acredito, que o sr. Barton a viu. Entrou em contato comigo e explicou o que queria que eu fizesse.

– Prossiga.

– Ele me disse que estava promovendo um jantar no Luxembourg e que desejava preparar uma surpresa para seus convidados. Mostrou-me uma fotografia e disse para eu me produzir como a moça no original. Disse que eu e ela tínhamos a mesma tonalidade de pele e de cabelos.

Um flash cruzou a mente de Kemp. A fotografia de Rosemary que ele havia visto sobre a escrivaninha, no gabinete de George em Elvaston Square. Era de quem aquela garota o recordava. Ela se parecia com Rosemary Barton – talvez nem fosse tanto, mas o aspecto geral e as feições eram as mesmas.

– Ele me levou um vestido para que eu usasse. Tenho-o aqui comigo. De seda, verde-acinzentado. Eu devia arrumar meu cabelo igual ao da fotografia (era colorida) e acentuar a semelhança com maquiagem. Então, devia ir ao Luxembourg, entrar no restaurante durante o primeiro show de variedades e sentar-me na mesa do sr. Barton, onde haveria um lugar vago. Ele me levou para almoçar no local e mostrou-me onde a mesa estaria.

– E por que faltou ao compromisso, srta. West?

– Porque por volta de oito horas daquela noite alguém... o sr. Barton... me ligou e disse que a coisa toda havia sido adiada. Falou que me avisaria da próxima data para a qual a festa seria remarcada. E então, na manhã seguinte, vi a morte dele noticiada nos jornais.

– E com muita sensibilidade a senhorita veio até nós – disse Kemp, em tom agradável. – Bem, muito obrigado, srta. West. Esclareceu-nos um mistério... o mistério da cadeira vazia. A propósito, agora há pouco a senhorita disse "alguém", e depois "sr. Barton". Por quê?

– Porque de início não achei que fosse o sr. Barton. A voz parecia diferente.

– Era voz de homem?

– Oh, sim. Acho que sim, pelo menos... Estava bastante rouca, como se ele tivesse apanhado um resfriado.

– E foi tudo o que ele disse?

– Tudo.

Kemp fez-lhe mais algumas perguntas, mas não foi adiante.

Quando ela saiu, o inspetor comentou com o sargento:

– Então era esse o famoso "plano" de George Barton. Vejo agora por que todos disseram que ele olhava para a cadeira vazia depois do espetáculo e parecia estranho e ausente. Seu precioso plano havia falhado.

– Você acha que não foi ele quem comunicou a ela o adiamento?

– De jeito nenhum. E não tenho certeza nem se a voz era de um homem. Rouquidão é um bom disfarce pelo telefone. Oh, bem, estamos avançando. Mande entrar o sr. Farraday, se ele já estiver aí.

CAPÍTULO 9

I

Embora frio e imperturbável na aparência, Stephen Farraday chegou à sede da Great Scotland Yard sentindo-se encolher por dentro. Carregava em seu espírito um peso intolerável. Parecera, de manhã, que tudo havia corrido muito bem. Por que o inspetor Kemp solicitara sua presença de modo tão enfático? O que ele sabia ou suspeitava? Sim, porque podia ser apenas uma vaga suspeita. O que devia fazer era manter a cabeça no lugar e não admitir nada.

Sentia-se estranhamente desolado e só sem Sandra. Quando ambos encaravam juntos uma situação perigosa, era como se o horror dela se reduzisse à metade. Unidos, tinham força, coragem, poder. Sozinho, ele não era nada, era menos do que nada. E Sandra? Ela sentia o mesmo? Estaria sentada agora na mansão dos Kidderminster quieta, reservada, orgulhosa, e, no íntimo, sentindo-se terrivelmente vulnerável?

O inspetor Kemp recebeu-o com maneiras agradáveis mas sérias. Havia um homem de uniforme sentado à mesa com um lápis e um bloco de papel. Depois de pedir a Stephen que se sentasse, Kemp falou em um tom bastante formal:

– Proponho, sr. Farraday, que tomemos seu depoimento. Essa declaração será registrada por escrito e pediremos ao senhor que a leia e a assine antes de ir embora. Ao mesmo tempo, é meu dever informá-lo de que o senhor tem toda a liberdade para recusar-se a prestar tal depoimento e que o senhor tem o direito de ter seu advogado presente se assim desejar.

Stephen foi pego de surpresa mas não demonstrou. Forçou um sorriso gélido e disse:

– Soa formidável, inspetor-chefe.

– Queremos que tudo esteja entendido da maneira mais clara, sr. Farraday.

– Tudo o que eu disser poderá ser usado contra mim, é isso?

– Não empregamos o termo "contra". Qualquer coisa que diga está sujeita a ser usada como prova.

Stephen disse tranquilamente:

– Entendo, mas não consigo imaginar, inspetor, por que precisaria de qualquer depoimento adicional de minha parte. Ouviu tudo o que eu tinha a dizer esta manhã.

– Aquela foi uma sessão bastante informal... útil como introdução, como ponto de partida. E além do mais, sr. Farraday, há certos fatos sobre os quais imaginei que o senhor preferiria discutir comigo aqui. Quando o assunto é irrelevante para o caso, tentamos agir com a maior discrição possível nos limites do que é compatível com a execução da justiça. Ouso dizer que o senhor entende aonde quero chegar.

– Receio que não.

O inspetor-chefe Kemp suspirou:

– Apenas isto: o senhor foi... bastante íntimo da falecida sra. Rosemary Barton...

Stephen o interrompeu:

– Quem disse?

Kemp inclinou-se e apanhou de sua escrivaninha um documento manuscrito.

– Esta é uma cópia de uma carta encontrada entre os pertences da sra. Rosemary Barton. O original está arquivado e nos foi entregue pela srta. Iris Marle, que reconheceu a letra como sendo de sua irmã.

Stephen leu:

"Querido Leopardo..."

Uma onda de náusea o arrebatou. A voz de Rosemary... falando, suplicando... o passado não morreria nunca? Jamais consentiria que o enterrassem?

Reassumiu o controle e olhou para Kemp:

– Pode estar certo em pensar que a sra. Barton escreveu esta carta... mas nada indica que foi escrita para mim.

– O senhor nega que pagava o aluguel do endereço Malland Mansions, nº 21, em Earl's Court?

Então eles sabiam! Ficou se perguntando se sabiam o tempo todo.

Encolheu os ombros.

– O senhor parece muito bem informado. Permite-me perguntar por que meus assuntos particulares precisam ser trazidos a público?

– Não precisam, a menos que se provem relevantes para a morte de George Barton.

– Compreendo. Está sugerindo que primeiro eu fui amante da esposa dele e que depois o matei.

– Ora, vamos, sr. Farraday, serei franco. O senhor e a sra. Barton foram amigos muito íntimos... e a separação foi por sua vontade, e não pela dela. A dama se propunha, como a carta demonstra, a fazer barulho. E, o que foi muito conveniente, ela morreu.

– Ela cometeu suicídio. Talvez eu tenha sido em parte responsável. Posso estar envergonhado, mas isso não diz respeito à lei.

– Pode ter sido suicídio... ou não. George Barton pensava que não. Começou a investigar... e morreu. A sequência dos eventos é muito sugestiva.

– Mas não vejo por que o senhor deveria... bem, escolher a mim.

– Admite que a morte da sra. Barton veio em um momento muito conveniente para o senhor? Um escândalo, sr. Farraday, teria sido altamente prejudicial para sua carreira.

– Não haveria escândalo. A sra. Barton seria racional.

– É o que eu gostaria de saber! Sua esposa tem conhecimento desse seu caso, sr. Farraday?

– Certamente que não.

– Tem certeza absoluta do que está declarando?

– Sim, tenho. Minha esposa não faz a mínima ideia de que houvesse outra coisa além de amizade entre mim e a sra. Barton. E espero que nunca venha a fazer.

– Sua esposa é ciumenta, sr. Farraday?

– De modo algum. Nunca demonstrou o menor ciúme em relação a mim. É muito sensata.

O inspetor não fez comentários. Preferiu perguntar:

– Sr. Farraday, em algum momento no ano passado teve em seu poder cianureto de potássio?

– Não.

– Mas o senhor não tem um suprimento de cianureto em sua propriedade no campo?

– Talvez o jardineiro tenha. Não sei nada sobre isso.

– Nunca adquiriu cianureto de um boticário, ou para fotografia?

– Não sei nada de fotografia e repito que nunca comprei cianureto.

Kemp o pressionou um pouco mais antes de deixá-lo ir. Disse, pensativo, para seu subordinado:

– Ele foi muito rápido em negar que sua esposa soubesse a respeito do caso com a mulher do Barton. Fico me perguntando o porquê.

– Suponho que ele estará em apuros caso ela chegue a saber algo sobre isso, senhor.

– Pode ser, mas eu achava que ele tivesse miolos o bastante para perceber que, se sua mulher ignorava o caso, e poderia romper com ele se soubesse, isso lhe daria um motivo a mais para querer silenciar Rosemary Barton. Para salvar a pele, seria melhor que ele tivesse dito que a mulher já sabia mais ou menos do caso, mas que preferia ignorá-lo.

– Talvez ele não tenha pensado nisso, senhor.

Kemp balançou a cabeça. Stephen Farraday não era um tolo. Tinha um cérebro lúcido e astuto. E havia tentado de modo veemente e passional dar ao inspetor a impressão de que Sandra nada sabia.

– Bem – disse Kemp –, o coronel Race parece satisfeito com o rumo da investigação, e, se ele estiver certo, os Farraday estão fora... os dois. Ficaria contente que estivessem. Gosto desse sujeito. E pessoalmente acho que ele não é um assassino.

II

Abrindo a porta da sala de estar, Stephen chamou: "Sandra?"

Ela veio até ele na escuridão e subitamente o agarrou, passando as mãos por seus ombros.

– Stephen?

– Por que está aqui no escuro?

– Não consegui suportar a luz. Conte-me tudo.

– Eles sabem.

– Sobre Rosemary?

– Sim.

– E o que eles pensam?

– Percebem, é lógico, que eu tinha um motivo... Oh, minha querida, veja só para o que eu a arrastei. É tudo minha culpa. Se ao menos eu tivesse partido depois da morte de Rosemary... fugido... deixado-a livre... *você* não teria sido envolvida com todo este assunto horrível.

– Não, isso não... Não me deixe, nunca... nunca.

Ela se pendurou em seu pescoço. Estava chorando, as lágrimas corriam-lhe pelo rosto. Podia sentir o corpo dela tremer.

– Você é a minha vida, Stephen, é minha vida inteira. Não me deixe nunca.

– Gosta de mim tanto assim, Sandra? Eu nunca soube...

– Não queria que soubesse. Mas agora...

– Sim, agora... estamos nisso juntos, Sandra... e vamos enfrentar juntos. Juntos, venha o que vier.

Sentiram as forças se renovarem enquanto ficavam lá, parados, apertados na escuridão, um contra o outro. E Sandra disse, com determinação:

– Isto não vai arrasar nossas vidas! Não vai. Não vai!

CAPÍTULO 10

Anthony Browne olhou para o cartão que o jovem mensageiro lhe estendia.

Franziu o cenho, encolheu os ombros e finalmente disse para o garoto:

– Tudo bem, mande-o entrar.

Quando o coronel Race entrou, Anthony estava parado, em pé, ao lado da janela, com a luz radiante incidindo oblíqua sobre seus ombros.

Viu um homem alto, marcial, com uma face bronzeada vincada de rugas e cabelo cinza-chumbo – um homem que ele já havia visto antes, mas que não encontrava há alguns anos, e um homem sobre o qual sabia muito.

Race viu uma silhueta escura e graciosa e o contorno de uma cabeça bem formada. Uma voz indolente e agradável disse:

– Coronel Race? Sei que o senhor era amigo de George Barton. Ele falou a seu respeito ontem à noite. Aceita um cigarro?

– Aceito, obrigado.

Anthony disse enquanto estendia um fósforo:

– O senhor era o convidado-surpresa que não apareceu... bom para o senhor.

– Está enganado. O lugar vazio não era para mim.

Anthony ergueu as sobrancelhas.

– Verdade? Barton disse...

Race o interrompeu.

– George Barton pode ter dito, mas os planos dele eram bem diferentes. Aquela cadeira, sr. Browne, deveria ser ocupada quando as luzes fossem apagadas por uma atriz chamada Chloe West.

Anthony o encarou.

– Chloe West? Nunca ouvi falar. Quem é ela?

– Uma jovem atriz, não muito conhecida, mas que possui uma certa semelhança superficial com Rosemary Barton.

Anthony assobiou.

– Começo a entender.

– Foi dada a ela uma fotografia de Rosemary para que pudesse copiar o penteado, bem como o vestido que Rosemary usava na noite em que morreu.

– Então era este o plano de George? As luzes se acendem... Abracadabra, suspiros de pavor sobrenatural. *Rosemary voltou dos mortos!* O culpado diz, ofegante: "É verdade... é verdade... fui eu". – Fez uma pausa e acrescentou: – Detestável... mesmo para um imbecil como o pobre e velho George.

– Não tenho certeza se o entendi bem.

Anthony respondeu com um esgar:

– Vamos e venhamos, senhor... um criminoso escolado não se comportaria como uma colegial histérica. Se alguém envenenou Rosemary Barton a sangue-frio e estava preparado para administrar a mesma dose fatal de cianureto a George Barton, tal pessoa tem uma boa porção de audácia. Seria preciso mais do que uma atriz vestida como Rosemary para fazê-la entregar o ouro.

– Macbeth, o senhor há de lembrar, um criminoso decididamente experimentado, ruiu em pedaços quando viu o fantasma de Banquo no banquete.

– Ah, mas o que Macbeth viu era mesmo um fantasma! Não um ator canastrão vestindo os trapos de Banquo! Estou pronto a admitir que um fantasma de verdade possa trazer de um outro mundo sua própria substância. Na verdade, estou inclinado a reconhecer que acredito em fantasmas... que tenho acreditado neles nos últimos seis meses... em um fantasma em particular.

– Mesmo? E que fantasma é esse?

– Rosemary Barton. Pode rir se quiser. Não a vi, mas senti sua presença. Por uma razão ou outra, a pobre alma de Rosemary se recusa a continuar morta.

– Posso sugerir uma razão.

– Porque ela foi assassinada?

– Para usar as palavras de outra pessoa, porque ela foi "apagada". *Que acha, sr. Tony Morelli?*

Ficaram em silêncio. Anthony sentou-se, atirou o toco de cigarro na lareira e acendeu outro. Só então disse:

– Como descobriu?

– Admite então que é Tony Morelli?

– Não sonharia em perder tempo negando. É óbvio que passou um telegrama para a América e obteve o serviço todo.

– E admite também que, quando Rosemary Barton descobriu sua identidade, você ameaçou "apagá-la" a menos que ela segurasse a língua?

– Fiz tudo o que pude pensar para assustá-la até que calasse o bico – concordou Tony, jovial.

O coronel Race foi envolvido por um sentimento estranho. Aquele encontro não estava saindo como deveria. Olhou para a figura recostada na cadeira defronte a ele – e foi assaltado por uma esquisita sensação de familiaridade.

– Quer que eu recapitule o que sei a seu respeito, Morelli?

– Seria divertido.

– Foi condenado nos Estados Unidos por tentativa de sabotagem na fábrica de aviões Ericsen e foi sentenciado a um período na prisão. Depois de cumprir pena, saiu do país, e as autoridades perderam seu rastro. Na sequência, sabe-se que está em Londres, hospedado no Claridge e apresentando-se como Anthony Browne. Aqui você conseguiu travar conhecimento com lorde Dewsbury e, por meio dele, conheceu outros proeminentes fabricantes de armas. Hospedava-se na casa de Dewsbury e, na condição de hóspede do lorde, teve acesso a coisas que nunca deveria ter visto! É uma coincidência curiosa, Morelli, que uma trilha de incontáveis acidentes e alguns desastres em larga escala evitados por pouco tenha seguido bem de perto suas visitas a várias fábricas e oficinas importantes.

– Coincidências – disse Anthony – são mesmo coisas extraordinárias.

– Finalmente, após outro lapso de tempo, você reaparece em Londres e reata suas relações com Iris Marle, apresentando desculpas para não visitá-la em casa, de forma a que a família dela não perceba o quão íntimos vocês estão se tornando. Por fim, você tenta convencê-la a se casarem em segredo.

– Sabe – disse Anthony –, é extraordinário o modo como descobriu todas essas coisas... Não me refiro ao negócio de armamentos. Quero dizer, minhas ameaças a Rosemary e as ninharias ternas que sussurrei ao ouvido de Iris. Seguramente, elas não entram na alçada do M.I.5.

Race olhou-o com atenção.

– Tem muita coisa a explicar, Morelli.

– Não, em absoluto. Ainda que os fatos que relatou estejam todos corretos, que importa? Cumpri minha sentença. Fiz alguns amigos interessantes. Apaixonei-me por uma garota muito encantadora e estou, como é natural, impaciente para me casar com ela.

– Tão impaciente que preferia que o casamento fosse realizado antes que a família dela tivesse a chance de descobrir algo sobre seus antecedentes. Iris Marle é uma jovem muito rica.

Anthony balançou a cabeça, concordando.

– Eu sei. Quando há dinheiro envolvido, as famílias tendem a ser abominavelmente abelhudas. E Iris, você entende, não sabe nada a respeito de meu passado escuso. Francamente, preferia que ela não soubesse.

– Temo que logo ela saberá de tudo.

– Uma pena – disse Anthony.

– É possível que você não perceba...

Anthony o cortou com uma risada.

– Oh, posso muito bem ligar os pontos. Rosemary Barton conhecia meu passado criminoso, e eu a matei. George Barton estava alimentando suspeitas sobre mim, então eu o matei! E agora, estou atrás do dinheiro de Iris. Tudo bem apropriado e se encaixa muito bem, mas vocês não têm nenhum resquício de prova.

Race escrutinou-o com um olhar atento por alguns minutos. Por fim, se levantou e disse:

– Tudo o que eu disse é verdade. *E está tudo errado.*

Anthony observou o outro minuciosamente.

– O que está errado?

– Você – Race caminhou devagar por todo o quarto. – Tudo se encaixava muito bem até que eu o vi...mas agora que o vi, não se encaixa mais. *Você não é um escroque.* E se você não é um escroque, é um de *nós*. Estou certo, não estou?

Anthony olhou para Race em silêncio enquanto um sorriso vagaroso se abria em seu rosto. Declamou, então, em um suave sussurro:

– *"Porque a senhora do coronel e Judy O'Grady eram irmãs debaixo de suas peles."** Sim. Engraçado como um de nós sempre reconhece outro da mesma espécie. Por isso tentei evitar um encontro com o senhor. Temia que me identificasse. Era importante que ninguém soubesse... importante até ontem. Agora, graças a Deus, o balão já subiu! Pescamos nossa quadrilha internacional de sabotadores. Venho trabalhando nesta missão há três anos, frequentando certas reuniões, fazendo barulho no meio dos trabalhadores, criando para mim o tipo certo de reputação. Por fim, foi estabelecido que eu executasse um grande trabalho e fosse condenado. A coisa tinha de ser autêntica se eu queria estabelecer minha *bona fide*.

"Quando saí, a engrenagem começou a se mover. Pouco a pouco, avancei até o centro das coisas: uma grande rede internacional comandada da Europa Central. Foi como agente *deles* que vim para Londres e me hospedei no Claridge. Tinha ordens para estabelecer relações amigáveis com lorde Dewsbury... seria o meu apoio, aquela borboleta social! Conheci Rosemary Barton no personagem de jovem e atraente recém-chegado. De súbito, para meu horror, descobri que ela sabia que eu havia estado preso na América como Tony Morelli. Fiquei aterrorizado por ela! As pessoas para quem estava trabalhando a teriam matado sem um momento de hesitação se sequer pensassem que ela sabia. Fiz o possível para assustá-la a ponto de manter-lhe a boca fechada, mas não tinha muitas esperanças. Rosemary nasceu para ser indiscreta. Achei que o melhor que podia fazer era zarpar... e então vi Iris descendo uma escadaria e jurei que, após terminar meu trabalho, voltaria para me casar com ela.

"Quando a parte ativa do trabalho estava feita, apareci por aqui de novo e entrei em contato com Iris, mas mantive distância de sua casa e de sua família porque sabia que eles fariam investigações sobre mim e eu ainda tinha de manter o disfarce por algum tempo. Fiquei preocupado com ela. Parecia doente e assustada... e George se comportava de um modo bastante esquisito.

---

* Verso final do poema *The Ladies*, que abre o volume *Barrack-Room Ballads*, de Rudyard Kipling (1865-1936). Tornou-se uma citação muito popular em inglês para designar indivíduos da mesma estirpe que se reconhecem, quase o nosso "farinha do mesmo saco". (N.T.)

Insisti para que fosse embora comigo e nos casássemos. Bem, ela recusou. Talvez estivesse certa. Então fui atraído para aquela festa. Foi quando já estávamos sentados para jantar que George mencionou que você estaria lá. Disse, rapidamente, que havia encontrado um homem que conhecia e que poderia ter de sair cedo. Na verdade, eu havia visto um camarada que conheci na América, Coleman "Macaco", apesar de ele não se lembrar de mim – mas quis mesmo foi evitar encontrá-lo. Ainda estava a serviço.

"Sabe o que aconteceu depois... George morreu. Não tive nada que ver com sua morte ou com a de Rosemary. E não sei quem os matou."

– Não tem nem mesmo uma ideia?

– Deve ter sido ou o garçom ou uma das cinco pessoas à mesa. Não acho que tenha sido o garçom. Não fui eu, nem Iris. Poderia ter sido Sandra Farraday ou Stephen Farraday. Ou poderiam ter sido os dois juntos. Mas a melhor aposta, em minha opinião, é Ruth Lessing.

– Tem algo em que sustentar essa crença?

– Não. Parece-me a pessoa mais provável... não consigo entender nem ao menos como ela fez isso! Em ambas as tragédias, ela estava de tal forma posicionada à mesa que seria praticamente impossível pra ela mexer na taça de champanhe... e quanto mais eu penso a respeito do que aconteceu ontem à noite, mais me parece impossível que George possa ter sido envenenado. Mas ele foi! – Anthony fez uma pausa. – E há outra coisa que me perturba... o senhor descobriu quem escreveu aquelas cartas anônimas que o colocaram na pista?

Race sacudiu a cabeça;

– Não. Achei que tivesse descoberto, mas estava errado.

– Porque o interessante é que a existência das cartas significa que há *alguém, em algum lugar*, que sabe que Rosemary foi assassinada. Portanto, a menos que vocês tomem cuidado, essa pessoa será a próxima a morrer.

CAPÍTULO 11

Pelas informações que recebeu por telefone, Anthony sabia que Lucilla Drake sairia às cinco da tarde para tomar um chá com uma velha e querida amiga. Levando em conta possíveis contingências (o esquecimento da carteira, a decisão tardia de pegar um guarda-chuva, por precaução, ou conversas de última hora no degrau de entrada), Anthony planejou sua chegada a Elvaston Square para as 17h20. Iris era quem ele queria ver, não sua tia. E, de acordo com a opinião geral, uma vez que fosse levado à presença de Lucilla, ele teria pouca chance de conversar com sua garota sem interrupções.

A copeira (uma jovem a quem faltava a polidez impudente de Betty Archdale) disse que a srta. Iris tinha chegado havia pouco e estava no gabinete.

Anthony disse com um sorriso:

– Não se incomode, eu acho o caminho – e foi passando até a porta do aposento.

À sua entrada, Iris virou-se com um movimento brusco e nervoso.

– Oh, é você.

Avançou até ela, ligeiro.

– O que foi, querida?

– Nada – ela fez uma pausa e retomou rápido o assunto: – Nada, só que quase fui atropelada. Por minha própria culpa, acho eu. Estava tão distraída e pensativa que cruzei a rua sem olhar para os lados, e o carro dobrou a esquina raspando e não me pegou por pouco.

Ele deu-lhe uma leve e gentil sacudidela:

– Não deve fazer esse tipo de coisa, Iris. Estou preocupado com você... E não é pela sua escapada milagrosa de debaixo das rodas de um automóvel, mas pelo motivo que a deixa tão aluada no meio do trânsito.O que há, querida? Há alguma coisa diferente, não há?

Ela anuiu. Os olhos dela – que se ergueram pesarosos até os dele – estavam dilatados e escuros de pavor. Reconheceu a mensagem neles antes mesmo que ela dissesse, em tom rápido e baixo:

– *Estou com medo.*

Anthony recuperou seu equilíbrio, calmo e sorridente. Sentou-se ao lado de Iris em um sofá largo.

– Vamos lá – ele disse –, ponha para fora.

– Não creio que eu queira lhe contar, Anthony.

– Ora, gracinha, não seja como essas heroínas dos livros policiais de terceira que começam já no primeiro capítulo com alguma coisa que elas talvez não possam contar por nenhuma outra razão que não seja confundir o herói e fazer o livro dar voltas e voltas por mais cinquenta mil palavras.

Ela se permitiu um sorriso débil e pálido.

– Eu quero lhe contar, Anthony, mas não sei o que você vai pensar... Não sei se acreditaria em mim...

Anthony ergueu a mão e começou a contar as possibilidades nos dedos:

– Um: uma criança ilegítima. Dois: um amante chantagista. Três...

Ela o interrompeu, indignada:

– Claro que não. Não é nada *desse* tipo.

– Isso alivia meu coração. Ora, vamos, tolinha.

O rosto de Iris anuviou-se outra vez:

– Não é para rir. É... é a respeito da outra noite.

– Sim? – a voz dele adquiriu um tom mais sério.

Iris perguntou:

– Você estava no inquérito hoje de manhã. Você ouviu...

Ela parou.

– Muito pouco – emendou Anthony. – O legista sendo técnico a respeito dos cianuretos em geral e dos efeitos do cianureto de potássio em George. A prova pericial apresentada pelo primeiro inspetor, não o Kemp, aquele com o bigode vistoso que chegou primeiro ao Luxembourg e se encarregou do caso. A identificação do corpo pelo chefe de escritório do George. Depois disso, o inquérito foi suspenso por uma semana por um juiz de instrução adequadamente dócil.

– É ao inspetor que me refiro – disse Iris. – Ele disse que encontraram um pequeno pacote de papel sob a mesa contendo traços de cianureto de potássio.

Anthony pareceu interessado.

– Sim, é óbvio que quem quer que tenha colocado aquela coisa na taça de George também largou debaixo da mesa o papel que a continha. Coisa simples de se fazer. Ele ou ela não podia se arriscar a ser pego com aquilo.

Para surpresa dele, Iris começou a tremer violentamente.

– Oh, não, Anthony, não foi assim.

– O que quer dizer, querida? O que sabe a esse respeito?

Iris respondeu:

– *Eu* joguei aquele pacote embaixo da mesa.

Ele voltou um par de olhos estupefatos para ela.

– Por favor, me escute, Anthony. Você se lembra de quando George bebeu o champanhe e aquilo aconteceu?

Ele anuiu.

– Foi horrível... como um pesadelo. Bem quando tudo parecia bem, quer dizer, depois do espetáculo, quando as luzes voltaram ao normal, eu me senti tão aliviada. Porque foi naquele momento, você lembra, que vimos Rosemary morta... e de algum modo, não sei por que, tinha a sensação de que veria tudo acontecer de novo. Senti que ela estava lá, morta, sobre a mesa...

– Querida...

– Oh, eu sei, era só nervosismo. Mas, de qualquer jeito, lá estávamos nós, e não havia nada de horrível, e de súbito parecia que tudo havia passado e que finalmente seria possível... não sei como explicar... *recomeçar*. Eu dancei com George e senti que estava me divertindo de verdade, afinal, e voltamos para a mesa. De repente, George falou sobre Rosemary e pediu-nos para beber à memória dela e aí *ele* morreu. E todo o pesadelo voltou. Senti-me paralisada. Fiquei parada lá, tremendo. Você se aproximou para olhá-lo, e eu me afastei um pouco. Os garçons vieram, alguém perguntou se havia um médico. E todo o tempo eu fiquei lá, em pé, congelada. Subitamente, um nó se formou em minha garganta, e as lágrimas começaram a correr pelo meu rosto. Eu abri minha bolsa aos trancos, para pegar meu lenço, apalpei dentro dela, sem olhar, e retirei o lenço, mas havia alguma coisa enrolada nele... um pedaço dobrado de papel branco e duro, do tipo que as farmácias usam para embalar substâncias em pó. Só que, Anthony, *aquilo não estava na minha bolsa quando saí de casa.* Não tinha nada parecido, eu mesma pusera minhas coisas na bolsa vazia: pó compacto, batom, o meu lenço, um pente dentro de um estojo, um xelim e algumas moedas. Alguém colocou aquele pacote na minha bolsa... E na hora lembrei que haviam encontrado um pacote como aquele na bolsa de Rosemary depois que ela morreu e que havia cianureto dentro. Eu fiquei assustada, Anthony, terrivelmente assustada. Meus dedos amoleceram, e o pacote voou do meu lenço para baixo da mesa. E eu o deixei lá e não disse nada. Estava com medo. Alguém poderia ver e pensar que eu havia matado George, e eu *não matei.*

Anthony soltou um assobio prolongado e por fim perguntou:

– E ninguém viu?

Iris hesitou.

– Não tenho certeza – ela disse devagar. – Creio que Ruth notou algo. Mas ela parecia tão pasma que não sei se ela *notou* mesmo ou se estava apenas me olhando com a expressão vazia.

Anthony deu outro assobio e comentou:

– Isso é uma confusão dos diabos.

Iris concordou:

– Fica cada vez pior. Tenho tanto medo de que descubram.

– Por que não encontraram suas digitais, é o que me pergunto? A primeira coisa que eles fariam seria verificar as impressões.

– Suponho que foi porque eu segurei o pacote envolto no lenço.

Anthony assentiu.

– Sim, você deu sorte nessa.

– Mas quem poderia ter posto na minha bolsa? Ela esteve comigo a noite toda.

– Não é impossível como pensa. Quando você foi dançar depois do espetáculo, deixou a bolsa sobre a mesa. Alguém pode ter mexido nela ali. E há as outras mulheres. Pode se levantar e encenar para mim como vocês se comportam no toalete feminino? É o tipo de coisa que eu não saberia. Vocês se reuniram e conversaram ou foi cada uma para um espelho diferente?

Iris refletiu.

– Fomos todas para o mesmo balcão: grande, comprido, com o tampo de vidro. Largamos as bolsas e ficamos nos olhando, você sabe.

– Na verdade não sei. Prossiga.

– Ruth empoou o nariz, Sandra ajeitou os cabelos com um grampo. Eu retirei minha capa de pele e a entreguei para a funcionária. Aí vi que minhas mãos estavam sujas e fui até o lavabo.

– E deixou sua bolsa no balcão de vidro.

– Sim. Lavei as mãos. Quando terminei, Ruth ainda estava maquiando o rosto, acho. Sandra largou seu casaco e voltou até o espelho, e Ruth lavou as mãos. Eu fui até o balcão e só arrumei um pouquinho o cabelo.

– Então qualquer uma das duas poderia ter posto algo em sua bolsa sem que você visse?

– Sim, mas não consigo acreditar que Ruth ou Sandra fariam tal coisa.

– Você tem as pessoas em muito alta conta. Sandra é o tipo de criatura gótica que teria mandado os inimigos para a fogueira na Idade Média... E Ruth daria uma das envenenadoras mais mortíferas que já pisaram sobre a Terra.

– Se foi Ruth, porque não disse que me viu largar o pacote?

– Aí você me pegou. Se Ruth tivesse plantado o cianureto deliberadamente em sua bolsa, teria tomado todas as precauções para que você não se safasse dessa. Então parece que não foi ela. De fato, o garçom é, de longe, a melhor aposta. O garçom, o garçom! Se ao menos tivéssemos um garçom estranho, um garçom em particular, um garçom contratado só para aquela noite. Mas em vez disso temos Giuseppe e Pierre, e eles não servem.

Iris suspirou.

– Estou contente por haver lhe contado. Ninguém vai saber, não é? Só você e eu.

Anthony olhou-a com uma expressão muito embaraçada.

– Não vai ser assim, Iris. Na verdade, você vai entrar agora mesmo comigo em um táxi, e iremos até o velho Kemp. Não podemos manter isso debaixo do tapete.

– Oh, não, Anthony. Eles vão pensar que matei George.

– Certamente pensarão isso se descobrirem, mais tarde, que você ficou aí sentada e não disse nada a respeito. Aí, sim, suas explicações soarão extremamente frágeis. Se for até eles agora, por vontade própria, há uma probabilidade de que acreditem em você.

– Anthony, por favor...

– Olhe aqui, Iris, você está em uma situação bem delicada. Mas, à parte qualquer outra coisa, há a verdade. Não se pode ficar cheio de cautelas ou tentar livrar a própria pele quando há uma questão de justiça envolvida.

– Oh Anthony, você precisa ser tão exagerado?

– Belo golpe! Mas ainda assim estamos indo ver Kemp! Agora!

A contragosto, ela o seguiu até o saguão. Ele apanhou um casaco, jogado sobre uma cadeira, e segurou-o para ajudá-la a se vestir.

Havia medo e revolta nos olhos dela, mas Anthony não deu mostras de se comover:

– Vamos pegar um táxi no fim da praça.

Quando avançavam para a porta da frente, ouviram soar a campainha.

Iris exclamou.

– Havia esquecido. Deve ser Ruth. Ela viria aqui na saída do escritório para combinarmos os detalhes do funeral. É para ser depois de amanhã. Pensei que poderíamos acertar melhor as coisas enquanto tia Lucilla estivesse fora. Ela faz muita confusão.

Anthony avançou e abriu a porta, antecipando-se à copeira que subia correndo as escadas.

– Está tudo certo, Evans – disse Iris, e a garota desceu novamente.

Ruth parecia cansada e um tanto desgrenhada. Estava carregando uma pasta de documentos grande.

– Desculpe o atraso, mas o trem estava horrivelmente cheio hoje, e precisei esperar por três ônibus, e não havia nenhum táxi à vista.

Desculpar-se não era do feitio da competente Ruth, pensou Anthony. Outro sinal de que a morte de George havia abalado aquela eficiência quase inumana.

Iris disse:

– Não posso ir com você agora, Anthony. Ruth e eu temos coisas a acertar.

Anthony disse, com firmeza:

– Receio que isto seja mais urgente. Sinto muitíssimo, srta. Lessing, por arrastar Iris desta maneira, mas *é* de fato muito importante.

Ruth apressou-se em dizer:

– Está tudo bem, sr. Browne. Posso acertar tudo com a sra. Drake quando ela voltar – sorriu de leve. – Sei lidar muito bem com ela, o senhor sabe.

– Tenho certeza de que sabe lidar com qualquer um, srta. Lessing – disse Anthony, com admiração.

– Talvez você queira me fazer alguma recomendação especial, Iris?

– Não tenho nenhuma. Sugeri que decidíssemos tudo eu e você simplesmente porque tia Lucilla muda de ideia sobre cada coisa de dois em dois minutos, e achei que seria bastante difícil para você. Já tem tanto a fazer. Mas realmente não me importa que tipo de funeral será esse! Tia Lucilla ama funerais, mas eu detesto. É preciso enterrar os mortos, claro, mas odeio que se faça estardalhaço a respeito. E para os mortos não importa mais. Já estão longe de tudo. Os mortos não voltam.

Ruth não respondeu, e Iris repetiu com uma insistência estranha e desafiadora: "Os mortos não voltam".

– Venha – disse Anthony e empurrou-a para fora pela porta aberta.

Um táxi passava vagaroso ao redor da praça. Anthony o chamou e ajudou Iris a embarcar.

– Diga-me, doçura – ele disse, após ordenar ao motorista que os levasse até a Scotland Yard –, quem exatamente você sentiu que estava lá no saguão quando achou necessário reafirmar que os mortos estão mortos? George ou Rosemary?

– Ninguém! Ninguém mesmo! Apenas detesto funerais, já disse.

Anthony suspirou e disse:

– Definitivamente, eu devo ser médium.

CAPÍTULO 12

Os três homens sentaram-se ao redor da mesinha com tampo de mármore.

O coronel Race e o inspetor-chefe Kemp bebiam chá preto forte, rico em tanino. Anthony sorvia o que os estabelecimentos ingleses consideravam ser uma boa xícara de café. Ele não concordava, mas resistia para poder ser admitido em igualdade de condições na conferência dos outros dois. O inspetor-chefe Kemp, tendo feito uma averiguação esmerada das credenciais de Anthony, consentira em reconhecê-lo como colega de profissão.

– Se querem saber minha opinião – disse o inspetor-chefe, derramando vários torrões de açúcar em sua bebida escura e mexendo-a com a colher –, este caso nunca será levado a julgamento. Nunca vamos conseguir provas.

– Acha que não? – perguntou Race.

Kemp concordou com a cabeça enquanto tomava, com aprovação, um gole de seu chá.

– A única esperança era conseguir evidências sólidas de compra ou posse de cianureto por um dos cinco. Não encontrei nada em parte alguma. Será um daqueles casos em que se sabe quem fez e não se pode provar.

– Então sabe quem foi? – Anthony olhou-o com interesse.

– Bem, tenho, para mim, bastante certeza de que foi lady Alexandra Farraday.

– Então essa é sua hipótese – disse Race. – Motivos?

– Lá vão. Diria que ela é do tipo que enlouquece de ciúmes. E é autoritária, também. Como aquela rainha da lenda, Leonor Alguma Coisa*, que seguiu a bela Rosamund até seu jardim e ofereceu a ela a escolha entre um punhal e uma taça de veneno.

– Só que neste caso – disse Anthony – ela não ofereceu à bela Rosemary escolha alguma.

O inspetor-chefe continuou:

– Alguém sopra a dica para o sr. Barton. Ele começa a ter suspeitas... e devo dizer que as suspeitas dele eram bastante definidas. Não teria ido tão longe, como comprar de fato uma casa no campo, a menos que quisesse manter os Farraday sob vigilância. Deve ter deixado isso bem claro para ela, insistindo naquela festa e persuadindo-os a comparecer. Ela não é do tipo que espera para ver. Outra vez autocrática, ela o eliminou. Esta, vocês dirão, é toda nossa teoria, e é baseada apenas na personalidade dela. Mas digo também que a única pessoa que teria tido alguma chance de colocar o que fosse na taça do sr. Barton logo antes de ele beber seria a dama à sua direita.

– E ninguém a viu fazer isso? – objetou Anthony.

– Exato. Deveriam ter visto, mas não viram. Digam, se quiserem, que ela é bastante hábil.

– Uma verdadeira mágica.

Race pigarreou. Sacou seu cachimbo e começou a enchê-lo de fumo.

– Só um detalhe. Admitindo que lady Alexandra seja autocrática, ciumenta e tenha uma devoção passional pelo marido, admitindo também que ela não tenha escrúpulo de cometer um homicídio, acha que ela é do tipo que deixa evidências incriminadoras na bolsa de uma garota? Uma garota totalmente inocente, reservada, que nunca lhe fez mal algum? Essa é a tradição dos Kidderminster?

O inspetor Kemp retorceu-se, desconfortável, em sua cadeira e ficou olhando para sua xícara de chá. Por fim disse:

– As mulheres não jogam limpo, se é o que quer dizer.

– Na verdade, muitas delas jogam – emendou Race. – Mas estou feliz em vê-lo desconfortável.

Kemp escapou do dilema virando-se para Anthony com afável condescendência.

---

* Referência a Leonor, Duquesa de Aquitânia e rainha consorte da França e da Inglaterra (1122?-1204), uma das soberanas mais poderosas e influentes da Idade Média, e à história, provavelmente falsa, de que teria assassinado a galesa Rosamund Clifford, amante do segundo marido de Leonor, Henrique II Plantageneta, rei da Inglaterra. (N.T.)

– A propósito, sr. Browne (vou continuar chamando-o assim, se não se importa), permita-me dizer o quanto fiquei grato pela rapidez com que trouxe a srta. Marle até nós esta noite para nos contar sua história.

– Tive de trazê-la de imediato – explicou Anthony. – Se tivesse esperado, é provável que não a tivesse trazido de jeito nenhum.

– Ela não queria vir, é lógico – disse o coronel Race.

– Estava com muito medo, a pobre criança – informou Anthony. – Bastante natural, eu presumo.

– Muito natural – concordou Race, e serviu-se de outra xícara de chá. Anthony deu um gole com cautela em seu café.

– Bem – disse Kemp –, acho que a tranquilizamos. Ela foi para casa bastante alegre.

– Depois do funeral – falou Anthony –, espero que ela vá passar um tempo no campo. Acho que 24 horas de paz e sossego longe da tia Lucilla e de sua língua incansável farão bem a ela.

– A língua da tia Lucilla tem suas utilidades – comentou Race.

– Tem razão – disse Kemp. – Sorte que não achei necessário fazer um registro taquigráfico quando tomei seu depoimento. Caso contrário, o pobre estenógrafo estaria agora no hospital, com cãibras e tendinite.

– Bem, inspetor – falou Anthony –, talvez o senhor esteja certo quando diz que este caso nunca irá ao tribunal, mas seria um fim bastante insatisfatório. E há uma coisa que ainda não sabemos... quem escreveu aquelas cartas para George Barton contando-lhe que a esposa havia sido assassinada? Não temos a menor ideia de quem foi essa pessoa.

Race perguntou:

– Suas suspeitas sobre o assassino continuam as mesmas, Browne?

– Ruth Lessing? Sim. Eu a mantenho como minha candidata. O senhor me contou que ela admitiu estar apaixonada por George. De acordo com a opinião geral, Rosemary era uma presença tóxica para ela. Digamos que ela, de repente, viu uma boa oportunidade de se livrar de Rosemary, e estava convencida de que com a outra fora do caminho poderia casar imediatamente com George.

– Vou aceitar o argumento – disse Race. – Admitamos que Ruth Lessing tenha calma e competência para planejar e levar a cabo um homicídio, e que talvez lhe falte aquela capacidade de sentir compaixão que é, na essência, um produto da imaginação. Sim, reconheço então o primeiro homicídio. Mas simplesmente não consigo vê-la entrando em pânico e envenenando o homem que amava e com quem queria se casar! Outro ponto que a exclui: por que ela não disse nada quando viu Iris jogar o embrulho do cianureto para baixo da mesa?

– Talvez ela não tenha visto Iris fazer isso – sugeriu Anthony, um tanto em dúvida.

– Estou certo de que viu – disse Race. – Quando lhe fiz as perguntas, tive a impressão de que ela estava escondendo alguma coisa. E a própria Iris Marle acha que Ruth a viu.

– Ora vamos, coronel – Kemp interpelou-o –, conte-nos a sua "sacada". O senhor tem uma, suponho.

– Está bem. É justo. Ouçam e levantem suas objeções.

O olhar de Race vagou pensativo do rosto de Kemp para o de Anthony e ali se deixou ficar.

Anthony ergueu as sobrancelhas:

– Não me diga que ainda acha que sou eu o vilão do filme.

Race negou, balançando a cabeça devagar.

– Não consigo imaginar uma razão plausível pela qual você mataria George Barton. Acho que sei quem o matou. E a Rosemary também.

– Quem?

Race comentou, contemplativo:

– É curioso como nós três escolhemos mulheres como suspeitas. Eu suspeito de uma também – fez uma pausa e disse, tranquilo: – Acho que a culpada é Iris Marle.

Com estrépito, Anthony afastou sua cadeira. Seu rosto se tornou por um momento rubro de cólera. Então, com esforço, retomou o domínio sobre si mesmo. Sua voz, quando falou, tremia um pouco, mas o tom era deliberadamente leve e brincalhão, como antes.

– Sem dúvida, temos de discutir a possibilidade. Por que Iris Marle? E se é assim, por que ela teria, por sua própria vontade, me contado que jogou o papel do cianureto debaixo da mesa?

– Porque – disse Race – ela sabia que Ruth Lessing a havia visto.

Anthony pensou na resposta, com a cabeça caída de lado. Por fim, assentiu.

– Aceitável. Continue. Por que suspeita dela, em primeiro lugar?

– O motivo – retrucou Race. – Foi deixada para Rosemary uma enorme fortuna na qual Iris não tinha participação alguma. Pelo que sabemos, ela pode ter se debatido por anos com uma sensação de injustiça. Estava ciente de que se Rosemary morresse sem filhos, todo o dinheiro viria para ela. E Rosemary estava deprimida, infeliz, abatida depois da gripe, o estado de ânimo perfeito para que o suicídio fosse uma conclusão aceita sem questionamentos.

– Vá em frente, faça da garota um monstro! – disse Anthony.

– Um monstro não – disse Race. – Há outra razão pela qual suspeito dela. Bem improvável, dirão os senhores: Victor Drake.

– Victor Drake? – repetiu Anthony, encarando-o.

– Sangue ruim. Entendam que não foi por nada que dei ouvidos a Lucilla Drake. Sei tudo a respeito da família Marle. Victor Drake: não de todo fraco, mas positivamente perverso. A mãe dele: de inteligência medíocre e incapaz de se concentrar. Hector Marle: fraco, corrupto e bêbado. Rosemary: emocionalmente instável. Uma história familiar de covardia, vício e instabilidade. Causas de predisposição.

Anthony acendeu um cigarro. Suas mãos tremiam.

– O senhor não acredita que possa nascer um broto sadio de um tronco débil ou mesmo podre?

– É claro que pode. Mas não tenho certeza de que Iris Marle *é* esse broto sadio.

– E minha palavra não conta – completou Anthony, com vagar – porque estou apaixonado por ela. George mostrou-lhe as cartas, ela perdeu a cabeça e o matou. É como acha que as coisas se passaram?

– Sim. No caso dela, o pânico prevaleceria.

– E como ela teria posto o veneno na taça de George?

– Isso eu não sei, confesso.

– Sou grato por ver que há algo que o senhor não sabe.

Anthony inclinava-se para frente e para trás na cadeira. Seus olhos estavam zangados e ameaçadores.

– Tem muita cara-de-pau em me dizer tudo isso.

Race respondeu com calma:

– Eu sei. Mas acho que era algo que precisava ser dito.

Kemp observava a ambos com interesse, mas não falava nada. Remexia a colher em seu chá sem parar, com um ar ausente.

– Muito bem – disse Anthony, endireitando-se na cadeira. – As coisas mudaram. Não é mais uma questão de sentar em volta de uma mesa, bebendo líquidos repulsivos e ventilando teorias acadêmicas. Este caso *tem* de ser resolvido. *Temos* de solucionar todas as dificuldades e chegar à verdade. Esse é para ser o meu trabalho, e de alguma forma eu vou fazê-lo. Vou martelar os pontos que não sabemos – porque, quando soubermos, a coisa toda será esclarecida. Vou reformular nossos problemas. Quem sabia que Rosemary havia sido assassinada? Quem escreveu a George contando isso? E por quê? E agora as mortes propriamente ditas. Deixemos a primeira de lado. Já faz muito tempo, e não sabemos com certeza o que aconteceu. Mas o segundo homicídio foi cometido diante de meus olhos. Eu *vi* acontecer. Portanto, eu deveria saber *como*. O momento ideal para pôr o cianureto no copo de George foi durante o espetáculo. Mas não pode ter sido assim, porque ele bebeu de sua taça imediatamente depois do show. Eu o *vi* beber. Depois, ninguém pôs nada em sua taça. Ninguém sequer tocou na taça. No entanto, quando ele bebeu de novo, estava cheia de cianureto. Ele *não podia* ter sido envenenado... mas foi. Havia cianureto na taça, mas *ninguém pode tê-lo colocado lá*! Estamos avançando?

– Não – disse o inspetor-chefe Kemp.

– Sim – contrariou Anthony –, a coisa agora está no terreno dos truques de magia. Ou da manifestação de um espírito. Vou esboçar minha teoria mediúnica. Enquanto estávamos dançando, o fantasma de Rosemary pairou sobre a taça de George e derramou nela um pouco de cianureto engenhosamente materializado. Qualquer espírito poderia produzir cianureto a partir de ectoplasma. George voltou, bebeu à saúde dela e... *Oh, meu Deus*!

Os outros dois o encararam, curiosos. Anthony segurava a cabeça com as mãos. Balançava-se de um lado para outro em aparente agonia mental. Por fim, disse:

– Foi isso... foi isso... a bolsa... o garçom...

– O garçom... – Kemp pôs-se alerta.

Anthony sacudiu a cabeça.

– Não, não. Não me refiro à mesma coisa que o senhor. Cheguei a pensar que o que precisávamos era um garçom que não fosse um garçom, mas um mágico... um garçom que tivesse sido admitido no dia anterior. Em vez disso, tínhamos um garçom que sempre havia sido garçom... e um jovem garçom pertencente à linhagem real dos garçons. Um garçom angelical. Um garçom acima de qualquer suspeita. E ele ainda está acima de qualquer suspeita... mas ele cumpriu seu papel! Por Deus, ele cumpriu um papel fundamental.

Encarou seus companheiros:

– Não percebem a diferença? *Um* garçom poderia ter colocado veneno na taça de champanhe, mas *o* garçom não o fez. Ninguém tocou na taça de George, mas ele foi envenenado. Um, artigo indefinido. O, artigo definido. Taça de George, George! Duas coisas diferentes. E o dinheiro... pilhas de dinheiro! E quem sabe... talvez também amor? Não me olhem como se eu fosse louco. Venham, vou mostrar a vocês.

Empurrando a cadeira pra trás, ergueu-se de um salto e agarrou Kemp pelo braço.

– Venham comigo.

Kemp lançou um olhar pesaroso para sua xícara ainda pela metade e murmurou:

– Temos de pagar a conta.

– Não, não, estaremos de volta em um minuto. Venha. Há algo que preciso mostrar a vocês lá fora. Venha, coronel Race.

Saindo da mesa, ele os conduziu até o vestíbulo.

– Vê aquela cabine telefônica ali?

– Sim.

Anthony apalpou os bolsos.

– Droga, não tenho troco. Deixa pra lá. Pensando melhor, é preferível não fazer deste jeito. Vamos voltar.

Voltaram à mesa. Kemp primeiro, Race em seguida, com a mão de Anthony em seu braço.

Kemp sentou-se carrancudo e apanhou seu cachimbo. Esvaziou-o com cuidado e começou a mexer nele com um grampo que retirou do bolso do colete.

Race olhava para Anthony com o cenho franzido e uma expressão intrigada. Reclinou-se na cadeira e apanhou a xícara, bebendo de um gole o chá que ainda havia nela.

– Raios! – exclamou violentamente – Está com açúcar!

Lançou um olhar por sobre a mesa e pôde ver Anthony abrir um grande e vagaroso sorriso.

– Ei! – emendou Kemp, ao tomar um gole de sua xícara. – Que diabos é isso?

– Café – respondeu Anthony. – Acho que não vai gostar. Eu não gostei.

CAPÍTULO 13

Anthony teve o prazer de ver um brilho de compreensão instantânea assomar aos olhos de seus dois acompanhantes.

Sua alegria durou pouco, porque outro pensamento o golpeou com a força de um soco.

Expeliu as palavras aos gritos:

– Meu Deus! O *carro*!

Ergueu-se de um salto.

– Que imbecil eu fui... idiota! Ela me disse que um carro quase a atropelara... e eu mal ouvi. Venham, rápido.

Kemp disse:

– Quando deixou a Yard, ela disse que iria direto para casa.

– Sim... Oh, por que não fui com ela?

– Quem está na casa? – perguntou Race.

– Ruth Lessing estava lá, esperando pela sra. Drake. É possível que ambas ainda estejam discutindo os detalhes do funeral!

– Discutindo muito mais coisas, se bem conheço a sra. Drake – comentou Race. E acrescentou, abrupto: – Iris Marle tem outros parentes?

– Não que eu conheça.

– Acho que percebo a direção para a qual seus pensamentos e ideias o estão levando. Mas... é fisicamente possível?

– Acho que sim. Pense só em quanta coisa havia sido tomada por certa *com base na palavra de uma só pessoa.*

Kemp pagou a conta. O trio se apressou em tomar o caminho da rua enquanto o inspetor perguntava:

– Acha que o perigo é grave? Para a srta. Marle?

– Sim, acho.

Anthony sussurrou um palavrão e acenou para um táxi. Os três homens embarcaram e mandaram o motorista correr para Elvaston Square o mais rápido possível.

Kemp disse, devagar:

– Por ora, formei apenas a ideia geral. E ela descarta de imediato os Farraday.

– Sim.

– Graças a Deus por isso. Mas é certo que haverá outro atentado... quando?

– O mais rápido possível – disse Race. – Antes que tenhamos alguma chance de seguir a pista certa. Melhor de três... será essa a ideia. – E acrescentou: – A srta. Marle disse-me, na frente da sra. Drake, que se casaria com você tão logo a pedisse.

Falavam aos espasmos entrecortados, porque o taxista havia tomado suas orientações ao pé da letra e cantava os pneus nas esquinas, costurando pelo meio do tráfego com imenso entusiasmo. Entrando com um último cavalo-de-pau no portão de Elvaston Square, estacionou com um solavanco terrível na frente da casa.

Elvaston Square nunca parecera tão pacífica.

Anthony, retomando com esforço suas maneiras espirituosas de sempre, murmurou:

– Bem como nos filmes. Faz a gente se sentir de algum modo bastante tolo.

Mas já estava no topo da escada apertando a campainha enquanto Kemp ainda seguia seus passos e Race estava pagando o taxista.

A copeira abriu a porta.

Anthony falou em tom ríspido:

– A srta. Iris já voltou?

Evans pareceu um pouco surpresa.

– Oh, sim, senhor. Chegou há mais ou menos meia hora.

Anthony soltou um suspiro de alívio. Tudo estava tão calmo e tranquilo naquela casa que se sentiu envergonhado dos terrores melodramáticos de há pouco.

– Onde ela está?

– Presumo que na sala de visitas, com a sra. Drake.

Anthony assentiu e subiu as escadas a passos largos. Race e Kemp o seguiram de perto.

Na sala de visitas, plácida sob a baça iluminação elétrica, Lucilla Drake revirava, com a concentração confiante de um sabujo, todas as gavetas e os escaninhos da escrivaninha, enquanto murmurava em tom bem audível.

– Céus, céus. Agora onde foi que eu coloquei a carta da sra. Marsham? Deixe-me ver...

– Onde está Iris? – Anthony a interrompeu, abrupto.

Lucilla virou-se e o encarou.

– Iris? Ela... espere um pouco! – levantou-se: – Posso perguntar *quem* é o senhor?

Race se adiantou, saindo detrás de Anthony, e o rosto de Lucilla se desanuviou. Ela ainda não vira o inspetor-chefe Kemp, que foi o terceiro a entrar na sala.

– Oh, meu caro coronel Race! Que gentileza sua em aparecer! Mas gostaria que o senhor tivesse estado aqui um pouco mais cedo. Teria apreciado consultá-lo a respeito dos preparativos para o funeral... o conselho de um homem é tão valioso. Estava me sentindo tão desnorteada, como disse à srta. Lessing, que realmente não conseguia nem *pensar*. E devo dizer que, ao menos desta vez, a srta. Lessing foi muito simpática e se ofereceu para aliviar meus ombros desse encargo. Ela só observou, de maneira muito razoável, que provavelmente eu era, o que é natural, a pessoa certa para saber quais eram os hinos favoritos de George. Não que eu de fato soubesse, porque temo que o George não fosse muito assíduo na igreja. Mas, é claro, como esposa de um clérigo... quer dizer, viúva... eu saberia o que é apropriado.

Race tirou vantagem de uma pausa momentânea para inserir uma pergunta:

– Onde está a srta. Marle?

– Iris? Chegou há algum tempo. Disse que estava com dor de cabeça e subiu direto para seu quarto. As moças de hoje, o senhor sabe, não parecem ter muita resistência... não comem espinafre o suficiente... e ela parece detestar positivamente tratar dos preparativos para o funeral, mas, no fim das contas, alguém *tem* de fazer isso... qualquer pessoa gostaria de ter a sensação de que tudo foi feito da melhor forma, com o apropriado respeito pelos mortos. Não que eu considere esses carros fúnebres motorizados *reverentes* de verdade, se o senhor me entende, não como cavalos com caudas longas e negras, mas, é claro, disse a Iris que estava tudo bem, que Ruth (chamei-a de Ruth e não de srta. Lessing) e eu estávamos cuidando maravilhosamente bem de tudo, e que ela poderia deixar tudo conosco.

Kemp perguntou:

– A srta. Lessing já foi?

– Sim, já acertamos tudo, a srta. Lessing saiu faz uns dez minutos. Levou com ela as participações fúnebres para os jornais. Sem flores, devido às circunstâncias... e a cerimônia será em Canon Westbury.

Enquanto o fluxo de palavras prosseguia, Anthony dirigia-se discretamente para a porta. Já havia deixado a sala quando Lucilla, interrompendo de repente sua narrativa, fez uma pausa para dizer:

– Quem era aquele rapaz que veio com os senhores? Em um primeiro momento, não percebi que ele os acompanhava. Pensei que poderia ser um daqueles repórteres desagradáveis. Temos tido *tantos* problemas com eles.

Anthony subia as escadas a passos rápidos. Ouvindo passos atrás de si, virou-se e lançou um sorriso malicioso para o inspetor-chefe Kemp.

– Também desertou? Pobre Race!

Kemp resmungou:

– Ele faz essas coisas tão bem. Não sou nada bom nessa parte.

Chegaram ao segundo piso e já se preparavam para subir ao terceiro quando Anthony ouviu passos leves que desciam a escada. Empurrou Kemp para dentro de um banheiro próximo.

Os passos continuaram descendo as escadas.

Anthony saiu do banheiro e subiu correndo o lance seguinte de escadas. O quarto de Iris, ele sabia, era o aposento pequeno no fundo do corredor. Bateu de leve na porta. "Ei... Iris." Não houve resposta... bateu e chamou outra vez. Tentou abrir a maçaneta e viu que a porta estava trancada.

Com urgência real, agora, já socava porta e gritava.

– Iris... Iris...

Depois de alguns segundos, parou e olhou em volta. Estava pisando em um daqueles antiquados carpetes de lã, feitos para tapar por fora as frinchas das portas, impedindo correntes de ar. Este estava bem perto da porta, e Anthony chutou-o para longe. O espaço entre a madeira e o piso era bem largo – deduziu que tivesse sido cortado em algum momento para que se pudesse varrer por ali a sujeira do tapete do outro lado.

Espiou pelo buraco da fechadura, mas não conseguiu ver nada. De repente, ergueu a cabeça e farejou o ar. Deitou-se no chão e enfiou o nariz pela fresta sob a porta.

Levantando-se de um salto, gritou: "Kemp!"

Não havia sinal do inspetor-chefe. Anthony gritou outra vez.

Foi o coronel Race, entretanto, que veio correndo pelas escadas. Anthony nem lhe deu chance de falar:

– Gás... está vazando! Temos que pôr esta porta abaixo.

Race tinha um físico vigoroso. Ele e Anthony não demoraram a vencer o obstáculo. Com um barulho de coisa partida, a tranca cedeu.

Recuaram por um momento, e então Race disse:

– Ela está perto da lareira. Você a apanha enquanto eu corro para quebrar a vidraça.

Iris Marle estava deitada com a boca e o nariz próximos do jato que escapava da saída de gás aberta.

Instantes depois, engasgando e tossindo, Anthony e Race deitaram a garota inconsciente no piso para apanhar o ar que entrava pela janela do corredor.

Race disse:

– Eu cuido dela. Vá chamar um médico. Rápido.

Anthony precipitou-se escada abaixo. Race gritou para ele:

– Não se preocupe. Acho que ela vai ficar bem. Chegamos bem a tempo.

No saguão, Anthony discou e falou no telefone, operação dificultada pelo ruído de fundo das exclamações de Lucilla.

Finalmente, afastou-se do telefone para dizer, com um suspiro de alívio:

– Apanhei-o em casa. Ele mora logo do outro lado da praça. Estará aqui em alguns minutos.

– ...mas eu preciso saber o que está acontecendo. Iris está doente? – foram as últimas lamúrias de Lucilla.

Anthony explicou:

– Ela estava em seu quarto. Porta trancada. A cabeça na saída de gás e o registro totalmente aberto.

– Iris? – A sra. Drake soltou um guincho lancinante. – Iris cometeu suicídio? Não posso acreditar. *Não posso*!

Uma leve sombra do sorriso malicioso de Anthony voltou a seu rosto enquanto ele dizia:

– A senhora não precisa acreditar. Não é verdade.

CAPÍTULO 14

– E agora, Tony, quer me fazer o favor de contar tudo a respeito do caso?

Iris estava deitada no sofá, e o bravo sol de novembro proporcionava um magnífico espetáculo do lado de fora das vidraças de Little Priors.

Anthony olhou o coronel Race do outro lado da sala, sentado no peitoril da janela, e sorriu, insinuante.

– Não me importo de admitir, Iris, que estive esperando por este momento. Se não contar para alguém, e logo, o quanto eu fui esperto, acho que vou explodir. Não haverá modéstia alguma nesta narração. Será um solo de elogios despudorados a mim mesmo, com pausas nos momentos certos para que você possa dizer: "Anthony, como você é inteligente", "Tony, que maravilha!" ou alguma outra frase dessa natureza. Arrã! A apresentação vai começar. Aqui vamos nós.

"A coisa toda parecia muito simples. Quero dizer que parecia um caso claro de causa e efeito. A morte de Rosemary, aceita na época como suicídio, não fora suicídio. George começara a suspeitar, dera início a suas investigações, presumivelmente chegara perto da verdade, e, antes que pudesse desmascarar o assassino, foi ele próprio assassinado.

"Mas quase imediatamente deparamos com algumas contradições aparentes. Tais como A) George não podia ter sido envenenado. B) George foi envenenado. E ainda: A) Ninguém havia tocado na taça de George. B) A taça de George tinha veneno.

"Na verdade, eu estava deixando passar um fato muito significativo: os diversos empregos do possessivo. A orelha de George é sem dúvida alguma a orelha de George, porque está grudada em sua cabeça e não pode ser removida senão com uma operação cirúrgica! Mas quanto ao relógio de George, só posso me referir ao relógio que George está usando – o que levanta a questão: e o relógio é dele ou foi emprestado por outra pessoa? E quando falávamos do copo de George, ou da xícara de chá de George, comecei a perceber que estávamos nos referindo a uma coisa bastante vaga. Eu só podia falar da taça ou da xícara da qual George estivera bebendo por último – e que não tinha nada que a distinguisse de muitas outras xícaras e taças do mesmo padrão.

"Para ilustrar esse ponto, tentei um pequeno experimento. Race tomava chá sem açúcar, Kemp, com açúcar, e eu bebia café. Na aparência, os três líquidos tinham quase a mesma cor. Estávamos sentados ao redor de uma mesinha de tampo de mármore entre muitas outras mesas iguais. Com o pretexto de uma inspiração súbita, convenci os dois a deixarem seus assentos e irem até o vestíbulo, pondo as cadeiras de lado à medida que saíamos. Consegui também, sem deixar que me vissem, mudar de lugar o cachimbo de Kemp, que estava ao lado de seu pires, para uma posição semelhante ao lado do meu. Logo que chegamos ao vestíbulo, dei uma desculpa e voltamos. Kemp ligeiramente à frente. Ele aproximou a cadeira da mesa e sentou-se à frente do pires que havia deixado marcado pelo cachimbo. Race sentou-se à direita dele, como antes, e eu à esquerda. Mas note o que aconteceu: uma nova contradição entre A e B. A) Kemp havia posto açúcar em sua xícara de chá. B) A xícara de Kemp continha café. Duas declarações conflitantes que não podiam ser ambas verdadeiras, mas são. O engano está no uso da expressão "a xícara de Kemp". A xícara de Kemp quando ele saiu da mesa e a xícara de Kemp quando ele retornou não eram a mesma.

"E isso, Iris, foi o que aconteceu no Luxembourg aquela noite. Depois do espetáculo, quando fomos todos dançar, você deixou cair sua bolsa. Um garçom a apanhou – não *o* garçom que atendia aquela mesa e sabia onde cada um estava sentado – mas um garçom. Um ajudante apressado e nervoso, pressionado por todos, correndo com uma travessa de molho, que rapidamente parou, pegou a bolsa do chão e colocou-a ao lado de um prato – o prato imediatamente à esquerda de seu lugar. Vocês voltaram primeiro, e, sem pensar, você foi direto para o lugar marcado pela sua bolsa, exatamente como Kemp fez com o cachimbo. George sentou-se à sua direita, como antes. E quando George propôs um brinde à memória de Rosemary, bebeu do copo que pensava ser *dele*, mas que na verdade *era o seu*. O copo que poderia ser facilmente envenenado sem a necessidade de um truque de mágica para explicá-lo, porque a única pessoa que não beberia depois do show seria necessariamente *aquela à saúde de quem se bebia*!

"Agora, repasse o caso todo outra vez, e o cenário é inteiramente diverso. Era você a vítima pretendida, não George. Parece que George estava sendo usado. Se o plano não tivesse dado errado, qual seria a história que o mundo veria? Uma repetição da festa de um ano atrás... e uma repetição... do suicídio! Certamente, as pessoas diriam, havia uma tendência suicida na família! Um invólucro de papel com traços de cianureto encontrado em sua bolsa. Um caso óbvio! A pobre moça estava obcecada pela morte da irmã. Muito triste... Mas essas garotas ricas são muito neuróticas às vezes!"

Iris interrompeu-o com um grito:

– Mas por que alguém desejaria me matar? Por quê? *Por quê?*

– Por causa de todo aquele dinheiro fascinante, meu anjo. Dinheiro, dinheiro, dinheiro! O dinheiro de Rosemary foi para você quando ela morreu. Agora suponha que você morresse, solteira. O que aconteceria com esse dinheiro? A resposta: iria para o parente mais próximo... sua tia, Lucilla Drake. Mas com tudo o que se sabia a respeito da cara senhora, eu não conseguia vê-la como A Grande Assassina. Mas alguém mais seria beneficiado?

Sim, é claro. Victor Drake. Se Lucilla tivesse dinheiro, seria exatamente a mesma coisa que se Victor o tivesse. Ele sabia disso! Sempre fora capaz de fazer com a mãe o que quisesse. E não há dificuldade alguma em ver Victor como O Grande Assassino. O tempo todo, desde o início do caso, houve referências a Victor, menções a seu nome. Ele havia estado nos bastidores, uma figura maligna, sombria, sem substância.

– Mas Victor está na Argentina! Está na América do Sul há mais de um ano.

– Está? Chegamos agora ao que tem sido sempre o enredo fundamental de qualquer história: "garoto conhece garota!" Quando Victor conheceu Ruth Lessing, foi o início desta história em particular. Ele a dominou. Ela deve ter se apaixonado perdidamente por ele. Essas mulheres caladas, sensatas e cumpridoras da lei são o tipo que com frequência se apaixona por um verdadeiro mau caráter.

"Pense um minuto e perceberá que todas as evidências de que Victor estivesse na Argentina dependiam da palavra de Ruth. Nada foi verificado porque nunca foi a questão principal. Ruth disse que havia visto Victor embarcar no San Cristobal antes da morte de Rosemary! Ruth foi quem sugeriu a George, no dia de sua morte, fazer uma ligação telefônica para Buenos Aires – e foi quem mais tarde despediu a telefonista que poderia, inadvertidamente, comentar que jamais havia feito tal chamada.

"Lógico que agora tudo foi facilmente averiguado. Victor Drake aportou em Buenos Aires em um navio que partiu no dia *seguinte* à morte de Rosemary, há um ano. Ogilvie, de Buenos Aires, não teve nenhuma conversa telefônica com Ruth a respeito de Victor Drake no dia em que George morreu. E Victor Drake partiu de Buenos Aires para Nova York algumas semanas atrás. Foi fácil para ele conseguir que um telegrama fosse enviado em seu nome em um dia específico – um daqueles seus bem conhecidos pedidos de dinheiro, o que forneceria a prova definitiva de que ele estava a milhares de milhas distante. E ao invés disso..."

– O quê, Anthony?

– Ao invés disso – continuou Anthony, levando seu relato ao clímax com intensa satisfação –, ele estava sentado na mesa ao lado da nossa, no Luxembourg, na companhia de uma loira não tão burra.

– Aquele homem horroroso?

– Uma tez amarelada, coberta de manchas, e olhos injetados são coisas fáceis de incorporar. E fazem uma grande diferença para um homem. Na verdade, na nossa reunião, *eu* era a única pessoa presente (além de Ruth Lessing) que já havia visto Victor Drake, e não o conheci por esse nome. Em todo caso, estava sentado de costas para ele. Pensei tê-lo reconhecido, no salão de coquetel, enquanto passávamos para o restaurante, como um homem que já havia encontrado em meus tempos de cadeia: Coleman Macaco. Mas como eu estava levando agora uma vida altamente respeitável, não estava preocupado que ele pudesse me reconhecer. E nunca suspeitei, nem por um momento, que aquele Coleman Macaco tivesse qualquer coisa a ver com o crime... muito menos que ele e Victor Drake fossem a mesma pessoa.

– Ainda não vejo como ele pôde ter feito aquilo.

O coronel Race assumiu a narração da história.

– Da maneira mais fácil do mundo. Durante o espetáculo ele foi até o telefone, passando pela mesa de vocês. Drake já foi ator e, o mais importante, garçom. Assumir a aparência e interpretar o papel de Pedro Morales era brincadeira de criança para um ator, mas, para se movimentar com habilidade ao redor de uma mesa, com o passo e o porte de um garçom, enchendo as taças de champanhe, era preciso o conhecimento preciso e a técnica de um homem que realmente houvesse sido um. Uma ação ou um gesto desajeitados teriam chamado a atenção para ele, mas como um garçom *bona fine* nenhum de vocês o notou. Estavam olhando para o espetáculo, sem perceber aquela parte da mobília de um restaurante: o garçom!

Iris disse em um tom de voz hesitante.

– E Ruth?

Foi Anthony quem respondeu:

– Foi Ruth, é claro, que colocou o papelote de cianureto em sua bolsa. Provavelmente no toalete, no começo da noite. Ela já havia usado a mesma técnica um ano antes... com Rosemary.

– Sempre achei estranho – disse Iris – que George não tivesse contado a Ruth sobre aquelas cartas. Ele a consultava a respeito de tudo.

Anthony soltou uma breve risada e falou:

– É claro que ele contou – foi a primeira coisa que fez. Ela sabia que ele contaria. Foi por isso que escreveu as cartas. Então, ela traçou todo aquele "plano" para ele, depois de haver, primeiro, preparado o espírito de George. Assim, ela teve o cenário montado, tudo perfeitamente preparado para o suicídio nº 2. E se George escolhesse ou não acreditar que você havia matado Rosemary e cometido suicídio por remorso ou pânico, bem, não faria a menor diferença para Ruth.

– E pensar que eu gostava dela... gostava muito dela! E que na verdade até queria vê-la casada com George.

– É provável que ela tivesse sido uma ótima esposa pra ele, se não tivesse topado com Victor no caminho – comentou Anthony. – Moral da história: toda assassina já foi uma boa moça em algum momento.

Iris estremeceu.

– Tudo por causa de dinheiro!

– Sua tolinha inocente, o dinheiro foi o motivo de tudo! Victor, com certeza, fez tudo pelo dinheiro. Ruth, em parte pelo dinheiro, em parte por Victor e em parte porque odiava Rosemary. Sim, ela percorreu um longo caminho até o momento em que tentou atropelar você deliberadamente, e foi ainda mais longe quando deixou Lucilla na sala de visitas, bateu a porta da frente e depois subiu para seu quarto. Como ela parecia? Agitada?

Iris refletiu:

– Acho que não. Ela apenas bateu à porta, entrou e disse que tudo estava acertado, e que esperava que eu estivesse me sentindo bem. Eu disse que sim, só estava um pouco cansada. Aí ela pegou a minha lanterna grande, revestida de borracha, e disse "que lanterna bonita", e depois disso não me lembro de nada.

– Não, querida – completou Anthony. – Porque ela lhe acertou uma bela pancada na nuca, embora não muito forte, com a sua bonita lanterna. Depois, posicionou-a artisticamente ao lado da saída de gás, trancou bem as janelas, ligou o gás e saiu. Trancou a fechadura, passou a chave por baixo da porta e empurrou o carpete de lã para bem perto da fresta entre a madeira e o piso, para bloquear qualquer corrente de ar. Depois, desceu as escadas em passo furtivo. Kemp e eu nos escondemos no banheiro bem nessa hora. Eu corri até você, e Kemp seguiu a srta. Lessing, sem ser notado, até onde ela havia estacionado o carro. Sabe, quando encontramos Ruth na entrada cheguei a sentir que havia alguma coisa suspeita e pouco natural na maneira como ela tentara nos convencer de que viera de ônibus e de trem!

Iris encolheu os ombros.

– É horrível pensar que havia alguém assim tão obstinada em me matar. Ela me odiava também?

– Oh, eu não diria isso. Mas a srta. Lessing é uma moça muito eficiente. Já havia sido cúmplice em dois homicídios e não podia aceitar que houvesse arriscado o pescoço por nada. Não tenho dúvidas de que Lucilla Drake queixou-se de sua decisão repentina de se casar comigo. E nesse caso, não havia tempo a perder. Se casássemos, eu seria seu herdeiro imediato, e não Lucilla.

– Pobre Lucilla. Sinto tanto por ela.

– Sentimos todos. É uma alma gentil e inofensiva.

– Ele foi mesmo preso?

Anthony olhou para Race, que assentiu e disse:

– Hoje de manhã, quando aportou em Nova York.

– Ele ia se casar com Ruth... depois de tudo?

– Era a vontade de Ruth. E acho que ela teria conseguido.

– Anthony... Acho que não gosto muito de meu dinheiro.

– Tudo bem, querida... faremos alguma coisa nobre com ele, se você quiser. Tenho dinheiro bastante para viver... e para sustentar uma esposa com razoável conforto. Vamos nos livrar de tudo, se assim quiser: doar para orfanatos, ou distribuir tabaco grátis para idosos, ou... que tal uma campanha para que sirvam um café melhor em toda a Inglaterra?

– Preciso guardar um pouco – disse Iris. – Assim posso bancar a orgulhosa e deixar você quando quiser.

– Iris, não creio que esse seja o espírito certo para se ingressar na vida matrimonial. E, a propósito, você não disse nenhuma vez "Tony, que maravilha!" ou "Anthony, como você é inteligente"!

O coronel Race sorriu e se levantou.

– Vou tomar chá com os Farraday – exclamou. Um leve brilho cruzou por seus olhos quando disse a Anthony: – Suponho que não irá comigo?

Anthony concordou com um aceno, e Race deixou o quarto. Parou na entrada para comentar, por sobre o ombro:

– Bela apresentação.

– Isso – disse Anthony enquanto a porta se fechava atrás de Race – significa a máxima aprovação britânica.

Iris perguntou, com voz calma:

– Ele achava que havia sido eu, não achava?

– Não deve usar isso contra ele – respondeu Anthony. – Entenda, ele conheceu tantas espiãs lindas, todas roubando fórmulas secretas e trapaceando grandes generais para conseguir informações sigilosas, que isso tornou-o amargo e deformou seu julgamento. Para ele, basta encontrar a garota bonita envolvida no caso!

– E como sabia que não era eu, Tony?

– Amor, eu suponho – disse Anthony, alegre.

A face dele se transformou, tornou-se séria de repente. Tocou no vasinho ao lado de Iris, no qual havia um único ramo verde-acinzentado com uma flor de malva.

– Como pode estar florindo nesta época do ano?

– Às vezes acontece... Um broto ocasional, se o outono for brando.

Anthony tirou o galho do vaso e segurou-o por um momento, junto ao rosto. Semicerrou os olhos e viu uma cabeleira castanha, olhos azuis sorridentes e uma boca vermelha e impetuosa...

Disse em um tom tranquilo e coloquial:

– Ela não está mais aqui, está?

– De quem está falando?

– Sabe a quem eu me refiro. Rosemary... Acho que ela sabia, Iris, que você estava em perigo.

Tocou com os lábios o ramo de um verde perfumado e jogou-o, com um gesto rápido, pela janela.

– Adeus, Rosemary. Obrigado...

Iris disse baixinho:

– *Serve para recordar...*

E mais baixo ainda:

– *Eu te peço, amor, não esqueça...*

A Casa Torta

Tradução de Débora Landsberg

PREFÁCIO

Este é um dos meus livros favoritos. Guardei a história por muitos anos, refletindo, elaborando, dizendo a mim mesma: "Um dia, quando tiver bastante tempo e quiser me divertir muito, vou começá-la!". Devo admitir que, dos livros produzidos por um autor, cinco são trabalhosos e um é prazer de verdade. *A Casa Torta* foi puro prazer. Muitas vezes me pergunto se os leitores conseguem identificar quando um livro foi o resultado de um trabalho árduo ou um deleite. Volta e meia alguém me diz: "Você deve ter se divertido *muito* escrevendo tal livro!". Isto em relação a uma obra que se recusava a sair do jeito que você queria, cujos personagens são difíceis, a trama desnecessariamente intricada e o diálogo artificial – ou pelo menos é assim que eu vejo. Mas talvez o autor não seja o melhor juiz da própria obra. No entanto, quase todo mundo gostou de *A Casa Torta*, o que corrobora minha crença de que se trata de um dos meus melhores livros.

Não sei como a família Leonides me veio à cabeça – ela simplesmente veio. Então seus membros adquiriram vida própria e cresceram.

Tenho a sensação de que lhes servi apenas de escriba.

Agatha Christie

CAPÍTULO 1

Conheci Sophia Leonides no Egito, quando a guerra se aproximava do fim. Ela tinha um cargo administrativo bastante importante em um dos departamentos do Ministério das Relações Exteriores que havia por lá. Nosso primeiro encontro se deu em âmbito profissional, e logo percebi a competência que a levara ao posto que ocupava, apesar de, na época, Sophia ter apenas 22 anos.

Além de muito agradável aos olhos, ela tinha a mente lúcida e um senso de humor mordaz que eu achava delicioso. Ficamos amigos. Era uma pessoa com quem a conversa fluía sem nenhuma dificuldade e nos divertíamos com jantares e bailes ocasionais.

Eu já sabia disso tudo, mas foi só quando me mandaram para o Leste no final da guerra europeia que soube de algo mais: amava Sophia e desejava casar-me com ela.

Estávamos jantando no Shepheard's quando fiz tal descoberta. Não me veio como uma surpresa, mas sim como a identificação de um fato com o qual já fazia tempo que estava familiarizado. Olhei para ela com novos olhos – mas vi o que já sabia há muito tempo. Gostava de tudo o que eu via. Os cabelos escuros e crespos que brotavam com orgulho da testa, os olhos azuis e brilhantes, o queixinho quadrado e destemido e o nariz reto. Gostava das roupas feitas sob medida, bem-cortadas e cinza-claro, e de camisetas brancas e bem-passadas. Ela tinha um ar inglês revigorante, e isso exercia forte atração sobre mim depois de três anos sem visitar a minha terra natal. Ninguém, pensei eu, conseguiria ser mais inglesa – e enquanto pensava exatamente isso, de repente me perguntei se de fato ela era, ou realmente poderia ser, tão inglesa quanto parecia. Será que a realidade poderia alcançar a perfeição de uma interpretação teatral?

Dei-me conta disso e também de que, por mais liberdade que tivéssemos ao conversar um com o outro e discutir nossas ideias, falar sobre o que gostávamos e o que não gostávamos, sobre o futuro, sobre amigos íntimos e conhecidos, Sophia nunca mencionava nada sobre suas raízes ou sua família. Sabia tudo a meu respeito (era, como já revelei, uma boa ouvinte), mas sobre ela, eu nada sabia. Ela tinha, suponho, um passado normal, mas nunca falara disso. E até aquele momento eu não tinha me dado conta daquilo.

Sophia perguntou sobre o que eu estava pensando.

Respondi honestamente:

– Em você.

– Entendo – falou. E soou como se entendesse de verdade.

– Talvez nos encontremos de novo somente daqui a uns anos – eu disse. – Não sei quando voltarei à Inglaterra. Mas assim que voltar, a primeira providência que tomarei será procurá-la e pedi-la em casamento.

Ela ouviu isso sem sequer pestanejar. Permaneceu sentada, fumando, sem olhar para mim.

Por alguns instantes fiquei tenso com a possibilidade de que ela não compreendesse.

– Ouça – continuei. – Se há algo que eu estou determinado a *não* fazer, é pedir-lhe que se case comigo agora. Não daria certo, de qualquer modo. Primeiro, você poderia me rejeitar, e então eu iria embora infeliz e provavelmente me ligaria a alguma mulher horrível só para recuperar meu amor-próprio. E se você não me rejeitasse, o que faríamos? Nos casaríamos e logo em seguida nos separaríamos? Noivaríamos e nos conformaríamos a um longo período de espera? Não aguentaria que você fizesse isso. Você poderia conhecer alguém e se sentir obrigada a ser "leal" a mim. Temos vivido em uma atmosfera de estranha agitação, cujo mote é de que tudo deve ser levado a cabo rapidamente. Casamentos e casos de amor se iniciando e se desmanchando ao nosso redor. Eu gostaria de ter a sensação de que você voltou para casa, livre e independente, para olhar à sua volta e avaliar o novo mundo do pós-guerra e decidir o que quer dele. O que há entre você e eu, Sophia, tem de ser *permanente.* Não vejo razão para outro tipo de casamento.

– Eu também não – declarou Sophia.

– Por outro lado – prossegui –, acho que tenho o direito de lhe informar como eu... bem... como me sinto.

– Mas sem usar uma expressão lírica exagerada? – murmurou Sophia.

– Querida... será que você não entende? Eu tentei *não* dizer que te amo...

Ela me interrompeu.

– Entendo sim, Charles. E gosto do seu jeito singular de fazer as coisas. E você pode me procurar quando voltar... se ainda quiser...

Foi a minha vez de interromper.

– Quanto a isso, não há dúvida.

– Há sempre dúvida quanto a tudo, Charles. Sempre pode haver um fator inesperado. Em primeiro lugar, você não sabe muito a meu respeito, não é?

– Nem mesmo sei em que lugar de Londres você mora.

– Moro em Swinly Dean.

Assenti diante da menção do famoso subúrbio distante de Londres que ostenta três excelentes campos de golfe usados pelos financistas da cidade.

Ela acrescentou baixinho, em tom pensativo:

– "E numa casinha torta"...*

Devo ter ficado com uma expressão ligeiramente assustada, pois ela pareceu satisfeita, e se explicou, aprimorando a citação:

– "E numa casinha torta esse grupo se aglomerou." Somos nós. Na verdade não é uma casinha. Mas definitivamente é torta... com direito a empenas e vigas expostas!

– Você vem de uma família grande? Irmãos?

– Um irmão, uma irmã, uma mãe, um pai, um tio, uma tia, um avô, uma tia-avó e a esposa do meu avô.

– Meu Deus! – exclamei, estupefato.

Ela riu.

– Claro que normalmente não moramos todos juntos. A guerra e os ataques aéreos causaram esta situação... mas não sei – ela franziu a testa, reflexiva –, talvez espiritualmente a família tenha sempre vivido reunida... sob o olhar e a proteção do meu avô. Ele já passou dos oitenta anos, tem um metro e meio, e ofusca todo mundo que esteja por perto.

– Ele parece interessante – eu disse.

– Ele é interessante. Ele é grego de Esmirna. Aristide Leonides. – Ela acrescentou, com um brilho nos olhos: – É riquíssimo.

– Será que alguém vai continuar rico depois que isso terminar?

– Meu avô vai – declarou Sophia, com segurança. – Nenhuma tática para explorar os ricos terá efeito sobre ele. Ele simplesmente exploraria os exploradores. Me pergunto – ela prosseguiu – se você vai gostar dele.

– Você gosta? – indaguei.

– Mais do que de qualquer outra pessoa neste mundo – respondeu Sophia.

CAPÍTULO 2

Passaram-se dois anos até eu retornar à Inglaterra. Não foram anos fáceis. Mandei cartas para Sophia e tive notícias dela com bastante frequência. Suas cartas, assim como as minhas, não eram cartas de amor. Eram cartas de amigos íntimos: tratavam de ideias e pensamentos e continham comentários sobre o curso diário da vida. Porém, sei que no que me dizia respeito, e acreditava que também no que dizia respeito à Sophia, nossos sentimentos um pelo outro cresciam e se fortaleciam.

* Trecho de uma canção infantil, popular na Inglaterra, chamada "There was a Crooked Man" (Havia um homem torto). (N.E.)

Cheguei à Inglaterra em um dia levemente cinzento de setembro. As folhas das árvores douravam à luz do fim de tarde. Havia rajadas de vento brincalhonas. Do aeroporto, enviei um telegrama a Sophia.

Acabei de chegar. Aceita jantar hoje Mario's nove horas Charles.

Algumas horas depois eu estava sentado, lendo o *Times* e esquadrinhando a coluna de Nascimentos, Casamentos e Óbitos, quando meu olhar foi atraído pelo nome Leonides:

Faleceu no dia 19 de setembro, na residência Três Empenas, em Swinly Dean, Aristide Leonides, amado esposo de Brenda Leonides, aos 87 anos. Profunda tristeza.

Havia outro anúncio logo abaixo:

LEONIDES – Faleceu repentinamente em sua residência, Três Empenas, em Swinly Dean, Aristide Leonides. Querido pai e avô. Enviar flores para St. Eldred's Church, em Swinly Dean.

Achei os dois anúncios bastante curiosos. Parecia que o serviço falho de alguma equipe tinha causado sobreposição. Porém, o que mais me preocupava era Sophia. Tratei de mandar-lhe outro telegrama imediatamente:

Acabo de ver notícia sobre morte de seu avô. Minhas condolências. Diga quando posso vê-la. Charles.

Recebi um telegrama de Sophia às seis, na casa do meu pai. Lia-se:

Estarei no Mario's nove horas. Sophia.

A ideia de rever Sophia me deixou ao mesmo tempo tenso e animado. O tempo se arrastava com uma lentidão enlouquecedora. Vinte minutos antes do horário marcado, eu já estava no Mario's. A própria Sophia chegou com apenas cinco minutos de atraso.

É sempre um choque reencontrar alguém que não se vê faz muito tempo, mas em quem pensamos ao longo de todo o período de afastamento. Quando Sophia finalmente entrou pelas portas de vaivém, nosso encontro pareceu totalmente irreal. Estava vestida de preto e, por alguma razão inexplicável, aquilo me deixou surpreso. As outras mulheres, em sua maioria, usavam roupas pretas, mas enfiei na cabeça que sem dúvida era por causa do luto, e me surpreendeu a ideia de que Sophia fosse o tipo de pessoa que vestiria preto, ainda que fosse por um parente próximo.

Tomamos coquetéis e em seguida fomos para a mesa. Conversamos com pressa e agitação, perguntando sobre velhos amigos da época do Cairo. Foi uma conversa artificial, mas nos ajudou a superar o estranhamento. Expressei minha comiseração pela morte de seu avô, e Sophia disse em voz baixa que tudo fora "muito repentino". Depois voltamos a relembrar o passado. Comecei a sentir, com certo incômodo, que havia algo errado; quero dizer, algo além da falta de jeito que é natural aos primeiros momentos dos reencontros. Havia algo errado, claramente errado, com a própria Sophia. Será que ela ia me contar que encontrara um outro homem de quem gostava mais do que de mim? Que seus sentimentos por mim não passaram de "um grande engano"?

Por algum motivo, imaginei que não fosse isso – não sabia o que era. Nesse ínterim, continuávamos nossa conversa superficial.

Então, de repente, no momento em que o garçom colocou o café na mesa e se retirou fazendo uma mesura, tudo se ajeitou. Ali estávamos Sophia e eu, juntos, como antes era tao frequente, em volta de uma mesinha de restaurante. Os anos da nossa separação poderiam jamais ter acontecido.

– *Sophia* – eu disse.

E ela respondeu imediatamente:

– Charles!

Soltei um suspiro, aliviado.

– Graças a Deus que isso acabou – declarei. – O que está acontecendo conosco?

– A culpa deve ser minha. Fui burra.

– Mas agora está tudo bem?

– Sim, agora está tudo bem.

Sorrimos um para o outro.

– Querida! – eu disse. E então: – Quando você vai se casar comigo?

O sorriso dela se extinguiu. Aquele algo, o que quer que fosse, tinha voltado.

– Não sei – ela respondeu. – Não tenho certeza, Charles, se um dia vou poder me casar com você.

– Mas, Sophia! Por que não? É por que você me vê como um estranho? Quer um tempo para se acostumar comigo outra vez? Existe outra pessoa? Não... – Minha voz falhou. – Sou um tolo. Não é nada disso.

– Não, não é. – Ela balançou a cabeça.

Esperei. Ela disse, em voz baixa:

– É a morte do meu avô.

– A morte do seu avô? Mas por quê? Que diferença isso faz? Você não está querendo dizer... não é possível que você imagine... é por causa do dinheiro? Ele não deixou nada? Mas sem dúvida, minha querida...

– Não é o dinheiro. – Ela me deu um sorriso fugaz. – Acho que você estaria disposto a "ficar comigo enquanto estou por baixo", como diz a velha expressão. E, enquanto esteve vivo, vovô nunca perdeu dinheiro.

– Então, qual é o problema?

– É que a morte dele... Veja bem, Charles, não acho que ele simplesmente... faleceu. Acho que pode ter sido... assassinado...

Eu a encarei.

– Mas... que desatino. O que a faz pensar uma coisa dessas?

– Não fui *eu* que pensei. Para começo de conversa, o médico estava bem estranho. Ele se recusou a assinar o atestado. Vão fazer uma autópsia. Está bem claro que suspeitam de que haja algo errado.

Não contestei. Sophia era muito inteligente; qualquer conclusão a que chegasse merecia um voto de confiança.

No entanto, eu disse, muito sério:

– As suspeitas deles podem ser injustificadas. Mas deixando isso de lado e supondo que tenham razão de ser, como isso nos afeta?

– Pode afetar, sob certas circunstâncias. Você faz parte do corpo diplomático. Eles são muito exigentes em relação a esposas. Não... por favor, não diga todas as coisas que você está doido para dizer. Você está decidido a dizê-las, e acredito que você de fato as pense, e teoricamente concordo com elas. Mas sou orgulhosa, sou orgulhosa como o diabo. Quero que nosso casamento seja bom para todo mundo... Não quero representar a metade de um sacrifício feito por amor! E, como eu falei, *talvez* esteja tudo bem...

– Você quer dizer que o médico... talvez esteja enganado?

– Mesmo se não estiver enganado, não tem importância... contanto que a pessoa certa o tenha assassinado.

– Do que você está falando, Sophia?

– Foi uma besteira falar isso. Mas, no final das contas, alguém tem de ser honesto.

Ela evitou minhas palavras seguintes.

– Não, Charles. Não vou falar mais nada. Já devo ter falado demais. Mas eu estava decidida a vir encontrá-lo hoje... para vê-lo pessoalmente e fazê-lo entender. Não podemos resolver nada até que isso se esclareça.

– Ao menos me fale do assunto.

Ela fez que não.

– Não quero.

– Mas... Sophia...

– Não, Charles. Não quero que você nos veja da *minha* perspectiva. Quero que nos veja com um olhar neutro, de quem está de fora.

– E como é que vou fazer isso?

Ela me olhou, uma luz estranha em seus brilhantes olhos azuis.

– Através do seu pai – ela explicou.

Quando estávamos no Cairo, contei para Sophia que meu pai era comissário-assistente da Scotland Yard. Ele ainda ocupava o cargo. Ao ouvir aquelas palavras, senti um fardo gelado se instalar em mim.

– Então a situação é tão ruim assim?

– Imagino que é. Está vendo o homem sentado sozinho à mesa perto da porta? Um tipo apático, boa-pinta, que parece ter sido do exército?

– Estou.

– Ele estava na plataforma de Swinly Dean hoje, quando peguei o trem.

– Está querendo dizer que ele seguiu você até aqui?

– Isso mesmo. Acho que todos nós, como explicar?, estamos sob observação. Eles deram a entender que era melhor nenhum de nós sair de casa. Mas eu estava decidida a encontrá-lo. – O queixinho quadrado se projetou, destemido. – Saí pela janela do banheiro e desci pelo cano d'água.

– Querida!

– Mas a polícia é muito competente. E, claro, também teve o telegrama que mandei para você. Bem... não importa... estamos aqui, juntos... Mas de agora em diante, nós dois teremos de agir sozinhos.

Ela fez uma pausa e acrescentou:

– Infelizmente... não há dúvida... do amor que temos um pelo outro.

– Não há dúvida nenhuma – concordei. – E não diga "infelizmente". Você e eu sobrevivemos a uma guerra mundial, foram muitas as vezes em que escapamos por pouco de uma morte repentina, e não vejo por que a morte repentina de um homem de idade avançada... Que idade ele tinha, aliás?

– Oitenta e sete.

– Claro. Estava no *Times*. Na minha opinião, ele morreu só de velhice, e qualquer clínico geral que se preze aceitaria isso como fato.

– Se você conhecesse o meu avô – disse Sophia –, ficaria surpreso com a morte dele, por *qualquer* que fosse o motivo!

CAPÍTULO 3

Sempre nutri certo interesse pelo trabalho investigativo do meu pai, mas nada tinha me preparado para o momento em que passaria a nutrir um interesse sincero e pessoal por ele.

Ainda não tinha visto o Velho. Quando cheguei, ele já tinha ido embora, e depois de tomar um banho, me barbear e me trocar, saí para encontrar Sophia. Ao voltar para casa, no entanto, Glover me avisou que ele estava no escritório.

Ele estava sentado à escrivaninha, franzindo a testa diante de um monte de papéis. Deu um salto quando apareci.

– Charles! Puxa, há quanto tempo.

Nosso reencontro, após cinco anos de guerra, teria decepcionado um francês. Na verdade, toda a emoção do reencontro estava ali, sim. O Velho e eu nos gostamos muito e nos entendemos muito bem.

– Tenho uísque – ele anunciou. – Avise quando quiser. Desculpe por não estar em casa quando você chegou. Estou cheio de trabalho. Um caso infernal que está se desenrolando.

Recostei na cadeira e acendi um cigarro.

– Aristide Leonides? – indaguei.

Suas sobrancelhas imediatamente se aproximaram dos olhos. Ele me lançou uma olhadela, me examinando. Sua voz adquiriu um tom cortês e frio.

– O que o leva a dizer isso, Charles?

– Então acertei?

– Como você soube?

– Informações recebidas.

O Velho aguardou.

– Minha informação – prossegui – veio da própria cavalaria.

– Vamos lá, Charles. Vá direto ao ponto.

– Talvez você não goste disso – declarei. – Conheci Sophia Leonides no Cairo. Me apaixonei. Vou casar com ela. Eu a encontrei esta noite. Ela jantou comigo.

– Jantou com você? Em Londres? Me pergunto como ela conseguiu! Pediram à família, claro, com muita gentileza, que não saísse de casa.

– Isso mesmo. Ela saiu pela janela do banheiro e desceu agarrando-se a um cano.

Por um segundo, os lábios do Velho esboçaram um sorriso.

– Ela parece ser uma mocinha com iniciativa – disse ele.

– Mas o seu departamento de polícia é muito competente – declarei. – Um tipo que parece ser do exército a seguiu até o Mario's. Devo estar nos relatórios que você vai receber. Um metro e setenta e cinco, cabelos castanhos, olhos castanhos, terno risca de giz azul-marinho etc.

O Velho me olhou com severidade.

– Isso é... sério? – ele indagou.

– É – respondi. – É sério, pai.

Passamos um instante em silêncio.

– Você se importa? – perguntei.

– Não teria me importado... uma semana atrás. É uma família abastada... a garota vai ter dinheiro... e conheço você. Você não perde a cabeça por qualquer coisa. Do jeito que está...

– Sim, pai?

– Talvez fique tudo bem, se...

– "Se" o quê?

– Se a pessoa certa tiver feito isso.

Era a segunda vez naquela noite que eu ouvia aquela frase. Comecei a ficar interessado.

– Mas *quem é* a pessoa certa?

Ele me lançou um olhar mordaz.

– O que você sabe a respeito da situação toda?

– Nada.

– Nada? – Pareceu surpreso. – A garota não contou a você?

– Não. Ela falou que preferia que eu visse a situação com um olhar neutro, de quem está de fora.

– Eu me pergunto por que ela quer que seja assim.

– Não é óbvio?

– Não, Charles. Não acho que seja.

Ele andou de um lado para o outro, a testa enrugada. Havia acendido um charuto, que tinha se apagado. Isso me mostrou o quanto o velho garoto estava inquieto.

– O que você sabe sobre a família? – ele disparou.

– Nada! Sei que havia um velho e um monte de filhos e netos e aparentados. Não tenho uma noção clara das ramificações. – Hesitei e em seguida disse: – É melhor você me deixar por dentro dos fatos, pai.

– Sim. – Ele se sentou. – Pois bem... vou começar do começo, com Aristide Leonides. Ele chegou à Inglaterra aos 24 anos.

– Um grego de Esmirna.

– Você já sabia disso?

– Sim, mas é praticamente tudo o que sei.

A porta se abriu e Glover entrou para anunciar que o inspetor-chefe Taverner havia chegado.

– Ele foi encarregado do caso – esclareceu meu pai. – Melhor deixarmos que entre. Ele está investigando a família. Sabe mais a respeito deles do que eu.

Perguntei se a polícia local tinha pedido a ajuda da Scotland Yard.

– Está dentro da nossa jurisdição. Swinly Dean fica na região metropolitana de Londres.

Assenti no exato momento em que o inspetor-chefe Taverner entrava no aposento. Conhecera Taverner muitos anos atrás. Ele me cumprimentou calorosamente e me felicitou por ter regressado em segurança.

– Estou colocando Charles a par – disse o Velho. – Me corrija se eu estiver enganado, Taverner. Leonides chegou a Londres em 1884. Abriu um restaurante pequeno no Soho. Deu certo. Ele abriu outro. Pouco depois, já tinha sete ou oito. Todos fizeram sucesso rapidamente.

– Nunca cometeu nenhum erro em nada que ele administrava – disse Taverner.

– Tinha um talento natural – acrescentou meu pai. – No final, estava por trás da maioria dos restaurantes renomados de Londres. Depois entrou em grande estilo no ramo de bufês.

– Ele também tinha vários outros negócios – declarou Taverner. – Comércio de roupas de segunda mão, lojas de joias baratas, diversas coisas. É claro – acrescentou, ponderando a questão – que sempre foi um patife.

– Quer dizer que ele era desonesto? – indaguei.

Taverner fez que não.

– Não, não foi isso o que eu quis dizer. Era mal-intencionado, sim, mas não desonesto. Nunca fez nada que infringisse a lei. Mas era o tipo de sujeito que sempre inventava um modo de burlar a lei. Ganhou muito dinheiro dessa forma, mesmo nesta última guerra, mesmo com a idade que já tinha. Nada do que fazia era ilegal, mas assim que ele se envolvia em algo, era necessário criar uma lei, se é que você me entende. Mas a esta altura ele já tinha inventado outra coisa.

– Não me parece um sujeito muito cativante – eu disse.

– Engraçado, ele era cativante. Tinha carisma, sabe? Dava para sentir. Não tinha uma aparência das melhores. Não passava de um baixinho, um homenzinho feioso, mas era atraente: as mulheres sempre se apaixonavam por ele.

– Ele fez um casamento espantoso – disse meu pai. – Casou-se com a filha de um proprietário de terras, um mestre da caça de raposas.

Ergui as sobrancelhas.

– Dinheiro?

O velho negou com a cabeça.

– Não, foi uma união por amor. Ela o conheceu quando organizava o serviço de bufê para o casamento de uma amiga e se apaixonou por ele. Os pais da moça se irritaram, mas ela estava decidida a conquistá-lo. Vou lhe contar: o homem era charmoso. Havia algo de exótico e dinâmico nele que a encantou. Ela já não aguentava mais as pessoas com quem convivia.

– E o casamento era feliz?

– Era bem feliz, por estranho que pareça. Claro que os respectivos amigos não se misturavam; na época o dinheiro ainda não tinha posto de lado todas as diferenças de classe, mas isso não parecia preocupá-los. Eles ficavam bem sem os amigos. Ele construiu uma casa suntuosa em Swinly Dean, onde eles viveram e tiveram oito filhos.

– É realmente uma história e tanto.

– O velho Leonides foi muito perspicaz ao escolher Swinly Dean. Na época, o lugar estava começando a virar moda. O segundo e o terceiro campos de golfe ainda não tinham sido criados. Havia tanto os antigos moradores, que adoravam seus jardins e que gostavam do sr. Leonides, quanto os homens ricos do centro de Londres que queriam ser populares com Leonides, para que assim pudessem fazer contatos. Creio que foram extremamente felizes, até que ela morreu de pneumonia em 1905.

– Deixando-o com oito filhos?

– Um faleceu ainda pequeno. Dois morreram na última guerra. Uma filha se casou e foi viver na Austrália e morreu lá. Uma filha solteira morreu em um acidente de automóvel. Outra morreu um ou dois anos atrás. Dois ainda estão vivos: o mais velho, Roger, que é casado mas não tem filhos, e Philip, que se casou com uma atriz famosa e tem três filhos. A sua Sophia, Eustace e Josephine.

– E todos moram na... qual é mesmo o nome? Três Empenas?

– Sim. A casa de Roger Leonides foi bombardeada no início da guerra. Philip e sua família moram lá desde 1937. E há também uma tia idosa, srta. De Haviland, irmã da primeira sra. Leonides. Ao que parece, ela sempre detestou o cunhado, mas quando a irmã faleceu ela sentiu-se obrigada a aceitar o convite do cunhado para morar com ele e criar as crianças.

– Ela leva as obrigações muito a sério – disse o inspetor Taverner. – Mas não é do tipo que muda de opinião sobre as pessoas. Ela sempre desaprovou Leonides e seus métodos.

– Bem – eu disse –, é uma casa repleta de gente. Quem você acha que o assassinou?

Taverner balançou a cabeça.

– É cedo – declarou –, muito cedo para saber quem foi.

– Ora, Taverner – eu disse. – Aposto que você acha que sabe quem foi. Você não está no tribunal, camarada.

– Não – disse Taverner, com um ar triste. – E talvez nunca esteja.

– Você está querendo dizer que talvez ele não tenha sido assassinado?

– Ah, de que ele foi assassinado, eu não tenho dúvidas. Envenenado. Mas você sabe como são esses casos de envenenamento. Muito complicados. Todas as possibilidades podem apontar para um lado...

– É neste ponto que estou querendo chegar. Na sua cabeça, já está tudo amarrado, não está?

– É um caso com uma enorme probabilidade. É uma dessas coisas óbvias. A armadilha perfeita. Mas não posso ter certeza. É complicado.

Olhei para o Velho com uma expressão suplicante.

Ele disse, devagar:

– Em casos de assassinato, como você sabe, Charles, o óbvio em geral é a solução correta. O velho Leonides se casou de novo, dez anos atrás.

– Quando tinha 77 anos?

– Sim, ele se casou com uma moça de 24.

Eu assobiei.

– Que tipo de moça?

– Uma moça que conheceu em uma casa de chá. Uma moça totalmente respeitável... Bonita de um jeito anêmico, apático.

– E é ela a enorme probabilidade?

– Eu lhe pergunto, senhor – disse Taverner. – Ela só tem 34 anos, e essa é uma idade perigosa. Ela gosta de vida mansa. E há um jovem na casa. Tutor dos netos. Não lutou na guerra, sofre do coração ou algo do gênero. São unha e carne.

Olhei para ele de um jeito pensativo. Aquela combinação era, sem dúvida, um padrão antigo e conhecido. E a segunda sra. Leonides era, meu pai enfatizara, muito respeitável. Em nome da honra, muitos assassinatos haviam sido cometidos.

– Foi o quê? – perguntei. – Arsênico?

– Não. Ainda não recebemos o relatório do analista, mas o médico acha que foi eserina.

– É meio incomum, não é? Com certeza vai ser fácil descobrir o comprador.

– Não disso. A substância pertencia a ele mesmo, entende? Colírio.

– Leonides era diabético – acrescentou meu pai. – Tomava injeções regulares de insulina. A insulina é distribuída em garrafinhas com tampa de borracha. Uma agulha hipodérmica é enfiada pela tampa de borracha para encher a injeção.

Imaginei o que ele ia dizer em seguida.

– Mas o que tinha na garrafinha não era insulina, e sim eserina?

– Exatamente.

– E quem lhe deu a injeção? – perguntei.

– A esposa.

Nesse momento, entendi o que Sophia quis dizer com "a pessoa certa". Indaguei:

– A família se dá bem com a segunda sra. Leonides?

– Não. Pelo que entendi, eles mal se falam.

Parecia cada vez mais claro. No entanto, era óbvio que o inspetor Taverner não estava contente.

– Por que você não está satisfeito com isso? – perguntei.

– Se foi ela, sr. Charles, teria sido facílimo substituir a garrafinha por outra de insulina legítima depois. Na realidade, se ela é a culpada, não dá para entender por que não fez exatamente isso.

– É, parece ser a atitude lógica. Muita insulina por perto?

– Ah, sim, frascos cheios e vazios. E se tivesse sido ela, é bastante provável que o médico não tivesse percebido na mesma hora. Pouco se sabe do aspecto pós-morte em caso de envenenamento de seres humanos por eserina. Mas foi ele quem checou a insulina, para o caso de ter sido a dosagem errada ou algo assim, e, portanto, é claro, ele logo viu que *não era* insulina.

– Então, ao que parece – refleti –, ou a sra. Leonides é muito burra ou é possível que seja muito esperta.

– Você quer dizer...

– Que ela pode estar apostando que você chegará à conclusão de que ninguém seria tão burro como ela parece ter sido. Quais são as alternativas? Há outros... suspeitos?

O Velho disse baixinho:

– Basicamente qualquer pessoa dentro daquela casa pode ter cometido o assassinato. Havia sempre um bom estoque de insulina... pelo menos o suficiente para duas semanas. Um dos frascos pode ter sido adulterado e substituído com a ideia de que ele seria usado no devido tempo.

– E quem tinha acesso a eles?

– Eles não eram guardados num lugar trancado. Ficavam em uma prateleira específica do armário de remédios no banheiro da parte dele na casa. Todo mundo que mora lá podia ir e vir, sem restrições.

– Alguma motivação forte?

Meu pai suspirou.

– Meu caro Charles. Aristide Leonides era riquíssimo. É verdade que tinha transferido boa parte do dinheiro para a família, mas talvez alguém quisesse mais.

– Mas a pessoa que mais poderia querer seria a atual viúva. O amigo da viúva tem dinheiro?

– Não. É paupérrimo.

Então tive um estalo. Lembrei-me da citação de Sophia. De repente me recordei do verso inteiro da canção de ninar:

Havia um homem torto e uma milha torta ele caminhou.
Junto a uma escada torta uma moedinha torta encontrou...
Um rato torto seu gato torto agarrou,
E numa casinha torta esse grupo se aglomerou.

Eu disse para Taverner:

– Que impressão você tem dela... da sra. Leonides? O que acha dela?

Ele respondeu pausadamente:

– É difícil saber... muito difícil saber. Ela não é fácil. Muito quieta... Então não se sabe o que ela está pensando. Mas ela gosta de vida mansa... disso eu tenho certeza absoluta. Me lembra um gato, entende? Um gato manhoso, preguiçoso... Não que eu tenha algo contra os gatos. Não vejo nada de errado neles...

Ele suspirou.

– O que nós queremos – ele prosseguiu – é alguma *prova.*

Sim, pensei eu, *todos nós* queremos uma prova de que a sra. Leonides envenenara o marido. Sophia queria, e eu queria, e o inspetor-chefe Taverner queria.

Então tudo ficaria bem!

Mas Sophia não tinha certeza, eu não tinha certeza, e acho que o inspetor-chefe Taverner também não.

CAPÍTULO 4

No dia seguinte, fui a Três Empenas com Taverner.

Minha posição era inusitada. Era, no mínimo, bastante heterodoxa. Mas o Velho nunca foi muito ortodoxo.

Eu tinha certa reputação. Havia trabalhado no departamento de segurança política da Scotland Yard no início da guerra.

Claro que isto era completamente diferente, mas meu desempenho de outrora me deu, por assim dizer, certa reputação nesse meio.

Meu pai disse:

– Para solucionarmos o caso, precisamos de informações internas. Temos de saber tudo sobre as pessoas da casa. Temos que conhecê-las *de dentro*, não de fora. Você é o homem que pode conseguir isso para nós.

Não gostei da ideia. Joguei a ponta do meu cigarro na lareira enquanto dizia:

– Sou espião da polícia? É isso? Devo obter informações internas de Sophia, a quem eu amo e que, segundo eu creio, não só me ama como confia em mim?

O Velho ficou bastante irritado. Disse num tom ríspido:

– Pelo amor de Deus, não assuma essa posição tão banal. Para começo de conversa, você não acredita que a jovem matou o avô, acredita?

– É claro que não. Essa possibilidade é totalmente absurda.

– Muito bem, nós também achamos que não. Ela passou uns anos longe, sempre manteve uma relação perfeitamente amigável com ele. Ela tem uma renda muito generosa e ele ficaria, devo dizer, muito contente ao saber que ela havia noivado com você e é muito provável que fizesse um belo acordo de casamento por ela. Não suspeitamos de Sophia. Por que deveríamos? Mas você pode ter certeza de uma coisa. Se essa situação não se esclarecer, a garota não vai se casar com você. Pelo que você me disse, não tenho dúvida nenhuma disso. E pode escrever o que estou dizendo: esse é o tipo de crime que talvez *jamais* seja esclarecido. Podemos até ter a certeza, e com razão, de que a esposa e o rapaz agiram em conluio, mas provar é outra questão. Por enquanto, não temos nada para mostrar ao promotor público. E a não ser que arrumemos uma prova definitiva contra ela, sempre haverá uma dúvida desagradável. Você está entendendo, não está?

Sim, eu estava entendendo.

Em seguida, o Velho disse baixinho:

– Por que não se abre com ela?

– Você está querendo dizer... Perguntar a Sophia se eu... – Parei de falar.

O Velho assentia energicamente.

– Sim, sim. Não estou pedindo para que você se embrenhe sem ao menos falar para a garota o que está tramando. Veja o que ela pensa sobre isso.

Portanto, no dia seguinte fui a Swinly Dean com o inspetor-chefe Taverner e o sargento-detetive Lamb.

Um pouco depois do campo de golfe, viramos em um portão onde imaginei que antes da guerra houvera um par imponente de portões. O patriotismo ou o confisco inescrupuloso tinha acabado com eles. Passamos por uma estrada longa e tortuosa ladeada por rododendros e saímos numa rampa de cascalho diante da casa.

Era incrível! Perguntei-me por que recebera o nome de *Três* Empenas. Onze Empenas seria bem mais adequado! O curioso era que parecia torta, e imaginei saber o motivo. Seguia o estilo, na verdade, de um chalé: era um chalé inflado, desproporcional. Era como olhar para um chalé através de uma lupa gigantesca. As vigas inclinadas, o enxaimel, as empenas – era uma casinha torta que crescera como um cogumelo na calada da noite!

Porém, entendi o conceito. Era a ideia que um dono de restaurante grego fazia a respeito de algo inglês. O intuito era ser o lar de um inglês – construído do tamanho de um castelo! Fiquei me perguntando o que a primeira sra. Leonides achara daquilo. Não tinha, imaginei, sido consultada ou visto as plantas. Fora, muito provavelmente, uma surpresinha do marido exótico. Questionei-me se ela teria estremecido ou sorrido.

Pelo que se sabia, fora muito feliz vivendo ali.

– Meio opressivo, não é? – comentou o inspetor Taverner. – Claro que o velho cavalheiro a ampliou bastante: transformou-a em três casas separadas, por assim dizer, com cozinha e tudo. Lá dentro, é tudo da melhor qualidade, a casa é mobiliada como se fosse um hotel de luxo.

Sophia saiu pela porta da frente. Estava sem chapéu e usava uma camiseta verde e uma saia de tweed.

Ficou petrificada ao me ver.

– *Você?!* – ela exclamou.

Eu disse:

– Sophia, precisamos conversar. Aonde podemos ir?

Por um instante, pensei que estava contrariada, mas ela se virou e disse:

– Por aqui.

Atravessamos o gramado. Dali, tinha-se uma bela vista do campo número um de Swinly Dean, na direção de um morro cheio de pinheiros e, mais ao longe, a pouca luz do nebuloso ambiente interiorano.

Sophia me levou a um jardim ornamental de pedras, agora um tanto descuidado, onde havia um banco de madeira rústico muito desconfortável, e nos sentamos.

– Pois então? – ela disse.

Sua voz não era animadora.

Eu disse o que tinha para dizer – sem deixar nada de fora.

Ela me ouviu com atenção. Seu rosto quase não demonstrava o que estava pensando, mas quando enfim terminei de falar, ela suspirou. Foi um suspiro profundo.

– O seu pai – ela declarou – é um homem muito inteligente.

– O Velho tem lá seus argumentos. Eu acho a ideia podre, mas...

Ela me interrompeu.

– Ah, não – disse ela. – A ideia não é podre. É a única coisa que pode ser proveitosa. Seu pai, Charles, sabe exatamente o que está se passando pela minha cabeça. Ele sabe melhor do que você.

Com uma veemência súbita, quase desesperada, ela lançou o punho cerrado contra a palma aberta da outra mão.

– Eu *preciso* da verdade. Eu preciso *saber*.

– Por nossa causa? Mas, minha querida...

– Não só por nossa causa, Charles. Tenho que saber pela minha própria paz de espírito. Veja, Charles, não contei a você ontem à noite, mas a verdade é que estou com medo.

– Com medo?

– Sim, com medo, muito medo. A polícia acha, seu pai acha, você acha, todo mundo acha, que foi a Brenda.

– As probabilidades...

– Ah, sim, é bem provável. É possível. Mas quando digo "Foi Brenda quem fez isso", sei que estou me iludindo. Porque, veja só, *não acho que seja verdade.*

– Você *não acha* que seja a verdade? – repeti devagar.

– Eu não *sei*. Você soube de tudo por meio de pessoas de fora, como eu queria que você soubesse. Agora vou lhe mostrar as coisas do lado de dentro. Simplesmente não tenho a impressão de que Brenda é esse tipo de pessoa. Sinto que ela não é do tipo que faria algo que pudesse colocá-la em risco. Ela é cuidadosa demais com ela mesma.

– E o tal rapaz? Laurence Brown.

– Laurence é um mosca-morta. Ele não teria coragem.

Será?

– É, a gente não tem certeza, não é? Quer dizer, as pessoas podem nos surpreender terrivelmente. A gente constrói uma ideia a respeito delas na cabeça que às vezes é totalmente errada. Não sempre, mas às vezes. Mas mesmo assim, a Brenda – ela balançou a cabeça –, ela sempre agiu com coerência. Ela é o que eu chamo de protótipo de mulher de harém. Gosta de ficar sentada comendo doces, de ter belas roupas e joias, de ler romances baratos e ir ao cinema. É esquisito dizer isso, quando pensamos que ele tinha 87 anos, mas acredito que ela fosse fascinada pelo vovô. Ele tinha uma energia, sabe? Imagino que fosse capaz de fazer uma mulher se sentir... ah... como uma rainha... a predileta do sultão! Acho, sempre achei, que ele fazia com que Brenda se sentisse uma pessoa romântica, empolgante. Ele foi esperto com relação às mulheres a vida inteira. E esse tipo de coisa é uma espécie de arte, é um dom que não se perde, por mais idosa que a pessoa seja.

Por um instante, deixei a questão de Brenda de lado e voltei à expressão de Sophia, que me incomodara.

– Por que você falou que está com medo? – indaguei.

Sophia teve um leve tremor e pressionou uma mão contra a outra.

– Porque é verdade – ela disse em voz baixa. – É muito importante, Charles, que eu consiga fazê-lo entender. Veja só: a minha família é bastante esquisita... Somos *brutais*, e de modos diferentes. É isso que é tão perturbador. Esses diferentes modos.

Ela deve ter percebido a incompreensão no meu rosto. Prosseguiu, se explicando com muito vigor.

– Vou tentar deixar claro o que estou tentando dizer. Vovô, por exemplo. Uma vez, quando estava nos contando sobre sua infância em Esmirna, mencionou, de um jeito bem casual, que havia esfaqueado dois homens. Foi alguma rixa... algum insulto imperdoável... sei lá... mas foi só uma situação que aconteceu naturalmente. Na verdade, ele tinha praticamente se esquecido do fato. Mas de certa forma era estranho ouvir uma coisa dessas sendo contada de um jeito casual, na *Inglaterra*.

Eu concordei com a cabeça.

– Este é um tipo de brutalidade – continuou Sophia –, mas também havia a minha avó. Pouco me lembro dela, mas me contaram várias coisas. Acho que ela tinha a espécie de brutalidade dos que não têm imaginação nenhuma. Todos aqueles ancestrais caçadores de raposas, e os velhos generais, aquelas figuras que dizem "atire para matar". Cheia de integridade e arrogância, sem medo nenhum de se responsabilizar por questões de vida ou morte.

– Não é meio forçado?

– Ouso dizer que sim... mas sempre tenho medo dessas pessoas. São cheias de integridade mas *são* brutais. E tem também a minha mãe... ela é atriz... é um doce, mas não tem *nenhum* senso de proporção. É uma dessas pessoas egoístas, insensíveis, que só veem as coisas de acordo com o impacto que causam *nelas*. Às vezes é meio assustador, sabe? E tem a Clemency, esposa do tio Roger. Ela é cientista, está fazendo alguma pesquisa importantíssima. Ela também é brutal, de um jeito impessoal, sangue-frio. Tio Roger é o oposto: é a pessoa mais generosa e amável do mundo, mas tem um gênio terrível. As coisas fazem seu sangue ferver e então ele mal sabe o que está fazendo. E tem o meu pai...

Ela fez uma longa pausa.

– Papai – ela disse devagar – é quase que excessivamente controlado. Nunca se sabe o que ele está pensando. Nunca demonstra nenhuma emoção. Deve ser uma espécie de defesa inconsciente diante das orgias emocionais da minha mãe, mas de vez em quando isso me deixa um pouco preocupada.

– Minha querida – eu disse –, você está se exaltando demais. A conclusão é de que todo mundo talvez seja capaz de cometer um assassinato.

– Imagino que você tenha razão. Até eu.

– Não você!

– Ah, sim, Charles, você não pode achar que sou uma exceção. Imagino que eu *seria* capaz de matar alguém... – Calou-se por uns instantes, depois acrescentou: – Mas se fosse o caso, teria de ser por um motivo muito bom!

Eu ri. Não pude evitar. E Sophia abriu um sorriso.

– Talvez eu seja uma boba – disse ela –, mas temos de descobrir a verdade sobre a morte do meu avô. Temos de descobrir. Se ao menos *tivesse sido* Brenda...

De repente, senti muita pena de Brenda Leonides.

CAPÍTULO 5

Seguindo a trilha que fizemos, veio em nosso encalço uma pessoa alta, andando a passos firmes. Usava um chapéu de feltro surrado, uma saia disforme e um colete de lã muito desajeitado.

– Tia Edith – disse Sophia.

A pessoa parou uma ou duas vezes, inclinando-se em direção às flores que contornavam a trilha, e em seguida se aproximou mais um pouco de nós. Fiquei de pé.

– Este é Charles Hayward, tia Edith. Minha tia, a srta. De Haviland.

Edith de Haviland tinha cerca de setenta anos. Era uma massa de cabelos grisalhos desgrenhados, rosto castigado pelo clima e olhar perspicaz e incisivo.

– Como vai? – ela disse. – Ouvi falar de você. Voltou do Oriente. Como é que está o seu pai?

Muito surpreso, disse que ele estava bem.

– Eu o conheci quando ele era um menino – declarou a srta. De Haviland. – Conhecia muito bem a mãe dele. Você se parece com ela. Você veio nos ajudar... ou fazer outra coisa?

– Espero ajudar – respondi, incomodado.

Ela assentiu.

– A gente bem que precisa de ajuda. O lugar está infestado de policiais. Surgem na nossa frente em tudo quanto é lugar. Não gosto de alguns dos tipos. Um menino que frequentou uma escola decente não deve entrar para a polícia. Vi o menino da Moyra Kinoul outro dia controlando o tráfego em Marble Arch. A gente tem a sensação de que não sabe onde está!

Ela se virou para Sophia.

– A babá está procurando você, Sophia. Peixe.

– Que diabos – disse Sophia. – Vou dar um telefonema e resolver isso.

Foi andando, zangada, até a casa. A srta. De Haviland deu meia-volta e seguiu o mesmo caminho, caminhando devagar. Acompanhei seus passos.

– Não sei o que seria de nós sem as babás – comentou a srta. De Haviland. – Quase todo mundo tem uma babá antiga. Elas voltam e lavam e passam e cozinham e fazem os serviços domésticos. São leais. Escolhi essa sozinha... há muitos anos.

Ela parou e puxou ferozmente uma planta verde espiralada.

– Coisinha detestável... trepadeira! Pior erva daninha que existe! Sufoca, enrosca... e não dá para cortá-la direito, ela corre por debaixo da terra.

Com o salto do sapato, ela triturou cruelmente o punhado de plantas.

– É um mau negócio, Charles Hayward – declarou. Estava olhando para a casa. – O que a polícia acha? Imagino que não deva fazer essa pergunta a você. É estranho pensar em Aristide envenenado. Aliás, é estranho pensar que ele está morto. Nunca gostei dele, nunca! Mas não consigo me acostumar com a ideia de que ele está morto... Faz com que a casa pareça tão... vazia.

Não abri a boca. Pelo discurso seco, Edith de Haviland parecia estar com disposição para reminiscências.

– Estava pensando hoje de manhã... faz muito tempo que moro aqui. Mais de quarenta anos. Vim para cá quando minha irmã faleceu. *Ele* me pediu para vir. Sete filhos, e o caçula tinha só um ano... Não podia deixar que fossem criados por um gringo, não é? Um casamento impossível, é claro. Sempre tive a impressão de que Marcia devia estar... bem, enfeitiçada. Um gringo ordinário, feio e baixinho! Ele me deu liberdade para fazer o que eu achasse melhor, isso eu admito. Babás, governantas, escolas. E comida saudável para as crianças, não aqueles pratos esquisitos de arroz apimentado que *ele* comia.

– E a senhorita está aqui desde então? – murmurei.

– Estou. Estranho, de certa forma. Eu *podia* ter ido embora, imagino, quando as crianças cresceram e se casaram. Acho que na verdade eu acabei me interessando pelo jardim. E depois teve o Philip. Se um homem se casa com uma atriz, não pode esperar ter uma vida doméstica. Não sei por que atrizes têm filhos. Assim que o bebê nasce, elas correm para integrar um grupo de teatro de repertório em Edimburgo ou em algum outro lugar, o mais distante possível. Philip tomou uma atitude ajuizada: se mudou para cá com os livros dele.

– O que Philip Leonides faz?

– Escreve livros. Não entendo por quê. Ninguém quer ler. Todos sobre detalhes históricos obscuros. Você nunca ouviu falar deles, não é?

Admiti que não.

– Dinheiro demais, é isso o que ele tem – afirmou a srta. De Haviland. – Em geral, as pessoas têm de abrir mão da excentricidade e trabalhar para ganhar o sustento.

– Os livros não dão lucro?

– Claro que não. Dizem que é uma grande autoridade em relação a certos períodos e coisa e tal. Mas ele não precisa que os livros deem lucro: Aristide determinou uma quantia de mais ou menos cem mil libras... uma quantia fantástica... para ele! Para evitar os impostos sobre heranças! Aristide tornou todos eles independentes financeiramente. Roger gerencia o bufê, Sophia tem uma bela pensão. O dinheiro das crianças está guardado em um fundo.

– Então ninguém ganha muito com a morte dele?

Ela me lançou um olhar esquisito.

– Eles ganham, sim. Todos ganham mais dinheiro. Mas provavelmente o conseguiriam se pedissem, de todo modo.

– Tem alguma ideia de quem o envenenou, srta. De Haviland?

Ela respondeu do jeito típico:

– Não, não tenho mesmo. Isso me deixou bastante chateada. Não é agradável pensar que temos uma pessoa meio Bórgia à solta dentro de casa. Imagino que a polícia vá se concentrar na coitada da Brenda.

– Não acha que têm razão em fazê-lo?

– Simplesmente não sei. Sempre tive a impressão de que ela é uma moça muito burra e comum, bastante convencional. Não é a minha ideia de alguém que seria capaz de envenenamento. Mas, no final das contas, se uma moça de 24 anos se casa com um homem de quase oitenta, é óbvio que está se casando por dinheiro. Levando em consideração o rumo natural dos acontecimentos, ela esperava virar uma viúva rica em breve. Mas Aristide era um homem de vigor incomum. A diabetes não estava piorando. Parecia que ia viver até os cem. Acho que ela deve ter cansado de esperar...

– Neste caso – eu disse, e me interrompi.

– Neste caso – prosseguiu a srta. De Haviland, rapidamente –, tudo ficará mais ou menos bem. Publicidade irritante, é claro. Mas no final das contas, ela não é parte da família.

– Não tem outras ideias? – perguntei.

– Que outras ideias eu deveria ter?

Isso é o que eu gostaria de saber. Suspeitava de que se passasse muito mais sob aquele chapéu de feltro surrado do que eu sabia.

Por trás daquele comentário petulante, quase desconexo, imaginei haver uma cabeça muito arguta em ação. Por um instante, cheguei a me perguntar se não teria sido a srta. De Haviland quem envenenara Aristide Leonides...

Não parecia impossível. Fiquei com a leve impressão de que havia um quê de minúcia vingativa na forma como tinha esmagado a trepadeira contra a terra com o salto.

Lembrei-me da palavra que Sophia usara. *Brutalidade.*

Olhei de soslaio para Edith de Haviland.

Caso tivesse um motivo forte o suficiente... Mas o que exatamente pareceria a Edith de Haviland um motivo forte o suficiente?

Para achar a resposta, precisaria conhecê-la melhor.

CAPÍTULO 6

A porta da frente estava aberta. Passamos por um vestíbulo cuja extensão era surpreendente. Era mobiliado com comedimento – carvalho escuro bem polido e latão reluzente. Na outra ponta do aposento, onde normalmente haveria uma escada, havia uma parede de painéis brancos com uma porta.

– A parte do meu cunhado na casa – disse a srta. De Haviland. – O térreo é do Philip e da Magda.

Entramos em um corredor à esquerda e chegamos a uma sala de estar ampla. Tinha paredes de painéis azul-claros, móveis cobertos por brocados grossos e, penduradas nas paredes e também sobre todas as mesas desocupadas, havia fotografias de atores, dançarinos e cenários e esboços de palcos. Um Degas de bailarinas encimava o console da lareira. Havia flores em abundância, enormes crisântemos marrons e vasos grandes de cravos.

– Imagino – disse a srta. De Haviland – que você queira ver Philip.

Eu queria ver Philip? Não sabia disso. Tudo o que eu queria era ver Sophia. Isso eu já tinha feito. Ela fora enfática ao incentivar o plano do Velho, mas agora tinha saído de cena e, supostamente, estava em algum lugar dando um telefonema para discutir peixes, sem ter me dado nenhuma indicação de como proceder. Será que devia abordar Philip Leonides como um jovem ansioso para casar a filha, como um amigo informal que decidira fazer uma visita – com certeza não em um momento como este! – ou como colaborador da polícia?

A srta. De Haviland não me deu tempo de ponderar a pergunta. Na verdade, não era uma pergunta, mas sim uma afirmação. A srta. De Haviland, avaliei, era mais propensa a afirmar do que a perguntar.

– Nós vamos à biblioteca – declarou.

Ela me guiou até lá, saindo da sala para um corredor e entrando por outra porta.

Era um ambiente imenso, repleto de livros. Os livros não se restringiam às prateleiras que chegavam até o teto. Estavam sobre as cadeiras e mesas e até mesmo no chão. No entanto, não davam a impressão de que estavam desorganizados.

A biblioteca era fria. Faltava-lhe um aroma que eu tinha a consciência de ter esperado. Cheirava ao bolor de livros antigos, com um toque de cera. Em um ou dois segundos percebi do que senti falta: do cheiro de tabaco. Philip Leonides não era fumante.

Ele se levantou de trás da escrivaninha quando entramos no aposento. Era um homem alto, de mais ou menos cinquenta anos; um homem de beleza extraordinária. Todo mundo tinha dado tamanha ênfase à feiura de Aristide Leonides que por alguma razão eu esperava que seu filho também fosse feio. Não restam dúvidas de que eu não estava preparado para feições tão perfeitas: o nariz reto, a mandíbula de traço impecável, os cabelos claros com toques grisalhos penteados para trás, deixando à mostra a testa bem-proporcionada.

– Este é Charles Hayward, Philip – apresentou a srta. De Haviland.

– Ah, como vai?

Não ficou claro se ele já tinha ouvido falar de mim. A mão que me esticou estava fria. Sua expressão não traía nenhuma curiosidade. Deixou-me bastante nervoso. Ele permaneceu de pé, paciente e desinteressado.

– Onde estão aqueles policiais horrorosos? – reclamou a srta. De Haviland. – Eles já estiveram aqui?

– Creio que o inspetor-chefe – ele olhou para um cartão em cima da escrivaninha – er... Taverner logo chegará para conversar comigo.

– Onde ele está agora?

– Não faço ideia, tia Edith. Imagino que lá em cima.

– Com a Brenda?

– Eu realmente não sei.

Olhando para Philip Leonides, parecia totalmente impossível que um assassinato tivesse sido cometido em algum ponto do ambiente que o cercava.

– Magda já acordou?

– Não sei. Em geral, ela só se levanta depois das onze.

– Parece ser ela – disse Edith de Haviland.

O que parecia ser a sra. Philip Leonides era uma voz estridente falando rápido e se aproximando depressa. A porta atrás de mim foi escancarada e uma mulher entrou. Não sei como ela conseguiu passar a impressão de que três mulheres entravam na biblioteca em vez de uma só.

Fumava um cigarro com uma piteira comprida e usava um robe de cetim pêssego, que segurava com uma das mãos. Uma cascata de cabelos ruivos caía-lhe pelas costas. O rosto tinha aquele ar quase chocante de nudez que as mulheres têm hoje em dia, quando não usam maquiagem. Os olhos eram azuis e enormes, e ela falava rápido, com uma voz rouca, muito atraente, e a pronúncia bastante clara.

– Querido, eu não aguento... eu simplesmente não aguento... imagine só as notícias... ainda não saiu nos jornais, mas é claro que sairá... e eu simplesmente não consigo decidir o que usar no inquérito... muito, muito restrito... mas não preto, talvez roxo... e simplesmente não me sobrou cupom nenhum... perdi o endereço daquele homem terrível que os vende para mim... sabe, aquela garagem em algum lugar, perto de Shaftesbury Avenue... e se eu for até lá de carro a polícia vai me seguir, e quem sabe me fazer perguntas embaraçosas, não é? Quer dizer, o que eles poderiam falar? Como você está tranquilo, Philip! Como você consegue ficar tão tranquilo? Você não percebe que agora podemos ir embora desta casa terrível? Liberdade... liberdade! Ah, que indelicadeza... o coitado do Docinho... claro que jamais o abandonaríamos enquanto estivesse vivo. Ele de fato nos adorava, não é verdade... apesar de toda a encrenca que aquela mulher lá em cima tentou criar entre nós. Tenho certeza absoluta de que se tivéssemos ido embora e o deixado nas mãos dela, ele teria nos excluído de tudo. Criatura horrível! Afinal, o coitado do Docinho de Coco estava à beira dos noventa anos... nem todo o amor fraternal do mundo poderia enfrentar uma mulher terrível como aquela. Sabe, Philip, acho que seria uma bela oportunidade de montarmos a peça da Edith Thompson. Este assassinato já garantiria muita publicidade. Bildenstein falou que consegue o ator dramático... aquela peça medonha em versos sobre os mineiros vai sair de cartaz a qualquer instante, é um papel maravilhoso, maravilhoso. Eu sei que dizem que só posso fazer comédia por causa do meu nariz, mas você sabe que tem muita comédia em Edith Thompson, acho que o autor não percebeu isso. A comédia sempre aumenta o suspense. Sei exatamente como interpretá-la: banal, tola, fingida até o último minuto, e então...

Ela esticou o braço – o cigarro caiu da piteira para o mogno polido da escrivaninha de Philip e começou a queimá-lo. Impassível, ele estendeu a mão para pegá-lo e jogou-o no cesto de lixo.

– E então – sussurrou Magda Leonides, os olhos se esbugalhando de repente, o rosto retesando-se –, o mero *terror*...

O pavor absoluto permaneceu em seu rosto por cerca de vinte segundos, e em seguida ela o relaxou, o franziu, uma criança desnorteada à beira das lágrimas.

De repente, toda a emoção foi apagada, como se absorvida por uma esponja, e, virando-se para mim, ela perguntou em um tom profissional:

– Você não acha que essa é a maneira certa de interpretar Edith Thompson?

Eu disse que achava que aquela era exatamente a maneira certa de interpretar Edith Thompson. Naquele momento, lembrava apenas vagamente quem era Edith Thompson, mas desejava começar bem a minha relação com a mãe de Sophia.

– Ela era muito parecida com Brenda, na verdade, não era? – disse Magda. – Sabe, nunca tinha pensado nisso. É muito interessante. Devo chamar a atenção do inspetor para este fato?

O homem atrás da escrivaninha franziu a testa de modo quase imperceptível.

– Não há necessidade, Magda – ele respondeu –, de que você o veja. Posso contar para ele tudo o que queira saber.

– Não devo vê-lo? – Ela ergueu a voz. – Mas é óbvio que devo vê-lo! Querido, querido, você é de uma falta de imaginação terrível! Você não percebe a importância dos detalhes. Ele vai querer saber exatamente como e quando tudo aconteceu, todas as mínimas coisinhas que cada um notou e sobre as quais se questionou na época...

– Mãe – disse Sophia, entrando pela porta aberta –, você não vai falar um monte de mentiras para o inspetor.

– Sophia... *querida*...

– Eu sei, meu amor, que você já está com tudo preparado e que está pronta para uma bela atuação. Mas você se enganou. Se enganou redondamente.

– Bobagem. Você não sabe...

– Sei, sim. Você tem que interpretar de um jeito bem diferente, querida. Contida, falando muito pouco, hesitando, sendo cautelosa, protegendo a família.

O rosto de Magda Leonides expressava a perplexidade ingênua de uma criança.

– Querida – ela disse –, você acha mesmo...

– Acho sim. Esqueça isso. Esta é a ideia.

Sophia acrescentou, quando um sorrisinho contente começou a esboçar-se no rosto da mãe:

– Fiz um chocolate para você. Deixei na sala de estar.

– Ah, que bom... estou morrendo de fome...

Ela parou no vão da porta.

– Você não sabe – proclamou Magda, e as palavras pareciam dirigidas a mim ou à estante de livros atrás de minha cabeça – como é agradável ter uma filha!

Depois dessa frase, ela saiu de cena.

– Só Deus sabe – disse a srta. De Haviland – o que ela dirá à polícia!

– Ela vai se sair bem – declarou Sophia.

– Ela é capaz de dizer *qualquer coisa.*

– Não se preocupe – falou Sophia. – Ela vai atuar como o produtor mandar. *Eu* sou a produtora.

Ela foi atrás da mãe e logo retornou para dizer:

– O inspetor-chefe Taverner está aqui para vê-lo, pai. Você não se importa que o Charles fique aqui, não é?

Pensei ter visto um leve ar de perplexidade no rosto de Philip Leonides. Era bem possível! Mas seus modos desinteressados me eram vantajosos. Ele murmurou:

– Ah, certamente que não, certamente que não – em um tom bastante vago.

O inspetor-chefe Taverner entrou no recinto, firme, seguro e com um ar de diligência profissional que de certa forma era reconfortante.

"Só um pouquinho de aborrecimento", seus modos pareciam anunciar, "e então nunca mais colocaremos os pés nesta casa – e ninguém ficará mais satisfeito com isso do que eu. Nós não queremos nos demorar por aqui, posso lhe garantir..."

Não sei como ele conseguiu, sem pronunciar uma única palavra, mas apenas puxando uma cadeira para perto da escrivaninha, comunicar o que queria, mas funcionou. Sentei-me longe dos dois, a fim de não atrapalhar.

– Sim, inspetor-chefe? – disse Philip.

A srta. De Haviland perguntou, de repente:

– Não quer falar comigo, inspetor-chefe?

– Por enquanto não, srta. De Haviland. Mais tarde, se puder dar uma palavrinha...

– Claro. Estarei lá em cima.

Ao sair, ela fechou a porta.

– Pois não, inspetor-chefe? – repetiu Philip.

– Sei que o senhor é muito ocupado e não vou incomodá-lo por muito tempo. Mas preciso lhe confidenciar que nossas suspeitas se confirmaram. Seu pai não morreu de causas naturais. A morte dele foi resultado de uma overdose de fisostigmina, mais conhecida pelo nome de eserina.

Philip inclinou a cabeça. Não demonstrava emoção nenhuma.

– Não sei se isso significa alguma coisa para o senhor – prosseguiu Taverner.

– O que poderia significar? Minha opinião é de que meu pai deve ter ingerido o veneno por acidente.

– Realmente acredita nisso, sr. Leonides?

– Acredito. Me parece totalmente possível. Ele estava à beira dos noventa anos, não se esqueça, e sua visão estava péssima.

– Então ele esvaziou o conteúdo do frasco de colírio no frasco de insulina. Acha mesmo que esse palpite é plausível, sr. Leonides?

Philip não respondeu. Sua expressão tornou-se ainda mais impassível.

Taverner continuou:

– Achamos o frasco de colírio, vazio, na lixeira, sem nenhuma digital. Só isso já é curioso. Normalmente, haveria digitais. Obviamente, as de seu pai, talvez a da esposa, ou do criado...

Philip Leonides ergueu o olhar.

– O que tem o criado? – disse ele. – O que tem o Johnson? O senhor está sugerindo que Johnson seja o provável criminoso?

– Não há dúvida de que ele teve a oportunidade. Mas no que se refere à motivação, é diferente. Seu pai tinha o costume de dar-lhe um bônus todo ano, e a cada ano o bônus aumentava. Seu pai deixou bem claro que tirava a quantia do montante que, de toda forma, lhe deixaria em testamento. O bônus agora, após sete anos de serviços prestados, chegou a um valor anual bastante considerável e não para de aumentar. É óbvio que interessava a Johnson que seu pai vivesse por muitos anos. Além disso, a relação dos dois era ótima, e o histórico empregatício de Johnson é impecável: ele é um criado leal e totalmente qualificado. – Ele fez uma pausa. – Não suspeitamos de Johnson.

Philip retrucou, em tom neutro:

– Entendo.

– Agora, talvez o senhor possa me fazer um relato detalhado de suas próprias atividades no dia da morte de seu pai.

– Certamente, inspetor-chefe. Fiquei aqui, neste aposento, o dia inteiro... à exceção das refeições, é claro.

– O senhor viu seu pai?

– Eu lhe dei bom dia depois do café da manhã, como de hábito.

– O senhor ficou sozinho com ele nesse momento?

– Minha... er... madrasta estava no recinto.

– Ele lhe pareceu normal?

Com um leve toque de sarcasmo, Philip respondeu:

– Ele não demonstrou nenhum conhecimento prévio de que seria assassinado naquele dia.

– A parte da casa que seu pai habitava é completamente separada desta?

– Sim, o único acesso é pela porta que há no corredor.

– A porta fica trancada?

– Não.

– Nunca?

– Até onde sei, nunca.

– Qualquer um podia entrar e sair da parte da casa que pertencia a ele?

– Claro. Ela só era separada do ponto de vista da conveniência doméstica.

– Como o senhor tomou conhecimento da morte do seu pai?

– Meu irmão Roger, que ocupa a ala oeste do segundo andar, desceu correndo para me contar que meu pai tinha tido um mal súbito. Estava com dificuldade de respirar e parecia bastante indisposto.

– O que o senhor fez?

– Telefonei para o médico, o que aparentemente ninguém cogitou fazer. O médico tinha saído, mas deixei recado para que ele viesse o quanto antes. Em seguida, eu subi.

– E então?

– Estava claro que meu pai estava muito mal. Ele morreu antes que o médico chegasse.

A voz de Philip não traía nenhuma emoção. Era uma mera declaração factual.

– Onde estava o resto da família?

– Minha esposa estava em Londres. Ela voltou pouco depois. Creio que Sophia também não estava em casa. Os mais jovens, Eustace e Josephine, estavam.

– Espero que não me entenda mal, sr. Leonides, se eu lhe perguntar como a morte do seu pai afetará sua situação financeira.

– Fico muito grato por seu interesse em todos os fatos. Meu pai nos tornou independentes financeiramente muitos anos atrás. Ele nomeou o meu irmão presidente e acionista majoritário da Associated Catering, sua maior empresa, e deixou a administração da firma totalmente nas mãos dele. Ele transferiu para mim uma quantia que considerou equivalente. Na prática, acho que foram 150 mil libras em diversos títulos e ações, assim eu poderia usar o capital como quisesse. Ele também deu quantias muito generosas para as minhas duas irmãs, agora já falecidas.

– Mas ainda assim era um homem riquíssimo?

– Não, na verdade ele só manteve para si uma renda modesta, em comparação. Ele disse que isso lhe daria um objetivo de vida. Desde aquela época – pela primeira vez um sorriso se esboçou nos lábios de Philip – ele se tornou, como resultado de vários empreendimentos, um homem ainda mais rico do que antes.

– O senhor e o seu irmão mudaram-se para cá. Isso não foi consequência de alguma dificuldade... financeira?

– De jeito nenhum. Foi uma mera questão de conveniência. Meu pai sempre disse que ficaria satisfeito em nos receber caso desejássemos morar com ele. Por diversas razões domésticas, esta foi uma atitude conveniente a tomar, no meu caso. Além disso – acrescentou Philip, sem que fosse pressionado –, eu adorava meu pai. Vim para cá com a minha família em 1937. Não pago aluguel, mas pago minha parte dos impostos.

– E o seu irmão?

– Meu irmão veio para cá em consequência da guerra, quando a casa dele, em Londres, foi bombardeada em 1943.

– Pois bem, o senhor tem alguma ideia de quais são os termos do testamento de seu pai?

– Tenho uma ideia muito clara. Ele refez o testamento em 1946. Meu pai não era homem de guardar segredos. Era muito ligado à família. Organizou uma reunião familiar, em que seu advogado também esteve presente e foi ele quem, a pedido do meu pai, nos esclareceu os termos do testamento. Imagino que o senhor já conheça os termos. Sem dúvida, o sr. Gaitskill já lhe deixou a par. Grosso modo, o montante de cem mil libras, sem nenhuma retenção de impostos, foi deixado para a minha madrasta, além do acordo de casamento já bastante generoso. O que restar de seus bens depois que forem pagos todos os impostos será dividido em três partes: uma para mim, uma para o meu irmão e a outra será depositada em um fundo para os três netos. O patrimônio é grande, mas os impostos sobre a herança serão, claro, muito pesados.

– Algum legado deixado para criados ou caridade?

– Nenhum legado de qualquer espécie. Os salários pagos aos criados eram aumentados anualmente caso continuassem a servi-lo.

– Desculpe perguntar, mas o senhor não está mesmo precisando de dinheiro, sr. Leonides?

– O imposto de renda, como o senhor sabe, é um tanto pesado, inspetor-chefe, mas minha renda atende perfeitamente às minhas necessidades... e às de minha esposa. Além disso, meu pai frequentemente dava a todos nós presentes generosos, e caso houvesse alguma emergência, ele se dispunha a nos socorrer na mesma hora.

Philip acrescentou, com frieza e objetividade:

– Posso lhe garantir que eu não tinha nenhum motivo financeiro para desejar a morte do meu pai, inspetor-chefe.

– Peço mil desculpas, sr. Leonides, se lhe pareceu que eu sugeri algo desse gênero. Mas temos de saber de todos os fatos. No entanto, receio que tenha de lhe fazer umas perguntas delicadas. Dizem respeito à relação entre seu pai e a esposa. Eles eram felizes juntos?

– Até onde sei, muito.

– Não discutiam?

– Acho que não.

– Havia uma... grande disparidade no que concerne à faixa etária?

– Havia.

– O senhor... me perdoe... aprovou o segundo casamento de seu pai?

– Não me pediram aprovação.

– Isso não é resposta, sr. Leonides.

– Já que o senhor faz questão de uma resposta, vou dizer que considerei o casamento insensato.

– O senhor advertiu seu pai quanto a isso?

– Quando soube, já era fato consumado.

– Bastante chocante para o senhor, não é?

Philip não respondeu.

– O senhor guardou algum ressentimento em relação ao assunto?

– Meu pai tinha plena liberdade para fazer o que bem entendesse.

– Sua relação com a sra. Leonides é amistosa?

– Perfeitamente.

– O senhor mantém uma relação cordial com ela?

– Raramente nos encontramos.

O inspetor-chefe Taverner mudou de assunto.

– O senhor poderia me dizer algo a respeito do sr. Laurence Brown?

– Receio que não. Ele foi contratado pelo meu pai.

– Mas foi contratado para dar aulas a seus filhos, sr. Leonides.

– É verdade. Meu filho sofreu paralisia infantil... por sorte foi um caso leve e considerou-se pouco aconselhável que ele fosse mandado para uma escola pública. Meu pai sugeriu que ele e minha filha, Josephine, tivessem um professor particular. As opções na época eram bastante limitadas, já que o professor em questão devia ser desqualificado para o serviço militar. As credenciais do rapaz eram satisfatórias, meu pai e minha tia, que sempre cuidou do bem-estar das crianças, ficaram satisfeitos, e eu concordei. Devo acrescentar que não vejo falha nenhuma em seu ensino, que sempre foi escrupuloso e adequado.

– As acomodações dele ficam na parte da casa que cabiam a seu pai, e não aqui?

– Havia mais espaço lá.

– Em algum momento o senhor notou... perdão pela pergunta... sinais de intimidade entre Laurence Brown e sua madrasta?

– Não tive nenhuma oportunidade de observar algo do gênero.

– O senhor ouviu alguma fofoca ou mexerico sobre esse assunto?

– Não dou ouvidos a fofocas ou mexericos, inspetor-chefe.

– Muito louvável – disse o inspetor Taverner. – Então o senhor não viu nenhuma maldade, não ouviu nenhuma maldade e não vai falar nenhuma maldade?

– Se são esses os termos que o senhor quer usar, inspetor-chefe.

O inspetor Taverner se levantou.

– Bem – ele disse –, muito obrigado, sr. Leonides.

Ele saiu da biblioteca e eu o segui, sem atrapalhar.

– Uau – exclamou Taverner –, que sujeito frio!

CAPÍTULO 7

– E agora – anunciou Taverner –, vamos dar uma palavrinha com a sra. Philip. Seu nome artístico é Magda West.

– Ela é boa? – indaguei. – Já ouvi o nome dela antes, e creio já tê-la visto em diversas peças, mas não lembro onde e quando.

– Ela é uma dessas atrizes quase bem-sucedidas – disse Taverner. – Estrelou uma ou duas peças no West End, conquistou certo renome no Teatro de Repertório. Atua bastante em pequenos teatros frequentados por eruditos e em leituras encenadas. A bem da verdade, imagino que tenha sido prejudicada pelo fato de não ter que sobreviver disso. Ela pôde escolher a dedo, ir para onde bem quisesse, e vez por outra entrar com o dinheiro e financiar espetáculos porque queria representar um papel... em geral, o papel menos adequado possível. O resultado foi acabar regredindo um pouco à classe amadora, em vez da profissional. Mas veja bem: ela é boa, principalmente em comédia, mas os empresários não gostam muito dela. Dizem que é independente demais, que é encrenqueira, que fomenta rixas e gosta de criar intrigas. Não sei até que ponto isso é verdade, mas ela não é muito popular na classe artística.

Sophia apareceu na porta da sala de estar e disse:

– Minha mãe está aqui, inspetor-chefe.

Segui Taverner até a imensa sala. Por um instante, mal reconheci a mulher sentada no amplo canapé de brocado.

Os cabelos ruivos se erguiam sobre a cabeça num penteado eduardiano, e trajava um paletó e uma saia cinza-escuro e bem-cortados com uma camisa lilás levemente plissada fechada no pescoço com um pequeno camafeu. Pela primeira vez, dei-me conta do charme de seu nariz lindamente arrebitado. Lembrou-me um pouco de Athene Seyler, e parecia impossível acreditar que se tratava da mesma criatura geniosa do robe pêssego.

– Inspetor Taverner? – ela disse. – Entre e sente-se. Aceita um cigarro? Que assunto terrível. No momento, acho simplesmente incompreensível.

Sua voz era baixa e inexpressiva, a voz de uma pessoa determinada a demonstrar autocontrole a qualquer custo. Ela prosseguiu:

– Por favor, me diga se posso ajudá-lo de alguma forma.

– Obrigado, sra. Leonides. Onde estava na hora da tragédia?

– Imagino que estivesse no carro, vindo de Londres. Naquele dia, almocei com uma amiga no Ivy. Depois fomos a um desfile de moda. Tomamos um drinque com umas amigas em Berkeley. Em seguida, vim para casa. Quando cheguei, havia uma comoção. Parecia que meu sogro tinha tido um mal súbito. Ele estava... morto. – Sua voz tremeu um pouquinho.

– A senhora era afeiçoada ao sogro?

– Eu era dedicada...

Ergueu a voz. Sophia arrumou, bem de leve, o ângulo do quadro de Degas. A voz de Magda readquiriu o tom contido.

– Eu era muito afeiçoada a ele – declarou em voz baixa. – Todos éramos. Ele era... muito bondoso com a gente.

– A senhora se dava bem com a sra. Leonides?

– Raramente víamos Brenda.

– Por que motivo?

– Bem, não tínhamos muito em comum. Pobrezinha da Brenda. A vida deve ter sido difícil para ela em alguns momentos.

Sophia mexeu no Degas outra vez.

– É mesmo? De que modo?

– Ah, não sei. – Magda balançou a cabeça, com um sorrisinho triste.

– A sra. Leonides era feliz com o marido?

– Ah, acho que sim.

– Não brigavam?

De novo balançou a cabeça dando um sorrisinho.

– Não sei mesmo, inspetor. A parte que ocupavam na casa é bem distante.

– Ela e o sr. Laurence Brown eram muito cordiais um com o outro, não eram?

Magda Leonides endureceu. Os olhos se abriram, lançando um olhar de censura para Taverner.

– Eu imagino – disse com decoro – que o senhor não precise me perguntar coisas desse gênero. Brenda era muito cordial com *todo mundo.* Ela é uma pessoa bastante afável.

– A senhora gosta do sr. Laurence Brown?

– Ele é muito calado. Muito agradável, mas mal se percebe a presença dele. Na verdade, não o vi muitas vezes.

– Seu ensino é satisfatório?

– Imagino que sim. Não tenho como saber. Philip parece estar satisfeito.

Taverner experimentou táticas de choque.

– Me perdoe por perguntar, mas na opinião da senhora, havia algo da natureza de um caso amoroso entre o sr. Brown e a sra. Brenda Leonides?

Magda se levantou. Era a típica *grande dame*.

– Nunca vi indícios de algo do gênero – declarou. – Eu realmente acho, inspetor, que essa pergunta não deve ser feita a mim. Ela era a esposa do meu sogro.

Quase aplaudi.

O inspetor-chefe também se levantou.

– A pergunta é mais adequada à criadagem? – ele sugeriu.

Magda não respondeu.

– Obrigado, sra. Leonides – disse o inspetor, se retirando do cômodo em seguida.

– Você se saiu maravilhosamente bem, querida – disse Sophia para a mãe, de um jeito carinhoso.

Pensativa, Magda enrolou uma mecha de cabelo atrás da orelha direita e se olhou no espelho.

– Siiim – disse ela –, *acho* que era a forma certa de interpretar.

Sophia olhou para mim.

– Você não tem de acompanhar o inspetor? – ela perguntou.

– Veja bem, Sophia, o que eu devo...

Eu me interrompi. Não podia perguntar na frente da mãe de Sophia exatamente qual devia ser o meu papel. Até aquele instante, Magda Leonides não demonstrara nenhum interesse na minha presença, exceto como ouvinte de uma frase de efeito sobre ter filhas. Poderia ser um repórter, o noivo de sua filha, um parasita obscuro da força policial ou até um agente funerário. Para Magda Leonides, todos entrariam na mesma categoria: a de plateia.

Olhando os próprios pés, a sra. Leonides disse, insatisfeita:

– Estes sapatos estão errados. Frívolos.

Obedecendo ao gesto imperioso que Sophia fez com a cabeça, corri atrás de Taverner. Encontrei-o no corredor, passando pela porta para chegar à escada.

– Estou subindo para ver o irmão mais velho – explicou.

Eu disse qual era o meu problema sem fazer estardalhaço.

– Veja bem, Taverner, o que eu devo *ser*?

Ficou surpreso.

– O que você deve ser?

– Isso. O que eu estou fazendo aqui nesta casa? Se alguém me perguntar, o que eu digo?

– Ah, entendi. – Ele ponderou por um instante. Depois abriu um sorriso. – Alguém perguntou?

– Bem... não.

– Então por que você não deixa isso para lá? *Nunca explique.* É um ótimo lema. Principalmente em uma casa agitada como esta. Todo mundo está concentrado demais nas próprias preocupações e medos para ter ânimo para questionamentos. Não vão prestar atenção em você caso passe a impressão de que está seguro de si. É um grande erro falar alguma coisa sem que seja necessário. Bem, agora a gente passa por esta porta e sobe a escada. Nada está trancado. É óbvio que você percebe, espero eu, que as perguntas que estou fazendo nada são além de bobagens! Não tem a mínima importância quem estava ou não na casa, ou onde estavam no dia em questão...

– Então por que...

Ele prosseguiu:

– Porque ao menos tenho a oportunidade de olhar para todos eles, formar uma opinião sobre cada um e escutar o que têm a dizer, e esperar que, por mero acaso, alguém me dê uma pista que me seja útil. – Calou-se por um instante e depois murmurou: – Aposto que a sra. Magda Leonides falaria um bocado se lhe desse vontade.

– Seria confiável? – indaguei.

– Ah, não – disse Taverner –, não seria confiável. Mas pode servir para começarmos uma linha de investigação. Todo mundo nesta maldita casa teve meios e oportunidade. O que eu quero é motivação.

No patamar da escada, uma porta fechou o corredor do lado direito. Tinha uma aldrava de latão, e o inspetor Taverner usou-a para bater à porta.

Foi aberta numa rapidez assustadora por um homem que devia estar junto à porta. Era um gigante desajeitado, de ombros largos, cabelos escuros desgrenhados e um rosto ao mesmo tempo muito feio e simpático. Seus olhos nos examinaram e logo depois se desviaram de um jeito furtivo, constrangido, que pessoas tímidas porém honestas adotam com frequência.

– Ah, veja só – ele disse. – Entrem. Sim, entrem. Eu ia... mas não tem importância. Venham para a sala de estar. Vou chamar Clemency... Ah, você está aqui, querida. É o inspetor-chefe Taverner. Ele... Será que temos cigarros? Espere um minuto. Se você não se importar. – Ele colidiu com uma tela, pediu-lhe desculpas num tom aturdido e saiu do aposento.

Mais parecia a saída de um abelhão, dado o silêncio tangível que se fez no ambiente.

A sra. Roger Leonides estava de pé junto à janela. Fiquei ao mesmo tempo intrigado por sua personalidade e pela atmosfera do aposento onde estávamos.

As paredes eram muito brancas, e não marfim ou creme a que geralmente nos referimos quando falamos em "branco" no contexto da decoração de uma casa. Não havia retratos, exceto sobre o console da lareira: uma pintura geométrica de triângulos cinza e azuis. A mobília era parca: apenas as de uso prático, três ou quatro cadeiras, uma mesa de tampo de vidro, uma estante de livros pequena. Não havia enfeites. Havia luz e espaço e ar. A diferença daquele ambiente para a sala imensa cheia de brocados e flores do andar de baixo era como da água para o vinho. E a sra. Roger Leonides era tão diferente da sra. Philip Leonides como uma mulher podia ser de outra. Enquanto Magda Leonides dava a impressão de que poderia ser, e muitas vezes era, pelo menos meia dúzia de mulheres diferentes, tive certeza de que Clemency Leonides jamais poderia ser alguém que não ela mesma. Era uma mulher de personalidade forte e inequívoca.

Suponho que tivesse cerca de cinquenta anos; os cabelos grisalhos e cortados rentes, quase *à la garçonne*, ficavam tão bem em sua cabeça pequena e proporcional que não tinha a feiura que sempre associei ao corte. Tinha um rosto inteligente, sensível, com olhos cinza-claro de intensidade singular e penetrante. Usava um vestido simples, vermelho-escuro, que caía com perfeição no corpo esbelto.

Senti imediatamente que se tratava de uma mulher inquietante. Imagino que isso se deva ao fato de que eu pensava que os padrões segundo os quais vivia talvez não fossem iguais aos de uma mulher normal. Entendi na mesma hora porque Sophia usara a palavra "brutal" em relação a ela. O cômodo estava gelado e tremi um pouco.

Clemency Leonides disse com uma voz baixa, educada:

– Sente-se, inspetor-chefe. Tem mais novidades?

– A morte foi causada por eserina, sra. Leonides.

Ela disse, pensativa:

– Então trata-se de um assassinato. Não pode ter sido um acidente, não é?

– Não, sra. Leonides.

– Por favor, seja gentil com o meu marido, inspetor-chefe. Isso o afetará sobremaneira. Ele venerava o pai e é extremamente sensível. É uma pessoa muito emotiva.

– A senhora tinha uma boa relação com seu sogro?

– Sim, tinha uma boa relação. – Ela acrescentou, baixinho: – Não gostava muito dele.

– Por que motivo?

– Não gostava de seus objetivos de vida... e dos métodos que usava para atingi-los.

– E a sra. Brenda Leonides?

– Brenda? Eu a via muito pouco.

– A senhora acha possível que houvesse algo entre ela e o sr. Laurence Brown?

– O senhor quer dizer... algum tipo de romance? Eu não imaginaria algo assim. Mas na verdade eu não saberia dizer.

Sua voz demonstrava total desinteresse.

Roger Leonides voltou às pressas, e de novo causou o efeito de um abelhão.

– Tive um problema – ele disse. – Telefone. Bem, inspetor? Bem, o senhor tem novidades? O que causou a morte do meu pai?

– A morte foi causada por envenenamento por eserina.

– Foi? Meu Deus! Então foi aquela mulher! Ela não aguentou esperar! Ele praticamente a tirou da sarjeta e essa foi a recompensa que recebeu. Ela o assassinou a sangue frio! Meu Deus, meu sangue ferve só de pensar nisso.

– O senhor tem alguma razão específica para pensar assim? – indagou Taverner.

Roger andava de um lado para o outro, puxando os cabelos com ambas as mãos.

– Razão? Ora, quem mais poderia ter sido? Nunca confiei nela... Nunca gostei dela! Nenhum de nós gostava dela. Philip e eu ficamos estarrecidos quando papai chegou em casa um dia e contou o que tinha feito! Na idade dele! Foi loucura... *loucura.* Meu pai era um homem incrível, inspetor. Em termos de intelecto, tinha a juventude e o vigor de um homem de quarenta. Tudo o que tenho eu devo a ele. Ele fazia tudo por mim, nunca me deixou na mão. Fui eu quem deixou *ele* na mão... quando penso nisso...

Ele desmoronou na cadeira. Sem fazer barulho, a esposa foi ao seu encontro.

– Roger, já basta. Não se exalte.

– Eu sei, minha querida, eu sei. – Ele segurou a mão dela. – Mas como posso manter a calma? Como posso evitar a sensação...

– Mas todos temos de manter a calma, Roger. O inspetor-chefe quer a nossa ajuda.

– Isso mesmo, sra. Leonides.

Roger queixou-se:

– Sabe o que eu queria fazer? Eu queria estrangular aquela mulher com as minhas próprias mãos. Ela tirou os poucos anos que restavam àquele homem adorável. Se ela estivesse aqui... – Ele se levantou num pulo. Tremia de raiva. Esticou suas mãos incontroláveis. – Sim, eu torceria o pescoço dela, torceria o pescoço dela...

– Roger! – exclamou Clemency com rispidez.

Olhou para a esposa, envergonhado.

– Desculpe, querida. – Ele se virou para nós. – Peço desculpas. Minhas emoções me tiraram do sério. Eu... com licença...

Ele saiu da sala outra vez. Clemency Leonides disse, com um leve sorriso nos lábios:

– Na verdade, ele não é capaz de matar uma mosca.

Taverner aceitou o comentário dela de um jeito cortês.

Em seguida, começou a fazer as supostas perguntas de praxe.

Clemency Leonides deu respostas sucintas e precisas.

Roger Leonides estava em Londres no dia da morte do pai, em Box House, a sede da Associated Catering. Voltou no começo da tarde e passou um tempo com o pai, como de hábito. Ela estava, como sempre, no Lambert Institute, na Gower Street, onde trabalhava. Chegara em casa pouco antes das seis.

– A senhora viu seu sogro?

– Não. A última vez que o vi foi no dia anterior. Tomamos café com ele depois do jantar.

– Mas não o viu no dia em que ele morreu?

– Não. Na verdade, fui até a parte dele na casa porque Roger pensou ter deixado o cachimbo lá... um cachimbo de estimação. Mas ele tinha deixado na mesa da sala, então não precisei perturbar o meu sogro. Ele costumava cochilar às seis.

– Quando soube que ele havia adoecido?

– Brenda veio correndo. Isso foi logo depois das seis e meia.

Tais perguntas, como eu já sabia, não eram importantes, mas eu tinha consciência do quanto era perspicaz a avaliação do inspetor Taverner a respeito da mulher que as respondia. Ele lhe fez algumas perguntas sobre a natureza de seu trabalho em Londres. Ela disse que tinha a ver com os efeitos da radiação da desintegração atômica.

– Na prática, a senhora trabalha na bomba atômica?

– O trabalho não tem nada de destrutivo. O instituto está desenvolvendo experimentos sobre os efeitos terapêuticos.

Ao se levantar, Taverner expressou o desejo de conhecer a parte deles na casa. Ela pareceu um pouco surpresa, mas mostrou-lhe os aposentos na mesma hora. O quarto, com seu par de camas de solteiro e colchas brancas e enxoval simples, de novo me lembrou um hospital ou uma cela monástica. O banheiro também era extremamente simples, sem nenhum luxo e sem nenhum cosmético à mostra. A cozinha era desprovida de mobília, a limpeza era impecável, e era equipada com aparelhos bastante práticos, que poupavam trabalho. Em seguida, chegamos à porta, que Clemency abriu declarando:

– Este é o quarto especial do meu marido.

– Entrem – convidou Roger. – Entrem.

Respirei aliviado. Algo naquela austeridade imaculada estava me abatendo. Aquele era um quarto profundamente pessoal. Havia uma mesa grande de tampo corrediço tomada de papéis desorganizados, cachimbos velhos e cinzas de tabaco. Havia poltronas espaçosas e surradas. Tapetes persas cobriam o assoalho. Nas paredes havia fotografias um tanto desbotadas. Grupos de escola, grupos de críquete, grupos de militares. Aquarelas de desertos e minaretes, e de veleiros e mares e poentes. De certa forma, era um ambiente agradável, o cômodo de um homem amável, cordial, sociável.

Desajeitado, Roger pegou uma garrafa no bar e serviu drinques, tirando livros e papéis de uma das poltronas.

– Este lugar está uma bagunça. Eu estava jogando coisas fora. Tirando papelada velha. Diga quando já estiver bom. – O inspetor recusou o drinque. Eu aceitei. – O senhor deve me perdoar – prosseguiu Roger. Aproximou-se para me entregar a bebida ao mesmo tempo em que virava o rosto para falar com Taverner. – Perdi o controle sobre as minhas emoções.

Ele olhou ao redor, sentindo-se meio culpado, mas Clemency Leonides não havia entrado conosco no aposento.

– Ela é maravilhosa – declarou ele. – Estou falando de minha esposa. Diante dessa situação toda, ela tem sido esplêndida, *esplêndida!* Nem sei explicar o quanto admiro essa mulher. E ela passou por um momento muito difícil... um momento terrível. Gostaria de contar-lhes a respeito. Antes de nos casarmos, quero dizer. Seu primeiro marido era um bom sujeito... quero dizer, tinha uma boa cabeça... mas era extremamente frágil... na verdade, era tuberculoso. Acho que estava fazendo uma pesquisa muito importante sobre cristalografia. O trabalho pagava mal e era bastante árduo, mas ele não desistia. Ela trabalhou feito uma escrava por ele, praticamente o sustentou, sabendo o tempo todo que ele estava à beira da morte. E nunca reclamou, nunca soltou um murmúrio de cansaço. Ela sempre falou que estava feliz. Então ele morreu e ela ficou tristíssima. Passado um tempo, concordou em casar-se comigo. Fiquei muito contente por poder dar a ela um pouco de sossego, de alegria, queria que ela parasse de trabalhar, mas é claro que ela achou que era seu dever trabalhar em tempos de guerra, e ao que parece ela ainda acha que deve continuar. Mas tem sido uma esposa maravilhosa: a esposa mais maravilhosa que um homem já teve. Meu Deus, que sorte eu tive! Eu faria qualquer coisa por ela.

Taverner fez a réplica adequada. Em seguida, embarcou de novo nas perguntas de praxe. Quando ele soube da indisposição do pai?

– Brenda correu para me telefonar. Meu pai estava indisposto... Ela falou que ele tinha tido alguma espécie de mal súbito. Eu estivera com ele apenas meia hora antes. Naquele momento, ele estava perfeitamente bem. Eu corri para cá. Estava com o rosto azulado, ofegante. Fui às pressas achar o Philip. Ele telefonou para o médico. Eu... A gente não podia fazer nada. Claro que naquela hora nem me passou pela cabeça que algo gozado tivesse acontecido. Gozado? Eu disse gozado? Meu Deus, que palavra para se usar.

Com um pouco de dificuldade, Taverner e eu nos desvencilhamos do ar emotivo do quarto de Roger Leonides e nos vimos do lado de fora da porta, novamente no patamar da escada.

– Uau! – exclamou Taverner. – Que diferença dele para o irmão. – Acrescentou, inconsequente: – Quartos são coisas interessantes. Dizem muito sobre as pessoas que os habitam.

Eu concordei e ele prosseguiu:

– Interessantes também as pessoas que se casam, não é?

Não entendi se ele se referia a Clemency e Roger ou a Philip e Magda. Suas palavras se aplicavam tão bem a um casal quanto ao outro. Porém, tive a impressão de que ambos os casamentos poderiam ser classificados como felizes. O de Roger e Clemency sem dúvida era.

– Não posso afirmar que foi ele que envenenou, concorda? – indaga Taverner. – Assim, de bate-pronto, não posso. Óbvio que nunca se sabe. Ela faz mais o tipo. É daquelas mulheres que não sentem remorso. Talvez um pouco louca.

Concordei de novo.

– Mas imagino – eu disse – que ela não mataria ninguém só por discordar dos objetivos e do estilo de vida da pessoa. Quem sabe, se ela de fato odiasse o velho... Mas há casos de assassinatos cometidos por puro ódio?

– Uns poucos e raros – declarou Taverner. – Eu nunca me deparei com um desses. Não, eu acho que é mais seguro a gente se concentrar na sra. Brenda. Mas só Deus sabe se vamos encontrar alguma evidência.

CAPÍTULO 8

Uma copeira abriu a porta da ala oposta à nossa. Ao ver Taverner, pareceu assustada, mas ligeiramente insolente.

– Quer ver a patroa?

– Sim, por favor.

Ela nos levou até a enorme sala de estar e se retirou.

As dimensões eram iguais às da sala de estar do térreo. Havia cretones coloridos, de cores vistosas, e cortinas de seda listradas. Sobre o console da lareira estava pendurado um retrato que me chamou a atenção – não apenas pela mão habilidosa que o pintara, mas também por causa do rosto interessante retratado.

Era o retrato de um velhinho de olhos escuros, penetrantes. Usava um boné de veludo preto e encolhia a cabeça entre os ombros, mas a vitalidade e o poder do homem irradiavam da tela. Seus olhos brilhantes pareciam mirar os meus.

– Esse é ele – disse o inspetor-chefe Taverner, despreocupado com a gramática. – Pintado por Augustus John. Tinha personalidade, não é?

– Sim – confirmei, e senti que o monossílabo não lhe fazia jus.

Entendia agora o que Edith de Haviland quis dizer quando declarou que a casa parecia vazia sem ele. Aquele era o Homenzinho Torto Original que construíra a Casinha Torta – e sem ele a Casinha Torta perdera sua razão de ser.

– Essa é a primeira esposa dele, pintada por Sargent – anunciou Taverner.

Examinei a tela na parede, entre as duas janelas. Tinha certa crueldade, como muitos dos retratos de Sargent. O tamanho do rosto era exagerado, pensei eu – parecia aludir a um cavalo –, a retidão incontestável. Era o retrato de uma típica dama inglesa – na Sociedade Rural (não a Intelectual). Vistosa, mas apática. Uma esposa bastante improvável para o pequeno déspota sorridente pendurado sobre o console.

A porta se abriu e o sargento Lamb entrou.

– Fiz o que pude com a criadagem, senhor – ele disse. – Não consegui nada.

Taverner suspirou.

O sargento Lamb pegou o caderno e se isolou na outra ponta da sala, onde se sentou, de modo a não atrapalhar.

A porta se abriu outra vez e a segunda esposa de Aristide Leonides entrou.

Estava vestida de preto – um preto caro e farto. Subia até o pescoço e descia até os pulsos. Seus movimentos eram fluidos e preguiçosos, e sem dúvida o preto lhe caía bem. O rosto tinha uma beleza branda, e tinha cabelos castanhos bonitos, presos num penteado talvez excessivamente esmerado. O rosto estava bem empoado, e ela usava batom e ruge, mas era visível que andara chorando. Exibia um colar de pérolas enormes, um anel grande de esmeralda em uma das mãos e um rubi gigantesco na outra.

Notei algo mais a respeito dela. Parecia assustada.

– Bom dia, sra. Leonides – disse Taverner, muito tranquilo. – Desculpe por incomodá-la mais uma vez.

Ela disse, num tom monótono:

– Suponho que seja inevitável.

– A senhora entende, não é, sra. Leonides, que se quiser que o seu advogado esteja presente, estará dentro dos conformes?

Perguntei-me se ela de fato entendia o significado dessas palavras. Parecia que não. Ela apenas respondeu, amuada:

– Não gosto do sr. Gaitskill. Não quero ele.

– A senhora pode contratar seu próprio advogado, sra. Leonides.

– Eu devo fazê-lo? Não gosto de advogados. Eles me confundem.

– A decisão cabe somente à senhora – declarou Taverner, dando um sorriso mecânico. – Podemos prosseguir, então?

O sargento Lamb lambeu o lápis. Brenda Leonides se sentou no sofá, diante de Taverner.

– Descobriu alguma coisa? – ela indagou.

Notei que demonstrava nervosismo mexendo os dedos, torcendo e destorcendo uma prega do vestido.

– Podemos afirmar sem dúvida nenhuma que seu marido morreu em consequência de envenenamento por eserina.

– O senhor quer dizer que aquele colírio o matou?

– Ao que parece, é incontestável que foi a senhora que deu a última injeção no sr. Leonides. Foi eserina o que a senhora injetou, não insulina.

– Mas eu não sabia disso. Não tive nada a ver com isso. Não tive mesmo, inspetor.

– Então alguém trocou intencionalmente a insulina pelo colírio.

– Que atitude mais perversa!

– Sim, sra. Leonides.

– O senhor imagina... que alguém fez isso de propósito? Ou por acidente? Não pode ter sido uma... uma brincadeira, não é?

Taverner disse com tranquilidade:

– Não achamos que tenha sido uma brincadeira, sra. Leonides.

– Deve ter sido um dos criados.

Taverner não respondeu.

– Deve ter sido. Não imagino quem mais poderia ter feito isso.

– Tem certeza? Pense, sra. Leonides. A senhora não tem nenhuma ideia? Não havia nenhuma animosidade? Nenhuma rixa? Nenhum rancor?

Ela o encarou de olhos arregalados, desafiadores.

– Não tenho nenhuma ideia – afirmou.

– A senhora disse que fora ao cinema naquela tarde, não?

– Sim... eu cheguei às seis e meia... era a hora da insulina... eu... eu... dei a injeção nele, como sempre, e então ele... ele ficou muito esquisito. Fiquei apavorada... corri para chamar Roger... já lhe contei isso tudo. Vou ter de repetir isso quantas vezes? – A voz adquiriu um tom histérico.

– Desculpe, sra. Leonides. Agora posso falar com o sr. Brown?

– Com o Laurence? Por quê? Ele não sabe nada sobre esse assunto.

– Gostaria de falar com ele mesmo assim.

Ela lhe lançou um olhar desconfiado.

– Eustace está tendo aula de latim com ele na sala de aula. Quer que ele venha aqui?

– Não. Nós vamos até lá.

Taverner se retirou da sala rapidamente. O sargento e eu fomos atrás.

– O senhor a assustou – disse o sargento Lamb.

Taverner grunhiu. Tomou a dianteira no pequeno lance de escadas e no corredor que dava para um cômodo grande com vista para o jardim. Ali, um rapaz de cabelos claros de mais ou menos trinta anos e um belo garoto de pele morena estavam sentados ao redor de uma mesa.

Ergueram os olhos quando entramos na sala. O irmão de Sophia, Eustace, olhou para mim, e Laurence Brown fixou o olhar agoniado no inspetor-chefe Taverner.

Nunca vi um homem tão paralisado pelo medo. Ele se levantou, tornou a se sentar. Então disse, e a voz foi quase um guincho:

– Ah... er... bom dia, inspetor.

– Bom dia. – Taverner foi breve. – Posso lhe dar uma palavrinha?

– Sim, é claro. Com muito prazer. Pelo menos...

Eustace se levantou.

– Quer que eu saia, inspetor-chefe? – Sua voz era agradável, mas tinha um quê de arrogância.

– Nós... nós podemos continuar os estudos depois – sugeriu o professor.

Eustace caminhou sem pressa em direção à porta. Tinha um andar bastante duro. Assim que passou pela porta ele me chamou a atenção, pôs o indicador diante do pescoço e sorriu. Em seguida, fechou a porta.

– Bem, sr. Brown – disse Taverner. – A análise é definitiva. O sr. Leonides morreu devido à eserina.

– Eu... O senhor quer dizer... O sr. Leonides foi mesmo envenenado? Eu tinha a esperança...

– Ele foi envenenado – interrompeu Taverner. – Alguém substituiu a insulina pela eserina do colírio.

– Não dá para acreditar... É inacreditável.

– A questão é: quem tinha motivos para fazer isso?

– Ninguém. Ninguém mesmo! – O rapaz levantou a voz, agitado.

– O senhor não quer que o seu advogado esteja presente, quer? – inquiriu Taverner.

– Eu não tenho advogado. Não quero ter. Não tenho nada a esconder... nada...

– E o senhor entende que tudo o que disser ficará registrado por escrito?

– Sou inocente... Eu garanto ao senhor, sou inocente.

– Não sugeri o contrário. – Taverner fez uma pausa. – A sra. Leonides era bem mais jovem que o marido, não era?

– Eu... eu imagino que sim... Quer dizer, bom, é claro.

– Ela devia sentir-se solitária às vezes?

Laurence Brown não respondeu. Passou a língua nos lábios secos.

– Ter um companheiro da mesma faixa etária vivendo aqui devia ser conveniente para ela, não?

– Eu... Não, de jeito nenhum... Quer dizer... Não sei.

– Me parece natural que uma amizade surgisse entre ela e o senhor.

O rapaz protestou com veemência.

– Não surgiu! Nada desse tipo! Eu sei o que o senhor está imaginando, mas não foi nada do gênero! A sra. Leonides sempre foi muito gentil comigo e eu tenho um enorme... um enorme respeito por ela... Mas nada além disso. Nada além, eu garanto ao senhor. É uma monstruosidade sugerir algo dessa natureza! Uma monstruosidade! Eu não seria capaz de matar *ninguém*... ou de mexer com frascos... nem nada desse tipo. Sou muito sensível e bastante delicado. Eu... só a ideia de matar alguém já é um *pesadelo* para mim. Eles entenderam isso muito bem no tribunal. Tenho objeções religiosas ao assassinato. Trabalhei no hospital atiçando a caldeira de vapor... Um trabalho pesado, terrível... eu não podia continuar, mas me deixaram trabalhar no ramo educacional. Fiz o melhor que pude aqui, com Eustace e Josephine, uma criança muito inteligente, mas complicada. E todo mundo foi muito generoso comigo... o sr. Leonides e a sra. Leonides, a srta. De Haviland. E agora esta coisa horrível acontece... E o senhor suspeita que eu... *eu*... cometi um assassinato!

O inspetor Taverner o olhou com um interesse lento, avaliativo.

– Eu não disse isso – observou.

– Mas é o que o senhor pensa! Eu sei que é isso o que o senhor pensa! Todos eles pensam! Eles olham para mim. Eu... eu não posso continuar esta conversa com o senhor. Não estou me sentindo bem.

Ele saiu da sala às pressas. Taverner virou a cabeça devagar para olhar para mim.

– Bom, o que você acha dele?

– Ele está morrendo de medo.

– É, eu sei, mas ele é um assassino?

– Na minha opinião – disse o sargento Lamb –, ele jamais teria coragem.

– Ele jamais seria capaz de dar um golpe na cabeça de alguém ou de disparar uma pistola – concordou o inspetor-chefe. – Mas neste crime específico, o que era necessário fazer? Só brincar com uns frasquinhos... Só ajudar um homem muito idoso a partir deste mundo de um modo indolor.

– É praticamente eutanásia – falou o sargento.

– E então, quem sabe, depois de passado um tempo respeitável, se casaria com a herdeira de cem mil libras sem impostos, que já tinha mais ou menos a mesma quantia reservada a ela, e que também possui pérolas e rubis e esmeraldas do tamanho de ovos daquele troço cujo nome não me recordo!

– Ah, bem... – suspirou Taverner. – É tudo teoria e conjectura! Tudo bem que consegui assustá-lo, mas isso não prova nada. É bem provável que ele fique igualmente assustado sendo inocente. E de qualquer forma, eu tenho dúvidas de que tenha sido *ele* quem matou. Mais provável que tenha sido a mulher... Mas por que diabos ela não jogou fora ou lavou o frasco de insulina? – Ele se virou para o sargento. – Nenhum indício por meio dos criados do que aconteceu?

– A copeira falou que são loucos um pelo outro.

– Com base em quê?

– Na forma como ele a olha quando ela lhe serve café.

– Que maravilha seria isso no tribunal! Nenhum acontecimento, mesmo?

– Ninguém viu nada.

– Aposto que eles veriam se houvesse algo para ver. Estou começando a acreditar que não está acontecendo nada entre os dois – ele olhou para mim. – Volte lá e converse com a sra. Leonides. Quero saber a impressão que você tem dela.

Obedeci com certa relutância, porém estava curioso.

CAPÍTULO 9

Encontrei Brenda Leonides sentada exatamente no mesmo local. Ela ergueu a cabeça, me lançando um olhar penetrante quando entrei na sala.

– Onde está o inspetor Taverner? Ele vai voltar?

– Não neste instante.

– Quem é você?

Enfim me fizeram a pergunta que esperei a manhã inteira.

Dei-lhe uma resposta razoavelmente verdadeira.

– Tenho ligação com a polícia, mas também sou amigo da família.

– A família! Aqueles brutos! Odeio todos eles.

Ela me olhou, a boca ainda em movimento. Parecia chateada, assustada e brava.

– Eles sempre foram uns brutos comigo, sempre. Desde o início. Por que eu não me casaria com o estimado pai deles? Que importância isso tinha *para eles*? Têm uma dinheirama. Foi *ele* que lhes deu o dinheiro. Eles não têm inteligência para ganhar nada sozinhos!

Ela continuou:

– Por que eu não me casaria de novo, mesmo ele sendo um pouco mais velho? E ele não era nada velho, não por dentro. Eu gostava muito dele. Eu *gostava* dele. – Ela me lançou um olhar desafiador.

– Entendo – retruquei. – Entendo.

– Imagino que você não acredite nisso, mas é a verdade. Eu estava de saco cheio dos homens. Eu queria ter um lar... Queria alguém que me desse atenção e me dissesse coisas bonitas. Aristide me dizia coisas lindas... e ele sabia fazer as pessoas rirem e era inteligente. Ele inventava várias maneiras engenhosas de contornar todas essas regras tolas. Era muito, muito inteligente. Não estou feliz com a morte dele. Desculpe.

Ela se recostou no sofá. Tinha uma boca enorme; os lábios se curvavam para os lados em um sorriso preguiçoso, estranho.

– Fui feliz aqui. Eu estava segura. Eu ia a todos aqueles costureiros chiques, aqueles sobre os quais já tinha lido. Eu era tão boa quanto qualquer outra pessoa. E Aristide me dava coisas adoráveis. – Ela esticou a mão e olhou para o rubi que a adornava.

Por um breve instante vi a mão e o braço como garras de gato esticadas e ouvi sua voz como um ronronar. Ela ainda sorria para si mesma.

– O que há de errado nisso? – ela reclamou. – Eu era boa para ele. Eu o fazia feliz. – Ela se inclinou para a frente. – Você sabe como o conheci?

Ela prosseguiu sem esperar resposta.

– Foi no Gay Shamrock. Ele pediu ovos mexidos e torradas e quando fui servi-las, eu estava chorando. "Sente-se", ele disse, "e me conte o que está havendo." "Ah, não posso", eu respondi, "se eu fizer uma coisa dessas, vou ser despedida." "Não vai, não", ele falou, "eu sou o dono deste lugar." Então olhei para ele. Ele era um homenzinho tão esquisito, pensei no primeiro momento... Mas tinha uma espécie de poder. Eu contei tudo a ele. Você já soube de tudo através *deles*, imagino... dando a entender que eu era uma trambiqueira... mas eu não era. Minha criação foi muito cuidadosa. Tínhamos uma loja de primeira qualidade de bordado artesanal. Nunca fui do tipo de garota que tem muitos amigos homens ou que se comporta com vulgaridade. Mas Terry era diferente. Era irlandês e estava indo para o exterior. Ele nunca escreveu nem nada... Acho que fui uma tola. Então foi isso, entende? Eu estava encrencada... como uma criadinha qualquer...

Com o esnobismo, sua voz tornava-se desdenhosa.

– Aristide foi maravilhoso. Ele falou que tudo se ajeitaria. Ele falou que se sentia solitário. Nos casaríamos imediatamente, ele falou. Foi como um sonho. E então descobri que ele era o grande sr. Leonides. Era dono de um monte de lojas e restaurantes e clubes noturnos. Foi bem parecido com um conto de fadas, não foi?

– Uma espécie de conto de fadas – eu disse num tom irônico.

– Nos casamos numa igrejinha do centro e em seguida fomos para o exterior.

Ela me fitou com um olhar que regressava de um lugar bem distante.

– No final das contas, não havia criança nenhuma. Não passou de um engano.

Ela sorriu, aquele sorriso curvado nas laterais, torto.

– Jurei a mim mesma que seria uma ótima esposa para ele, e eu *fui*. Pedia todos os tipos de comida de que ele gostava, e usava roupas das cores que ele preferia, e fazia de tudo para agradá-lo. E ele foi feliz. Mas nunca conseguimos nos livrar daquela família dele. Sempre vinham e o exploravam e viviam às custas dele. A velha srta. De Haviland... acho que ela devia ter ido embora quando ele se casou. Eu disse isso. Mas Aristide falou: "Ela está aqui faz tanto tempo. Já virou a casa dela". A verdade é que ele gostava de ter todos por perto, sob seus pés. Eles eram uns brutos comigo, mas ao que parece ele nunca notou isso ou nunca se importou. Roger me odeia... Você já viu Roger? Ele sempre me odiou. Tem ciúme. E Philip é tão cheio de si que nunca me dirigiu a palavra. E agora querem fingir que fui eu quem o matou, e não fui eu, *não fui eu*! – Ela se inclinou em minha direção. – Por favor, acredite que não fui eu.

Eu a achei digna de pena. O jeito insolente da família Leonides ao se referir a ela, a ânsia por acreditar que ela cometera o crime – agora, naquele momento, tudo aquilo parecia uma conduta totalmente desumana. Ela estava sozinha, indefesa, era perseguida.

– E se não fui eu, acham que foi Laurence – ela prosseguiu.

– O que tem Laurence? – indaguei.

– Estou com muita pena do Laurence. Ele é delicado e não conseguiu lutar. Não é por ser covarde. É por ser sensível. Tentei animá-lo e deixá-lo alegre. Ele tem de dar aulas para aquelas crianças horríveis. Eustace caçoa dele o tempo todo, e Josephine... bem, você já viu Josephine. Já viu como ela é.

Eu disse que ainda não tinha conhecido Josephine.

– Às vezes eu acho que a menina não bate bem da cabeça. Ela é muito dissimulada, e tem uma aparência esquisita... Às vezes ela me dá calafrios.

Eu não queria falar de Josephine. Voltei a Laurence Brown.

– Quem é ele? – indaguei. – De onde ele veio?

Expressei-me mal. Ela enrubesceu.

– Ele não é ninguém em especial. Ele é que nem eu... Que chance nós temos contra *eles* todos?

– A senhora não acha que está sendo meio histérica?

– Não, não acho. Eles querem insinuar que foi Laurence quem fez aquilo... ou que fui eu. Os policiais estão do lado deles. Que chance eu tenho?

– A senhora não deve se exaltar – eu disse.

– Por que não pode ter sido um deles? Ou alguém de fora? Ou um dos criados?

– Há uma certa falta de motivação.

– Ah, *motivação*! Que motivação tinha *eu*? Ou Laurence?

Eu me senti bastante desconfortável ao dizer:

– Imagino que eles pensem que a senhora e... er... Laurence... estivessem apaixonados... que desejassem se casar.

Ela se empertigou.

– É uma maldade sugerir uma coisa dessas! E não é verdade! Nunca dissemos nem uma palavra sequer desse gênero um para o outro. Simplesmente estava com pena dele e tentei animá-lo. Nos tornamos amigos, só isso. Você acredita em mim, não é?

De fato acreditei. Isto é, acreditei que ela e Laurence eram, nas palavras dela, apenas amigos. Mas também acreditei que, talvez sem que ela mesma percebesse, estivesse realmente apaixonada pelo rapaz.

Foi com essa ideia em mente que desci a escada à procura de Sophia.

Quando estava prestes a entrar na sala de estar, Sophia enfiou a cabeça pela porta do outro lado do corredor.

– Olá – ela disse. – Estou ajudando a babá com o almoço.

Teria me juntado a ela, mas Sophia foi para o corredor, fechou a porta e, segurando meu braço, conduziu-me até a sala de estar, agora vazia.

– Bem – disse ela –, você viu Brenda? O que achou?

– Sinceramente, tive pena dela.

Sophia achou graça.

– Entendo – ela declarou. – Então ela conquistou você.

Fiquei meio irritado.

– A questão é que eu compreendo o lado dela. Ao que parece, você não pode compreender.

– O lado dela no quê?

– Para ser franco, Sophia, alguém da família foi gentil com ela, ou apenas decente com ela, desde que ela entrou nesta casa?

– Não, não fomos gentis com ela. Por que deveríamos ser?

– Só pela simples bondade cristã, pelo menos.

– Que tom moralista você está usando, Charles. A Brenda deve ter feito uma bela atuação.

– É sério, Sophia, você parece... não sei o que deu em você.

– Só estou sendo honesta, sem fingimento. Pelo que você disse, você viu o lado de Brenda nessa história. Agora veja o meu lado. Não gosto do tipo de moça que inventa uma história infeliz e se casa com um velho riquíssimo baseando-se nela. Tenho todo o direito de não gostar desse tipo de moça, e não tenho razão nenhuma para fingir que gosto. E se os fatos fossem postos no papel a sangue-frio, *você* também não ia gostar da moça.

– A história foi inventada? – perguntei.

– Da criança? Não sei. Na minha opinião, foi.

– E você se ressente do fato de que seu avô se deixou levar pela história?

– Ah, meu avô não se deixou levar. – Sophia riu. – Meu avô nunca se deixou levar por ninguém. Ele queria Brenda. Ele queria ser o Cofétua da pobrezinha. Ele sabia muito bem o que estava fazendo e tudo saiu direitinho, de acordo com o planejado. Do ponto de vista do vovô, o casamento foi um grande sucesso, assim como todas as outras transações que fazia.

– Contratar Laurence Brown como professor foi um dos sucessos de seu avô? – perguntei com ironia.

Sophia franziu as sobrancelhas.

– Quer saber? Não tenho certeza de que não foi. Ele queria manter Brenda feliz e entretida. Devia pensar que joias e roupas não bastavam. Devia pensar que ela queria viver um romance tranquilo. Deve ter imaginado que alguém como Laurence Brown, alguém muito *manso*, se é que você me entende, cairia como uma luva. Uma bela e profunda amizade com um quê de melancolia que impedisse Brenda de ter um caso de verdade com alguém de fora. Não diria que meu avô não tramaria algo desse gênero. Ele era um velho diabo, sabe?

– Deve ter sido – eu disse.

– Mas é óbvio que ele não poderia prever que isso acabaria em assassinato... E é por isso – declarou Sophia, com muita veemência – que eu não acredito, por mais que eu queira, que é ela a culpada. Se ela tivesse planejado matá-lo... ou se ela e Laurence tivessem planejado juntos... o vovô ficaria sabendo. Ouso dizer que isso deve parecer meio absurdo para você...

– Confesso que parece – admiti.

– Mas você não conheceu o meu avô. Não há dúvida de que ele não teria sido conivente com o próprio assassinato! Então como ficamos? Demos novamente com a cara no muro.

– Ela está assustada, Sophia. Ela está muito assustada.

– Com o inspetor-chefe Taverner e seus homens cheios de alegria? Sim, me atrevo a dizer que são apavorantes. Imagino que o Laurence esteja histérico.

– Praticamente. Na minha opinião, fez uma bela cena. Não entendo o que uma mulher possa ver num homem daqueles.

– Não entende, Charles? Na verdade, Laurence é muito sensual.

– Um fracote como aquele – eu disse, incrédulo.

– Por que os homens sempre acham que só os trogloditas são atraentes para o sexo oposto? Laurence é, sim, sensual. Mas não esperaria que você tivesse noção disso. – Ela olhou para mim. – Brenda fisgou você mesmo.

– Não fale besteira. Ela nem é bonita. E com certeza ela não...

– Demonstrou ser cativante? Não, ela só fez com que você sentisse pena dela. Ela realmente não é bonita, ela não é nem um pouco inteligente, mas tem uma característica extraordinária. Ela consegue provocar encrencas. Ela já provocou uma encrenca entre nós dois.

– Sophia! – queixei-me, consternado.

Sophia se dirigiu à porta.

– Deixe para lá, Charles. Tenho que continuar com o almoço.

– Vou ajudá-la.

– Não, fique aqui. Ter "um cavalheiro na cozinha" vai atrapalhar a babá.

– Sophia – chamei no instante em que ela saiu.

– Sim, o que foi?

– Só uma questão em relação à criadagem. Por que vocês não têm nenhum empregado aqui embaixo e lá em cima alguém de avental e touca abriu a porta para nós?

– O vovô tinha cozinheira, governanta, copeira e camareiro. Gostava de criados. Ele os pagava muitíssimo bem, é claro, e os tinha a seu dispor. Clemency e Roger têm apenas uma diarista que faz a faxina. Não gostam de empregados... ou melhor, Clemency não gosta. Se Roger não comesse no centro da cidade todos os dias, ele morreria de fome. Para Clemency, uma refeição é alface, tomate e cenoura crua. Às vezes nós temos criados, mas aí minha mãe tem um de seus ataques e eles vão embora, e então contratamos arrumadeiras por algum tempo e depois começa tudo de novo. Estamos na época da arrumadeira. O cargo da babá é permanente e é ela quem lida com as emergências. Agora você já sabe.

Sophia se retirou. Afundei-me em uma das poltronas de brocado e me entreguei à especulação.

Lá em cima, tinha visto o lado de Brenda na história. Aqui e agora, me foi mostrado o lado de Sophia. Percebi totalmente o quanto era justo o ponto de vista de Sophia – que poderia ser chamado de ponto de vista da família Leonides. Ressentiam-se de conviver com uma estranha que fora admitida entre eles através de meios aparentemente ignóbeis. Estavam dentro de seus direitos. Como dissera Sophia: na teoria, não ficaria muito bem...

Mas havia o lado humano da história – o lado que eu via e eles não. Eles eram, sempre tinham sido, ricos e bem estabelecidos. Não tinham noção das tentações das vítimas da injustiça social. Brenda Leonides queria riqueza, coisas belas e segurança – e um lar. Alegava que, em troca disso, fizera o marido idoso feliz. Eu simpatizava com ela. Sem dúvida, enquanto conversamos, simpatizei com ela... Tinha igual simpatia agora?

Dois lados da mesma questão – diferentes perspectivas. Qual era a perspectiva verdadeira... a perspectiva verdadeira...

Havia dormido muito pouco na noite anterior. Acordara cedo para acompanhar Taverner. Agora, no ambiente aquecido e com aroma floral da sala de estar de Magda Leonides, meu corpo relaxava no abraço almofadado da poltrona e minhas pálpebras se fechavam...

Pensando em Brenda, em Sophia, no retrato do velho, minhas reflexões se misturavam a uma agradável névoa.

Adormeci...

CAPÍTULO 10

Recobrei a consciência tão devagar que a princípio não me dei conta de que havia cochilado.

A fragrância das flores me invadiu o nariz. Diante de mim, uma bolha branca e redonda parecia flutuar. Demorei alguns segundos para perceber que era um rosto o que eu via – um rosto suspenso no ar, a cerca de meio metro de distância. À medida que recobrava os sentidos, minha visão foi se tornando mais precisa. O rosto tinha traços de duende: era redondo, com a testa protuberante, cabelos penteados para trás e olhos negros pequenos, bem radiantes. Mas definitivamente estava ligado a um corpo – um corpo miúdo, magricelo. Olhava-me com muita seriedade.

– Olá – disse.

– Olá – respondi, piscando.

– Sou Josephine.

Eu já tinha deduzido. A irmã de Sophia, Josephine, tinha, pelas minhas estimativas, onze ou doze anos. Era uma criança de feiura inacreditável, de uma semelhança inconfundível com o avô. Pareceu-me possível que também tivesse a inteligência dele.

– Você é o rapaz da Sophia – disse Josephine.

Reconheci a legitimidade do comentário.

– Mas veio para cá com o inspetor-chefe Taverner. Por que veio com o inspetor-chefe Taverner?

– Ele é amigo meu.

– É? Não gosto dele. Não vou contar nada a ele.

– Que tipo de coisas?

– As coisas que eu sei. Sei de muitas coisas. Gosto de saber das coisas.

Ela se sentou no braço da poltrona e continuou a examinar-me o rosto. Senti-me bastante desconfortável.

– O vovô foi assassinado. Você ficou sabendo?

– Sim – respondi. – Eu soube.

– Ele foi envenenado. Com e-se-ri-na. – Ela pronunciou a palavra com cuidado. – Interessante, não é?

– Imagino que sim.

– Eustace e eu estamos muito interessados. Nós gostamos de histórias de detetives. Sempre quis ser detetive. Estou sendo, agora. Estou recolhendo pistas.

Tive a impressão de que se tratava de uma criança repugnante.

Ela voltou ao dever do ofício.

– O homem que chegou com o inspetor-chefe Taverner também é detetive, não é? Nos livros, dizem que sempre dá para perceber quem são os detetives à paisana pelas botas. Mas o detetive estava usando sapatos de camurça.

– As coisas mudaram – declarei.

Josephine interpretou meu comentário de acordo com suas próprias ideias.

– É, muitas mudanças vão acontecer por aqui, eu imagino. A gente deve se mudar para uma casa em Londres, no Aterro. Minha mãe já queria isso há muito tempo. Vai ficar bem contente. Acho que meu pai não vai achar ruim, se os livros dele também forem para lá. Antes, ele não podia bancar. Ele perdeu um dinheirão por causa de *Jezebel.*

– Jezebel? – indaguei.

– É, você não viu?

– Ah, foi uma peça? Não, não vi. Estava morando fora.

– Não ficou muito tempo em cartaz. Na verdade, foi um fracasso enorme. Não acho que mamãe é a pessoa certa para representar Jezebel, você não concorda?

Pesei minhas impressões de Magda. Nem no robe pêssego nem na roupa feita sob medida ela fazia alusão a Jezebel, mas estava disposto a acreditar que havia outras Magdas que eu desconhecia.

– Talvez não – concordei com cautela.

– O vovô sempre disse que seria um fracasso. Ele disse que não investiria dinheiro nenhum nessas peças históricas religiosas. Disse que jamais seria sucesso de público. Mas mamãe foi incisiva. Eu mesma não gostei muito. Não tinha nada a ver com a história da Bíblia. Quer dizer, Jezebel não era malvada que nem na Bíblia. Era uma patriota, uma pessoa muito boa. Isso deixou a peça sem graça. Mas o final era legal. Atiraram Jezebel pela janela. Só que não veio nenhum cão para comê-la. Achei uma pena, você não concorda? A parte em que os cães a devoram é a minha predileta. A mamãe fala que não dá para pôr cães no palco, mas eu não entendo o porquê. É só colocar cães atores. – Ela citou com *gusto*: – "E comeram-na inteira, menos as palmas das mãos". Por que eles não comeram as palmas das mãos?

– Não faço a mínima ideia – declarei.

– Não dá para imaginar, não é, que os cães eram tão detalhistas assim. Os nossos cachorros não são. Eles comem *qualquer coisa.*

Josephine refletiu a respeito deste enigma bíblico por alguns segundos.

– Sinto muito pelo fracasso da peça – eu disse.

– É. Mamãe ficou muito chateada. As críticas foram simplesmente pavorosas. Quando ela leu, se debulhou em lágrimas e passou o dia inteiro chorando, e jogou a bandeja de café da manhã na Gladys, e aí a Gladys pediu demissão. Foi bem divertido.

– Dá para notar que você gosta de drama, Josephine – retruquei.

– Fizeram uma autópsia no vovô – anunciou Josephine. – Para saber do quê ele morreu. Eles chamam de PM, mas acho que confunde, não é? Porque PM também é primeiro-ministro. E Polícia Militar – ela acrescentou, pensativa.

– Você está triste pela morte do seu avô? – indaguei.

– Não muito. Eu não gostava muito dele. Ele me impediu de aprender a dançar balé.

– Você queria aprender a dançar balé?

– Queria, e minha mãe ia deixar que eu aprendesse, e meu pai não se importava, mas meu avô falou que não seria bom para mim.

Ela desceu do braço da poltrona, tirou os sapatos e se empenhou em ficar no que acredito que tecnicamente seja chamado de pontas dos pés.

– É preciso ter os sapatos adequados, é claro – ela explicou –, e mesmo assim as pontas dos dedos às vezes ficam inchados, um pavor. – Ela voltou a pôr as plantas dos pés no chão e perguntou, num tom casual: – Você gostou desta casa?

– Não sei dizer – respondi.

– Imagino que vão colocá-la à venda. A não ser que Brenda continue a morar nela. E acho que o tio Roger e a tia Clemency não vão embora agora.

– Eles iam embora? – questionei, com um pouco mais de interesse.

– Iam. Iam na terça. Para algum lugar no exterior. Iam de avião. Tia Clemency comprou uma daquelas malas que não pesam nada.

– Não sabia que iam viajar para o exterior – comentei.

– Não – disse Josephine. – Ninguém sabia. Era segredo. Só iam contar depois que já tivessem ido. Iam deixar um bilhete para o meu avô.

Ela acrescentou:

– Não preso na almofada para alfinetes. Isso só acontece nos livros antiquados, e as esposas fazem isso quando abandonam os maridos. Mas hoje em dia seria uma tolice, já que ninguém tem mais almofada para alfinetes.

– Claro que não. Josephine, você sabe por que o seu tio Roger... ia embora?

Ela me lançou um olhar esperto de soslaio.

– Acho que sei. Tinha algo a ver com o escritório do tio Roger em Londres. Eu imagino, mas não tenho certeza, que ele *desfalcou* alguma coisa.

– Por que você imagina isso?

Josephine se aproximou e senti sua respiração pesada no meu rosto.

– No dia em que o vovô foi envenenado, o tio Roger ficou um tempão trancado com ele no quarto. Ficaram horas conversando. E o tio Roger falou que sempre foi um inútil, que tinha decepcionado o vovô... e que a questão não era dinheiro... era a sensação de que ele não era digno de confiança. Ele estava péssimo.

Encarei Josephine com sentimentos controversos.

– Josephine, ninguém nunca lhe disse que não se deve ficar ouvindo por trás das portas?

Josephine fez que sim, movimentando a cabeça vigorosamente.

– É claro que me disseram isso. Mas se você quer descobrir as coisas, você *tem* que ouvir por trás das portas. Aposto que o inspetor-chefe Taverner faz isso. Você não?

Ponderei a questão. Josephine prosseguiu, incisiva:

– E de qualquer forma, se *ele* não ouve, o outro ouve, o dos sapatos de camurça. E olham nas mesas das pessoas e leem as correspondências, e descobrem todos os segredos que elas guardam. Só que são burros! Não sabem onde procurar!

Josephine falava com ar de superioridade. Cometi a insensatez de deixar a conclusão me escapar. A criança continuou, desagradável:

– Eustace e eu sabemos de muitas coisas, mas eu sei mais do que Eustace sabe. E não posso contar para ele. Ele diz que mulheres não podem virar grandes detetives. Mas eu digo que podem, sim. Vou escrever tudo em um caderno e então, quando a polícia estiver totalmente confusa, vou me apresentar e dizer "*Eu sei* quem foi."

– Você lê muitas histórias de detetive, Josephine?

– Aos montes.

– Imagino que você acha que sabe quem matou o seu avô?

– Bem, eu *acho* que sim, mas ainda tenho que encontrar mais umas pistas. – Ela fez uma pausa e acrescentou: – O inspetor-chefe Taverner acha que foi Brenda, não é? Ou que foi Brenda junto com Laurence porque os dois estão apaixonados.

– Você não devia falar esse tipo de coisa, Josephine.

– Por que não? Os dois estão apaixonados.

– Você não tem como saber.

– Tenho, sim. Eles escrevem um para o outro. Cartas de amor.

– Josephine! Como você sabe disso?

– Eu já as li. Cartas bem sentimentaloides. Mas Laurence é sentimentaloide. Ele ficou com pavor de ter de lutar na guerra. Ficava em porões e atiçava caldeiras. Quando as bombas voavam aqui por cima, ele ficava verde, verde mesmo. Eustace e eu caíamos na gargalhada.

O que eu teria falado em seguida, eu não sei, pois naquele momento um carro estacionou do lado de fora. Instantaneamente, Josephine estava na janela, o nariz arrebitado imprensado contra o vidro.

– Quem é? – indaguei.

– É o sr. Gaitskill, advogado do vovô. Imagino que esteja aqui para tratar do testamento.

Com a respiração agitada, ela deixou a sala às pressas, sem dúvida para retomar suas investigações.

Magda Leonides entrou no aposento, e para minha surpresa chegou perto de mim e segurou minhas mãos entre as suas.

– Meu querido – ela disse –, graças a Deus que você está aqui. Às vezes um homem é tão *necessário.*

Ela largou as minhas mãos, foi até uma poltrona de espaldar comprido, mudou um pouco a posição do móvel, se olhou num espelhou e depois, pegando uma caixa esmaltada da mesa, passou a abri-la e fechá-la, com um ar pensativo.

Era uma pose atraente.

Sophia enfiou a cabeça no vão da porta e anunciou, num sussurro com tom de advertência:

– Gaitskill!

– Eu sei – declarou Magda.

Alguns instantes depois, Sophia entrou na sala, acompanhada por um senhor de idade baixinho, e Magda deixou a caixa em cima da mesa e foi cumprimentar o homem.

– Bom dia, sra. Philip. Eu já ia subir. Parece que há alguma controvérsia a respeito do testamento. Seu marido me escreveu dizendo que tinha a impressão de que o testamento estava sob meu poder. Compreendi, pelo que o próprio sr. Leonides me falou, que estava na caixa-forte dele. Imagino que a senhora não saiba nada sobre o assunto, não é?

– Sobre o testamento do coitado do Docinho? – Magda arregalou os olhos. – Não, é claro que não. Não me diga que aquela mulher horrorosa que está lá em cima o destruiu?

– Veja bem, sra. Philip. – Ele balançou o dedo para ela, num gesto repreensivo. – Nada de conclusões precipitadas. A única questão é onde o seu sogro o guardava.

– Mas ele o mandou para o senhor... tenho certeza de que mandou... depois de assinar. Ele mesmo nos falou que fez isso.

– Pelo que eu soube, a polícia revirou os documentos do sr. Leonides – disse o sr. Gaitskill. – Vou dar uma palavrinha com o inspetor-chefe Taverner.

Ele se retirou da sala.

– Querida – bradou Magda. – Ela *destruiu* o testamento. Tenho certeza disso.

– Besteira, mãe, ela não faria uma burrice dessas.

– Não seria burrice. Sem testamento, ela fica com tudo.

– Shh... o Gaitskill está voltando.

O advogado retornou à sala. O inspetor-chefe Taverner o acompanhava, e atrás de Taverner vinha Philip.

– Pelo que entendi do que o sr. Leonides me falou – Gaitskill estava dizendo –, ele tinha colocado o testamento no banco, para garantir sua segurança.

Taverner fez que não.

– Entrei em contato com o banco. Eles não têm nenhum documento particular pertencente ao sr. Leonides além de certas apólices que guardavam para ele.

Philip disse:

– Me pergunto se Roger... ou tia Edith... Talvez, Sophia, você possa pedir a eles que venham aqui.

Mas Roger Leonides, convocado junto com os outros para uma reunião, não podia prestar auxílio.

– Mas é loucura... uma insanidade – ele declarou. – Papai assinou o testamento e disse, com todas as palavras, que ia despachá-la para o sr. Gaitskill no dia seguinte.

– Se minha memória não me falha – disse o sr. Gaitskill, se recostando e semicerrando os olhos –, foi no dia 24 de novembro do ano passado que eu enviei uma minuta redigida segundo as instruções do sr. Leonides. Ele aprovou a minuta, mandou-a de volta, e em seu devido tempo mandei-lhe o testamento para que ele o assinasse. Uma semana depois, aventurei-me a lembrá-lo de que ainda não tinha recebido o testamento devidamente assinado e certificado e perguntei se havia algo que ele quisesse alterar. Ele respondeu que estava plenamente satisfeito e acrescentou que, após assinar o testamento, havia mandado o documento para o banco.

– É isso mesmo – confirmou Roger, impaciente. – Foi no fim de novembro do ano passado... Lembra-se, Philip? Uma noite, papai reuniu todos nós e leu o testamento em voz alta.

Taverner virou-se para Philip Leonides.

– Coincide com a sua lembrança dos fatos, sr. Leonides?

– Sim – disse Philip.

– Foi bastante parecido com o *Voysey Inheritance* – comentou Magda. Ela soltou um suspiro contente. – Sempre acho que há um quê de dramaticidade em testamentos.

– Srta. Sophia?

– Sim – disse Sophia. – Me recordo perfeitamente.

– E as cláusulas do testamento? – indagou Taverner.

O sr. Gaitskill estava prestes a responder em seu estilo meticuloso, mas Roger Leonides se antecipou a ele.

– Era um testamento muito simples. Electra e Joyce tinham falecido e a quantia que lhes tinha sido doada voltaram para o papai. O filho de Joyce, William, tinha morrido em combate na Birmânia, e o dinheiro que deixou foi para o pai dele. Philip, eu e as crianças éramos os únicos parentes ainda vivos. Papai explicou este ponto. Ele deixou cinquenta mil libras sem taxas para a tia Edith, cem mil libras sem taxas para Brenda, esta casa para Brenda, ou então que uma casa adequada em Londres fosse comprada para ela, como ela preferisse. O restante seria dividido em três partes: uma para mim, uma para Philip, e a terceira a ser dividida entre Sophia, Eustace e Josephine. As partes que cabem aos dois últimos ficariam depositadas em custódia até que atingissem a maioridade. Acho que era isso, não era, sr. Gaitskill?

– Grosso modo, essas são as cláusulas do documento que eu redigi – concordou o sr. Gaitskill, demonstrando um ligeiro amargor por não ter podido falar por si próprio.

– Papai leu para nós – disse Roger. – Perguntou se queríamos fazer algum comentário. Claro que não foi o caso.

– Brenda fez um comentário – interveio a srta. De Haviland.

– Fez – confirmou Magda, deleitada. – Falou que não aguentava ver seu querido Aristide falar de morte. Isso "a deixava arrepiada", disse ela. E que depois que ele morresse não ia querer nenhum centavo do horrendo dinheiro!

– Este é um protesto convencional, típico de sua classe – falou a srta. De Haviland.

Foi uma observação cruel e corrosiva. De repente, me dei conta do quanto a srta. De Haviland detestava Brenda.

– Uma distribuição bastante justa e lógica do patrimônio que ele tinha – disse o sr. Gaitskill.

– E depois que o testamento foi lido, o que aconteceu? – inquiriu o inspetor Taverner.

– Depois de ler – disse Roger –, ele o assinou.

Taverner se inclinou para a frente.

– Como e quando ele o assinou?

Roger olhou para a esposa como quem faz uma súplica. Clemency se pronunciou em resposta ao olhar. O restante da família pareceu satisfeito com a atitude.

– O senhor quer saber exatamente o que aconteceu?

– Por obséquio, sra. Roger.

– Meu sogro pôs o testamento em cima da mesa dele e pediu que um de nós... acho que foi Roger... tocasse o sino. Quando Johnson respondeu ao chamado, meu sogro pediu que ele buscasse Janet Wolmer, a copeira. Com ambos ali, ele assinou o testamento e pediu a eles que assinassem abaixo de sua assinatura.

– O procedimento correto – declarou o sr. Gaitskill. – Testamentos devem ser assinados pelo testador na presença de duas testemunhas que devem apor as próprias assinaturas na mesma hora e no mesmo local.

– E depois disso? – indagou Taverner.

– Meu sogro agradeceu a ambos e eles se retiraram. Meu sogro pegou o testamento, pôs dentro de um envelope grande e mencionou que o enviaria ao sr. Gaitskill no dia seguinte.

– Todos concordam – disse o inspetor Taverner, percorrendo o ambiente com os olhos – que este é o relato fiel aos fatos?

Ouviram-se murmúrios de concordância.

– O testamento estava em cima da mesa dele, a senhora afirma. Algum dos senhores chegou perto da mesa?

– Não muito perto. Entre quatro ou cinco metros, no máximo.

– Quando o sr. Leonides leu o testamento em voz alta, ele estava sentado à mesa?

– Estava.

– Ele se levantou, ou se afastou da mesa, depois de ler o testamento e antes de assiná-lo?

– Não.

– Os criados puderam ler o documento quando assinaram seus nomes?

– Não – respondeu Clemency. – Meu sogro pôs uma folha de papel em cima da parte superior do documento.

– Bastante apropriado – disse Philip. – O conteúdo do testamento não era do interesse dos criados.

– Entendo – disse Taverner. – Ou melhor, eu não entendo.

Com um movimento brusco, ele apresentou um envelope grande e se inclinou para entregá-lo na mão do advogado.

– Dê uma olhada nisso – ele pediu. – E me diga do que se trata.

O sr. Gaitskill tirou do envelope um documento dobrado. Examinou-o com enorme perplexidade, virando-o e revirando-o nas mãos.

– Isto é surpreendente – declarou. – Não compreendo. Onde estava isto, se é que posso perguntar?

– Estava no cofre, junto com outros papéis do sr. Leonides.

– Mas o que é isso? – Roger quis saber. – Por que todo este estardalhaço?

– Este é o testamento que preparei para que o seu pai assinasse, Roger... mas... não compreendo... depois de tudo o que vocês disseram... não está assinado.

– O quê? Bom, imagino que seja apenas uma minuta.

– Não – afirmou o advogado. – O sr. Leonides me devolveu a minuta original. Então redigi o testamento... *este* testamento. – Ele deu pancadinhas com o dedo. – E mandei para que ele assinasse. Segundo o testemunho de vocês, ele assinou o testamento na frente de todos... e duas testemunhas acrescentaram suas assinaturas. Porém, ele não está assinado.

– Mas isso é impossível – exclamou Philip Leonides, com uma vivacidade que eu ainda não tinha visto nele.

Taverner indagou:

– A visão do seu pai era boa?

– Ele sofria de glaucoma. Usava óculos potentes, é claro, para leitura.

– Ele estava usando os óculos naquela noite?

– Sem dúvida. Ele só tirou os óculos depois de assinar. Acho que tenho razão.

– Tem razão, sim – confirmou Clemency.

– E todo mundo tem certeza de que ninguém se aproximou da mesa antes da assinatura do testamento?

– Agora eu me pergunto – disse Magda, contraindo os olhos – se algum de nós conseguiria relembrar a situação toda.

– Ninguém se aproximou da mesa – declarou Sophia. – E o vovô ficou o tempo inteiro sentado.

– A mesa estava na mesma posição que está agora? Não estava perto de uma porta, ou de uma janela, ou de uma cortina?

– Estava onde está agora.

– Estou tentando entender como poderia ter sido feita uma substituição – informou Taverner. – Deve ter havido uma substituição. O sr. Leonides estava sob a impressão de que assinava o documento que tinha acabado de ler em voz alta.

– As assinaturas não podem ter sido apagadas? – perguntou Roger.

– Não, sr. Leonides. Não sem deixar sinais de que foram apagadas. Há uma outra possibilidade. A de que este não é o documento enviado pelo sr. Gaitskill para o sr. Leonides e assinado diante dos senhores.

– Pelo contrário – disse o sr. Gaitskill. – Eu poderia jurar que este é o documento original. Há uma pequena falha no papel, na ponta esquerda de cima, que parece um avião. Percebi esse detalhe na época.

A família se entreolhou, todos inexpressivos.

– Uma série de circunstâncias muito curiosas – disse o sr. Gaitskill. – Sem nenhum precedente na minha experiência.

– A coisa toda é impossível – concluiu Roger. – Estávamos todos aqui. Simplesmente não havia como isso ter acontecido.

A srta. De Haviland deu uma tossidela seca.

– Não vale a pena gastar saliva dizendo que algo que aconteceu não pode ter acontecido – observou ela. – Qual é a situação agora? É isso o que eu gostaria de saber.

Gaitskill ficou cauteloso no mesmo instante.

– A situação terá de ser avaliada com muito cuidado – sugeriu ele. – Este documento, é óbvio, revoga todos os testamentos anteriores. Diversas testemunhas viram o sr. Leonides assinar, de total boa-fé, o que ele certamente acreditava ser seu testamento. Hum. Muito interessante. Um grande problema jurídico.

Taverner olhou para o relógio.

– Receio ter atrasado o almoço dos senhores – disse ele.

– Não quer almoçar conosco, inspetor-chefe? – convidou Philip.

– Obrigado, sr. Leonides, mas vou encontrar o dr. Gray em Swinly Dean.

Philip virou-se para o advogado.

– Almoça com a gente, Gaitskill?

– Obrigado, Philip.

Todos se levantaram. Discretamente, aproximei-me de Sophia.

– Devo ficar ou ir embora? – sussurrei. Soou tão ridículo como o título de uma canção vitoriana.

– Ir embora, eu acho – respondeu Sophia.

Saí furtivamente da sala, à procura de Taverner. Josephine ia e vinha através da porta que dava para os cômodos dos fundos. Parecia estar muito satisfeita por algum motivo.

– A polícia é burra – observou ela.

Sophia apareceu, vindo da sala.

– O que você anda fazendo, Josephine?

– Ajudando a babá.

– Acredito que você estava ouvindo atrás da porta.

Josephine fez uma careta para ela e bateu em retirada.

– Essa criança – disse Sophia – é um problema sério.

CAPÍTULO 11

I

Entrei na sala do comissário-assistente da Scotland Yard e me deparei com Taverner terminando o relato do que aparentemente fora uma história dolorosa.

– E então, vejam só – ele estava dizendo. – Eu virei todos eles pelo avesso e o que consegui: nada! Nenhuma motivação. Nenhum deles estava com dificuldades financeiras. E só o que temos contra a esposa e o rapaz é que ele a olhava com ternura quando ela lhe servia café!

– Acalme-se, Taverner – eu disse. – Posso ter me saído um pouco melhor do que você nesse quesito.

– É mesmo? Bem, sr. Charles, o que foi que *você* conseguiu?

Sentei-me, acendi um cigarro, me recostei e passei as informações que eu tinha.

– Roger Leonides e a esposa planejavam viajar para o exterior na terça que vem. Roger e o pai tiveram uma conversa tempestuosa no dia da morte do velho. O velho Leonides havia descoberto que algo estava errado e Roger assumiu a responsabilidade.

Taverner ficou de rosto vermelho.

– Onde você obteve todas essas informações? – ele quis saber. – Se você as conseguiu com os criados...

– Não foi com os criados. Consegui – declarei – com um detetive particular.

– O que você quer dizer com isso?

– E devo dizer que, de acordo com o cânone das melhores histórias de detetives, ele, ou melhor, ela... ou talvez seja melhor eu dizer *isso*... deixou a polícia comendo poeira! Acho também – prossegui – que a minha detetive particular tem algumas cartas guardadas na manga.

Taverner abriu a boca e tornou a fechá-la. Tinha tantas perguntas a fazer que não sabia por onde começar.

– Roger! – ele exclamou. – Então Roger é o suspeito, não é?

Senti uma leve relutância ao desabafar. Tinha gostado de Roger Leonides. Ao me lembrar de seu quarto confortável, aconchegante, e do encanto cordial do próprio homem, me desagradou mandar a matilha da justiça seguir o rastro dele. Era possível, claro, que nenhuma das informações de Josephine fosse confiável, mas eu realmente achava que não era o caso.

– Então a menina lhe falou? – indagou Taverner. – Ela parece saber de tudo o que acontece dentro daquela casa.

– As crianças geralmente sabem – disse o meu pai, com desdém.

Tal dado, se verdadeiro, alterava toda a situação. Se Roger de fato vinha "desfalcando" os fundos da Associated Catering e o velho havia descoberto, poderia ser vital silenciar Leonides e deixar a Inglaterra antes que a verdade viesse à tona. Era possível que Roger estivesse sujeito a sofrer um processo criminal.

Concordou-se que as investigações sobre os negócios da Associated Catering deveriam ser iniciadas sem demora.

– Causará um impacto gigantesco, se for verdade – observou meu pai. – É uma grande preocupação. Há milhões envolvidos.

– Se realmente estiver em débito, vamos conseguir o que queremos – declarou Taverner. – O pai convoca Roger. Roger sucumbe e confessa. Brenda Leonides estava no cinema. Roger só tinha de sair do quarto do pai, entrar no banheiro, esvaziar o frasco de insulina e substituir pela solução de eserina e pronto. Ou a esposa pode ter feito isso. Naquele dia, ela foi até a outra ala da casa quando chegou, disse que foi pegar um cachimbo que Roger tinha deixado lá. Mas ela pode ter ido trocar a substância antes de Brenda chegar em casa e lhe dar a injeção. Ela seria capaz de agir com frieza e habilidade.

Assenti.

– É, eu imagino que foi ela a executora da façanha. Ela é fria o suficiente para fazer o que quer que seja! E não acho que Roger Leonides seria mesmo capaz de pensar em envenenamento... a tramoia com a insulina tem um toque feminino.

– Muitos homens cometem envenenamentos – disse meu pai, com ironia.

– Ah, eu sei, senhor – retrucou Taverner. – Ô se sei! – acrescentou, empolgado.

– Ainda assim, eu não deveria ter dito que Roger faz esse gênero.

– Pritchard – o Velho lembrou – fazia umas belas misturas.

– Digamos que agiram em conluio.

– Com um quê de Lady Macbeth – disse o meu pai, quando Taverner se retirou. – É esta a impressão que você tem dela, Charles?

Visualizei a silhueta delgada, graciosa, parada junto à janela em um ambiente austero.

– Não exatamente – eu disse. – Lady Macbeth era basicamente uma mulher gananciosa. Não acho que Clemency Leonides é assim. Não acho que ela queira bens ou se importe com isso.

– Mas talvez se importe, a ponto de se desesperar, com a segurança do marido?

– Isso, sim. E não há dúvida de que ela é capaz de ser... bem, brutal. "Diferentes tipos de brutalidade", dissera Sophia.

Ergui o olhar e vi que o Velho me observava.

– No que você está pensando, Charles?

Mas não lhe contei naquele momento.

II

Fui chamado no dia seguinte e encontrei Taverner junto com o meu pai. Taverner parecia satisfeito e ligeiramente empolgado.

– A Associated Catering está à beira da bancarrota – anunciou meu pai.

– Vai falir a qualquer minuto – disse Taverner.

– Vi que houve uma queda brusca nas ações ontem à noite – comentei. – Mas parecem ter se recuperado hoje de manhã.

– Temos que lidar com a situação com bastante cautela – sugeriu Taverner. – Sem perguntas diretas. Nada que gere pânico, ou que afugente nosso cavalheiro. Mas temos fontes secretas de informações e elas são bastante precisas. A Associated Catering está à beira da falência. Não pode cumprir com seus compromissos. A verdade é que parece estar sendo mal administrada há anos.

– Pelo Roger Leonides?

– Sim. Ele é a autoridade soberana, entende?

– E surrupiou dinheiro...

– Não – disse Taverner. – Não é o que imaginamos. Para ser mais claro: ele pode até ser um assassino, mas não achamos que seja um vigarista. Francamente, ele não passa de... um tolo. Não parece ter bom senso. Ele teve iniciativa quando deveria ter se contido, vacilou e recuou quando tinha de ter iniciativa. Delegou poderes ao tipo de gente a quem jamais deveria ter delegado poder algum. Ele confia nos outros, e confiou nas pessoas erradas. Em todos os momentos, em todas as ocasiões, ele tomou a decisão errada.

– Existem pessoas assim – disse o meu pai. – E não são burras. Só não têm discernimento para julgar os outros, só isso. E se entusiasmam nos momentos errados.

– Um homem desses não deveria cuidar dos negócios – declarou Taverner.

– Provavelmente não cuidaria – disse meu pai –, se não fosse pelo fato de ser filho de Aristide Leonides.

– A empresa estava estourando quando o velho a entregou nas mãos dele. Era para ter sido uma mina de ouro! Seria de se imaginar que fosse só ficar sentado de braços cruzados e ver a empresa crescer sozinha.

– Não. – Meu pai balançou a cabeça. – Empresa nenhuma cresce sozinha. Há sempre decisões a tomar... um homem demitido ali... um homem admitido acolá... pequenas questões de estratégia. E, ao que parece, com Roger Leonides as respostas sempre eram as erradas.

– Isso mesmo – concordou Taverner. – Para começar, ele faz o tipo leal. Mantinha funcionários incompetentes simplesmente pelo afeto que tinha por eles, ou porque estavam na empresa há muito tempo. E às vezes tinha ideias difíceis de pôr em prática e insistia em tentá-las, apesar dos enormes gastos envolvidos.

– Mas nada criminoso? – persistiu meu pai.

– Não, nada criminoso.

– Então, por que cometer um assassinato? – indaguei.

– Talvez ele tenha sido bobo, e não canalha – sugeriu Taverner. – Mas o resultado foi igual... ou quase igual. A única coisa que poderia salvar a Associated Catering da bancarrota seria uma vasta quantia até a próxima – ele consultou um caderno –, até a próxima quarta, no máximo.

– A soma que ele herdaria, ou que achava que herdaria, de acordo com o testamento do pai?

– Exato.

– Mas ele não conseguiria essa quantia em dinheiro.

– Não. Mas teria crédito. Dá na mesma.

O Velho assentiu.

– Não seria mais fácil falar com o velho Leonides e pedir ajuda? – ele sugeriu.

– Acho que foi o que ele fez – declarou Taverner. – Imagino que tenha sido isso o que a menina escutou. O velho se recusou categoricamente, penso eu, a pôr dinheiro em um negócio sem salvação. Ele seria capaz de se recusar, entende?

A meu ver, Taverner tinha razão. Aristide Leonides se recusara a patrocinar a peça de Magda – dissera que não seria um sucesso de público. Os acontecimentos provaram que estava certo. Era um homem generoso com a família, mas não era homem de jogar dinheiro fora em empreendimentos desvantajosos. E a Associated Catering precisava de milhares de dólares, ou talvez centenas de milhares. Recusara-se categoricamente, e a única maneira que havia de Roger Leonides evitar a ruína financeira era a morte do pai.

Sim, sem dúvida existia uma motivação ali.

Meu pai olhou para o relógio.

– Pedi a ele que viesse aqui – ele disse. – Vai chegar a qualquer instante.

– Roger?

– Sim.

– Você me acompanharia até a sala da minha casa, disse a aranha para a mosca? – murmurei.

Taverner me olhou com uma expressão perplexa.

– Temos de dar a ele todos os avisos necessários – asseverou.

O cenário estava montado, o taquígrafo acomodado. Logo a campainha soou, e poucos minutos depois Roger Leonides entrou na sala.

Ele chegou ansioso e bastante desajeitado: tropeçou numa cadeira. De novo me veio à cabeça um cachorro grande, afável. Ao mesmo tempo, concluí, sem sombra de dúvida, que não tinha sido ele quem levara a cabo o processo de transferência da eserina para o frasco de insulina. Teria quebrado o vidro, derramado o líquido, ou estragado a operação de uma forma ou de outra. Não, foram as mãos de Clemency, decidi, embora Roger estivesse a par do ato.

As palavras lhe saíram numa torrente boca afora.

– O senhor queria me ver? Descobriu alguma coisa? Olá, Charles. Não vi que você estava aí. Que bom que você também veio. Mas por favor me diga, sr. Arthur...

Um sujeito muito gentil, um sujeito realmente muito gentil. Mas muitos assassinos eram sujeitos gentis, ou era isso o que diziam mais tarde seus amigos perplexos. Sentindo-me um Judas encarnado, eu o cumprimentei com um sorriso.

Meu pai assumiu, propositada e friamente, uma atitude formal. As expressões loquazes foram proferidas; declaração, registrado por escrito, sem coerção, advogado...

Roger Leonides repeliu todas elas com a impaciência sôfrega que lhe era característica.

Vi o ligeiro sorriso sarcástico no rosto do inspetor-chefe Taverner, e assim li os pensamentos que lhe passavam pela cabeça. “Sempre seguros de si, esses sujeitos. Não cometem um errinho sequer. São espertos demais!”

Sentei-me no canto, a fim de não atrapalhá-los, e ouvi.

– Pedi que o senhor viesse até aqui, sr. Leonides – disse o meu pai –, não para lhe dar informações novas, mas sim para lhe pedir informações... informações que o senhor sonegou anteriormente.

Roger Leonides pareceu desnorteado.

– Soneguei? Mas eu contei tudo! Tudo mesmo!

– Acho que não. O senhor teve uma conversa com o falecido no dia de sua morte?

– Tive, tive, tomei chá com ele. Eu lhe contei.

– O senhor nos contou, sim, mas não contou sobre a conversa.

– Nós... simplesmente... conversamos.

– Sobre?

– O cotidiano, a casa, Sophia...

– E a Associated Catering? Foi mencionada?

Acho que até aquele momento desejei que Josephine tivesse inventado a história toda; porém, se esse era o caso, minha esperança se dissipou rapidamente.

A expressão de Roger mudou. Em um instante, foi da ânsia a algo muito semelhante ao desespero.

– Ai, meu Deus – ele exclamou. Esparramou-se numa cadeira e cobriu o rosto com as mãos.

Taverner sorriu como um gato satisfeito.

– O senhor admite que não foi franco conosco, sr. Leonides?

– Como ficaram sabendo disso? Imaginei que ninguém soubesse... Não entendo como alguém *poderia* saber.

– Temos nossos meios de descobrir essas coisas, sr. Leonides. – Houve uma pausa magistral. – Acho que agora o senhor compreende que é melhor nos contar a verdade.

– Sim, sim, é claro. Vou lhes contar. O que querem saber?

– É verdade que a Associated Catering está à beira da falência?

– Sim. Não há mais como protelar. A falência está por vir. Se ao menos meu pai tivesse falecido sem saber. Sinto tanta vergonha... me sinto humilhado...

– Existe a possibilidade de um processo criminal?

Roger se empertigou na cadeira.

– Não, de jeito nenhum. Será uma falência, mas uma falência honrada. Os credores receberão vinte xelins em libras caso eu inclua meus bens pessoais, o que eu farei. Não, a vergonha que sinto é por ter falhado com meu pai. Ele confiou em mim. Colocou nas minhas mãos esta empresa, sua maior empresa... e sua empresa favorita. Ele nunca interferiu, nunca perguntou o que eu estava fazendo. Simplesmente... confiou em mim... E eu o decepcionei.

Meu pai disse, num tom seco:

– O senhor afirma que um processo criminal é improvável? Então por que o senhor e a sua esposa planejavam ir para o exterior sem contar a ninguém?

– Os senhores também sabem disso?

– Sim, sr. Leonides.

– Mas será que os senhores não entendem? – Ele se inclinou para a frente, ansioso. – Eu não conseguia contar a verdade ao meu pai. Pareceria que eu estava pedindo dinheiro, entendem? Como se eu quisesse que ele me desse um empurrão para eu me reerguer. Ele... ele gostava muito de mim. Ia querer ajudar. Mas eu não podia... eu não podia seguir em frente... ia acabar estragando tudo de novo... sou um inútil. Não tenho competência. Não sou o homem que meu pai era. Sempre soube disso. Eu tentei. Mas foi inútil. Eu andava tão infeliz... meu Deus! Os senhores não têm nem ideia do quanto eu estava infeliz! Tentando sair da lama, com a esperança de conseguir botar as coisas em ordem, a esperança que meu querido pai nunca precisasse saber disso. E então aconteceu... Acabaram-se as esperanças de que a falência pudesse ser evitada. Clemency, minha esposa, compreendeu, concordou comigo. Traçamos um plano. Não falar nada para ninguém. Ir embora. E deixar a bomba explodir. Eu deixaria uma carta para o meu pai, contando tudo... contando o quanto eu estava envergonhado e implorando a ele que me perdoasse. Ele sempre foi tão generoso comigo... Os senhores não fazem nem ideia! Mas já seria tarde demais para que ele tomasse alguma atitude. Era isso o que eu queria. Não pedir ajuda a ele... nem parecer que estava pedindo. Recomeçar por conta própria, em algum lugar. Viver de forma simples, humilde. Cultivar terras, café, frutas. Só para suprir as necessidades básicas da vida. Seria injusto com Clemency, mas ela jurou que não se importaria. Ela é maravilhosa... simplesmente maravilhosa.

– Entendo. – O tom do meu pai era seco. – E o que levou o senhor a mudar de ideia?

– Mudar de ideia?

– Sim. O que o levou a decidir falar com o seu pai e pedir ajuda financeira, afinal de contas?

Roger o fitou.

– Mas eu não fiz isso!

– Ora, sr. Leonides.

– Os senhores entenderam tudo errado. Eu não recorri a ele. *Eu* fui chamado por *ele*. Ele ficou sabendo, sabe-se lá como, no centro da cidade. Imagino que fosse um boato. Mas ele sempre sabia das coisas. Alguém tinha lhe dito. Ele me confrontou. Então, é óbvio que eu tive um ataque de nervos e contei tudo. Falei que o pior não era tanto o dinheiro, mas sim a sensação de que eu o decepcionei quando ele confiou em mim.

Roger engoliu em seco, aos espasmos.

– Meu querido pai – ele disse. – Os senhores nem imaginam o quanto ele foi bondoso comigo. Nenhuma censura. Apenas bondade. Falei para ele que não queria ajuda, que eu preferia não ser ajudado, que achava melhor ir embora, como planejado. Mas ele se recusou a me ouvir. Insistiu em ajudar... em reerguer a Associated Catering.

Taverner perguntou, num tom ríspido:

– O senhor quer que nós acreditemos que o seu pai tinha a intenção de auxiliá-lo financeiramente?

– Claro que tinha. Ele escreveu para os corretores dele imediatamente, dando instruções.

Suponho que tenha visto a expressão incrédula dos dois. Ficou vermelho.

– Olhem só – disse ele –, ainda tenho a carta. Eu ia colocá-la no correio. Mas claro que depois... com... com o choque e a confusão, eu esqueci. Devo estar com ela no bolso.

Ele pegou a carteira e revirou-a. Enfim achou o que procurava. Tratava-se de um envelope amassado e selado. Era endereçada, como vi ao me inclinar para a frente, aos srs. Greatorex e Hanbury.

– Já que não acreditam em mim – ele declarou –, leiam a carta.

Meu pai abriu o envelope. Taverner ficou de pé atrás dele. Não vi a carta naquele momento, só mais tarde. Instruía os srs. Greatorex e Hanbury a realizar certos investimentos e pedia que um membro da firma o encontrasse no dia seguinte para receber certas instruções a respeito dos negócios da Associated Catering. Parte da carta era ininteligível para mim, mas seu objetivo era bastante claro. Aristide Leonides se preparava para reerguer a Associated Catering.

Taverner disse:

– Vamos lhe dar um recibo por isto, sr. Leonides.

Roger pegou o recibo. Levantou-se e disse:

– É só isso? Os senhores entendem como tudo aconteceu, não é?

Taverner indagou:

– O sr. Leonides lhe deu esta carta e em seguida o senhor saiu? O que o senhor fez logo depois?

– Voltei correndo para a minha parte da casa. Minha esposa tinha acabado de chegar. Contei para ela o que meu pai se propusera a fazer. Como ele tinha sido maravilhoso! Eu... na verdade, eu mal sabia o que estava fazendo.

– E o seu pai se sentiu indisposto... quanto tempo depois?

– Deixe-me pensar... meia hora, talvez, ou uma hora. Brenda entrou correndo. Estava assustada. Falou que ele estava esquisito. Eu... eu corri para lá junto com ela. Mas isso tudo eu já contei antes.

– Durante a sua última visita, o senhor foi ao banheiro contíguo ao quarto do seu pai?

– Acho que não. Não: tenho certeza de que não fui. Ora, não é possível que o senhor pense que *eu*...

Meu pai conteve sua súbita indignação. Levantou-se e apertou-lhe a mão.

– Obrigado, sr. Leonides. O senhor nos ajudou muito. Mas devia ter nos contado tudo isso antes.

A porta se fechou atrás de Roger. Levantei-me e fui olhar a carta aberta sobre a mesa de meu pai.

– *Poderia* ser forjada – sugeriu Taverner, esperançoso.

– Poderia ser – retrucou o meu pai –, mas não acho que seja. Acho que temos de aceitá-la exatamente como nos foi apresentada. O velho Leonides estava pronto para tirar o filho da confusão em que ele se meteu. Isso seria feito com muito mais eficácia com ele vivo do que se fosse feito por Roger após a sua morte... Principalmente agora, que parece que não há testamento e, em consequência disso, o montante que Roger vai herdar é questionável. Isso leva a adiamentos... e dificuldades. Do jeito que as coisas estão agora, a falência é inevitável. Não, Taverner, Roger Leonides e a esposa não tinham motivo para tirar o velho do caminho. Pelo contrário...

Ele parou e repetiu o que tinha dito, pensativo, como se uma nova ideia lhe ocorresse:

– Pelo contrário...

– O que o senhor está imaginando? – indagou Taverner.

O Velho disse, devagar:

– Se Aristide Leonides tivesse vivido só mais um dia, Roger teria se dado bem. Mas ele não viveu. Morreu de repente e de forma dramática em pouco mais de uma hora.

– Humm – murmurou Taverner. – O senhor acha que alguém dentro daquela casa *queria* que Roger fosse à falência? Alguém que tinha interesses financeiros opostos? Não me parece provável.

– Qual é a situação no que diz respeito ao testamento? – meu pai perguntou. – Quem de fato receberá o dinheiro do velho Leonides?

Taverner soltou um suspiro exasperado.

– O senhor sabe como são os advogados. É impossível arrancar uma resposta direta deles. Há um testamento anterior. Feito quando ele se casou com a segunda sra. Leonides. Deixava a mesma quantia para ela, bem menos para a srta. De Haviland, e o restante seria dividido entre Philip e Roger. Eu devia ter pensado que, se este testamento não está assinado, é o antigo que vale, mas a questão não é assim tão simples. Em primeiro lugar, a elaboração de um novo testamento revogou o antigo, e há testemunhas de que ele foi assinado e da "vontade do testador". Caso tenha morrido sem deixar testamento, será um jogo de cara ou coroa. Aí parece que a viúva herda tudo... ou no mínimo tem o usufruto.

– Então, se o testamento sumiu, o mais provável é que Brenda Leonides lucre com isso?

– Sim. Se houve alguma trapaça, é provável que a iniciativa tenha partido dela. E obviamente *houve* trapaça, mas não tenho ideia de como foi realizada.

Eu também não tinha. Acho que fomos muito burros. Mas é claro que estávamos examinando o caso do ângulo errado.

CAPÍTULO 12

Houve um breve instante de silêncio depois que Taverner saiu.

Então eu disse:

– Pai, como são os assassinos?

O Velho me fitou, pensativo. Nós nos entendemos tão bem que ele sabia exatamente o que se passava na minha cabeça quando fiz a pergunta. E respondeu com muita seriedade.

– Sim – ele disse. – Isso é importante agora... muito importante, para você... Você está presenciando um assassinato e não pode continuar vendo a situação como se estivesse de fora.

Sempre nutri interesse, de um jeito amadorístico, por alguns dos "casos" mais espetaculares com que o Departamento de Investigação Criminal da Scotland Yard lidara, mas, como dissera o meu pai, tinha o interesse de um observador – que olha para dentro pela vitrina da loja, por assim dizer. Mas agora, como Sophia percebera bem mais rápido do que eu, o assassinato havia se tornado um fator predominante na minha vida.

O Velho prosseguiu:

– Não sei se sou a pessoa certa para responder. Eu poderia colocá-lo em contato com uns psiquiatras que fazem uns trabalhos para nós. Eles já têm tudo esclarecido. Ou Taverner poderia deixá-lo a par do que acontece nas internas. Mas o que você quer, pelo que entendi, é ouvir o que eu, pessoalmente, como resultado de minhas experiências com criminosos, penso disso?

– É isso o que eu quero – confirmei, satisfeito.

Meu pai desenhou um círculo pequeno com o dedo sobre a mesa.

– Como são os assassinos? Alguns deles – um sorriso melancólico esboçou-se em seu rosto – são bons sujeitos.

Acho que fiquei com uma expressão meio surpresa.

– É verdade, eles são – disse ele. – Sujeitos normais, bons, que nem você e eu, ou que nem o sujeito que acabou de sair, Roger Leonides. Olhe só: assassinato é um crime amador. Claro que estou falando do tipo de assassinato no qual você está pensando, não em coisa de gângster. Tem gente que tem a sensação, muitas vezes, de que esses sujeitos normais foram subjugados, por assim dizer, pelo assassinato, quase que por acaso. Estavam numa situação complicada, ou queriam muito alguma coisa, dinheiro ou uma mulher... e mataram para conseguir isso. O freio que funciona na maioria de nós não funciona neles. Uma criança passa do desejo à ação sem escrúpulos. A criança fica brava com o gatinho, diz "vou matar você" e bate na cabeça dele com um martelo... e fica de coração partido porque o gatinho não ressuscita! Muitas crianças tentam tirar um bebê do carrinho e "afogá-lo", porque isso rouba a atenção... ou inibe o prazer que sentem. Elas chegam... bem cedo... a uma etapa em que já sabem que isso é "errado", isto é, que serão punidas. Mais tarde, passam a *sentir* que é errado. Mas tem pessoas, imagino eu, que continuam imaturas do ponto de vista moral. Continuam cientes de que assassinato é errado, mas não sentem que é. Não acho, pela minha experiência, que algum assassino já sentiu remorso. E esta, talvez, seja a marca de Caim. Assassinos são uma categoria à parte, são "diferentes": assassinato é errado, mas não *para eles.* Para eles é necessário... a vítima "estava pedindo", era "o único jeito".

– Você acha – indaguei – que se alguém odiasse o velho Leonides, já odiasse o velho, digamos, há muito tempo, isso serviria de razão?

– Puro ódio? Eu diria que é pouco provável. – Meu pai me olhou com curiosidade. – Quando você fala em ódio, presumo que você esteja falando de aversão levada ao cúmulo. O ódio cioso é diferente: é o que surge da afeição e da frustração. Todo mundo falou que Constance Kent gostava muito do irmãozinho que ela matou. Mas é de se imaginar que quisesse a atenção e o amor que o bebê recebia. Acho que em geral as pessoas matam as pessoas que amam, e não as que odeiam. Talvez porque somente as pessoas que você ama podem tornar sua vida realmente insuportável. Mas isso tudo não lhe ajuda muito, não é? – ele continuou. – O que você quer, se estou entendendo bem, é um sinal, um indício universal que o ajude a reconhecer um assassino no meio de uma família de pessoas aparentemente normais e amáveis.

– É, é isso o que eu quero.

– Existe um denominador comum? Isto é o que eu gostaria de saber. Olha – ele parou para pensar –, se existe, me sinto inclinado a dizer que é a vaidade.

– Vaidade?

– É, nunca conheci um assassino que não fosse vaidoso. É a vaidade que os leva a fazer o estrago, nove entre dez vezes. Podem até ter medo de serem pegos, mas não conseguem deixar de se exibir e se gabar e geralmente têm certeza de que foram espertos demais para serem descobertos. – Acrescentou: – E tem outra coisa, assassinos querem *falar.*

– Falar?

– Sim: cometer um assassinato deixa o autor do crime numa situação muito solitária. Você quer contar a alguém tudo o que aconteceu... e nunca pode. E isso faz com que você queira contar ainda mais. Portanto, se você não pode falar como fez isso, pelo menos pode falar sobre o assassinato em si... discuti-lo, criar teorias... analisá-lo. Se eu fosse você, Charles, seria isso o que eu procuraria. Vá até lá outra vez, se misture a eles todos, e faça-os falar. Claro que não vai ser jogo fácil. Culpados ou inocentes, eles ficarão contentes com a oportunidade de falar com um desconhecido, porque podem falar para você coisas que não podem falar uns com os outros. Mas acho que é possível que você perceba a diferença. Quem tem algo a esconder não pode se dar ao luxo de sequer falar. Os sujeitos da Inteligência sabiam disso durante a guerra. Caso você fosse preso, dava seu nome, posto e número, e *mais nada*. Quem tenta dar informações falsas quase sempre derrapa. Ponha aquela família para falar, Charles, e fique atento a derrapagens e a momentos em que mostrem quem realmente são.

Eu lhe contei o que Sophia dissera a respeito da brutalidade de sua família – os diferentes tipos de brutalidade. Ele se mostrou interessado.

– Sim – ele disse. – A moça lhe deu uma boa informação. A maioria das famílias tem um defeito, uma falha congênita. Em geral, as pessoas conseguem lidar com uma fraqueza... mas talvez não sejam capazes de lidar com duas fraquezas de espécies diferentes. Interessante, a hereditariedade. Pegue como exemplo a brutalidade da srta. De Haviland e o que poderíamos chamar da falta de escrúpulos dos Leonides: tudo bem para a família De Haviland, pois ela não é inescrupulosa, e tudo bem para a família Leonides porque, apesar de inescrupulosa, é amável... mas pegue um descendente que herdou essas duas características... entendeu o que eu quero dizer?

Eu não tinha pensado nesses termos. Meu pai disse:

– Mas não quero criar caraminholas na sua cabeça a respeito de hereditariedade. É um assunto muito difícil e delicado. Agora, meu garoto, vá até lá e deixe que eles falem. A sua Sophia tem razão quanto a uma coisa. Nada além da verdade vai ser bom para ela ou para você. É preciso *ter certeza*.

Ele acrescentou quando eu estava saindo:

– E tome cuidado com a criança.

– Josephine? Você quer dizer que não devo deixar que ela saiba o que eu estou tramando?

– Não, não foi isso o que eu quis dizer. Estou falando para você cuidar dela. Não queremos que nada aconteça a ela.

Eu o encarei.

– Ora, ora, Charles. Há um assassino a sangue frio solto naquela casa. A menina parece saber mais do que ninguém o que acontece por lá.

– Não há dúvida de que ela sabia muito sobre Roger, ainda que tenha chegado à conclusão de que ele era caloteiro. O relato do que ela ouviu foi bem preciso.

– Sim, sim. As pistas fornecidas por uma criança são sempre as melhores. Sempre confio nelas. Não servem no tribunal, obviamente. As crianças não aguentam perguntas diretas. Elas balbuciam ou ficam com cara de idiotas e dizem que não sabem. Mas se saem muito bem quando estão se exibindo. Foi isso o que a menina fez com você. Ficou se exibindo. Você vai arrancar mais informações dela se agir do mesmo jeito. Não lhe faça perguntas. Finja que você acha que ela não sabe de nada. Assim ela se solta.

Ele continuou:

– Mas cuide dela. Talvez ela saiba demais para estar a salvo.

CAPÍTULO 13

Fui à Casa Torta (como eu a chamava, mas não em voz alta) com um leve sentimento de culpa. Embora tivesse repetido para Taverner as confidências que Josephine me fizera a respeito de Roger, não falei nada sobre a sua declaração de que Brenda e Laurence Brown trocavam cartas de amor.

Usei para mim mesmo a justificativa de que era apenas uma aventura e de que não tinha motivos para acreditar que era verdade. Mas na realidade senti uma relutância esquisita em contribuir para que aumentassem os indícios contra Brenda Leonides. Fui influenciado pelo *phátos* de sua posição naquela casa – cercada por uma família hostil, unida contra ela. Se tais cartas existiam, certamente Taverner e seus subordinados as encontrariam. Não gostaria de servir de meio para que novas suspeitas fossem levantadas acerca de uma mulher numa situação difícil. Além do mais, ela havia me garantido solenemente que nada estava acontecendo entre ela e Laurence, e eu me sentia mais inclinado a acreditar nela do que naquele gnomo malicioso chamado Josephine. Não foi a própria Brenda quem dissera que Josephine "não bate bem da cabeça"?

Reprimi a certeza inquietante de que Josephine batia muitíssimo bem da cabeça. Lembrei-me da inteligência que havia em seus olhos pretos.

Eu havia telefonado para Sophia e perguntado se poderia ir lá outra vez.

– Por favor, venha, Charles.

– Como vão as coisas?

– Sei lá. Estão bem. Não param de revirar a casa. O que eles estão procurando?

– Não faço ideia.

– Estamos todos ficando nervosos. Venha assim que você puder. Vou enlouquecer se eu não tiver com quem falar.

Eu disse que iria imediatamente.

Não vi ninguém quando cheguei à porta. Paguei o taxista e ele foi embora. Não sabia se devia tocar a campainha ou abrir a porta e entrar. A porta da frente estava destrancada.

Parado ali, hesitando, ouvi um ruído quase imperceptível atrás de mim. Virei a cabeça de súbito. Josephine, com o rosto parcialmente coberto por uma enorme maçã, estava na clareira da sebe, me olhando.

Quando virei a cabeça, ela se escondeu.

– Olá, Josephine.

Ela não respondeu, mas sumiu atrás da sebe. Atravessei a entrada da garagem e a segui. Estava sentada num banco rústico e desconfortável à margem do viveiro de peixes, balançando as pernas e mordendo a maçã. Por cima da circunferência rosada, seus olhos me fitavam de um jeito sombrio, que percebi como hostil.

– Vim para cá outra vez, Josephine.

Foi uma introdução fraca, mas achei o silêncio e o olhar decidido de Josephine bem intimidantes.

Com uma excelente habilidade estratégica, ela continuou a não me responder.

– A maçã está gostosa? – indaguei.

Desta vez, Josephine dignou-se a responder. A réplica consistia numa palavra.

– Farinhenta.

– Que pena – eu disse. – Não gosto de maçã farinhenta.

Josephine retrucou com escárnio:

– Ninguém gosta.

– Por que você não falou comigo quando lhe dei oi?

– Eu não quis.

– Por que não?

Josephine tirou a maçã da frente do rosto a fim de deixar mais clara a sua denúncia.

– Você foi contar para a polícia – declarou.

– Ah! – Fiquei surpreso. – Você está falando... de...

– Do tio Roger.

– Mas está tudo bem, Josephine – garanti. – Está tudo bem. Eles sabem que ele não fez nada errado... Quer dizer, ele não desviou dinheiro nem nada desse tipo.

Josephine me lançou um olhar exasperado.

– Que burro que você é.

– Desculpe.

– Eu não estava preocupada com o tio Roger. É só que não é assim que funciona o trabalho de um detetive. Você não sabe que só deve falar com a polícia no finalzinho?

– Ah, entendi – eu disse. – Desculpe, Josephine. Desculpe mesmo.

– Você tem mesmo que pedir desculpas. – Ela acrescentou, em tom de censura: – Eu confiei em você.

Pedi desculpas pela terceira vez. Josephine parecia ter amolecido um pouco. Deu mais umas mordidas na maçã.

– Mas com certeza a polícia descobriria tudo – declarei. – Você... eu... nós não teríamos como guardar segredo.

– Você está falando isso porque ele vai falir?

Como sempre, Josephine estava bem informada.

– Imagino que isso aconteça.

– Eles vão conversar sobre isso esta noite – anunciou Josephine. – Papai e mamãe e o tio Roger e a tia Edith. A tia Edith vai dar o dinheiro dela para ele... só que ela ainda não o recebeu... e acho que o papai não vai dar o dele. Ele diz que se Roger se meteu em encrenca, ele é o único responsável e que de nada serve investir dinheiro numa causa perdida, e mamãe não quer nem ouvir falar de dar dinheiro ao tio Roger porque quer que o papai dê o dinheiro para Edith Thompson. Você já ouviu falar da Edith Thompson? Ela era casada, mas não gostava do marido. Estava apaixonada por um rapaz chamado Bywaters, que tinha desembarcado de um navio e saiu por uma rua diferente depois de ir ao teatro e foi esfaqueado pelas costas.

Fiquei de novo maravilhado com o escopo e a profundidade do conhecimento de Josephine; e também com o senso de dramaticidade, apenas levemente obscurecido pelos pronomes nebulosos, com que apresentava todos os fatos importantes em poucas palavras.

– A história parece boa – disse Josephine –, mas acho que a peça não vai ter nada a ver com ela. Vai ser que nem *Jezebel*. – Ela suspirou. – Eu queria muito saber *por que* os cães não comeram as palmas das mãos dela.

– Josephine – falei. – Você me disse que tem quase certeza de quem é o assassino.

– E daí?

– Quem é?

Ela me lançou um olhar desdenhoso.

– Entendi. Só no último capítulo? Nem se eu prometer que não vou contar ao inspetor Taverner?

– Eu só quero mais algumas pistas – declarou Josephine. – De qualquer forma – ela acrescentou, atirando o caroço da maçã no viveiro –, eu não contaria para *você*. Se você é alguém, é o Watson.

Engoli o insulto.

– Está bem – eu disse. – Sou o Watson. Mas até o Watson recebia os pormenores.

– Os o quê?

– Os fatos. E aí deduzia coisas erradas a partir deles. Não seria bem divertido você me ver tirando conclusões erradas?

Por um instante, Josephine ficou tentada. Em seguida, recusou-se.

– Não – ela retrucou. E acrescentou: – De qualquer forma, não gosto muito do Sherlock Holmes. É muito antiquado. Eles andam pela cidade de cabriolé.

– E quanto às cartas? – indaguei.

– Que cartas?

– As cartas que você falou que Laurence Brown e Brenda escreviam um para o outro.

– Isso eu inventei – afirmou Josephine.

– Não acredito.

– Inventei, sim. Invento muitas coisas. Isso me diverte.

Eu a fitei. Ela também me fitou.

– Bem, Josephine. Conheço um homem do Museu Britânico que entende muito a respeito da Bíblia. Se eu descobrir por que os cães não comeram as palmas das mãos de Jezebel, você me conta sobre as cartas?

Desta vez, Josephine realmente hesitou.

Em algum lugar não muito distante de nós, um galho se quebrou com um estrépito. Josephine afirmou, categórica:

– Não, não vou contar.

Aceitei minha derrota. Mais tarde, naquele mesmo dia, lembrei-me do conselho do meu pai.

– Tudo bem – eu disse –, isso não passa de um jogo. É claro que você não sabe de nada.

O olhar de Josephine traía sua raiva, mas ela resistiu à isca.

Levantei-me.

– Agora tenho que entrar e achar Sophia. Venha comigo.

– Vou ficar aqui – declarou Josephine.

– Não vai, não – retruquei. – Você vai entrar junto comigo.

Sem cerimônia, puxei-a do banco. Ela pareceu surpresa e com vontade de reclamar, mas cedeu sem perder a elegância – em parte, sem dúvida, porque desejava observar a reação da família à minha presença.

Por que fiquei tão ansioso para que ela me acompanhasse, eu não saberia explicar naquele momento. Só me dei conta da razão quando passamos pela porta da frente.

Foi por causa do súbito estrépito de um galho.

CAPÍTULO 14

Ouvi murmúrios vindos da enorme sala de estar. Hesitei, mas não entrei. Caminhei pelo corredor e, levado por um impulso, abri a porta que dava para a ala dos criados. O corredor adiante estava escuro, mas de repente uma porta se abriu e vi a cozinha, grande e bem iluminada. Junto à porta estava uma mulher idosa – idosa e corpulenta. Usava um avental branco e imaculado amarrado em torno do quadril volumoso, e, no momento em que a vi, soube que não havia nada a temer. É aquela sensação agradável que uma babá é sempre capaz de transmitir. Tenho 35 anos, mas me senti como um menino de quatro anos em perfeita segurança.

Pelo que eu sabia, a babá nunca tinha me visto, mas disse na mesma hora:

– É o sr. Charles, não é? Entre na cozinha, vou fazer uma xícara de chá para o senhor.

Era uma cozinha ampla, alegre. Sentei-me diante da mesa de centro, e a babá trouxe a xícara de chá e um prato com dois biscoitos doces. Senti mais do que nunca que eu tinha voltado para a creche. Estava tudo bem, e os temores da escuridão e do desconhecido haviam me abandonado.

– A srta. Sophia vai ficar feliz de saber que o senhor está aqui – disse a babá. – Ela está ficando agitada demais. – Acrescentou, contrariada: – Estão todos agitados demais.

Olhei por cima do ombro.

– Cadê a Josephine? Ela entrou junto comigo.

A babá estalou a língua contra o céu da boca, demonstrando sua desaprovação.

– Ouvindo atrás das portas e escrevendo coisas naquele caderninho bobo que ela carrega para cima e para baixo – declarou. – Devia ter ido para a escola para poder brincar com crianças da mesma idade que ela. Falei isso para a srta. De Haviland e ela concordou, mas o patrão achou melhor para ela ficar em casa.

– Imagino que ele seja muito afeiçoado à menina – eu disse.

– Ele era, senhor. Ele era muito afeiçoado a todos eles.

Fiquei perplexo, imaginando por que o afeto de Philip pela própria filha era posto como uma coisa do passado. A babá viu minha expressão e, com um leve rubor, explicou:

– Quando falei em patrão, me referi ao velho sr. Leonides.

Antes que eu pudesse responder, a porta se abriu rapidamente e Sophia apareceu.

– Ah, Charles! – ela disse, e logo depois, dirigindo-se à babá: – Ah, estou tão contente que ele tenha vindo.

– Sei que está, meu bem.

A babá juntou um monte de panelas e frigideiras e levou tudo para a copa. Fechou a porta ao sair.

Eu me levantei e me aproximei de Sophia. Passei os braços em torno dela e a abracei.

– Minha querida – eu disse. – Você está tremendo. O que foi?

Sophia respondeu:

– Estou com medo, Charles. Estou com medo.

– Eu te amo – declarei. – Se eu pudesse levá-la para longe...

Ela recuou e fez que não com a cabeça.

– Não, é impossível. Nós temos que levar isso até o fim. Mas quer saber, Charles? Não gosto disso. Não gosto da sensação de que alguém... alguém dentro desta casa... alguém que eu vejo e com quem falo todos os dias é um envenenador frio, calculista...

E eu não soube como responder. A uma pessoa como Sophia, não adianta falar bobagens apaziguantes.

Ela disse:

– Se alguém *soubesse*...

– Deve ser a pior coisa do mundo – concordei.

– Sabe o que mais me assusta? – ela sussurrou. – É que talvez a gente *nunca* descubra...

Não foi difícil imaginar o pesadelo que seria... E me parece bastante provável que nunca descobríssemos quem matara o velho Leonides.

Mas também me fez lembrar da pergunta que eu queria fazer para Sophia, sobre uma questão que me interessara.

– Sophia, quantas pessoas nesta casa sabiam a respeito do colírio de eserina? Quero dizer, primeiro que seu avô tinha o colírio e segundo que a substância era venenosa, e em que dosagem ela seria fatal?

– Entendo onde você está querendo chegar, Charles. Mas não adianta. Todos nós sabíamos.

– Bem, acho que sabiam sim, vagamente, mas especificamente...

– Todos nós sabíamos especificamente. Um dia fomos todos para o quarto do vovô para tomar um café depois do almoço. Ele gostava de reunir a família inteira em volta dele, sabe? E seus olhos estavam doendo muito. A Brenda pegou a eserina para pingar uma gota em cada olho, e a Josephine, que sempre questiona tudo, falou: "Por que está escrito 'Colírio – não pode ser ingerido' no rótulo?". E o vovô sorriu e respondeu: "Se Brenda se enganasse e injetasse o colírio em mim em vez da insulina, imagino que eu respiraria fundo, minha cara ficaria azul e depois eu morreria, porque meu coração não é muito forte". E Josephine soltou um "aah" e o vovô continuou: "Então temos de tomar muito cuidado para que a Brenda não me dê uma injeção de eserina em vez de insulina, não é verdade?". – Sophia fez uma pausa e depois disse: – Nós todos ouvimos isso. Entendeu? Nós todos ouvimos.

Eu entendia. Eu supunha que seria necessário um pouco de conhecimento específico. Mas agora percebia que na verdade o velho Leonides oferecera o plano de seu próprio assassinato. O assassino não teve de criar um esquema, nem planejar ou tramar nada. Um método simples e fácil de causar a morte fora fornecido pela própria vítima.

Respirei fundo. Sophia, notando o que se passava pela minha cabeça, disse:

– É, é horrível, não é?

– Sabe, Sophia – eu disse devagar –, só imagino uma coisa.

– Diga.

– Que você tinha razão, e que não pode ter sido Brenda. Ela não poderia ter agido exatamente assim... já que todos vocês ouviram... já que todos se lembrariam.

– Não sei. Em alguns aspectos, ela é muito burra.

– Não burra a tal ponto – argumentei. – Não, não pode ter sido Brenda.

Sophia se afastou de mim.

– Você não quer que tenha sido Brenda, não é?

E o que eu poderia dizer? Eu não poderia... não, não poderia... simplesmente dizer: "Sim, eu espero que *tenha sido* Brenda".

Por que não poderia? Só pela impressão de que Brenda estava isolada de um lado e, do lado oposto, estava concentrada a animosidade da poderosa família Leonides. Cavalheirismo? Empatia pelo elo mais fraco, indefeso? Lembrei-me dela sentada no sofá com sua roupa de luto cara, a desesperança na voz, o medo no olhar.

A babá voltou para a cozinha na hora certa. Não sei se ela notou certa tensão entre mim e Sophia.

Ela disse, num tom repreensivo:

– Falando de assassinatos e coisas do gênero. Eu aconselho a tirarem isso da cabeça. Deixem o assunto para a polícia. É problema dela, não de vocês.

– Ah... Você não entende que alguém nesta casa é um assassino...

– Bobagem, srta. Sophia, você me tira do sério. A porta da frente fica aberta o tempo todo... todas as portas abertas, nada trancado... Não é um convite para ladrões e invasores?

– Mas não pode ter sido um invasor, nada foi roubado. Além disso, por que um invasor entraria e envenenaria alguém?

– Eu não disse que foi um invasor, srta. Sophia. Só falei que as portas estavam abertas. Qualquer um poderia ter entrado. Se a senhorita quer saber, eu acho que foram os comunistas.

A babá assentiu com uma expressão satisfeita.

– Por que diabos os comunistas iam querer matar o coitado do meu avô?

– Bem, todo mundo diz que eles são a causa de tudo o que acontece. Mas se não foram os comunistas, foram os católicos, pode escrever o que eu estou dizendo. A Prostituta da Babilônia, é isso o que eles são.

Com o ar de quem dava a última palavra, a babá tornou a entrar na copa. Sophia e eu rimos.

– Uma típica protestante negra – sentenciei.

– Não é? Venha, Charles, venha para a sala. Tem uma espécie de reunião familiar acontecendo. Estava marcada para esta noite, mas começou antes.

– É melhor eu não me intrometer, Sophia.

– Se você vai entrar para a família, é melhor ver como ela age na intimidade.

– Qual é o assunto?

– Os negócios de Roger. Pelo que sei, você já tomou conhecimento deles. Mas você é louco se acha que Roger seria capaz de matar o vovô. Ora, Roger o adorava.

– Não acho que foi o Roger. Imaginei que talvez fosse a Clemency.

– Só porque eu enfiei isso na sua cabeça. Mas nisso você também está enganado. Acho que Clemency não vai se importar nem um pouco se Roger perder todo o dinheiro que tem. Acho que na verdade ela ficaria feliz. Ela tem um entusiasmo estranho por *não* possuir coisas. Venha.

Quando Sophia e eu entramos na sala de estar, as vozes que falavam silenciaram-se abruptamente. Todos olharam para nós.

Estavam todos ali. Philip sentado na poltrona grande de brocado carmesim entre as duas janelas, o belo rosto estacionado numa máscara fria, austera. Parecia um juiz prestes a anunciar uma sentença. Roger estava escarranchado em um pufe ao lado da lareira. Havia mexido tanto no cabelo que os fios ficaram de pé. A perna esquerda da calça estava enrugada, e a gravata estava torta. Parecia agitado e propenso a discussões. Clemency estava sentada mais além, a silhueta delgada dando a impressão de ser fina demais para a poltrona robusta. Desviava o olhar dos outros e parecia estar analisando os painéis da parede com um olhar indiferente. Edith ocupava a poltrona do avô, empertigada. Tricotava com uma energia incrível, os lábios contraídos. O que havia de mais belo para se ver naquela sala era Magda e Eustace. Pareciam um retrato de Gainsborough. Estavam juntos num sofá – o menino moreno e bonito, com uma expressão emburrada, e ao seu lado, com o braço apoiado nas costas do sofá, estava Magda, a Duquesa de Três Empenas num lindo vestido de tafetá e um pezinho no chinelo de brocado esticado para a frente.

Philip franziu a testa.

– Sophia – ele disse –, desculpe, mas estamos discutindo assuntos de família que são de natureza íntima.

Os alfinetes da srta. De Haviland estalaram. Eu me preparei para pedir desculpas e me retirar. Sophia me impediu. Sua voz era clara e decidida.

– Charles e eu – declarou ela – queremos nos casar. Quero que o Charles fique aqui.

– E por que não? – bradou Roger, se levantando do pufe com uma vivacidade explosiva. – Eu digo a você o tempo todo, Philip, não há nada de *íntimo* nisso! O mundo inteiro vai saber amanhã ou depois de amanhã. De qualquer forma, meu querido rapaz – ele se aproximou e pôs a mão no meu ombro –, *você* já sabe de tudo. Você estava lá hoje de manhã.

– Mas me conte – bramiu Magda, se inclinando para a frente. – Como é a Scotland Yard? A gente sempre se pergunta. Uma mesa? Uma escrivaninha? Cadeiras? Qual é o estilo das cortinas? Não tem flores, imagino eu. Um ditafone?

– Bico calado, mãe – ordenou Sophia. – E de qualquer forma, você mandou Vavasour Jones cortar a cena da Scotland Yard. Você disse que era o anticlímax.

– Fica parecendo uma peça de detetives – declarou Magda. – Edith Thompson é um drama psicológico, sem dúvida nenhuma... ou um thriller psicológico... o que você acha que soa melhor?

– Você estava lá hoje de manhã? – Philip me perguntou, num tom ríspido. – Por quê? Ah, claro... o seu pai...

Franziu a testa. Percebi mais do que nunca que minha presença não era bem-vinda, mas Sophia agarrava o meu braço.

Clemency arrastou uma cadeira.

– Por favor, sente-se – disse ela.

Eu lhe lancei um olhar agradecido e aceitei o convite.

– Você pode falar o que quiser – declarou a srta. De Haviland, aparentemente continuando de onde tinham parado –, mas acho que temos de respeitar os desejos de Aristide. Quando a situação do testamento for esclarecida, no que me diz respeito, minha herança ficará totalmente a seu dispor, Roger.

Roger puxou os cabelos, em frenesi.

– Não, tia Edith. *Não!* – ele gritou.

– Gostaria de dizer o mesmo – disse Philip –, mas é preciso levar todos os fatores em consideração...

– Querido Philip, você não compreende? Não vou aceitar nem um centavo de *ninguém*.

– Claro que ele não pode! – vociferou Clemency.

– Em todo caso, Edith – falou Magda –, *se* a situação do testamento for esclarecida, ele terá a própria herança.

– Mas não tem como ela ser esclarecida a tempo, tem? – indagou Eustace.

– Você não sabe do assunto, Eustace – intercedeu Philip.

– O menino está certíssimo – bradou Roger. – Ele acertou na mosca. Nada pode evitar a falência. Nada.

Falava com certo prazer.

– Na verdade, não há nada a ser discutido – sentenciou Clemency.

– De qualquer forma – disse Roger –, que importância tem isso?

– Imaginei que tivesse muita importância – declarou Philip, contraindo os lábios.

– Não – clamou Roger. – *Não!* Alguma coisa tem importância diante do fato de papai ter morrido? Papai *morreu*! E ficamos aqui, sentados, discutindo meros problemas de dinheiro!

Uma cor desmaiada tomou as faces pálidas de Philip.

– Só estamos tentando ajudar – ele afirmou, inflexível.

– Eu sei, Phil, meu querido, eu sei. Mas não há nada que se possa fazer. Então vamos encerrar por aqui.

– Imagino – disse Philip – que posso levantar uma certa quantia. As ações caíram muito, e parte do meu capital está amarrado de tal forma que não posso movimentá-lo: o acordo de Magda e assim por diante... mas...

Magda interrompeu:

– É claro que você não pode levantar o dinheiro, querido. Seria um absurdo tentar... e seria injusto com as crianças.

– Eu já disse que não estou pedindo nada a *ninguém*! – gritou Roger. – Estou rouco de tanto repetir. Fico satisfeito em deixar que as coisas tomem o próprio rumo.

– É uma questão de reputação – afirmou Philip. – A do papai. A nossa.

– Não era um negócio de família. Era uma empresa só *minha.*

– Sim – concordou Philip, olhando para ele. – A empresa era toda sua.

Edith de Haviland se levantou e anunciou:

– Acho que já discutimos o bastante.

Havia em sua voz aquele tom típico de autoridade cujo efeito nunca falha.

Philip e Magda se levantaram. Eustace saiu da sala devagar e notei a rigidez de seus passos. Ele não era exatamente coxo, mas seu andar era vacilante.

Roger deu o braço a Philip e disse:

– Você foi formidável, Phil, só de pensar numa coisa dessas! – Os irmãos saíram juntos.

Ao segui-los, Magda murmurou "tanto estardalhaço!", e Sophia disse que tinha de cuidar do meu quarto.

Edith de Haviland se levantou, enrolando o tricô. Ela olhou para mim e achei que fosse falar algo. Havia um toque quase apelativo em seu olhar. No entanto, ela mudou de ideia, suspirou e saiu atrás dos outros.

Clemency havia ido até a janela e estava parada, observando o jardim. Eu me aproximei e parei ao seu lado. Ela virou um pouco a cabeça na minha direção.

– Graças a Deus que isso acabou! – ela disse, e acrescentou com desgosto: – Que sala afrontosa, esta!

– Não gosta dela?

– Não consigo respirar aqui. Sempre cheira a flores murchas e a poeira.

Achei que foi injusta com a sala. Mas entendi o que ela queria dizer. Definitivamente, era um lugar fechado.

Era uma sala feminina: exótica, amena, abrigada das ventanias violentas do clima da parte externa. Não era um ambiente onde um homem poderia ser feliz por muito tempo. Não era uma sala onde se podia relaxar, ler o jornal, fumar um cachimbo e levantar os pés. Ainda assim, eu preferia aquela sala à atmosfera difusa que Clemency criara no andar de cima. De modo geral, prefiro um boudoir a uma sala de cirurgia.

Ela disse, olhando ao redor:

– Não passa de um cenário teatral. Um pano de fundo para Magda representar suas cenas. – Ela me fitou. – Você entendeu o que estávamos fazendo, não é verdade? Segundo ato: a reunião de família. Foi Magda quem a organizou. Não significou nada. Não havia nada a ser discutido, nada para ser debatido. Está tudo acertado... terminado.

A voz não traía tristeza. Pelo contrário: traía satisfação. Ela flagrou o meu olhar.

– Ah, você não entende? – perguntou, impaciente. – Estamos *livres*... finalmente! Será que você não entende que Roger está infeliz, totalmente infeliz, há anos? Ele nunca teve aptidão para os negócios. Gosta de cavalos e vacas e de perambular pelo campo. Mas adorava o pai... todos adoravam. É isto o que está errado nesta casa: muitos familiares juntos. Não estou querendo dizer que o velho era um tirano, que se aproveitava deles, ou implicava com eles. Nada disso. Ele lhes deu dinheiro e liberdade, se dedicava a eles. E eles nunca deixaram de se dedicar ao velho.

– Há algo de errado nisso?

– Acho que sim. Acho que, quando nossos filhos crescem, a gente precisa se afastar, recuar, sumir da vida deles, *forçá-los* a nos esquecer.

– Forçá-los? É meio drástico, não? A coerção não é ruim de uma maneira ou de outra?

– Se ele não tivesse se transformado numa personalidade tão influente...

– Não dá para se transformar numa personalidade influente – declarei. – Ele *tinha* uma personalidade influente.

– Ele tinha uma personalidade forte demais para Roger. Roger o venerava. Queria fazer tudo o que o pai queria que ele fizesse, queria ser o filho que o pai desejava. E não tinha como. O pai criou a Associated Catering para ele. Era a alegria e o orgulho do velho, e Roger se empenhou para seguir os passos do pai. Mas ele não tem esse tipo de habilidade. No que se refere aos negócios Roger é... sim, vou dizer sem rodeios... um tolo. E isso quase partiu o coração dele. Faz muito anos que ele está infeliz, que está lutando, vendo a coisa toda indo morro abaixo, de repente tendo "ideias" e "planos" maravilhosos que sempre davam errado e pioravam ainda mais a situação. É terrível sentir cada vez mais que você é um fracasso. Você não tem noção do quanto ele anda infeliz. Eu tenho.

De novo, ela virou o rosto e me encarou.

– Você pensou, você até sugeriu à polícia que Roger teria matado o pai... por dinheiro! Você não sabe como... como essa sua ideia é completamente *ridícula*!

– Agora eu sei – eu disse, com humildade.

– Quando Roger soube que não poderia adiar mais, que a falência era inevitável, ele ficou aliviado. Sim, ele ficou aliviado. Sua maior preocupação era que o pai ficasse sabendo... e mais nada. Estava ansioso para viver a vida nova que nós teríamos.

Seu rosto tremeu um pouco e a voz suavizou-se.

– Para onde iam? – indaguei.

– Para Barbados. Tenho um primo distante que morreu há pouco tempo e me deixou um terreno pequeno... ah, nada demais. Mas era um lugar para onde podíamos ir. Viveríamos numa pobreza desesperadora, mas conseguiríamos sobreviver... lá precisa-se de pouco para viver. Ficaríamos juntos... despreocupados, longe de todo mundo.

Ela suspirou.

– Roger é uma pessoa ridícula. Ele se preocupa *comigo*... que *eu* fique pobre. Imagino que a atitude dos Leonides em relação ao dinheiro esteja engendrada na cabeça dele. Quando meu primeiro marido estava vivo, éramos muito pobres... e Roger acha que eu fui muito corajosa, maravilhosa, por causa disso! Ele não entende que eu era *feliz*... muito feliz! Desde aquela época não sou tão feliz. No entanto... nunca amei Richard como amo Roger.

Seus olhos estavam semicerrados. Tive noção da intensidade de seus sentimentos.

Ela abriu os olhos, me fitou e disse:

– Então, veja bem, eu nunca mataria ninguém por dinheiro. Eu não *gosto* de dinheiro.

Tive certeza de que ela falava a verdade. Clemency Leonides era uma dessas pessoas raras a quem o dinheiro não seduz. Não gostam do luxo, preferem a abnegação e suspeitam de posses.

Contudo, há muitas pessoas para quem o dinheiro não tem encanto, mas que podem ser tentadas pelo poder que ele proporciona.

Eu disse:

– Talvez não queira dinheiro para si mesma... mas, se investido com sabedoria, o dinheiro pode fazer muitas coisas interessantes. Pode financiar pesquisas, por exemplo.

Eu desconfiava de que Clemency fosse fanática pelo próprio trabalho, mas ela apenas disse:

– Não sei se financiamentos trazem algum bem. Quase sempre são gastos da forma errada. As coisas que valem a pena, em geral, são realizadas por quem tem entusiasmo e iniciativa... e uma perspicácia natural. Equipamentos, educação e experimentos caros nunca fazem o que você imagina. Na maioria das vezes o dinheiro para nas mãos erradas.

– Vai se importar de abrir mão do seu trabalho quando forem para Barbados? – indaguei. – Imagino que a viagem ainda esteja de pé.

– Ah, assim que a polícia permitir. Não, não me importo nem um pouco de abrir mão do meu trabalho. Por que me importaria? Não quero ficar parada e não vou ficar à toa em Barbados.

Ela acrescentou, impaciente:

– Se essa situação pudesse ser esclarecida *logo* e pudéssemos ir embora!

– Clemency – eu disse –, você tem alguma ideia de quem fez isso? Dando como certo que você e Roger não tiverem nada a ver com o crime, e de fato não vejo nenhum motivo para pensar que tiveram, com certeza, com a sua inteligência, você deve ter *alguma* ideia de quem foi.

Ela me lançou um olhar singular, um olhar de soslaio, penetrante. Ao falar, sua voz tinha perdido a espontaneidade. Estava estranha, bastante constrangida.

– Não se pode dar palpites, não é científico – declarou. – Só se pode dizer que a Brenda e o Laurence são os suspeitos mais óbvios.

– Então acha que foram eles?

Clemency deu de ombros.

Ficou imóvel por um instante, como se estivesse ouvindo algo, em seguida saiu da sala, passando por Edith de Haviland no corredor.

Edith se aproximou de mim assim que entrou.

– Quero falar com você – ela disse.

As palavras de meu pai me vieram à mente. Será que...

Mas Edith de Haviland prosseguia:

– Espero que você não tenha ficado com uma impressão errada – ela declarou. – Quero dizer, sobre o Philip. Ele é uma pessoa difícil de entender. Pode parecer reservado e frio, mas não é assim. É só a postura. Ele não consegue evitar.

– Eu realmente não imaginei... – comecei eu.

Mas ela continuou:

– Agora... quanto a Roger. Não é que ele esteja de má vontade. Ele nunca foi mesquinho com dinheiro. E é um amor... ele sempre foi um amor... mas precisa de compreensão.

Olhei-a com o ar, espero, de quem estava disposto a compreender. Ela prosseguiu:

– Acho que, em parte, é porque Philip é o segundo filho. O segundo filho já começa em desvantagem... Ele adorava o pai, entende? Claro que as crianças todas adoravam Aristide e ele adorava todas elas. Mas Roger era o seu grande orgulho, a sua grande alegria. E era o primogênito... o primeiro. E acho que Philip percebia isso. Ele se tornou introvertido. Começou a gostar dos livros e do passado e de coisas que não fazem parte do dia a dia. Acho que ele sofreu... as crianças sofrem...

Ela fez uma pausa e continuou:

– O que estou querendo dizer, acho eu, é que ele sempre teve ciúme de Roger. Talvez ele mesmo não saiba disso. Mas acho que o fato de Roger ter falhado... ai, parece uma coisa terrível a se dizer e tenho certeza de que ele mesmo não sabe disso... mas acho que talvez Philip não esteja tão triste a respeito disso quanto deveria estar.

– Você quer dizer que ele está contente por Roger ter agido como um tolo.

– Sim – disse a srta. De Haviland. – É exatamente o que estou querendo dizer.

Ela acrescentou, franzindo um pouco a testa:

– Fiquei aflita porque ele em nenhum momento se ofereceu para ajudar o irmão, sabe?

– Por que ele ajudaria? – retruquei. – Afinal, foi *Roger* quem causou o rebuliço. Ele é adulto. Não tem filhos para levar em consideração. Se ele estivesse doente, ou na penúria, é claro que a família o ajudaria, mas não tenho dúvida de que Roger preferiria recomeçar a vida por conta própria.

– Ah! Preferiria, sim. Ele só pensa em Clemency. E Clemency é uma criatura extraordinária. Ela gosta mesmo de desconforto e de ter só uma xícara para tomar o chá. Suponho que seja moderna. Ela não tem nenhuma noção de passado, nenhuma noção de beleza.

Senti os olhos sagazes me analisando de cima a baixo.

– É uma provação terrível para Sophia – ela afirmou. – Estou triste por sua juventude ser ofuscada por essa situação. Amo todos eles. Roger e Philip, e agora Sophia, e Eustace e Josephine. São minhas crianças queridas. Os filhos de Marcia. Sim, eu os amo muito. – Ela parou e depois acrescentou, num tom ríspido: – Mas, veja bem, a idolatria deste lado.

Virou-se abruptamente e saiu. Tive a impressão de que eu não entendi direito o que ela quis dizer com o último comentário.

CAPÍTULO 15

– Seu quarto está pronto – anunciou Sophia.

Ela parou do meu lado, olhando o jardim. Estava lúgubre e cinza, com as árvores parcialmente desfolhadas balançando ao vento.

Sophia ecoou meus pensamentos ao dizer:

– Como parece desolado...

Enquanto observávamos, um vulto, depois outro, atravessou a sebe, vindo do jardim de pedras. Ambos tinham um aspecto pardo e imaterial sob a luz desmaiada.

Brenda Leonides era a primeira. Estava coberta por um casaco de chinchila cinza e havia algo de felino e furtivo no seu jeito de andar. Escapou no lusco-fusco com uma espécie de graciosidade sinistra.

Vi o seu rosto quando ela passou pela janela. Havia nele um esboço de sorriso, o sorriso curvo, torto, que eu notara no segundo andar da casa. Poucos minutos depois, Laurence Brown, com uma aparência esguia e encolhida, também se esgueirou no lusco-fusco. Só posso explicar nestas palavras. Não pareciam duas pessoas andando, duas pessoas que saíram para dar uma caminhada. Havia algo furtivo e imaterial nos dois, como se fossem fantasmas.

Perguntei-me se foi sob o pé de Brenda ou de Laurence que o galho se quebrou.

Numa associação de ideias natural, indaguei:

– Cadê a Josephine?

– Deve estar com Eustace, na sala de aula. – Ela franziu a testa. – Estou preocupada com Eustace, Charles.

– Por quê?

– Ele anda tão mal-humorado e estranho. Está diferente desde aquela paralisia infame. Não consigo entender o que está se passando pela cabeça dele. Às vezes parece que odeia todos nós.

– Provavelmente vai passar com a idade. É só uma fase.

– É, acho que sim. Mas eu me preocupo, Charles.

– Por que, meu amor?

– Na verdade, acho que é porque minha mãe e meu pai nunca se preocupam. Não agem como pai e mãe.

– Talvez seja melhor assim. Os filhos sofrem mais com a interferência do que com a falta de interferência.

– É verdade. Sabe, nunca tinha pensado nisso até voltar do exterior, mas eles formam um casal bem esquisito. Meu pai vive em um mundo de trilhas históricas obscuras e minha mãe se diverte criando cenas. Aquela idiotice de hoje à tarde foi ideia somente da minha mãe. Não havia necessidade daquilo. Ela só queria interpretar uma cena de reunião familiar. Ela fica entediada nesta casa e tem de tentar criar um drama, entende?

Por um instante, tive a visão fantástica da mãe de Sophia envenenando seu sogro idoso, totalmente despreocupada, a fim de assistir a um drama de assassinato em primeira mão, atuando como protagonista.

Que ideia divertida! Eu a descartei por isso mesmo – mas ela me deixou um pouco alarmado.

– A mamãe – disse Sophia – precisa de cuidados o tempo todo. Nunca se sabe o que ela está tramando!

– Esqueça a sua família, Sophia – falei, com firmeza.

– Ficaria contente em fazê-lo, mas é meio difícil neste momento. Mas eu *estava* feliz no Cairo, quando pude me esquecer de todos eles.

Lembrei-me do fato de que Sophia nunca mencionava sua casa ou sua família.

– É por isso que você nunca os mencionava? – indaguei. – Por que queria esquecê-los?

– Acho que sim. Nós sempre, todos nós, vivemos perto demais uns dos outros. Nós todos... todos gostamos muito uns dos outros. Não somos como algumas famílias em que todos se odeiam como se fossem veneno. Deve ser muito ruim, mas é quase tão ruim quanto viver enredado em emoções conflitantes.

Ela acrescentou:

– Acho que foi isso o que eu quis dizer quando falei que todos nós vivemos juntos numa casinha torta. Não quis dizer que é torta no sentido de desonesta. Acho que estava falando de não termos conseguido crescer com independência, de ficarmos de pé sozinhos, eretos. Somos todos meio torcidos e enroscados.

Vi o salto de Edith de Haviland esmigalhando uma erva daninha na vereda quando Sophia acrescentou:

– Que nem trepadeiras...

E de repente Magda se juntou a nós – escancarando a porta – berrando:

– Queridos, por que vocês não acendem a luz? Está quase escuro.

Então ela apertou os interruptores e as luzes brotaram das paredes e das mesas, e ela, Sophia e eu puxamos as pesadas cortinas rosas, e ali estávamos, no ambiente de aroma floral. Magda, se lançando no sofá, disse:

– Que cena incrível foi aquela, não? Como Eustace estava mal-humorado! Ele me falou que achou tudo categoricamente indecente. Como os meninos são engraçados!

Ela suspirou.

– Roger parece uma criança mimada. Adoro quando puxa os cabelos e começa a derrubar as coisas. Não foi uma doçura da parte de Edith lhe oferecer sua herança? Ela estava falando de verdade, sabe, não foi só um gesto bonito. Mas foi uma grande burrice... Deve ter feito Philip pensar que ele também precisa fazer o mesmo! É claro que Edith faria *o que fosse* pela família! Há algo de patético no amor de uma solteirona pelos filhos da irmã. Um dia eu vou interpretar uma dessas tias solteironas devotadas. Curiosas, teimosas e devotadas.

– Deve ter sido difícil para ela depois da morte da irmã – comentei, me recusando a ser levado outra vez pela discussão de mais um dos papéis de Magda. – Quer dizer, se ela antipatizava tanto com o velho Leonides.

Magda me interrompeu.

– Antipatizava? Quem lhe disse isso? Bobagem. Ela estava apaixonada por ele.

– Mamãe! – exclamou Sophia.

– Não tente me contradizer, Sophia. É natural que na sua idade você pense que amor são dois jovens bonitos sob o luar.

– Ela me disse – declarei – que sempre o detestou.

– É provável que detestasse quando chegou aqui. Ficou com raiva da irmã por ter se casado com ele. Ouso dizer que sempre houve um antagonismo, mas ela estava apaixonada por ele, sim! Querido, eu sei o que estou dizendo! Claro que, sendo a irmã da falecida esposa e tal, ele não poderia ter casado com ela, e ouso dizer que ele nunca pensou nisso... e é bem provável que ela também não tenha pensado. Ela ficou bem feliz em servir de mãe e travar brigas com ele. Mas não gostou quando ele se casou com Brenda. Não gostou *nem um pouco*!

– Você e o papai também não – retrucou Sophia.

– Não, é óbvio que detestamos! Lógico! Mas foi Edith quem mais detestou. Querida, eu já vi o jeito como ela olha para Brenda!

– Chega, mãe – pediu Sophia.

Magda lhe lançou um olhar terno e meio culpado, o olhar de uma criança travessa, mimada.

Ela prosseguiu, aparentemente, sem nenhuma percepção da falta de continuidade:

– Decidi que Josephine tem de ir para uma escola.

– Josephine? Para uma escola?

– Sim. Na Suíça. Vou cuidar disso amanhã. Eu acho que a gente tem de tirá-la daqui *imediatamente*. É muito ruim envolvê-la numa situação horrível como esta. Ela está ficando muito mórbida. Precisa é de crianças da mesma idade que ela. Vida escolar. Sempre fui desta opinião.

– O vovô não queria que ela frequentasse a escola – disse Sophia, devagar. – Ele era totalmente contra.

– Nosso querido Docinho de Coco gostava de todo mundo sob suas asas. Em geral, pessoas muito idosas são egoístas assim. As crianças têm de conviver com outras crianças. E a Suíça é tão saudável! Aqueles esportes de inverno, o ar e a alimentação muito, muito melhor do que a que temos aqui!

– Vai ser complicado providenciar a ida para a Suíça agora, com todos os ajustes de moeda, não? – indaguei.

– Bobagem, Charles. Há bolsas de estudos... ou fazemos intercâmbio com uma criança suíça, há diversas maneiras. Os filhos de Rudolph Astir estão em Lausanne. Vou ligar para ele amanhã para organizar *tudo*. Podemos mandá-la no final da semana!

Magda surrou uma almofada, sorriu para nós, foi até a porta, ficou um instante nos fitando de um jeito encantador.

– São só os jovens que contam – declarou. Da forma como a proferiu, a fala foi adorável. – Devem ser sempre a prioridade. E, queridos... pensem nas flores... as gencianas azuis, os narcisos...

– Em outubro? – perguntou Sophia, mas Magda já tinha partido.

Sophia soltou um suspiro exasperado.

– É sério – ela disse. – Minha mãe é irritante! Ela tem ideias de repente, e manda milhares de telegramas e tudo tem de ser organizado de um dia para o outro. Para que mandar Josephine para a Suíça assim, com tanta pressa?

– Ela tem certa razão quanto à ideia da escola. Acho que crianças da mesma idade fariam bem a Josephine.

– O vovô não achava – teimou Sophia.

Senti uma ligeira irritação.

– Minha querida Sophia, você acha mesmo que um senhor de mais de oitenta anos é o melhor juiz do bem-estar de uma criança?

– Ele era o melhor juiz da vida de qualquer pessoa desta casa – afirmou Sophia.

– Melhor do que sua tia Edith?

– Não, talvez não. Ela era a favor da escola. Admito que Josephine tomou um rumo complicado... Tem o terrível costume de bisbilhotar. Mas na verdade eu acho que é só porque está brincando de detetive.

Era apenas a preocupação com o bem-estar de Josephine o que levara Magda a tomar aquela decisão súbita? Eu me questionava. Josephine era notadamente bem informada acerca de todos os fatos que antecederam o assassinato e que sem dúvida nada tinham a ver com ela. Uma vida escolar saudável, com diversos jogos, provavelmente lhe faria muitíssimo bem. Mas eu me admirei com a pressa da súbita resolução de Magda – a Suíça era muito distante.

CAPÍTULO 16

O Velho disse:

– Deixe que eles falem com você.

Na manhã seguinte, enquanto me barbeava, ponderei até onde eu havia chegado com tal atitude.

Edith de Haviland falou comigo – ela me procurou só para isso. Clemency falou comigo (ou eu falei com ela?). Magda falou comigo, em certo sentido – isto é, fiz parte da plateia de uma de suas apresentações. Sophia falou comigo, naturalmente. Até a babá falou comigo. Fiquei mais informado com o que ouvi deles todos? Houve alguma palavra ou expressão significativa? E mais: havia algum indício da vaidade anormal para a qual meu pai me alertara? Eu não enxergava nenhuma.

A única pessoa que não demonstrara nenhuma vontade de falar comigo de forma nenhuma, e sobre assunto nenhum, era Philip. Será que isso não era, de certo modo, anormal? Ele devia saber, a esta altura, que eu queria me casar com Sophia. Porém, continuava agindo como se eu não estivesse na casa. Aparentemente, ressentia-se de minha presença. Edith de Haviland se desculpara por ele. Ela disse que era apenas sua "postura". Tinha se mostrado preocupada com Philip. Por quê?

Pensei no pai de Sophia. Era, em todos os sentidos, um indivíduo reprimido. Fora uma criança infeliz e ciumenta. Fora obrigado a se introverter, refugiara-se no mundo dos livros, no passado histórico. Aquela frieza e circunspecção estudadas podiam ocultar uma boa dose de passionalidade. A motivação insuficiente do ganho financeiro a partir da morte do pai não era convincente – não imaginei, nem por um instante, que Philip Leonides mataria o pai porque ele mesmo não tinha tanto dinheiro quanto gostaria de ter. Mas poderia existir uma razão psicológica mais profunda para que ele desejasse a morte do pai. Philip tinha retornado à casa do pai para viver ali e, mais tarde, em consequência da guerra, Roger voltara – e Philip fora obrigado a ver no dia a dia que Roger era o preferido do pai. Será que a situação de sua mente torturada chegara a tal ponto que o único alívio possível era a morte do pai? E suponho que a morte incriminaria o irmão mais velho? Roger estava sem dinheiro, à beira da falência. Sem saber nada a respeito da última conversa de Roger com o pai e a oferta de ajuda deste, será que Philip acreditou que a motivação pareceria tão convincente que Roger seria o suspeito imediato? Será que o equilíbrio mental de Philip estava tão perturbado que ele cometera um assassinato?

Cortei meu queixo com a navalha e praguejei.

O que diabos eu estava tentando fazer? Imputar o assassinato ao pai de Sophia? Que bondade a minha tentar fazê-lo! Não foi com este intuito que Sophia quis que eu fosse até ali.

Ou foi? Havia algo, desde o início, por trás da solicitação de Sophia. Se ela suspeitava de que o pai era o assassino, jamais aceitaria se casar comigo – no caso de a suspeita ser verdadeira. E como se tratava de Sophia, lúcida e corajosa, ela queria saber a verdade, já que a incerteza seria uma barreira constante e perpétua entre nós. Na prática, ela não estava me dizendo: "Prove que esta coisa terrível que eu estou imaginando não é verdade – mas se for verdade, então me prove que é verdade – para que eu saiba do pior e o enfrente!".

Será que Edith de Haviland sabia, ou suspeitava, que Philip era o culpado? O que ela quis dizer com "a idolatria deste lado"?

E o que Clemency quis dizer com aquele olhar singular que me lançara quando lhe perguntei de quem ela suspeitava e ela me respondeu: "Brenda e Laurence são os suspeitos mais óbvios"?

A família inteira queria que Brenda e Laurence fossem os culpados, esperava que fossem Brenda e Laurence, mas não acreditava que realmente fossem Brenda e Laurence...

E claro, a família inteira poderia estar enganada, e poderia de fato ter sido Brenda e Laurence, no final das contas.

Ou talvez fosse Laurence, e não Brenda...

Seria uma solução bem melhor.

Terminei de dar pancadinhas no meu queixo cortado e desci para tomar o café da manhã, totalmente determinado a conversar com Laurence Brown assim que possível.

Foi só quando tomei minha segunda xícara de café que me ocorreu que a Casa Torta também estava causando um impacto em mim. Eu queria encontrar não a verdadeira solução, mas a solução que melhor *me* servia.

Depois do café da manhã, atravessei o corredor e subi a escada. Sophia me dissera que eu encontraria Laurence com Eustace e Josephine na sala de aula.

Hesitei ao parar diante da porta de Brenda. Tocava a campainha, batia à porta ou simplesmente entrava? Resolvi tratar a casa como parte do lar dos Leonides, e não como a residência particular de Brenda.

Abri a porta e entrei. O ambiente estava silencioso, não parecia haver ninguém por ali. À minha esquerda, a porta que dava para a sala de estar estava fechada. À direita, duas portas abertas deixavam à mostra um quarto e o banheiro adjacente. Eu sabia que este era o banheiro adjacente ao quarto de Aristide Leonides, onde eram guardadas a eserina e a insulina.

A polícia já havia terminado aquela parte. Empurrei a porta e me esgueirei para dentro. Naquele momento, percebi o quanto seria fácil para que qualquer um dentro da casa (ou de fora da casa, portanto!) fosse até ali e entrasse no banheiro sem ser visto.

Fiquei parado no banheiro, olhando ao redor. A decoração era suntuosa, com ladrilhos reluzentes e uma banheira abaixo do nível do chão. De um lado, havia vários aparelhos elétricos: uma chapa e uma grelha, uma chaleira, uma caçarola pequena e uma torradeira, tudo o que um camareiro de um senhor de idade poderia precisar. Na parede havia um armário branco esmaltado. Eu o abri. Dentro, havia utensílios médicos, dois vidros de remédio, um copo para lavagem dos olhos, colírio e uns frascos rotulados. Aspirina, ácido bórico, iodo. Curativos etc. Numa outra prateleira, havia um estoque de insulina, duas injeções hipodérmicas e um frasco de álcool desnaturado. Numa terceira prateleira, via-se um frasco onde estava escrito "comprimidos: um ou dois a serem tomados de noite, como prescrito". Na mesma prateleira, sem dúvida, ficava o frasco de colírio. Estava tudo aberto, bem organizado, fácil para qualquer um que precisasse ir até ali, e igualmente fácil para quem quisesse cometer um assassinato.

Eu poderia fazer o que bem desejasse com os frascos e depois sair sem fazer barulho e descer a escada e ninguém saberia que eu estivera ali. Claro que nada disso era novidade, mas me levou a perceber como a tarefa da polícia era complicada.

Apenas perguntando à pessoa ou às pessoas culpadas seria possível obter as respostas necessárias.

Taverner me dissera para pegá-los de surpresa. "Faça com que fiquem nervosos. Faça com que eles pensem que estamos quase descobrindo. E nos mantenha sob os holofotes. Mais cedo ou mais tarde, se agirmos assim, o nosso criminoso vai parar de deixar as coisas como estão e tentar ser ainda mais esperto, e então nós o pegamos."

Bem, o criminoso ainda não tinha reagido a tal tratamento.

Saí do banheiro. Ninguém por perto. Atravessei o corredor. Passei pela sala de jantar à esquerda e pela suíte de Brenda à direita. Neste cômodo, uma das empregadas se movimentava. A porta da sala de jantar estava fechada. De um ambiente além dela, ouvi a voz de Edith de Haviland telefonando para a peixaria. Um lance de escada em espiral levava ao segundo andar. Subi os degraus. O quarto e a sala de estar de Edith ficavam ali, eu já sabia, e mais dois banheiros e o quarto de Laurence Brown. Depois, desciam-se alguns degraus e se chegava aos fundos, num ambiente grande construído para ser o alojamento dos empregados e usado como sala de aula.

Do lado de fora da porta, eu parei. Ouvi Laurence Brown, que levantava ligeiramente a voz.

Acho que o hábito de Josephine de bisbilhotar era contagioso. Sem vergonha nenhuma, encostei a orelha contra o batente e fiquei ouvindo.

Estava em andamento uma aula de história, e a época discutida era a do *Directoire* francês.

Escutando, a perplexidade me arregalou os olhos. Foi uma grande surpresa descobrir que Laurence Brown era um professor magnífico.

Não sei por que fiquei tão surpreso. Afinal de contas, Aristide Leonides sempre soubera como selecionar pessoas. Apesar da aparência de rato, Laurence possuía o dom supremo de conseguir incitar o entusiasmo e a imaginação dos pupilos. O drama do Termidor, o decreto que proscrevia os Robespierres, o esplendor de Barras, a astúcia de Fouché, Napoleão como jovem tenente esfomeado, tudo ganhava vida e tornava-se real.

De repente Laurence parou, fez uma pergunta a Eustace e Josephine, e fez com que se colocassem no lugar do primeiro e depois de outro personagem daquele drama. Embora não tivesse obtido um bom resultado com Josephine, cuja voz soava como se estivesse resfriada, Eustace não parecia exibir seu mau humor habitual. Demonstrava ter inteligência e perspicácia e um senso histórico aguçado que sem dúvida herdara do pai.

Então ouvi as cadeiras se arrastando e se amontoando num canto da sala. Recuei, subindo os degraus, tentando dar a impressão de que os descia no momento em que a porta se abriu.

Eustace e Josephine saíram.

– Olá – eu disse.

Eustace ficou surpreso ao me ver.

– Você quer alguma coisa? – perguntou, educadamente.

Josephine, nem um pouco interessada na minha presença, passou por mim e saiu.

– Só queria ver a sala de aula – declarei, num tom pouco convincente.

– Você viu outro dia, não viu? É só um ambiente infantil, na verdade. Antes, era um quarto de bebê. Ainda tem vários brinquedos.

Ele segurou a porta aberta para mim e eu entrei.

Laurence Brown estava de pé junto à mesa. Ergueu a cabeça, ficou vermelho, murmurou algo como resposta ao meu bom-dia e saiu às pressas.

– Você o assustou – disse Eustace. – Ele se assusta fácil.

– Você gosta dele, Eustace?

– Ah! Ele é legal. É um imbecil, claro.

– Mas não é mau professor?

– Não, a bem da verdade, é bastante interessante. Sabe muitas coisas. Ele faz a gente ver as situações de uma perspectiva diferente. Nunca soube que o Henrique VIII escrevia poesias... para a Ana Bolena, óbvio... poemas belos e divertidos.

Conversamos por uns instantes sobre assuntos tais como *A balada do velho marinheiro*, Chaucer, as implicações políticas por trás das Cruzadas, a visão medieval da vida e, o surpreendente fato, para Eustace, de que Oliver Cromwell proibira a celebração do Dia de Natal. Note que por trás dos modos insolentes e geniosos de Eustace havia uma mente curiosa e capaz.

Logo depois comecei a perceber a origem do seu mau humor. Sua doença não só era uma aflição temerosa, mas também virara uma frustração e um obstáculo, bem no momento em que estava aproveitando a vida.

– Eu iria para o segundo ano no semestre que vem... E ia ganhar um distintivo com as cores da bandeira. É muito chato ter que ficar dentro de casa e ter aulas com uma criança podre que nem Josephine. Ora, ela tem só doze anos.

– Sim, mas vocês não estudam as mesmas coisas, não é?

– Não, claro que ela não faz matemática avançada nem latim. Mas eu não queria dividir o professor com uma *menina*.

Tentei aliviar seu orgulho masculino ferido comentando que Josephine era uma menina muito inteligente.

– Você acha mesmo? Eu a acho muito boba. Ela adora essa história de detetive. Anda por aí enfiando o nariz em tudo quanto é canto e escrevendo as coisas num caderninho preto e fingindo que descobriu um monte de coisas. É uma pirralha boba, só isso – afirmou Eustace, com soberba. – Em todo caso – ele acrescentou –, meninas não podem ser detetives. Eu já disse isso para ela. Acho que minha mãe tem razão, e quanto antes Jo for mandada para a Suíça, melhor.

– Você não vai sentir saudades dela?

– Saudades de uma menina dessa idade? – retrucou Eustace num tom arrogante. – Claro que não. Meu Deus, esta casa é o cúmulo! Minha mãe sempre indo a Londres e intimidando dramaturgos submissos para que eles lhe reescrevam peças de teatro e criando um estardalhaço espantoso sem motivo nenhum. E meu pai fechado com os livros dele, às vezes você fala e ele nem ouve. Não sei por que recebi o fardo de aguentar esses pais tão esquisitos. E tem também o tio Roger: sempre tão bem-disposto que chega a dar calafrios. A tia Clemency é legal, não incomoda, mas às vezes eu a acho meio doida. A tia Edith é legal, mas é velha. As coisas estão melhores desde que Sophia voltou... apesar de às vezes ser meio ríspida. Mas é uma família esquisita, você não acha? A esposa do meu avô é nova o bastante para ser minha tia ou irmã mais velha. Quer dizer, isso me deixa muito mal!

Entendi um pouco seus sentimentos. Lembrei-me (vagamente) de minha própria hipersensibilidade quando tinha a idade de Eustace. Meu pavor de parecer anormal sob algum aspecto e de que meus parentes mais próximos abandonassem a normalidade.

– E o seu avô? – indaguei. – Você gostava dele?

Uma expressão curiosa se esboçou no rosto de Eustace.

– O vovô, sem dúvida nenhuma, era antissocial!

– Em que sentido?

– Ele só pensava em lucrar. Laurence diz que isso é errado. E que ele era muito individualista. A gente tem que dar um fim a esse tipo de coisa, você não acha?

– Bem – eu disse, num tom brutal –, ele teve um fim.

– Foi uma coisa positiva, na verdade – falou Eustace. – Não quero ser insensível, mas não dá para *aproveitar* a vida nessa idade!

– Ele não aproveitava?

– Não podia aproveitar. Em todo caso, já era hora de ele partir. Ele...

Eustace se calou quando Laurence voltou para a sala de aula.

Laurence revirou uns livros, mas achei que estava me olhando de soslaio. Olhou para o relógio e disse:

– Por favor, esteja aqui às onze em ponto, Eustace. Perdemos muito tempo nos últimos dias.

– Está bem, senhor.

Eustace caminhou devagar até a porta e saiu assobiando.

Laurence Brown me lançou mais um olhar afiado. Umedeceu os lábios uma ou duas vezes. Estava convencido de que ele retornara à sala de aula com o único propósito de falar comigo.

Logo em seguida, depois de empilhar e desempilhar livros a esmo e fingir que estava procurando um livro que havia sumido, ele falou:

– Er... como eles estão indo?

– Eles?

– A polícia.

Ele contorceu o nariz. Um rato na ratoeira, pensei, um rato na ratoeira.

– Eles não me dão informações confidenciais – declarei.

– Ah. Achei que seu pai fosse o comissário-assistente.

– Ele é – confirmei. – Mas, naturalmente, ele não pode revelar segredos oficiais.

Falei num tom de voz propositalmente pomposo.

– Então você não sabe como... o que... se... – Sua voz se apagou. – Não vão deter ninguém, vão?

– Até onde eu sei, não. Mas, como eu já disse, não tenho como saber.

Taverner me dissera para pegá-los de surpresa. Deixá-los nervosos. Bom, Laurence Brown estava bastante nervoso.

Começou a falar depressa, de um jeito tenso.

– Você não tem noção de como é... o peso... Não saber o que... Quer dizer, eles entram e saem... fazendo perguntas... Perguntas que parecem não ter nada a ver com o caso...

Ele se calou. Aguardei. Ele queria falar – então, que falasse.

– Você estava presente quando o inspetor-chefe fez aquela alusão monstruosa outro dia? Sobre a sra. Leonides e eu? Foi *monstruosa*. A gente se sente tão impotente. É impossível impedir que os outros *imaginem* coisas! É uma mentira maldosa. Simplesmente porque ela é... era... tão mais jovem que o marido. As pessoas têm ideias terríveis... ideias terríveis. Tenho a sensação... não consigo evitá-la... de que tudo não passa de uma *armação*.

– Uma armação? Interessante.

Era mesmo interessante, mas não exatamente como ele percebia.

– A família, sabe? A família do sr. Leonides nunca simpatizou comigo. Sempre foi arredia. Sempre tive a sensação de que me desprezavam.

Suas mãos começaram a tremer.

– Só porque sempre foram ricos e poderosos. Eles me olhavam com desdém. O que eu sou para eles? Apenas o professor. Apenas um pobre coitado que, por questões de consciência, se recusou a tomar parte na guerra. E minha recusa *se deveu* à consciência. Foi isso mesmo!

Eu não falei nada.

– Então está certo – ele explodiu. – E daí se eu tive... medo? Com medo, eu acabaria fazendo bobagens. Com medo de que, quando tivesse que puxar o gatilho... eu não conseguisse ir até o fim. Como ter certeza de que a pessoa que você está matando é de fato nazista? Pode ser um cara decente, um garoto do campo, sem nenhuma inclinação política, que simplesmente foi convocado para servir a sua pátria. Acredito que a guerra é *um erro*, entende? Acredito que é *um erro*.

Permaneci calado. Acreditava que o meu silêncio estava conquistando mais do que qualquer argumento ou concordância seria capaz. Laurence Brown debatia consigo mesmo, e ao fazê-lo revelava muito de si.

– Sempre fui motivo de piadas. – Sua voz tremeu. – Acho que tenho o dom de parecer ridículo. Não é que eu não tenha coragem, mas sempre faço as coisas da forma errada. Entrei numa casa em chamas onde me disseram que havia uma mulher presa lá dentro. Mas me perdi e a fumaça me deixou inconsciente, e os bombeiros tiveram muitos problemas para me achar. Eu os ouvia dizer: "Por que esse idiota não deixou a gente fazer o nosso trabalho?". Meus esforços são inúteis, todo mundo fica contra mim. Quem matou o sr. Leonides planejou o crime de modo a fazer com que eu fosse o suspeito. Alguém o matou para *me* arruinar.

– E quanto à sra. Leonides? – perguntei.

Ele enrubesceu. O rato deu lugar ao homem.

– A sra. Leonides é um anjo – declarou –, um anjo. Sua doçura, sua bondade com relação ao marido idoso eram maravilhosas. Pensar que ela está ligada ao envenenamento é uma piada... uma piada! E aquele inspetor tapado não é capaz de entender isso!

– Ele está predisposto – afirmei – devido ao número de casos nos seus arquivos em que maridos idosos foram envenenados pelas doces esposas mais jovens.

– O pateta insuportável – esbravejou Laurence Brown.

Ele se dirigiu à estante no canto da sala e inspecionou os livros guardados ali. Achei que não poderia arrancar mais nada dele. Devagar, me retirei do aposento.

Ao atravessar o corredor, uma porta à minha esquerda se abriu e Josephine quase caiu em cima de mim. Sua aparição foi brusca como a de um demônio numa pantomima.

O rosto e as mãos estavam sujos e uma enorme teia de aranha pairava sobre sua orelha.

– Onde você estava, Josephine?

Espreitei pela porta entreaberta. Alguns degraus levavam a um espaço retangular semelhante a um sótão, sob cuja sombra viam-se vários tanques grandes.

– Na cisterna.

– Por que na cisterna?

Josephine deu uma resposta concisa, profissional:

– Investigando.

– O que diabos há para investigar nas cisternas?

Diante de tal pergunta, Josephine disse apenas:

– Preciso me lavar.

– Quanto a isso não há dúvida nenhuma.

Josephine desapareceu no banheiro mais próximo. Olhou para trás para dizer:

– Acho que já está na hora do próximo assassinato, concorda?

– Como assim, "próximo assassinato"?

– Bem, nos livros sempre acontece um segundo assassinato mais ou menos a esta altura. Alguém que sabe de alguma coisa é morto antes que possa revelar o que sabe.

– Você lê histórias de detetives demais, Josephine. A vida real não é assim. E se alguém nesta casa sabe de alguma coisa, a última coisa que quer é falar disso.

A réplica de Josephine chegou aos meus ouvidos abafada pelo barulho da água jorrando da torneira.

– Às vezes é alguma coisa que a pessoa não sabe que sabe.

Pestanejei enquanto tentava ponderar o comentário. Em seguida, deixando Josephine a sós com sua ablução, desci para o primeiro andar da casa.

Quando estava saindo pela porta da frente, prestes a descer a escada, Brenda atravessou a porta da sala de estar, meio afobada.

Aproximou-se de mim e pôs a mão no meu braço, olhando nos meus olhos.

– Bem? – ela indagou.

Foi o mesmo pedido de informação que Laurence Brown me fizera, só mudavam as palavras. E sua única palavra foi bem mais eficaz.

Balancei a cabeça.

– Nada – declarei.

Ela soltou um longo suspiro.

– Estou muito assustada – ela disse. – Charles, eu estou muito assustada...

Seu temor era nítido. Eu conseguia enxergá-lo naquele espaço estreito. Queria reconfortá-la, ajudá-la. De novo, tive a impressão ferina de que ela era uma pessoa terrivelmente solitária, cercada de hostilidade.

Poderia muito bem ter berrado: "*Quem está do meu lado?*".

E qual seria a resposta? Laurence Brown? E o que, afinal, era Laurence Brown? Nenhum porto seguro em época de tempestade. Um dos elos mais fracos. Lembrei-me dos dois surgindo do jardim na noite anterior.

Queria ajudá-la. Queria com todas as minhas forças. Mas não havia muito o que eu pudesse falar ou fazer. E no fundo da minha mente havia um sentimento de culpa constrangido, como se os olhos zombeteiros de Sophia me observassem. Lembrei-me da voz de Sophia dizendo: "Então ela conquistou você".

E Sophia não enxergava, não queria enxergar, o lado de Brenda. Sozinha, suspeita de assassinato, sem ninguém para apoiá-la.

– O inquérito é amanhã – disse Brenda. – O que... o que vai acontecer?

Nisso eu poderia reconfortá-la.

– Nada – afirmei. – Você não precisa se preocupar com isso. Será adiado para que a polícia possa investigar. No entanto, provavelmente vai atiçar a imprensa. Por enquanto, não há indicação nos documentos de que a morte não tenha sido por causas naturais. Os Leonides são muito influentes. Mas com o inquérito adiado... bem, é aí que começa a diversão. Que coisas extraordinárias a gente diz! A *diversão*! Por que escolhi esta palavra?

– Eles... eles vão ser muito apavorantes?

– Se eu fosse você, não daria entrevistas. Sabe, Brenda, você tem que contratar um advogado... – Ela recuou, soltando um medonho suspiro de desalento. – Não... não... não como você está pensando. Mas alguém que zele pelos seus interesses e a aconselhe quanto ao processo, e quanto ao que dizer e fazer, e o que não dizer e não fazer. – Veja bem – acrescentei –, você está completamente sozinha.

Sua mão apertou ainda mais o meu braço.

– Sim – ela disse. – Você entendeu isso. Você ajudou, Charles, você ajudou...

Desci a escada com uma sensação de ternura, de satisfação... Então vi Sophia parada junto à porta da frente. Seu tom de voz era frio e bastante seco.

– Como você demorou – ela disse. – Ligaram de Londres para você. Seu pai quer vê-lo.

– Na Scotland Yard?

– Sim.

– O que querem de mim. Não disseram?

Sophia fez que não. Tinha um olhar angustiado. Puxei-a para junto de mim.

– Não se preocupe, querida – eu disse. – Eu volto logo.

CAPÍTULO 17

O clima no escritório do meu pai estava tenso. O Velho estava sentado atrás da mesa, o inspetor-chefe Taverner estava encostado no batente da janela. Na poltrona que cabia às visitas, estava o sr. Gaitskill, com uma expressão confusa.

– ...extraordinário desejo de guardar segredo – ele estava dizendo, de forma incisiva.

– Claro, claro – meu pai falou, numa voz tranquilizadora. – Ah, olá, Charles, você chegou rápido. Houve uma revelação muito surpreendente.

– Sem precedentes – disse o sr. Gaitskill.

Estava nítido que algo havia deixado o advogado profundamente confuso. De trás dele, o inspetor-chefe Taverner sorria para mim.

– Se me permitem recapitular? – disse o meu pai. – O sr. Gaitskill recebeu um comunicado bastante surpreendente hoje de manhã, Charles. Veio do sr. Agrodopolous, proprietário do restaurante Delphos. É um homem de idade avançada, de origem grega, e quando jovem ajudou e fez amizade com Aristide Leonides. Sempre teve uma profunda gratidão por seu amigo e benfeitor e, ao que parece, Aristide Leonides tinha muita confiança nele.

– Jamais pensaria que Leonides era tão desconfiado e reticente – comentou o sr. Gaitskill. – Claro, ele estava bastante idoso... praticamente beirando a senilidade, pode-se dizer.

– Influência da nacionalidade – meu pai declarou, gentil. – Veja bem, Gaitskill, quando envelhecemos passamos a remoer muito a época e os amigos da juventude.

– Mas os negócios do Leonides estavam nas minhas mãos há mais de quarenta anos – retorquiu o sr. Gaitskill. – Quarenta e três anos e seis meses, para ser exato.

Taverner sorriu outra vez.

– O que foi que aconteceu? – indaguei.

O sr. Gaitskill abriu a boca, mas meu pai se antecipou.

– O sr. Agrodopolous afirmou em seu comunicado que está cumprindo certas instruções dadas a ele pelo amigo Aristide Leonides. Em suma, cerca de um ano atrás, o sr. Leonides lhe confiou um envelope lacrado que o sr. Agrodopolous deveria enviar ao sr. Gaitskill imediatamente após a morte do sr. Leonides. Caso o sr. Agrodopolous viesse a falecer antes, seu filho, um afilhado do sr. Leonides, deveria seguir as mesmas instruções. O sr. Agrodopolous se desculpou pela demora, mas explicou que estivera doente, com pneumonia, e só ficou sabendo da morte do velho amigo ontem à tarde.

– A história toda é extremamente amadorística – disse o sr. Gaitskill.

– Quando o sr. Gaitskill abriu o envelope lacrado e tomou conhecimento do conteúdo, decidiu que era sua obrigação...

– Sob as circunstâncias – interveio o sr. Gaitskill.

– Permitir que víssemos os documentos. Consistem em um testamento, devidamente assinado e certificado, e uma carta explicativa.

– Então o testamento finalmente apareceu? – indaguei.

O sr. Gaitskill ficou roxo.

– Não é o mesmo testamento – ele clamou. – Este não é o documento que eu elaborei a pedido do sr. Leonides. Este aqui foi escrito por ele mesmo, a atitude mais perigosa que um leigo poderia tomar. Parece que o intuito do sr. Leonides foi fazer com que eu parecesse um idiota.

O inspetor-chefe Taverner esforçou-se para aliviar o ressentimento que predominava no ambiente.

– Ele era um homem muito idoso, sr. Gaitskill – disse ele. – É normal as pessoas ficarem excêntricas com a idade, sabe? Não malucas, é claro, mas meio esquisitas.

O sr. Gaitskill torceu o nariz.

– O sr. Gaitskill nos telefonou – relatou o meu pai –, e nos informou do conteúdo principal do testamento e eu lhe pedi que viesse até aqui e trouxesse com ele os dois documentos. Também liguei para você, Charles.

Eu não estava entendendo por que tinham me ligado. Parecia-me um procedimento pouco ortodoxo tanto da parte do meu pai quanto de Taverner. Eu ficaria sabendo do testamento no devido tempo, e na verdade não me dizia respeito como o velho Leonides tinha divido o dinheiro.

– É um testamento diferente? – perguntei. – Quero dizer, o patrimônio foi dividido de outra forma?

– Foi, sim – declarou o sr. Gaitskill.

Meu pai me fitava. O inspetor-chefe Taverner tomava muito cuidado para não me olhar. De certo modo, me senti meio desconfortável...

Algo se passava na cabeça de ambos, e eu não tinha nenhuma noção do que se tratava.

Lancei um olhar inquisitivo para Gaitskill.

– Não me diz respeito – declarei. – Mas...

Ele reagiu.

– As ordens testamentárias do sr. Leonides não são, obviamente, secretas – ele disse. – Julguei ser minha obrigação revelar os fatos diante das autoridades da polícia primeiro, e ser guiado por elas nos procedimentos subsequentes. Eu compreendo – ele fez uma pausa – que há um... acordo, digamos... entre você e a srta. Sophia Leonides?

– Espero casar-me com ela – declarei –, mas ela não aceita noivar neste momento.

– Muito adequado – disse o sr. Gaitskill.

Discordei dele. Mas não era hora de argumentar.

– De acordo com este testamento – informou o sr. Gaitskill – datado de 29 de novembro do ano passado, o sr. Leonides, após legar à esposa cem mil libras, deixa todo o patrimônio, tanto bens imóveis como móveis, para a neta, Sophia Katherine Leonides.

Engoli em seco. Esperava qualquer coisa, menos isso.

– Ele deixou o montante todo para Sophia – falei. – Que coisa anormal. Algum motivo?

– Ele explicou claramente seus motivos na carta – disse o meu pai. Pegou uma folha de papel da mesa diante de si. – Faz alguma objeção à ideia de que Charles a leia, sr. Gaitskill?

– Estou em suas mãos – declarou Gaitskill, num tom frio. – Pelo menos a carta dá uma explicação... e talvez (embora tenha minhas dúvidas quanto a isso) uma desculpa para a conduta extraordinária do sr. Leonides.

O Velho me entregou a carta. Fora escrita com uma letra pequena e quase ilegível, em tinta bem preta. A caligrafia mostrava caráter e personalidade. Não eram letras desenhadas com cuidado, mais típicas do passado, quando a alfabetização era adquirida de forma meticulosa e era muito valorizada.

Caro Gaitskill,

Você ficará espantado ao receber isto, e provavelmente ofendido. Mas tenho minhas próprias razões para agir no que talvez lhe pareça um ato sigiloso desnecessário. Há muito que acredito em líderes. Em uma família (isto eu observei na juventude e nunca me esqueci) há sempre alguém de caráter forte, e em geral recai sobre este indivíduo os cuidados e o fardo do resto da família. Na minha família, fui eu esta pessoa. Vim para Londres, me estabeleci aqui, sustentei minha mãe e meus avós já idosos em Esmirna, livrei um de meus irmãos das garras da lei, assegurei a liberdade de minha irmã depois de um casamento infeliz, e assim em diante. Deus quis me dar uma vida longa, e consegui zelar pelos meus próprios filhos e pelos filhos que eles tiveram. Muitos me foram tirados pela morte; o resto, me alegro em dizer, está sob o meu teto. Quando eu morrer, o fardo que carreguei terá de ser passado a outra pessoa. Ponderei se deveria dividir a minha fortuna da forma mais igualitária possível entre os meus entes queridos – mas fazê-lo não resultaria de fato em igualdade. Os homens não nascem iguais – para contrabalançar a desigualdade natural da Natureza, é preciso restabelecer o equilíbrio. Em outras palavras, alguém deve ser meu sucessor, deve tomar para si o fardo da responsabilidade para com o resto da família. Depois de observar com atenção, não considero meus filhos adequados para tal responsabilidade. Meu amado filho Roger não tem vocação empresarial, e apesar da natureza adorável, é impulsivo demais para ter bom senso. Meu filho Philip é inseguro demais para fazer algo além de fugir da vida. Eustace, meu neto, é muito jovem e não acho que tenha a perspicácia e o discernimento necessários. É indolente e facilmente influenciado pelas ideias de qualquer pessoa que conheça. Apenas a minha neta Sophia me parece ter as qualidades exigidas. Tem inteligência, bom senso, coragem, uma mente justa e imparcial e, acho eu, um espírito generoso. A ela, entrego o bem-estar da família – e o bem-estar de minha bondosa cunhada, Edith de Haviland, por cuja devoção da vida inteira à família tenho profunda gratidão.

Isso explica o documento em anexo. O que será mais difícil de explicar – ou quiçá de explicar a você, meu velho amigo – é o logro de que me utilizei. Achei que não seria sábio suscitar especulações a respeito da partilha do meu dinheiro, e não tenho nenhuma intenção de deixar que minha família saiba que Sophia será minha herdeira. Como meus dois filhos já foram agraciados com fortunas consideráveis, não acho que o arranjo testamentário os deixará numa situação humilhante.

Para acabar com a curiosidade e as suposições, lhe pedi que redigisse um testamento. Este testamento foi lido para a minha família, numa reunião. Coloquei-o sobre a mesa, pus um mata-borrão por cima dele e pedi que dois criados fossem chamados. Quando chegaram, deslizei um pouco o mata-borrão, expondo a parte inferior de um documento, assinei meu nome e pedi que assinassem. É desnecessário dizer que o documento que eu e eles assinamos é o testamento em anexo e não o redigido por você, que foi lido em voz alta.

Não posso esperar que você entenda o que me levou a realizar tal ardil. Só lhe peço que me perdoe por mantê-lo desinformado. São segredos que um homem de idade avançada gosta de guardar. Obrigado, meu querido amigo, pela diligência com que você sempre cuidou de meus negócios. Dê a Sophia todo o meu amor. Peça-lhe que cuide bem da família e que a proteja de todo o mal.

Respeitosamente,
Aristide Leonides.

Li aquele documento incrível com grande interesse.

– Extraordinário – eu disse.

– Bastante extraordinário – concordou o sr. Gaitskill, levantando-se. – Eu repito: acho que meu querido amigo sr. Leonides poderia ter confiado *em mim.*

– Não, Gaitskill – retrucou o meu pai. – Ele era mentiroso por natureza. Gostava, se me permite dizer, de fazer as coisas de um jeito torto.

– Isso mesmo, senhor – corroborou o inspetor-chefe Taverner. – Ele foi o maior mentiroso que já existiu!

Falou com entusiasmo.

Gaitskill saiu em silêncio, sem se deixar apaziguar pelos comentários. Seu profissionalismo havia sido profundamente ferido.

– Isso o deixou muito abalado – disse Taverner. – Firma muito respeitável, Gaitskill, Callum & Gaitskill. Com eles, não tem intrigas. Quando o velho Leonides fazia um acordo duvidoso, nunca usava a Gaitskill, Callum & Gaitskill. Ele usava meia dúzia de firmas de advocacia diferentes para lhe representar. Ah, ele era um mentiroso!

– E o foi, mais do que nunca, quando fez o testamento – acrescentou o meu pai.

– Fomos idiotas – disse Taverner. – Se a gente parar para pensar, a única pessoa que *poderia* ter criado uma armação com o testamento era o próprio velho. Só que não passou pela nossa cabeça que ele pudesse querer agir assim!

Lembrei-me do sorriso arrogante de Josephine ao dizer: "A polícia é *burra,* não é?".

Mas Josephine não estava presente quando o testamento foi lido. E mesmo se estivesse ouvindo por trás da porta, no que eu acreditaria sem hesitar!, dificilmente poderia imaginar o que o avô estava fazendo. Por que, então, o ar de superioridade? O que ela sabia para dizer que a polícia era burra? Ou será que estava, mais uma vez, só se exibindo?

Impressionado com o silêncio na sala, ergui o olhar repentinamente – tanto meu pai como Taverner me observavam. Não sei o que havia em seus modos que me levou a vociferar, com despeito:

– Sophia não sabia de nada disso! De nada mesmo!

– Não? – disse o meu pai.

Não sabia se ele estava concordando ou questionando.

– Ela vai ficar totalmente estupefata!

– É?

– Estupefata!

Fez-se uma pausa. Em seguida, com o que pareceu uma súbita crueldade, o telefone da mesa do meu pai tocou.

– Sim? – Ele pegou o aparelho, ouviu e depois disse: – Ponha ela na linha.

Ele me olhou.

– É a sua namorada – declarou. – Quer falar conosco. É urgente.

Peguei o aparelho da mão dele.

– Sophia?

– Charles? É você? É Josephine! – Sua voz tremeu.

– O que tem ela?

– Levou um golpe na cabeça. Concussão. Ela... ela está muito mal... Disseram que talvez ela não se recupere...

Virei-me para os outros dois.

– Josephine foi nocauteada – anunciei.

Meu pai pegou o aparelho da minha mão. No mesmo instante, disse num tom ríspido:

– Eu disse para você ficar de olho nessa menina...

CAPÍTULO 18

Segundos depois, Taverner e eu estávamos correndo numa patrulha em direção a Swinly Dean.

Recordei-me de Josephine emergindo do meio das cisternas e de seu comentário petulante de que já estava na hora "do segundo assassinato". A pobre coitada não fazia ideia de que ela mesma seria a provável vítima do "segundo assassinato".

Aceitei sem reservas a responsabilidade que meu pai me imputara tacitamente. Claro que eu devia ter ficado de olho em Josephine. Embora nem Taverner nem eu tivéssemos algum indício genuíno de quem envenenara o velho Leonides, era bem possível que Josephine tivesse. O que eu vira como bobagens infantis e "exibicionismo" podia muito bem ser algo totalmente diferente. Josephine, através de seus esportes preferidos, a espionagem e a bisbilhotice, podia ter obtido alguma informação cuja importância ela mesma não teria capacidade de compreender.

Lembrei-me do galho que se quebrara no jardim.

Havia pressentido o perigo que ela corria. Tinha agido de acordo naquele momento, e depois tive a impressão de que minhas suspeitas foram melodramáticas e infundadas. Pelo contrário, eu devia ter percebido que se tratava de assassinato, que o assassino, quem quer que fosse, tinha arriscado a própria pele e que, em consequência, a mesma pessoa não hesitaria em repetir o crime se este fosse o jeito de garantir sua segurança.

Talvez Magda, através de algum instinto materno obscuro, tivesse percebido que Josephine corria perigo e fosse essa a razão para a sua pressa repentina em mandar a filha para a Suíça.

Sophia saiu para nos receber quando chegamos. Josephine, disse ela, fora levada de ambulância ao hospital de Market Basing. Dr. Gray avisaria assim que possível qual era o resultado do exame de raio X.

– Como foi que isso aconteceu? – indagou Taverner.

Sophia conduziu-nos até os fundos da casa e depois por uma porta num pátio pequeno e abandonado. Num dos cantos, havia uma porta entreaberta.

– É uma espécie de lavanderia – explicou Sophia. – Tem um buraco cortado na parte inferior da porta, para o gato atravessá-la, e Josephine ficava com o pé apoiado no buraco e balançava de um lado para o outro.

Lembrei que eu também usava portas daquele jeito quando era pequeno.

A lavanderia era pequena e escura. Havia ali caixas de madeira, uma mangueira velha, uns instrumentos de jardinagem esquecidos e móveis quebrados. Assim que a porta se abria, via-se um calço de porta de mármore em formato de leão.

– É o calço da porta da frente – explicou Sophia. – Devia estar equilibrado no alto da porta.

Taverner esticou o braço e pôs a mão no alto da porta. Era uma porta baixa, cujo o topo ficava a apenas trinta centímetros da cabeça do detetive.

– Alguém tocou nisso?

– Não – afirmou Sophia. – Não deixei que ninguém tocasse.

– Fez bem. Quem a encontrou?

– Eu. Ela não entrou para o almoço, à uma hora. A babá estava chamando. Ela tinha passado pela cozinha e ido para a área onde fica o estábulo mais ou menos quinze minutos antes. A babá disse: "Ela deve estar jogando bola ou brincando na porta outra vez". Eu falei que ia buscá-la.

Sophia calou-se.

– A senhorita disse que ela tinha o hábito de brincar assim. Quem sabia disso?

Sophia encolheu os ombros.

– Todo mundo que mora nesta casa, imagino.

– Quem mais usava a lavanderia? Os jardineiros?

Sophia fez que não.

– Dificilmente alguém entra aí.

– E da casa não dá para ver este pátio? – Taverner resumiu. – Qualquer um poderia ter saído despercebido da casa ou dado a volta a partir da parte da frente e deixado a armadilha pronta. Mas seria arriscado...

Ele se calou, examinando a porta e balançando-a para frente e para trás.

– Não há nenhuma certeza nisso. Podia dar certo ou não. E era mais provável que não desse. Mas ela teve azar. Com ela, deu certo.

Sophia tremeu.

Ele espiou o assoalho. Havia bastante mossa.

– Parece que alguém fez a experiência antes... para ver como ia ser a queda... O som não seria ouvido na casa.

– Não, não ouvimos nada. Só soubemos que algo tinha acontecido quando eu saí e a vi deitada com o rosto contra o chão... toda esparramada. – A voz de Sophia quase se apagou. – Tinha sangue no cabelo de Josephine.

– Este lenço é dela? – Taverner apontou para um cachecol xadrez de lã que havia no chão.

– É.

Usando o lenço, ele pegou o bloco de mármore com muito cuidado.

– Pode haver digitais – ele declarou, mas sem muita esperança. – Mas na verdade acho que quem fez isso foi... cauteloso. – Ele me perguntou: – O que você está olhando?

Eu olhava para uma cadeira de cozinha com o espaldar quebrado que estava no meio dos objetos abandonados. No assento, havia uns fragmentos de terra.

– Curioso – disse Taverner. – Alguém subiu na cadeira com os pés enlameados. Mas para quê isso?

Ele balançou a cabeça.

– A que horas encontrou a sua irmã, srta. Leonides?

– Devia ser uma e cinco.

– E a sua babá falou que a viu sair uns vinte minutos antes. Ao que se sabe, quem foi a última pessoa antes dela a entrar na lavanderia?

– Não faço ideia. Provavelmente foi a própria Josephine. Sei que ela estava brincando na porta hoje de manhã, depois do café.

Taverner assentiu.

– Portanto, entre esse momento e quinze para uma, *alguém plantou a armadilha.* A senhorita falou que este objeto de mármore é o calço que a família usa na porta da frente? Alguma noção de quando ele desapareceu?

Sophia fez que não.

– Em nenhum momento a porta ficou entreaberta hoje. Está frio demais.

– Alguma ideia de onde estava todo mundo no decorrer da manhã?

– Eu saí para dar uma caminhada. Eustace e Josephine tiveram aula até meio-dia e meia, com um intervalo às dez e meia. Acho que meu pai ficou na biblioteca a manhã inteira.

– Sua mãe?

– Ela estava saindo do quarto quando cheguei da caminhada... devia ser meio-dia e meia. Ela não se levanta muito cedo.

Tornamos a entrar na casa. Segui Sophia até a biblioteca. Philip, pálido e fatigado, estava acomodado na mesma cadeira de sempre. Magda estava agachada, deitada em seus joelhos, chorando baixinho. Sophia perguntou:

– Já ligaram do hospital?

Philip negou com a cabeça.

Magda soluçou.

– Por que não me deixaram ir com ela? Meu bebê... meu bebê esquisito e feioso. Eu dizia que ela tinha sido trocada e isso a deixava tão brava. Como pude ser tão cruel? E agora ela vai morrer. Eu sei que ela vai morrer.

– Calma, querida – disse Philip. – Calma.

Senti que não havia lugar para mim naquela cena familiar de angústia e tristeza. Recuei em silêncio e fui procurar a babá. Estava na cozinha, chorando baixinho.

– É um castigo para mim, sr. Charles, pelas coisas ruins que tenho pensado. Um castigo, é o que isso é.

Não tentei desvendar o que ela queria dizer.

– Há maldade nesta casa. É isso mesmo. Não quis enxergar ou acreditar nisso. Mas é ver para crer. Alguém matou o patrão e a mesma pessoa deve ter tentado matar Josephine.

– Por que tentariam matar Josephine?

A babá afastou o canto do lenço do olho e me lançou um olhar sagaz.

– O senhor sabe muito bem como ela era, sr. Charles. Ela gostava de saber das coisas. Ela sempre foi assim, mesmo quando pequenina. Costumava se esconder debaixo da mesa de jantar e escutar as conversas das empregadas e depois usava o que falavam contra elas. Sentia-se importante agindo assim. Ela foi ignorada, por assim dizer, pela patroa. Não era uma criança bonita que nem as outras duas. Sempre foi meio sem graça. Trocada na maternidade, era isso o que a patroa falava dela. Ponho a culpa na patroa, pois acredito que isso azedou a menina. Mas o engraçado é que, de certo modo, ela se vingou descobrindo coisas sobre as pessoas e dizendo a elas o que ela sabia. Mas não era seguro agir assim com um envenenador à solta!

Não, não era seguro. E isto me fez pensar em outra coisa. Perguntei à babá:

– Você sabe onde ela guardava o caderninho preto... um caderninho que ela usava para escrever coisas?

– Eu sei do que o senhor está falando. Ela era muito astuta. Eu a via com o lápis na boca e escrevendo no caderno e com o lápis na boca de novo. E "não faça isso", eu pedia, "você vai se envenenar com o chumbo" e ela dizia "não vou, não, porque lápis não é mais feito de chumbo, e sim de carbono." Mas não entendo como isso pode ser verdade, porque sempre soube que lápis é feito de chumbo.

– Era feito, mesmo – concordei. – Mas a verdade é que ela tinha razão: hoje em dia é feito de carbono. – Josephine sempre tinha razão! – E quanto ao caderno? Você sabe onde ela guardava?

– Não faço a mínima ideia, senhor. Era uma das coisas que ela escondia.

– Não estava com ela quando foi encontrada?

– Não, sr. Charles, ela não estava com caderno nenhum.

Será que alguém pegara o caderno? Ou ela o escondera em seu quarto? Tive a ideia de ir até lá e averiguar. Não sabia ao certo qual era o quarto de Josephine, mas quando estava parado no corredor, hesitando, a voz de Taverner me chamou:

– Entre aqui – ele disse. – Estou no quarto da menina. Você já viu uma coisa dessas?

Atravessei a soleira da porta e parei.

O quartinho parecia ter sido visitado por um tornado. As gavetas da cômoda estavam abertas e seus conteúdos espalhados pelo chão. O colchão e as cobertas foram puxados da cama. Os tapetes estavam revirados. As cadeiras estavam de cabeça para baixo, os quadros retirados da parede, as fotografias arrancadas das molduras.

– Meu Deus – exclamei. – O que foi que aconteceu aqui?

– O que você acha?

– Alguém estava procurando alguma coisa.

– Exatamente.

Mas percorri o ambiente com os olhos e assobiei.

– Mas quem diabos... É óbvio que ninguém conseguiria entrar aqui, fazer tudo isso e não ser ouvido nem visto.

– Por que não? A sra. Leonides passa a manhã no quarto fazendo as unhas e ligando para as amigas e brincando com as roupas que ela tem. Philip fica na biblioteca folheando livros. A ama fica na cozinha descascando batatas e separando feijão. Numa família em que uns conhecem os hábitos dos outros, seria fácil. E eu lhe digo uma coisa. Qualquer um de dentro desta casa pode ter feito o trabalho... pode ter preparado a armadilha para a menina e destruído o quarto dela. Mas a pessoa estava com pressa e não teve tempo de procurar sem fazer estardalhaço.

– Qualquer um de dentro desta casa?

– Sim, eu já chequei. Todo mundo, uma hora ou outra, esteve sozinho. Philip, Magda, a ama, a sua garota. O mesmo para o pessoal do segundo andar. Brenda passou boa parte da manhã sozinha. Laurence e Eustace fizeram um intervalo de meia hora, das dez e meia às onze... Você esteve com eles parte deste tempo, mas não todo o tempo. A srta. De Haviland estava sozinha no jardim. Roger estava no escritório.

– Só Clemency estava em Londres, no trabalho.

– Não, ela não saiu. Ficou em casa porque estava com dor de cabeça. Permaneceu no quarto, sozinha, por causa da dor. Qualquer um deles... Qualquer um desses malditos! E não sei quem foi! Não faço ideia. Se eu soubesse o que estavam procurando aqui...

Seus olhos percorreram o quarto devastado.

– E se eu soubesse se encontraram ou não o que procuravam...

Algo veio à minha mente: uma lembrança.

Taverner percebeu, ao me perguntar:

– O que a menina estava fazendo quando você a viu pela última vez?

– Espere – eu pedi.

Saí do quarto correndo e subi a escada. Passei pela porta à minha esquerda e subi até o último andar. Abri a porta da cisterna, galguei os dois degraus e, inclinando a cabeça, devido à inclinação e rebaixamento do teto, olhei ao meu redor.

Quando perguntei o que ela estava fazendo, Josephine me dissera que estava "investigando".

Não entendi o que ela poderia estar investigando num sótão coberto de teias de aranha repleto de tanques de água. Mas o sótão seria um bom esconderijo. Achei bastante provável que Josephine estivesse escondendo alguma coisa ali, algo que ela sabia muito bem que não poderia ter. Se fosse o caso, não demoraria muito a achá-lo.

Levei apenas três minutos. Atrás do tanque mais largo, de cujo interior vinha um sibilo que dava um tom sinistro à atmosfera, encontrei um pacote de cartas embrulhado num papel pardo rasgado.

Li a primeira carta.

Ah, Laurence – meu querido, meu verdadeiro amor... Foi maravilhoso ontem à noite, quando você citou aquele verso de poesia. Sabia que era para mim, apesar de você não ter me olhado. Aristide disse: "Você é um bom leitor de poesia". Ele não imaginou o que ambos sentíamos. Meu querido, estou convencida de que em breve tudo se ajeitará. Devemos nos contentar com o fato de que ele nunca soube, de que morreu feliz. Ele foi bondoso comigo. Não queria que ele sofresse. Mas realmente acho que não deve ser nada prazeroso viver depois dos oitenta. Eu não gostaria! Em breve ficaremos juntos para sempre. Que maravilha será quando eu puder lhe dizer: "Meu querido, querido marido...". Querido, fomos feitos um para o outro. Eu te amo, te amo, te amo – não vejo como nosso amor poderia acabar, eu...

Havia muito mais, mas não tive vontade de continuar.

Carrancudo, desci a escada e enfiei o pacote nas mãos de Taverner.

– É possível – eu disse – que isto aí seja o que o nosso amigo anônimo estava procurando.

Taverner leu uns trechos, assobiou e remexeu nas cartas.

Em seguida, ele me olhou com a expressão de um gato que comera sua refeição preferida.

– Bem – ele disse, tranquilo. – Isto vai acabar com os planos da senhora Brenda Leonides. *E* do sr. Laurence Brown. Então eram eles mesmo, durante esse tempo todo...

CAPÍTULO 19

Parece-me estranho, olhando para trás, o fato de que a pena e a simpatia que eu sentia por Brenda Leonides se dissiparam, súbita e completamente, com a descoberta das cartas, as cartas que ela escrevera para Laurence Brown. Será que a minha vaidade não suportou a revelação de que ela amava Laurence Brown com uma paixão açucarada e tonta e de que havia mentido para mim de propósito? Não sei. Não sou psicólogo. Prefiro acreditar que foi a ideia da menina Josephine, derrubada no chão num ato brutal de autopreservação, que fez murchar os botões da minha solidariedade.

– Brown preparou a armadilha, se você quer a minha opinião – declarou Taverner –, e isto explica o que me deixou confuso em relação a ela.

– O que o deixou confuso?

– Bem, foi uma atitude tola a se tomar. Olha aqui, digamos que a menina estivesse de posse dessas cartas... cartas que são totalmente incriminatórias! A primeira atitude a se tomar é tentar reavê-las, afinal de contas, se a menina fala sobre elas, mas não tem nenhuma prova de que existem, pode-se dizer que é pura imaginação, mas você não tem como reavê-las porque não consegue achá-las. Então, a única alternativa que resta é tirar a menina de cena para sempre. Você já cometeu um assassinato e não fica melindrado de cometer outro. Você sabe que ela gosta de brincar na porta do pátio abandonado. O ideal é esperar atrás da porta e, quando ela aparecer, nocauteá-la com um tiçoeiro, ou uma barra de ferro, ou um cano qualquer. Tudo isso estava ali, à mão. Por que mexer num leão de mármore empoleirado no alto de uma porta, que tem grandes chances de não atingi-la e que, mesmo que *caia* em cima dela, pode não atingi-la do jeito certo, e na verdade foi isso o que aconteceu. Pergunto a você: *por quê*?

– Bem – eu disse –, qual é a resposta?

– No começo, pensei que alguém tinha a intenção de cometer o crime já que teria um álibi. A pessoa teria um ótimo álibi para o momento em que Josephine foi golpeada. Mas não tem sentido porque, em primeiro lugar, ninguém parece ter álibi, e segundo, alguém sairia para procurar a criança na hora do almoço, e veria a armadilha e o bloco de mármore, e o *modus operandi* ficaria claro. Claro que, *se* o assassino tivesse tirado o bloco antes que a criança fosse encontrada, nós ficaríamos intrigados. Mas, do jeito que aconteceu, nada faz sentido.

Ele esticou as mãos.

– E qual é a sua explicação?

– O elemento pessoal. Idiossincrasia pessoal. A idiossincrasia de Laurence Brown. Ele não gosta de violência... não consegue se forçar a cometer uma violência física. *Ele* literalmente *não aguentaria* ficar atrás da porta e golpear a cabeça da menina. Ele *aguentaria* preparar uma armadilha e ir embora para não ver o golpe.

– Sim, entendo – eu disse, devagar. – É a eserina no frasco de insulina outra vez, não é?

– Exatamente.

– Você acha que ele cometeu o crime sem que Brenda soubesse?

– Isso explicaria por que ela não jogou fora o frasco de insulina. Claro que eles podem ter combinado tudo... ou ela pode ter concebido o truque do veneno sozinha... uma morte tranquila para o marido fatigado e velho e tudo com a melhor das intenções! Mas aposto que ela não preparou a armadilha. As mulheres nunca acreditam que coisas mecânicas podem funcionar direito. E têm razão. Eu acho que a eserina foi ideia dela, mas que ela fez com que seu escravo apatetado preparasse a armadilha. Ela é do tipo que consegue evitar fazer tarefas suspeitas com as próprias mãos. Assim fica com a consciência tranquila.

Ele se calou e depois prosseguiu:

– Com essas cartas, acho que o Diretor de Persecuções Públicas vai dizer que temos um caso nas mãos. Eles vão ter que rebolar para explicá-las! Depois, se a menina se recuperar, tudo voltará ao normal. – Ele me olhou de soslaio. – Qual é a sensação de estar noivo de mais ou menos um milhão de libras esterlinas?

Estremeci. Com a agitação das últimas horas, tinha me esquecido das revelações do testamento.

– Sophia ainda não sabe – declarei. – Você quer que eu conte a ela?

– Creio que Gaitskill vá dar a triste (ou alegre) notícia amanhã, depois do inquérito. – Taverner se calou e me encarou, pensativo. – Pergunto-me – ele disse –, como a família vai reagir.

CAPÍTULO 20

O inquérito transcorreu basicamente como eu previra. Foi adiado a pedido da polícia.

Estávamos de bom humor, pois o hospital tinha nos avisado na noite anterior que os ferimentos de Josephine eram muito menos sérios do que temíamos e que sua recuperação seria rápida. Por enquanto, disse o dr. Gray, não seriam permitidas visitas – nem da mãe.

– Principalmente da mãe – Sophia murmurou para mim. – Deixei isso bem claro para o dr. Gray. Bem, ele conhece a minha mãe.

Devo ter ficado com uma expressão desconfiada, pois Sophia declarou com rispidez:

– Por que este olhar de censura?

– Bem... não há dúvida de que uma mãe...

– Fico contente por você ter umas ideias antiquadas, Charles. Mas você ainda não sabe do que a minha mãe é capaz. Minha querida mãe não consegue se conter, então haveria uma grande cena dramática. E cenas dramáticas não são uma boa para quem está se recuperando de lesões na cabeça.

– Você realmente pensa em tudo, não é, meu bem?

– Bom, alguém tem que colocar a cabeça para funcionar, agora que o vovô se foi.

Fitei-a, especulando. Vi que a perspicácia do velho Leonides não o abandonara. O manto de suas responsabilidades já cobria os ombros de Sophia.

Após o inquérito, Gaitskill voltou conosco para Três Empenas. Pigarreou e disse, com um ar pomposo:

– Tenho um anúncio a fazer, como manda o meu dever para com todos vocês.

Com tal propósito, a família se reuniu na sala de estar de Magda. Nesta ocasião, tive as sensações aprazíveis de um homem de bastidores. Sabia com antecedência o que Gaitskill tinha a dizer.

Preparei-me para observar a reação de cada um deles.

Gaitskill foi breve e seco. Qualquer indício de sentimento ou aborrecimento permaneceu sob controle. Ele leu primeiro a carta de Aristide Leonides e depois o testamento.

Foi uma cena interessante de se ver. Só desejei que meus olhos pudessem acompanhar todos ao mesmo tempo.

Não prestei muita atenção em Brenda e Laurence. A provisão destinada a Brenda neste testamento era a mesma. Observei principalmente Roger e Philip, e também Magda e Clemency.

Minha primeira impressão foi de que todos se comportaram muito bem.

Os lábios de Philip estavam comprimidos, a bela cabeça inclinada contra o espaldar alto da cadeira onde se sentara. Não falou nada.

Magda, pelo contrário, desatou a fazer um discurso assim que o sr. Gaitskill terminou, a voz melodiosa se sobrepondo aos tons fracos do advogado, como uma onda afogando uma marola.

– Minha querida Sophia, que extraordinário, que *romântico*. Imagine o velho Docinho de Coco, tão esperto e trapaceiro... que nem um querido velhinho. Será que não confiava na gente? Pensou que a gente ia se zangar? Nunca pareceu gostar mais de Sophia do que do restante da família. Mas, na verdade, é bastante dramático.

De repente, Magda se levantou, foi dançando em direção a Sophia e lhe fez uma mesura grandiosa.

– Madame Sophia, sua miserável e fatigada mamãe lhe implora uma esmola. – A voz adquiriu um tom de um lamento cockney. – Uma moedinha, querida. Mamãe quer ir ao cinema.

A mão, curvada como uma garra, puxava Sophia com insistência.

Philip, imóvel, disse, por entre os lábios apertados:

– Por favor, Magda, não é hora de palhaçadas desnecessárias.

– Ah, mas Roger – queixou-se Magda, virando-se para Roger de repente. – Roger, coitadinho. O Docinho ia ajudar e então, antes que pudesse fazê-lo, morreu. E agora Roger não fica com *nada*. Sophia – ela se virou, de um jeito altivo –, você tem de fazer algo em relação a Roger.

– Não – retrucou Clemency. Ela tinha dado um passo à frente. Tinha uma expressão desafiadora. – Nada. Nada mesmo.

Roger se aproximou de Sophia a passos gingados, como um urso amistoso.

– Não quero nem um centavo, minha querida menina. Assim que essa situação se esclarecer... ou se aquietar, o que agora parece mais provável... Clemency e eu vamos embora para as Antilhas e teremos uma vida simples. Se um dia eu estiver numa situação extrema, recorrerei à chefe de família – ele lhe deu um sorriso encantador –, mas até lá, não vou querer nem um centavo. Na verdade, sou uma pessoa muito simples, minha querida, pergunte a Clemency se não sou.

Uma voz inesperada o interrompeu. Era Edith de Haviland.

– Está tudo muito bem – disse ela. – Mas você tem que prestar um pouco de atenção às aparências. Se você for à falência, Roger, e depois fugir para o fim do mundo sem que Sophia lhe estenda a mão, haverá muito falatório desagradável em relação a ela.

– Que importância tem a opinião pública? – indagou Clemency, com desdém.

– Sabemos que para você não tem nenhuma, Clemency – retrucou Edith de Haviland –, mas Sophia vive *neste* mundo. Ela é uma garota inteligente e de bom coração, e não tenho dúvida de que Aristide acertou na mosca ao escolhê-la para ficar com a fortuna da família... apesar de que ignorar os dois filhos que ainda estão vivos seja esquisito segundo a nossa tradição inglesa... mas acho que seria uma lástima se corresse o boato de que ela foi mesquinha em relação à herança e de que deixou Roger falir sem tentar ajudá-lo.

Roger se aproximou da tia. Pôs os braços em volta dela e a abraçou.

– Tia Edith – ele disse. – Você é um amor... e uma briguenta teimosa, mas ainda não entendeu. Clemency e eu sabemos o que nós queremos... e o que não queremos!

Clemency, com um súbito colorido nas duas faces delgadas, ficou parada, numa pose desafiadora, de frente para eles.

– Nenhum de vocês – disse ela – entende Roger. Vocês nunca entenderam! Acho que nunca vão entender! Vamos, Roger.

Saíram da sala enquanto o sr. Gaitskill pigarreava e arrumava a papelada. Seu semblante traía sua profunda reprovação. Detestara as cenas precedentes. Era nítido.

Meu olhar finalmente recaiu sobre Sophia. Ela estava de pé, empertigada e bela, junto à lareira, o queixo erguido, o olhar imperturbável. Tinha acabado de receber uma imensa fortuna, mas meu principal pensamento foi sobre o quão solitária ela se tornara de repente. Uma barreira havia sido erigida entre ela e a família. Doravante, estaria apartada deles, e imaginei que já tivesse percebido e enfrentado este fato. O velho Leonides colocara um fardo sobre seus ombros – ele tinha ciência disso e ela também. Ele acreditara que os ombros de Sophia eram fortes o bastante para suportar o peso, mas naquele momento senti muita pena dela.

Por enquanto, ela não se pronunciara; na verdade, não tivera oportunidade, mas em breve ela seria obrigada a discursar. Sob o afeto da família, eu já notava a hostilidade latente. Até na graciosa atuação de Magda houvera, imaginei, uma malícia sutil. E existiam outros subtons mais sombrios que ainda não tinham vindo à tona.

Os pigarros do sr. Gaitskill abriram caminho para seu discurso preciso e calculado.

– Permita que eu lhe parabenize, Sophia – ele disse. – Você é uma mulher muito rica. Devo aconselhá-la a não tomar nenhuma... err... decisão precipitada. Posso lhe adiantar quanto dinheiro vivo é necessário para cobrir as despesas atuais. Se quiser discutir providências para o futuro, ficarei feliz em lhe dar toda a assistência que me for possível. Marque um horário comigo no Lincoln's Inn quando você já tiver tido tempo suficiente para repensar as coisas.

– Roger – começou Edith de Haviland, sem perder a obstinação.

O sr. Gaitskill interveio imediatamente.

– Roger – declarou ele – deve se arranjar sozinho. Ele é adulto... err, tem 54 anos, creio eu. E Aristide Leonides tinha razão, sabe? Ele não é um homem de negócios. Nunca será. – Ele fitou Sophia. – Se você reerguer a Associated Catering, não tenha a ilusão de que Roger será capaz de administrá-la com sucesso.

– Nem em sonhos penso em reerguer a Associated Catering – afirmou Sophia.

Foi a primeira vez que ela abriu a boca. Seu tom era resoluto e profissional.

– Seria uma idiotice fazê-lo – acrescentou ela.

Gaitskill lançou-lhe um olhar e sorriu para si. Em seguida, despediu-se de todos e se retirou.

Seguiram-se alguns instantes de silêncio, a percepção de que a família estava a sós.

Então Philip se levantou, firme.

– Tenho que voltar para a biblioteca – declarou. – Já perdi muito tempo.

– Pai... – disse Sophia, num tom de incerteza, quase suplicante.

Notei que ela estremeceu e recuou quando Philip lhe lançou um olhar hostil, frio.

– Desculpe-me se não lhe dou os parabéns – ele disse. – Mas foi um grande choque para mim. Jamais imaginaria que meu pai me humilharia desse jeito... que desdenharia da devoção que sempre lhe tive... sim... devoção.

Pela primeira vez, o homem espontâneo rompeu a casca do comedimento glacial.

– Meu Deus – ele lamentou. – Como ele pôde fazer isso comigo? Ele sempre foi injusto comigo... sempre.

– Ah não, Philip, não, você não pode pensar assim – queixou-se Edith de Haviland. – Não veja isso como outro menosprezo. Não é. Quando as pessoas envelhecem, a tendência é se voltarem para a geração mais jovem. Garanto que foi só isso. Além do mais, Aristide tinha um bom tino para os negócios. Sempre o ouvi dizer que impostos sobre herança em dobro...

– Ele nunca se importou comigo – afirmou Philip. Falava baixo, com a voz rouca. – Era sempre Roger... Bom, pelo menos – uma expressão extraordinária de rancor subitamente maculou suas belas feições – papai percebeu que Roger é um tolo, um fracassado. Ele também deixou Roger de fora.

– E quanto a mim? – indagou Eustace.

Até este ponto, mal tinha visto Eustace, mas notei que estava tremendo, tomado por emoções violentas. Seu rosto estava rubro, imaginei haver lágrimas em seus olhos. Sua voz vibrava enquanto se erguia histericamente.

– É uma vergonha! – disse Eustace. – É uma maldita vergonha! Como vovô teve a audácia de fazer isso comigo? Como teve a audácia? Era o único neto que ele tinha. Como ele teve a audácia de me ignorar em prol de Sophia? Não é justo. Odeio ele. Odeio. Nunca na minha vida vou perdoá-lo. Aquele tirano velho, aquela besta. Queria que ele morresse. Queria sair desta casa. Queria ser dono do meu próprio nariz. E agora vou ter de aguentar as intimidações e as asneiras de Sophia e ser feito de bobo. Eu queria morrer...

Sua voz sumiu e ele saiu correndo da sala.

Edith de Haviland estalou a língua contra o céu da boca.

– Não tem autocontrole – murmurou ela.

– Sei exatamente como ele está se sentindo – lamuriou-se Magda.

– Tenho certeza de que sabe – disse Edith, num tom ácido.

– Pobrezinho! Tenho que ir atrás dele.

– Ora, Magda... – Edith correu atrás dela.

As vozes se extinguiram. Sophia continuava fitando Philip. Havia, acho eu, um ar de súplica em seu olhar. Se era este o caso, não gerou reação. Ele a encarou com frieza, mais uma vez perfeitamente controlado.

– Você tirou bom proveito da situação, Sophia – ele disse antes de se retirar da sala.

– Que comentário cruel – eu disse. – Sophia...

Ela esticou as mãos para mim. Eu a abracei.

– Isso é demais para você, meu bem.

– Sei como eles estão se sentindo – declarou Sophia.

– Aquele velho diabo, o seu avô, não devia ter deixado você nessa situação.

Ela alinhou os ombros.

– Ele acreditava que eu aguentaria. Portanto, eu aguento. Eu queria... eu queria que Eustace não ligasse tanto para isso.

– Ele vai superar.

– Vai mesmo? Não sei. Ele é do tipo que fica remoendo sem parar. E detesto a ideia de que meu pai esteja magoado.

– Sua mãe está bem.

– Ela se importa um pouquinho. Pedir dinheiro à própria filha para investir nas peças dela vai contra a ordem natural. Ela vai vir atrás de mim para montar a peça da Edith Thompson num piscar de olhos.

– E o que você vai dizer? Se isso a faz feliz...

Sophia se desvencilhou dos meus braços, ela levantou a cabeça.

– Vou dizer que *não*! É uma peça horrorosa e minha mãe não saberia representar o papel. Seria jogar dinheiro fora.

Dei uma risada. Não pude evitar.

– O que foi? – indagou Sophia, desconfiada.

– Estou começando a entender por que o seu avô deixou o dinheiro para você. Você é neta de peixe, Sophia.

CAPÍTULO 21

Meu único ressentimento a respeito desse momento foi o fato de Josephine ter ficado de fora. Ela teria curtido muito tudo aquilo.

Sua recuperação foi rápida e esperava-se que ela voltasse para casa a qualquer instante, mas de qualquer modo ela perdeu outro acontecimento importante.

Numa manhã, eu estava no jardim de pedras com Sophia e Brenda quando um carro parou diante da porta da frente. Taverner e o sargento Lamb desceram. Galgaram os degraus e entraram na casa.

Brenda ficou paralisada, fitando o carro.

– São aqueles homens – ela anunciou. – Eles voltaram, e eu achava que tinham desistido, achava que isso tinha acabado.

Percebi que ela teve calafrios.

Havia se juntado a nós uns dez minutos antes. Agasalhada pelo casaco de chinchila, ela dissera:

– Se não respirar ar puro e me exercitar, vou enlouquecer. Se eu atravesso o portão, tem sempre um repórter se atirando em cima de mim. É como estar sitiada. Vai ser assim para sempre?

Sophia disse que imaginava que os repórteres logo se cansariam.

– Você pode sair de carro – ela acrescentou.

– Já lhe falei que quero me exercitar.

Em seguida, indagou abruptamente:

– Você despediu Laurence, Sophia. Por quê?

Sophia respondeu baixinho:

– Temos outros planos para Eustace. E Josephine vai para a Suíça.

– Bom, você deixou Laurence muito chateado. Ele acha que você não confia nele.

Sophia não respondeu e foi neste momento que o carro de Taverner chegou.

Parada, tremendo devido ao ar úmido do outono, Brenda balbuciou:

– O que eles querem? Por que vieram?

Imaginei saber por que estavam ali. Não tinha contado a Sophia das cartas que achara junto à cisterna, mas sabia que elas foram entregues ao promotor.

Taverner tornou a sair da casa. Cruzou a pista da garagem e o gramado e foi ao nosso encontro. Brenda tremeu ainda mais.

– O que ele quer? – repetiu, nervosa. – O que ele quer?

Logo em seguida Taverner já estava conosco. Falou de um jeito cortês, em seu típico tom oficial, usando expressões oficiais.

– Estou com um mandado pedindo a sua prisão. A senhora é acusada de ministrar eserina a Aristide Leonides no 19 de setembro último. Devo avisar que tudo o que disser poderá ser usado contra a senhora no tribunal.

E então Brenda desmoronou. Ela gritou. Agarrou-se a mim. Berrou:

– Não, não, não, não é verdade! Charles, diga a eles que não é verdade! Não fui eu. Eu não sabia de nada. É uma armação. Não deixe que eles me levem. Não é verdade, eu garanto... *Não é verdade...* Eu não fiz nada...

Foi horrível – inacreditavelmente horrível. Tentei tranquilizá-la, tirei seus dedos do meu braço. Disse que ia arrumar um advogado para ela – que ela tinha de se acalmar – que um advogado trataria de tudo...

Taverner foi delicado ao segurá-la pelo cotovelo.

– Venha comigo, sra. Leonides – disse ele. – A senhora não quer escândalo, quer? Não? Então vamos agora.

Ela recuou, fitando-o com enormes olhos felinos.

– Laurence – ela disse. – O que você fez com o Laurence?

– O sr. Laurence Brown também foi preso – declarou Taverner.

Ela murchou na mesma hora. Seu corpo parecia ter desmoronado e encolhido. As lágrimas corriam-lhe pelo rosto. Ela acompanhou Taverner em silêncio, atravessando o gramado em direção ao carro. Vi Laurence Brown e o sargento Lamb saindo da casa. Todos entraram no carro. Deram a partida.

Respirei fundo e me virei para Sophia. Estava muito pálida, e via-se a expressão aflita em seu rosto.

– É horrível, Charles – ela disse. – É horrível.

– Eu sei.

– Você tem que arranjar um advogado de primeira categoria para ela, o melhor que existir. Ela... ela tem que receber toda a ajuda possível.

– As pessoas não entendem – eu disse – como são essas coisas. Nunca tinha visto uma pessoa sendo presa.

– Eu sei. Nós nem imaginamos como é.

Ambos nos calamos. Eu estava pensando no desespero estampado no rosto de Brenda. Parecera-me familiar e de repente descobri o motivo. Era a mesma expressão que eu vira no rosto de Magda Leonides na minha primeira visita à Casa Torta, quando ela estava falando da peça sobre Edith Thompson.

"E então", ela dissera, "o mero terror, você não acha?"

O mero terror – era isso o que traía o rosto de Brenda. Ela não era uma guerreira. Questionei-me se ela teria coragem de cometer um assassinato. Mas era bem possível que não. Era provável que tivesse sido Laurence Brown, com sua mania de perseguição, sua personalidade instável, quem pusera o conteúdo de um frasco em outro – um ato simples, fácil – para libertar a mulher que amava.

– Então acabou – declarou Sophia.

Ela respirou fundo e perguntou:

– Mas por que prendê-los agora? Achei que não havia indícios suficientes.

– Alguns indícios vieram à tona. Cartas.

– Você está falando de cartas de amor trocadas pelos dois?

– Isso mesmo.

– As pessoas são muito tolas de guardá-las!

Sim, de fato. Tolas. O tipo de insensatez que aparentemente não se beneficiava da experiência dos outros. Era impossível abrir um jornal sem se deparar com algum exemplo desta insensatez – a paixão por guardar as palavras escritas, a promessa de amor registrada no papel.

– É abominável, Sophia – eu disse. – Mas é melhor não pensar nisso. Afinal, a gente esperava por isso o tempo todo, não é? Foi o que você falou naquela primeira noite, no Mario's. Você falou que tudo ficaria bem se a pessoa certa tivesse assassinado o seu avô. Brenda era a pessoa certa, não era? Brenda ou Laurence?

– Não diga isso, Charles, assim eu me sinto péssima.

– Mas temos de ser sensatos. Agora podemos nos casar, Sophia. Você não pode continuar me repelindo. A família Leonides está fora do caso.

Ela me olhou fixo. Nunca tinha percebido o azul fulgurante de seus olhos.

– Sim – ela disse. – Acho que agora estamos fora do caso. Nós *estamos* fora do caso, não é? Você tem certeza?

– Minha querida, nenhum de vocês tinha sequer uma sombra de motivação.

De repente, seu rosto ficou pálido.

– Eu sou a exceção, Charles. *Eu* tinha motivação.

– Sim, é claro... – Eu estava perplexo. – Mas na verdade não tinha. Você não sabia do testamento, entende?

– Mas eu sabia, Charles – ela sussurrou.

– O quê? – Eu a fitei. Gelei de repente.

– Eu sempre soube que o vovô ia deixar o dinheiro para mim.

– Mas como?

– Ele me contou. Umas duas semanas antes de ser morto. Ele me disse, de repente: "Deixei todo o meu dinheiro para você, Sophia. Você tem que cuidar da família depois que eu me for".

Eu a encarei.

– Você nunca me disse.

– Não. Quando explicaram sobre o testamento e a assinatura dele, imaginei que talvez ele tivesse se enganado, que estivesse imaginando que tinha deixado tudo para mim. Ou que, se tinha feito um testamento me deixando tudo, o documento havia se perdido e jamais apareceria. Eu não queria que aparecesse... estava com medo.

– Com medo? Por quê?

– Imagino que... devido ao assassinato.

Lembrei-me da expressão apavorada no rosto de Brenda, o pânico brutal, cego. Lembrei-me do pânico que Magda evocara por vontade própria ao cogitar representar o papel de uma assassina. Não haveria pânico nenhum na cabeça de Sophia, mas ela era realista e via claramente que o testamento de Leonides faria dela a suspeita. Agora eu entendia melhor, ou imaginava entender, sua recusa em noivar comigo e a insistência para que eu descobrisse a verdade. Nada além da verdade, ela dissera, a satisfaria. Lembrei-me da paixão, da seriedade com que proferira tais palavras.

Demos meia-volta para irmos em direção à casa e de súbito, em certo local, lembrei-me de outra coisa que ela falou.

Ela tinha dito que imaginava ser capaz de matar alguém, mas caso o fizesse, acrescentara, seria por algo que valesse muito a pena.

CAPÍTULO 22

Contornando o jardim de pedras, Roger e Clemency caminhavam a passos largos em direção a nós. A roupa de lã frouxa de Roger lhe caía melhor que os trajes que usava para ir ao centro da cidade. Parecia ávido e animado. Clemency enrugava a testa.

– Olá, vocês dois – disse Roger. – Finalmente! Achei que nunca fossem prender aquela mulherzinha infame. Não sei o que estavam esperando. Bem, agora eles a apanharam, e o infeliz do namorado também... e espero que enforquem os dois.

A testa de Clemency se enrugou ainda mais. Ela disse:

– Não seja incivilizado, Roger.

– Incivilizado? Bobagem! Envenenamento a sangue frio de um velho indefeso e crédulo... e quando fico satisfeito porque os assassinos foram presos e vão cumprir a pena você diz que sou incivilizado! Digo a você que enforcaria aquela mulher com minhas próprias mãos.

Ele acrescentou:

– Ela estava com vocês, não estava, quando a polícia veio buscá-la? Como ela enfrentou a situação?

– Foi horrível – disse Sophia, em voz baixa. – Ela ficou assustadíssima, fora de si.

– Ela merece.

– Não seja vingativo – pediu Clemency.

– Ah, eu sei, minha querida, mas você não entende. Não foi o seu pai. Eu *amava* o meu pai. Você não entende? Eu o *amava*!

– Acho que a esta altura eu já entendo – disse Clemency.

Roger lhe disse, num tom meio zombeteiro:

– Você não tem imaginação, Clemency. Imagine se tivesse sido eu quem envenenou...?

Vi quando suas pálpebras se fecharam, os punhos se contraíram. Ela disse com rispidez:

– Não diga uma coisa dessas, nem de brincadeira.

– Deixa para lá, querida, em breve estaremos longe disso tudo.

Andamos em direção à casa. Roger e Sophia seguiram na frente e Clemency e eu fomos mais atrás. Ela perguntou:

– Imagino que agora deixem a gente ir embora?

– Está ansiosa para viajar? – indaguei.

– Está me exaurindo.

Eu a olhei, surpreso. Ela me encarou com um sorriso desesperado, confirmando com a cabeça.

– Você não percebeu, Charles, que estou lutando o tempo inteiro? Lutando pela minha felicidade. Pela de Roger. Estava com tanto medo de que a família o convencesse a continuar na Inglaterra. Que ficássemos presos aqui, amarrados pelos laços de família. Tive medo de que Sophia lhe oferecesse uma remuneração e ele permanecesse na Inglaterra porque isso significaria mais conforto e amenidades para mim. O problema de Roger é que ele *não* escuta. Ele fica com umas ideias na cabeça... e nunca são as ideias certas. Ele não sabe *de nada*. E é um típico Leonides no que diz respeito a imaginar que a felicidade de uma mulher está ligada ao conforto e ao dinheiro. Mas vou lutar pela minha felicidade... vou, sim. Vou tirar Roger daqui e lhe dar a vida que convém a ele, em que ele não se sentirá um fracasso. Quero ele só para mim... longe deles todos... imediatamente...

Falara num tom sussurrado e acelerado, com um desespero que me espantou. Não tinha percebido o quanto estava agitada. Também não tinha percebido a avidez e a possessividade de seus sentimentos por Roger.

Isso me fez lembrar da estranha frase dita por Edith de Haviland. Ela citara a expressão "a idolatria deste lado" com uma entonação peculiar. Perguntei-me se pensava em Clemency.

Roger, ponderei, amara o pai mais do que amaria qualquer outra pessoa, mais do que a própria esposa, por mais devotado que fosse a ela. Pela primeira vez eu me dava conta da premência do desejo de Clemency de ter o marido só para si. O amor por Roger, eu entendi, dominava sua existência. Ele era seu filho, além de marido e amante.

Um carro parou diante da porta da frente.

– Veja – eu disse. – Josephine está de volta.

Josephine e Magda desceram do carro. Josephine estava de cabeça enfaixada, mas fora isso sua aparência estava ótima.

Ela disse na mesma hora:

– Quero ver o meu peixe. – E caminhou em direção a nós e ao viveiro.

– Querida – berrou Magda –, é melhor você entrar primeiro e dar uma descansada, e talvez tomar uma canja.

– Não se preocupe, mãe – disse Josephine. – Estou ótima, e odeio canja.

Magda pareceu indecisa. Eu sabia que na verdade Josephine já estava disposta para sair do hospital havia alguns dias, e que foi só por causa de uma insinuação de Taverner que ela não teve alta antes. Ele não queria arriscar a segurança de Josephine até que os suspeitos estivessem atrás das grades.

Eu disse para Magda:

– Eu diria que vai fazer bem a ela pegar um ar fresco. Vou ficar de olho nela.

Alcancei Josephine antes que ela chegasse ao viveiro.

– Aconteceu todo tipo de coisa enquanto você esteve fora – anunciei.

Josephine não respondeu. Espreitou o viveiro com seus olhos míopes.

– Não estou vendo o Ferdinand – ela disse.

– Qual é o Ferdinand?

– O que tem quatro caudas.

– Essa espécie é bem engraçada. Eu gosto daquele ali, dourado.

– Esse é bem comum.

– Não gosto muito daquele branco, roído por traças.

Josephine me lançou um olhar desdenhoso.

– É um shubunkin. Custa caro... bem mais caro do que o peixe-dourado.

– Você não quer saber o que está acontecendo, Josephine?

– Imagino que eu já saiba.

– Você sabia que foi encontrado um outro testamento e que o seu avô deixou todo o dinheiro para Sophia?

Josephine assentiu, parecendo entediada.

– Minha mãe me contou. Mas eu já sabia.

– Você quer dizer que ouviu isso no hospital?

– Não, quero dizer que eu já sabia que o meu avô tinha deixado o dinheiro para Sophia. Eu escutei quando ele contou para ela.

– Você estava escutando mais uma vez?

– Estava. Gosto de escutar.

– É uma coisa feia de se fazer, e lembre-se disso: quem escuta, de si ouve.

Josephine me olhou de um jeito esquisito.

– Eu escutei o que ele falou de mim para ela, se é disso que você está falando.

Ela acrescentou:

– A babá fica doida quando me pega ouvindo atrás da porta. Ela diz que não é uma atitude digna de uma pequena dama.

– Ela tem razão.

– Ora! – disse Josephine. – Hoje em dia mulher nenhuma é uma dama. Foi o que disseram na televisão. Falaram que é ob-so-le-to. – Ela pronunciou a palavra com muito cuidado.

Mudei de assunto.

– Você chegou meio tarde em casa, perdeu um grande acontecimento – declarei. – O inspetor-chefe Taverner prendeu Brenda e Laurence.

Esperava que Josephine, na qualidade de jovem detetive, ficasse fascinada com a informação, mas ela só repetiu, em seu estilo entediado, o qual já estava me enlouquecendo:

– É, eu sei.

– Não tem como você saber. Aconteceu agorinha mesmo.

– O carro passou por nós na estrada. O inspetor Taverner e o detetive de sapato de camurça estavam lá dentro com Brenda e Laurence, então é claro que imaginei que tivessem sido presos. Espero que tenham dado a voz de prisão direitinho. Isso é necessário, sabe?

Eu lhe garanti que Taverner agiu corretamente, de acordo com as regras.

– Tive que contar a eles sobre as cartas – eu disse, me desculpando. – Achei-as atrás da cisterna. Eu ia deixar você contar, mas nocautearam você.

Josephine pôs a mão na cabeça, cautelosa.

– Eu devia ter morrido – declarou, complacente. – Eu falei a você que estava na hora do segundo assassinato. A cisterna era um lugar péssimo para esconder as cartas. Imaginei quando vi Laurence saindo dali, um dia. Porque ele não é do tipo de homem que põe mãos à obra, que conserta torneiras, ou usa canos e fusíveis, então achei que ele estava escondendo alguma coisa.

– Mas eu achei... – Fui interrompido quando a voz de Edith de Haviland a chamou em um tom autoritário:

– Josephine, Josephine, venha aqui imediatamente.

Josephine suspirou.

– Mais preocupação – disse ela. – Mas é melhor eu ir. Não dá para não ir, sendo a tia Edith.

Ela correu pelo gramado. Segui o mesmo caminho, sem pressa.

Depois de algumas palavras trocadas, Josephine entrou em casa. Encontrei Edith de Haviland no terraço.

Naquela manhã, ela aparentava a idade que tinha. Fiquei perplexo com suas rugas de cansaço e sofrimento. Parecia exausta e derrotada. Ela percebeu a minha preocupação e tentou sorrir.

– Parece que a menina não aprendeu nada com a aventura que viveu – disse ela. – Temos que cuidar melhor dela no futuro. Porém... creio que agora não haja necessidade, certo?

Ela suspirou e prosseguiu:

– Estou contente porque acabou. Mas que exposição! Se você for preso por assassinato, tenha ao menos dignidade. Não tenho paciência para gente que nem Brenda, que desmorona e grita. Falta coragem a essa gente. Laurence Brown ficou parecendo um coelhinho acossado.

Um sentimento obscuro de compaixão me dominou.

– Pobres-diabos – eu disse.

– Sim... pobres-diabos. Acho que ela vai ter a sensatez de se cuidar, não é? Quer dizer, os advogados certos, essas coisas.

Era estranha, eu pensei, a aversão que todos ali tinham por Brenda, e o cuidado escrupuloso para que ela tivesse todas as vantagens na hora de se defender.

Edith de Haviland prosseguiu:

– Quanto tempo vai levar? Quanto tempo vai durar o processo todo?

Eu disse que não saberia precisar. Seriam acusados na corte policial e depois, supostamente, seriam submetidos a julgamento. Três ou quatro meses, estimei – e, se condenados, haveria o direito de apelação.

– Você acha que serão condenados? – ela indagou.

– Não sei. Não sei exatamente que indícios a polícia tem. Há cartas.

– Cartas de amor... Então eles *foram* amantes?

– Estavam apaixonados.

Seu rosto ficou ainda mais assustador.

– Não estou contente com isso, Charles. Não gosto de Brenda. Antigamente, eu a detestava. Falei coisas cruéis sobre ela. Mas agora... quero que ela tenha todas as chances... todas as chances possíveis. É o que Aristide iria querer. Sinto que cabe a mim providenciar isso... que Brenda receba um tratamento justo.

– E Laurence?

– Ah, Laurence! – ela deu de ombros, impaciente. – Os homens que se cuidem sozinhos. Mas Aristide jamais nos perdoaria se... – Ela não terminou a frase.

Em seguida, declarou:

– Já deve estar quase na hora do almoço. É melhor a gente entrar.

Expliquei que iria a Londres.

– Com o seu carro?

– Sim.

– Hmm. Será que você me levaria junto? Pelo que entendi, já podemos sair de casa.

– Claro que levo, mas creio que Magda e Sophia vão para lá depois do almoço. Você ficará bem mais confortável com elas do que comigo, já que no meu carro só cabem duas pessoas.

– Não quero ir com elas. Me leve junto e não fale nada sobre isto.

Fiquei surpreso, mas fiz o que ela me pediu. Não conversamos muito durante o percurso. Perguntei onde deveria deixá-la.

– Harley Street.

Senti uma ligeira apreensão, mas não quis dizer nada. Ela continuou:

– Não, está muito cedo. Me deixe em Debenhams. Posso almoçar por lá e depois ir a Harley Street.

– Espero... – comecei e parei.

– Foi por isso que não quis vir com Magda. Ela dramatiza tudo. É muito rebuliço.

– Sinto muitíssimo – eu disse.

– Não precisa sentir. Tive uma vida boa. Uma vida ótima. – Ela sorriu de repente. – E ela ainda não acabou.

CAPÍTULO 23

Fazia alguns dias que não via o meu pai. Percebi que estava ocupado com outras coisas que não o caso Leonides e saí à procura de Taverner.

Taverner aproveitava um curto período de ócio e se dispôs a sair e tomar um drinque comigo. Eu lhe dei os parabéns por solucionar o caso e ele aceitou meus cumprimentos, mas ainda assim não estava nem um pouco exultante.

– Bom, acabou – ele disse. – Temos um caso. Ninguém pode negar que temos um caso.

– Você acha que vai conseguir a condenação?

– Impossível dizer. As provas são circunstanciais... como quase sempre acontece em casos de assassinato... é inevitável. Depende muito da impressão que causarem no júri.

– Até que ponto chegam as cartas?

– À primeira vista, Charles, são bem incriminatórias. Há referências à vida que os dois teriam juntos depois que o marido dela morresse. Frases como "agora não vai demorar muito". Tenha em mente que o advogado de defesa vai tentar distorcer tudo: o marido estava tão idoso que era razoável que esperassem sua morte. Não há nenhuma menção a envenenamento... não diretamente... mas há trechos que podem querer dizer isso. Depende do juiz que tivermos. Se for o velho Carberry, ele será bem severo com eles. Ele é sempre justo em relação a amores ilícitos. Imagino que vão ter Eagles ou Humphrey Kerr na defesa... Humphrey é magistral nesses casos, mas gosta de uns registros de guerra heroicos ou algo desse gênero para ajudá-lo a cumprir seu dever. Um homem que não serviu porque era contra a guerra vai limitar seu estilo. A questão é: o júri vai gostar deles? Com júri, nunca se sabe. Aqueles dois não são exatamente simpáticos, Charles. Ela é uma mulher bonita que se casou com o velho por dinheiro, e Brown é um neurótico que se recusou a participar ativamente da guerra porque isto ia contra a sua consciência. O crime é tão familiar... tão dentro dos moldes, que é difícil acreditar que eles não sejam os culpados. Claro que podem decidir que foi ele quem o cometeu e que ela não sabia de nada, ou que foi ela e que ele não sabia de nada. Ou podem concluir que os dois agiram juntos.

– E o que você acha? – indaguei.

Ele me olhou com o rosto enfastiado, inexpressivo.

– Eu não acho nada. Peguei os fatos, entreguei-os nas mãos do Diretor de Persecuções Públicas e ficou decidido que havia um caso. Só isso. Cumpri meu dever e estou fora disso. Então agora você sabe, Charles.

Mas eu não sabia. Via que Taverner tinha alguma razão para estar infeliz.

Só três dias depois desabafei com o meu pai. Ele mesmo nunca mencionava o caso quando estava comigo. Havia uma espécie de constrangimento entre nós – e imaginei saber o motivo. Mas tinha de romper a barreira.

– Temos de discutir isso – eu disse. – Taverner não está satisfeito com a conclusão de que foram os dois... e você também não está.

Meu pai fez que não. Disse a mesma coisa que Taverner:

– Não está nas nossas mãos. Há um caso a ser resolvido. Disso não há dúvidas.

– Mas você não acha... Taverner não acha... que eles são os culpados?

– Cabe ao júri decidir.

– Pelo amor de Deus – eu disse. – Não tente me dissuadir usando termos técnicos. O que você acha... o que vocês dois acham... pessoalmente?

– Minha opinião não é melhor que a sua, Charles.

– É, sim. Você é mais experiente.

– Então vou ser franco: eu simplesmente não sei!

– É possível que eles sejam os culpados?

– Ah, sim.

– Mas você não tem certeza de que são.

Meu pai encolheu os ombros.

– Dá para ter certeza?

– Não se esquive de mim, pai. Em outros casos você tinha certeza, não tinha? Certeza absoluta? Não tinha dúvida nenhuma?

– Às vezes, sim. Nem sempre.

– Peço a Deus que desta vez você tenha certeza.

– Eu também.

Ficamos em silêncio. Estava pensando naqueles dois vultos emergindo do jardim sob o lusco-fusco. Solitários, perseguidos e temerosos. Tiveram medo desde o princípio. Não era um sinal de consciência pesada?

Mas eu mesmo respondi: "Não necessariamente". Tanto Brenda como Laurence tinham medo da vida – não confiavam em si mesmos, na capacidade de evitar riscos e derrotas, e viam, com muita clareza, o molde do amor ilícito que levava ao assassinato que a qualquer momento poderia enquadrá-los.

Meu pai falou, e sua voz era séria e bondosa:

– Ora, Charles – ele disse –, vamos encarar os fatos. Você ainda acredita, não é, que um dos membros da família Leonides é o verdadeiro culpado?

– Na verdade, não. Só me pergunto...

– Você acredita, sim. Você pode estar enganado, mas é isso o que você pensa.

– Sim – admiti.

– Por quê?

– Porque – ponderei a questão, tentando ver com clareza, organizar as ideias – porque, sim, era isso –, porque eles mesmos acham isso.

– Eles mesmos acham isso? Interessante. Muito interessante. Você quer dizer que suspeitam uns dos outros ou que sabem, na prática, quem foi o culpado?

– Não tenho certeza – declarei. – É tudo muito nebuloso e confuso. Acho que, de modo geral, eles tentam encobrir esta informação de si mesmos.

Meu pai assentiu.

– Não foi Roger – eu disse. – Roger acredita, de todo o coração, que foi Brenda e quer, de todo o coração, que ela seja enforcada. É... é um alívio estar com Roger, pois ele é simples e claro, e não tem nenhuma restrição no fundo de sua mente. Mas os outros ficam se desculpando, estão tensos... tentam me persuadir a conseguir a melhor defesa para Brenda... a conseguir todas as vantagens possíveis... Por quê?

Meu pai respondeu:

– Porque não acreditam, do fundo do coração, que ela seja a culpada... Sim, tem lógica.

Em seguida ele perguntou, em voz baixa:

– Quem *poderia* ter sido? Você falou com todos eles? Em quem você aposta?

– Não sei. E isso está me enlouquecendo. Nenhum se encaixa no seu "perfil de assassino" e no entanto eu sinto... sinto mesmo... que um deles *é* um assassino.

– Sophia?

– Não. Pelo amor de Deus, não!

– Essa possibilidade lhe passa pela cabeça, Charles... passa, sim, não negue. E com mais força ainda porque você não reconhece que pensa nisso. E quanto aos outros? Philip?

– Só se tivesse uma motivação fantástica.

– Motivações podem ser fantásticas... ou podem ser de uma insignificância absurda. Qual seria a motivação dele?

– Ele tem um ciúme terrível de Roger... sempre teve, a vida inteira. A predileção do pai por Roger fez com que Philip se retraísse. Roger estava à beira da falência e o velho ficou sabendo disso. Ele prometeu reerguer Roger. Suponhamos que Philip soube disso. Se o velho morresse naquela noite, Roger não obteria ajuda. Roger seria liquidado. Ah! Eu sei que é absurdo...

– Não, não é. É anormal, mas acontece. É humano. E quanto a Magda?

– Ela é muito infantil. Ela... ela exagera tudo. Mas eu jamais pensaria duas vezes sobre seu possível envolvimento se não fosse pela vontade repentina de mandar Josephine para a Suíça. Não tive como não imaginar que ela tinha medo de algo que Josephine sabia ou poderia dizer...

– E então Josephine levou um golpe na cabeça?

– Bem, não pode ter sido a mãe dela!

– Por que não?

– Mas, pai, uma mãe não seria...

– Charles, Charles, você nunca lê as notícias policiais? Muitas vezes, a mãe não gosta de um dos filhos. Só um... pode ser afeiçoada aos outros. Faz alguma associação, tem algum motivo, mas em geral é difícil de entender. Mas quando existe, é uma aversão cega, e é muito forte.

– Ela dizia que Josephine tinha sido trocada – admiti a contragosto.

– A menina se importava com isso?

– Acho que não.

– Quem mais? Roger?

– Roger não matou o pai. Tenho certeza.

– Deixe Roger para lá, então. A esposa dele... qual é mesmo o nome... Clemency?

– Sim – eu disse. – Se ela matou o velho Leonides, foi por um motivo bem esquisito.

Contei a conversa que tive com Clemency. Eu disse que imaginava ser possível que, devido à sua urgência de levar Roger para longe da Inglaterra, ela tivesse envenenado intencionalmente o velho.

– Ela convenceu Roger a ir embora sem contar ao pai. O velho descobriu. Ele ia ajudar a Associated Catering. Todas as esperanças e planos de Clemency seriam frustrados. Ela só se importa com Roger, de um jeito descontrolado... é mais do que idolatria.

– Você está repetindo o que Edith de Haviland disse!

– Sim. E Edith é outra de quem eu suspeito... de que tenha cometido o crime. Mas não sei o porquê. Só me resta acreditar que, se ela tivesse uma motivação que considerasse boa o bastante, ela seria capaz de fazer justiça com as próprias mãos. Ela é desse tipo.

– E ela também ficou muito aflita porque Brenda poderia não ter uma boa defesa?

– Ficou. Isto, suponho eu, pode ser peso na consciência. Acho que, se ela cometeu o crime, em nenhum momento teve o intuito de que os acusassem.

– É provável que não. Mas ela seria capaz de nocautear a menina Josephine?

– Não – eu disse devagar. – Nisso, eu não acredito. O que me faz lembrar que Josephine me falou algo que fica perturbando a minha cabeça, mas não me lembro direito o que foi. Escapou da minha mente. Mas é algo que não se encaixa. Se ao menos eu me lembrasse...

– Deixe para lá. Você vai se recordar. Você tem mais algo ou alguém em mente?

– Sim – declarei. – O que você sabe a respeito de paralisia infantil. Seus efeitos secundários sobre a personalidade de alguém, quero dizer?

– Eustace?

– Sim. Quanto mais penso nisso, mais acho que o Eustace pode se encaixar no perfil. O ódio e o rancor que tem pelo avô. Sua esquisitice e mau humor. Ele não é normal. É o único membro daquela família que eu imagino golpeando Josephine cruelmente se ela soubesse de algo a respeito dele... e é bem possível que saiba. Aquela menina sabe de tudo. Ela registra tudo num caderninho...

Calei-me.

– Meu Deus. Que burro que eu sou.

– O que houve?

– Agora eu sei onde está o erro. Nós presumimos, Taverner e eu, que a bagunça no quarto de Josephine, a busca frenética, se devia às cartas. Achei que ela tinha pegado as cartas e escondido na cisterna. Mas outro dia, quando estava conversando comigo, ela deixou bem claro que foi *Laurence* quem as escondeu ali. Ela o viu saindo da cisterna, foi bisbilhotar e achou as cartas. Então, obviamente, ela as leu. Claro que ela leria! Mas as deixou onde estavam.

– E daí?

– Você não entende? *Não eram as cartas o que alguém estava procurando no quarto de Josephine.* Devia ser outra coisa.

– E esta coisa...

– Era o caderninho preto onde ela escreve o que "descobre". Era isso o que a pessoa estava procurando! Imagino também que a pessoa que o procurou não achou. Acho que ele ainda está com Josephine. Mas se for assim...

Eu me levantei da cadeira, mas fiquei curvado.

– Se for assim – declarou o meu pai – ela ainda corre perigo. Era isto o que você ia dizer?

– Sim. Ela só estará fora de perigo quando for para a Suíça. Estão planejando mandá-la para lá, sabe?

– Ela quer ir?

Ponderei.

– Acho que não.

– Então provavelmente ainda não foi – disse meu pai, num tom seco. – Mas acho que você tem razão quanto ao perigo. É melhor você ir para lá.

– Eustace? – berrei, desesperado. – Clemency?

Meu pai disse com delicadeza:

– Na minha opinião, os fatos apontam claramente numa só direção... Me admira que você não perceba. Eu...

Glover abriu a porta.

– Perdão, sr. Charles, o telefone. A srta. Leonides está ligando de Swinly Dean. É urgente.

Pareceu-me uma repetição terrível. Será que Josephine fora vitimada outra vez? E será que desta vez o assassino não tinha cometido nenhum erro?

Corri para o telefone.

– Sophia? É Charles.

A voz de Sophia traía uma espécie de desespero severo.

– Charles, não está tudo acabado. O assassino ainda está à solta.

– Que diabos você está falando? O que houve? É a... Josephine?

– Não é Josephine. É a babá.

– *A babá*?

– Sim, havia um chocolate quente... o chocolate da Josephine, mas ela não tomou. Deixou em cima da mesa. A babá achou uma pena jogar fora. Então bebeu.

– Coitada da babá. Ela está muito mal?

A voz de Sophia tremeu.

– Ah, Charles, ela *morreu*.

CAPÍTULO 24

Tínhamos voltado ao pesadelo.

Foi o que pensei quando Taverner e eu saíamos de Londres. Era a repetição de nosso trajeto anterior.

De tempos em tempos, Taverner praguejava.

Quanto a mim, eu repetia de vez em quando, numa atitude estúpida, inútil:

– Então não foram Brenda e Laurence. Não foram eles.

Tinha de fato pensado que havia sido eles? Ficara tão contente em pensar que sim. Tão contente de fugir de outras possibilidades, bem mais sinistras...

Eles haviam se apaixonado. Tinham escrito cartas de amor ridículas e piegas um para o outro. Haviam cedido à esperança de que o marido idoso de Brenda morresse em breve, em paz, feliz – mas me perguntava se eles realmente tinham desejado a sua morte. Tinha a sensação de que as angústias e anseios de um caso amoroso infeliz lhes servia tão bem ou melhor que uma vida de casados. Não achava que Brenda fosse realmente passional. Era anêmica demais, apática demais. Era romance o que ela desejava. E pensava que Laurence também era o tipo que curtia frustrações e sonhos vagos para o futuro, e não a satisfação material da carne.

Ficaram presos numa armadilha e, apavorados, não foram capazes de encontrar a saída. Laurence, com sua burrice inacreditável, não tinha sequer destruído as cartas de Brenda. Aparentemente, Brenda destruíra as dele, já que não foram encontradas. Não foi Laurence quem equilibrara o calço de mármore sobre a porta da lavanderia. Fora outra pessoa, cujo rosto ainda estava escondido por trás da máscara.

Estacionamos na porta. Taverner desceu do carro e eu o segui. Havia um desconhecido à paisana no vestíbulo. Ele cumprimentou Taverner e Taverner o levou para um canto.

Chamou-me a atenção o monte de bagagens empilhadas no vestíbulo. Estavam etiquetadas e prontas para a partida. Enquanto eu as olhava, Clemency desceu a escada e passou por uma porta aberta do térreo. Usava o mesmo vestido vermelho com casaco de tweed e chapéu de feltro vermelho.

– Chegou a tempo de dizer adeus, Charles – ela disse.

– Vocês estão indo embora?

– Vamos para Londres esta noite. Nosso avião parte amanhã de manhã, bem cedo.

Estava tranquila e sorridente, mas achei seu olhar observador.

– Mas com certeza vocês não podem partir agora.

– Por que não? – Seu tom era ríspido.

– Com esta morte...

– A morte da babá não tem nada a ver com a gente.

– Talvez não. Mas mesmo assim...

– O que você quer dizer com "talvez não"? *Não tem* nada a ver com a gente. Roger e eu estávamos lá em cima, terminando de arrumar as malas. Nós nem descemos durante o tempo que o chocolate ficou na mesa da sala.

– Você tem provas?

– Posso responder por Roger. E Roger pode responder por mim.

– Nada além disso... Vocês são marido e mulher, lembra?

Sua cólera aumentou.

– Você é impossível, Charles! Roger e eu vamos embora cuidar de nossas próprias vidas. Por que diabos envenenaríamos uma velha ignorante e gentil, que nunca nos fez mal nenhum?

– Talvez não fosse ela a pessoa que vocês quisessem envenenar.

– Menos provável ainda que a gente tentasse envenenar uma criança.

– Depende da criança, não é?

– Do que você está falando?

– Josephine não é uma criança comum. Ela sabe muito sobre as pessoas. Ela...

Calei-me. Josephine aparecera na porta que dava para a sala de estar. Estava comendo a inevitável maçã, e sobre o círculo rosado, seus olhos brilhavam com uma espécie de prazer mórbido.

– A babá foi envenenada – anunciou ela. – Que nem o vovô. É muito empolgante, não é?

– Você não está nem um pouco chateada com isso? – indaguei, muito sério. – Você gostava dela, não gostava?

– Não muito. Ela estava sempre me repreendendo por um motivo ou outro. Ela exagerava.

– Você gosta de alguém, Josephine? – perguntou Clemency.

Josephine voltou os olhos mórbidos para Clemency.

– Amo a tia Edith – declarou. – Amo muito a tia Edith. E poderia amar Eustace, mas ele é sempre uma besta comigo e não tem interesse em descobrir quem fez tudo isso.

– É melhor você parar de descobrir as coisas, Josephine – eu disse. – Não é muito seguro.

– Não preciso descobrir mais nada – retrucou Josephine. – Eu sei.

O ambiente ficou silencioso. O olhar de Josephine, solene e alerta, fixava-se em Clemency. Um som que parecia um suspiro chegou aos meus ouvidos. Virei-me na mesma hora. Edith de Haviland estava no meio da escada – mas não achei que o suspiro fora emitido por ela. O som viera de trás da porta por onde Josephine acabara de passar.

Imediatamente, fui até a porta e a abri. Não havia ninguém ali.

Entretanto, eu estava bastante perturbado. Alguém tinha parado atrás daquela porta e escutado as palavras de Josephine. Voltei e peguei Josephine pelo braço. Ela estava comendo a maçã e olhando, impassível, para Clemency. Por trás da solenidade havia, pensei eu, certa satisfação maligna.

– Venha, Josephine – eu disse. – Precisamos ter uma conversinha.

Talvez Josephine tenha protestado, mas eu não estava disposto a tolerar bobagens. Forcei a menina a me acompanhar até a parte que lhe cabia na casa. Havia uma saleta abandonada onde poderíamos ter certeza de que não nos perturbariam. Levei-a para lá, fechei a porta com firmeza e fiz com que ela se sentasse numa cadeira. Peguei outra e arrestei-a, posicionando-a de frente para ela.

– Agora, Josephine – anunciei –, é a hora da verdade. O que você sabe, exatamente?

– Muitas coisas.

– Disso eu não tenho dúvida. Esta sua cabecinha deve estar prestes a transbordar de tantas informações relevantes e irrelevantes. Mas você sabe muito bem do que eu estou falando. Não sabe?

– É claro que sei. Eu *não sou* burra.

Eu não sabia se a ofensa era dirigida a mim ou à polícia, mas fiz ouvidos moucos e continuei:

– Você sabe quem envenenou o seu chocolate?

Josephine assentiu.

– Você sabe quem envenenou o seu avô?

Josephine assentiu de novo.

– E quem deu o golpe na sua cabeça?

Josephine assentiu mais uma vez.

– Então você vai revelar o que você sabe. Você vai me contar tudo... agora.

– Não.

– Você tem que contar. Qualquer informação que você tiver ou que vier à tona tem de ser dada à polícia.

– Não vou contar nada para a polícia. São burros. Acharam que foi Brenda... ou Laurence. Eu não fui tão burra assim. Eu sabia muito bem que não tinham sido eles. Sempre tive uma ideia de quem poderia ter sido, e então fiz meio que um teste... e agora sei que estou certa.

Ela finalizou com um tom triunfante.

Pedi aos Céus que me dessem paciência e recomecei.

– Ouça, Josephine, eu diria que você tem uma inteligência incrível... – Josephine pareceu satisfeita. – Mas não vai lhe servir de nada ser inteligente se você não estiver viva para usufruir deste fato. Será que você não vê, sua tolinha, que enquanto você guardar seus segredos desse jeito bobo sua vida estará em perigo?

Josephine assentiu, aprovando o que eu dizia.

– Claro que vejo.

– Você já escapou por pouco, duas vezes. Uma tentativa quase matou você. A outra custou a vida de outra pessoa. Será que você não percebe que enquanto ficar andando pela casa declarando em alto e bom som que você sabe quem é o assassino serão feitas mais tentativas... e que ou você vai morrer ou alguma outra pessoa?

– Em alguns livros, morre uma pessoa atrás da outra – Josephine me relatou com entusiasmo. – Você acaba sabendo quem é o assassino porque é praticamente a única pessoa que sobra.

– Isto aqui não é uma história de detetive. Isto aqui é a Três Empenas, Swinly Dean, e você é uma tolinha que leu mais do que devia. Vou fazer você falar o que sabe nem que tenha que sacudir você até os seus dentes chacoalharem.

– Sempre me resta a alternativa de mentir para você.

– Sim, mas você não vai mentir. De qualquer modo, o que você está esperando?

– Você não entende – disse Josephine. – Talvez eu nunca conte. Veja só, talvez... eu goste da pessoa.

Ela se calou, como se me desse tempo para compreender a ideia.

– E se eu contar – ela prosseguiu –, tem que ser do jeito certo. Vou reunir todo mundo em volta de uma mesa, e aí vou repassar tudo o que aconteceu... usando as pistas, e então vou dizer, de repente: "E foi *você*...".

Ela empunhou o indicador numa atitude teatral no instante em que Edith de Haviland entrou na saleta.

– Ponha o caroço na lixeira, Josephine – ordenou Edith. – Você tem lenço? Seus dedos estão melados. Vou sair com você de carro. – Seus olhos encontraram os meus de um jeito significativo enquanto dizia: – Você vai ficar mais segura fora daqui nas próximas horas. – Como Josephine ficou amotinada, Edith acrescentou: – Vamos a Longbridge para tomar um sorvete.

Os olhos de Josephine brilharam e ela retrucou:

– Dois.

– Quem sabe – disse Edith. – Agora vá pegar chapéu, casaco e o xale azul-escuro. Está frio lá fora. Charles, é melhor você acompanhá-la quando ela for pegar as coisas. Não a deixe sozinha. Só tenho que anotar algumas coisas.

Ela se sentou à mesa e escoltei Josephine até o quarto. Mesmo sem a advertência de Edith, eu ficaria grudado nela como um carrapato.

Estava convencido de que o perigo rondava a menina.

Enquanto eu terminava de supervisionar a toalete de Josephine, Sophia entrou no quarto. Ficou perplexa ao me ver.

– Ora, Charles, você virou ama? Não sabia que você estava aqui.

– Vou a Longbridge com a tia Edith – anunciou Josephine, sentindo-se importante. – Vamos tomar sorvete.

– Brrr, num dia desses?

– Sorvete é sempre bom – retrucou Josephine. – Quando você fica fria por dentro, se sente mais quente por fora.

Sophia franziu a testa. Parecia estar preocupada, e eu fiquei chocado com sua palidez e as olheiras sob os olhos.

Voltamos para a saleta. Edith estava rasurando uns envelopes. Ela se levantou rapidamente.

– Partiremos neste minuto – ela disse. – Pedi ao Evans para tirar o Ford da garagem.

Acelerou o passo até o vestíbulo. Nós a seguimos.

De novo, me chamaram a atenção as malas e suas etiquetas azuis. Por alguma razão, me incitavam um desassossego incompreensível.

– Está um belo dia – comentou Edith de Haviland, vestindo as luvas e contemplando o céu. O Ford Dez aguardava diante da casa. – Frio, mas revigorante. Um genuíno dia de outono inglês. Como são belos os galhos desfolhados das árvores contra o céu... e apenas uma ou duas folhas douradas ainda penduradas...

Ficou em silêncio por uns instantes e depois se virou e beijou Sophia.

– Tchau, querida – despediu-se. – Não fique tão preocupada. Certas coisas têm de ser encaradas e enfrentadas.

Em seguida, chamou:

– Venha, Josephine. – E entrou no carro. Josephine se sentou ao seu lado.

Ambas acenaram quando o carro partiu.

– Acho que ela tem razão, é melhor deixar Josephine fora disso por uns tempos. Mas temos de fazer a menina contar o que ela sabe, Sophia.

– É bem provável que não saiba de nada. Só está se exibindo. Ela gosta de parecer importante, entende?

– É mais do que isso. Eles sabem qual era o veneno que colocaram no chocolate?

– Acham que foi digitalina. A tia Edith toma digitalina para o coração. Tinha um frasco cheio de comprimidos no quarto dela. Agora o frasco está vazio.

– Ela devia manter esse tipo de coisa trancada.

– Foi o que ela fez. Imagino que não seja difícil alguém descobrir onde ela esconde a chave.

– Alguém? Quem? – Olhei novamente a pilha de bagagens. Declarei, de súbito, em alto e bom som: – Eles não podem ir embora. Não podem permitir que eles partam.

Sophia ficou surpresa.

– Roger e Clemency? Charles, você não acha...

– Bom, o que *você* acha?

Sophia esticou as mãos num gesto indefeso.

– Não sei, Charles – sussurrou. – Só sei que eu voltei... voltei ao pesadelo...

– Eu sei. Foram exatamente estas palavras que usei quando estava vindo para cá com Taverner.

– Porque um pesadelo é assim mesmo. Você anda no meio de pessoas conhecidas, olhando para o rosto delas... e de repente suas feições mudam... e você não as reconhece mais... é um estranho... um estranho cruel...

Ela rogou:

– Vamos lá para fora, Charles... vamos. É mais seguro lá fora... Estou com medo de ficar nesta casa...

CAPÍTULO 25

Ficamos no jardim durante um bom tempo. Por uma espécie de acordo tácito, não discutimos o horror que se abatia sobre nós. Em vez disso, Sophia falava com carinho da falecida, das coisas que tinham feito e das brincadeiras que faziam com a babá quando crianças – e histórias que a velha lhes contava sobre Roger e o pai deles e os outros irmãos e irmãs.

– Eles foram os verdadeiros filhos dela, entende? Ela só voltou para nos ajudar durante a guerra, quando a Josephine era bebê e Eustace era um menino fofinho.

Estas lembranças eram, de certo modo, um bálsamo para Sophia, e eu a incitei a falar.

Perguntava-me o que Taverner estaria fazendo. Questionando a família, imaginava eu. Um carro partiu com o fotógrafo da polícia e outros dois homens, e logo em seguida chegou uma ambulância.

Sophia estremeceu de leve. Logo depois, a ambulância partiu e soubemos que o corpo da babá havia sido levado para que o preparassem para a autópsia.

E ainda assim ficamos sentados e caminhamos pelo jardim e conversamos – as palavras se tornando cada vez mais um disfarce de nossos verdadeiros pensamentos.

Por fim, tremendo, Sophia disse:

– Deve estar tarde... está quase escurecendo. A gente tem que entrar. Tia Edith e Josephine ainda não voltaram... Elas já não deviam estar de volta a esta hora?

Uma vaga agitação despertou dentro de mim. O que teria acontecido? Será que Edith estava mantendo Josephine longe da Casa Torta de propósito?

Entramos. Sophia puxou todas as cortinas. A lareira estava acesa e a enorme sala de estar tinha uma aparência harmoniosa, com seu ar irreal de luxo decadente. Havia grandes vasos de crisântemos marrons em cima das mesas.

Magda tocou o sino e uma empregada que eu já tinha visto no segundo andar da casa serviu o chá. Estava com os olhos vermelhos e não parava de fungar. Também notei sua atitude amedrontada pela rapidez com que virava o rosto para olhar para trás.

Magda se juntou a nós, mas o chá de Philip lhe foi servido na biblioteca. O papel de Magda era a imagem congelada do luto. Falava pouco ou sequer abria a boca. Disse, uma hora:

– Onde estão a Edith e a Josephine? Já está tarde para ficarem na rua.

Mas seu comentário tinha um ar de preocupação.

Mas eu mesmo estava ficando cada vez mais inquieto. Perguntei se Taverner ainda estava na casa e Magda respondeu que imaginava que sim. Fui procurá-lo. Eu lhe disse que estava preocupado com a srta. De Haviland e a criança.

Ele pegou o telefone no mesmo instante e deu algumas instruções.

– Aviso a você assim que tiver notícias – disse ele.

Agradeci e voltei para a sala. Sophia estava com Eustace. Magda tinha ido embora.

– Ele vai nos avisar quando souber de alguma coisa – disse para Sophia.

Ela declarou em voz baixa:

– Alguma coisa aconteceu, Charles, *deve* ter acontecido alguma coisa.

– Minha querida Sophia, não está tão tarde assim.

– Por que você está incomodada com isso? – perguntou Eustace. – Elas devem ter ido ao cinema.

Ele saiu da sala, sem pressa nenhuma. Eu disse para Sophia:

– Ela pode ter levado Josephine para um hotel... ou para Londres. Acho que ela percebeu que a menina estava correndo perigo... talvez tenha percebido melhor que nós.

Sophia respondeu com uma expressão sombria que não consegui decifrar.

– Ela me deu um beijo de despedida...

Não entendi o que ela queria dizer com este comentário desconexo, ou o que queria demonstrar com ele. Indaguei se Magda estava preocupada.

– Mamãe? Não, ela está bem. Ela não tem percepção do tempo. Está lendo uma peça nova de Vavasour Jones chamada *As disposições da mulher*. É uma peça divertida sobre assassinato... um barba-azul feminino... plágio de *Arsênico e alfazema*, se você quer saber minha opinião, mas tem um bom papel feminino: uma mulher obcecada pela viuvez.

Não falei mais nada. Ficamos sentados, fingindo ler.

Eram seis e meia quando Taverner abriu a porta e entrou na sala. Sua expressão nos preparou para o que ele tinha a dizer.

Sophia se levantou.

– Sim? – ela indagou.

– Sinto muito. Tenho más notícias. Mandei um alerta geral para que achassem o carro. Um motorista declarou ter visto um Ford de placa semelhante desviando da avenida principal em Flackspur Heath... entrando na floresta.

– Não... o caminho para Flackspur Quarry?

– Sim, srta. Leonides. – Ele fez uma pausa e continuou. – O carro foi encontrado na pedreira. Ambas as passageiras faleceram. A senhorita ficará satisfeita em saber que as duas morreram imediatamente.

– Josephine! – Era Magda parada na porta. Sua voz se transformou num grito de dor. – Josephine... meu bebê.

Sophia aproximou-se e a abraçou. Eu disse:

– Esperem um minuto.

Lembrei-me de uma coisa! Edith de Haviland sentada à mesa, escrevendo umas cartas, indo até o vestíbulo com elas nas mãos.

Mas não estavam nas suas mãos quando entrou no carro.

Corri para o vestíbulo e fui até a cômoda de carvalho. Achei as cartas – discretamente empurradas até o fundo, escondidas atrás de uma lata de chá.

A primeira era endereçada ao inspetor-chefe Taverner.

Taverner havia me seguido. Entreguei-lhe a carta e ele rasgou o envelope. Parado ao seu lado, li seu breve conteúdo.

Minha expectativa é de que esta carta seja aberta após minha morte. Não desejo entrar em detalhes, mas assumo toda a responsabilidade pelas mortes do meu cunhado, Aristide Leonides, e de Janet Rowe (babá). Por meio desta, declaro formalmente que Brenda Leonides e Laurence Brown são inocentes do assassinato de Aristide Leonides. Perguntas ao dr. Michael Chavasse, Harley Street, 783, confirmarão que minha vida só poderia ser prolongada por mais alguns meses. Prefiro tomar esta rota de saída e poupar dois inocentes da provação de serem acusados de um assassinato que não cometeram. Estou em meu perfeito juízo e plenamente consciente do que escrevo.

Edith Elfrida de Haviland.

Quando terminei de ler a carta percebi que Sophia também a lera – se foi com a concordância de Taverner ou não, eu não sabia.

– *Tia Edith...* – murmurou Sophia.

Recordei-me do pé brutal de Edith de Haviland esmagando uma trepadeira contra o solo. Lembrei-me das suspeitas iniciais, quase fantasiosas, que tive em relação a ela. Mas por que...

Sophia articulou o que me passava pela cabeça antes que eu pudesse fazê-lo.

– Mas por que Josephine? Por que ela levou a Josephine junto com ela?

– Por que ela fez isso tudo? – eu queria saber. – Qual era a motivação dela?

Mas no instante em que fiz estas perguntas, me dei conta da verdade. Vi tudo claramente. Percebi que ainda tinha a segunda carta na mão. Olhei para baixo e vi meu próprio nome escrito nela.

O envelope era mais espesso e duro que o outro. Acho que eu soube o que havia ali dentro antes de abri-lo. Rasguei o envelope e o caderninho preto de Josephine caiu de dentro dele. Peguei-o do chão – ele se abriu na minha mão e vi a anotação da primeira folha...

Parecendo vir de muito longe, ouvi a voz de Sophia, nítida e controlada.

– Entendemos tudo errado – ela declarou. – Não foi a Edith.

– Não – concordei.

Sophia se aproximou de mim – ela sussurrou:

– Foi... Josephine... não foi? É isso, foi Josephine.

Juntos, olhamos a primeira anotação do caderninho preto, escrito por uma mão infantil: "Hoje matei meu avô".

CAPÍTULO 26

I

Mais tarde, me admiraria da forte cegueira que me acometera. A verdade estivera visível o tempo todo. Josephine, e somente Josephine, encaixava-se em todas as características necessárias. A vaidade, a presunção tenaz, o prazer de falar, a reiteração de como *ela* era inteligente e a polícia era burra.

Nunca cogitei que fosse ela porque se tratava de uma criança. Mas crianças cometem assassinatos, e este assassinato, em particular, estava dentro das possibilidades de uma criança. O próprio avô tinha revelado o método exato – tinha praticamente lhe entregado o plano já traçado. Só o que precisava fazer era evitar que deixasse digitais e até um conhecimento raso de histórias fictícias de detetives lhe ensinaria isso. E o resto foi uma mera mistura de elementos retirados a esmo de histórias de suspense triviais. O caderninho – a investigação – suas suspeitas dissimuladas, a teimosia em dizer que não ia contar até que tivesse certeza...

E finalmente o ataque contra ela mesma. Uma atuação quase inacreditável, considerando-se que poderia facilmente ter se matado. Contudo, numa atitude pueril, ela jamais imaginou esta possibilidade. Ela era a heroína. A heroína não morre. No entanto, ali havia uma pista – os rastros de terra no assento da cadeira velha da lavanderia. Josephine era a única pessoa que teria de subir na cadeira para equilibrar o bloco de mármore sobre a porta. Era óbvio que ela tinha errado mais de uma vez, a mossa no assoalho, e, com muita paciência, ela subia na cadeira de novo e reposicionava o bloco, manejando-o com o cachecol para evitar as digitais. E depois o mármore caiu, e ela escapou por pouco da morte.

Era a armação perfeita – a impressão que ela queria passar! Ela corria perigo, ela "sabia de alguma coisa", ela foi golpeada!

Vi como ela chamara a minha atenção para a sua presença na cisterna. E completou a bagunça artística de seu quarto antes de ir para a lavanderia.

Mas quando voltou do hospital, quando soube que Brenda e Laurence tinham sido presos, deve ter ficado insatisfeita. O caso estava encerrado e ela – Josephine – não estava mais na ribalta.

Portanto, roubou a digitalina do quarto de Edith, a pôs no próprio copo de chocolate e deixou o copo, intocado, na mesa do vestíbulo.

Será que sabia que a babá o beberia? É possível. Pelo que dissera naquela manhã, se ressentia das críticas que a babá lhe fazia. Teria a babá, talvez, experiente devido a uma vida inteira cuidando de crianças, desconfiado? Acho que a babá sabia, sempre soubera, que Josephine não era normal. Seu desenvolvimento mental precoce era acompanhado por um senso moral retardado. Talvez, também, os diversos fatores da hereditariedade – o que Sophia chamara de "brutalidade da família" – tenham se encontrado.

Ela tinha a brutalidade autoritária da família da avó e o egoísmo brutal de Magda, enxergando apenas seu próprio ponto de vista. Também se pode presumir que tenha sofrido, sensível como Philip, do estigma de ser a repulsiva – a criança trocada – da família. Por fim, em suas veias corria o sangue torto do velho Leonides. Era neta de Leonides, parecia-se com ele em termos de inteligência e esperteza – mas enquanto o amor dele era distribuído entre a família e os amigos, o dela era internalizado.

Imaginei que o velho Leonides tinha percebido o que ninguém mais naquela família viu: que Josephine poderia ser um perigo para os outros e para si própria. Ele a afastara da vida escolar porque tinha medo do que ela poderia fazer. Ele a colocou numa redoma, e conservou-a dentro da casa, e agora eu compreendia sua insistência para que Sophia cuidasse de Josephine.

A súbita decisão de Magda de mandar Josephine para o exterior – será que isto também se devia ao temor que tinha pela criança? Não, talvez, um temor consciente, mas um instinto materno indefinido.

E Edith de Haviland? Teria primeiro suspeitado, depois temido – e por fim sabido?

Olhei para a carta na minha mão.

Caro Charles. Esta carta é confidencial e dirigida apenas a você – e a Sophia, se assim desejar. É fundamental que alguém saiba a verdade. Achei o objeto em anexo no canil abandonado, junto à porta dos fundos. Ela o guardava lá. Confirma o que eu já suspeitava. A atitude que estou prestes a tomar pode ser certa ou errada – não sei. Mas a minha vida, de qualquer forma, já está chegando ao fim, e não quero que a menina sofra como acredito que sofreria se fosse obrigada a prestar contas à justiça terrena do que fez.
Muitas vezes há um no meio da ninhada que "não bate muito bem."
Se eu estiver enganada, que Deus me perdoe – mas fiz o que fiz por amor. Deus abençoe vocês dois.

Edith de Haviland.

Hesitei por um instante e entreguei a carta a Sophia. Juntos, abrimos mais uma vez o caderninho preto de Josephine.

Hoje matei meu avô.

Viramos as páginas. Era uma obra incrível. Interessante, imagino eu, para um psicólogo. Demonstrava, com uma clareza terrível, a fúria do egoísmo contrariado. O motivo do crime foi registrado, tão infantil e inadequado que dava pena.

O vovô não me deixou aprender a dançar balé então decidi que ia matar ele. Aí vamos morar em Londres e mamãe não liga se eu fizer balé.

Só revelarei alguns trechos. Todos são relevantes.

Não quero ir para a Suíça – não vou. Se mamãe me obrigar vou matar ela também – só que não consegui mais veneno. Talvez dê para usar mamonas. São venenosas, foi o que disse o livro.
Eustace me deixou muito chateada hoje. Ele diz que sou uma menina e que não sirvo para nada e que meu trabalho de detetive é bobo. Ele não me acharia boba se soubesse que fui eu que cometi o assassinato.
Gosto do Charles – mas ele é muito burro. Ainda não resolvi quem eu vou dizer que cometeu o crime. Talvez Brenda e Laurence – a

Brenda é ruim comigo – ela fala que não bato bem, mas eu gosto do Laurence – ele me falou da Charlot Korday – ela matou alguém no banho. Ela não foi muito esperta no crime.

A última anotação era reveladora.

Odeio a babá... Odeio ela... Odeio ela... Ela diz que eu não passo de uma garotinha. Ela diz que eu fico me exibindo. Ela está fazendo a minha mãe me mandar para o exterior... Vou matar ela também – acho que o remédio da tia Edith vai dar conta. Se acontecer outro assassinato, a polícia vai voltar e vai ser divertido outra vez.
A babá morreu. Estou contente. Ainda não resolvi onde vou esconder o frasco com os comprimidinhos. Talvez no quarto da tia Clemency – ou do Eustace. Quando eu estiver velha e morrer, vou deixar isto endereçado ao chefe de polícia e eles vão ver que criminosa esperta eu fui.

Fechei o caderno. As lágrimas de Sophia derramavam-se em torrentes.

– Ah, Charles... ah, Charles... é horrível. Ela é um monstrinho... e no entanto... no entanto é tão patético.

Eu sentia a mesma coisa.

Eu gostava de Josephine e ainda sentia afeição por ela. Não se gosta menos de uma pessoa porque ela tem tuberculose ou outra doença mortal. Josephine era, como dissera Sophia, um monstrinho, mas era um monstrinho patético. Nascera com um defeito – a criança torta da Casinha Torta.

Sophia indagou.

– Se... ela tivesse sobrevivido... o que aconteceria?

– Imagino que teria sido mandada para o reformatório ou para uma escola especial. Mais tarde, seria solta... ou talvez a declarassem insana. Não sei.

Sophia deu de ombros.

– Foi melhor assim. Mas a tia Edith... Não gosto de pensar que ela vai levar a culpa.

– Foi ela que escolheu. Acho que não vão tornar isso público. Imagino que quando Brenda e Laurence forem levados a julgamento, não haverá nenhuma acusação contra eles e eles serão soltos. E você, Sophia – eu disse, desta vez num tom diferente, segurando suas duas mãos –, vai se casar comigo. Acabei de saber que fui transferido para a Pérsia. Iremos juntos, e você se esquecerá da Casa Torta. Sua mãe pode encenar mais peças e seu pai pode comprar mais livros e Eustace logo irá para a universidade. Não se preocupe mais com eles. Pense em mim.

Sophia olhou bem no fundo dos meus olhos.

– Você não tem medo, Charles, de se casar comigo?

– Por que eu teria? Tudo o que há de pior na família se juntou na pobre coitada da Josephine. Sophia, acredito plenamente que o que há de mais corajoso e de melhor na família Leonides foi herdado por você. Seu avô tinha você em alta conta, e ao que parece ele em geral tinha razão. Levante a cabeça, minha querida. O futuro é nosso.

– Sim, Charles. Eu te amo e vou casar com você e fazê-lo feliz. – Ela olhou para o caderninho. – Pobre Josephine.

– Pobre Josephine – repeti.

II

– Qual é a verdade nesta história, Charles? – perguntou o meu pai.

Nunca minto para o Velho.

– Não foi Edith de Haviland, senhor – declarei. – Foi Josephine.

Meu pai assentiu amavelmente.

– Sim – ele disse. – Já fazia um tempo que eu imaginava. Pobre menina...

SOBRE A AUTORA

Agatha Christie (1890-1976) é a autora mais publicada de todos os tempos, superada apenas por Shakespeare e pela Bíblia. Em uma carreira que durou mais de cinquenta anos, escreveu 66 romances de mistério, 163 contos, dezenove peças, uma série de poemas, dois livros autobiográficos, além de seis romances sob o pseudônimo de Mary Westmacott. Dois dos personagens que criou, o engenhoso detetive belga Hercule Poirot e a irrepreensível e implacável Miss Jane Marple, tornaram-se mundialmente famosos. Os livros da autora venderam mais de dois bilhões de exemplares em inglês, e sua obra foi traduzida para mais de cinquenta línguas. Grande parte da sua produção literária foi adaptada com sucesso para o teatro, o cinema e a tevê. *A ratoeira*, de sua autoria, é a peça que mais tempo ficou em cartaz, desde sua estreia, em Londres, em 1952. A autora colecionou diversos prêmios ainda em vida, e sua obra conquistou uma imensa legião de fãs. Ela é a única escritora de mistério a alcançar também fama internacional como dramaturga e foi a primeira pessoa a ser homenageada com o Grandmaster Award, em 1954, concedido pela prestigiosa associação Mystery Writers of America. Em 1971, recebeu o título de Dama da Ordem do Império Britânico.

Agatha Mary Clarissa Miller nasceu em 15 de setembro de 1890 em Torquay, Inglaterra. Seu pai, Frederick, era um americano extrovertido que trabalhava como corretor da Bolsa, e sua mãe, Clara, era uma inglesa tímida. Agatha, a caçula de três irmãos, estudou basicamente em casa, com tutores. Também teve aulas de canto e piano, mas devido ao temperamento introvertido não seguiu carreira artística. O pai de Agatha morreu quando ela tinha onze anos, o que a aproximou da mãe, com quem fez várias viagens. A paixão por conhecer o mundo acompanharia a escritora até o final da vida.

Em 1912, Agatha conheceu Archibald Christie, seu primeiro esposo, um aviador. Eles se casaram na véspera do Natal de 1914 e tiveram uma única filha, Rosalind, em 1919. A carreira literária de Agatha – uma fã dos livros de suspense do escritor inglês Graham Greene – começou depois que sua irmã a desafiou a escrever um romance. Passaram-se alguns anos até que o primeiro livro da escritora fosse publicado. *O misterioso caso de Styles* (1920), escrito próximo ao fim da Primeira Guerra Mundial, teve uma boa acolhida da crítica. Nesse romance aconteceu a primeira aparição de Hercule Poirot, o detetive que estava destinado a se tornar o personagem mais popular da ficção policial desde Sherlock Holmes. Protagonista de 33 romances e mais de cinquenta contos da autora, o detetive belga foi o único personagem a ter o obituário publicado pelo *The New York Times*.

Em 1926, dois acontecimentos marcaram a vida de Agatha Christie: a sua mãe morreu, e Archie a deixou por outra mulher. É dessa época também um dos fatos mais nebulosos da biografia da autora: logo depois da separação, ela ficou desaparecida durante onze dias. Entre as hipóteses figuram um surto de amnésia, um choque nervoso e até uma grande jogada publicitária. Também em 1926, a autora escreveu sua obra-prima, *O assassinato de Roger Ackroyd*. Este foi seu primeiro livro a ser adaptado para o teatro – sob o nome *Álibi* – e a fazer um estrondoso sucesso nos teatros ingleses. Em 1927, Miss Marple estreou como personagem no conto "The Tuesday Night Club".

Em uma de suas viagens ao Oriente Médio, Agatha conheceu o arqueólogo Max Mallowan, com quem se casou em 1930. A escritora passou a acompanhar o marido em expedições arqueológicas e nessas viagens colheu material para seus livros, muitas vezes ambientados em cenários exóticos. Após uma carreira de sucesso, Agatha Christie morreu em 12 de janeiro de 1976.